# FRIEDRICH
# NIETZSCHE

Dados Internacionais de Catalogação na Publicação (CIP)
(Câmara Brasileira do Livro, SP, Brasil)

Janz, Curt Paul
  Friedrich Nietzsche : uma biografia, volume I : infância, juventude, os anos em Basileia / Curt Paul Janz ; tradução de Markus A. Hediger. – Petrópolis, RJ : Vozes, 2016.

  Título original : Friedrich Nietzsche : Biographie : Kindheit : Jugend : Die Basler Jahre.
  Bibliografia

  1ª reimpressão, 2022.

  ISBN 978-85-326-5050-4

  1. Filosofia – História  2. Filósofos – Biografia  3. Nietzsche, Friedrich Wilhelm, 1844-1900  I. Título.  II. Série.

15-04410                                                          CDD-190

Índices para catálogo sistemático:
1. Filósofos : Biografia e obra    190

CURT PAUL JANZ

# FRIEDRICH NIETZSCHE
— Uma biografia —

VOLUME I:
INFÂNCIA, JUVENTUDE, OS ANOS EM BASILEIA

TRADUÇÃO DE MARKUS A. HEDIGER

EDITORA VOZES

Petrópolis

© 1978, 1993, Carl Hanser Verlag. München, Wien

Tradução realizada a partir do original em alemão intitulado
*Friedrich Nietzsche – Biographie (Band I) by Curt Paul Janz*

Direitos de publicação em língua portuguesa – Brasil:
2015, Editora Vozes Ltda.
Rua Frei Luís, 100
25689-900  Petrópolis, RJ
www.vozes.com.br
Brasil

Todos os direitos reservados. Nenhuma parte desta obra poderá ser reproduzida ou transmitida por qualquer forma e/ou quaisquer meios (eletrônico ou mecânico, incluindo fotocópia e gravação) ou arquivada em qualquer sistema ou banco de dados sem permissão escrita da editora.

## CONSELHO EDITORIAL

**Diretor**
Gilberto Gonçalves Garcia

**Editores**
Aline dos Santos Carneiro
Edrian Josué Pasini
Marilac Loraine Oleniki
Welder Lancieri Marchini

**Conselheiros**
Francisco Morás
Ludovico Garmus
Teobaldo Heidemann
Volney J. Berkenbrock

**Secretário executivo**
Leonardo A.R.T. dos Santos

*Editoração*: Fernando Sergio Olivetti da Rocha
*Diagramação*: Sheilandre Desenv. Gráfico
*Capa*: Ygor Moretti
*Ilustração de capa*: pixabay

ISBN 978-85-326-5050-4 (Brasil)
ISBN 5-86150-315-8 (Alemanha)

Este livro foi composto e impresso pela Editora Vozes Ltda.

# Sumário

*Prefácio à edição brasileira*, 7

*Prefácio*, 11

*Prefácio à segunda edição*, 19

**Primeira parte – Infância e juventude, 21**

Prefácio (Richard Blunck), 23

I – Os ancestrais, 27

II – A casa paterna e a primeira escola, 37

III – Pforta, 61

IV – O primeiro passo, 74

V – O fim do período escolar, 93

VI – O "francono" de Bonn, 115

VII – Os dois primeiros anos em Leipzig, 145

VIII – Serviço militar e fim dos estudos, 184

**Segunda parte – Os dez anos em Basileia (19 de abril de 1869 a 2 de maio de 1879), 225**

I – O novo ambiente, 227

II – A "ilha dos bem-aventurados", 238

III – O círculo de colegas em Basileia, 248

IV – Os três primeiros semestres em Basileia (abril de 1869 a agosto de 1870), 265

V – O novo companheiro, 288

VI – A experiência da guerra (1870), 293

VII – O retorno (outubro de 1870 a março de 1871), 306

VIII – A candidatura fracassada à docência de filosofia, 319

IX – O ano do "nascimento da tragédia" (1871), 328

X – A virada decisiva (1872), 355

XI – Os primeiros passos no novo espaço (o semestre de inverno de 1872/1873), 394

XII – A tentativa de uma síntese, 409

XIII – A primeira consideração extemporânea, 423

XIV – A segunda consideração extemporânea (final de 1873 até o verão de 1874), 437

XV – A doença inicia seu regimento (agosto de 1874 a agosto de 1875), 465

XVI – No lar próprio, 491

XVII – No espelho de novas amizades, 501

XVIII – Despedida de Bayreuth (1876), 550

XIX – O ano de férias (outubro de 1876 a setembro de 1877), 575

XX – A última tentativa com a docência (meados de outubro de 1877 ao início de maio de 1879), 619

# Prefácio à edição brasileira

*Oswaldo Giacoia Junior*

O músico suíço Curt Paul Janz (1911-2011) interessou-se pela obra filosófica e musical de Friedrich Nietzsche no caminho de sua intensa e profunda ocupação com a música de Richard Wagner. Em 1959, começou seu trabalho histórico e crítico-filológico com os manuscritos de Nietzsche no Nietzsche-Archiv de Weimar. Cabe lembrar que, desde 1945, em virtude dos acontecimentos ligados à apropriação ideológica da obra de Nietzsche pelo nacional-socialismo, os manuscritos do filósofo só eram acessíveis sob condições muito especiais, as mesmas que perduraram durante boa parte dos trabalhos realizados por Giorgio Colli e Mazzino Montinari, com vistas à publicação daquela que passou a ser a edição crítica de referência dos escritos completos de Nietzsche.

Pouco antes desse período, Richard Blunck havia projetado e dado início ao que considerava como a primeira biografia científica completa do filósofo. Depois da morte de Blunck, ocorrida em 1962, Curt Paul Janz assumiu o projeto por ele iniciado e deu-lhe acabamento. O resultado veio a público em 1978, em Munique, com a primeira edição do hoje já clássico: *Nietzsche: biographie*, em 3 volumes. Dois anos antes, em 1976, Janz publicara *Friedrich Nietzsche – Musikalisches Nachlass (Friedrich Nietzsche – Espólio musical*), no qual organizou, segundo critérios editorialmente sólidos, as partituras musicais de autoria de Nietzsche. Em 1979, Janz recebeu da Universidade da Basileia, na qual Nietzsche foi catedrático de Filologia Clássica, o título de *Doutor Honoris Causa*, justamente com base em seu trabalho científico exemplar sobre a vida e a obra do autor de *Assim falou Zaratustra*.

A biografia de autoria de Curt Paul Janz é uma das mais completas até hoje empreendidas. Ela segue um plano de composição que harmoniza extensão e profundidade, profusão de informações interessantes e rigor da análise hermenêutica. O primeiro volume é composto com base no minucioso trabalho historiográfico de

Richard Blunck, tendo por objeto a primeira infância e juventude do filósofo, que havia sido publicado pela primeira vez em 1953, por Ernst Reinhart Verlag (Munique e Basileia).

Nesse volume, o leitor tem acesso à reconstituição do ambiente familiar vivido na residência pastoral de Röcken, em cujo cemitério o filósofo está sepultado, ao lado de seus familiares, bem como ao relato das primeiras relações humanas formadoras, aos traços mais expressivos das pessoas com quem desde cedo Nietzsche conviveu, às alegrias e traumas infantis, seus estudos, suas primeiras composições literárias, mas também à sua formação escolar e mesmo aos dados relativos ao serviço militar.

A partir do segundo volume o leitor acompanha, em sequência cronológica, com notável riqueza de detalhes historiográficos, os caminhos ao longo dos quais se forma a obra de Nietzsche, par e passo com os encontros e desencontros pessoais de seu autor, suas exaltações e depressões, sucessos e fracassos, amores e ódios: a estadia no exigente e aristocrático Instituto Humanista de Schulpforta, os anos iniciais da universidade como estudante de Teologia e Filologia, as publicações filológicas eruditas, a obtenção da Cátedra de Filologia Clássica em Basileia, com pouco mais de vinte e quatro anos, o calvário da enfermidade, a polêmica em torno de *O nascimento da tragédia*, o desencanto com a academia, a renúncia à carreira acadêmica, a vida nômade e sofrida, a gestação da obra de maturidade, os conflitos, as agruras, as crises e convalescenças, as "mudanças de pele" e superações, tendo como base, além da obra publicada (ou autorizada à publicação), espólio filosófico e o epistolário do filósofo-poeta.

Como músico profissional, filólogo e historiador por afinidade eletiva, e editor criterioso, Janz conhece de perto também o conjunto inteiro da produção musical de Nietzsche, e faz justiça à veia artística de seu pensamento, estudando com paciência e escrutínio o relacionamento ambivalente com Richard Wagner, com os outros músicos com os quais Nietzsche se relacionou, com os quais dialogou a respeito da significação metafísica e existencial da música. Janz também é beneficiário tanto da edição Colli/Montinari dos escritos completos de Nietzsche quanto do anuário *Nietzsche-Studien*; sua biografia é apoiada ainda numa longa experiência pessoal com os manuscritos do filósofo. Isso transparece em cada momento da biografia, também, e particularmente, no extenso terceiro volume, quase todo ele ocupado pela circunstância da descrição dos meandros da doença, até o colapso mental em Turim, que privou o filósofo da razão até sua morte.

Com a tradução e publicação desta biografia, a Editora Vozes confirma sua tradição de rigorosa seletividade na escolha e tratamento de seus originais, bem como o cuidado e preocupação em publicar trabalhos que consubstanciem uma contribuição atual e relevante para o mundo acadêmico-científico, sem descurar da preocupação com a difusão mais ampla de bens culturais de superior qualidade. E, a esse respeito, cabe notar o esmero na confecção da presente edição, que oferece aos leitores vários recursos úteis, sempre seguindo os padrões científicos mais exigentes, como, por exemplo, a numeração das fontes utilizadas, a remissão às mesmas ao longo do texto, e sua sistematização completa no final do terceiro volume. Um índice analítico exaustivo é acrescentado no final da obra, e contempla todas as remissões feitas ao longo dos três volumes; por certo, tais recursos são importantes facilitadores e funcionam como guias para a leitura.

Sem risco de exagero, pode-se afirmar que a biografia de Curt Paul Janz condensa o essencial da vida e da obra de Nietzsche e contribui notavelmente para sua compreensão. Pela relevância dessa contribuição, ela interessará não apenas a filósofos, mas a todos aqueles que verdadeiramente se interessam pelos laços que interligam as formações sociais, as ciências e as artes – isto é, que são concernidos pelo complexo tecido formado pelas relações entre o tempo histórico no qual emerge uma obra filosófica, as vicissitudes e urgências a que essa obra responde, as instituições e circuitos nos quais é produzida, sua inserção, enfim, no conjunto das esferas simbólicas da sociedade, que é o horizonte próprio para a compreensão de seu sentido.

# Prefácio

*Habent sua fata libelli*[19]. Esse antigo provérbio se aplica no mínimo à gênese do trabalho presente. Em 1934, com a publicação do primeiro tomo das obras[2], e em 1938, com a publicação do primeiro volume de correspondência[8] da *Historisch-kritische Gesamtausgabe der Werke und Briefe Friedrich Nietzsches* (Edição histórico-crítica completa das obras e cartas de Friedrich Nietzsche), a pesquisa nietzscheana finalmente aplicou o método da filologia clássica – há muito testado e comprovado – também ao espólio de Nietzsche. A primeira consequência disso foi que a imagem de Nietzsche, elaborada com muita imaginação e irrealismo bem-intencionado pela irmã do filósofo, Elisabeth Förster-Nietzsche, não persistiu. Na época, a filosofia de Nietzsche tinha sido distorcida de modo fatal por interesses políticos e usada para todos os tipos de abuso, mas a pesquisa não vacilou e continuou a trabalhar em silêncio.

Um dos pilares sobre os quais essa imagem de Nietzsche se erguera era a biografia escrita pela irmã[86]. É justamente esta que a pesquisa de Richard Blunck toma como ponto de partida. Blunck examinou as fontes antigas e explorou outras, novas. Como afirma em seu prefácio a uma biografia de Nietzsche completamente revisada, em 1945 o trabalho estava essencialmente completado. No caos da guerra, porém, a obra já impressa foi destruída. Isso deu a Blunck a oportunidade de recomeçar. A nova situação política e o acesso mais fácil às fontes eram motivo suficiente para fazê-lo, e ele aproveitou a oportunidade.

Blunck pretendia dividir sua biografia de Nietzsche em três volumes, e o primeiro destes foi publicado em 1953*. Ele abarca os anos da juventude e dos estudos de Nietzsche até o início de sua carreira profissional. Blunck prometeu que os próximos volumes seguiriam em breve. No entanto, o autor passou a questionar cada vez mais a sua própria obra. Queria e precisava incluir ainda mais fontes, materiais ainda mais recentes. Em 1958, demos início à nossa correspondência. Blunck se

---

\* Na editora de Ernst Reinhardt, Munique/Basileia.

interessou pelo fato de eu morar tão próximo aos arquivos dos manuscritos da biblioteca universitária de Basileia. Expressou o desejo de fazer uma visita à Basileia. Em 1959, quando viajei pela primeira vez para Weimar por ocasião da publicação do espólio musical de Nietzsche[125], ele me encarregou com a realização de algumas pesquisas. Assim, tive contato também com os esboços e as cartas manuscritas de Nietzsche, aos quais tive acesso irrestrito no "Goethe- und Schiller Archiv" (Arquivo de Goethe e Schiller) – onde hoje se encontra o acervo completo de manuscritos do antigo arquivo nietzscheano de Weimar.

O segundo volume não chegou a ser publicado. Richard Blunck, que há anos vinha sofrendo de uma insuficiência cardíaca, morreu em 18 de setembro de 1962 aos 60 anos de idade após sofrer um infarto agudo.

Karl Schlechta reagiu com rapidez e determinação, empenhando-se para que o trabalho de Blunck não se perdesse. Recebeu das mãos dos executores testamentários de Blunck todo seu material manuscrito, que consistia principalmente de 21 cadernos com anotações em letra miúda. Mas a decepção foi grande quando Schlechta descobriu que Blunck havia estenografado tudo no sistema Roller, que, há muito, não era mais usado. No entanto, Karl Schlechta conseguiu encontrar em Darmstadt um especialista em sistemas raros: Hans Karpenstein se prontificou a se familiarizar com o sistema de Roller e a transpô-lo para a grafia normal. Schlechta obteve uma pequena quantia de uma fundação industrial para esse fim. Então, procurou um docente jovem no âmbito da germanística e das faculdades filosóficas com disposição e tempo para editar as anotações de Blunck e publicar os volumes dois e três de sua obra. Após alguns esforços malogrados, Schlechta conversou comigo, e eu me dispus a realizar esse trabalho no contexto da minha edição do espólio musical. Calculamos que eu precisaria de dois anos. E novamente Karl Schlechta conseguiu despertar o interesse da comunidade de pesquisa alemã para o seu plano e obter uma bolsa para o nosso trabalho. O projeto foi consignado ao instituto de filosofia da *Technische Hochschule* em Darmstadt, cuja diretoria era ocupada por Karl Schlechta. Acordou-se que eu seria o responsável pela execução do projeto, que consistia em processar os manuscritos de Blunck e completá-los onde necessário.

A transposição dos cadernos de Blunck para a grafia comum rendeu outra grande decepção; continha apenas citações e referências bibliográficas; não havia nela *uma única* linha de texto para a continuação dos volumes dois e três. O trabalho em si precisava ser retomado desde o início. As citações continham pouquíssimas fontes inéditas. As referências bibliográficas, porém, eram valiosas.

Blunck vivera em Neumünster. Lá, não tivera à sua disposição uma biblioteca adequada para suas pesquisas, por isso se vira obrigado a recorrer a Hamburgo. Para ter os textos à mão, teve que copiá-los. O *Staatsarchiv Basel-Stadt* (Arquivo estatal da cidade de Basileia), porém, e a biblioteca universitária de Basileia – inclusive seu arquivo de manuscritos – dispunham da maioria das fontes mencionadas por Blunck e de muitas outras, de modo que pude recorrer diretamente a elas. Isso resultou em mais uma decepção. O sistema estenográfico de Roller não é obrigado a reproduzir os valores fonéticos com exatidão. Ao comparar as transcrições com os originais disponíveis percebi alguns equívocos bastante graves. Suspeitei que isso se aplicasse também ao primeiro volume já publicado, e alguns testes comprovaram minha suspeita. Quase todas as citações apresentavam erros: nomes com ortografia errada, datas incorretas, referências parcialmente inexatas, outras faltavam de tudo. Assim, o trabalho sofreu outro revés, obrigando-me a rever a crítica textual do primeiro volume, quando o foco da minha missão devia estar voltado para os volumes dois e três.

O estado do primeiro volume me deu a oportunidade de fazer uma revisão essencial. Na época em que Blunck redigira a biografia, pouco se sabia sobre a extensão e o conteúdo do espólio musical de Nietzsche, que lança luz especialmente sobre os anos em Pforta e seu ano de estudos em Bonn. Os conhecimentos obtidos precisavam ser incluídos. O volume publicado por Blunck sobre "os anos da juventude e de estudos" representa, portanto, a primeira parte da nossa biografia em sua forma ampliada, sendo que o texto de Richard Blunck permaneceu praticamente inalterado.

Tive que encontrar um novo método de organização para a continuação sem perder o vínculo com o início. Isso suscitou problemas particulares[120]. No que diz respeito à organização formal, desisti da ruptura prevista por Blunck após o "Zaratustra" (1883) e optei por uma segmentação derivada exclusivamente dos eventos biográficos, das rupturas evidentes na vida de Nietzsche: A segunda parte abarca os dez anos de sua docência em Basileia; a terceira, os dez anos como filósofo autônomo; e a quarta, os onze anos desde sua morte espiritual até sua morte física.

A metodologia visa, em uma exploração mais abrangente e ampliada das fontes, à maior independência possível referente a representações existentes. Em termos mais específicos, a obra não deveria se transformar em uma crítica da grande biografia escrita pela irmã de Nietzsche. Isso acontece apenas em poucas passagens, onde foi impossível evitá-la. Outro distanciamento, porém, teve que ser mantido a todo custo: eu não podia me aventurar numa interpretação ou avaliação filosófica da obra de Nietzsche. Não devia ultrapassar os limites de uma biografia no sentido mais restrito e me permitiria avançar até o limite extremo apenas para apontar os pontos de contato e transição, que poderiam servir como ponto de partida para desbravar outras regiões. Evidentemente, é grande a tentação de arriscar um tratamento filosófico diante de uma ocupação tão intensiva com Nietzsche. Peço clemência para os casos em que o autor pecou nesse quesito e que o leitor não dê importância excessiva a isso. Delicada permanece a identificação do ponto em que a tentativa de uma *representação* da obra como mera exposição já passa a ser interpretação, o que não corresponderia à minha intenção.

Dentro do âmbito histórico-biográfico, tive que estar atento ao perigo de não reduzir a década de 1880 a um mero prontuário médico. Em vez disso, aproveitei a oportunidade para ampliar a visão dos vínculos de Nietzsche com o seu tempo. Todas as pessoas que tiveram algum significado em sua vida, seja esporadicamente, seja ao longo de períodos mais extensos, não deveriam permanecer meros nomes, mas transformar-se em personagens vivas, palpáveis para o leitor. Tentei alcançar isso por meio de excursos, que se estendem desde notas de rodapé a capítulos inteiros.

Pretendo retratar também as correntes espirituais e políticas do tempo, contanto que sejam relevantes para a compreensão de Nietzsche, como também o "ambiente" no sentido mais amplo (p. ex., nas passagens sobre "Basileia" ou "Tribschen" etc.).

O que a biografia dos anos tardios não pode nem deve tratar são, de um lado, a história das obras após 1889 – esse tema cabe às edições das obras reunidas – e, de outro, a história do antigo arquivo de Nietzsche, que conseguiríamos tocar apenas em seus inícios. Recomendo aqui uma representação própria dedicada exclusivamente a todo o seu desenvolvimento.

O leitor interessado em detalhes pode usar a obra como "léxico da vida de Nietzsche", cujo sumário e índice permite uma consulta rápida. Aquele que preferir uma leitura mais rápida e dispensar as informações ali oferecidas pode simplesmente pular essas passagens.

As cartas me serviram como fonte primária. No entanto, Karl Schlechta já demonstrou claramente, nos três volumes de sua edição de Nietzsche[4], a natureza duvidosa do material publicado – especialmente no caso de Nietzsche. Durante meus trabalhos em Weimar no contexto de seu espólio musical, encontrei outras lacunas nas "Cartas reunidas", publicadas por Elisabeth Förster-Nietzsche e seus assistentes[7]. Comparei então todas as cartas manuscritas do *Goethe- und Schiller-Archiv* em Weimar com os textos impressos e criei um registro completo de todos os acréscimos e correções necessários[124]\*. Minha esposa me apoiou nessa tarefa penosa e foi ela também que criou um registro completo das cartas de Nietzsche como valiosa ferramenta de trabalho.

E assim já se inicia a longa série de personagens às quais devo meus agradecimentos especiais pela ajuda e cooperação que delas recebi.

Preciso mencionar em primeiro lugar o Prof.-Dr. Karl Schlechta. Ele tem acompanhado meu trabalho atentamente e o apoiou com crítica, encorajamento, fontes e referências. Sem ele, essa biografia jamais teria sido escrita.

A obra recebeu apoio significativo também dos executores testamentários de Richard Blunck, que me cederam suas anotações e seus registros bibliográficos, juntamente com sua *Nietzscheana* (edições de obras completas, correspondências e fontes secundárias).

A parte sobre os anos de Nietzsche em Basileia foi revisada ainda pelo venerado helenista Prof.-Dr. Peter Von der Mühll († 1970). A ele devo várias informações valiosas, que ele preservava em meio ao seu imenso conhecimento. O diretor do arquivo de manuscritos da biblioteca universitária de Basileia, o Dr. Max Burckhardt, também me deu acesso a vários documentos importantes do seu acervo.

Todas as informações relacionadas a "Lou" foram conferidas com interesse pelo Dr. H.C. Ernst Pfeiffer (Göttingen), que me ajudou também fornecendo informações encontradas em seu acervo pessoal de manuscritos (espólio de Lou Andreas-Salomé)[12].

Durante todos esses anos eu mantive um contato produtivo com o Prof.-Dr. Mazzino Montinari, coeditor da *Kritische Gesamtausgabe*[6] e dos *Nietzsche-Studien*. Devo a ele muitas informações e dicas para a decifração da caligrafia de Nietzsche.

Eu não teria tido acesso a esses manuscritos sem a cooperação do Prof. Helmuth Holtzhauer (†), diretor das *Forschungs- und Gedenkstätten der klassischen deutschen Literatur in Weimar* (Locais de pesquisa e monumentos da literatura clássica alemã em Weimar), que tratou meus pedidos de consulta sempre com grande benevolência.

---

\* Meu livro *Die Briefe Fr. Nietzsches; Textprobleme und ihre Bedeutung für Biographie und Doxographie*[121] informa o resultado desse trabalho nas fontes.

Menciono ainda o Prof.-Dr. Karl-Heinz Hahn, diretor do *Goethe- und Schiller--Archiv* em Weimar, que não mediu esforços para facilitar meu trabalho em seu instituto, e a senhora Anneliese Clauss, funcionária do *Goethe- und Schiller-Archiv*, familiarizada com o espólio e a caligrafia de Nietzsche, a quem sempre pude recorrer.

Devo agradecimentos especiais à *Deutsche Forschungsgemeinschaft* (Bonn-Godesberg) (Sociedade Alemã de Pesquisa em Bonn-Godesberg) pela sua compreensão diante das surpresas de um trabalho muito mais abrangente e demorado do que os dois anos originalmente previstos.

Desde o início, sabíamos que seria impossível consultar todas as fontes secundárias sobre Nietzsche. No entanto, a seleção não podia ser arbitrária. Excluímos primeiro todas as interpretações filosóficas. Por isso, alguns nomes famosos não constam no índice. Por outro lado, precisávamos incluir todas as fontes relevantes para a biografia. O fato de o trabalho ter se estendido durante tantos anos nos agraciou com a sorte de poder incluir os diários de Cosima Wagner como último testemunho autêntico. A autenticidade dos testemunhos biográficos foi sempre o critério supremo para a seleção das fontes. Sempre tratei as meras "memórias", muitas vezes registradas décadas após o ocorrido, com uma desconfiança que pode parecer exagerada aqui e ali; ela reflete a postura crítica da escola filológica de Basileia dos meus venerados mestres, os professores Karl Meuli, Peter Von der Mühll, Bernhard Wyss e Felix Heinimann, aos quais devo muitos impulsos e contribuições por vezes fundamentais para este trabalho.

Tive o privilégio de receber algumas sugestões decisivas também do Prof.-Dr. Karl Jaspers, sobretudo no que diz respeito à avaliação biográfica dos chamados "Bilhetes da loucura" (*Wahnzettel*).

Uma grande ajuda foram o conhecimento e os conselhos dos funcionários da Editora Carl Hanser na fase da diagramação definitiva do texto. Concordamos em reproduzir todas as citações nas partes biográficas conforme os padrões da ortografia e pontuação modernas, já que esta edição não visa a fins de documentação. Para não impedir o fluxo do texto, documentamos citações mais extensas em sua respectiva seção na quinta parte. Lá, as citações foram reproduzidas em ortografia original, pois trata-se na maior parte de textos que jamais (ou pelo menos não num futuro previsível) serão publicados em outro lugar ou cuja publicação original é praticamente inacessível.

Tentamos desobstruir o texto em prol de uma leitura mais fluente, não inserindo as referências bibliográficas no texto nem nas notas de rodapé. Números alceados remetem ao índice de fontes (vol. III). Em vez de fornecermos um índice que remeta de modo geral à literatura sobre Nietzsche e que sempre permaneceria incompleto (existem, para isso, bibliografias específicas[205]), reunimos as fontes realmente utilizadas num índice separado. Tampouco incluímos uma seção de anotações. As anotações são fornecidas diretamente no texto na forma de notas de rodapé.

O índice fornece apenas nomes e verbetes. Somente no caso de nomes sobre os quais o texto nada mais informa acrescentamos alguma informação (p. ex., datas).

Por mais extensa que seja esta obra, um personagem tão complexo quanto Nietzsche jamais se esgota, nem mesmo no que diz respeito à sua biografia. Muitas das informações aqui apresentadas servem apenas como ponto de partida para pesquisas adicionais mais minuciosas, e o autor se sentiria profundamente recompensado se esta biografia inspirasse muitos trabalhos críticos.

Muttenz bei Basel, outubro de 1977.

*Curt Paul Janz*

# Prefácio à segunda edição

A edição crítica das obras e das cartas reunidas de Nietzsche (edição Colli/Montinari), publicada recentemente, forneceu algumas informações novas ou mais precisas. Recebi também materiais e documentos de leitores atenciosos, em parte de acervos pessoais. Além disso, foram publicados trabalhos mais recentes sobre Nietzsche e o ambiente em que vivia.

Esforcei-me a inserir as alterações necessárias de tal forma que a paginação da primeira edição pudesse ser preservada; por isso, acréscimos mais longos foram adicionados na forma de "adendos" ao capítulo respectivo.

As alterações mais importantes foram feitas nas seguintes passagens: vol. 1, p. 295, 358, 541, 641, 847s.; vol. 2, p. 158, 267, 346, 397; vol. 3, p. 223, 224, 379ss., a partir da p. 443.

No registro *2. Fontes*, as referências às fontes das citações foram adaptadas conforme a edição crítica de estudos.

Devo agradecimentos especiais aos senhores Erich Lampl, em Oslo, e Prof.-Dr. Hubert Treiber, em Hanover, como também à Sra. Carmen Kahn-Wallerstein, em Basileia.

Que esta obra continue a prestar bons serviços à pesquisa nietzscheana e que esta prossiga com sucesso também no futuro.

Muttenz, julho de 1992.

(ass.) *Curt P. Janz*

# PRIMEIRA PARTE

# Infância e juventude

# PREFÁCIO

Toda a ambição dos grandes teóricos sistemáticos da filosofia ocidental mais recente se concentrava em desvincular totalmente o pensamento da pessoa, em livrar-se da subjetividade para alcançar o "conhecimento puro" por meio de métodos supostamente objetivos. Sabemos hoje que essas tentativas representam meras desejabilidades, condenadas ao fracasso em virtude de sua impossibilidade. Por um lado, até mesmo o pensador mais independente está sujeito às condições históricas de seu tempo; por outro, seu pensamento depende necessariamente das forças de sua própria natureza. Essas forças são mais poderosas do que a razão e a consciência, e impõem a estas seu cunho e direção numa medida bem maior do que eles estariam dispostos a reconhecer. Por vezes, porém, os filósofos conseguem alcançar a aparência de um pensamento tão objetivo que apenas ouvidos muito sensíveis e muito bem-treinados conseguem detectar a subjetividade no pensamento de Kant, por exemplo, ou reconhecer a personalidade de seu criador, da qual depende totalmente essa obra. Mas, pelo menos na "Crítica da razão pura", a personalidade é tão reprimida e subordinada às leis de um intelecto autônomo que é absolutamente possível apreender a essência da filosofia kantiana e ocupar-se com ela sem saber nada da vida e da pessoa de Kant.

Isso não vale para Nietzsche. Bem pelo contrário. Em nenhum momento, seu pensamento procura se desprender da vida e se livrar dos impulsos de sua personalidade, antes resulta e surge sempre da profundeza de ambos e é apenas expressão destes. A "objetividade" não representa nem mesmo uma desejabilidade, pois solapa a vida que, para ele, é sempre maior; o "conhecimento puro" nada mais é do que uma autoenganação e um enfraquecimento da personalidade criativa. A própria vida lhe é a verdade, e, por isso, não pode abstrair dela para alcançar o conhecimento de algo "verdadeiro em si". Para Nietzsche, a personalidade criativa é a forma suprema da vida. Com essa posição, Nietzsche ainda se insere na tradição da exigência de Platão segundo a qual o filósofo – como tipo relativamente mais perfeito – deveria ocupar também a liderança do Estado, mas a visão nietzscheana vai bem além dessa delimitação restrita; ele inclui claramente também o artista criativo. Nietzsche está ciente de seu talento duplo, de sua natureza dupla como filósofo e artista, e sua obra surge dentro dessa tensão e, em parte, também como resultado dela. A pergunta se Nietzsche deve ser incluído de todo ou talvez apenas como fenômeno passageiro na história da filosofia tem sua origem na ambivalência de sua personalidade.

Todo conhecimento, todo pensamento e toda obra só deve e só pode ser expressão de toda a personalidade e deve servir para sua ampliação e intensificação – não para sua dissolução no reino das ideias. A magia e a inovação da obra de Nietzsche se encontram nessa proximidade vital, em sua subjetividade, que corresponde de forma muito mais profunda à realidade da nossa existência e à autenticidade resultante de *todo* o sentimento do *Dasein* do que qualquer objetividade que abstrai e que é autêntica apenas diante de si mesma, raramente, porém, diante da vida.

Quem, como nós, quarenta anos atrás, se depara pela primeira vez com um livro de Nietzsche, percebe imediatamente que ele se dirige a mais do que apenas à razão, que não se trata apenas de seguir o pensamento de outra pessoa, uma proposição até sua consequência última, de associar conceito a conceito, para assim alcançar algum tipo de "verdade". O leitor se percebe dentro de um imenso campo de força, abalado por sismos de natureza profunda demais para ser compreendida somente com as ferramentas da razão. O leitor sente o impacto não tanto de opiniões e argumentos, mas do homem por trás dessas opiniões e argumentos. Ele tentará se opor a estes quando tiver algo a defender; mas nunca conseguirá se esquivar completamente do homem que os pronuncia e do campo de força que ele representa. Se ele seguir apenas as opiniões que o confrontam e, às vezes, o assaltam na forma de proposições imperiosas, logo se perderá num labirinto cujo intrincado sistema de corredores lhe oferece riquezas imensuráveis, mas também a visão ameaçadora do Minotauro à procura de um sacrifício humano. Acreditará estar diante das verdades mais autênticas que representam o núcleo das coisas; no livro seguinte, porém, essas verdades mais autênticas já anulam a si mesmas, e o leitor percebe que agora se encontra em outro corredor do labirinto. Mas se o leitor tiver uma natureza atenta e não apenas uma razão tateante, ele jamais perderá a certeza de estar se aproximando mais da vida e de sua face mais autêntica do que em qualquer outro pensador. O que se comunica ao leitor em meio a todas as contradições de opiniões e pontos de vista é um poder espiritual mais profundo e elevado, que não está preso a verdades e pontos de vista, mas que continuamente os solapa e supera a serviço de uma veracidade que não conhece outra lei senão a si mesma e a vida que flui, se transforma e recria eternamente.

Essa veracidade, porém, não é uma qualidade do conhecimento, que reúne, e da razão, que ordena, por mais que dependa destes, mas da personalidade ética, do coração corajoso e do espírito destemido e incansável. Ela precisa ser vivida e sofrida para adquirir aquele ímpeto no pensamento que se manifesta na obra de Nietzsche. Em conjunto com a maior receptibilidade para todas as possibilidades do espírito europeu e, ao mesmo tempo, para sua penetração crítica, em conjunto também com a profundeza da visão da essência humana e com a visão profética, esse ímpeto se manifesta aqui num grau que não se encontra em qualquer outro lugar na história do pensamento ocidental. Essa é a razão pela qual a vida e a obra de Nietzsche nos dizem tanto respeito, uma vida e uma obra que, sob o açoite dessa veracidade, foi uma luta constante e incansável contra um tempo cada vez mais entregue à falsidade, contra a própria sorte, a fama e até mesmo o coração amante, um ato, cuja pureza e necessidade não podem ser manchadas nem anuladas por nenhum efeito equivocado ou até mesmo terrível.

Falaremos aqui dessa vida, desse ato. Seguiremos muitos rastros conhecidos e muitos rastros até então desconhecidos na vida de Nietzsche e os analisaremos em seus menores detalhes insignificantes, cientes de que a vida de Nietzsche não apresenta nada de insignificante. Procuramos purificar sua imagem das distorções, deformações e falsificações de uma veneração e uma polêmica igualmente equivocadas. Ela tem atraído ambas em medida incomum, e não podia ser diferente, pois uma veracidade tão multifacetada, que desmascarava todas as mentiras e "verdades" de seu tempo, estava fadada a ser mal-interpretada pelas mentes unidimensionais e a ser ultrajada pelas mentes falsas. Fizemos um grande esforço de retraçar essa vida em sua especificidade com uma postura de respeito, mas também com a imparcialidade de certa distância. Nosso objetivo foi reunir em uma única imagem todo o "material" até então disperso para assim tornar visível e palpável o ser humano que acreditamos reconhecer e revelar aqueles aspectos de sua obra que possuem caráter existencial. Para nós e para o futuro, isso ainda pode vir a ter uma importância direcional, mesmo que não legislativa. Não pretendemos nem podemos representar a obra em *toda* a sua riqueza inesgotável, em sua fascinante multiplicidade e multidimensionalidade. Isso só teria sido possível se tivéssemos copiado cada palavra de cada tomo seu. O que acreditamos poder fornecer é uma chave para essa obra e um incentivo para lê-la com uma profundeza até então inalcançada. Nietzsche apenas começou a desdobrar seus efeitos, por mais que as pessoas aleguem o contrário. Quando ele se detinha em uma "verdade" até superá-la com sua veracidade, seus discípulos se acomodavam; quando experimentava com possibilidades, eles escreviam receitas; onde pausava para recuperar o fôlego para uma nova investida, eles adormeciam. Não conseguiram avançar até a sua essência e sua força verdadeira. Revelar e reproduzi-las é a intenção desta obra.

Agradecemos neste lugar ao Sr. Max Oehler, arquivista no *Nietzsche-Archiv* em Weimar. Sua generosidade de colocar à nossa disposição numerosos documentos inéditos do arquivo nos deu a possibilidade de esclarecer vários episódios e problemas até então controversos da vida de Nietzsche. Com uma postura altruísta, forneceu-nos também os resultados de sua pesquisa sobre os ancestrais de Nietzsche e nos apoiou com muitas informações pessoais. Devemos agradecimentos também ao seu assistente, o Sr. Rolf Dempe, pela sua ajuda durante nosso trabalho no arquivo, que pudemos encerrar ainda em 1943. Este primeiro dos três volumes previstos da nossa biografia de Nietzsche estava impresso já na primavera de 1945. Mas os ataques aéreos a Berlim e durante a queda do regime nazista em Praga destruíram toda a edição, juntamente com todas as provas e cópias manuscritas. Sobreviveu aos eventos apenas o manuscrito guardado em Schleswig-Holstein, que agora confiamos ao público.

O material para os outros dois volumes também foi preservado, de forma que estes poderão ser publicados em breve.

*Richard Blunck* (1953*)*

# I

# Os ancestrais

Desde cedo e ainda em seus últimos dias lúcidos, Nietzsche demonstrou um senso profundo de dependência dos ancestrais, um senso que, a despeito de todos os conflitos, corresponde a seu senso de família indestrutível.

Já em seu ensaio de 1862 sobre a "Liberdade da vontade e *fatum*", ele diz[2]: "A atividade do homem não começa com o seu nascimento, mas já como embrião e talvez – quem poderá provar o contrário? – já com os pais e avós". Também o homem maduro acredita dever boa parte de seu talento a eles, mas vale lembrar que a gratidão era uma necessidade de sua alma, essa gratidão e a segurança que encontrava em uma tradição indestrutível. O arraigamento, o apoio na tradição familiar, palpável na sequência das gerações, em pessoas que realmente viveram – esta era a *religio* da qual ele se alimentava após a perda precoce de suas referências metafísicas. Em 1861, conheceu os escritos de Ludwig Feuerbach; "A essência do cristianismo" e "Pensamentos sobre a morte e a imortalidade" aparecem até na lista de presentes de aniversário. Em 1859, Darwin publicara sua obra "A origem das espécies", provocando discussões acirradas por toda parte. Os efeitos são nitidamente visíveis nos ensaios de Nietzsche "*Fatum* e história"[2] e "Liberdade da vontade e *fatum*", escritos na primavera de 1862. Mesmo que apresentados ainda com o comedimento típico de um jovem, eles já contêm o primeiro posicionamento cético diante do cristianismo e o recurso à consciência ancestral também no âmbito espiritual, a um "princípio psicogenético", que voltaremos a encontrar com frequência, como, por exemplo, em "Aurora" (aforismo 540): "O que é o dom senão o nome que se dá a um estudo anterior, a uma experiência, a um exercício, a uma apropriação, a uma assimilação, a um estudo que remonte talvez aos tempos de nossos pais ou a um passado ainda mais distante!" No entanto, em plena consciência da impossibilidade de deduzir o gênio em sua singularidade e essência, ele acrescenta: "Novamente: aquele que aprende cria seus próprios dons – mas não é fácil aprender, e não é somente uma questão da boa vontade: é preciso poder aprender!" Nietzsche reconhece cada vez mais o sangue como precondição disso e de cada grande conquista ("Além do bem e do mal", aforismo 213): "É preciso nascer para os mundos sublimes, ou para dizê-lo com maior clareza, é preciso ter sido procriado (*gezüchtet*); um direito à filosofia, tomando a palavra no sentido mais amplo, só é conferido pelas próprias origens; os antepassados, 'o sangue', decidem também aqui. Muitas gerações precisam ter preparado o advento do filósofo, cada uma de suas virtudes precisa ter sido adquirida, cultivada, herdada e incorporada". E mais adiante (aforismo 264): "Não se pode apagar das almas dos homens aquilo que seus antepassados têm feito com o maior apreço e a maior constância: foram assim todas as tentativas de economia, burocráticas ou caseiras, modestas ou burguesas em seus desejos, modestas também em sua virtude; ou ainda habituados a comandar de manhã até a tarde, dedicados a rudes passatempos e talvez, ao mesmo tempo, entregues a deveres e responsabilidades mais duros ainda; ou renunciando talvez, em um dado momento, às antigas prerrogativas de nascimento e possessão, à própria fé – ao próprio 'Deus', como homens de uma consciência inexplorável e delicada que enrubesce a cada compaixão. É de todo impossível que um homem não tenha em seu corpo as qualidades dos seus genitores, dos seus ancestrais, ainda que a aparência sugira o contrário".

Especialmente o Nietzsche tardio se mostra convencido de que as forças decisivas, as forças "morais" são transmitidas pelo "sangue"[4, 6]: "Existe somente nobreza de nascimento, somente nobreza de sangue. (Não falo aqui da partícula 'von' e do Calendário de Gotha: parênteses para asno.) Quando falam de 'aristocratas do espírito', costumam não faltar razões para ocultar algo; como bem se sabe, trata-se de um termo favorito entre os judeus ambiciosos. O espírito sozinho não enobrece; antes precisa-se de algo que enobreça o espírito. – O que se necessita para isso? O sangue".

Esse equívoco, que o transformou durante muito tempo em profeta de um individualismo irrestrito e incondicional, mas que, como nenhum outro antes dele, revelou a liberdade criativa do indivíduo, confessa no último ano de sua vida produtiva ("Crepúsculo dos ídolos", aforismo 33): "O homem isolado, o indivíduo, tal como foi entendido até agora pelo povo e pelos filósofos, constitui um erro; em si não é nada; não é um átomo, um elo da corrente, uma herança do passado, mas é sim toda a linha única do homem até chegar a si mesmo". E, para ele, o gênio é "o resultado final do trabalho acumulado das gerações. [...] As coisas boas custam muito caro, e prevalece sempre a lei de que quem as tem é diferente de quem as adquire. Tudo que é bom é herança: o não herdado é imperfeito, não é mais que um princípio" ("Crepúsculo dos ídolos", aforismo 47). Aqui, porém, ressoa ainda algo mais: a antítese a qualquer preço, típica do "Crepúsculo dos ídolos". É uma paródia inconfundível à palavra de Goethe: "O que herdaste de teus pais adquire, para que o possuas"[101]. Vemos aqui o artifício, empregado centenas de vezes por Nietzsche, de inverter ou parodiar uma citação. Em outro lugar lemos [4]: "O preço daquilo que alguém é foi pago pelos seus antepassados". De sua força reunida surge no final o grande indivíduo[4, 6]: "Toda virtude e destreza no corpo e na alma é custosa e foi conquistada aos poucos, mediante muito zelo, autodisciplina, restrição a pouco, mediante muita repetição fiel e persistente dos mesmos trabalhos, das mesmas privações: mas existem homens que são os herdeiros e senhores dessa múltipla riqueza de virtudes e destrezas lentamente conquistadas – porque [...] as forças conquistadas e acumuladas de muitas gerações não são esbanjadas nem fragmentadas, mas unidas por um forte elo e vontade. Pois no fim surge um homem, um gigante de força que reclama uma tarefa gigantesca".

Esses exemplos devem bastar para demonstrar como Nietzsche se via – desde o início de sua maturidade e decididamente nos anos do isolamento espiritual – marcado e determinado pela herança de seus ancestrais; no entanto, apenas marcado e determinado, não limitado: "O indivíduo é algo inteiramente novo e criador do novo, algo absoluto, toda ação é inteiramente sua"[4]. E no momento em que a força criativa se vê diante de sua tarefa verdadeira, valem as sentenças do "Zaratustra" (1883), no capítulo "Da virtude dadivosa": "É perigoso ser herdeiro", e no capítulo "Das antigas e novas tábuas": "Não é para trás que a vossa nobreza deve olhar, mas para a frente! Deveis ser expulsos de todas as pátrias e de todos os países dos vossos ascendentes. Deveis amar o país dos vossos filhos". Sempre, porém, ele se atém à certeza de conter em si os bens e o trabalho de seus ancestrais e se mostra grato por isso, mesmo – ou justamente – quando a herança precisaria ser percebida como perigo, como controversa em relação à própria posição filosófica; mas quanto mais extrema esta é, quanto mais isolado ele se vê, mais necessária se torna a crença na força da herança. No entanto, o suposto conhecimento apresentado nesses contextos surpreende, pois o próprio Nietzsche sabia pouco de seus ancestrais; tampouco se esforçou especificamente para conhecer a história de sua família. Dedicou sua atenção vivaz e uma crença acrítica apenas a uma lenda familiar, e isso teve uma consequência surpreendente. Em 5 de novembro de 1862, Nietzsche compôs duas peças para piano: "Em memória de nossos antepassados; duas danças polonesas: 1) Mazurka, 2) Aus der Czarda". Já nos meses anteriores ele havia criado diversas peças para piano "do gênero húngaro", que o jovem conhecera por meio de sua herança eslava. No entanto, recorreu com veemência a essa superstição cultivada pela família quando seu desprezo pelos contemporâneos alemães atingiu um primeiro auge. Sua irmã reproduz um escrito de 1883[86]: "Ensinaram-me a vincular a origem do meu sangue e nome a membros da nobreza polonesa, que se chamavam Nietzky e que, há mais ou menos cem anos, desistiram de sua pátria e nobreza, cedendo por fim a insuportáveis repressões religiosas: pois eram protestantes. Não nego que, como garoto, orgulhava-me bastante dessa descendência polonesa: o sangue alemão que corre em minhas veias provém exclusivamente da minha mãe, da família Oehler, e da mãe do meu pai, da Família Krause, e parece-me que, apesar de tudo, eu tenha permanecido polonês em todos os aspectos essenciais. Muitas pessoas confirmaram que minha aparência é dominada pelo tipo polonês". E em 10 de abril de 1888 escreve a Brandes em tom ainda mais determinado[7]: "Meus antepassados eram membros da nobreza polonesa (Nietzky); parece-me que o tipo se preservou bem, a despeito de três mães alemãs". E a irmã acrescenta[88]: "A tradição da família nos conta que um membro da *szlachta* chamado Nicki (pronunciado Nietzky) aderiu a Augusto o Grande, da Polônia, e dele recebeu o título de conde. Quando Estanislau Leszczyński se tornou rei, nosso antepassado mítico se envolveu numa conspiração em prol do saxão e do protestantismo. Ele foi condenado à morte, fugiu com sua esposa, que acabara de dar à luz um filho, permanecendo com ela em fuga durante dois ou três anos pelos estados da Alemanha, enquanto a trisavó alimentava o pequeno filho com seu próprio leite".

As pesquisas minuciosas realizadas por Max Oehler, primo de Nietzsche, sobre seus antepassados – e que aqui nos servem como referência – comprovaram que essa tradição romântica é completamente insustentável[182]. Além de não ter existido qualquer conspiração em prol do saxão e do protestantismo naquela época, o trisavô de Nietzsche, que viveu mais ou menos de 1675 a 1739, não foi membro da *szlachta* polonesa. Christoph Nietzsche era sim tabelião imperial público e inspetor general do príncipe eleitor em Bibra (distrito de Eckartsberga), ou seja, um fiscal saxônico. Conhecemos até seu pai, que também se chamava Christoph: era um pequeno fazendeiro e açougueiro em Burkau na Alta Lusácia.

A irmã fala também de um documento que um polonês teria adquirido para Nietzsche no inverno de 1883/1884 em Gênova ou Nice. O título desse documento era: "L'origine de la famille seigneuriale de Nietzki"[88]. Nietzsche deve ter caído vítima das frequentes falsificações genealógicas, pois os dez volumes do léxico da nobreza polonesa "Herbarz polski", de K. Niesiecki, Leipzig 1839/1848, nem sequer mencionam esse nome.

É possível que os Nietzsche (Niczen) tenham imigrado da Boêmia no século XVI, mas nada indica uma influência de sangue eslavo: Os mais de 200 antepassados diretos de Nietzsche, alguns dos quais remetem até ao século XVI, apresentam todos eles nomes alemães, também na linha de sucessão feminina. O próprio nome Nietzsche ocorre com frequência extraordinária em toda a Alemanha Central nas mais variadas formas – como Nietzsche, Nitsche, Nitzke etc. Os linguistas identificam sua origem no nome Nikolaus, Nick, que, sob a influência eslava, se transformou em Nitz (pronunciado como Nitsch), ou na palavra do alto-alemão antigo *nît* – inveja, originalmente zelo, ódio.

No que diz respeito às passagens citadas por Nietzsche, uma investigação de seus antepassados em vista de sua origem profissional produz resultados notáveis. A maioria das linhas de sucessão genealógica conflui no clero, tendo suas origens na alta burguesia – e encontramos apenas poucos camponeses. Com algumas linhas, isso acontece já muito cedo, no lado paterno ainda mais do que no materno. Nietzsche provinha então daquela tradição eclesiástica que se fortaleceu por meio do casamento com mulheres de linhas de sucessão semelhantes e que produziu uma abundância de talentos geniais, sobretudo na Suábia e Saxônia-Turíngia, principalmente poetas e pensadores ou misturas de ambos.

Essa transição da burguesia para a inteligência pastoral-humanista se apresenta no caso dos antepassados de Nietzsche, por exemplo, da seguinte forma:

Durante três gerações, de 1570 a 1650, os Nietzsche viveram em Burkau, na Alta Lusácia. Segue então uma geração de 1650 a 1705 de açougueiros e pequenos fazendeiros no mesmo local. Passam as duas seguintes gerações (de 1660-1804) em Bibra, entre eles também o fiscal acima mencionado. Seu filho, o avô de Nietzsche, Friedrich August Ludwig Nietzsche (1756-1826) se torna pastor e morre ocupando a função de superintendente em Eilenburg. Seu filho Ludwig, o pai de Nietzsche, também exerce a profissão de pastor e se casa com a filha de pastor Franziska Oehler.

Durante seis gerações, os Oehler são cidadãos e açougueiros em Greiz (1600-1818). Apenas o avô materno de Nietzsche vem a ser pastor; trata-se de David Ernst Oehler, em Pobles, que ainda cruzará nosso caminho com frequência. Erdmuthe, a avó paterna de Nietzsche, que também veio a acompanhar alguns anos da vida de seu neto, é da Família Krause. Durante quatro gerações (1600-1740), os Krause são cidadãos e chapeleiros em Eger e Plauen, e o pai de Erdmuthe, Christoph Friedrich Krause (1740-1783), também se torna membro do clero como arquidiácono em Reichenbach (Vogtland).

A mãe de seu marido, o superintendente de Eilenburg, também descende de uma família de pastores, da Família Herold. Os Herold eram pastores havia cinco gerações (de 1600 a 1725).

A mãe do arquidiácono Krause é filha da Família Stauss. Seu pai foi o primeiro pastor da família. As duas gerações anteriores (1626-1720) haviam sido cidadãos e marceneiros em Reichenbach.

Esse esboço sumário demonstra que a genealogia de Nietzsche confirma a alegação de Ernst Kretschmer segundo a qual as famílias de pastores na Alemanha serviam como berço altamente produtivo de talentos. Nas palavras de Kretschmer[144]: "Visto que nos séculos antecedentes a demanda por juristas e médicos formados era muito pequena, os teólogos, que ocupavam também os cargos de ensino superior, representavam o maior número de profissionais formados em universidades. [...] A seleção para essa faculdade se dava já durante a formação escolar por meio de uma série de exames bastante difíceis. Criou-se também uma seleção constante de talentos, que visava às crianças já pertencentes ao estamento como também àquelas provenientes de outros estamentos. Durante séculos, essa seleção de alunos talentosos ocorria quase que exclusivamente sob pontos de vista humanistas. Ou seja, importavam apenas as faculdades linguísticas e lógicas. [...] Os filhos das famílias selecionadas sob esses termos de capacitação casavam-se entre si dentro dos restritos limites de seu território senhorial. [...] Não surpreende, portanto, que dessa criação iniciada no século XVI surgiu nos séculos XVIII e XIX toda uma série de nomes famosos, de grandes talentos que apresentam quase que exclusivamente esse cunho homogêneo do aspecto lógico-linguístico, ou seja, de poetas e pensadores e combinações de ambos que constituíram a história do espírito na Alemanha".

O arraigamento territorial dessas famílias se aplica também aos antepassados de Nietzsche. Com poucas exceções, todos provêm da região delimitada pelas cidades de Lanensalza, Sangerhausen, Eisleben, Eilenburg, Zwickau, Lauens, Saalburg e Stadtilm. Junta-se a estas ainda a cidade de Burkau, na Alta Lusácia, 120km a leste.

Max Oehler, cujas informações acatamos aqui, ressalta que a população dessa região central da Alemanha, que produziu um número extraordinário de personalidades criativas, representa uma mistura de tribos germânicas bastante distintas, à qual se acrescenta ainda a influência eslava. "Os vínculos constantemente renovados não permitiram que o sangue desse povo da Alemanha Central se acalmasse. Vivacidade e assiduidade, que facilmente assume formas exageradas, a inquietação e a fome por inovações, a mobilidade espiritual e psicológica, uma vida emocional intensa e uma imaginação fértil, uma irritabilidade excessiva e a tendência para o descomedimento como características típicas do povo são o resultado disso."

A brusquidão imediata com que as "zonas raciais" se sobrepõem nessa paisagem fornece o solo para um desenvolvimento particularmente rico do gênio; por outro lado, porém, é também a causa de fortes tensões individuais nesses homens geniais, de uma pressão afetiva, de um equilíbrio instável e uma inquietação interior, aos quais correspondem um grande alcance, versatilidade e complexidade intelectuais.

Nietzsche esteve ciente da riqueza e do perigo que resultavam disso. No entanto, ele projeta essa consciência de modo um tanto bruto sobre figuras históricas que lhe agradam ("Além do bem e do mal", aforismo 200): "O homem das épocas de decomposição, que confunde as raças, tem em si uma herança de ascendência híbrida, um fardo de instintos e normas ambivalentes e, amiúde, mais que contraditórios, em luta constante. Este homem de civilizações tardias e de aspirações intelectuais esfarrapadas é frequentemente um ser débil: seu anseio mais fundamental visa ao fim da guerra [...]. Porém se o conflito e a guerra são para seres mais fortes um encanto e um estímulo a mais, então nascem esses homens prodigiosos, incompreensíveis e insondáveis, esses homens enigmáticos predestinados a vencer e seduzir, cujos mais belos exemplos são Alcibíades e César (eu acrescentaria de bom grado o nome de Frederico II de Hohenstaufen, este primeiro europeu segundo minha opinião, e entre os artistas, talvez, Leonardo da Vinci). Fazem sua aparição precisamente nas épocas em que o tipo oposto, o débil, toma o primeiro plano com seu desejo de repouso; os dois tipos se completam e são originados pelas mesmas causas". A seguinte afirmação, porém, revela bem mais sobre sua própria natureza[4]: "As morais são a expressão da *hierarquia* localmente delimitada nesse mundo múltiplo de pulsões: de modo que o ser humano não sucumba diante de suas *contradições*. Ou seja, uma pulsão ao senhorio, com sua pulsão contrária enfraquecida, refinada, como impulso, que fornece o *estímulo* para a atividade da pulsão principal. O homem maior teria a maior multiplicidade de pulsões na intensidade relativamente maior que ainda possa ser suportada. Realmente, onde o homem-planta se manifestar fortemente, encontramos as poderosas pulsões contrárias (p. ex., Shakespeare), porém, domadas"[4, 6]: "Os maiores têm talvez também grandes virtudes, mas também ainda suas contradições. Acredito que justamente da existência dos antagonismos e de seus sentimentos surja o grande homem, o arco com a grande tensão".

Se dentro desse espaço territorial confinado, circunscrito aqui para os ancestrais de Nietzsche, compararmos as genealogias de outros homens importantes, obteremos o resultado surpreendente de que muitas personalidades – mais do que se acreditava até então – são parentes de sangue, de que em suas genealogias aparecem sempre as mesmas famílias, no entanto, com um intervalo de, em média, 200 anos, ou seja, de seis a sete gerações.

As investigações de Oehler determinaram um parentesco genealógico de Nietzsche com os seguintes homens extraordinários:

1) Richard Wagner. As mães são parentas de sangue. O antepassado comum é Caspar Spörel (Spörl), prefeito de Saalburg ao sul de Schleiz, que viveu de 1530 até mais ou menos 1600. Esse fato até então pouco conhecido confere à história da amizade entre Nietzsche e Wagner e de sua ruptura, que teve um impacto tão forte na vida de Nietzsche, uma tonalidade adicional.

2) O poeta Johann Elias Schlegel e seus sobrinhos August Wilhelm e Friedrich Schlegel, por parte do pai. O antepassado comum é o Pastor Martin Schlegel, de Dresden, que viveu de 1581 até 1640.

3) O Marechal de campo Neithart von Gneisenau, por parte do pai. O antepassado comum é o conselheiro de Schleiz, Georg Schmidt, que viveu mais ou menos de 1550 até 1606.

4) O historiador, professor de Ciências Naturais e Direito dos Povos Samuel von Pufendorf, por parte da mãe. O antepassado comum é o cidadão e tosquiador Thomas Hickmann, que viveu em Dippoldiswalde mais ou menos de 1570 até 1635.

5) O poeta e membro do conselho eclesiástico Julius Sturm. Sua mãe e o pai de Nietzsche descendem ambos do Pastor Johannes Herold, que viveu em Huteroda de 1644 até 1715.

É muito provável que pesquisas futuras revelarão um parentesco também entre Nietzsche e Goethe. O zelo exagerado com que essas pesquisas eram realizadas ainda durante a vida de Nietzsche produziu alguns equívocos bastante cômicos, por exemplo, quando, em julho de 1887, o *Goethe-Archiv* identificou Erdmuthe, a avó de Nietzsche, com a "Muthgen" de Goethe. Essa suposição, porém, foi rapidamente refutada quando se percebeu que as duas eram separadas por quase uma geração. O próprio Nietzsche se divertia com a mistificação e escreveu cartas bem-humoradas sobre isso a seus amigos Overbeck e Peter Gast.

Nossa procura por algum talento especial entre os ancestrais de Nietzsche não revela nada que sobressaia. O pai demonstra algum talento musical, que se manifesta também na família da mãe. Como poeta destacou-se apenas um dos avós, o já mencionado Friedrich August Ludwig Nietzsche, que iniciou sua carreira como pastor em Wolmirstedt e, a partir de 1803, foi superintendente em Eilenburg. Em 1817, a Universidade de Königsberg lhe conferiu o título de doutor em teologia com base em seus escritos. Morreu em 16 de março de 1826. O próprio Nietzsche não chegou a conhecê-lo e provavelmente também não leu seus livros. Mesmo assim, nós nos ocuparemos um pouco mais com ele, pois seus escritos apresentam um perfil espiritual relativamente claro e oferecem a oportunidade de verificar se neles se revela um legado espiritual passado para Nietzsche. Poderemos também verificar se a sentença de Nietzsche de 1886 se aplica a ele mesmo[1]: "Somos muito mais filho dos quatro avós do que dos dois pais. Isso se deve ao fato de que, no tempo em que fomos gerados, os pais ainda não haviam se definido. Os germes do tipo do avô amadurecem em nós; os germes dos nossos pais, em nossos filhos".

Entre os escritos desse avô, cuja dignidade e erudição eram particularmente apreciadas por seus contemporâneos, destacam-se dois: "Beiträge zur Beförderung einer vernünftigen Denkensart über Religion, Erziehung, Untertanenpflicht und Menschenliebe" (Contribuições para promoção de um pensamento sensato sobre religião, educação, obrigação do súdito e amor humano), Weimar 1804[175], e "Gamaliel, oder die immerwährende Dauer des Christentums, zur Belehrung und Beruhigung bei der gegenwärtigen Gärung in der theologischen Welt" (Gamaliel ou a subsistência eterna do cristianismo, para a instrução e aquietação diante da fermentação atual no mundo teológico), Leipzig 1796[176].

O último dos escritos mencionados revela claramente a influência do Iluminismo contemporâneo, mas de forma alguma o transcende. Ele apoia a interpretação livre do texto bíblico e a crítica bíblica, mas refuta qualquer dúvida referente às verdades fundamentais do cristianismo. Curioso são apenas – especialmente para essa época – a expressão plástica, o poder linguístico, a razão aguçada e uma paixão espiritual e firmeza moral incomuns. Cito, por exemplo: "O espírito humano não é um *phlegmatikus*, que permanece sentado o dia todo em seu sofá estofado e sonha e dorme, e mesmo quando sofre uma agressão bastante séria e desagradável, desperta apenas pela metade, para, piscando os olhos, assumir uma posição ainda mais confortável. Então boceja e adormece novamente. O espírito humano está sempre ativo como Deus, seu Pai e sua imagem primordial. O espírito pensa sem cessar, processa os conceitos já presentes, altera suas concepções, desenvolvendo-as cada vez mais, aumenta a massa de seus conhecimentos, anseia uma luz cada vez mais clara e refrescante e, impaciente e com ímpeto e coragem, rompe as amarras com as quais tentam prender e impedir seu avanço em direção à verdade".

Este é o espírito de Nietzsche, mesmo que seu dono ainda não tenha a coragem para enfrentar as consequências como seu neto. Prefigurados estão aqui também o poder e o prazer de superação do neto: "Não convém ao homem de pensamento nobre suspirar e lamentar-se sempre: Precisa antes ser totalmente indiferente, não deve se importar com sua dor, precisa ser mais forte do que ela e, mesmo quando sofre os mais duros e dolorosos golpes do destino, não deve permitir que seu desagrado transpareça".

Essa era a natureza dos homens cuja herança Nietzsche sentia estar presente em si mesmo, apesar de saber pouco deles – ao contrário dos três outros avós, que ainda conheceremos em sua infância.

Entre seus antepassados encontramos ainda alguns homens de inteligência, empreendedorismo e criatividade incomuns, que precisam ser mencionados, como o sucessor de Herder em Weimar, o superintendente-geral Johann Friedrich Krause, ex-professor na Universidade de Königsberg, irmão da avó Erdmuthe. Outro membro da família Krause de Plauen é mencionado como "fundador do comércio de bordados na Saxônia".

Na família dos Oehler, destaca-se na segunda metade do século XVIII um homem identificado como "camareiro-mor, alódio, senhor feudal e juiz em Frankenhausen e Schiedel", fundador da indústria têxtil em Crimmitschau.

No entanto, foi o lar pastoral evangélico que cunhou o legado de Nietzsche. Este marcou de forma decisiva toda a sua infância e seu desenvolvimento inicial.

# II

# A casa paterna e a primeira escola

Karl Ludwig Nietzsche, o pai do filósofo, era o filho caçula do superintendente Friedrich August Ludwig Nietzsche, de Eulenburg, e de sua segunda esposa Erdmuthe Krause. Quando nasceu em 10 de outubro de 1813, seu pai já tinha 57 anos de idade; sua mãe, porém, apenas 35. Seu pai morreu aos 70 anos de idade, em 16 de março de 1826, antes de Ludwig Nietzsche completar seus 13 anos. Erdmuthe, a mãe, sobreviveu e o caçula chegou a ocupar um papel importante nos doze primeiros anos de vida de Friedrich Nietzsche[182].

Karl Ludwig Nietzsche, o pai de Friedrich Nietzsche, estudou teologia em Halle. Ele chamou a atenção dos seus professores por causa de seu "empenho extraordinário" e seu "caráter pio, sério e modesto", completando seus estudos dentro do período normal. Depois, trabalhou como professor doméstico para um capitão em Altenburg e, mais tarde, como pedagogo na corte ducal. Suas alunas, as três princesas Therese, Elisabeth, futura grã-duquesa de Oldenburg, e Alexandra, esposa do Grão-príncipe Constantino da Rússia, sempre se lembraram dele com carinho e sustentaram sua viúva após sua morte precoce. Preservou como reminiscências de seu serviço na corte sua preferência por roupas distintas e uma conduta cortês, que transmitiu também para seu filho. Sua convicção monarquista se fortaleceu ainda mais quando, em 1842 e "por ordem suprema" do rei da Prússia Frederico Guilherme IV, que o conhecera na corte de Altenburg, recebeu o cargo de pastor no vilarejo de Röcken, nas proximidades de Lützen, e assim pôde estabelecer seu próprio lar juntamente com sua mãe Erdmuthe e suas duas irmãs Auguste e Rosalie.

Quando tomou posse, o homem alto e magro de olhos castanhos visitou as paróquias vizinhas. Passou também em Pobles, a uma hora de Röcken, onde conheceu seu colega David Ernst Oehler. Aqui, o jovem pastor de Röcken chamou atenção com suas "vestes finas, pretas e brilhantes, que certamente são usadas apenas na corte". Entre os onze filhos dessa honesta família de pastores rurais, logo se destacou uma moça de 17 anos, a Franziska, chamada também de "Fränzchen", nascida em 2 de fevereiro de 1826. Já em idade avançada, ela mesma documentou suas lembranças em seu estilo leve, vivaz e natural: "Enquanto conversávamos vividamente, incentivamos então o senhor pastor – sabíamos que ele era um pianista – a improvisar, e ele o fez naquele dia com mestria extraordinária. Depois, fomos para o jardim, onde ele pediu de mim um buquê de flores, e também um ramo de aneto, pois apreciava o seu aroma..."

Cultivaram esse idílio no estilo Biedermeier e, após um período de noivado apropriado, o casamento foi realizado no 30º aniversário de Ludwig Nietzsche, no dia 10 de outubro de 1843, em Röcken. O noivo, normalmente muito comedido e um tanto cerimonioso, demonstrou nesse dia um temperamento espirituoso. Ele fez um discurso "agradecendo a todos os que ali estavam presentes, mas queria também que sua esposa se juntasse a ele e ficasse do seu lado na porta, alguns degraus acima do solo. Por isso, abriu à força a outra metade da porta dupla, que há muito permanecera fechada, arrancando assim toda a soleira".

Após sua lua de mel, que o casal passou em Plauen, na casa de parentes de Ludwig Nietzsche, começou o dia a dia em Röcken, que não foi muito fácil para Franziska Nietzsche. A economia doméstica se distinguia, a despeito de suas semelhanças externas, fundamentalmente do lar paternal em Pobles. Seu pai, David Oehler, o avô de Friedrich Nietzsche por parte da mãe, era um tipo espiritual bem diferente do que o avô de Nietzsche, do qual já falamos anteriormente. Como filho de um tecelão pobre, tivera uma juventude difícil antes de se tornar pastor em Pobles e exercer essa função até a sua morte aos 72 anos de idade. Logo após assumir sua paróquia, casou-se com a filha Wilhelmine do comissário financeiro Hahn, dono de uma casa senhorial em Wählitz, um homem tão rico que, quando sua filha se casou, ele lhe deu uma carruagem, um cocheiro e uma cozinheira como dote. Onze filhos foram fruto desse casamento, cujo sexto foi a Franziska. Os membros da Família Oehler gozavam de uma vida longa e fértil de grande vitalidade. Mas existiam também exceções, relatadas já por P.J. Möbius[168]: "[...] que alguns dos irmãos da Sra. Nietzsche sofriam de deficiências mentais; uma irmã se suicidou, outra enlouqueceu. Há relatos também de que, no verão de 1901, aos 68 anos de idade, um irmão teria desenvolvido um distúrbio mental. Além disso, a própria esposa do pastor informou que um de seus irmãos morrera num hospital psiquiátrico. [...] A Dra. Förster [...] respondeu que nada sabia de uma doença mental, que devia se tratar de um equívoco. Confirmou apenas que alguns dos irmãos Oehler apresentavam alguns 'traços excêntricos' e que um deles era um pouco melancólico". A Dra. Förster negava aqui o que ela havia suprimido também em sua edição das cartas de Nietzsche à sua mãe. Por ocasião da morte do seu tio, o Pastor Theobald

Oehler, no verão de 1881, ele lhe escrevera[124]: "Ele era uma pessoa de caráter manso e bom, exigente consigo mesmo, mas sem ser fanático; eu o considerava o melhor dos Oehler. Quem sabe se sua doença nervosa não se devia mais ao charlatanismo de seu sogro do que à sua teologia. Preferiu morrer no manicômio, e provavelmente agiu bem. Sempre nos lembraremos dele com afeto". Essas palavras provocaram o repúdio de sua mãe, levando-o a formular poucos dias mais tarde (em 13 de julho de 1881)[124]: "Sim, parece-me mais provável que o pobre Theobald pretendia tomar um banho num estado de excitação (para acalmar-se) e nisso sofreu um derrame. Isso acontece muitas, muitas vezes".

E no ano seguinte, na carta de 21 de março de 1882 a Paul Rée, encontramos esta interpretação[12]: "Imagine: No verão passado, um dos meus parentes mais próximos foi surpreendido por um ataque no banho e, por estar sozinho, se afogou". Portanto, alguns anos mais tarde, por ocasião da morte de seu irmão, nada era mais natural para a Dra. Förster do que recorrer à estratégia de explicar uma calamidade familiar como "derrame" ou algo semelhante.

A residência pastoral em Pobles, afastada da aldeia e situada numa colina com uma vista desimpedida do enorme pomar até os campos de batalha de Leipzig, Lützen e Grossgörschen, tornar-se-ia mais tarde o local onde o garoto Friedrich Nietzsche passaria muitas semanas de férias. Com seus estábulos, celeiros e com sua padaria, a propriedade se parecia mais com uma fazenda do que com a residência de um pastor afastado do mundo. E o pastor de Pobles era um homem pio, mas de forma alguma sedentário, muito menos um fariseu pietista, como muitos outros em seu tempo. Para alimentar seus muitos filhos e satisfazer sua necessidade de companhia, ele administrava pessoalmente a fazenda pertencente à paróquia com seus dois cavalos, gado e porcos. Ia à caça com seu capataz e não se recusava a um jogo de cartas com os donos das propriedades vizinhas. Seu retrato nos mostra um homem vigoroso, viril e enérgico e, ao mesmo tempo, esperto e bem-humorado. Além de sua profissão, cultivava os mais diversos interesses espirituais: tocava piano e organizava concertos domésticos com seus filhos e convidados, chegando a apresentar até obras como a "Criação" de Haydn. Um instinto pedagógico altamente desenvolvido, que se manifesta também em Nietzsche desde o início, focava-se principalmente em seus filhos, que tinham grande respeito de seu pai e da mãe e lhes obedeciam perfeitamente. Seu orgulho particular era uma biblioteca grande com obras valiosas, não apenas teológicas. O aluno Nietzsche, ávido por leitura, deve ter encontrado aqui, em algum dia de férias, um primeiro tomo de Stifter para então absorvê-lo num canto tranquilo do pomar sob o murmúrio dos olmos que separavam a propriedade da aldeia.

Não surpreende, portanto, que os superiores, em vista dos múltiplos interesses de David Ernst Oehler, não o consideravam um pastor tão exemplar quanto seu colega Nietzsche, mesmo que não tivessem encontrado nenhum motivo para queixar-se dele. Numa *conduite* de 1838, de seu superintendente Förster, lemos: "Sobre seu caráter não posso afirmar nada de desvantajoso. Como pregador, ousa demais; pois ele improvisa, nem sempre de forma feliz. Ainda não tive oportunidade de investigar seus conhecimentos. Instrui seus filhos juntamente com outras crianças, e essa atividade ocupa a maior parte do seu tempo. Apesar de não ser frio, poderia ser mais caloroso. Por vezes, tem demonstrado uma falta de inteligência pastoral. Certa austeridade, própria de sua pessoa, repele mais do que atrai, no entanto, as pessoas que o conhecem sabem que ele não o faz por mal. [...] Nada posso dizer contra sua conduta. A congregação não o acolheu inteiramente. Numa recente revisão local, tive que repreender algumas pessoas mal-intencionadas quando tentaram ressuscitar uma lamentável disputa, informada há vários anos ao honorável *consistorii* (em decorrência de algumas afirmações feitas irrefletidamente no púlpito) com a intenção de prejudicá-lo".

Tudo indica, portanto, que o Pastor Oehler era um homem fogoso, que nem sempre apresentava a serenidade mansa exigida por sua profissão. No entanto, ele estava ciente de seu temperamento brusco e o combateu. Isso é confirmado por uma informação encontrada nas anotações de seu filho Oskar Ulrich: "Quando o pai se irritava com algo, ele, em vez de falar sobre o assunto, escrevia: expressava toda sua irritação, toda sua mágoa em cartas. Costumava dizer: 'O papel é magnânimo, ele suporta muito'. Depois, guardava o documento cuidadosamente em um local secreto de sua escrivaninha. Lá, permanecia e amadurecia e nunca era enviado". Mais adiante veremos que essas irritações súbitas e o método de apaziguá-las se repetirão em seu neto Friedrich Nietzsche – sem que este tivesse conhecimento desse traço do avô.

A luta do Pastor Oehler contra as irrupções de seu temperamento e seu espírito bélico era duplamente necessária, visto que a natureza de sua esposa Wilhelmine era igualmente passional e nada fazia para conter seu sangue quente. "Por vezes", escreveu seu filho, "ela se parecia com um barril de pólvora que explode facilmente; mas após a explosão, ela logo se sentia aliviada, e tudo voltava ao normal". Dentre os netos, foi sobretudo Elisabeth, irmã de Nietzsche, que herdou essa característica, só que ela era também irreconciliável. De resto, a falta de autocontrole da avó Oehler pode ter tido suas raízes em duas deficiências físicas, em virtude das quais ela certamente havia sido mimada um pouco mais pelos pais do que era o costume na educação dos filhos: em decorrência de um acidente, causado pela desatenção de sua babá, uma de suas pernas era mais curta, e a varíola havia cegado um de seus olhos. Essas deficiências, porém, de forma alguma a impediram de administrar energicamente seu lar em Pobles e de criar todos os seus onze filhos em perfeita saúde. Trabalhava incansavelmente, o que lhe deixava pouco tempo para adular seus filhos. No entanto, zelava por seus filhos com um senso comum saudável e percebia o que havia de especial em cada um deles. Aparenta ter sido uma mulher esperta, que observava com argúcia e "transmitia suas observações de forma singular" – um dom que sua filha Franziska também possuía. Gozava de uma saúde perfeita como seu marido e seus filhos, por isso, desprezava a medicina. Um médico da região costumava dizer: "Se tivesse que viver como médico de sua família, eu teria que ir até Bautzen". Quando um dos membros da família sofria de algum mal, ele era tratado com água fria e compressas de Priessnitz. O Pastor Oehler era respeitado em toda a região como hidroterapeuta, e o povo recorria a ele quando os médicos já haviam desistido do paciente.

Franziska herdou esse desdém pela medicina acadêmica de seus pais, tanto quanto a alegria pela natureza, pelo despertar na madrugada e pelos exercícios físicos. Quando se casou com o Pastor Nietzsche em Röcken aos 17 anos de idade, ela ainda era uma moça um tanto selvagem. Era bonita, com exceção de sua testa alta e retangular, e tinha grandes olhos castanhos, que observavam o mundo de forma ainda bem infantil e ingênua. Sua formação deixava a desejar, como era comum na época entre as filhas de pastores. Faltava a seu alemão vivaz e concreto certa firmeza gramatical e ortográfica, conhecia apenas algumas expressões em latim e francês que ela aprendera por acaso. Mas era ótima em matemática e possuía um senso comum extraordinário, um senso prático e uma boa memória. Educada desde cedo pelo pai, que "sabia falar com mestria e possuía o dom maravilhoso de representar pessoas e eventos de forma plástica e drástica", na arte da poesia e de dramas teatrais inocentes, ela recitava poemas com sua voz sonora. Sobretudo, porém, foi educada em obediência e modéstia e possuía uma piedade inabalável, que, juntamente com sua capacidade de se adaptar, ajudou-lhe a superar todos os infortúnios da vida.

Assim, conseguiu se adaptar sem maiores dificuldades internas e externas ao lar de seu marido, doze anos mais velho do que ela, mesmo que essa casa apresentasse um clima completamente oposto ao lar de Pobles. No início, sua tarefa se reduzia a pouco mais do que a essa adaptação, pois precisava se introduzir a um lar já estabelecido e definido.

Ludwig Nietzsche havia trazido sua mãe Erdmuthe para a sua casa, e essa senhora idosa elegante, quieta e um pouco frágil com seu rosto fino e pálido, com seus lindos olhos escuros e seus cabelos negros, que não agrisalharam nem em idade avançada, era a verdadeira dona de casa, e tudo seguia suas ordens.

Os afazeres domésticos eram realizados, juntamente com a idosa e experiente empregada Mine, pela meio-irmã de Ludwig Nietzsche, a "bondosa" Auguste, enquanto sua irmã Rosalie se dedicava mais a assuntos espirituais, ocupando-se com questões caritativas e eclesiásticas e interessando-se por assuntos políticos ao ponto de ler a "Vossische Zeitung" de Berlim – algo absolutamente incomum para uma dama de sua época. Sempre teve uma saúde frágil e se irritava facilmente. Já no tempo de noivado, Franziska ficou constrangida quando Rosalie lhe contou que, por causa de seus nervos, ela era incapaz de se deleitar com a bela vista do sótão da casa. Franziska conta: "Nunca havia ouvido a palavra *nervos*. Senti-me uma completa ignorante por não saber o que significava. Quando nossos convidados se despediram, relatei à mãezinha a conversa que tive com a Srta. Nietzsche e lhe perguntei o que seriam esses tais de 'nervos'. Naquele momento, a mãezinha também não me soube responder e afirmou: 'Creio que seja uma dessas fraquezas comuns'".

No entanto, a amante da natureza Franziska conseguiu se adaptar a essa atmosfera urbana e um tanto mórbida com bastante tato. Ela admirava as três mulheres, mesmo que o nervosismo irritável de Rosalie não tenha facilitado sua vida. Quando um conflito irrompia e Franziska não conseguia conter seu temperamento e tentava se impor, seu marido sensível ficava tão sentido que ele se refugiava em seu escritório, recusando qualquer tipo de comida e bebida. Isso bastava para calar a sua esposa, que o amava e admirava. De resto, ficava feliz quando seu marido a libertava de sua inatividade e a levava em suas viagens, por exemplo, para Dresden, para a Suíça saxônica ou para uma visita a parentes. E quando os filhos nasceram, sua vida também se tornou mais plena.

Em 15 de outubro de 1844, um ano após o casamento, a mulher, que ainda não havia completado seus 19 anos de idade, deu à luz um filho saudável após uma gravidez normal. O pai, pelo fato de seu filho ter nascido no aniversário de seu venerado rei, deu-lhe o nome de *Friedrich Wilhelm*. Típico de seu caráter e estilo extravagante é o final de seu sermão batismal[88]: "Abençoado mês de outubro, mês em que, ao longo dos anos, ocorreram-me os eventos mais importantes da minha vida, mas o que vivencio hoje é o maior, o mais maravilhoso de todos, pois hoje batizo o meu filinho! Ó momento abençoado, celebração deleitosa, ó obra indizivelmente sagrada, seja abençoado em nome do Senhor! – Com o coração profundamente comovido, eu o digo: tragam então este meu filho amado, para que eu o consagre ao Senhor. Meu filho, Friedrich Wilhelm, assim deves ser chamado na terra, em memória do meu benfeitor real, em cujo aniversário tu nasceste".

Seu conselheiro consistorial superior considerou esse *páthos* "um pouco exagerado", mas, de resto, sua "*conduite*" alega que o pastor era um homem amável, dedicado a seu cargo, e um catequista e pregador talentoso.

O pai insistiu na data precoce para o batismo – 24 de outubro – e a despeito da mãe ainda estar confinada à cama sem, portanto, poder participar da cerimônia, porque se tratava da data de seu próprio dia de batismo.

Além das suas obrigações oficiais, dedicava-se passionalmente à música e improvisava com mestria ao piano. Seu forte *páthos* parece também ter gerado uma tendência ao fanatismo. Pouco tempo após seu casamento, acatou os pensamentos de Hahnemann e seus métodos terapêuticos homeopáticos. "Meu Ludwig encomendou agora uma farmácia homeopática", escreve sua esposa em seu diário, "e pretende curar com ela tudo que apresente alguma doença; eu, porém, recusei-me ao seu tratamento, pois sei como me tratar com água quando algo me acomete".

Nasceram-lhes outros filhos. Em 10 de julho de 1846, os dois tiveram uma filha, que recebeu o nome de *Elisabeth*, em homenagem a uma das alunas principescas do pai, e em 27 de fevereiro de 1848 nasceu-lhes um segundo filho, que recebeu o nome de *Joseph*.

O amor especial do pai, porém, pertencia ao mais velho, que vinha se desenvolvendo bem. Recusou-se apenas a falar no tempo devido, mas isso logo se resolveu quando o médico atencioso, que fazia consultas frequentes por causa de Rosalie, chamou a atenção da mãe e lhe disse que estava atenta demais ao menor sinal de insatisfação de seu filho, e assim o dispensava da necessidade de abrir a boca.

Em seu tempo livre, o pai gostava de se ocupar com seu filho mais velho assim que este conseguia formular suas primeiras palavras. Também não se importunava com sua presença em seu escritório quando o filho o observava "quieto e pensativo" – como escreve a mãe – durante seu trabalho. Mas o filho ficava totalmente arrebatado quando o pai improvisava ao piano. Já com um ano de vida, o pequeno Fritz (como todos o chamavam) se erguia em seu carrinho, ouvia em silêncio absoluto e não desviava seu olhar do pai. De resto, porém, não foi um filho muito obediente durante os primeiros anos de vida. Quando algo não corria segundo a sua vontade, ele se jogava no chão e esperneava cheio de raiva. O pai tomou medidas enérgicas contra esse tipo de comportamento, pois o garoto continuava a insistir em sua teimosia quando não recebia o que queria, mas esta fase durou pouco, após a qual ele não se manifestou mais, preferindo refugiar-se em um canto recluso onde podia acalmar sua raiva.

Todos os testemunhos do Nietzsche já mais maduro mostram que esses primeiros anos de sua infância lhe renderam um vínculo espiritual profundo com seu pai, um vínculo do qual ele voltaria a se lembrar em momentos decisivos de seu desenvolvimento e que era muito mais forte e íntimo do que seu vínculo mais instintivo com a mãe. Com base neste vínculo e em informações mais de terceira mão do que adquiridas por experiência própria, ele cria uma imagem estilizada, que se manifesta, por exemplo, numa carta de 14 de setembro de 1884 a Overbeck, onde fala da compaixão como seu maior perigo[11]: "Talvez esta seja a consequência vil da natureza extraordinária do meu pai: todos que o conheciam o viam mais como 'anjo' do que como 'ser humano'". E de forma ainda mais aguçada em 'Ecce homo'[5]: "Considero um grande privilégio ter tido o pai que tive: Parece-me até que isso explica todos os outros privilégios que possuo – *não* incluindo, porém, a vida, o grande sim à vida. Sobretudo, que não dependo de uma intenção, apenas de um mero aguardo, para adentrar involuntariamente num mundo de coisas elevadas e tenras: lá, estou livre, minha paixão mais íntima ali se liberta".

No ano de 1848, a vida idílica na casa pastoral chegou a um fim súbito. Apenas os últimos tremores da revolução alcançaram o vilarejo remoto – o garoto de quatro anos viu dela apenas algumas carruagens com homens e suas estandartes, mas o pai tão leal ao rei foi profundamente abalado pelos eventos. Quando leu no jornal que o rei havia se apresentado ao povo em Berlim com o cocar da revolução preso ao chapéu, ele chorou e se trancou em seu escritório durante horas. Depois, proibiu que sua família jamais voltasse a falar sobre o assunto. No entanto, a vida em Röcken seguiu em seu ritmo comum. No final de agosto, porém, o pai adoeceu e, em 30 de julho de 1849, ele sucumbiu à sua doença.

Muito se fabulou e discutiu sobre a natureza dessa doença, especialmente no contexto da disputa sobre as causas do colapso mental de Nietzsche em 1889. Em 1890, ano em que Ola Hansson, baseando-se em uma informação do Prof. Heinze, alegou pela primeira vez que a doença mental de Nietzsche era genética e que esta mesma havia matado seu pai, a mãe de Nietzsche imediatamente se opôs veementemente: seu marido teria adquirido sua "lesão mental em virtude de uma queda de uma escada de granito, mas *jamais* enlouquecera" (em uma carta a Carl Fuchs, de 6 de novembro de 1890). Poucos dias antes, ela descreve essa lesão mental diante de Gast como "amolecimento do cérebro". A afirmação segundo a qual a queda de uma escada teria sido a causa dessa doença foi repetida por sua filha Elisabeth em numerosas publicações. Fato é que Ludwig Nietzsche realmente morreu em consequência de um amolecimento do cérebro, que não é genético, sem falar do fato de que essa doença se manifestou de forma palpável apenas quatro anos após o nascimento do filho. Möbius relata, porém, que a mãe teria dito ao médico da família que Ludwig Nietzsche teria sofrido de "estados alterados" já antes de seu adoecimento. De vez em quando, teria se reclinado em sua poltrona, ficando em silêncio e olhando fixamente para algum ponto. Mais tarde, não teria conseguido se lembrar de nada de seu ataque. Möbius interpreta isso como pequenos ataques epilépticos[168].

Diante dessas informações vagas, prefiro ater-me a dois testemunhos registrados imediatamente após a morte de Ludwig Nietzsche. Uma dessas testemunhas é uma carta de Friederike Dächsel, uma meio-irmã de Ludwig Nietzsche, a seu enteado August, escrita em agosto de 1849; a outra, um documento do superintendente Wilke, superior do falecido, de 19 de março de 1849, lavrado ainda durante a sua doença. Neste, lemos: "Desde o outono passado, ele vem sofrendo de uma tensão nervosa e uma afeição cerebral, de forma que necessitou primeiro de ajuda e, mais tarde, de uma representação completa por parte dos seus colegas de ofício. Eu teria relatado este fato mais cedo se, durante a primeira metade do tempo, não tivéssemos esperado um fortalecimento contínuo do enfermo e, na segunda metade, quando se juntaram a isso ataques de convulsão e o mal do *amolecimento cerebral* se desenvolveu, as próprias avaliações médicas não tivessem prometido alguma dissolução"; alegando, porém, que agora existia uma esperança fraca de uma melhora.

Friederike Dächsel escreve que a morte teria ocorrido no dia 30 de julho, às 5 e 49 da manhã. "Abriram seu crânio, e confirmou-se que ele morreu em decorrência de um amolecimento do cérebro, que já afetava um quarto de sua cabeça." O amolecimento do cérebro foi também o diagnóstico feito pelo médico responsável Oppolzer, de Leipzig. Em seu relatório final de 3 de agosto de 1849, o superintendente Wilke também informa o 30 de julho como dia de seu falecimento.

Nenhum desses relatos menciona uma queda de uma escada, nem mesmo o próprio Friedrich Nietzsche fala sobre isso em seus primeiros registros autobiográficos de 1858 e 1861. Sobre o período de agosto a setembro de 1858, ele escreve[4]: "De repente, em setembro de 1848, meu querido pai foi acometido por uma doença afetiva (*Gemütskrankheit*)". Por ocasião da primeira publicação desse registro no primeiro volume de sua grande biografia de Nietzsche[86], sua irmã alterou o texto, que agora dizia: "De repente, em setembro de 1848, meu querido pai adoeceu gravemente em decorrência de uma queda". Em vista da falsificação tão inescrupulosa de uma fonte, poderíamos suspeitar que ela tentou impor uma *fable convenue* sobre a morte do pai e acreditamos que o relato da mãe sobre os "estados alterados" do marido antes do adoecimento e o relato de Wilke sobre "uma tensão nervosa e uma afeição cerebral", que precederam o amolecimento do cérebro, sejam mais confiáveis.

Segundo uma informação oral de Max Oehler em Weimar, a autópsia da cabeça revelou um tumor no cérebro; poderia, então, ter se tratado de um tumor cerebral, que também teria provocado os "estados alterados", ou seja, de uma doença orgânica, como já alegara o médico de Pforta no prontuário de Nietzsche[54]. Nada disso exclui a possibilidade de uma queda de uma escada, mas que, nesse caso, como breve tontura, teria sido um sintoma e não a causa da doença. Existe, porém, outra possibilidade: Seis anos após a morte precoce de Ludwig, morreu no verão de 1855 também sua irmã Auguste; oito meses depois dela, a avó Erdmuthe, que também havia sofrido de enfermidades contínuas; em 3 de janeiro de 1867, aos 55 anos de idade, morreu Rosalie em decorrência de uma grave doença pulmonar: Um pulmão inteiro havia sido destruído pela doença. Será que Ludwig Nietzsche foi a primeira vítima dessa epidemia "moderna", será que morreu em decorrência de uma tuberculose cerebral, "que já afetava um quarto de sua cabeça"? No entanto, todas estas não são doenças genéticas; não podemos, a partir daqui, estabelecer nenhum vínculo direto com o colapso mental de Nietzsche em 1889.

O registro de Nietzsche mencionado remete a uma pergunta feita à tia Rosalie. Em um esboço para um currículo, datado em maio de 1861, Nietzsche fala de uma "infecção cerebral, muito parecida em seus sintomas com a doença do falecido rei". Na versão definitiva desse currículo, porém, Nietzsche, provavelmente após se consultar com sua mãe, afirma: "A perspicácia do Conselheiro Oppolzer reconheceu imediatamente os sintomas de um amolecimento do cérebro"[4]. A progressão da doença foi muito dolorosa, no fim, o paciente perdeu a visão, mas "ele sabia *tudo* (como lemos na carta já mencionada da mãe a C. Fuchs, escrita 41 anos mais tarde), mas não conseguia, como é comum em casos de amolecimento do cérebro, organizar as palavras em orações e ficava feliz quando eu adivinhava seus pensamentos".

Em 9 de janeiro de 1850, poucos meses após esse infortúnio, morreu também Joseph, o irmão caçula de Nietzsche, poucas semanas antes de seu segundo aniversário (27 de fevereiro) – como afirma a mãe, em decorrência de convulsões durante a dentição.

Nos registros autobiográficos mencionados acima e escritos aos 14 anos de idade, Nietzsche relata um sonho que teve pouco antes do adoecimento do irmão[4]: "Ouvi na igreja o som de um órgão como num funeral. Quando fui investigar a causa, ergue-se de repente um túmulo, e sai dele meu pai em sua roupa fúnebre. Ele corre para a igreja e, pouco depois, volta com uma criança pequena nos braços. O túmulo se abre, ele entra, e a entrada se fecha. O som do órgão se cala, e eu acordo. – No dia seguinte, o pequeno Joseph começa a se sentir mal, sofre convulsões e morre dentro de poucas horas. Nossa dor foi imensa. Meu sonho havia se tornado realidade".

Logo após esses contratempos, a vida da Família Nietzsche em Röcken chega ao fim. A casa pastoral precisava ser cedida ao sucessor do pai, a avó Nietzsche decidiu mudar-se com a família para Naumburg, onde tinha um grande círculo de parentes e amigos.

Agora, a jovem viúva do pastor dependia quase que completamente da família. Sua pensão de viúva era de 30 tálers por ano, acrescentando-se a isso 8 tálers por filho até que estes completassem os quinze anos de idade. Isso e uma pequena ajuda da propriedade de Altenburg representavam toda a sua renda. A Família Nietzsche, porém, era bastante rica, por isso, no início de abril de 1850, Franziska se mudou para Naumburg com a avó Erdmuthe (agora com 72 anos de idade), as duas tias dos filhos, os filhos e a Mine.

Na última noite em Röcken, após sua despedida de seus colegas, o pequeno Friedrich de 5 anos e meio não conseguiu dormir. À meia-noite, ele desceu para o pátio e viu como as carruagens de mudanças eram carregadas à luz opaca das lanternas. Essa cena noturna melancólica o marcou profundamente, e ele demorou a se adaptar à vida urbana de Naumburg, onde a avó com toda a sua família ocupava agora um apartamento na casa do funcionário ferroviário Otto, localizada na esquina da Neugasse. Franziska e seus dois filhos, que a partir de então representariam toda a sua vida, instalaram-se em alguns quartos no fundo da casa. Um destes, o mais escuro, foi atribuído às crianças, que logo começaram a ler e estudar. Este quarto não lhes fez bem, pois ambos haviam herdado a miopia do pai e uma tendência à enxaqueca. No início, porém, nada aconteceu. Quando a avó Oehler pediu que os olhos de Friedrich fossem examinados pelo Prof. Schillbach em Jena, este constatou que um de seus olhos era mais fraco do que o outro. No entanto, a mãe também possuía pupilas de tamanhos distintos, tornando a visão de um de seus olhos mais fraca do que a do outro. Mas já que isso não tinha nenhum efeito negativo sobre sua beleza ou desempenho, ninguém se preocupou muito com a condição dos olhos do filho.

De resto, porém, a mãe fez de tudo para garantir a saúde e o bem-estar espiritual de seus filhos. Do ponto de vista médico, ela pode ter ignorado uma coisa ou outra, pois ela mesma gozava de uma saúde inabalável e acreditava poder curar qualquer distúrbio com banhos de água fria, compressas e caminhadas. Demonstrou grande sabedoria na alimentação dos filhos, contrariando os costumes de seu tempo. Ofereceu-lhes muitos legumes, frutas e produtos à base de farinha de trigo, pouca carne, tampouco cerveja e vinho, considerados fortalecedores na época. Além disso, incentivou seu filho desde cedo a praticar diversos esportes, como natação e patinação. Demonstrou uma mão firme na educação e não mimou seus dois filhos. Seguiu os princípios saudáveis da educação que recebera dos seus próprios pais.

Ela mesma, porém, havia resignado e aceito sua situação de dependente para o bem de seus filhos. Ela o fez sem queixa e resmungo e sem aquela amargura que costuma arruinar a vida dos filhos de viúvas jovens. Nenhum revés conseguiu abalar sua forte vitalidade, e sua natureza vivaz e alegre se arraigava firmemente no dia a dia com suas obrigações. Sua fé lhe oferecia abrigo e um sustentáculo inabalável. Sua maternidade era de natureza instintiva, sua vida emocional não apresentava profundeza nem amplitude, e era, a despeito de toda receptividade sentimental, fria. Sua natureza ativa a levava a cuidar e servir, mas sua imaginação fraca e limitação intelectual impossibilitaram qualquer empatia com o crescimento de um espírito jovem, muito menos com o de um espírito como o de seu filho, de forma que este se viu obrigado a se desprender dela desde o primeiro despertar de sua autoconsciência, mesmo que jamais tenha perdido seu vínculo criatural com ela.

Em vista do empenho quase sobrenatural do amor maternal durante os últimos anos de sua vida, esse julgamento pode parecer duro e injusto; no entanto, corresponde à realidade, como veremos em diversas ocasiões no decorrer da nossa apresentação. Sem esse diagnóstico (por mais que ele se oponha à concepção tradicional), não podemos entender a infância de Nietzsche, muito menos sua solidão espiritual posterior. Desde muito cedo, manifesta-se nesse garoto talentoso uma autoconsciência, mesmo que ela ainda não consiga dar uma forma a si mesma e se interpretar. Essa autoconsciência tardará a se expressar na mesma medida em que o vínculo instintivo com a mãe e o cavalheirismo do filho se desenvolve. Sua existência espiritual terá que se separar completamente da mãe, e sua imagem do mundo se forma sem qualquer participação maternal. Assim, ele perde uma garantia essencial: o arraigamento no aspecto materno, no calor do sentimento. Em sua existência física, porém, ele, no fim, voltará para o seu ventre.

A despeito da beleza da jovem viúva e de seu extenso convívio social graças ao grande círculo de conhecidos da avó, cuja enfermidade constante limitava esses contatos quase que totalmente à sua casa, a mãe de Nietzsche não voltou a se casar. O filho lhe permaneceu eternamente grato por isso, pois venerava o seu pai.

Para o garoto sério de cabelos longos e louros e de olhos grandes, escuros e um pouco fixos, começou então o período da escola e do aprendizado.

Na Páscoa de 1850, quando começou a frequentar a *Knaben-Bürgerschule* (que hoje chamaríamos de escola pública) em Naumburg, a mãe há muito já havia lhe ensinado a ler e escrever. A mãe o matriculou nessa escola seguindo o conselho sensato da avó, que acreditava ser saudável reunir os filhos de famílias cultas com colegas de "estamentos inferiores" durante os primeiros anos escolares, para assim transmitir-lhes uma sensibilidade social. O tutor do menino, seu tio Dächsel, advogado em Sangerhausen, consentiu. No entanto, o experimento fracassou. Aquilo que aprendia nessa escola não representava qualquer dificuldade para o menino, se é que já não dominava a matéria. No entanto, não conseguiu estabelecer amizades com os outros garotos. Nietzsche era diferente e não conseguiu se integrar. Era um corpo estranho. Criado exclusivamente na companhia de mulheres, ele era educado demais. Sua "conduta digna e cavalheiresca" e seu "modo de expressão pastoral", que o acompanhou durante toda a sua infância, como escreve sua irmã, e "a dignidade de um filisteu mesquinho", como ele mesmo se descreveu aos 19 anos de idade[4], provocou a zombaria de seus colegas, que o chamavam de "pequeno pastor". Mesmo que as pessoas o admirassem por sua capacidade de "recitar versos bíblicos e hinos espirituais com uma expressividade que chegava a provocar lágrimas"[88], essa admiração sempre vinha acompanhada de um sentimento de estranheza. Nietzsche era uma criança solitária nesse meio, e isso não mudaria. Desde já, ele se envolvia com a aura tão protetora quanto perigosa e dolorosa da singularidade, que durante toda a sua vida o isolaria do convívio social. Mas isso não impediu que fizesse amizades. Estes amigos, porém, eram garotos igualmente educados e protegidos.

Em sua juventude, a velha avó Nietzsche havia passado muito tempo em Naumburg na casa de seu irmão Krause, pastor da catedral e posteriormente superintendente-geral, sucessor de Herder em Weimar, estabelecendo assim contatos com a alta sociedade local, que agora ela procurou reativar. Na época, dominavam em Naumburg os juristas do tribunal regional superior (*Oberlandesgericht*) e suas esposas. Eram conservadores, leais à Igreja e ao rei. As ideias revolucionárias da época e o socialismo emergente ainda não conseguiam invadir os muros da cidade, cujos portões permaneciam trancados entre as dez da noite até às cinco da manhã. O nível de formação dos homens desses círculos não era baixo, mas se limitava às formas clássicas da poesia e música alemãs; as mulheres, por sua vez, organizavam chás, onde se encontravam para compartilhar novidades familiares e sociais, preocupações de donas de casa, assuntos relacionados à educação dos filhos e uma piedade demonstrativa. Preocupações econômicas jamais invadiam esse círculo de funcionários públicos com salários garantidos, acostumados a um estilo de vida modesto, mas confortável. Isolavam-se decididamente de todos os outros estamentos, mesmo que ainda não com a arrogância que surgiria com a fundação do Reich e sobretudo na Alemanha guilhermina.

Uma das mulheres mais influentes da cidade era a conselheira secreta (*Geheimrätin*) Pinder, cujo filho atuava como conselheiro no tribunal regional superior e cuja filha havia se casado com o conselheiro secreto Krug, também do tribunal regional superior. A senhora, já idosa, era uma amiga de infância da avó Nietzsche e se dedicou à missão de unir os netos de ambas as famílias. Assim, gerou uma amizade de infância entre os meninos Wilhelm Pinder, Gustav Krug e Friedrich Nietzsche. Visto que, aparentemente, os dois outros garotos também não conseguiam se adaptar à escola de Nietzsche, os três foram retirados após um ano e transferidos para o instituto particular do candidato Weber, considerado uma escola preparatória para o ginásio da catedral (*Domgymnasium*). Nietzsche permaneceu nesse instituto desde a primavera de 1851 até o outono de 1854.

No entanto, precisamos contar ainda uma anedota do ano que passou na escola pública, típica do garoto Nietzsche. A irmã relata[88]: "Na época, a *Knabenbürgerschule* se encontrava no *Topfmarkt*, ou seja, a uma distância curta da nossa casa. Certo dia, no exato momento em que as aulas se encerravam, caiu uma chuva forte; ficamos de olho na Priestergasse, esperando que Fritz aparecesse. Todos os garotos correram para casa como um exército em fuga – finalmente, aparece também o Fritzchen, com passos lentos, o gorro escondido sob a lousa, seu pequeno lenço estendido sobre esta. Mamãe fez um sinal e o chamou já de longe: 'Rápido, menino!' A chuva impediu que ouvíssemos sua resposta. Quando finalmente chegou em casa totalmente encharcado, nossa mãe o repreendeu, mas ele respondeu em tom sério: 'Mas, mãe, as leis da escola dizem que os garotos não devem pular e correr quando saírem da escola, antes devem prosseguir para suas casas com serenidade e de forma ordenada'".

A irmã acrescenta que essa ocorrência ainda lhes "forneceu várias oportunidades para gracejos". Parece-nos que essa história, por mais cômica que seja, poderia ter servido como motivo de questionamento por parte de um pedagogo. Transparece aqui um fanatismo de submissão diante de uma lei acatada, que busca sua última consequência, também contra sua própria natureza – e isso num garoto passional e teimoso –, postura essa que invariavelmente estava fadada a provocar tensões das mais agudas.

O instituto do candidato Weber não exigia muito dos três pequenos alunos Pinder, Krug e Nietzsche, que aqui consolidaram sua amizade. Predominava a instrução religiosa; no entanto, os alunos também já foram introduzidos aos fundamentos do latim e do grego, de forma que, no outono de 1854, os garotos puderam ser transferidos para o segundo ano do ginásio da catedral.

Weber fazia também muitas caminhadas com seus alunos, brincava com eles de pique-pega e organizava torneios de tiro ao alvo com bestas.

No entanto, parece ter investido pouco esforço nas aulas de alemão. As primeiras tentativas poéticas infantis de Nietzsche, empreendidas no último ano sob a tutela de Weber, apresentam ainda muitos erros gramaticais e ortográficos e expressões dialéticas cômicas. Nesse quesito falharam até o ginásio e a escola de Pforta. Aos 15 anos de idade, Nietzsche ainda escreve *Gedraite* em vez de *Getreide* (trigo), e aos 18 anos, ainda confunde *dem* com *den*, o dativo com o acusativo do artigo definido masculino (e o mesmo volta a ocorrer mais tarde, em uma saudação a Overbeck após seu colapso mental!), por mais que seu estilo livre e incomum já comece a se desenvolver na época. Rapidamente o garoto abandona o dialeto da sua região natal e não volta a usá-lo nem na brincadeira, pois o desdenhava. Padrões clássicos marcaram seu senso linguístico desde sua primeira infância, e durante toda sua vida orientou-se pela literatura, jamais recorrendo ao dialeto e à linguagem cotidiana.

O Conselheiro Pinder, pai do amigo Wilhelm, ocupava-se muito com a poesia da era clássica. Foi em sua casa que Nietzsche, aos 12 anos de idade, ouviu falar em Goethe pela primeira vez. Pinder leu para as crianças a "Novela leonina" (*Löwennovelle*). Por volta do mesmo tempo, foi exposto também a fortes impressões musicais na casa do Conselheiro Krug, onde tocavam música de câmara em alto nível e por onde passavam todos os músicos famosos que vinham a Naumburg. Sua mãe também dedicou muita atenção à sua formação musical, que correspondia à sua inclinação mais forte, e incentivava seus filhos a comporem versos para todas as festividades. Ela mesma comprou um piano e frequentou as aulas pedagógico-musicais de um antigo cantor de música sacra, para depois poder ensinar ao filho os fundamentos da pianística. Mais tarde, contratou a melhor professora de piano de Naumburg. Mãe e filho tocavam muito juntos, como nos conta seu sobrinho Adalbert Oehler[181]. O próprio Nietzsche escreve em 18 de setembro de 1863: "Brotou naquele tempo a inclinação para a música, a despeito dos inícios da educação musical, que fizeram de tudo para destruí-la em suas raízes. Pois meu primeiro professor era cantor, que apresentava todas as falhas amáveis de um cantor emérito sem quaisquer méritos especiais"[4].

Ao lado de tudo isso, restava-lhe ainda muito tempo para todas as brincadeiras de infância, das quais participavam não só os dois amigos, mas também a irmã mais nova Elisabeth. O pequeno Fritz demonstrou uma rica imaginação e um curioso espírito sistemático. Escreveu cenas dramáticas sobre um esquilo de porcelana – o Rei Esquilo I –, construiu edifícios com seus blocos de madeira e desenhou uma galeria de pinturas – a única vez em que Nietzsche relata ter sentido prazer ao desenhar. Organizou também uma parada de regimentos de soldados de chumbo diante do rei de porcelana.

No entanto, esses soldados de chumbo encontraram seu destino definitivo apenas com a irrupção da Guerra da Crimeia em 1855. Os garotos eram partidários passionais dos russos, recriaram o sítio de Sevastopol com blocos de construção e soldados de chumbo, construíram até um tanque de água e, nele, o porto de acordo com mapas reais e encenavam batalhas navais com navios de papel e balas de piche. Mas não se contentavam com isso. Aos 14 anos, Nietzsche escreve[4]: "Devorávamos tudo que conseguíamos encontrar sobre as ciências bélicas, de forma que consegui adquirir conhecimentos consideráveis sobre o assunto. Léxicos e livros militares enriqueciam nossa coleção e já entretínhamos a ideia de escrever um grande dicionário militar".

Essa obsessão pela meticulosidade ia além da mera brincadeira, mas o aprendizado despertou imediatamente também o desejo de produzir algo próprio.

Quando Sevastopol caiu em 1855, o humor dos garotos mudou: ficaram indignados com a péssima defesa da Torre de Malakov pelos russos. O decurso dos eventos pôs um fim também ao jogo. Um ano mais tarde, porém, em 1856, a dolorosa decepção ainda veio a se expressar em dois poemas um tanto canhestros sobre a queda da fortaleza[2]. O garoto Nietzsche busca processar experiências profundas por meio do trabalho artístico, pois entrementes havia começado a poetizar, exigindo de si mesmo bem mais do que os versos ocasionais escritos a pedido da mãe.

O ginásio, que Nietzsche frequentou entre outubro de 1854 e o final de setembro de 1858, não lhe causou maiores problemas no início, com exceção do grego, mas exigiu sim um maior empenho por sua parte. Muitas vezes, debruçava-se sobre seus cadernos até às 23 horas ou à meia-noite, precisando levantar-se novamente já às cinco da manhã. No início, mostrou-se receoso e tímido, mas aos poucos conseguiu se adaptar, sem jamais se integrar completamente à vida estudantil; mas orgulhava-se muito de seu *status* como ginasiano, fato que gostava de usar para se elevar sobre sua irmã.

O que o preencheu interiormente durante esses anos, não foi a escola, mas a poesia e a música, os amigos e as férias. O que o levava a escrever poesias era a pulsão de transformar tudo que via e lia em algo produtivo, pulsão esta que, inicialmente, se expressava na forma de mera imitação e de um "projeto de escrever um pequeno livro e lê-lo pessoalmente", como confessa Nietzsche aos 14 anos[4]: uma pulsão um pouco autística, diria a psicologia moderna. As composições dramáticas e poesias que o garoto conseguiu escrever aos 10 a 14 anos de idade e cuja criação lhe causou grandes dificuldades – como ele mesmo confessa – pelo fato de não dominar nem rima nem metro não revelam talento nem originalidade. São muito menos significativas para seu desenvolvimento do que aquilo que ele mesmo disse sobre elas em um texto redigido entre agosto e setembro de 1858, intitulado de *Aus meinem Leben* (Da minha vida)[4], o primeiro de toda uma série de registros autobiográficos, escritos em pontos decisivos de sua vida para satisfazer a sua necessidade de obter clareza sobre si mesmo e seu respectivo ponto de vista.

Nesse texto, o adolescente de 14 anos já divide suas obras poéticas em três períodos. Refuta completamente as poesias do primeiro período, pois "nenhuma delas apresenta uma única faísca de poesia". No segundo período, "tentei me expressar em linguagem adornada e cintilante, mas os afetos se transformaram em afetação; e a linguagem cintilante, em adorno vazio. E a todas estas poesias faltava ainda o principal, o pensamento. Por isso, o primeiro período se eleva ainda muito sobre o segundo, mas isso nos mostra como, antes de firmarmos o nosso pé, oscilamos entre os extremos e encontramos nossa paz apenas no meio-termo áureo"[4].

"No terceiro período das minhas poesias, procurei reunir o primeiro e o segundo, ou seja, combinar graça com força. Não sei dizer ainda se fui bem-sucedido. Esse período se iniciou em 2 de fevereiro de 1858. Pois este é o dia em que minha querida mãe celebra seu aniversário. Eu costumava entregar-lhe como presente uma pequena coleção de poesias. A partir de então, decidi exercitar-me um pouco mais na arte da poesia e, na medida do possível, escrever uma poesia toda noite. Executei essa ideia durante algumas semanas e sempre senti grande alegria quando via diante de mim o novo produto do meu espírito. Certa vez, tentei escrever da forma mais simples possível, mas logo desisti. Pois uma poesia perfeita precisa ser o mais simples possível, mas cada uma de suas palavras deve conter poesia verdadeira. Uma poesia despida de pensamentos, encoberta de frases e imagens, iguala-se a uma maçã vermelha, em cujo interior vive um verme. De forma alguma uma poesia pode apresentar frases feitas, pois o uso frequente destas manifesta uma mente incapaz de criar algo próprio. Ao escrever uma obra, é necessário focar-se principalmente nos pensamentos. O leitor perdoará um descuido estilístico, não, porém, uma ideia confusa. Exemplo disso são os poemas de Goethe com seus pensamentos cristalinos e profundos"[4].

Para um garoto de 14 anos, isto representa um reconhecimento surpreendente e uma autocrítica impiedosa. À pulsão produtiva, que avança despreocupada, segue imediatamente um gosto superior e a razão incorruptível, que analisa aquela friamente e, ao mesmo tempo, a incentiva.

Nessas primeiras tentativas poéticas, o envolvimento emocional é muito fraco; o que se manifesta nelas é muito mais a ambição do que a necessidade interior. Na música, porém, constatamos algo diferente. Aqui, Nietzsche parece, já com o primeiro passo, submergir em seu mundo mais verdadeiro – mesmo que acompanhado pela mesma autocrítica atenta. A música é sua paixão inata: "No dia da Ascensão do Senhor – (provavelmente de 1854) – fui à igreja e ouvi o coro sublime do 'Messias': o 'Aleluia'! Senti um forte desejo de me juntar ao coro, pois parecia-me que era o canto jubiloso dos anjos que elevava Jesus Cristo ao céu. Logo em seguida, decidi compor algo semelhante. Assim que saí da igreja, eu me pus ao trabalho e me alegrava com cada acorde que fazia ressoar. Persisti durante anos, e assim lucrei ao aprender algo sobre a harmonia (*Tongefüge*), o que me permitiu tocar melhor à primeira vista"[4].

E Nietzsche toma partido: "Assim, desenvolvi também um ódio indelével contra toda música moderna e tudo que não era clássico. Mozart e Haydn, Schubert e Mendelssohn, Beethoven e Bach, estes são os pilares nos quais se apoiam a música alemã e eu. Na época, ouvi também alguns oratórios. O réquiem profundamente comovente – (provavelmente de Mozart) – foi o primeiro. [...] Assisti muitas vezes aos ensaios". Esse ódio contra o moderno, porém, não persistiria por muito tempo. Mas por enquanto ele ainda se posicionava de forma bem tradicional contra a música moderna. Afirmava que ela era "pecaminosa e prejudicial" porque servia demais "para a diversão ou para se exibir ao público". "O ouvido humano saudável permanece frio" ao ouvir suas obscuridades intencionais, que talvez consigam deleitar os peritos. "Excelente esta música do futuro de Liszt, Berlioz; procura demonstrar as maiores peculiaridades possíveis", lemos num breve tratado "Sobre a música", inserido em seu texto autobiográfico de 1858[4].

Como um pequeno zelote que louva o seu Deus, Nietzsche defende e enaltece a sua música: "Devemos ver todas as pessoas que a desprezam como criaturas sem espírito, semelhantes a animais. Que essa dádiva mais maravilhosa de Deus seja sempre minha companheira no caminho da minha vida, e julgo-me feliz por amá-la. Eternamente grato, louvo a Deus, que nos oferece esse belo prazer!" Estas são as palavras finais do tratado[4].

Grande parte das composições desses anos foi preservada. O registro mais antigo provém possivelmente ainda do tempo em que Nietzsche frequentou a escola do candidato Weber, o fragmento de uma melodia anotado a lápis ao lado de desenhos infantis em pautas traçadas a mão. Seguem exercícios em tonalidades, intervalos e acordes, que faziam parte das aulas de piano, iniciadas na época (1854), mas também já pequenas tentativas de movimentos musicais como "Introduzion" e "Marcia"[125].

O garoto talentoso e assíduo fez bons progressos ao piano, pois após apenas dois anos de aulas (1856) ele já toca as sonatas op. 7, 26 e 49 de Beethoven; ele menciona também a segunda sinfonia de Beethoven na adaptação para piano a quatro mãos[4].

Para a tragédia "Orkadal"[2], ele compôs uma abertura "furiosa" (perdida) para piano a quatro mãos; em novembro de 1856, duas "sonatas", dedicadas à mãe por ocasião de seu aniversário (provavelmente 2 de fevereiro de 1857). Trata-se de duas peças formal e totalmente fracassadas, mas já apresentam uma característica compartilhada por quase todas as suas composições: a dedicatória. Quase sempre, compõe para uma pessoa específica, em lembrança ou gratidão a uma pessoa venerada. Assim, suas obras musicais possuem quase sempre o caráter de uma carta sublime.

Seguem nesse tempo ainda uma "sinfonia de aniversário" para piano e um coral de violinos e, até 1858, além de diversos esboços, uma abertura em sol menor para orquestra de cordas, um movimento para quatro vozes "Es zieht ein stiller Engel" (Passa um anjo em silêncio), peças para piano a duas e a quatro mãos, um movimento para quarteto de cordas e esboços para melodias corais. Ou seja, uma produtividade musical bastante alta, mas ainda muito diletante[125].

Como já mencionamos acima, o amor de Nietzsche pela música foi abundantemente alimentado na casa dos Krug pelo pai de seu amigo Gustav. Foi a música também que, além das brincadeiras, firmou essa amizade e a sustentou durante muitos anos, da mesma forma como o fez a poesia no caso de Wilhelm Pinder, um garoto muito sensível e de saúde frágil. Ambos eram excelentes alunos e filhos obedientes, que – ao contrário de Nietzsche – seguiram o caminho traçado pelos pais.

A amizade de Nietzsche é uma amizade em prol de determinados ideais, uma amizade educacional (*Bildungsfreundschaft*). Por mais sólida que seja, falta-lhe qualquer aspecto elementar e espontâneo.

Já aos 14 anos de idade, Nietzsche, a despeito do vínculo que mantém com seus amigos, os avalia e representa friamente. Sobre Gustav Krug, ele diz[4]: "Em tudo que fazia, demonstrava uma persistência significativa [...]. Ele demonstrou isso de forma extraordinária quando copiava notas e fazia arranjos. Às vezes, porém, essa persistência passava dos limites; resultava do fato de que ele jamais abandonava uma opinião adotada, de forma que tentávamos em vão convencê-lo de seu erro. Parecia ser também um tanto orgulhoso, pois jamais se ocupava com coisas ordinárias. Mesmo assim, gosto muito dele, e ele sempre respondeu com a mesma amizade". E sobre Wilhelm Pinder, com o qual Nietzsche trabalhava muito e fazia muitas caminhadas, e que, aparentemente, era-lhe o amigo mais próximo, ele afirma[4]: "Já que Wilhelm era muito mais clemente do que Gustav, sim, até mesmo o oposto dele, o convívio com os dois sempre me trouxe muitas vantagens. [...] Sua dedicação como aluno foi sempre exemplar, e ele gozava de boa reputação com todos os professores. Por vezes, aparentava não se interessar muito por determinados empreendimentos, mas isso se devia apenas ao fato de não demonstrar externamente seu interesse de forma tão intensa e tempestuosa. Interiormente, porém, este se fazia presente de forma talvez ainda mais profunda do que em Gustav. Seu comportamento amável para comigo e todos com que convivia conquistava a amizade de todos, e ninguém o odiava. Mais tarde, quando nosso interesse pela poesia cresceu, nós nos tornamos indispensáveis um para o outro e nunca nos faltava assunto em nossas conversas. Compartilhávamos nossos pensamentos sobre poetas e escritores, obras lidas, novos fenômenos no mundo da literatura, fazíamos planos juntos, encomendávamos poemas um do outro e não nos aquietávamos antes de abrir completamente o nosso coração. – Estes eram meus amigos, e a amizade aumentou com a idade. Sim, é algo supremo e nobre ter amigos verdadeiros, e Deus tornou nossa vida mais bela dando-nos companheiros, que avançam conosco em direção ao destino. E eu devo muito a Deus no céu e o louvo por isso, pois sem eles jamais teria me sentido em casa em Naumburg".

Se despirmos essas afirmações de seu *páthos* pastoral, esse garoto de 14 anos, que ainda se encontra no meio dessa amizade, já mostra que ele é amigo mais pela amizade em si e pelo ideal compartilhado do que por mera inclinação e devoção; que ele não consegue se livrar da maldição de sua solidão interior e observa suas emoções com aquele distanciamento que, mais tarde, sempre determinará sua conduta e seu pensamento como "*páthos* da distância".

Os amigos sabiam desse distanciamento. Desde o início, Nietzsche lhes era superior e seu líder. Dão testemunho claro disso as anotações feitas por Wilhelm Pinder também aos 14 anos sobre a amizade, que a irmã de Nietzsche nos transmitiu[88].

Pinder descreve a amizade com Nietzsche como "um dos eventos mais importantes da minha vida". "Desde então, esse garoto [...] exerceu uma influência muito importante e muito positiva sobre toda a minha vida, todos os meus afazeres e minhas convicções". Fala então sobre as mortes precoces do pai e do irmão de Nietzsche: "Um traço básico de seu caráter era certa melancolia, que transparecia em todo o seu ser. Amava a solidão desde a primeira infância e lá se entregava a seus pensamentos, evitava, de certa forma, a companhia das pessoas e visitava os lugares da natureza dotados de suprema beleza. Era de caráter pio e profundo e, ainda criança, refletia sobre coisas com as quais garotos de sua idade não costumam se ocupar. Assim, seu espírito se desenvolveu desde muito cedo. [...] Liderava todas as nossas brincadeiras, criava novas regras para elas, tornando-as atraentes e variadas; era um garoto talentoso em todos os sentidos. Além disso, possuía um zelo louvável e constante e me serviu também nisso como exemplo. Despertou e nutriu pessoalmente muitas de suas inclinações, especialmente no que dizia respeito à música e à literatura. [...] Desde cedo começou a se preparar para a função que pretendia exercer mais tarde, ou seja, o ofício de pastor. Sempre apresentava um ser muito sério, mas sempre amável e manso, e tem sido até hoje um amigo muito leal e querido. [...] Nunca fazia algo de forma irrefletida, e quando fazia algo, sempre tinha algum motivo específico para fazê-lo. Isso se manifestava principalmente nos trabalhos que executávamos juntos, e quando ele escrevia algo e eu me via incapaz de concordar com aquilo de imediato, ele sempre soube explicá-lo para mim de forma clara e palpável. Duas de suas principais virtudes eram a modéstia e a gratidão, que sempre se manifestavam em cada ocasião. Essa modéstia gerava, muitas vezes, certa timidez, e ele não se sentia à vontade em meio a estranhos, qualidade esta que compartilho totalmente com ele".

Desde muito cedo, então, Nietzsche já revelava a tendência e as habilidades do pedagogo nato: a não insistência em sua superioridade, a paciência e o dom de explicar algo com clareza. A gratidão, que Pinder ressalta aqui, foi sempre uma de suas características mais belas. Pinder percebeu no amigo também o destino solitário, que aqui ele ainda interpreta mais como resultado de fatores externos.

Na verdade, essa introversão, o isolamento sensível no ser do garoto Nietzsche, era a expressão de um jovem dominado por sua sorte singular, mesmo sem ainda se conscientizar de sua natureza e de seu destino. Essa peculiaridade desse tipo de meninos é vista como algo estranho pelos colegas: normalmente provoca sua zombaria, pois a interpretam como arrogância; apenas os amigos mais sensíveis percebem a aura do escolhido, mas também como algo sinistro ou numinoso, provocando assim sua veneração tímida. Normalmente, acontecem ambas as coisas. Desde muito cedo, esse tipo de pessoa divide as opiniões. É provavelmente nesse sentido que devemos interpretar também algumas anotações de sua irmã[88]. Ela relata que um colega de turma de Nietzsche, Pitzker, teria lhe dito que a alta estima dos colegas por Nietzsche beirava "à idolatria", e um colega mais velho teria lhe comunicado que os maiores valentões se calavam diante do olhar de Nietzsche e que Nietzsche sempre lembrava do Menino Jesus no templo. Mas em outro lugar ela conta também que ele foi alvo de zombarias. Tudo isso contribuiu para a solidão de Nietzsche já como garoto, mas também para que ele aprendesse a amar essa solidão.

Por isso gostava muito das férias. Apesar de também fazer visitas a parentes, como os industriais em Plauen com seu estilo de vida completamente diferente, e das muitas caminhadas na região da Turíngia, o lugar onde mais gostava de ficar era Pobles.

"Meu lugar preferido é o escritório do avô, onde meu maior prazer era folhear os antigos livros e cadernos." Livros, livros! Sempre que podia, refugiava-se com eles sob uma árvore no jardim, onde se sentia realmente vivo. E certa vez, quando passou as férias em Schönefeld, nas proximidades de Leipzig, fazia visitas diárias à livraria durante seus passeios sem rumo pelas ruas da cidade.

No entanto, não devemos imaginá-lo como garoto que não saía de casa. A mãe não teria permitido isso. Nietzsche aprendeu a nadar, e quando deslizava pelo gelo em seus patins sentia-se arrebatado de felicidade; gostava também de andar de trenó no inverno. Nessas atividades, porém, não demonstrava qualquer excesso de energia ou desejo de liberdade típicos de um jovem. Suas maiores felicidades eram as festas domésticas, os aniversários e natais, e uma de suas palavras preferidas ainda na juventude é um termo nada juvenil: aconchego (*Gemütlichkeit*), conceito este que o homem combatente e mais maduro não empregaria mais. Como criança, sente-se acolhido nesse aconchego doméstico, pois ainda não ardia nele a chama e nenhuma oposição séria o desafiava.

Em sua casa viviam apenas mulheres, e dominava uma paz meiga. Na escola, passava de ano sem nenhum problema. Nenhuma intromissão masculina bruta o abalava em seu lar. Ele evitava o barulho da rua. Seus amigos eram bem-educados como ele e sempre submissos a ele. A pequena irmã o venerava e se submetia voluntariamente à sua instrução. Às noites, as crianças faziam visitas ocasionais à avó, onde sempre precisavam se movimentar em silêncio e se expressar com delicadeza. A velha Erdmuthe gostava de lhes contar histórias sobre sua juventude, sobre as guerras de independência e sobre Napoleão, que ela havia vivenciado nas proximidades dos campos de batalha. Por mais que tenha sido uma patriota, ela admirava Napoleão, e foi provavelmente ela que impregnou na alma do garoto a impressão indelével da grandeza de Napoleão.

Pouco mudou nessa vida pacata dessa casa de mulheres quando, no verão de 1855, a tia Auguste, que há muito vinha sofrendo de uma doença estomacal, faleceu – aparentemente em consequência de um mal pulmonar; e, no dia 3 de abril do ano seguinte, aos 77 anos de idade, também a avó Erdmuthe Nietzsche.

A mãe de Nietzsche tinha agora o forte desejo de fundar seu próprio lar. As finanças o permitiam agora, pois seus dois filhos haviam recebido uma herança da avó, cujos juros podiam ser usados pela mãe. Assim, no maio de 1856, ela se despediu da cunhada Rosalie e se instalou num apartamento da casa de sua amiga, a esposa do Pastor Harseim, onde ela tinha acesso a um jardim, que logo se tornou o lugar preferido das crianças.

Até então, a mulher (que agora tinha 30 anos de idade) havia se subordinado obedientemente à sogra e às cunhadas, mas agora pôde respirar com liberdade maior. Seu temperamento vivaz e alegre, que as crianças haviam vivenciado apenas em Pobles, voltou a se manifestar completamente. "Víamos", escreve a filha Elisabeth, "nossa querida e jovem mãe sempre mais como uma irmã mais velha, mas também rigorosa, que compartilhava dos nossos sentimentos juvenis e simpatizava com todos os nossos empreendimentos".

As crianças cresceram, e logo o novo apartamento ficou apertado demais. No verão de 1858, mudaram-se mais uma vez, dessa vez para a casa 18 na Rua Weingarten, onde a mãe permaneceria até sua morte (em 1897).

Nesse verão, Nietzsche voltou a passar suas férias em Pobles. Daqui, nos meados de agosto, pediu à sua tia Rosalie informações "sobre a vida do papai", para então, entre 18 de agosto e 1º de setembro, escrever sua primeira autobiografia. O que citamos dela sobre a morte do pai aparenta, portanto, provir da tia Rosalie e não da mãe, como nas anotações posteriores de Nietzsche. Tudo indica que, ao escrever essa retrospectiva, ele ainda não sabia que esses dias encerrariam uma fase de sua vida. Pois, poucos dias mais tarde, sua mãe recebeu uma carta do diretor da *Landesschule Pforta* (uma escola interna, nas proximidades de Naumburg), na qual ele oferecia a seu filho uma bolsa integral, pois seu talento havia chamado a atenção de todos. Ela aceitou a oferta, e assim se encerrou sua primeira infância sob a proteção exclusiva de mulheres. Agora, estava prestes a ser lançado num mundo bem mais rude.

Pouco sabemos sobre seu estado de saúde destes primeiros anos de sua vida. Sabemos de uma carta da mãe a Overbeck, escrita em 16 de dezembro de 1889[199], apenas que adoeceu uma vez aos 9 anos de idade. Em sua grande biografia, a irmã o descreve como "totalmente saudável" durante toda a sua juventude, inclusive durante seu tempo de faculdade, e fala sobre a miopia e a anomalia dos olhos apenas o que já relatamos acima. Como veremos, fontes inquestionáveis refutam essa alegação pelo menos para o tempo que Nietzsche passou em Pforta. Na versão revisada de sua biografia, ela mesma vincula a deficiência visual de Nietzsche a "dores oculares, que surgiram pela primeira vez após o extenuante inverno de 1857/1858 e que, no início, foram consideradas dores de cabeça", e ela acrescenta: "Em consequência disso, meu irmão teve que estender suas férias de verão por algumas semanas"[86]. O próprio Nietzsche relata que "no último semestre do quarto ano – ou seja, no verão de 1856 – não pude frequentar a escola em virtude de dores de cabeça"[4]. Isso mostra que ele sofria de dores de cabeça já nesses anos, que podem ter sido causadas pelo esforço excessivo dos olhos míopes não ou insuficientemente corrigidos por óculos. Em geral, porém, ele pode muito bem ter sido um garoto saudável de aparência até forte. Em junho e julho de 1858, ele havia aprendido a nadar e se tornou um nadador bom e aplicado.

Certamente, essa mudança de vida não representou uma interrupção precoce ou danosa. Pela primeira vez, pôde se despedir de seu lar, onde havia usufruído de uma proteção exagerada. O contato com a família em Naumburg não foi interrompido, uma vez que o internato não se encontrava longe dali.

# III

# Pforta

Nietzsche não teve que se afastar muito de Naumburg. Pforta fica a meio-caminho entre Naumburg e Kösen, a uma hora a pé de Naumburg, o que se manifesta também nas muitas relações estabelecidas entre os habitantes de Naumburg e Pforta.

Entre as escolas superiores da Alemanha, a *Landesschule Pforta* real ocupava uma posição especial, que ela conseguiu defender durante muito tempo. Era considerada o berço da formação humanista e contava, já no tempo em que Nietzsche se matriculou, entre seus ex-alunos os eruditos mais proeminentes do mundo acadêmico. Fundada em 1543 por uma abadia cisterciense, ela abrigava de certa forma por trás dos fortes muros do mosteiro um estado dentro do estado, um estado pedagógico com antigas e rígidas leis e costumes, uma economia própria, uma antiga e linda igreja, o prédio da escola com os claustros do mosteiro, todas as salas necessárias, onde os alunos estudavam, viviam, tomavam banho, praticavam ginástica e brincavam, e um jardim imenso, além dos apartamentos para os doze professores, com os quais viviam, além dos 180 alunos do internato, ainda 20 pensionários, os chamados externos (*Extraneer*).

Uma publicação festiva de 1843 do Reitor Kirchner explica os princípios pedagógicos de Pforta[88]: "Trata-se de uma instituição educacional e instrucional, na qual, dentro de um período especificado pela lei (6 anos), determinado número de alunos é preparado para a vida científica superior ou para a profissão de estudioso. A peculiaridade de Pforta consiste no fato de que ela representa um estado pedagógico encerrado em si, onde o indivíduo desdobra sua vida em todas as suas relações. Os alunos são confiados à *alma mater* não só para a instrução, como num ginásio urbano, mas também para a formação moral e de caráter por seus pais ou tutores, que transferem todos os direitos paternais para a escola, e aqui encontram na totalidade de sua formação mais do que um segundo lar paterno, onde passam os anos mais importantes de sua educação, 'desde a infância mais madura até a transição para a universidade'. Por isso, todos os alunos costumam levar daqui para toda a sua vida o cunho específico de uma assiduidade essencial, gerada não por uma intencionalidade arbitrária de sua educação, mas como que naturalmente pela necessidade interior do espírito masculino, rígido e poderoso da disciplina, pelo convívio autêntico do *coetus* para determinado propósito respeitável, pela seriedade dos estudos clássicos, apartados de todo contato com as distrações urbanas e pelo método desses estudos: um cunho do qual se orgulham com todo direito, pois o adquiriram pessoalmente por meio de luta e esforço internos. Por isso, costumam injustamente avaliar a escola de Pforta apenas conforme seu desempenho científico. O fato, porém, de que aqui se acostumam com a obediência à lei e à vontade de seus superiores, com a rigidez e o cumprimento pontual de suas obrigações, com o autocontrole, com o trabalho sério, com atividade vigorosa de escolha própria e por amor ao tema, com a meticulosidade e metodologia em seus estudos, com regras na divisão de seu tempo, com o tato seguro e firmeza autoconfiante no convívio com seus colegas, tudo isso é fruto da nossa disciplina e educação".

Pforta apresentava, portanto, grandes semelhanças com as escolas de cadetes prussianas, com a única diferença de que aqui não eram formados oficiais para o exército, mas oficiais para a liderança espiritual do povo. O espírito de Pforta, porém, não era puramente conservador-prussiano e militarista como no corpo de cadetes, antes apoiava-se completamente no espírito do humanismo, formado pelos clássicos alemães e desenvolvido pela filologia do século XVIII. Apesar de valorizar a língua e literatura alemã e alimentar o sonho da unidade alemã, a escola se ocupava muito mais com o espírito da Antiguidade. Os alunos liam, estudavam e interpretavam os autores antigos em tal medida que os vestibulandos de Pforta apresentavam um conhecimento muito maior nessa área do que os vestibulandos de qualquer outro ginásio alemão.

Do ponto de vista político, o jovem Nietzsche encontrou aqui um clima completamente diferente daquele que dominava em Naumburg, a cidade de funcionários públicos. Naturalmente, Pforta era também leal ao rei e à Igreja, mas essa postura não determinava a vida interior da escola. Esta se apoiava nos ideais da Antiguidade e buscava uma postura decididamente apolítica, com a exceção, talvez, de que, por trás da tradicional lealdade ao rei e do conservadorismo exterior, escondia-se um vago ideal de liberdade e republicanismo no sentido da *polis* helênica e da antiga Roma. Aqui, porém, dominava sobretudo o espírito crítico da pesquisa linguística acadêmica, que se distanciava dos assuntos do dia e concedia um espaço ínfimo às ciências naturais emergentes. Nesse espaço monástico, o tempo parecia ter parado, a realidade alemã de 1858 não invadia seus fortes e altos muros. A juventude que aqui crescia – uma juventude seleta – se realizava completamente no mundo da Grécia e de Roma e no mundo de Goethe e Schiller. Era um mundo do livro, da literatura, do conhecimento erudito e da disciplina puramente espiritual, onde os jovens espíritos esfomeados buscavam as fontes da vida e da verdade. A disciplina física na natação, ginástica e jogos não era negligenciada, mas era vista apenas como meio para desenvolver toda a força para a formação espiritual. Em agosto de 1859, o próprio Nietzsche registrou em um diário o decurso de um dia típico[4]:

"Às quatro da manhã as portas dos dormitórios são abertas, e a partir de então cada um pode levantar, mas às cinco todos precisam sair da cama. O sino da escola bate, os inspetores dos dormitórios chamam com vozes retumbantes: Acordem, acordem, saiam da cama! e castigam aqueles que demoram a levantar. Então, todos se vestem o mais rápido possível e correm para os banheiros para ainda encontrar um lugar antes de o espaço lotar. Dez minutos após o breve período de acordar e se vestir, os alunos voltam para seus dormitórios, onde todos se arrumam. Cinco minutos antes das cinco e meia, os sinos chamam pela primeira vez para a oração. Quando tocam pela segunda vez, todos precisam se deslocar até a sala de oração. Aqui, antes da chegada dos professores, os inspetores pedem silêncio, proíbem qualquer conversa e animam os alunos do último ano, que costumam sempre chegar bem mais tarde, a tomar seus lugares. Então vem o professor com seu *famulus*, e os inspetores o informam se seus bancos estão completos. O órgão começa a tocar e, após um breve prelúdio, todos entoam o hino matinal. Em seguida, o professor lê uma passagem do Novo Testamento, por vezes, também um hino espiritual, recita o Pai-nosso e encerra a reunião com um verso final. Todos voltam para suas salas, onde os esperam pãezinhos e jarros de leite quente. Às seis em ponto, o sino chama os alunos para as aulas. Todos pegam seus livros, vão até as salas de aula e ali ficam até às sete. Segue então uma hora de trabalho ou de repetição, como dizem. Depois disso, aulas até as dez, seguidas por outra hora de repetição e, por fim, aulas até o meio-dia. [...] Pontualmente ao meio-dia, os alunos levam seus livros para seus quartos e seguem para o claustro com seu guardanapo em mãos. [...] No claustro, os alunos se reúnem em grupos de doze em fileiras de dois alunos, e os inspetores demandam silêncio. Assim que o professor se faz presente no cenáculo, entra primeiro a 15ª mesa, seguida pelas restantes. Os alunos ausentes são informados. Então, um dos inspetores faz a seguinte oração: Senhor Deus, Pai celestial, abençoa-nos e a estas tuas dádivas, que agora recebemos de tua bondade misericordiosa por meio de Jesus Cristo, nosso Senhor, amém. A esta altura, todo o *coetus* entoa o antigo cântico latino: *Gloria tibi trinitas, / Aequalis uma deitas / Et ante omne saeculum / Et nunc et in perpetuum!* Então, todos se sentam, e começa a refeição". Nietzsche documenta então o cardápio semanal. A refeição se encerra com uma longa oração de graças, seguida ainda por uma estrofe de um hino.

"Encerrada a refeição, pão e guardanapo do superior da mesa são levados para seu quarto. Depois, os alunos descem para o jardim da escola. Antes de uma e meia ninguém pode voltar para sua sala; violações dessa regra são severamente punidas pelos inspetores semanais. Primeiro, os alunos verificam se chegou algum pacote ou carta, que o carteiro traz diariamente, ou usam sua mesada para comprar uma fruta. Depois, jogam boliche ou fazem uma caminhada. No verão, costumam praticar muitos jogos de bola. Às treze horas e quarenta e cinco minutos o sino chama para as aulas, e em cinco minutos todos precisam estar em suas salas. As aulas se estendem até às quinze horas e cinquenta minutos. Na merenda, recebem pão com manteiga ou compota de ameixa, gordura, frutas e semelhantes. Os principais (alunos do último ano) fazem então uma hora de leitura, durante a qual os outros escrevem suas *docimastica* (= deveres de casa) de grego, latim ou matemática. Às cinco, fazem um breve intervalo, seguido por duas horas de repetição até às sete. O jantar é, ao todo, bem semelhante ao almoço. [...] Depois do jantar podemos voltar para o jardim da escola, onde ficamos até às oito e meia. Antes de nos deitarmos às nove horas, fazemos ainda a oração noturna. Todos os alunos do último ano, que haviam perdido uma hora devido à hora de leitura, podem ficar acordados até às dez. [...] No verão, o domingo se apresenta da seguinte forma: Levantamos às seis, e às seis horas e quarenta e cinco minutos fazemos a oração. Depois, podemos ficar no jardim da escola até as oito. Segue então uma hora de repetição, encerrada pelo sino da igreja. Reunimo-nos no claustro e seguimos para a igreja, onde o hebdomadário é responsável pela inspeção. Passamos o tempo livre até o meio-dia novamente no jardim, para onde voltamos após o almoço, que consiste de sopa, fricassê, assado e salada. Ficamos no jardim até uma e meia, quando começa a oração. Até às três precisamos voltar ao trabalho, das três às quatro voltamos para o jardim, mas logo após a merenda fazemos a caminhada tão esperada até às seis. Trabalhamos das seis às sete. Como sempre, o dia é encerrado com jantar, tempo livre no jardim e oração".

Essa "coerção uniformizadora na divisão do tempo", da qual Nietzsche se lembra com terror ainda aos 24 anos de idade, teria sido insuportável para esse garoto com suas múltiplas inclinações e preferências sem a quebra semanal dessa rotina, o chamado dia de estudo ou descanso. Nesse dia, os alunos podiam ficar na cama por uma hora a mais, e durante o dia não havia aulas nem horas de leitura, mas apenas horas de repetição, nas quais os alunos podiam firmar a matéria aprendida na semana e se dedicar livremente a estudos próprios. Esses dias não eram os únicos momentos de ócio, e a vida em Pforta não transcorria num passo tão rígido e monótono quanto sugerem essas retrospectivas.

Na época, não se dava tanta importância aos esportes como se costuma fazer hoje em dia, o que faz da prática de natação na escola um fato ainda mais notável. A escola realizava provas (Nietzsche a fez em 12 de agosto de 1859) e dias de natação acompanhados de variadas festividades. Em dias quentes, quando a temperatura ultrapassava os 24° (provavelmente na escala de Réaumur), as aulas da tarde eram suspensas, e todos os alunos iam nadar[4]. Os alunos praticavam também bastante boliche no jardim da escola. No inverno, os alunos exercitavam seu físico com trenós e patins. Aos alunos com talentos musicais, o coral da escola oferecia grande diversão, alegria e vantagens. Em 20 de agosto de 1859, Nietzsche foi aceito como membro definitivo. "Desde ontem, faço parte do coral, o que me alegra muito. Agora, canto na igreja e posso participar da excursão do coral. Usufruo de todas as vantagens e desvantagens de um coralista", como informa seu diário em 21 de agosto de 1859[4]. Repetidas vezes, ele fala de belas apresentações, cujo programa se apoiava em Schumann, Mendelssohn e Mozart. Além disso, o coral da escola participava sempre também das festividades da escola, e assim Nietzsche compartilhava de forma especial desses dias de destaque na vida escolar. A celebração em honra de Schiller, em 10 de novembro de 1859, por exemplo, deixou uma impressão forte na mente do jovem corista.

Durante a temporada de carnaval, o coral fazia apresentações frequentes e notáveis, muito populares entre os parentes dos alunos. Havia nessas ocasiões também recitações e pequenas apresentações dramáticas, das quais Nietzsche logo também passou a participar ativamente. Mais tarde, visitaria a escola nesses dias. Nessas ocasiões, a diversão era tanta que chegava a se transformar em dança.

A escola de Pforta cultivava o contato também com grandes nomes da literatura contemporânea. Em outubro de 1863, Hoffmann von Fallersleben passou alguns dias na escola, e o coral se preparou para a visita ensaiando algumas adaptações musicais de textos desse celebrado poeta.

Os alunos podiam voltar para suas casas não só durante as grandes férias de verão, mas também durante os curtos feriados. Isso permitiu que Nietzsche mantivesse um contato contínuo com a família, com os parentes e amigos em Naumburg, Pobles e Plauen. Havia também as visitas dominicais, quando a família se reunia em Bad Kösen ou em "Almrich". Nesses dias, e nas férias, o jovem Nietzsche renascia. Disso dão testemunho cartas e diários, poemas, observações e composições. Em uma carta a seu irmão Edmund Oehler, pastor em Gorenzen, a mãe relata as primeiras férias de Natal em 1858[181]: "Fritz compôs para mim um pequeno moteto natalino e escolheu para ele o texto maravilhoso: '*Hoch tut Euch auf, ihr Tore der Welt, dass der König der Ehren einziehe...*' (Abri-vos, portões do mundo, para que entre o Rei da Glória). Na sala de Oscar (o irmão caçula da mãe, que, na época, vivia em Naumburg), Fritz ensaiou a peça com Lieschen, e os dois a cantaram uma hora após receberem seus presentes, de forma que todos nós fomos tomados pelo espírito natalino. Fritz continua igualmente dedicado ao instrumento". Pouco tempo depois, voltou a compor uma música para esse mesmo texto, novamente para três vozes[125].

Nietzsche passou a estudar em Pforta em 5 de outubro de 1858. Havia recebido uma bolsa integral da cidade de Naumburg, de forma que sua mãe não teve que arcar com quaisquer custos para sua educação durante os seis anos seguintes. Após passar por um exame, Nietzsche foi aceito no primeiro ano da escola de Pforta, absolvendo assim todos os anos letivos da escola.

No início, sentiu fortes saudades de casa, apesar de encontrar sua mãe e irmã quase todos os domingos ou em sua casa em Naumburg ou, a meio-caminho, no vilarejo de Altenburg, que os alunos de Pforta chamavam de "Almrich". Durante as primeiras semanas, Nietzsche se levantava muito cedo para escrever uma carta à mãe. Reconheceu imediatamente, já em 9 de outubro: "Naumburg nem se compara a Pforta em termos de trabalho e disciplina, e terei que me esforçar muito para me acostumar com isso. [...] Imaginei que Pforta seria muito mais desconfortável; mesmo assim, não há como comparar o aconchego de Naumburg com o de Pforta". Ele antecipa as férias de Natal e o reencontro com seus velhos amigos, pois demora a fazer novas amizades. Ele não se integra facilmente. Assina suas cartas a Pinder – ele parece ter se alienado de Krug antes do Natal de 1860 – com *Semper nostra manet amicitia!* (Nossa amizade perdura sempre).

Confiou a Pinder também como realmente se sentiu quando, em fevereiro de 1859, sofreu um ataque particularmente forte de saudades. Em sua carta, enviou-lhe a continuação de sua biografia infantil, contando: "Quando vislumbrei Pforta ao horizonte, reconheci na escola mais uma prisão do que uma *alma mater*. O carro atravessou o portão. Meu coração foi inundado por sentimentos sagrados: fui elevado a Deus em prece silenciosa, e uma paz profunda dominou minha alma". Depois das férias de verão de 1859, a saudade voltou com força, mas Nietzsche a venceu com a ajuda de um tutor compreensivo, de um professor ao qual Nietzsche confiava seus problemas pessoais: o Pastor e Prof. Buddensieg.

Por menos que a rígida disciplina de Pforta tenha lhe agradado inicialmente, ela satisfazia sua necessidade de ser confrontado com dureza e resistência. Nietzsche sentiu falta da espontaneidade e do "aconchego" do ginásio em Naumburg, mas já em novembro de 1858 ele escreve a Pinder: "Mas a liberdade era um pouco grande demais, você não poderá negá-lo. Em alguns aspectos, sou até feliz em ter saído dali". Logo começou a perceber o quanto havia sentido falta de uma forte mão masculina. Sua natureza rica e destemida e de forma alguma complacente em questões morais exigia fortes tensões, desafiava a força de superação, sabendo, mesmo assim, preservar sua peculiaridade. Assim, assumiu desde cedo uma postura diante de Pforta que, mais tarde, em 1868, pouco antes de uma nova virada em sua vida, descreveu da seguinte forma[4]:

"Em grande parte, tive que cuidar da minha própria educação. Meu pai [...] morreu muito cedo; faltou-me a liderança rígida e superior de um intelecto masculino. Quando cheguei à escola de Pforta, conheci apenas um aspecto da educação paterna, a disciplina uniformizadora de uma escola regularizada. Mas foi justamente essa coerção quase militar que, por visar à massa, trata o indivíduo com frieza e superficialidade, remeteu a mim mesmo. Resgatei da lei uniforme minhas inclinações e intenções privadas, pratiquei um culto secreto de determinadas artes, procurei, numa busca excessiva pelo conhecimento universal, romper a inflexibilidade de uma divisão e aproveitamento temporal impostos pela lei. Faltaram-me alguns acasos externos; caso contrário, teria ousado tornar-me músico. Pois desde os 9 anos de idade senti a mais forte atração pela música; naquele estado feliz em que ainda não conhecemos os limites de nossos dons e consideramos possível alcançar tudo que amamos, escrevi inúmeras composições, adquirindo assim um conhecimento diletante da teoria musical. Em consequência de uma autoconsciência mais apurada, desisti de quaisquer planos artísticos apenas no fim de minha vida em Pforta; essa lacuna foi preenchida pela filologia". Ou seja, foi uma decisão tardia; mesmo assim, fez de tudo para preencher totalmente seu lugar na escola e de provar seu valor por meio do desempenho, mas sem jamais ostentar sua ambição. Podemos chamar Nietzsche de aluno exemplar (como o fez a irmã) apenas durante os três primeiros anos em Pforta. Mais tarde, alguns de seus trabalhos e também a sua conduta deram aos professores motivos de queixa, apesar de, mesmo assim, continuar sendo o melhor aluno da turma. Diferentemente de quando se tratava de seu próprio pensamento, nunca se mostrou orgulhoso de seus trabalhos escolares, que, aparentemente, fazia sempre como que de passagem – e, mesmo assim, com uma qualidade superior a dos seus colegas. Já compreendia a questionabilidade do *status* de aluno exemplar, como escreveu a Meta von Salis em 1887[212]: "Fui, em média, o terceiro da minha turma, conforme a relação natural segundo a qual o mais assíduo ocupa o primeiro lugar; o mais virtuoso, o segundo; e o ser excepcional, apenas o terceiro numa instituição organizada segundo os princípios morais comuns".

Nietzsche se destacava de seus colegas principalmente nas redações de alemão, que lhe permitiam expressar alguns pensamentos próprios. Mas também em todas as outras matérias seu desempenho foi, inicialmente, extraordinário. No fim do primeiro ano, seu boletim apresenta as seguintes notas*: Latim IIa, Grego IIa, Matemática IIa, Alemão IIa, ou seja, em todas as matérias principais a segunda melhor nota. Ou seja, possuía certo talento também para a Matemática, ao contrário do que se costuma alegar: ao passar para o quarto ano em Pforta no outono de 1861, ainda recebeu a nota IIb. E mesmo quando seu interesse já havia se desviado da Matemática, ele ainda conseguiu obter a nota III na Páscoa de 1864. Apenas no último semestre seu desempenho em Matemática caiu tanto ao ponto de, ao ser avaliado com a nota IV, ameaçar sua formatura. Ele achava a Matemática "excessivamente racional" e "tediosa"[4]. O matemático da escola, porém, o Prof. Buchbinder, também não deve ter conseguido despertar o interesse pela sua ciência, pois ainda em "Aurora" Nietzsche lamentava em um texto profundamente amargurado sobre as escolas superiores de seu tempo, quando "nos impunham a matemática e a física à força, em vez de primeiro nos levar ao desespero da ignorância e decompor nossa pequena vida cotidiana, nossas atividades e tudo que se passa em casa, no escritório, no céu e na natureza entre manhã e noite em milhares de problemas – problemas torturantes, vergonhosos, irritantes –, para então mostrar aos nossos desejos que primeiramente precisamos de um conhecimento matemático e mecânico, para então nos ensinar o primeiro encanto científico que a consequência absoluta desse conhecimento proporciona" (aforismo 195).

Ele responsabiliza todo o espírito da educação puramente humanista por essa insuficiência: "Queria apenas que nos tivessem ensinado o respeito por essas ciências; que tivessem estremecido nossa alma uma *única* vez com as lutas, as derrotas, os retornos e as continuações do combate dos grandes homens, com o martírio, que é a história da ciência exata! Em vez disso, sentíamos o sopro de certo desprezo das ciências verdadeiras em prol da história, da instrução formal e do classicismo! E nós nos deixamos enganar tão facilmente!"

---

\* No século XIX, o sistema de avaliação escolar apresentava quatro notas: I = excelente, II = bom, III = suficiente, IV = insuficiente. O acréscimo das letras "a" ou "b" permitia uma avaliação mais sutil (a nota IIa, p. ex., aproximava o II da nota I; a nota IIb, por sua vez, a aproximava do III) [N.T.].

Mas, a despeito de todas as suas tentativas renovadas, Nietzsche jamais conseguiu se aprofundar seriamente na matemática. Ela condizia tão pouco ao seu intelecto, que provinha e sempre procurava a contemplação, quanto os conceitos puros da lógica abstrata. A abundância de seu senso de vida e realidade lhe barrava o acesso à matemática, que, no fundo, ele acreditava ser vã: "Toda a infinitude se estende sempre como realidade e entrave entre dois pontos"[1].

Pforta se aprofundava, muito mais do que outras escolas, nos estudos do latim e do grego. Os alunos liam e interpretavam os clássicos não só como parte do currículo normal, mas eram incentivados a se familiarizar com os escritores da Antiguidade do modo mais abrangente possível também em seu tempo livre. O domínio linguístico do latim era praticado também no uso oral e escrito da língua, mas esse objetivo não foi totalmente alcançado.

Já em fevereiro de 1859, Nietzsche escreveu a Pinder: "Quando não estou ocupado com outra coisa, anoto em latim tudo aquilo que li ou ouvi em algum momento, esforçando-me (conforme as instruções do gato Murr) a pensar em latim". Pensar em latim foi algo em que ele, um homem profundamente arraigado na língua alemã, nunca conseguiu alcançar a perfeição. Seus melhores trabalhos em latim transmitem a impressão – a despeito de seu fluxo, de toda sua pompa retórica e força epigramática romana – de terem sido traduzidos do alemão e devem ter sido elaborados na base de redações ou esboços preliminares em alemão. Descobriu o prazer no manuseio do latim apenas quando, em 1861, leu um autor cujo estilo era semelhante ao seu. Tratava-se de Salústio, *quo nemo gravius et nervosius mihi scripsisse videtur*, como escreveu em outubro de 1862 em uma redação sobre Lívio[2]. O que o atraiu nele foi, então, a relevância e o nervosismo, ou seja, o estilo moderno de Salústio, que, ainda em agosto de 1864, Nietzsche chama de escritor romano mais próspero e *florentissimus*[2].

Ainda em 1888, em "Crepúsculo dos ídolos", ele atribui a Salústio uma importância que, porém, nos parece tão exagerada quanto sua alegação segundo a qual ele teria sido o pior estudante de latim antes de conhecê-lo ("Crepúsculo dos ídolos", *O que devo aos antigos*, aforismo 1): "Meu senso de estilo, meu gosto pelo epigrama como estilo, despertou quase que de imediato quando tive meu primeiro contato com Salústio. Jamais esqueci o espanto de meu venerado Prof. Corssen quando se viu obrigado a dar a melhor nota ao seu pior aluno de latim; aprimorei-me de uma só vez".

Em seus seis anos que passou em Pforta, o conhecimento e entendimento filológico adquiridos sobre os autores gregos e latinos o prepararam para a faculdade de tal forma que pouco lhe restava a aprender em termos de matéria. Precisou apenas desenvolver sua técnica filológica. As línguas modernas, por sua vez, eram praticamente ignoradas pela escola; cabia à vontade de cada um ocupar-se com elas. Em novembro de 1861, no auge de seu apetite por conhecimento, Nietzsche escreve à irmã: "O Dr. Volkmann [...] está disposto a dar aulas particulares de Inglês. Muitos se interessaram; no entanto, pretendo participar apenas a partir da Páscoa. Pois no momento ainda estou estudando italiano *privatim*. Latim, grego, hebraico (onde lemos o primeiro livro de Moisés), alemão (onde lemos a Canção dos Nibelungos em língua original, francês (onde nossa turma lê Carlos XII e, numa roda de quatro, 'Atália'), italiano (onde nosso grupo lê Dante). Se isso não basta, não sei o que dizer, ainda mais que, em latim, lemos ao mesmo tempo Virgílio, Lívio, Cícero e Salústio; e em grego, a Ilíada, Lísias e Heródoto".

Esse programa, no entanto, não foi realizado.

Nietzsche iniciou os estudos do hebraico como preparação para sua faculdade de teologia, plano este que ele ainda não havia abandonado por causa de sua mãe, porém, não avançou muito em seu domínio – outro sinal de que, na verdade, pouco se interessava pela teologia. Seu boletim final afirma sobre os conhecimentos hebraicos de Nietzsche: "Em vista de sua falta de conhecimentos em gramática, ele parece ainda despreparado".

Nem em Pforta nem mais tarde conseguiu adquirir um domínio real das línguas modernas. Por mais assíduo que tenha sido em suas leituras de Shakespeare e, sobretudo, de Byron, que na época era seu poeta favorito, ele o fazia sempre em traduções alemãs. Aprendeu apenas algumas expressões soltas em inglês. Tampouco aprendeu a dominar o italiano, nem mesmo durante o período em que viveu na própria Itália, e durante a leitura de livros franceses, dos quais chegou a ler um número extraordinário, ele recorria frequentemente à ajuda de um dicionário, como relata Overbeck. Nietzsche, como a maioria das pessoas que demonstram uma criatividade em sua própria língua materna, não era "poliglota".

Na próxima carta à sua irmã, escrita no final de novembro de 1861, outro interesse se manifestou. Pediu a ela as obras "Geschichte der Jahre 1816-1856" (História dos anos 1816-1856), de Menzel, ou seja, a história de seu próprio tempo[163], e "Geschichte der grossen französischen Revolution" (História da grande Revolução Francesa), de Barrau[44], e acrescentou: "Você precisa saber que agora me interesso muito pela história". Esse interesse perdurou e cresceu, tomando rumos não previstos por Pforta: Nietzsche deseja adquirir conhecimentos sobre os fundamentos de seu próprio tempo, como também já os adquiria sobre toda a história do mundo.

As próprias aulas de História, porém, não parecem tê-lo atraído muito: "Apesar de ter participado das aulas, seus conhecimentos não são muito sólidos. Satisfatório", informa seu boletim sobre História e Geografia. Essas matérias, como também as Ciências Naturais, são vistas como secundárias, avaliadas laconicamente com a nota "satisfatório". O desenho, que, ao contrário de suas preferências infantis demonstradas em Naumburg, ele já não praticava mais com muito prazer, provoca a avaliação: "Frequentou as aulas públicas de desenho apenas durante pouco tempo e nada produziu de satisfatório".

Nietzsche não conseguiu, nem em sua juventude nem em sua idade adulta, estabelecer uma relação autêntica com as artes plásticas, ao contrário da relação que tinha com a poesia e a música. Ele era um ser auditivo, não um ser visual. Sua miopia e sua deficiência visual por si só já representavam um obstáculo – já ao entrar na escola de Pforta, ele usava óculos de leitura e outros, azuis, para proteger-se contra a luz forte –, e nada indica que ele tenha se interessado pela maravilhosa catedral, em cuja sombra ele passou seus anos de maior receptibilidade, pela galeria em Dresden ou pelos antigos claustros de Pforta. Mais tarde, demonstrou um conhecimento sobre a paisagem, poesia e música do sul como poucos antes dele, mas praticamente ignorou as grandes obras das artes plásticas, e se interessava por elas apenas quando apresentavam alguma relevância literária ou puramente emocional para ele. E isso raramente foi o caso.

Os bens educacionais acumulados em Pforta eram, portanto, de natureza exclusivamente literária e humanista. Conhecia profundamente os autores da Antiguidade e aprendera a ler e interpretá-los com todo o escrúpulo filológico típico de Pforta. Familiarizou-se passionalmente também com a poesia clássica alemã e com boa parte da literatura mundial, sobretudo com Shakespeare e Byron.

Nietzsche executava as tarefas em Pforta melhor do que a maioria de seus colegas, mas elas não o satisfaziam. Seu espírito se interessava por outras coisas e tentava criar seu próprio espaço. Apesar de obedecer às leis às quais ele havia se subordinado, ele nunca permitiu que se tornasse prisioneiro delas. Com segurança certeira, ele, apesar de todas as restrições impostas, seguiu o caminho de sua liberdade, e certa vez, quando mostrou aos seus professores um pouco desse seu caminho e eles não o compreenderam, ele entendeu que este seria um caminho da solidão, que ele precisava manter separado do caminho da obrigação e para o qual ele tentaria conquistar como companheiros apenas os seus amigos.

Em 19 de outubro de 1861, Nietzsche escreveu uma redação em alemão sobre Hölderlin e escolheu para esta a forma de uma carta a um amigo, "na qual eu lhe recomendo a leitura de meu poeta preferido"[4].

Hölderlin, que viria a ser reconhecido em toda sua grandeza apenas pela geração da Primeira Guerra Mundial, era praticamente desconhecido na época, e os especialistas o consideravam um gago confuso, uma mera curiosidade da história da literatura alemã.

Aos 17 anos de idade, porém, Nietzsche reconheceu nesse "monge helênico" o seu parente e ousou enaltecer o poder dos versos e do discurso de Hölderlin e assim defendê-lo contra a opinião tradicional: "Estes versos [...] brotaram da alma mais pura e meiga; estes versos, que ofuscam a arte e mestria formal de Platen com sua naturalidade e originalidade, estes versos, que ora nos inundam com a elegância mais nobre de uma ode, ora se perdem nos tons mais brandos da melancolia" e que ofuscam também Empédocles, "em cujos tons melancólicos transparece o futuro do poeta infeliz, o sepulcro de uma longa loucura, mas não, como dizes, em palavreados confusos, mas na língua mais pura de Sófocles e em uma abundância infinita de pensamentos profundos". E também o Hiperião, "que, no movimento sonoro de sua prosa, na nobreza e beleza de suas figuras, causa em mim uma impressão semelhante às ondas do mar agitado". (Uma metáfora ousada que Nietzsche emprega aqui, pois nunca vira o mar!) Esse poeta "eleva [...] à suprema idealidade, e sentimos com ele que esta era seu elemento natural". E quando esse poeta confronta os alemães com "amargas verdades", isso "infelizmente sempre se justifica" e corresponde "ao maior amor à pátria, que Hölderlin nutria em alto grau. Mas odiava no alemão o mero técnico, o filisteu".

Ao falar de seu poeta, Nietzsche fala, na verdade, de si mesmo, permanecendo sensato em meio a todo esse entusiasmo. Reconhece que, "por vezes, a reflexão profunda luta contra o cair da noite da loucura" e que "deves atribuir o fato de eu não refutar as objeções que fazes contra suas opiniões religiosas contraditórias a meus poucos conhecimentos filosóficos, que uma contemplação mais minuciosa desse fenômeno exigiria". Deseja apenas que "aquele poeta, que a maioria de seu povo não conhece nem pelo seu nome, seja apreciado sem preconceitos".

O professor que corrigiu a redação – provavelmente, o Sr. Koberstein – escreveu sob a influência do juízo equivocado de seu tempo: "Recomendo ao autor que se atenha a um poeta mais saudável, mais claro e mais alemão"[88]. Deu-lhe, porém, a nota II a IIa. Isso bastou para que Nietzsche se distanciasse de seus professores e nunca mais lhes mostrasse qualquer coisa que realmente o comovia. Esse desprendimento ocorreu sem qualquer ódio e sem qualquer manifestação de desprezo. Isso apenas o sensibilizou e aguçou sua visão no que dizia respeito às suas próprias fraquezas. E isso pode ser visto como evidência de seu senso de justiça, desenvolvido desde cedo. O ocorrido simplesmente lhe serviu para enriquecer sua experiência. Havia reconhecido os limites de seus professores, tornando-se assim um pouco mais livre. Mas dentro desses limites, ele continuou a respeitá-los ao ponto de, muito mais tarde, lembrar-se de alguns de seus professores com sincera veneração. Em 1868, escreveu[2]: "Sua sobriedade e rigidez filológica poderia ter causado repulsa em mim, mas prezei Steinhart* como imagem de uma personalidade universalmente vivaz e que vivificava sua disciplina filológica; e Corssen como inimigo natural de toda hipocrisia burguesa e como cientista reto e comprometido".

Adendo à página 61, linha 22: Regulamentos e publicações mais antigas de Kirchner falam sempre de "educandos de confissão evangélica" (cf. *Nietzsche-Studien*, 76/298).

---

\* Steinhart era o professor de Grego de Nietzsche, com o qual leu Platão pela primeira vez.

# IV

## O primeiro passo

Quando os alunos não estavam com suas famílias nas férias e nos feriados, sua vida particular se passava nas salas. Cada uma dessas salas era ocupada por 12 a 16 alunos, divididos em três ou quatro mesas. Cada mesa possuía um principal (aluno do último ano), um mediano (aluno do penúltimo ano) e dois inferiores (alunos do antepenúltimo ano). O principal era responsável pela supervisão moral e científica dos mais jovens e pela hora de leitura das 4 às 5 da tarde, quando estudavam gramática latina e grega. Além disso, cada aluno tinha um professor como tutor, ao qual podia recorrer quando enfrentava qualquer tipo de dificuldades.

O primeiro tutor de Nietzsche foi o teólogo e Prof. Buddensieg, "um dos poucos, muito poucos cristãos verdadeiros de fé infantil", como o descreve Guido Meyer, colega de Nietzsche.

Aparentemente, Nietzsche confiava nele. Ele o consolava quando o garoto sentia fortes saudades de casa; em casos de doença, Buddensieg acalmava mãe e parentes com seu jeito paternal e pastoral, e ele administrava também a mesada do seu educando. Durante as festas da escola, os chamados "Bergtage" (dias da montanha), mãe e irmã se hospedavam em seus aposentos. Os alunos amavam esse homem caloroso. Quando morreu em 10 de agosto de 1861, Nietzsche ficou de luto. Após a perda de seu mentor, escolheu como seu substituto o novo Prof.-Dr. Max Heinze, que, mais tarde e durante um breve período, se tornaria seu colega como professor em Basileia e que adquiriu fama como historiador da filosofia[246]. Nietzsche desenvolveu um relacionamento amigável também com ele, e a mãe e a irmã o acolheram igualmente. Foi um dos poucos vínculos humanos que perdurou por toda a vida sem maiores perturbações, provavelmente porque nunca se tornou íntimo demais.

Durante muito tempo, Nietzsche não conseguiu desenvolver amizades com seus colegas. A situação em Pforta era muito parecida com a do ginásio em Naumburg. Nietzsche não gostava das diversões brutas e ruidosas de seus colegas. Numa excursão a Schönburg, Nietzsche escalou a torre a sós, enquanto seus colegas se divertiam na taverna, e sentiu-se feliz.

> Entregue a mim mesmo
> enquanto bebem nos átrios
> até caírem de suas cadeiras
> exerço eu meu ofício de regente[2].

Ele não tinha medo de participar de brincadeiras mais rudes e também rasgava suas calças quando, no outono, por ocasião dos exames, o boneco de palha recebia uma surra de todo o *coetus* e era jogado no pequeno Rio Saale. Normalmente, porém, ele se mantinha isolado dos outros e não se destacava nos exercícios físicos.

Mesmo assim, logo se tornou um bom nadador, que cumpria todas as exigências, mas na ginástica sentiu as limitações impostas por sua miopia e pela congestão de sangue na cabeça. Chamou as apresentações de ginástica durante as festas de "crueldade para com os animais" e de "terrivelmente entediantes".

Visto que, durante os primeiros anos, ele se subordinava de forma exemplar aos regulamentos e conquistou repetidas vezes a posição de melhor da turma, alguns colegas o viam como arrivista. Ninguém, porém, conseguiu entendê-lo completamente. A superioridade calada de seu ser causou também aqui zombaria ou distanciamento. "Sua indiferença pelos pequenos interesses dos camaradas", escreveu Deussen[73], "sua falta de *esprit de corps*, foram interpretadas como falta de caráter, e lembro-me como, certo dia, um garoto chamado M. confeccionou discretamente e para a diversão de todos um boneco com recortes de fotos de Nietzsche. Felizmente, meu amigo nunca soube disso". Por vezes, porém, Nietzsche surpreendia seus colegas com atos inesperados. Sua irmã relata uma ocorrência em seu quarto ano em Pforta, que deixou seu principal Krämer muito assustado[88]: "Os meninos mais jovens estavam conversando sobre Múcio Cévola, e um garoto talvez não tão valente observou: 'Que coisa terrível e quase impossível, ter sua mão queimada e permanecer tão calmo'. 'Por quê?', pergunta Fritz, pega um punhado de fósforos, acendendo-os na palma de sua mão e estendendo o braço tranquilamente. Os garotos ficaram paralisados de susto e admiração. De repente, o principal percebe o que está acontecendo, corre até o Fritz e tira os fósforos de sua mão já bastante queimada. A história foi mantida em segredo, pois o principal teria que se responsabilizar diante do tutor e da nossa mãe; no entanto, ele a confidenciou a mim, pedindo que instruísse o Fritz a não voltar a fazer esse tipo de coisa".

A irmã interpreta essa ocorrência como ato "heroico"; Podach reconhece nela um "desdém ativo pelo corpo e uma afirmação do sofrimento". Parece-me, porém, que esse tipo de comportamento corresponde mais à conduta do pequeno aluno do ensino fundamental confrontado com uma súbita pancada de chuva. Por trás do heroísmo físico e do desprezo pelo corpo, esconde-se a pulsão mais forte da autossuperação e da vontade de levar até a última consequência a lei uma vez aceita. Transparece aqui pela primeira vez a expressão ainda infantil de uma pulsão de veracidade de extensão antiga, uma pulsão de veracidade que não suporta quando o homem se comporta de forma indecisa entre ideal e práxis, uma pulsão de veracidade que, desde o início, tem suas raízes num espaço espiritual assustadoramente diferente, no espaço daquela "idealidade suprema", na qual, dois anos mais tarde, reconhece Hölderlin como seu "elemento natural".

Não surpreende, então, que, no início, não conseguiu encontrar um amigo entre seus colegas. Com o primeiro aluno que se aproximou dele desenvolve vínculos mais próximos apenas lentamente. Tratava-se de Paul Deussen, também filho de pastor, proveniente da Renânia, um dos melhores alunos da instituição. Conheceram-se em outono de 1859.

Deussen relata[73]: "Não me lembro mais o que nos aproximou no início; creio que tenha sido nosso amor por Anacreonte, cujos poemas amávamos em virtude da pouca resistência que seu grego fácil oferecia à sua compreensão. Recitávamos seus versos durante nossas caminhadas. Firmamos uma aliança de amizade, reunindo-nos festivamente no dormitório – onde escondia na mala sob a cama entre outras coisas também uma latinha de rapé – e substituindo o 'Sie' formal, usado em Pforta também entre os alunos, pelo 'Du' reservado aos amigos ingleses. A aliança foi selada não com uma bebida, mas com uma dose de rapé".

A princípio, porém, essa amizade com Deussen não gerou uma intimidade verdadeira. Ela se apoiava mais em interesses comuns por escritores antigos e pela filologia, em sua intenção de estudar teologia, na tendência de ambos de se isolar do resto e de levar muito a sério as experiências espirituais. Sem dúvida alguma, Nietzsche se sentiu superior nessa amizade, talvez não em termos de conhecimento, mas certamente em termos de espírito e juízo. Krug e, em medida ainda maior, Pinder permaneceram os amigos verdadeiros de Nietzsche até seus últimos anos em Pforta. Eram também o motivo principal pelo qual desejava retornar para Naumburg quando as férias se aproximavam; pois, a despeito de todo amor, distanciou-se do mundo da mãe e da irmã na mesma medida em que ampliava seu horizonte espiritual. O tédio e a mesmice de seus chás e eventos sociais com as mesmas conversas de sempre o enojavam tanto que, já no verão de 1859, em seu esboço de resto insignificante para uma novela, interpôs uma sátira[2]. Mais tarde, ele a riscou porque passou a vê-la como contrária à sua intenção artística.

Nessas mesmas férias, Nietzsche fez uma viagem até Jena para visitar seu tio Emil Schenk, que era prefeito da cidade. Aqui, foi nadar no Rio Saale, onde quase se afogou; fez longas caminhadas com seu tio pelas colinas nas proximidades da cidade e passou tardes inteiras em sua biblioteca, encontrando ali primeiro as obras de Novalis, "cujas reflexões filosóficas me interessavam", como afirma. Na fortaleza Kunitzburg, criou uma imagem romântica do cavaleiro medieval, mas o espírito crítico do historiador nato o levou a acrescentar imediatamente: "É difícil colocar-se na posição da Idade Média, imaginamos a vida ou exageradamente romântica ou como escória de assassinatos e assaltos, como era da lei do mais forte".

Mas o que mais o impressionou foi a vida estudantil. Seu tio era membro da Fraternidade Acadêmica Teutônia, e, assim, a fraternidade acolheu o jovem de 15 anos como visitante. Segundo o relato da irmã, Nietzsche se mostrou entusiasmado com o que viu, aparentemente, porém, chegou a uma conclusão diferente para si mesmo: *Etsi Plato meus amicus est*, i.e., apesar de nutrir simpatias pela pequena cidade universitária, *tamen veritatem ducem sequor**, a vida em Jena ainda é bastante selvagem, mesmo que digam que antigamente tenha sido bem pior"[4], ele anotou depois dessas férias, cujos últimos dias ele passou em Pobles com a mãe e a irmã. Foi a última vez. A irmã relata um sonho de Nietzsche bem semelhante ao seu sonho antes da morte de seu irmão[88].

"No dia 2 de agosto de 1859, celebramos o 72º aniversário do nosso avô Oehler**. Filhos, genros e netos haviam se reunido em grande número. Quando desci cedo de manhã, Fritz veio correndo do jardim e me disse que havia acordado muito cedo em virtude de um curioso sonho: viu a casa de Pobles completamente em ruínas e a coitada da avó sentada sozinha sob as vigas do telhado quebrado. Ao ver essa cena, teve que chorar, de forma que suas lágrimas o despertaram, não conseguindo voltar a dormir. Nossa mãe nos proibiu de contar o sonho para qualquer pessoa. Nosso avô estava tão bem-disposto e de perfeita saúde, e todos acreditavam que viveria mais vinte anos. No final do verão, porém, ele pegou um resfriado tão forte, que adoeceu gravemente. Nosso avô, que jamais recebera o médico em sua casa como médico, mas apenas como amigo, agora se viu obrigado a pedir sua ajuda profissional. A doença foi diagnosticada como gripe, e nos meados do inverno (em 17 de dezembro de 1859), nosso avô tão querido faleceu".

---

* *Etsi...* = mesmo que Platão seja meu amigo. *Tamen...* = escolherei como meu guia a verdade.

** Equívoco da autora: David E. Oehler completava seu 70º ano de vida.

Tudo indica que, mais tarde, Nietzsche não voltou a ter esse tipo de sonhos videntes, pois não há registros de outras ocorrências desse tipo.

Em todo caso, a morte do avô pôs um fim às férias em Pobles, pois a avó Oehler se mudou para a casa de um de seus filhos em Merseburg, onde morreu aos 82 anos em decorrência de um derrame cerebral.

Após a morte de seu avô Oehler, que havia sido mais um amigo bom e compreensivo do que um avô rígido, Nietzsche aprofundou ainda mais a sua amizade com seu amigo Pinder.

Nas férias de verão de 1860, os dois viajaram juntos para Eisleben, Mansfeld e Gorenzen na região do Harz, onde vivia Edmund Oehler, o tio de Nietzsche, que lá trabalhava como pastor. Aqui, durante um passeio pela floresta, decidiram manter um diálogo espiritual regular: "No início, o plano se estendia apenas à poesia e ciência. A música estava ainda excluída"[4]. Quando voltaram para Naumburg, incluíram ainda Gustav Krug – e, com ele, também a música –, e assim fundaram oficialmente o Clube dos Três. Em 25 de julho de 1860, fizeram uma caminhada até o Castelo de Schönburg, e lá, no alto da torre, juraram lealdade à aliança, que batizaram de "Germânia". Mais tarde, o Prof. Nietzsche diria (em 16 de janeiro de 1872) sobre o propósito dessa aliança[4]*. "Na época, decidimos fundar uma pequena associação de poucos colegas, com a intenção de encontrar uma organização permanente e obrigatória para nossas inclinações produtivas nas áreas da arte e da literatura. Em palavras mais simples: Cada um de nós se comprometeu a entregar mensalmente um produto próprio, seja uma poesia ou um tratado, seja um desenho arquitetônico ou uma produção musical, sobre o qual os outros podiam julgar com a liberdade ilimitada da crítica amigável. Acreditávamos que, assim, seríamos capazes de incentivar e conter nossas pulsões educacionais por meio da supervisão recíproca."

Em vista do grande interesse de Nietzsche por Robert Schumann, é possível que os "Davidsbündler" de Schumann (que, por sua vez, tinham suas origens nos "Irmãos Serapião", de E.T.A. Hoffmann) tenham servido como modelo; em todo caso, a fundação da "Germânia" ainda se insere perfeitamente na imagem global do romantismo alemão. Num ponto essencial, porém, o conceito nietzscheano se distingue fundamentalmente de outras associações desse tipo. Enquanto os "Davidsbündler" de Schumann, por exemplo, declaram guerra à cultivação superficial das artes, promovendo ao mesmo tempo a sua própria convicção e vertente, a "Germâ-

---

* "Sobre o futuro de nossos estabelecimentos de ensino", primeira palestra.

nia" se volta contra a própria incapacidade, contra o perigo do superficialismo nos próprios aliados. Conseguiram manter-se fiéis ao programa durante algum tempo, e, quando os outros dois ameaçavam abandoná-lo, era sempre Nietzsche que tentava mantê-los a bordo. Isso funcionou durante dois anos, mas já no terceiro ano apenas Nietzsche continuou a brincar de "Germânia", enviando aos amigos suas remessas mensais. Em agosto de 1863, a dissolução do clube havia se tornado inevitável após o desgaste causado por uma crise financeira e de confiança. É provável que todo esse plano tenha se originado em Nietzsche. Já em fevereiro de 1859, ele havia incentivado Pinder a mandar-lhe seus poemas, acrescentando: "Devemos usar a correspondência para criticar-nos mutuamente e conceder elogios e repreensões conforme nosso mérito!" As pulsões produtiva e crítica se manifestavam com intensidade igual nessa época. Quando ficou fascinado com o motivo de Prometeu, escreveu*, como confessa a Pinder, "primeiro um drama falho [...] repleto de inúmeros conceitos errados sobre a matéria, depois três poemas, que eu mesmo critiquei num terceiro (escrito)", mas tentou conquistar seus dois amigos para a matéria, que não lhe saía da cabeça. Tentou organizá-los, por assim dizer, com um pedantismo e metodologia que revelam a influência da escola de Pforta, tanto quanto o fazem os esquemas atentos ao perigo da fragmentação, com os quais tenta entender suas próprias necessidades espirituais: "Comecei a me interessar muito por Prometeu, e me alegraria se ambos pudéssemos anotar nossos pensamentos sobre essa matéria. Reúna então de todos os léxicos e livros e mitologias uma representação completa de sua vida e de toda a mitologia pertencente a ele [...]. Depois, anote todos os seus pensamentos que surgirem em sua mente durante sua contemplação; farei o mesmo. Depois, repartiremos todo o material da seguinte forma: I. Titãs; II. Prometeu; III. Epimeteu e Pandora; IV. As últimas aventuras de Prometeu; V. Epimeteu e Prometeu, Pandora (relação recíproca); VI. O fim de Zeus (em relação às lendas alemãs)".

O que nem sempre nos agrada nessas declarações é o tom professoral de um garoto de apenas 15 anos de idade. Mas trata-se apenas do *páthos* que ele herdou de pastores, professores e educadores. Na verdade, ele é inundado pela riqueza do mundo espiritual, que ele mesmo também contém em si, e ele busca algo que lhe permita dominá-la. O conhecimento e as faculdades que a escola lhe oferece não lhe bastam. Seu ideal não é a erudição, mas a formação universal, que ele chega a vislumbrar já em seu breve contato com a obra de Alexander von Humboldt. Mas nesse mar de experiências espirituais, ele precisa de ajudantes e amigos que sigam

---

* Em abril e maio de 1859.

à mesma pulsão. Aqui, e também mais tarde, ele procura companheiros dispostos a acompanhá-lo em determinados trechos de seu caminho, mas nunca para o caminho inteiro, cuja consequência lógica inabalável nenhum homem de seu século quis ou pôde aceitar.

Para Nietzsche, a "Germânia" se transformou em primeiro palco que lhe permitiu falar com sua própria voz; todas as suas pulsões produtivas podiam se expressar aqui.

Os três amigos realizavam seus "sínodos" e "conventos" com respeito cerimonial tanto em suas férias quanto em sua correspondência e sempre procuravam se expressar num nível literário. Com suas contribuições monetárias, compravam revistas, partituras e livros. Os trabalhos mensais de cada um eram enviados aos outros dois e então criticados sem misericórdia e sem a cortesia com que costumavam se tratar.

A entrada de Gustav Krug no clube revigorou a produção musical de Nietzsche, que, até então, havia recuado diante da poesia. Seus primeiros trabalhos para a "Germânia" foram peças para um oratório natalino. Pretendia desenvolver pensamentos reformadores, que ele expôs aos seus amigos em uma longa carta de 14 de janeiro de 1861: O oratório deveria seguir um pensamento homogêneo e refutar qualquer contaminação secular; se possível, não deveria conter nada que não pudesse ser cantado e, caso isso comprovasse ser impossível, o recitativo deveria ser substituído pela palavra falada com acompanhamento musical, ou seja, pelo melodrama (já praticado por Schumann em seu "Manfredo") ou até mesmo por interlúdios puramente instrumentais, por "pinturas sonoras". E, de fato, tanto os esboços para a missa (1858/1859) como para esse oratório natalino apresentam muitas passagens puramente instrumentais, e até mesmo arranjos para o coral são compostos sem texto. O pensamento musical ocupa uma posição primária[125].

Nietzsche dá preferência absoluta ao oratório diante da ópera, vê o oratório como gênero artístico de natureza mais sublime e pura, o que ainda impede qualquer entusiasmo por Wagner.

Os volumosos esboços para uma missa, talvez também para um réquiem, provêm, muito provavelmente, do tempo inicial em Pforta. Sua mãe lhe enviou grandes quantias de papel pautado. A missa, como também o moteto "Jesus meine Zuversicht" (Jesus minha esperança), permaneceu fragmento. Uma versão final, datada em "4 de julho de 1860", de um "Miserere" para coro *a capella* para cinco vozes sobreviveu. Para o Natal de 1859, compôs uma fantasia para piano a quatro mãos, a ser apresentada com sua irmã. A partir de agosto de 1860, dedicou sua maior atenção ao oratório natalino. Entre as remessas mensais para a "Germânia", dominam peças encerradas em si dessa obra, que, como um todo, permaneceu fragmento – a despeito das muitas peças individuais que puderam ser preservadas, não é possível reconstruir o plano geral a partir destas. Nietzsche deve ter planejado uma obra extensa, mas pouco tempo após a Confirmação, em 10 de março de 1861, Nietzsche abandonou essa obra e com ela todos os temas religiosos. Ele ainda reuniu três peças instrumentais dessa obra ("Heidenwelt" (Mundo dos gentios); "Sternerwartung" (Esperança astral); "Der Könige Tod" (A morte dos reis)) em uma fantasia para piano a quatro mãos e a enviou como trabalho para a "Germânia" sob o título de "Schmerz ist der Grundton der Natur" (Dor é o tom fundamental da natureza) (segundo Justinus Kerner). Já em setembro, fala de uma "poesia sinfônica", o "Hermenerico", influenciada musicalmente pela "Hungaria", de Franz Liszt.

De importância musical muito maior do que suas próprias composições daqueles anos, foi uma mudança em seu gosto musical. Sem dúvida alguma, essa mudança se deve à influência de Gustav Krug. Já por ocasião da fundação da "Germânia", seus membros decidiram criar a "Zeitschrift für Musik", uma revista sobre música, que, já na época, defendia Richard Wagner e sua obra. Em março de 1861, Krug fez uma palestra sobre "algumas cenas de 'Tristão e Isolda'", e, nesse mesmo feriado de Páscoa, Krug tocou para Nietzsche partes da redução para piano do "Tristão". Em abril, Krug escreve a Nietzsche*: "Logo após as férias, devolvi 'Tristão e Isolda', do qual você infelizmente só ouviu a metade. Justamente o segundo e o terceiro atos são maravilhosos, mesmo que o início do segundo seja um pouco incompreensível e cansativo. Após ouvi-la repetidas vezes, porém, é possível reconhecer sua grande beleza, e poderíamos dizer que o segundo ato representa o auge da ópera. Espero poder ouvir com você 'Tristão e Isolda' em Weimar, que, segundo a edição mais recente do jornal musical, será apresentado de 3 a 8 de agosto durante a assembleia dos artistas sonoros".

Os amigos acabaram não indo para Weimar, mas isso não impediu que a propaganda de Krug em prol de Wagner se tornasse cada vez mais passional. Contou aos seus amigos sobre a Nova Escola Alemã, sobre a abertura do "Fausto" de Wagner, sobre o "Rheingold", e em abril de 1862, em violação aos estatutos da "Germânia", comprou, no lugar do livro previsto, a redução para piano de "Tristão e Isolda", porque acreditava poder usá-la para conquistar Nietzsche; mas essa violação gerou um grave conflito. Desse tempo, temos apenas um único registro do próprio

---

* Krug a Nietzsche, provavelmente em abril de 1861[8].

Nietzsche sobre a música de Wagner, que se encontra em um fragmento sobre a natureza da música[2]. Na primeira parte – que se perdeu – ele deve ter falado sobre a composição formalmente rígida da fuga e sobre o fato de que existem pessoas que são comovidas também por ela, que a fuga afeta suas emoções, e então procede: "Algumas pessoas balançam a cabeça quando veem você e sua razão, estremecidos pelo poder da música, permanecendo imóvel diante das ondas passionais de 'Tristão e Isolda'. Ambas, tanto as contrafugas de Albrechtsberger* quanto as cenas de amor de Wagner, são música; ambas devem ter algo em comum; a natureza da música. No entanto, a emoção não é medida para a música". Já aqui, afirmações musicais se condensam em personalidades transformadas em símbolos, como acontece posteriormente com a antítese Wagner/Bizet, na qual se cristaliza sua superação do romantismo e do idealismo em prol do realismo.

Em 1794, o músico Johann Georg Albrechtsberger mencionado por Nietzsche havia sido o professor de teoria de Beethoven. Como compositor, foi extremamente conservador – também conforme os padrões de seu tempo – e permaneceu quase desconhecido, mas seus escritos teóricos eram valiosos, e seu manual serviu durante muito tempo como obra fundamental para a arte do arranjo contrapontual. Nietzsche havia estudado esse manual como autodidata, e suas composições até o oratório natalino revelam em sua linearidade dura e inflexível a influência dessa vertente musical. No "Tristão" de Wagner, porém, ele se depara – pulando todo o classicismo musical – com seu extremo oposto. Aqui não dominam mais as ordens lineares (horizontais), mas as ordens harmônicas (verticais); e ambos os tipos são música, Nietzsche reconhece ambos como música. Ele está à procura daquilo que ambos têm em comum, mas ainda não o encontra; mas, a partir de então, ele se conscientiza desse problema durante toda a sua vida, e o problema o preocupa, também durante toda a sua vida. E é Wagner que se encontra no início e no fim dessa preocupação – no início, como superador das estruturas pré-clássicas; no fim, como romantismo superado.

Já em 1862, portanto, a "experiência Wagner" ocupa Nietzsche, e sua lembrança posterior em "Ecce homo" ("A partir do momento em que existiu uma redução para piano do 'Tristão' – os meus cumprimentos, Sr. Von Bülow! –, tornei-me wagneriano") deve ser uma representação um pouco exagerada dessa experiência. Toda a postura de Nietzsche diante da música em geral até seu encontro pessoal com

---

* J.G. Albrechtsberger, 1736-1809, ou seja, um contemporâneo de idade quase idêntica à de Joseph Haydn. Albrechtsberger foi organista no *Stephansdom* em Viena a partir de 1772.

Wagner também indica que seu entusiasmo não surgiu de forma tão abrupta e incondicional. Sua irmã relata[88]: "Lembro-me de que meu irmão e seu amigo Gustav usaram as férias de outono de 1862 para, desde cedo até tarde, tocar a redução para piano. Já que o pai de Gustav era adepto da música clássica, essas orgias wagnerianas eram celebradas em nossa casa. Quando Fritz me perguntou se 'esta música não era maravilhosa', tive que admitir que ela não me agradava muito. No entanto, duvido que a apresentação dos jovens teria agradado a qualquer um; nenhum dos dois havia ouvido a ópera até então e, por isso, não sabiam destacar a melodia dentro dessa abundância de tons. Os dois produziam um barulho incrível; por vezes, o canto de suas vozes fortes lembrava uma uivada".

Por mais significativo que esse primeiro encontro com o "Tristão" possa parecer ao olho posterior, ele, de forma alguma, representa uma – muito menos *a* – experiência espiritual decisiva dos anos passados em Pforta. No Domingo Laetare (10 de março) de 1861, Nietzsche celebrou sua Confirmação juntamente com Deussen, que nos conta[73]: "Lembro-me ainda muito bem da atmosfera sagrada e arrebatada que nos preenchia durante as semanas anteriores e posteriores à Confirmação. Estávamos dispostos a partir naquele instante para estarmos com Cristo, e uma alegria sobrenatural inundava todo o nosso pensar, sentir e agir. Esta alegria, porém, como muda artificialmente cultivada, não pôde perdurar, e, sob as impressões diárias da vida e do aprendizado, desapareceu tão rápido quanto surgira. Certa religiosidade conseguiu resistir ainda até os exames finais. Imperceptivelmente, ela foi minada pelo extraordinário método histórico-crítico, aplicado em Pforta aos autores da Antiguidade e que então se transferiu quase que automaticamente para a área bíblica".

Deussen confere aqui ao momento ocasionador o valor de uma causa. Na verdade, o jovem Nietzsche não se ocupava intensamente com o cristianismo – não mais, pelo menos, do que com outros fenômenos históricos, talvez até menos, por mais que a atmosfera da Confirmação o tenha contagiado.

Quais foram os objetos de sua reflexão e de sua pulsão produtiva nesse tempo? Poemas, composições, Byron, uma poderosa figura da lenda nórdica (Hermenerico) e um grande problema filosófico. Do cristianismo: nada. Durante algum tempo, este serviu-lhe ainda como uma roupa velha, como uma lei herdada, que ele vestia e à qual obedecia. Mas a direção de seu espírito não era determinada pelo cristianismo. Já vimos como ele, no verão de 1861, poucos meses após a Confirmação, distanciou-se dele no âmbito da música.

Apenas quando, no ano seguinte de 1862, passou a ver o cristianismo do ponto de vista de um problema filosófico maior, ele se transformou também em objeto de sua reflexão, agora, porém, de uma reflexão mais crítica. No entanto, não falou sobre isso, principalmente quando estava em companhia de sua mãe e de sua tia Rosalie, que não permitia nenhuma crítica à sua ortodoxia e que se sentiu fortemente agredida quando Nietzsche recomendou à sua irmã a leitura da história da Igreja e a "Vida de Jesus", de Hase, o "espirituoso defensor do racionalismo ideal".

É possível que, já na Páscoa de 1861, perguntas semelhantes tenham causado uma "dissonância" e uma "ruptura" com a mãe, pelas quais pediu perdão à mãe em abril. De toda forma, manteve em segredo seus pensamentos críticos sobre o cristianismo até sua profissão pública em Bonn, compartilhando-os por ora apenas com seus dois amigos da "Germânia". A partir de então, excluiu sua mãe e irmã de sua verdadeira vida espiritual – como já o fizera com seus professores.

Os poemas desse tempo são ainda tão insignificantes quanto os textos produzidos em sua infância em Naumburg. Mas antes e depois da viagem do verão de 1861, que o levou a Plauen e Nuremberg até a floresta da Boêmia, uma matéria histórica começou a atraí-lo com tanta força que seu interesse por ela perdurou até agosto de 1865. Tratava-se da lenda do rei dos godos orientais Hermenerico, que ele deve ter conhecido pela primeira vez nas aulas de alemão, administradas por Koberstein.

A ocupação de Nietzsche com o poeta Teógnis durante seu período final em Pforta tem sido injustamente ressaltada – provavelmente sob a impressão de sua carreira filológica posterior e em virtude da semelhança de seu ideal aristocrático com o ideal de Teógnis. Na verdade, encarou Teógnis mais como uma tarefa escolar filológica, sem grande empatia interior.

A figura de Hermenerico, porém, e o sangrento e heroico mundo nórdico o fascinaram tanto que tentou se aproximar deles não só por meio da pesquisa histórica, mas também por meio de um "poema sinfônico", por meio de fragmentos dramáticos e poéticos, mesmo que, por fim, tenha se contentado com uma representação crítico-literária, mas "identifiquei-me com tanta emoção com a antiga lenda, que agora me despeço dela por um tempo até com certa dor"[2].

As fortes paixões "pela lenda popular, enquanto esta ainda fluir de modo primordial e puro, são, talvez, objeto do horror, não, porém, da repreensão" e "a brutalidade, à qual não falta certa dignidade trágica", como cita as palavras de Wilhelm Grimm, o atraíam para essas figuras e para o campo da história universal de suas batalhas na Planície de Don.

Estudou cuidadosamente as fontes, Jornandes, o *Saxo Grammaticus*, as crônicas e a Edda, e sentiu-se profundamente abalado[2]: "Aquele crepúsculo dos deuses, quando o sol enegrece, a terra submerge no mar e turbilhões de fogo desarraigam a árvore do mundo e a chama lambe o céu – é a maior invenção jamais imaginada pelo gênio de um ser humano, insuperável na literatura de todos os tempos, infinitamente ousada e terrível, mas que, mesmo assim, se dissolve em harmonias encantadoras".

Mas quando tentou processar essa matéria musicalmente, ele logo reconheceu com sua típica autocrítica[4]: "Não são godos nem alemães as figuras que esbocei, são [...] figuras húngaras; transferi o motivo do mundo germânico para os campos húngaros, para as almas ardentes dos húngaros. [...] Faltam aos personagens aqueles traços germânicos primordiais e poderosos, as emoções perscrutam demais, são modernizadas, um excesso de reflexão e uma falta de força natural". Diante dessa experiência e desse reconhecimento do jovem de 16 anos de idade, somos inevitavelmente lembrados de seu encontro passional com o mundo de Wagner e de seu abandono deste.

A matéria o fascinou durante quatro anos inteiros, e as estações de sua ocupação com ela são interessantes.

Em 3 de julho de 1861, Nietzsche escreve uma redação baseada ainda exclusivamente numa única fonte, a Edda[2]. Já em setembro ("na Festa do Arcanjo Miguel"), ele tenta se aproximar das figuras e da trama por meio de um "poema sinfônico" num arranjo para piano a quatro mãos. Ele já superou a técnica rígida de Albrechtsberger, e, sob a impressão de Liszt, sobretudo de sua "Hungaria", o jovem compositor se aventura no território da música descritiva. Mas nem assim ele consegue superar o abalo causado pela lenda; no fim, a composição se perde em esboços[125]. Em 29 de abril de 1862, ele tenta domar a matéria numa poesia. Em maio, representa a "Morte de Hermenerico" na forma de uma poesia, que envia aos seus colegas da "Germânia"[2]. Novamente em setembro (na Festa do Arcanjo Miguel, de 1862), ele retoma a forma musical, dessa vez num arranjo para piano a quatro mãos, de certa forma, como redução para piano de uma composição projetada para uma grande orquestra. É seu primeiro trabalho musical em formato grande que ele também completa. Formalmente, a composição é determinada por um "programa" externo. Mesmo assim, as formulações musicais ocupam uma posição primária, pois o "programa" é mencionado apenas nos registros do mês de outubro de 1862[2]. A sequência neles informada e definida pelas letras "A" a "O" corresponde perfeitamente com as partes e descrições da composição de 1862. Ela não pode ser harmonizada com o esboço de 1861, mas este já contém todas as formulações musicais.

Em novembro de 1862, Nietzsche esboça algumas cenas e características de personagens, e surge a ideia para um trabalho dramático[2]. Por fim, em outubro de 1863, realiza um estudo extenso das fontes, do qual resulta em novembro um tratado acadêmico[2]. E mais uma vez, em agosto de 1865, Nietzsche retoma o plano de uma adaptação artística com o cenário para uma ópera[2]. Nesse processo, nessa oscilação entre estudos científicos, histórico-críticos e filosóficos e processamento intuitivo, pessoal e artístico do problema, evidencia-se pela primeira vez e já em toda sua nitidez o fascínio ambíguo e, ao mesmo tempo, cintilante de Nietzsche: o talento duplo.

E esses trabalhos finalmente intermediaram também o contato com um de seus colegas, o jovem Freiherr Carl von Gersdorff, que resultaria em uma longa amizade.

O próprio Gersdorff escreve sobre isso 40 anos mais tarde, em 14 de setembro de 1900, pouco tempo após a morte de Nietzsche, a Peter Gast:

"Eu era aluno externo do velho Prof. August Koberstein, o famoso historiador de literatura, que dava aulas de alemão também à turma do penúltimo ano. Como membro de tal turma, Nietzsche havia escrito um trabalho independente, livre e crítico sobre a lenda de Hermenerico e a entregou a Koberstein. Este se alegrou muito com isso e elogiou em altos tons a erudição, a argúcia, o dom combinatório e a firmeza estilística de seu aluno. Já que Koberstein, que costumava permanecer em silêncio à mesa, expressara sua alegria e excitação em minha presença, eu procurei me aproximar de Nietzsche. Quando entrei no penúltimo ano, já havia percebido que ele era intelectualmente muito superior a todos os seus colegas e pressenti que ele ainda faria grandes coisas. Ele também me atraiu por meio de sua conduta educada, e sua presença calava qualquer rudeza ou brincadeira tola. Em virtude de meu convívio com outros externos, porém, não pude interagir tanto com Nietzsche quanto desejava, e assim se passaram mais ou menos 18 meses antes de iniciarmos nossa amizade. [...] Com o início do último ano, nosso convívio se tornou mais frequente e íntimo. A música contribui muito para isso; nós nos reuníamos toda noite entre as sete e sete e meia na sala de música. Creio que Beethoven não era capaz de improvisar de forma mais cativante do que Nietzsche quando, por exemplo, uma tempestade se aproximava".

Deparamo-nos aqui pela primeira vez com a forte impressão que Nietzsche causava em seus ouvintes quando improvisava ao piano. Essa impressão se reproduziria igualmente nas pessoas mais humildes e em pessoas de alta formação musical até o fim de sua vida. Um registro no diário comprova também o poder liberador que a tempestade exercia sobre a alma de Nietzsche[2]: "Está um pouco escuro na sala, acendo uma luz; mas o olho do dia me observa curioso pelas janelas em penumbra. Quero que olhe mais adiante, que veja meu coração, que estremece com calor maior do que a luz, com uma escuridão mais profunda do que a noite, com uma comoção maior do que a voz da distância, e que ressoa como um grande sino que anuncia a chegada de uma tempestade.

E imploro por uma tempestade; o tocar dos sinos não atrai os relâmpagos? Bem, aproxima-te então, tempestade, purifica e traz o cheiro da chuva para minha natureza fatigada, sê bem-vinda, por fim, bem-vinda! Vê! Reluzes, primeiro dos relâmpagos, e iluminas o centro do meu coração, e dele emerge como uma longa neblina descorada. Tu o conheces, o sombrio, o ardiloso? Logo, meu olho vê com maior clareza, e estendo minha mão em sua direção para amaldiçoá-lo, e o trovão resmunga: e retumba uma voz: 'Purifico-te'.

Calor abafado: Meu coração dilata. Nada se move. Então, um sopro silencioso, no solo estremece o capim – sê bem-vinda, chuva refrescante e libertadora! Aqui, tudo é ermo, vazio, morto; semeia vida nova.

Vê, outra trovoada! Com seus dois gumes, penetra meu coração! E uma voz retumba: 'Sê esperançoso!'

Um suave aroma ascende do chão, um vento se aproxima esvoaçante, seguido pela tempestade, uivante em perseguição de sua presa. Folhas arrancadas o precedem. A chuva, entretida, segue em seu encalço.

Atravessa o coração. Chuva e tempestade! Relâmpago e trovão! Bem no centro! E uma voz retumba: 'Renova-te'''.

Essa é a sensação vital do jovem de 20 anos, no qual despertam, ainda confusos e inconscientes, o dever e o destino.

Dois anos mais tarde, ele já consegue se reconhecer melhor na tempestade. Em 7 de abril de 1866, escreve ao mesmo Gersdorff que o ouvira improvisar ao piano durante uma tempestade e que agora estuda germanística: "Ontem surgiu uma tempestade poderosa no céu. Corri para uma montanha próxima, chamada de 'Leusch' (talvez você consiga me dizer o significado dessa palavra), encontrei no alto uma cabana e um homem, que abatia dois cabritos, e seu filho. A tempestade veio com granizo, senti-me arrebatado como nunca. [...] O que me significava neste momento o homem e seu querer inquieto! O que me significava o eterno 'Deves', 'Não deves'! Quão diferente disso é o relâmpago, a tempestade, o granizo, poderes livres sem ética! Como são felizes, fortes, vontade pura, sem intelecto que a ofusque!"

Ele se sente irmão da tempestade, na tempestade se revela sua natureza, tanto agora como mais tarde. "Quero desaparecer na escura tempestade: e em meus últimos momentos desejo ser homem e relâmpago ao mesmo tempo", ele escreve em seu caderno de anotações na época do "Zaratustra"[1]. Como uma tempestade, mas com a luz amena da sobriedade, se apresenta também a primeira anotação filosófica, redigida aos 17 anos em março de 1862 para a "Germânia" e apresentada em abril aos amigos, após ter se dedicado já meses antes aos temas *"Fatum* e história" e "Vontade livre e *fatum"*[2].

A primeira erupção de seu próprio ser espiritual, mesmo que abafada e domada pela certeza de que isso era apenas um começo e bastante imperfeito, se apresenta como um programa para toda a sua vida e pensamento. Quase todos os seus temas importantes são mencionados aqui. A partir de agora, retornará sempre de novo a eles após aventurar-se em círculos cada vez maiores, em aventuras cada vez mais ousadas com uma paixão cada vez maior e uma carga cada vez mais valiosa.

Precisamos manter em mente o quanto Nietzsche se sentia preso à sua herança genética e à sua educação para podermos mensurar a ousadia desses pensamentos. Por outro lado, porém, devemos atribuir à mesma herança genética o fato de que essa ousadia nunca assume a arrogância da juventude genial, mas ainda se atém à expressão comedida, mesmo onde sua consciência introvertida já conquistou uma autoconfiança muito maior.

"Se pudéssemos contemplar a doutrina cristã e a história da Igreja com um olhar livre e descomprometido, teríamos que expressar algumas opiniões contrárias às ideias gerais. Mas assim, presos desde os primeiros dias sob o jugo do costume e dos preconceitos, contidos pelas impressões da nossa infância no desenvolvimento natural do nosso espírito e determinados na formação do nosso temperamento, acreditamos ser obrigados a tratar quase como um crime quando escolhemos um ponto de vista mais livre, para, daí, chegar a um juízo mais independente e oportuno sobre a religião e o cristianismo. Essa tentativa não seria obra de algumas semanas, mas de uma vida." Seu único fundamento devem ser a história e as ciências naturais, para evitar que ele se perca em "especulações infrutíferas". "Muitas vezes, a nossa filosofia tradicional me pareceu uma construção babilônica: estender-se até o céu é o objetivo de todos os grandes empreendimentos, construir o Reino do Céu na terra significa quase a mesma coisa.

O triste resultado é uma confusão infinita dos pensamentos no povo; esperamos grandes revoluções quando a multidão compreender que todo o cristianismo se baseia em suposições; a existência de Deus, a imortalidade, a autoridade bíblica, a inspiração e outras coisas mais sempre permanecerão problemas. Tentei negar tudo: Ah, derrubar é fácil, porém, erguer! E até mesmo derrubar parece mais fácil do que é; nosso íntimo é tão determinado pelas impressões da nossa infância, pelas influências de nossos pais, de nossa educação que aqueles preconceitos profundamente arraigados não podem ser arrancados facilmente pela razão ou pela mera vontade. O poder do costume, a necessidade de algo mais sublime, a ruptura com todo o existente, a dissolução de todas as formas da sociedade, a dúvida se a humanidade não teria se apoiado em um equívoco e recorrido a ele como orientação durante dois mil anos, o sentimento da própria arrogância e ousadia: tudo isso trava uma guerra não decidida, até que, por fim, experiências dolorosas e eventos tristes guiem nosso coração de volta para a antiga fé da nossa infância. No entanto, cada um deve contribuir para sua própria história da cultura observando a impressão que essas dúvidas causam na alma. Não consigo imaginar que algo não persista, um resultado de toda aquela especulação, que nem sempre precisa ser conhecimento, mas pode ser também uma crença, até mesmo que incite ou reprima um sentimento moral.

Assim como o costume representa um resultado de um tempo, de um povo, de uma vertente espiritual, a moral também é o resultado de um desenvolvimento geral da humanidade. Representa a soma de todas as verdades para o nosso mundo, e é possível que, no mundo infinito, ela não signifique mais do que o resultado de uma vertente espiritual no nosso; é possível que se desenvolva novamente uma verdade universal a partir dos resultados da verdade dos mundos individuais.

Mal sabemos se a própria humanidade não é apenas uma fase, um período no geral, no devir, se ela não é uma manifestação aleatória de Deus. Talvez o homem nada mais seja do que a evolução de uma pedra por via da planta, do animal. Teria ele atingido aqui já a sua perfeição, e não teríamos aqui também história? Esse eterno devir jamais terá um fim? Quais são as molas impulsionadoras desse grande relógio? Elas estão ocultas, mas são as mesmas no grande relógio que chamamos de história. O mostrador são os eventos. O ponteiro avança de hora em hora, para reiniciar seu percurso após as doze horas; irrompe uma nova era mundial." [...]

"Tudo gira em torno de si mesmo em círculos cada vez maiores; o homem é um dos círculos menores no centro. Se quiser mensurar as revoluções dos círculos externos, é obrigado a abstrair de si mesmo e dos círculos adjacentes os círculos mais abrangentes. Esses círculos adjacentes são as histórias dos povos, da sociedade e da humanidade. Procurar o centro comum de todas as revoluções, o círculo infinitamente pequeno, é tarefa da ciência natural; agora que o homem procura esse centro em si e, ao mesmo tempo, para si, reconhecemos a importância que a história e a ciência natural devem ter para nós.

Visto, porém, que o ser humano é arrastado pelos círculos da história mundial, surge aquela luta da vontade individual contra a vontade geral; transparece aqui aquele problema infinitamente importante, a pergunta referente ao direito do indivíduo em relação ao povo, do povo em relação à humanidade, da humanidade em relação ao mundo; aqui, também, a relação fundamental entre *fatum* e *história*.

A compreensão suprema da história universal é impossível ao ser humano; o grande historiador, porém, como também o grande filósofo, se torna profeta; pois ambos abstraem os círculos exteriores dos inferiores."

E quanto ao *fatum*?

"Não se reflete tudo no espelho da nossa própria personalidade? E não determinam os eventos apenas a tonalidade do nosso destino, enquanto a força e fraqueza com que nos acomete dependem apenas do nosso temperamento? [...] O que atrai a alma de tantas pessoas com poder para o ordinário e dificulta tanto um voo mais alto das ideias? Uma constituição fatalista do crânio e da espinha dorsal, a posição e a natureza dos seus pais, a cotidianidade de suas condições, a normalidade de seu ambiente, até a monotonia de sua pátria. Sofremos influências sem contermos em nós a força para uma reação, sem reconhecermos que somos influenciados. É um sentimento doloroso ter rescindido sua autonomia em uma aceitação inconsciente de impressões externas, ter oprimido as faculdades da alma por meio do poder do costume e involuntariamente ter plantado na alma as sementes da confusão.

Em escala maior reencontramos tudo isso na história dos povos. Muitos povos, apesar de terem sido atingidos pelos mesmos eventos, sofreram disso influências das mais variadas.

Por isso, é estupidez querer impor com estereótipos a toda a humanidade qualquer forma específica de Estado ou sociedade; todas as ideias sociais e comunistas padecem desse equívoco. Pois o homem nunca é o mesmo novamente; mas assim que fosse possível derrubar todo o passado do mundo por meio de uma vontade forte, imediatamente ingressaríamos na série de deuses independentes, e história mundial seria para nós nada mais do que um arrebatamento devaneado; cai a cortina, e o ser humano se reencontra, brincando com mundos como uma criança, como uma criança que acorda ao nascer do sol e, com um sorriso, afasta os terríveis sonhos.

A vontade livre se manifesta como aquilo que não tem amarras, como o aleatório: é a liberdade infinita, o vagante, o espírito. O *fatum*, porém, é uma necessidade se não quisermos acreditar que a história do mundo seja apenas um devaneio; as indizíveis dores, apenas imaginações; e nós mesmos, apenas bolas num jogo da nossa fantasia. O *fatum* é a força infinita da resistência contra a vontade livre; a vontade livre sem *fatum* é tão impensável quanto o espírito sem o real, quanto o bem sem o mal. Pois apenas o oposto faz a qualidade (*Eigenschaft*). [...]

Assim como o espírito só pode ser a substância infinitamente menor; e o bem, apenas o desenvolvimento mais sutil do mal a partir de si mesmo, a vontade livre seja talvez nada mais do que a mais alta potência do *fatum*." [...]

"Visto que o *fatum* se apresenta ao homem no espelho de sua própria personalidade, a vontade livre individual e o *fatum* individual são adversários equivalentes", por isso, "'conformação com a vontade de Deus' e 'humildade'" seriam "muitas vezes nada mais do que pretextos para o medo covarde de se opor decididamente ao destino. Mas quando o *fatum* como determinação de limites aparenta ser mais poderoso do que a vontade livre, não devemos nos esquecer de duas coisas; primeiro, que o *fatum* é apenas um conceito abstrato, uma força sem matéria, que, para o indivíduo, existe apenas um *fatum* individual, que o *fatum* nada mais é do que uma sequência de eventos, que o homem, assim que começa a agir, cria seus próprios eventos e determina seu próprio *fatum*", e sua atividade não se inicia apenas com o nascimento, mas já em seus pais e antepassados.

"A vontade livre é igualmente apenas um conceito abstrato e significa a capacidade de agir conscientemente, enquanto entendemos como *fatum* o princípio que nos guia na ação inconsciente", na qual ainda está em jogo "uma direção de vontade, que nós mesmos ainda não precisamos ter em vista como objeto". "Se, pois, compreendermos o conceito da ação inconsciente não como mero 'deixar-se guiar' por impressões anteriores, desaparece para nós a distinção rígida entre *fatum* e vontade livre, e ambos os conceitos se confundem na ideia da individualidade.

Quanto mais as coisas se distanciam do não orgânico e quanto mais a educação (*Bildung*) se amplia, mais se destaca a individualidade, maior a diversidade de suas qualidades. Força interior e ativa e impressões exteriores, suas alavancas de desenvolvimento – o que seriam se não vontade livre e *fatum*?

Na vontade livre, o indivíduo encontra o princípio do isolamento, da separação do todo, da absoluta ilimitação (*Unbeschränktheit*); o *fatum*, porém, reintroduz o ser humano na relação orgânica com o desenvolvimento geral e, tentando dominá-lo, o obriga ao desenvolvimento livre da reação contrária; a vontade livre absoluta, sem *fatum*, faria do homem um deus; do princípio fatalista, um autômato."

Reproduzimos aqui esse trabalho precoce de Nietzsche de forma tão extensa (como não faremos com nenhum outro), porque este já apresenta todas as pulsões do pensamento nietzscheano e porque já toca em todos os problemas decisivos, porém sem fornecer as soluções poderosas que ele encontrará mais tarde. O leitor atento encontra aqui tudo já prefigurado: o foco do pensamento nietzscheano no aquém, no qual o ser humano sempre representa o centro, não, porém, a meta, e o abandono da entrega a Deus e da humildade. Aqui ele já ataca o cristianismo, apesar de defendê-lo ainda como "mal-interpretado", num ponto essencial. Num documento da mesma época (27 de abril)[2], novamente afirmando o cristianismo como "questão de valor pessoal", ele se volta contra todos os mundos do além: "O fato de Deus ter se tornado homem indica apenas que o ser humano não deve buscar sua felicidade no infinito, mas que estabeleça seu céu na terra; o desvario de um mundo sobrenatural levou os espíritos dos homens a assumirem uma posição errada em relação ao mundo terreno: ele foi produto de uma infância dos povos. [...] Sob graves dúvidas e lutas a humanidade se torna viril: reconhece em si o início, o meio e o fim da religião".

Prefigurado está aqui também, mesmo que apenas como tentação e tentativa, o ateísmo, uma reavaliação de todos os valores de dois milênios, o reconhecimento da relatividade dos sistemas morais, a filosofia do devir e da inocência do devir. Prefigurado está já aqui também o pensamento segundo o qual o ser humano seria algo que precisa ser superado: o *Übermensch* (super-homem), como Nietzsche o reconhecera na Edda, nas figuras semimíticas da lenda de Hermenerico, ou em seu poeta favorito Byron – em uma palestra de dezembro de 1861 sobre este, o termo ocorre pela primeira vez em Nietzsche[2]. Prefigurado está aqui também o pensamento do retorno eterno e do filósofo e historiador como profeta e legislador, que derruba todo o passado do mundo. Prefigurado está também aquele pensamento do *amor fati*, que mais tarde sofreria um desenvolvimento tão extraordinário. Prefigurado estão aqui também aquelas ideias "positivistas" do chamado segundo período de Nietzsche no pensamento da "constituição fatalista do crânio e da espinha dorsal". Além disso, estão prefiguradas aqui já a crítica da consciência e do espírito e a problemática do indivíduo na sociedade e na história. E claramente expressa está aqui também o ódio vitalício contra a ideia da igualdade dos homens, que ele vê como fundamento do socialismo e do comunismo. O todo já se sustenta no sentimento de um homem que se encontra na transição entre duas eras e que, estremecendo, mas ao mesmo tempo afirmando com um "sim" resoluto de sua alma, vê a aurora de um novo tempo, mais uma fase de desenvolvimento, na qual a humanidade se conscientiza plenamente de sua força e de seu dever e se torna "viril".


Adendo à página 78, linha 5: Como modelo ou, pelo menos, inspiração pode ter servido também a associação "Litteraria" em Naumburg. Tratava-se de uma associação para o "avanço e a formação da vida científica e ética", que, nos meses de inverno, se reunia semanalmente em Naumburg e cujos membros eram, além dos cidadãos de Naumburg, também todos os alunos e professores de Pforta. A associação foi fundada em 1821 por Carl Peter Lepsius. A partir de 1871, a "Litteraria" organizou palestras sobre o "Nascimento da tragédia" e as "Considerações extemporâneas I", de Nietzsche (cf. Reiner Bohley, em N. St. 1976).

# V

## O fim do período escolar

Não surpreende que a um jovem de 17 anos de idade que entretém esse tipo de pensamentos e que já sabe conferir-lhes uma forma tão elaborada não bastavam a vida pacata do lar materno, nem a escola, nem seus dois amigos de Naumburg, sem falar do fato de que estes não podiam oferecer o espaço espiritual no qual sua natureza tão introvertida e quase autista, mas, ao mesmo tempo, tão expansiva, pudesse se comunicar e se ocupar com mentes de igual força intelectual.

A mãe certamente se orgulhava de seu filho, mas sentia muito mais orgulho do bom aluno do que do pensador que estava começando a emergir. Ela ignorou completamente o que se passava em seu interior. Deu-lhe total liberdade, mas sem fazer a tentativa de acompanhá-lo. Seu senso maternal prático satisfez todas as necessidades físicas do filho, e a mãe não lhe permitiu qualquer falta de educação; ela não o mimou. No entanto, ela não representava para ele qualquer peso espiritual. A crítica materna nunca se voltou contra sua natureza e seus perigos verdadeiros, dizia respeito apenas à sua conduta e seu progresso. Ela o admirava e temia por ele. Quando um parente lhe disse que seu filho se parecia com Lutero e que, mais tarde, ele seria outro Lutero, ela, cheia de alegria, comunicou isso a seu pai. Por outro lado, não se cansava de pedir ao filho que não "fizesse sempre algo diferente dos outros".

Ela vivia num mundo espiritual completamente diferente. Sua religiosidade simples e um pouco ingênua não conhecia a dúvida – justamente isso a capacitaria mais tarde em meio aos duros golpes do destino para demonstrar extremas provas de amor maternal; tampouco permitia que nenhuma dúvida vinda de fora a abalasse, nem mesmo quando provinha do filho. Ele respeitou isso, mas, por isso, distanciou-se espiritualmente dela, por mais forte que seu vínculo familiar tenha sido: jamais, nem mesmo mais tarde, quando ela se intrometeu de forma brutal em sua vida, ele conseguiu se distanciar dela externamente.

Típico da relação entre mãe e filho nesse tempo é um incidente que ocorreu em Pforta, em 1862, quando Nietzsche acabara de ingressar no último ano. Ele mesmo escreveu sobre isso em uma carta de 10 de novembro à sua mãe e irmã: "Querida gente! [...] A cada semana, um dos alunos do último ano assume a inspetoria da escola, i.e., relata tudo que exija qualquer reparo nas salas, armários e auditórios etc. Semana passada, coube a mim assumir esse ofício; no entanto, tive a ideia de usar meu humor para tornar essa ocupação tediosa mais interessante e escrevi um bilhete no qual todas as observações se apresentavam de forma cômica. Surpresos, os rígidos senhores professores perguntaram como era possível transformar em piada algo tão sério e me instruíram a comparecer diante do sínodo no sábado à noite. Castigaram-me com três horas de cárcere e com a exclusão de alguns passeios. Se minha única culpa tivesse sido uma falta de atenção, eu teria me aborrecido com aquilo; assim, porém, não me preocupei um único instante e tiro disso como lição apenas a decisão de ser mais cuidadoso com gracejos". Entre outras coisas, Nietzsche havia escrito nesse relatório tão importante: "No auditório tal e tal as lâmpadas são tão fracas que os alunos são tentados a fazerem brilhar suas próprias ideias. [...] Na sala do penúltimo ano, os bancos foram pintados recentemente e agora demonstram uma adesão indesejável àqueles que neles se sentam". Em seguida, recebeu o castigo acima referido e foi "ameaçado com a perda de sua posição como melhor da turma".

Aparentemente, a mãe também não achou graça e escreveu ao filho[8]: "Graças a Deus, não foi uma brincadeira de mau gosto, mas sinceramente, meu querido Fritz, eu acreditava que você possuía mais tato. Novamente, preciso acusá-lo do vício da vaidade e de sempre querer fazer algo diferente do que os outros, e considero o castigo justo, pois seu ato se apresenta como terrível atrevimento ao permitir-se tal comportamento diante dos professores. Faça-me o favor de ser mais cuidadoso em seu modo de pensar e de agir, siga sempre sua voz interior e você evitará toda inquietação e todo conflito, que agora outras pessoas também têm percebido em você. Escreva em breve, meu caro filho, mas não comece a carta com 'Querida gente', você mesmo deve sentir que não tem cabimento dirigir-se assim à própria mãe".

Ela parece ter falado mais sobre o assunto e expressado sua preocupação segundo a qual ele teria se exposto a influências negativas, pois em 19 de novembro Nietzsche volta a falar mais uma vez sobre o episódio: "Agora, surpreendentemente, sempre tenho muito a fazer, mas me sinto melhor do que nunca, tanto física quanto espiritualmente. Sempre estou de bom humor e trabalho com grande prazer. Não consigo entender como você ainda gasta um único momento se preocupando com as consequências daquela história, pois você a havia entendido corretamente e me repreendido por causa dela. Evitarei qualquer insensatez desse tipo no futuro; mas nem pensei em me aborrecer com aquilo. Que Heinze e os outros tentem encontrar nessa história o que bem quiserem – eu sei o que significou e estou absolutamente tranquilo em relação a isso. Como já disse, raramente me senti melhor do que agora, meus trabalhos avançam bem, minha vida social é intensa e agradável – e de onde vem esta ideia de que eu estaria sendo influenciado, pois ainda preciso encontrar uma pessoa à qual me sentisse inferior. Gosto até do tempo frio – ou seja, sinto-me muito bem e não alimento mágoas contra ninguém, nem mesmo contra os professores. Estes, como professores, talvez não tiveram a opção de interpretar o episódio de outra forma".

Podemos estranhar essa autoconfiança brusca com que o jovem de 18 anos refuta e repreende a mãe, e surpreende também esse grande sentimento de superioridade – e de solidão – que se expressa já agora com tanta franqueza, quando o destino ainda é incerto e se manifesta apenas como inquietação. Mas nós o compreenderemos melhor se lermos uma confissão daquela época escrita sob a impressão do incidente[2]: "Nada mais errado do que qualquer arrependimento sobre o que se passou, aceite os fatos como são, aprenda sua lição, mas continue a viver tranquilamente, considere-se um fenômeno cujos traços individuais formam um todo. Seja indulgente com os outros, no máximo, lamente-os, mas nunca permita que o aborreçam, nunca se entusiasme com ninguém, todos existimos apenas para nós mesmos, para servir aos nossos fins. Quem [souber] dominar melhor, será também o melhor conhecedor dos homens. Cada ato por necessidade é justificado, cada ato útil é necessário. Imoral é qualquer ato que, sem necessidade, causa dor ao outro; se sentirmos arrependimento, passamos a depender muito da opinião pública e nos desesperamos conosco mesmos. Quando um ato imoral se torna necessário, ele representa um ato moral para nós".

Por mais forte que seja a sensação de fatalidade e incondicionalidade, ele não consegue suportar a sensação de depender de uma opinião pública e estabelece uma distinção decidida entre sua própria moral e a moral comum.

Nessa época, Nietzsche se distancia também de seus amigos Wilhelm Pinder e Gustav Krug com a dissolução da "Germânia" no verão de 1863. As expectativas haviam sido altas demais; as condições, duras demais; e a crítica de Nietzsche havia se tornado excessivamente aguçada e autoconfiante. Já nesses anos irrompem também o rigorismo tão desagradável do Nietzsche posterior e a ironia ofensiva contida em suas críticas, que os comentaristas superficiais usariam como sintoma de sua doença.

O motivo haviam sido as remessas de Wilhelm Pinder à "Germânia", que Nietzsche precisava avaliar em sua função de "cronista". Sobre a tradução de duas poesias do alto alemão médio de abril de 1862, o cronista observa[2]: "[...] aparentemente um trabalho muito apressado, no qual podemos elogiar apenas a arte caligráfica do autor".

E sobre um poema com o título de "Prometeu", Nietzsche observa: "Permanece um mistério essa confusão babilônica de conceitos, como também o sentido do poema". Faz uma crítica severa aos "Nove poemas", recebidos em junho de 1862. Após muitas observações individuais de caráter ofensivo, ele resume: "Vejo tudo isso como exercício na arte da rima e da escrita. A imitação de um sentimento não vivido, sobretudo de um sentimento tão nobre quanto o amor, sempre se vinga. Reconheço certa mestria formal, mas em vista do padrão métrico inseguro e das rimas raras, tudo deveria ser muito mais exato". E: "Em geral, podemos dizer que o progresso tanto na forma poética quanto no pensamento é inconfundível. Aquilo que adere a W. Pinder e o impede de produzir um texto puramente lírico é certa aridez emocional, uma falta de fluidez na imaginação e uma execução insuficiente da forma, motivo pelo qual lhe recomendo ardentemente os poetas mais recentes. Apenas uma leitura ávida destes e exercícios próprios podem conferir-lhe aos poucos o tato e a segurança necessários para evitar as frases vazias e a capacidade de revestir um pensamento agradável com um manto macio, bem-ordenado e que apresente muitas pregas".

Não surpreende, então, que isso sufocou por completo o interesse já enfraquecido dos amigos. A partir do verão de 1862, os amigos deixaram de enviar seus trabalhos. Já mencionamos como Nietzsche, mesmo assim, insistiu durante um ano inteiro na ficção da associação e, como único, continuou a enviar seus textos mensais até junho de 1863. A crise da puberdade abala profundamente sua sensação vital. Ela o faz oscilar entre devoção e revolta, entre uma autoimagem orgulhosa e profundo nojo de si mesmo. O mesmo jovem que anota aqueles pensamentos sobre "*Fatum* e história" com uma segurança sonâmbula e uma força íntima de seu ser se vê também atormentado por pesadelos. Além de sofrer com a limitação da escola e da rotina diária, da qual (como escreve à irmã) deseja fugir para a selva e ali viver como lenhador, ele também não sabe o que fazer com seus dias, o mundo lhe parece doente:

> Não sei o que amo,
> Não tenho paz nem tranquilidade,
> Não sei o que creio,
> Por que ainda vivo, para quê?

A falta de sentido da vida o afeta e o leva a produzir versos ao estilo de Heine:

> Como é lindo devorar o mundo
> Num ímpeto universal

E então escrever uma revista
Sobre sua circunferência.


"O homem não é imagem digna
Da divindade
De dia em dia se complica mais
...............................
Conforme meu caráter primordial
Crio também meu Deus"[2]*.

Ele venera as figuras sobrenaturais de Shakespeare e Byron, ele mesmo, porém, se entrega às vezes à melancolia, ao desejo da morte e à zombaria de sua própria pessoa. Sedento, estende nesse tempo de inquietação sua leitura para além do programa da escola de Pforta. No início de 1862, lê "Il príncipe", de Maquiavel, em seguida se dedica à leitura do norte-americano Emerson, que adquiriria uma importância especial para ele; durante anos, voltaria a se dedicar a esse pensador. Comprou também as revistas baratas do "Verlag der modernen Klassiker" (Editora dos clássicos modernos) (Hofmann und Comp., Berlim), que o apresentam a Pushkin, Lermontov e Petöfi em tradução alemã. Klaus Groth, Emanuel Geibel, Friedrich Rückert, Adalbert von Chamisso, Hoffmann von Fallersleben e Theodor Storm servem como inspiração para adaptações musicais. Mas é Byron que o fascina: sobreviveram esboços de composições de Nietzsche baseados em seus "Cantos hebraicos" e "Foscari"[125]. Os produtos literários desse período de crise foram, muito provavelmente, destruídos primeiro por ele mesmo e depois por sua irmã, mas uma peça típica conseguiu ser preservada graças a um colega, o médico Granier: o fragmento, talvez parodístico, de uma novela intitulada de "Euphorion", segundo a figura mencionada por Byron do segundo "Fausto", de Goethe[2]: "A aurora dispara no céu seus coloridos fogos de artifício já muito batidos, que me deixam entediados. Meus olhos ardem de forma bem diferente, temo que suas chamas perfumem o céu. Sinto que saí completamente da minha pupa. Conheço-me perfeitamente e desejo apenas encontrar a cabeça do meu *doppelgänger*, para dissecar o seu cérebro ou minha própria cabeça infantil com seus cachos dourados... ah... vinte anos atrás... filho... filho... como soa estranha essa palavra. Fui eu também criança, uma peça destruída pelo velho e desgastado mecanismo do mundo?, e agora arrasto – como uma alavanca no moinho – com calma e sem pressa a corda que chamamos de *fa-*

---

* Poemas escritos em julho de 1862.

*tum*, até eu apodrecer, até o capataz me enterrar e apenas algumas poucas moscas me garantirem um pouco de imortalidade?

Esse pensamento quase me faz sentir uma disposição para o riso – no entanto, outra ideia me atormenta – talvez brotem dos meus ossos também pequenas flores, talvez uma 'doce viola' ou até – quando o capataz se aliviar sobre meu túmulo – um 'não-me-esqueças'. Então, vêm os namorados... Que nojo! Que nojo! Isso é podridão! No entanto, enquanto me perco nesses pensamentos do futuro – pois parece-me mais agradável apodrecer em terra úmida do que viver como um vegetal sob o céu azul; mais doce parece-me ser um verme do que homem – um ponto de interrogação vagante –, tranquilizo-me com o fato de que pessoas andam pelas ruas, pessoas coloridas, limpas, delicadas e divertidas! O que são elas? Túmulos pintados são elas, como disse algum cretino.

Silêncio absoluto na minha sala... Diante de mim, um frasco de tinta para nele afogar o meu negro coração; uma tesoura, para me acostumar com a decapitação; manuscritos para me limpar e um penico.

Em frente, vive uma freira, que visito de vez em quando para me alegrar com sua moralidade. Conheço-a muito bem, da cabeça aos pés, melhor do que conheço a mim mesmo. Antigamente, era freira, magra e fraca – eu era médico e fiz com que ela engordasse. Com ela vive seu irmão em matrimônio temporário, achei-o gordo e feliz demais, este eu emagreci – como um cadáver. Ele morrerá em poucos dias – o que me agrada –, pois eu o dissecarei. Antes, porém, quero escrever a história da minha vida, pois, além de ser interessante, ensina também às pessoas jovens a arte de envelhecer... nisso sou mestre. Quem deverá lê-la? Meus *doppelgängers*, dos quais muitos vagam ainda por esse vale de lamentações.

A essa altura, Euphorion se reclinou e gemeu, pois sofria de tuberculose na coluna..."

Em 28 de julho de 1862, Nietzsche enviou esse fragmento de Gorenzen, onde passava as férias de verão lendo Rousseau, compondo, escrevendo poesias e ocupando-se com a refutação do materialismo, ao colega Granier, que, como tudo indica, o atraía porque também procurava se libertar de conflitos interiores por meio do cinismo. Escreveu-lhe também uma carta naquele tom humorístico forçado, típico dos garotos talentosos na idade da puberdade, mas que não encontramos em outras cartas de Nietzsche. E essa carta já indica a superação dessa fase: "Após escrever o primeiro capítulo, abandonei enojado [...] o plano da minha novela repugnante. Envio-lhe o manuscrito monstruoso para seu livre uso [...] bem, como quiser. Quando o escrevi, ri diabolicamente – dificilmente desejará ler sua continuação".

Nietzsche logo descobre que esses fantasmas de pesadelos púberes não conseguiriam prender sua atenção. De resto, porém, ainda não tem clareza em relação ao caminho que deve percorrer. A inquietação o domina, e, por vezes, o instrumento de seu coração e espírito parece ser tocado por mãos diferentes das suas. Os pensamentos em "*Fatum* e história" aparentam ser uma irrupção única, que depois volta a se acalmar. Mas na mesma carta em que transmite ao amigo Granier o cinismo desenfreado do "Euphorion", Nietzsche lhe envia também dois poemas, "o primeiro, um exemplo dos meus hinos para a igreja, um gênero que dificilmente você teria esperado receber de mim – e o outro, uma pequena experiência própria, sobre a qual – em virtude de seu gosto natural – você terá que rir".

O primeiro poema é dominado pela religiosidade de seu lar paterno[2]:

Chamaste:
Apresso-me, Senhor,
E descanso
Nos degraus de teu trono.
Incendiado pelo amor
Teu olhar lança
Com intensidade
E dor
Seu brilho em meu coração: Estou vindo, Senhor.

O segundo poema é um cântico para andarilhos, ao estilo de Eichendorff, no qual a melancolia e a tristeza do mundo se dissolvem diante da natureza – nada mais do que uma poesia talentosa de um aluno de último ano, enquanto o primeiro poema ainda apresenta todas as características da péssima qualidade antiga.

Estava perdido
Embriagado
Submerso
Eleito para o inferno e a tortura.
E tu, de longe:
Teu olhar indizível
Inquieto
Me viu: agora, venho com prazer.

A inquietação desse tempo era tão grande que Nietzsche não conseguiu ocultá-la das outras pessoas, por mais que tenha tentado controlá-la. Agora, odiava seu bom comportamento e comedimento. Começou a demonstrar seu sarcasmo e deu voz à sua crítica, como já testemunhamos naquele incidente durante sua semana de inspeção. Perdeu a simpatia do médico da escola Zimmermann quando o chamou de "velho tagarela" em sua presença. Procurou se enturmar com os alunos menos subordinados às regras da escola e que desprezavam os alunos empenhados. Deussen, que, aparentemente, não sentia essa tentação, relata[73]: "Nas tardes de domingo, éramos obrigados a trabalhar das duas às três. [...] Eu estava lendo a transposição dos Alpes por Aníbal, de Lívio, e a leitura prendeu tanto minha atenção que, quando tocou o sino e todos correram para fora, eu continuei lendo por algum tempo. Então, Nietzsche entra na sala para me chamar, me vê lendo o Lívio e me repreende severamente: 'Então são estes os meios e caminhos que você usa para superar os seus colegas e conquistar o favor dos seus professores! Bem, os outros lhe dirão isso de forma mais clara ainda!' Envergonhado, confessei o meu erro e fui fraco ao ponto de pedir que Nietzsche não contasse aos outros, o que ele prometeu e cumpriu".

Naquele tempo, Nietzsche se aproximou de um colega com talentos artísticos, Guido Meyer, e por sua causa até veio a se distanciar de Deussen. Como Deussen afirma[73], Meyer era "bonito, amável e engraçado, e também um excelente caricaturista, mas se encontrava em eterna luta com os professores e o regulamento escolar. [...] Teve que deixar a escola ainda no penúltimo ano". Nietzsche, em uma carta de 1º de março de 1863 à mãe e à irmã, chama o dia da expulsão de seu amigo de "dia mais triste que vivi em Pforta". Conversou até altas horas da noite com Stöckert, que mais tarde o acompanharia para Bonn, sobre a relação entre arte e moral; bebeu ponche com Granier e outros, e na manhã seguinte se sentiu indisposto para o trabalho. Conversou com seus amigos também sobre "assuntos do coração".

Após a saída de Meyer, aconteceu algo que o registro de 14 de abril de 1863 no livro de castigos de Pforta relata da seguinte forma: "No domingo, Nietzsche e Richter, que se encontram na estação ferroviária de Kösen, bebem 1,2 litros de cerveja cada um dentro de uma hora. Nietzsche ficou visivelmente bêbado; e Richter, mais ainda". O Prof. Kern encontrou os dois quando voltavam para a escola. Nietzsche perdeu sua posição de melhor aluno e foi relegado à terceira posição. Perdeu também uma hora dos passeios dominicais.

Dessa vez, declarou-se profundamente culpado diante da mãe, quando lhe relatou o incidente numa carta de 16 de abril: "Não tenho outra desculpa senão a minha ignorância referente à quantia de álcool que meu corpo suporta e o fato de que, naquela tarde, eu me encontrava em estado excitado. [...] Você pode imaginar que me sinto muito abatido e triste, ainda mais pelo fato de lhe causar tanta preocupação por causa de uma história tão indigna. [...] Estou tão aborrecido comigo mesmo que mal consigo progredir em meu trabalho. Não consigo me acalmar. [...] Não preciso nem lhe dizer que, a partir de agora, me esforçarei muito, pois tudo depende de mim. Eu havia me sentido seguro demais, e agora, mesmo que de forma muito desagradável, fui despertado dessa segurança ilusória".

A partir de então, ele realmente se esforçou e se concentrou em suas tarefas até o fim, exceto em matemática. A "indignidade" desse incidente, a perda do autocontrole em virtude da embriaguez, levou-o a temer o álcool e, por fim, a evitá-lo quase que por completo. Provavelmente confere uma importância exagerada a seus pequenos excessos em Pforta, quando escreve em "Ecce homo"[5]: "Que coisa estranha: pequenas doses de álcool bastante diluídas provocam uma extrema irritabilidade em mim; doses *fortes* me transformam quase em marinheiro. Já como garoto encontrava nisso a minha bravura. Redigir e passar a limpo um longo tratado em latim, com a ambição de equiparar-me em severidade e concisão a meu exemplo Salústio, despejando sobre o meu latim um grogue do maior calibre, de forma alguma contradizia (nem mesmo quando ainda era aluno da venerada escola de Pforta) à minha fisiologia, nem, talvez, à de Salústio – muito, porém, à venerável escola de Pforta. [...] Mais tarde, aproximando-me do meio da vida, decidi afastar-me com um rigor cada vez maior de qualquer bebida 'espirituosa'".

Após o incidente vergonhoso, a crise da puberdade se acalmou, de maneira completa, externamente, e também internamente seus fantasmas voltaram a assombrá-lo apenas em algumas poesias, que o mostram dividido entre o tradicional Deus cristão e uma profunda dúvida frente a qualquer verdade, de forma que se sente totalmente preenchido pelo grande desejo de morte, tão típico do gênio alemão emergente[2]:

> Meu trêmulo coração, joguei-o
> Para que descansasse
> E deitei sobre ele prazer, lucro
> Dor, conhecimento, o peso de montanhas.
> Quando se sente torturado, preso, esmagado
> Lança em chamas
> Para o alto
> O que o prendia.
>
> Escrevi sobre isso em letras negras e traços grossos,
> Às folhas
> Restou apenas a escrita
> Em letras de sangue,
> A escrita traçada
> Em fundo branco por um deus:
> O deus era eu, e esse fundo
> Enganou a si mesmo e a mim.

Ah, queria eu fugir
Cansado do mundo
E como a andorinha migrar para o sul
Para o meu sepulcro:
Imerso no calor da noite de verão
E em raios dourados.
O cheiro de rosas das cruzes de igrejas
Das crianças, alegria e conversas.

Esses versos de abril de 1863 refletem até na escolha das palavras a leitura dos poemas do poeta húngaro Petöfi, alguns dos quais Nietzsche viria a adaptar para música vocal um ano mais tarde[125].

No entanto, o que prendeu Nietzsche à vida era, por um lado, o trabalho sério exigido pelo último ano na escola, e, por outro, os planos para o futuro. Durante algum tempo deve ter cogitado dedicar-se inteiramente à música: "Tudo me parece morto quando não ouço música", ele escreve à mãe em 27 de abril de 1863, quando se encontrava na enfermaria.

Desde seus grandes planos para o oratório e a poesia sinfônica, ele havia sofrido uma virada radical para a pequena forma lírica, à qual ele permaneceria fiel nos anos seguintes. A partir do outono de 1861, compôs para o piano os "Ungarische Skizzen" (Esboços húngaros), dos quais sobreviveram "Heldenklage" (Lamento dos heróis), "Ungarischer Marsch" (Marcha húngara), "Zigeunertanz" (Dança cigana), "Edes titok" ("Süsses Geheimnis" (Doce segredo), "Im Mondschein auf der Puszta" (O luar na Puszta); além destes, "Unserer Altvordern eingedenk; zwei polnische Tänze" (Em memória de nossos antepassados; duas danças polonesas) e – inspirado por uma poesia de Klaus Groth – "So lach doch mal" (Vamos, dê-me um sorriso). Também baseado em uma poesia de Klaus Groth, compôs uma folha para piano e uma versão para canto. A canção começa a dominar em suas composições. A série começa com a canção "Mein Platz vor der Tür" (Meu lugar na porta) (K. Groth), seguida por "Aus der Jugendzeit" (Da juventude) (F. Rückert), "O Glockenklang in Winternacht" (Tinido de sino em noite de inverno) (perdido) e "Wie sich Rebenranken schwingen" (Como balançam as videiras) (Hoffmann von Fallersleben); entre uma e outra canção, compõe ainda "Das zerbrochene Ringlein" (O pequeno anel rompido) (Eichendorff) na forma de melodrama. Ainda em abril de 1863, inicia uma "Grande sonata" para piano, que pretende completar nas férias de verão; mas é justamente agora que ocorre o primeiro grande intervalo em seu trabalho como compositor. Cria ainda uma peça maior na virada de 1863 para 1864, mas apenas no final do outono de 1864 ele desperta novamente para uma "primavera de canções do jovem"[125]. Em 1863, domina o desejo de estudos científicos, de compreensão racional, até mesmo na música, como demonstra o tratado em duas partes "Sobre o demoníaco na música", escrito na Páscoa de 1863. Infelizmente, não pôde ser preservado na íntegra; muito provavelmente, os fragmentos "Sobre a natureza da música"[2] foram escritos nesse contexto, mas não fazem parte do próprio tratado.

Nietzsche submete também os dogmas cristãos e os textos dos evangelhos a uma análise histórico-crítica. Além de Emerson e a história da literatura de Bernhardy, ele estuda também obras sobre Shakespeare, sobre Ésquilo e uma "Técnica do drama" (provavelmente de Gustav Freytag), ou seja, também as ferramentas literárias, juntamente com perguntas estéticas fundamentais, como, por exemplo, as determinações do belo. Mas qual deveria ser sua escolha definitiva diante de interesses tão universais? Na mesma carta de 27 de abril, Nietzsche escreve: "Reflito agora muito sobre o meu futuro; razões internas e externas o tornam incerto e titubeante. Talvez eu conseguisse ainda estudar qualquer disciplina se tivesse a força para afastar de mim todo o resto que me interessa. Escreva-me mais uma vez a sua opinião sobre isso; tenho certeza que estudarei muito, mas todos me perguntam o que eu estudarei para ganhar a minha vida!" E na carta seguinte (de 2 de maio): "Facilmente deixamo-nos convencer de uma preferência momentânea ou de uma antiga tradição familiar ou de desejos particulares, de forma que a escolha da profissão parece ser uma loteria com muitos perdedores e pouquíssimos ganhadores. Eu me encontro na situação especialmente desagradável de nutrir interesses por um número de disciplinas das mais variadas, que fariam de mim um homem erudito, mas dificilmente uma mula de trabalho. Sei, portanto, que preciso abrir mão de alguns interesses. Sei também que preciso adquirir alguns novos. De quais, porém, devo abdicar? Talvez sejam estes justamente meus filhos preferidos!"

A pergunta permaneceu em aberto por algum tempo, mas já em setembro de 1863 ele reconheceu o que devia à escola de Pforta, que o obrigara a "direcionar e concentrar as forças durante seis anos em metas fixas. Esses seis anos ainda não passaram, mas acredito que já posso considerar finalizados os resultados desse tempo, pois percebo seu efeito em tudo que empreendo.

Vejo quase tudo que me acometeu durante esse tempo, seja dor ou alegria, com gratidão, e até agora os eventos têm me guiado como uma criança. Talvez tenha chegado a hora de assumir as rédeas dos eventos e partir para a vida"[4].

A segurança do início e a confusão do final da infância e adolescência chegaram ao fim: "E assim o homem cresce e abandona tudo que o envolvia; não precisa romper as amarras; antes, elas se soltam inesperadamente quando um deus o ordena; e onde está o laço que ainda o cinge? Seria o mundo? Seria Deus?"[4]

O jovem Nietzsche fez várias contemplações autocríticas desse tipo, sobretudo em vista da virada de ano, que lhe serviu como ocasião para retrospectivas e observações, acompanhadas sempre de uma profunda agitação. Certa vez, no final de 1863, ele refletiu esses sentimentos de forma musical em uma grande fantasia, intitulada "Sylvesternacht" (Noite de São Silvestre), para violino e piano[125], que, nas férias de Natal, no início de janeiro, tocou com seu amigo Krug, quando se encontrava a sós com ele na casa em Naumburg. Um ano depois (em dezembro de 1864), relatou essa experiência em uma carta à mãe e à irmã: "Passei dias agradáveis em Gorenzen; a casa e o vilarejo na neve, as igrejas na escuridão da noite, a abundância de melodia na minha cabeça, o tio Oscar, a pele do rato-almiscarado, o casamento e eu no roupão, o frio e muitas coisas sérias e engraçadas. Tudo junto resulta numa atmosfera agradável. Quando toco minha 'Noite de São Silvestre', detecto essa atmosfera em suas notas".

Nos versos desse tempo irrompem de vez em quando ainda os poderes sombrios em imagens berrantes e espectros quase blasfêmicos; em geral, porém, o último ano de Nietzsche em Pforta era marcado por uma disposição e receptividade tranquila. Ele começa a confiar em sua natureza e em seu caminho, apesar de ainda não conhecer seu destino. A leitura do filósofo norte-americano Emerson deve ter contribuído para essa aquietação. No verão de 1864, ele se encontra em sua casa em Naumburg e, com a pena na mão, reflete "sobre humores (*Stimmungen*)"[4]. Atento às vozes em seu interior, ouve: "Tudo que a alma é *incapaz* de refletir não a afeta; no entanto, cabe à vontade permitir, ou não, que a alma reflita; por isso, a alma só é afetada por aquilo que ela quer. Para muitos, isso é um contrassenso; pois eles se lembram de como se opõem a determinadas sensações. O que, porém, determina a vontade? Ou quantas vezes adormece a vontade e permanecem acordadas apenas as pulsões e inclinações! Uma das inclinações mais fortes da alma é, porém, a curiosidade, a tendência de desejar o incomum, e isso explica por que permitimos que surjam em nós humores desagradáveis".

Aqui, vislumbra traços fundamentais de sua própria natureza: o poder da vontade, tão grande nele mesmo; a agudeza do espírito, que vê como essa vontade aparentemente impetuosa "adormece e permanece acordada apenas as pulsões e inclinações". Esse antagonismo o ocupará também mais tarde e provocará formulações bem diferentes.

Apenas a luta contra essas pulsões trará satisfação: "A luta é o alimento constante da alma, e esta sabe extrair dela o doce e o belo".

Ele confia que o devir seja uma ascensão: "Aquilo que agora talvez represente toda a sua felicidade ou toda a sua dor será em breve talvez apenas o revestimento de um sentimento mais profundo e, por isso, desaparecerá em si mesmo, quando surgir o mais sublime".

E assim, ele se parabeniza pelos seus nervos irritáveis, por todas as aventuras espirituais, pelas transformações de sua natureza: "Sejam saudados, queridos humores, curiosas mudanças de uma alma tempestuosa, tão variadas quanto a própria natureza, mais maravilhosas, porém, do que a natureza, pois eternamente se intensificam, eternamente ascendem; a planta, porém, exala hoje o mesmo perfume que exalou no dia da criação. Não amo mais como amei semanas atrás; neste momento, meu humor é diferente daquele que tive quando comecei a escrever".

A partir de agosto de 1864, confiando em sua força de devir, concentrou todas as suas energias nos exames finais. Mas nem aqui ignorou seus "humores" e não investiu em um desempenho homogêneo em todas as disciplinas. Ele negligenciou a Matemática, que o entediava, a tal ponto que recebeu a nota IV, o que teria lhe custado a formatura se não tivesse se destacado na disciplina que mais amava, o Grego, com um desempenho extraordinário. Entrementes, ele havia adquirido clareza sobre a carreira que pretendia seguir. Cinco anos mais tarde, na primavera de 1869, ele escreveria[4]: "Desisti apenas no final da minha vida em Pforta de quaisquer planos artísticos; a lacuna que assim se abriu foi preenchida pela filologia.

Desejava alcançar um equilíbrio em meio a todas as minhas inclinações variáveis e inquietas, desejava uma ciência que pudesse ser avançada com sensatez fria, com frieza lógica, com trabalho constante, sem que seus resultados fossem sempre uma questão de vida e morte. Na época, acreditava encontrar tudo isso na filologia. [...] Se tivesse tido professores do tipo que, por vezes, encontramos nos ginásios, micrólogos mesquinhos de sangue-frio, que nada conhecem da ciência senão a poeira erudita, eu jamais teria pensado sequer em participar de uma ciência que emprega esse tipo de ladrões. Aos meus olhos, porém, apresentaram-se filólogos como Steinhart, Keil, Corssen, Peter – homens de visão desimpedida e traços vigorosos, que, em parte, também me presentearam com sua inclinação".

Precisamos fazer algumas observações sobre essa declaração. A postura fria e crítica com que Nietzsche fala aqui sobre sua escolha de profissão se deve, em parte, certamente à sensação de uma insuficiência crescente após cinco anos de estudo, antes de exercer essa profissão. Sabemos, porém, que Nietzsche não escolheu a profissão de filólogo por causa de uma inclinação elementar: essa profissão preenchia apenas uma "lacuna" e representava uma tentativa de autolimitação, que era, ao mesmo tempo, também uma fuga de algo que vagamente pressentia ser uma "questão de vida e morte" – naturalmente, era também uma maneira de ganhar sua vida.

No início, não era muito mais do que isso. Algo, porém, era absolutamente autêntico na escolha dessa profissão: o amor pela Antiguidade. Permaneceu fiel a ela durante toda a sua vida. Em seu esboço autobiográfico do verão de 1864[4], Nietzsche escreve que essa inclinação surgira juntamente com o desejo de se limitar cientificamente: "Lembro-me com as mais agradáveis memórias das primeiras impressões de Sófocles, Ésquilo, Platão, sobretudo em minha obra preferida, o 'Banquete', e dos poetas líricos gregos". Encontrou nestes autores um mundo que correspondia a seu próprio interior, e Pforta fecundou e nutriu profundamente esse amor. Mas Nietzsche não via esse mundo com os olhos do filólogo, apesar de ter aprendido isso muito bem em Pforta: já como aluno do último ano, ele buscava a si mesmo nesse mundo e, desde o início, tentou torná-la fértil para sua cultura e a cultura do seu tempo. Para ele, a filologia nunca foi um fim em si mesmo, por mais prazer que tenha extraído de sua técnica e da argúcia de seus métodos. Assim, tornou-se um artista da filologia, mas ela não o preenchia e não lhe bastava. Sua relação com a filologia como ciência era, desde o início, tão perturbada quanto sua relação com a Antiguidade era imediata, viva e passional.

Em seu último ano em Pforta, Nietzsche escreveu um comentário sobre o primeiro coro em "Édipo Rei", de Sófocles, investigando já a origem da tragédia[2]: "Enquanto o drama dos germanos se desenvolveu a partir do *epos*, da narrativa épica, o drama grego se originou na poesia lírica em conjunto com elementos musicais". A impressão trágica nos gregos "era provocada por cenas de grande *páthos*, amplas manifestações de emoções, em grande parte musicais, nas quais a trama exercia um papel inferior e a sensação lírica era tudo. [...] O coro e as cenas de *páthos* abarcam, portanto, um dos momentos mais importantes e decisivos para o sucesso do drama; na tragédia, essa função é assumida pela música". Mas o que devem ter pensado os professores, quando Nietzsche continuou alegando que os sensíveis gregos jamais teriam consentido com a asneira "praticada até hoje por nossa ópera – não contando os atos e os planos de reforma geniais de Richard Wagner –, com o terrível desequilíbrio entre música e texto, entre som e sensação". Nietzsche conclui: "Como resultado de todas essas observações, reconhecemos uma vantagem típica dos poetas trágicos: não eram apenas poetas, eram também compositores; eram, além disso, ambos de tal forma que texto e música andavam de mãos dadas. Se observarmos ainda que preservavam sua mestria também em agrupamentos, na música orquestral e na arte cênica, como nos informam testemunhos antigos, que eram até mesmo atores reconhecidos e importantes [...], teríamos que reconhecer em suas obras de arte aquilo que a mais recente escola musical propaga como ideal da 'obra de arte do futuro', obras nas quais as artes mais nobres se reúnem em um conjunto harmônico". Assim resumia o aluno de último ano sua experiência da tragédia antiga. Sua análise filológica lhe servia apenas como meio para evocá-la no presente. Os pensamentos esboçados aqui continuaram a ocupar sua mente durante anos, até – após um encontro pessoal com Richard Wagner – revelarem toda a sua riqueza em seu primeiro livro "O nascimento da tragédia no espírito da música".

Quando surgiu a pergunta referente ao tema que Nietzsche deveria escolher para o grande "trabalho de despedida" da escola de Pforta, o jovem Prof.-Dr. Volkmann lhe sugeriu uma redação em latim sobre o antigo poeta Teógnis de Mégara. Nietzsche acatou a sugestão, pois reconhecia nela a oportunidade de aplicar a argúcia filológica e o raciocínio lógico, para, partindo da avaliação histórico-literária posterior de Teógnis, retornar para seu significado original. Em 12 de junho de 1864, ele escreveu aos amigos Krug e Pinder: "Mergulhei em muitas suposições e fantasias; acredito, porém, poder completar o trabalho com meticulosidade filológica e da forma mais científica que me é possível". Isso era sua meta: demonstrar que havia encerrado seu aprendizado filológico. Pelo menos para o seu tempo em Pforta, a identificação de Nietzsche com a figura de Teógnis tem, sem dúvida alguma, sido exagerada. Num esboço da introdução ao trabalho, lemos[2]: "O que me atraiu não foi o aspecto ético, mas a confusão dos fragmentos. Seu aspecto problemático. O juízo correto de Welcker sobre a importância do poeta para a *história* e a *ética*. κάκος ἀγαθος. Crítica do todo. Reunir o que se correlaciona".

Em 8 de julho de 1864, durante as férias de verão, ele completou o trabalho e escreveu a Deussen: "Na segunda-feira, dei início ao meu trabalho duvidoso e escrevi nesse dia sete grandes colunas; na noite do segundo dia, já tinha escrito 16 páginas; na noite do terceiro dia, 27: esses números não apresentam uma bela progressão? 1 x 7; 2 x 8; 3 x 9? Na quinta-feira e hoje escrevi o resto; são ao todo 42 páginas grandes em letra pequena, que, quando passadas a limpo, resultarão em 60 ou mais páginas. [...] Se estou satisfeito com isso? Não, não. Mas dificilmente poderia ter dito algo melhor, mesmo se tivesse me esforçado ainda mais. Algumas partes são entediantes; outras, linguisticamente desajeitadas. Exagerei em algumas passagens, como na comparação de Teógnis com o Marquis Posa! Decidi escrever em extenso a maior parte das minhas coleções de Teógnis, que havia feito anteriormente. Lamento apenas ter sido obrigado a copiar muitas passagens. Citei Teógnis tantas vezes que a maior parte dos fragmentos certamente é mencionada em meu trabalho".

Mais tarde, muitos comentaristas alegariam que Nietzsche teria reconhecido uma alma gêmea no aristocrata Teógnis, nesse pioneiro da nobreza dórica, alegando até mesmo que a transvaloração de todos os valores, realizada posteriormente por

Nietzsche, apresentaria aqui sua primeira prefiguração. No entanto, esse trabalho de Pforta de forma alguma justifica esse tipo de alegação. Nietzsche observa apenas[2] que Teógnis foi um pioneiro passional do partido da nobreza oposto ao partido popular. Teógnis teria reconhecido os nobres como os bons, τοὺς ἀγαθούς, detentores de toda religião, justiça e virtude autênticas, e o partido popular como os maus, τοὺς κακούς ou δειλούς, detentores de toda degradação moral, impiedade e natureza criminosa. E Nietzsche explica isso com a situação histórica e pessoal de Teógnis. No entanto, de forma alguma se identifica com Teógnis nem com sua identificação do bem e do mal com a nobreza e a plebe ou com rico e pobre, como diz o próprio Nietzsche[2]. Pelo contrário. Nietzsche caracteriza Teógnis com as seguintes palavras: "Teógnis se apresenta como valete empobrecido de boa educação com paixões típicas de um valete, cheio de ódio mortal contra o povo emergente, abalado por um destino triste, que o transforma de muitas formas e amansa seu espírito; a imagem do caráter daquela antiga, espirituosa nobreza um pouco deturpada e já não tão sólida, confrontado com a transição entre o tempo velho e uma era nova; um Jano distorcido, ao qual o passado se apresenta como belo e invejoso; e o futuro com sua igualdade de direito, como abominável; um típico representante de todas aquelas figuras da nobreza, de uma aristocracia antes da revolução popular, que ameaça seus privilégios e a obriga a lutar com a mesma paixão pela existência de seu estamento como pela sua própria existência".

A despeito de seu desempenho extraordinário em três disciplinas principais, sua nota em Matemática não permitiu que fosse liberado das provas orais. Sua irmã relata até que Corssen teve que calar o matemático Buchbinder com as palavras: "O senhor não vai querer que reprovemos o aluno mais talentoso que já passou pela escola de Pforta desde que estou aqui!"[88]

Em todo caso, no dia 4 de setembro de 1864, Nietzsche chegou em Naumburg como *mulus*\* muito feliz. Em 7 de setembro, numa despedida festiva, agradeceu – conforme os costumes da escola – com palavras eloquentes dirigidas a Deus, ao rei, à escola de Pforta, aos venerados professores e queridos colegas e recebeu seu diploma para então passar a estudar em Bonn. Para si mesmo escreveu nesses dias os seguintes versos:

> Mais uma vez, antes de partir
> E voltar para frente o meu olhar

---

\* Até o século XX, o termo *mulus* ("mula", em latim) era usado para uma pessoa que acabara de encerrar o ensino médio e, portanto, não frequentava mais a escola, mas ainda não estava matriculado em uma universidade [N.T.].

Ergo, solitário, minhas mãos
Para ti, meu refúgio
Ao qual dediquei altares
Do fundo do meu coração
Para que, eternamente,
Sua voz voltasse a me chamar.

Então abrasa a palavra
Gravada ao deus desconhecido:
Dele sou, mesmo que tenha até agora
Pertencido ao bando dos sacrílegos!
Dele sou – e sinto as amarras
Que me derrubam na luta
E que, mesmo que fuja, me
Obrigam a servi-lo.

Quero conhecer-te, Desconhecido
Tu, que penetras a minha alma
Que passas pela minha vida como tempestade
Tu, Inconcebível, meu parente!
Quero conhecer-te, eu mesmo te servir.

O que Pforta significou para Nietzsche é de importância extraordinária para todo o seu desenvolvimento. Aqui, Nietzsche construiu a base sólida para seus conhecimentos da Antiguidade, que, durante muitos anos, lhe serviriam como orientação. Em Pforta, aprendeu a concentrar seu espírito vagante em um trabalho científico minucioso. Aqui, adquiriu disciplina e autocontrole, o que não foi fácil para ele, mas necessário. Devemos observar, porém, que, nesses anos decisivos, faltou-lhe a influência de mulheres, da mesma forma como a influência da mãe havia sido grande demais durante sua infância. Uma única paixão irrompe durante esses anos, despertada por Anna Redtel, irmã de um colega de escola que vivia na cidade muito próxima de Bad Kösen. Em setembro de 1863, Nietzsche lhe entrega um volume com composições próprias passadas a limpo por um copista, lindamente encadernado com capa preta dura e letras douradas; apenas o título e a dedicatória apresentam a caligrafia de Nietzsche[125]:

"Composições rapsódicas para a Srta. Anna Redtel, em setembro do ano de 1863." O conteúdo: 1) "Aus der Jugendzeit" (Da juventude) (canção); 2) "Im Mondschein auf der Puszta" (O luar na Puszta) (piano); 3) "Edes titok" (piano); 4) "Sturmmarsch aus Ermanarich" (Marcha tempestuosa do Hermenerico) (piano; na verdade, a marcha nupcial da poesia sinfônica); 5) "Aus der Czarda"

(Da Czarda); 6) "Da geht ein Bach" (Corre um riacho) (piano com texto); 7) "Album-blatt" (Folha de álbum) (versão para piano do melodrama "Das zerbrochene Ringlein" (O pequeno anel rompido). Tudo indica que Nietzsche musicou muito com a moça, e é provavelmente sobre ela que o amigo Wilhelm Pinder pergunta em 13 de outubro de 1863[8]: "Qual é mesmo o nome da senhorita com quem você toca piano?"

Já em 29 de agosto Nietzsche havia escrito à mãe e à irmã: "A tarde da quinta-feira era dia de caminhada pelas montanhas no clima mais agradável do mundo. Lamento que vocês não puderam vir conosco. Foi lindo e divertido. Dancei bastante. A senhora conselheira secreta Redtel esteve presente com suas filhas. Eu as visitarei com frequência, pois fui convidado, e são pessoas muito amáveis".

Ainda em outubro de 1864, ele escreve de Bonn: "Querida Lisbeth, caso a Srta. Anna Redtel ainda esteja em Kösel, por favor, transmita-lhe minhas saudações e diga-lhe que, sempre que tomo café no Hotel Kley e olho para o majestoso *Siebengebirge*, eu a saúdo".

Por outro lado, nada sabemos de sentimentos afetuosos relacionados a uma amizade com um colega, como era comum acontecer em escolas internas da época. Os objetos de seus interesses efusivos eram sempre mulheres delicadas, artisticamente talentosas, que exigiam cavalheirismo.

Como já vimos, a vida em Pforta nem sempre foi fácil para ele. Numa retrospectiva, escrita quatro anos após a sua saída[4], prevalece a crítica: "Quando, após uma estadia de seis anos, me despedi da escola de Pforta como educadora rígida, mas útil, fui para Bonn. Aqui percebi, com surpresa, que um aluno principesco (*Fürstenschüler*) ingressa na universidade com bons conhecimentos, mas com uma educação ruim. Aprendeu a refletir muito por si mesmo, e agora lhe falta a destreza de expressar esses pensamentos. Ainda não sabe nada da influência educadora das mulheres; acredita ter aprendido a viver por meio de livros e tradições, mas agora tudo lhe parece tão estranho e desagradável".

Quanto mais, porém, ele veio a entender e quanto mais se conscientizou e preencheu o seu papel, mais cresceu também sua gratidão pela escola de Pforta[4, 6]: "Não vejo como seja possível que alguém recupere a perda de não ter frequentado uma *escola boa*. Essa pessoa não se conhece. Anda pela vida sem ter aprendido a andar; o músculo frouxo o denuncia a cada passo. [...] O que mais se deve desejar é, sob quaisquer circunstâncias, uma disciplina dura *no tempo certo*, i.e., ainda naquela idade em que sentimos orgulho quando exigem muito de nós. Pois isto distingue a escola dura como escola boa de todas as outras: ela exige muito; exige com rigor; exige o bom e até mesmo o extraordinário como algo normal; onde o elogio é raro; uma escola que desconhece a indulgência; que repreende com rigidez, que seja objetiva, sem considerar talento ou origem. Essa escola se faz necessária em todos os respeitos: Isso vale para o físico tanto quanto para o espírito – seria fatal estabelecer uma distinção aqui! É a mesma disciplina que torna assíduo o soldado e o estudioso: não existe estudioso assíduo que não possui os instintos de um soldado assíduo. Permanecer em fila, mas capaz de avançar a qualquer momento; preferir o perigo ao aconchego; não medir o peso do permitido e do proibido com a balança do feirante; ser inimigo mais do mesquinho, do esperto, do parasita do que do mau. O que se aprende numa escola dura? Obedecer e dar ordens".

Quando Nietzsche saiu da escola de Pforta aos 20 anos de idade, sua aparência era robusta. O médico também descreveu sua constituição como robusta. No entanto, mesmo que a irmã alegue que, durante todo esse tempo, Nietzsche teria sido um garoto absolutamente saudável, como toda a sua família, sabemos que isso não corresponde à verdade.

Em vista da importância que a doença teve e passou a ter cada vez mais na vida e no pensamento de Nietzsche, é necessário investigar esse aspecto também para os anos que ele passou em Pforta. As declarações do próprio Nietzsche e, sobretudo, os registros dos médicos no prontuário da enfermaria de Pforta nos fornecem uma imagem mais nítida do que os relatos eufemísticos da irmã. No que diz respeito às declarações do próprio Nietzsche devemos dizer que, naqueles anos, ele ainda não refletiu sobre suas doenças. Em geral, ele as combateu como qualquer garoto saudável e as percebeu apenas como impedimentos e perturbações, com uma única exceção, como veremos mais adiante. Suas declarações daquele tempo são comedidas e não atribuem um peso especial à constituição física, como correspondia à concepção masculina da escola de Pforta. Além do mais, sempre teve a oportunidade de fazer relatos orais sobre seu bem-estar à mãe e à irmã, que ele visitava com frequência, de forma que não surpreende o fato de existirem apenas poucos registros por escrito. Mais tarde, já no tempo de sua demência, fez uma única observação sobre sua saúde nos anos que passou em Pforta. No prontuário de Jena encontramos um registro de 5 de setembro de 1889[197]: "O paciente alega ter sofrido ataques epilépticos sem perda de consciência até o 17º ano de sua vida". No entanto, o registro do dia anterior afirma: "De vez em quando, o paciente demonstra uma clara consciência de sua doença; no entanto, devemos desconfiar dessa afirmação do doente mental, ainda mais porque os registros médicos do prontuário de Pforta nada sabem desses ataques, nem existem outros testemunhos *contemporâneos*".

O prontuário da enfermaria de Pforta[8], porém, apresenta um número muito maior de doenças do que sugere o relato da irmã. Esse fato adquire um peso ainda maior em vista da disciplina dura e espartana de Pforta, de modo que um aluno precisava estar visivelmente doente para que fosse transferido para a enfermaria.

Reproduzimos aqui na íntegra todos os registros do prontuário de Pforta sobre o tipo da doença e as datas; excluímos apenas os números de registro, as informações sobre a idade e sobre sua constituição física, descrita em todos os casos como *robusta*:

1859: reumatismo, 15 a 20 de março; catarro, 2 a 9 de novembro.

1860: catarro (30 de dezembro de 1859), 5 a 16 de janeiro; reumatismo (4 de dezembro), 12 a 26 de junho.

1861: resfriado, (18) 19 a 27 de janeiro; dores reumáticas de cabeça e garganta, a partir de, 30 de janeiro; em 17 de fevereiro viaja para casa (Naumburg) como reconvalescente; catarro, 28 a 30 de outubro; dor de cabeça reumática, 4 a 16 de novembro.

1862: congestão na cabeça, 7 a 11 de janeiro; dor de cabeça, 4 a 13 de fevereiro; catarro, 24 a 29 de março; catarro, 17 a 24 de junho; congestões na cabeça, 15 a 25 de agosto. (Observação): Nietzsche é enviado para casa. É uma pessoa amadurecida de baixa estatura com um olhar fixo, é míope e sofre de frequentes dores de cabeça. Seu pai morreu precocemente em decorrência de um amolecimento do cérebro e foi gerado em idade avançada; o filho, na época em que o pai já estava doente. Ainda não se manifestou nenhum sintoma grave, mas seus antecedentes precisam ser considerados. Reumatismo, 24 a 28 de novembro.

1863: catarro, 2 a 5 de fevereiro; catarro, 24 de abril a 5 de maio; inflamação do ouvido, do *processus mastoidei ossis petrosi*, 7 a 20 de maio; diarreia, 12 a 16 de dezembro.

1864: catarro, 11 a 13 de fevereiro; congestões na cabeça, 3 a 5 de maio.

Os catarros eram quase sempre sintomas de resfriados, que vinham acompanhados de coriza, rouquidão e dores de cabeça e de garganta. Além das doenças mencionadas aqui, ocorriam também doenças menos graves, que não recebiam tratamento médico. Além do mais, o prontuário não registra as doenças que ocorreram durante as férias, mencionadas por Nietzsche vez ou outra. A dor de cabeça era um acompanhante constante de Nietzsche durante esses anos.

Chamam a nossa atenção também os frequentes ataques reumáticos. Em meados de junho, ele menciona um desses ataques em uma carta à mãe: "A dor continua forte e se intensifica quando estou sentado ou de pé. Por isso, passo a maior parte do tempo deitado em minha cama. Hoje, farão uma compressa de mostarda no meu pé". E pouco mais tarde: "Ontem, recebi um curativo de cantaridina (*Spanische Fliege*), que coisa dolorosa".

O Dr. Zimmermann, médico da escola, tratava as dores reumáticas com compressas de mostarda; e a dor de cabeça, com ventosas e sanguessugas. Em meados de janeiro de 1861, Nietzsche passou muito mal: "Sinto-me péssimo nestes dias", ele escreve à mãe, "mas não sei de onde vem este mal-estar. Tenho dores de cabeça constantes. Toda a cabeça é afetada; dói-me também a garganta toda vez que me mexo e respiro. Não dormi nas duas noites passadas, sentia frio e calor alternadamente. Nem consigo despertar direito, tudo em minha volta me parece um sonho". Ele enfrenta sua condição com bravura, e continua: "Acredito, porém, que, se não fizer nada contra a minha doença, logo me sentirei melhor". No entanto, logo se vê obrigado a passar na enfermaria, "já que não consigo fazer nem trabalhar nada". Zimmermann lhe recomenda repouso, mas em 30 de janeiro Nietzsche volta a escrever: "As dores de cabeça voltaram com tanta força que não consigo trabalhar. A garganta também dói; e a dor na laringe também voltou. Não consegui dormir de tanta dor. Sinto uma grande tristeza".

Seu tutor Buddensieg acrescentou à carta ainda um relatório médico, dizendo que a mãe não precisava se preocupar, pois tratava-se apenas de um resfriado prolongado. "Por isso, o Dr. Zimmermann ordenou, sem misericórdia, uma terapia de quatro ventosas na nuca". Nietzsche melhora um pouco, mas as dores de cabeça retornam com frequência e "com bastante força". Em 16 de fevereiro, Nietzsche escreve à mãe: "O menor esforço me causava dores. Estou perdendo um grande número de lições, sem poder recuperar nenhuma delas. Hoje, recebi outro curativo de cantaridina por trás de cada orelha. Não acredito que isso ajude. Queria apenas poder fazer longas caminhadas! Não conheço outro remédio que pudesse me trazer algum alívio. Já me perguntei se não seria melhor passar algumas semanas em Naumburg e me curar por meio de caminhadas". No dia seguinte, a mãe vem à escola e o leva para casa. Aqui, faz suas caminhadas. No fim de fevereiro, volta para a escola em Pforta, apesar de ainda não se sentir muito bem e a dor de cabeça voltar. Mas agora ele se conforma: "Preciso me acostumar com isso".

Nesse ano de 1861, os resfriados não deram trégua. Em 28 de outubro, precisou ser transferido novamente para a enfermaria. "Meu pulso está acelerado; meu pescoço, inchado. Tenho dores na parte traseira da cabeça. Terríveis calafrios. Tudo tão obtuso. Ao todo, idêntico ao estado no ano anterior quando começaram as dores de cabeça". Dessa vez, as dores passam dentro de poucos dias.

Todas essas doenças revelam certa predisposição para inflamações infecciosas da garganta, acompanhadas de febre e dores de cabeça; essas "gripes" se repetem ainda durante sua docência em Basileia e praticamente desaparecem em anos posteriores, quando se expõe ao risco de resfriados em quartos frios, nos quais costumava viver na Itália. Certamente não podem ser vinculadas à grave doença que o acometeria mais tarde.

1862 foi um ano particularmente difícil, como mostra o registro no prontuário. Como vimos, trouxe também uma grave crise interior*. Em agosto de 1862, a dor de cabeça se tornou tão forte que Nietzsche precisou ser transferido para a enfermaria. Em 25 de agosto, escreve à mãe, que se encontrava em Merseburg: "O doutor me aconselhou e me permitiu viajar para Naumburg, para ali me dedicar a meu tratamento de água e caminhadas". A observação de Zimmermann, citada acima no registro do prontuário, mostra que o médico estava seriamente preocupado com uma possível doença cerebral. "Nesta segunda-feira, viajarei então para Naumburg e ficarei na nossa casa, para lá levar uma vida calma sem música e qualquer excitação. O doutor me passou as instruções para a minha dieta. Portanto, você não precisa se preocupar comigo. Você pode ficar em Merseburg, onde certamente precisam de você. Talvez uma vida solitária seja o melhor para mim. Não se preocupe, querida mamãe. Se eu evitar toda e qualquer excitação, as dores de cabeça passarão. Desta vez, porém, pretendo me ausentar um pouco mais, para que eu possa arrancar minha doença pela raiz. [...] A tia Rosalie cuidará da minha vida. Tomo água amarga (*Bitterwasser*) e um pó de refrescamento (*Kühlungspulver*); o mais desagradável são minhas frequentes excitações". Essa doença perdurou até o Dia de São Miguel. Infelizmente, sabemos dela apenas o que relatamos aqui. Um elemento novo são as "frequentes excitações", que o preocupam. Teriam sido estas que levaram o demente em 1889 a falar de ataques epilépticos sem perda de consciência em sua juventude? É curioso que aqui ele mesmo encontrou seu remédio – aparentemente, insistiu tanto diante de Zimmermann quanto insistira no ano anterior diante de sua mãe: abstinência de sua amada música e, no lugar dela, solidão e caminhadas. Abandono da "música que excita os nervos" seria também sua justificativa para a separação de Wagner, e nos seus piores anos firmou toda a sua existência em solidão e passeios.

As dores de cabeça e a insônia, também os catarros, retornaram mais tarde, mas até o *abitur* foi poupado de doenças mais sérias. A suspeita de que as dores de cabeça de Nietzsche eram, na verdade, causadas por uma enxaqueca, é uma suposição posterior, mas provavelmente correta, de Möbius[168], acatada pela irmã, que também sofria desse mal herdado do pai.

---

\* Transição do "Oratório natalino" para o "Hermenerico"; o fragmento do "Euphorion"!

# VI

## O "francono" de Bonn

Após sua despedida da escola de Pforta em 7 de setembro de 1864, Nietzsche passou seus primeiros dias de *mulus* com seu amigo Paul Deussen na casa em Naumburg com a mãe e a irmã. A decisão em prol da Universidade de Bonn já havia sido tomada antes, e Nietzsche ainda havia cedido ao desejo da mãe, matriculando-se na Faculdade de Teologia de Bonn. Mãe e irmã estavam orgulhosas e transformaram essas duas semanas em Naumburg em uma grande festa descontraída.

Antes de se mudarem para Bonn, os dois amigos fizeram ainda uma viagem pela região do Rio Reno, que os levou até os pais de Deussen em Oberdreis. Antes do dia 25 de setembro, partiram primeiro para Elberfeld, onde passaram alguns dias com parentes e amigos de Deussen; no dia 28, viajaram para Oberdreis. Em Elberfeld, juntou-se a eles um primo de Deussen, o jovem comerciante Ernst Schnabel, "engraçado, espirituoso e excessivamente vivaz", como escreve Deussen[72], "mas também imprudente até as pontas dos cabelos, foi assim que Ernst Schnabel se juntou ao nosso grupo de viagem e conseguiu nos convencer a participar de várias tolices. Viajamos até Königswinter e, embriagados pelo vinho e pela amizade, alugamos três cavalos (a despeito dos nossos recursos limitados) para subir até o *Drachenfels*. Foi a única vez que vi Nietzsche montado num cavalo. Ele se interessava mais pelas orelhas do cavalo do que pela bela paisagem. Fez várias medições das orelhas do animal e afirmou ser incapaz de concluir se estava montando um cavalo ou um jumento. À noite, passamos ainda mais dos limites. Passeamos pelas ruas da pequena cidade para oferecer ovações às moças que se escondiam por trás das janelas. Nietzsche cantava e cortejava: doce amada, doce amada, Schnabel fez algum discurso sobre um pobre moço da Renânia à procura de um abrigo para a noite, enquanto eu não conseguia fazer nada além de tentar lidar com essa situação nova, quando um homem saiu de uma das casas e nos afugentou com palavrões e ameaças. Como que para nos remir desse incidente singular, pedimos uma garrafa de vinho na sala de piano do *Berliner Hof* e purificamos nossas almas com as maravilhosas improvisações de Nietzsche. Por fim, conseguimos chegar à casa dos meus pais em Oberdreis e aqui desfrutamos algumas semanas de uma existência despreocupada no ar puro do Westerwald e no convívio com pais e irmãos, amigos e amigas, que vinham e saíam da casa pastoral. Em 15 de outubro, celebramos os aniversários da minha mãe e de Nietzsche, para então descermos das montanhas do Westerwald para o Rheintal. Em Neuwied, embarcamos num navio a vapor, que em poucas horas nos levou até Bonn".

Nietzsche, que havia decidido voltar seus olhos mais para as coisas da vida real, informou mãe e irmã em diversas cartas sobre algumas observações feitas durante a viagem. Observou a "preferência das mulheres de Elberfeld de abaixar a cabeça como demonstração de religiosidade", o que, porém, não impedia as mais jovens de "usar um mantinho muito elegante que destacava sua cintura". Teve grande sucesso com suas improvisações ao piano. Em 27 de setembro, Nietzsche escreve: "[...] recebi a honra de um brinde festivo. Ernst está completamente encantado – como diria Lisbeth; não importa para onde eu vá, sempre me obrigam a tocar ao piano, todos me aplaudem, é ridículo. Ontem à tarde fomos para Schwelm, um balneário próximo, visitamos as montanhas vermelhas, um local da antiga corte sagrada (*Vehme*). À noite, toquei no restaurante, sem saber da presença de um diretor musical famoso, que, estupefato, elogiou-me nos mais altos tons e implorou que participasse de seu coro, coisa que me recusei a fazer".

As impressões de Nietzsche foram "fortes, coloridas, das mais variadas". Em Oberdreis, gostou especialmente da mãe de Deussen, "uma mulher de tanta educação, sensibilidade, eloquência e dedicação ao trabalho, qualidades estas que raramente encontramos reunidas numa única mulher. [...] O Pastor Deussen empalidece ao seu lado, é um homem educado, bom e alto, mas que nem sempre é consequente". E Marie, a irmã de Deussen, que o lembra de sua irmã Lisbeth, "motivo pelo qual não posso negar-lhe meu favor especial", Nietzsche escreveu em 8 de outubro. A euforia desses dias despertou nele mais uma vez o compositor. Em novembro e no início de dezembro, compôs 12 canções, das quais nove puderam ser preservadas, porque foram presenteadas[125]: Enviou um pequeno volume lindamente encadernado com quatro canções a Marie Deussen. Numa carta de 9 de dezembro à mãe e à irmã, ele observa: "Por ocasião do aniversário de Marie Deussen, enviei-lhe algumas canções, acho que estou sendo muito comportado, não encontrei maneira melhor de expressar meu respeito". De resto, agradou-lhe na casa dos Deussen, à qual pertencia também uma grande fazenda e um internato para meninas, "uma associação de moças jovens, não bonitas, mas bondosas, e que parecem ser muito diligentes", a "rara combinação de simplicidade e luxo". Sentia-se recompensado: "Minhas concepções sobre a vida e os costumes populares se enriquecem diariamente. Estou atento a tudo, às peculiaridades da comida, das ocupações, do trabalho no campo etc". Participou do batismo de uma criança camponesa, onde foram servidos café e batatas. "É disso que as pessoas vivem aqui."

Esses esforços de ganhar distância dos livros e da sala de estudos e de experimentar a vida concreta continuaram em Bonn, onde Nietzsche e Deussen chegaram em 16 de outubro.

Após analisarem uma dúzia de abrigos estudantis dos mais diversos, alugaram quartos vizinhos na casa do torneiro Oldag na esquina das ruas Bonner Gasse e Gudenauer Gasse, n. 518, onde também almoçavam. Nietzsche menciona, orgulhoso, que sua moradia ficava próxima da casa de nascença de Beethoven.

Após os seis anos de disciplina rígida na escola de Pforta, Nietzsche desejava agora em primeira linha desfrutar a liberdade e a vida de estudante, da qual ele tinha uma ideia apenas vaga e excessivamente idealizada. Sua intenção não era tanto mergulhar de cabeça em seus estudos de teologia ou, pelo menos, de filologia; sentia-se antes como "*studiosus liberalium artium* (entre as quais incluía ingenuamente também a teologia, um grande equívoco!), olhando esperançosamente para um futuro incerto, infelizmente, porém, inexperiente demais para apossar-me da vida em Bonn para meu próprio e curioso proveito e prazer"*. Interessava-se mais pela vida e pela arte do que pelos livros e auditórios.

Ainda em Naumburg, Nietzsche havia combinado com sua mãe e seu curador que se associaria a uma corporação estudantil, e assim, já em 23 de outubro, tornou-se calouro da "Confraria Franconia", juntamente com Deussen e vários outros ex-alunos de Pforta. Escolheu a Franconia não só pelo grande número de colegas de Pforta, mas também porque, ao contrário das outras corporações estudantis, havia muitos filólogos entre seus membros. Esperava, portanto, encontrar amigos que compartilhassem de seus interesses, ainda mais que muitos dos "franconos" eram também amantes da música. Um ex-aluno de Pforta, Bruno Haushalter, também filólogo, tornou-se seu mentor.

---

* Escrito dois anos mais tarde, em 10 de outubro de 1866, em uma carta ao colega de faculdade Hermann Mushacke em Berlim.

Tudo indica que, no início, Nietzsche se sentiu muito bem na Franconia. Mas, quando fala dela com entusiasmo, impõe-se a impressão de que ele estava contrariando a sua natureza. Nietzsche não era, como relatou seu confrade Hersing, "um estudante descontraído e jamais demonstrou a necessidade de se esbaldear". Tentou, na medida do possível, despir-se de sua timidez natural. No início, era bastante popular entre seus confrades. Seu talento satírico fez dele um bom contribuidor para o jornal da confraria, para o qual ele produziu várias peças humorísticas poéticas e musicais, como a música "Os franconos no céu"[2]. Suas improvisações ao piano foram aplaudidas também aqui. Seus confrades lhe deram o nome de "Ritter Gluck"*, o que o caracteriza adequadamente. Às vezes, porém, consideravam-no sarcástico demais, mas nenhum deles percebeu o que o próprio Nietzsche escreveu em sua carta de 18 de fevereiro de 1865 à mãe e à irmã: "que muitas vezes não sou feliz, sofro com as muitas alterações de humor e gosto de ser petulante, não só em relação a mim mesmo, mas também em relação a outros". Aquilo que seus confrades mais prezavam, a companhia regada a cerveja, logo o aborreceu profundamente; tampouco compartilhava de suas excursões amorosas. Quanto à estrofe que escreveram para ele e que afirma o contrário, isso nada mais é do que pura zombaria, ou insinua que Nietzsche praticava suas aventuras amorosas às escondidas:

> Gluck compôs
> E musicou muitas
> Tragédias e romances,
> Que tanto lhe apetecem.
> Quando à noite volta para casa
> Beijam-no lábios vermelhos;
> Bebe tanto chá, come tantos doces
> Que um dia isso o matará.

É verdade que Nietzsche preferia chá e doces ao vinho ou até mesmo à cerveja, e os "lábios vermelhos" podem ser uma referência à canção "Gern und gerner" (Com prazer e com maior prazer ainda), de Chamisso, que a compôs na forma de uma balada ardente. Nela, encontramos os seguintes versos:

> e com prazer ainda maior deleitar-se em hora triste
> na visão clara de teus olhos,

---

\* No conto homônimo de E.T.A. Hoffmann, o narrador encontra um músico muito curioso. Os dois, ambos insatisfeitos com a interpretação das óperas de Gluck pelas orquestras de Berlim, se encontram na casa do músico, onde este toca a ópera "Armida" ao piano. O narrador, incumbido de virar as páginas da partitura, percebe, maravilhado, que as folhas estão em branco. Mais tarde o músico revela ser o próprio Gluck [N.T.].

e com prazer ainda maior sugar de seus lábios doces e vermelhos chamas aquecedoras[125].

O próprio Nietzsche não nos relata absolutamente nada sobre eventuais experiências eróticas durante os anos de Bonn. Seus amigos e colegas, pelo menos aqueles que se manifestaram a esse respeito, também o consideravam "intocado pela mulher".

"No que diz respeito ao beijar lábios vermelhos", escreve Deussen[73], "nunca percebi que Nietzsche possuía essa inclinação. Não é com muito prazer que compartilho aqui uma história que, como contribuição para o modo de pensar de Nietzsche, merece ser resgatada do passado. Certo dia, em fevereiro de 1865, Nietzsche viajou sozinho para Colônia, contratou um guia e visitou as atrações turísticas. No fim, pediu-lhe que o levasse a um restaurante. O guia, porém, o leva a uma casa de má-fama. 'De repente', contou-me Nietzsche no dia seguinte, 'eu me vi rodeado de meia dúzia de aparições em plumas e paetês, que me olhavam esperançosas. Atônito, fiquei parado durante um tempo. Então, descobri um piano como único ser dotado de alma naquela sociedade e instintivamente sentei-me ao instrumento e toquei alguns acordes. Estes afastaram minha paralisia e eu fugi dali'".

Por tudo que sei sobre Nietzsche, acredito que se aplicam a ele as palavras *mulierem nunquam attigit*\*.

Esse relato tem provocado uma série de conjecturas. Alguns acreditam que se trataria de uma falha na memória de Deussen, que a cena não poderia ter ocorrido dessa forma. Mas quem ainda chegou a conhecer Deussen, como é o nosso caso, não pode concordar com isso. Mesmo vinte anos após o registro dessa ocorrência, Deussen possuía uma extraordinária e infalível memória, e seu caráter jamais teria permitido que inventasse essa história. No entanto, é possível que o embaraço que Deussen sentiu ao contar o episódio o tenha levado a conferir uma forma anedótica ao ocorrido. Outros têm tentado identificar referências a essa cena no prostíbulo na canção de Zaratustra "O deserto cresce", deduzindo a partir daí que essa experiência teria causado uma impressão forte sobre a sexualidade de Nietzsche. Ainda outros chegaram até a afirmar que o relato de Deussen seria, na verdade, uma versão muito amenizada de uma visita real a um prostíbulo em Colônia. Alguns apontaram que a confraria Franconia estabelecera uma regra de castidade para a região de Bonn, mas que os confrades costumavam ir a Colônia para satisfazer suas necessidades

---

\* Jamais tocou uma mulher.

sexuais. Todos esses "problemas" surgiram apenas em decorrência da caça dos biógrafos mais recentes à origem de uma infecção luética como causa de uma paralisia sofrida por Nietzsche na virada de ano de 1888 para 1889. Infelizmente, até mesmo Thomas Mann cedeu à tentação da imaginação poética, apresentando algo como conhecimento que, na verdade, se esquiva a uma verificação objetiva e que nada acrescenta de útil à questão[159].

Nenhum dos documentos disponíveis do tempo de Bonn nos dá motivo de duvidar do relato de Deussen ou de ampliá-lo. Evidentemente, é possível que a experiência com as damas do bordel em Colônia tenha atiçado a imaginação de Nietzsche e contribuído para abrir as comportas de sua sexualidade represada, de forma que esta se descarregou durante os semestres em Leipzig, onde então se contagiou com aquela doença que, em virtude de uma moral sexual burguesa e da incapacidade médica, acabou selando o destino de milhares de estudantes alemães.

Essas perguntas podem ser de interesse maior para os médicos, a nós importam aqui somente na medida em que apresentem um possível conteúdo vital e espiritual para Nietzsche. O erotismo ou a sexualidade bruta não representavam isso nem no tempo que passou em Bonn nem nos anos seguintes. Parece-nos uma típica *querelle allemande* – para usar uma expressão francesa – perguntar-se se Nietzsche, um jovem estudante alemão da década de 1860 com sua moral sexual mofenta, um estudante de fraquíssimo temperamento sexual, em algum momento ou em algum lugar teria visitado um prostíbulo, seja por mera curiosidade psicológica – o que até corresponderia à sua natureza –, seja porque quase todos os seus colegas também o faziam, seja em afogo sexual, para o qual a moral burguesa não oferecia outra saída aos jovens acadêmicos senão o prostíbulo, e se Nietzsche ali teria contraído a lues, que, mais de 23 anos depois, causaria uma demência paralítica. Da mesma forma, a doença mental posterior de Nietzsche só nos interessa na medida em que exerceu uma influência sobre seus atos e pensamentos. E esta só começou a se manifestar de forma tangível em 1888, quando primeiro confundiu e depois destruiu a sua natureza. Tudo que sua vida e seu pensamento demonstram de incomum antes disso ainda correspondem a essa natureza, a uma natureza, porém, de cunho tão peculiar, de sina tão singular e de tamanha amplitude que ela pode se apresentar como doentia a uma pessoa menos rica e sob menos tensão – mesmo quando essa natureza se estenda apenas até seus limites saudáveis e naturais.

Nos primeiros semestres, Nietzsche não mediu esforços para se integrar à vida da confraria estudantil. Não faltava às reuniões nas tavernas nem às excursões. Acompanhava os colegas até nas bebedeiras, mas somente na medida exigida pelos costumes. Orgulhava-se de sua faixa branca, vermelha e dourada e dos membros famosos da Franconia, como o historiador Treitschke e o poeta Spielhagen. Dedicou-se assiduamente à prática da esgrima, e apesar de a confraria não obrigar seus membros a participarem de uma luta, ele sentia o forte desejo de demonstrar suas habilidades de esgrimista. Num passeio pela feira, encontrou Wilhelm Delius, membro da confraria "Alemannia", que lhe pareceu simpático. Aproximou-se dele na maior amizade e incentivou-o a "atacá-lo", justamente por lhe ser tão simpático. A luta foi realizada. Delius foi ferido na testa, e Nietzsche levou um corte no osso nasal. Nietzsche ficou com uma pequena cicatriz, que até lhe caía bem.

No entanto, não encontrou nenhum confrade do qual realmente quisesse se aproximar. Ele fazia passeios noturnos ao longo do Rio Reno com seu mentor Haushalter, quando as fogueiras da colheita de vinho queimavam nas montanhas, mas preferia visitar os túmulos de Schumann, A.W. Schlegel e Arndt. Certa vez, depositou, juntamente com sua anfitriã e sua sobrinha, uma coroa no túmulo de Schumann – cujo mundo era sua pátria musical naquela época. Ou passava as noites na companhia de Deussen, tomando chá e lendo uma tragédia grega, mas nem isso fazia com entusiasmo.

A vida da confraria o satisfazia cada vez menos, e Nietzsche sentia-se espiritualmente vazio. Além disso, o dinheiro era sempre escasso. Raramente escrevia uma carta em que não pedisse algum dinheiro. Bonn era uma universidade cara, e Nietzsche não sabia administrar suas finanças. Ele não esbanjava seu dinheiro, mas os custos relacionados à confraria eram consideráveis. Além disso, como stud. lib. art., não queria perder nenhum dos prazeres artísticos que Bonn e Colônia tinham a oferecer. Considerou imprescindível alugar um piano, e quando se viu obrigado a devolvê-lo no semestre de verão por falta de dinheiro, vivenciou isso não como sacrifício, mas como castigo. Desde o início, os 30 táleres mensais que recebia da mãe e do tutor não bastavam para cobrir seus gastos*.

Mesmo quando a quantia foi aumentada para 40 táleres – o que, na época, representava uma quantia muito alta para um estudante –, ele não conseguiu custear sua vida. No final do primeiro semestre, ele havia acumulado dívidas que correspondiam a mais da metade da quantia que havia recebido. Apesar de exigir de forma inescrupulosa o que acreditava precisar, pesava-lhe a consciência, pois sabia que vivia acima de suas possibilidades e que isso preocupava sua mãe, que também não se cansava de admoestá-lo. Pesava-lhe ainda mais o fato de que não via sentido em

---

* 1 táler correspondia a mais ou menos 3 marcos alemães.

sua vida atual. Por outro lado, porém, a inabilidade aparente com que sua mãe lidava com coisas práticas da vida lhe causava muita irritação e dificuldade. Para efetuar sua matrícula, Nietzsche precisava com urgência de um "certificado de pobreza"; apesar de tê-lo pedido repetidas vezes, este lhe foi enviado apenas em meados de novembro, de forma que se viu obrigado a escrever: "A certidão de carência veio três semanas tarde demais". O dinheiro também não chega sempre a tempo, ou, quando chega, chega de forma incorreta. Esses problemas continuam a ocorrer ainda em maio de 1865, obrigando-o a escrever: "Desta vez, por favor, envie o dinheiro a tempo, pois preciso cumprir o prazo, ou seja, até o último dia de maio ou o mais tardar até 1º de junho. Sobretudo, porém, envie o dinheiro em moeda prussiana. Você não imagina as dificuldades que tive com a última remessa. Primeiro, faltava um táler, depois, quase ninguém queria aceitá-lo, e por pouco teria sido obrigado a pagar uma multa por colocar em circulação este tipo de dinheiro". Endereços imprecisos ou pacotes com declarações incorretas voltarão a causar dificuldades semelhantes também no futuro; era uma constante fonte de irritações.

Ele não se preocupava muito com seus estudos e pouco se empenhava neles. A mãe se preocupava também com esse aspecto de sua vida, o que, em meados de novembro de 1864, o levou a escrever com certa indignação que a acusação da mãe segundo a qual ele não estaria frequentando as preleções com a devida assiduidade o surpreendera muito: "Naturalmente participo com grande interesse dos meus cursos, dos quais menciono um em particular, a preleção do Prof. Von Sybel sobre política. 200 a 300 pessoas assistem a ela em um dos maiores auditórios; mesmo assim, algumas são obrigadas a ficar de pé. Evidentemente, Sybel apimenta seu discurso científico com algumas insinuações políticas. É evidente a todos que conhecem estes heróis da ciência que homens como Ritschl, que me deu uma palestra sobre filologia e teologia, e como Otto Jahn, que, como eu, se dedica à filologia e à música sem relegar nenhum dos dois ao segundo plano. Prof. Schaarschmidt, antigo aluno da escola de Pforta, nos tratou com a maior amabilidade, declarando-se desde já como nosso companheiro de estudos e amigo. Devo isso às recomendações do Prof. Steinhart. [...] Krafft, meu professor de História da Igreja, convidou-me para um chá às segundas-feiras, seguido por um jantar com conversas teológicas. O que mais me alegra é meu contato com o Prof. Springer; participo do seu seminário de história da arte. Springer é um homem jovem, belo, altamente espirituoso e artístico, cujas preleções figuram entre as mais populares entre os estudantes".

Já não é possível determinar definitivamente o que atraiu Nietzsche para Bonn. Certamente, a certeza de estar lá com seu amigo Deussen pesou nessa decisão, talvez tenha sido até o argumento decisivo. Um ano mais tarde, a decisão de ir para

Leipzig também seria provocada por um amigo; e, em ambos os casos, Nietzsche usou a qualidade do estudo da filologia na respectiva universidade para se justificar perante a mãe. Em Bonn, ele até chegou a se inscrever como teólogo para satisfazer a um antigo desejo da mãe e para demonstrar uma última vez a incompatibilidade desse estudo com seu pensamento, mas no final de seu período em Leipzig ele escreve[2]: "Interessei-me pela teologia apenas na medida em que me sentia atraído pelo aspecto filológico da crítica aos evangelhos e da pesquisa das fontes neotesta-mentárias. [...] Pois na época ainda acreditava que a história e sua pesquisa fossem capazes de fornecer uma resposta direta a determinadas questões religiosas e filosó-ficas". Frequentou ainda os cursos de Schlottmann sobre o Evangelho de São João e de Krafft sobre a história da Igreja. Tornou-se também membro da associação aca-dêmica "Gustav Adolf" e, no final do semestre (março de 1865), conseguiu escrever uma palestra longa, ortodoxa e totalmente impessoal sobre "A situação eclesiástica dos alemães na América do Norte"[2] e também explicou a situação confessional em Bonn à sua tia Rosalie. Mas no final de janeiro de 1865, quando anunciou à mãe: "Mais uma coisa: Empenho-me na associação 'Gustav Adolf'. Em breve, apresen-tarei uma palestra aos seus membros", ele acrescentou abruptamente: "E mais uma coisa: Decidi mudar para a filologia. Estudar ambas as disciplinas significa fazer duas coisas pela metade".

O discurso acima mencionado de Ritschl pode ter contribuído para essa de-cisão. No entanto, no primeiro semestre, ou melhor, em todo o ano que passou em Bonn, Nietzsche ainda não se aproximou de Ritschl. Tampouco se tornou membro do seminário filológico. No início, Otto Jahn, que não era apenas filólogo, mas havia adquirido fama também como biógrafo de Mozart, o atraía mais. Apesar de Nietzsche ter decidido já no final de seu tempo em Pforta que faria da filologia a sua profissão, ele soube com clareza absoluta apenas em Bonn que não poderia fazer da música – à qual ele ainda dedicava a maior atenção – sua atividade principal, por mais que a amasse e continuasse a amá-la. O amor pelas artes e pelos artistas des-pertou seu interesse também por Springer; no entanto, Springer e esse breve estudo histórico-artístico não tiveram nenhum efeito duradouro sobre Nietzsche – tampou-co o grupo de estudos de Sybel sobre política. Isso se deve também à indefinição das posições políticas de Sybel. Bismarck chegou a alegar que Sybel pertencia ao grupo de historiadores que turvava as águas do passado, ao contrário de outros que a deixavam mais clara, como Taine.

Em seu primeiro semestre, Nietzsche não chegou a assistir nenhum curso por completo. Pelo menos não existem anotações completas de nenhum. O mesmo, porém, vale para todos os cursos de todo seu tempo universitário, mas isso nada diz sobre a intensidade com que realizou seus estudos. O Natal de 1864 foi o primeiro que Nietzsche passou longe da mãe e da irmã, em parte com seus confrades nas tavernas, em parte em seu quarto com o colega Gassmann, que, como pessoa com veia artística, mais despertava sua simpatia entre os "franconos". Cantaram juntos e tocaram o "Manfred", de Schumann, que Nietzsche havia recebido de sua tia Rosalie, um presente que lhe causou a maior alegria. Os presentes que ele trocou com as irmãs de seu pai documentam um relacionamento especial. Já no seu aniversário, as tias Friederike Daechsel e Rosalie Nietzsche haviam lhe enviado o retrato da avó (Erdmuthe Nietzsche). Em dezembro, ele lhes agradece e acrescenta: "Pendurei o retrato do pai acima do piano, abaixo de uma reprodução em cores da Deposição da cruz".

No final do ano, Nietzsche, como costumava fazer, pretendia enviar saudações em versos, mas ele não conseguiu escrevê-los, "talvez porque agora exija uma qualidade muito mais alta, talvez porque agora seja um homem mais sóbrio e mais prático, o que não faz mal nenhum, talvez porque a dor de dente diabólica que me atormenta sufoque qualquer entusiasmo". Como presente de Natal, havia-lhes enviado oito de suas canções mais recentes – três das quais ele também já havia presenteado a Marie – na mesma encadernação luxuosa, com uma fotografia sua na contracapa[125]. Sofria também com a falta de dinheiro: "Não conseguirei suportar essa falta de dinheiro por mais um ano. Decidi ir para Halle e servir ali". A ideia de se mudar para a Universidade de Halle predominaria por bastante tempo. Na noite de São Silvestre está sozinho em seu quarto. Na carta do final de dezembro, ele compartilha suas reflexões sobre o assunto com a mãe e a irmã: "Amo as noites de São Silvestre e os aniversários, pois nos dão algumas horas, que podemos passar em silêncio, quando a alma se acalma e revê um período de seu desenvolvimento. Nessas horas, nascem resoluções decisivas. Costumo reler as cartas e os manuscritos do ano que se passou e fazer algumas anotações. É como se eu me elevasse sobre o tempo por algumas horas e me distanciasse do meu próprio desenvolvimento. Asseguro-me do passado e encontro a coragem e determinação para continuar em meu caminho". E num esboço parecido com um registro de diário, em "Ein Sylvestertraum" (Um sonho de São Silvestre)[4] da mesma época, lemos: "Faltam poucas horas até a meia-noite; tenho lido algumas cartas e manuscritos, bebi ponche quente e toquei o réquiem do 'Manfredo', de Schumann. Desejo agora afastar-me de tudo que me é alheio e pensar apenas em mim". Ele começa a sonhar e inicia um diálogo com a sombra do ano e amaldiçoa e abençoa igualmente esse ano. Então, porém, ouve uma voz: "Seus tolos e tontos do tempo, que não existe nem está em outro lugar senão em suas cabeças! Pergunto: O que vocês fizeram? Vocês querem ser e ter o que esperam, o que anseiam, pois façam o que os deuses lhe deram como prova para o prêmio da luta. Vocês cairão quando estiverem maduros, antes disso, não!" Ele se encontra no mesmo ponto do ano passado, quando ouvimos palavras semelhantes, mas continua a demonstrar a mesma paciência para aguardar seu amadurecimento.

Entrementes, entregava-se a todos os prazeres artísticos, sem consideração por sua constante falta de dinheiro. No final de fevereiro, ele se desculpa por esse modo de vida: "Minhas preferências pela música e pelo teatro pesam um pouco no bolso; por outro lado, gasto muito menos do que outros com bebida e comida". Assiste a muitos concertos, entre outros, aos de Clara Schumann e Adelina Patti. Ouviu a voz de Bürde-Ney no "Fidelio" e o "Huguenote", como muitas outras óperas. No teatro, viu a atriz Niemann-Sebach nos "Nibelungos", de Hebbel, e se entusiasmou com a apresentação de Friederike Gossmann em "A Megera Domada" e em muitas outras comédias modernas. "Todos nós estávamos completamente apaixonados por ela", escreve Nietzsche em 2 de fevereiro de 1865, "berrávamos nos bares as músicas que ela cantara e erguíamos os copos à sua saúde". Já no fim de dezembro ele havia relatado: "Passei muito tempo em casa alegrando-me com o 'Manfredo'. No terceiro dia de Natal, fui à ópera e ouvi o 'Freischütz', que, ao todo, não me agradou, tampouco quanto o 'Oberon'. A cena do inferno me pareceu ridícula". Ou seja, em sua vida como músico, ele ainda nem chegara a Weber, o precursor de Wagner.

Ele mesmo acabara de compor doze canções baseadas em textos de Pushkin, Petöfi, Chamisso e uma poesia de autoria própria. Estão entre as melhores obras produzidas pelo compositor Nietzsche, em termos formais – a forma é determinada pela poesia e, na maioria das vezes, estrófica – como também em termos musicais em sua interioridade lírica ou na vivacidade de uma balada. Apesar de discutir com Deussen repetidas vezes sobre Wagner, este, assim escreve Deussen, "era visto como bastante problemático"[73].

Para a grande surpresa de seus confrades, Nietzsche se recusou a participar do carnaval de Colônia. No final de fevereiro de 1865, ele escreve numa carta à mãe e à irmã: "Passei esses dias na casa de Deussen, onde encontrei o que me faltou durante todo o semestre, a vida em família". Quando Nietzsche voltou para casa na Páscoa de 1865, ele estava mudado. Estava mais gordo devido ao consumo de cerveja, e seu modo de falar, tão elegante até então, havia cedido a um tom mais rude. Agora também não suportava mais nenhuma dissimulação para poupar os sentimentos de outra pessoa. Assim, não só comunicou sua decisão inabalável de abandonar por completo a teologia, mas também se voltou da forma mais brusca contra a sua mãe em assuntos referentes ao cristianismo e se recusou a acompanhar sua família para a Eucaristia no dia da Páscoa. A obra "Das Leben Jesu" (A vida de Jesus), de David Friedrich Strauss, lhe ajudara a obter clareza definitiva.

O mundo da mãe desabou. Todas as suas esperanças de ver o filho seguir os passos do pai sofreram um golpe fatal. Houve então, provavelmente pela primeira vez, um confronto violento, durante o qual Nietzsche, em sua veracidade impetuosa e ao contrário do que costumava fazer, não poupou a mãe, e durante o qual a mãe temperamental e inabalável em sua fé certamente também não mediu suas palavras. Como relata a irmã, apenas a tia Rosalie conseguiu acalmar a mãe, que se derretia em lágrimas. Com seus conhecimentos da história da Igreja, a tia conseguiu explicar à mãe que todos os grandes homens de Deus precisaram passar por períodos de dúvida. Que era necessário deixá-lo em paz e evitar qualquer confronto. Em seu amor igualmente inabalável pelo filho, a mãe se acalmou, pois compreendia seus motivos puros, mesmo que suas razões lhe fossem inacessíveis. Ao irmão Edmund, ela escreve: "Meu amado Fritz é, a despeito de todas as nossas diferenças de opinião, um homem nobre, que interpreta com veracidade a vida e o tempo e que se interessa apenas pelo bem e pelo sublime e desdenha todas as coisas ordinárias. Mesmo assim me preocupo muito com meu querido filho. Mas Deus vê o coração".

Ela permaneceu em sua fortaleza da fé e não se envolveu com nenhuma filosofia. Costumava dizer: "Creio que a filosofia não é para as mulheres, perdemos o chão sob os pés". Continuou guardando seu filho em seu coração, que a partir de agora não deixaria de ser motivo de preocupação – a filha Lisbeth viria a causar preocupações igualmente sérias –, no entanto, exigiu que não se falasse mais em dúvidas referentes à fé em sua presença. De resto, permitiu que seu filho seguisse seu caminho, pois estava ciente de sua determinação inabalável. Ambos se esforçaram bastante para cumprir o pacto de tolerância mútua e evitar conflitos. O fato de ambos possuírem um temperamento forte e impulsivo exigiu em seu convívio um autocontrole constante e, no caso de Nietzsche, muitas vezes até uma dissimulação artística, o que não facilitou seu relacionamento e tornou inevitável eventuais confrontos, sobretudo em decisões vitais.

A postura da irmã Elisabeth, que, na época, já tinha quase 19 anos de idade, foi diferente. Adalbert Oehler observou que Nietzsche jamais se transformou em deus para sua mãe, Deus estava sempre *acima* dos dois. Elisabeth, por sua vez, idolatrava seu irmão. Já em sua infância e também mais tarde em Dresden, ela permitiu que ele a tiranizasse e a tratasse com arrogância. Tudo que ele dizia e escrevia era para ela uma revelação; já na época guardava tudo que ele escrevia. Apesar de se assustar com sua incredulidade e empreender a tentativa de se "fortalecer na fé" com a ajuda de dois tios pastores muito religiosos, ela sucumbiu ao poder da eloquência do irmão, apesar de não o compreender em termos existenciais e em todos os contextos espirituais – durante toda a sua vida, permaneceu a típica filha de pastor, e instintivamente tomou o partido do irmão contra a mãe. Pouco se importou com a ordem da mãe de evitar qualquer discussão religiosa, seja oralmente, seja por escrito. No entanto, não mediu esforços para evitar quaisquer confrontos entre mãe e filho com sua típica destreza e capacidade de "reconciliação de contrastes", como o próprio Nietzsche o expressou, e com seu jeito hábil e um tanto inescrupuloso de lidar com as pessoas.

Surgiu assim um acordo secreto entre os dois irmãos de ocultar determinadas coisas da mãe e de impor-lhe a vontade dos filhos. Nietzsche sempre preservou seu amor carinhoso pela mãe e seu cavalheirismo inato. Lisbeth, por mais cordial que fosse, era bem mais direta. A partir de agora, ambos concordariam em seu desejo de independência, que, no caso de Lisbeth, sempre daria preferência à vontade e ao pensamento do irmão, apesar de ela não compartilhar nem mesmo um único impulso *espiritual* do seu irmão. Desde cedo, porém, ela se transformou em eco, em discípula devota, em ajudante prática deste homem necessariamente cada vez mais solitário. Nietzsche via nela a mulher que o entendia, pelo menos como irmão. E ela foi a mulher que sempre estaria presente em sua vida. Isso tornou ainda mais forte a decepção que ele viria a viver com ela.

Não é incomum uma irmã adotar os ideais do irmão mais velho e talentoso, mesmo que esses ideais sejam estranhos à sua própria natureza, e dedicar a ele todas as forças de sua alma e de seu coração, permitindo até mesmo que seus sonhos eróticos fossem determinados pela imagem do próprio irmão, e tudo isso em medida tão grande que sua própria natureza e essência pudessem vir a se atrofiar. Isso representa sempre também um perigo para o irmão amado; pois esse tipo de entrega sempre vem acompanhado, mesmo que inconscientemente, de reivindicações. Sua dedicação se orienta por uma imagem do irmão que ela mesma criou e que ela é capaz de desenvolver apenas na medida de suas próprias forças. Ela vela essa imagem com o ciúme típico de uma mulher. Ai daquele que a destrói, sim, ai do próprio irmão que ousa destruí-la!

Esse relacionamento entre irmão e irmã teve uma influência muito maior sobre a vida de Nietzsche e, sobretudo, sobre a forma e interpretação de sua obra do que tem sido reconhecido até agora.

O relacionamento de Nietzsche com sua irmã foi marcado também pelo fato de que ele, desde cedo incapaz de lidar com os assuntos práticos da vida, tornou-se cada vez mais dependente do extraordinário senso prático de sua irmã. Sua energia erótica sempre foi baixa. Essa ausência de erotismo elementar – o erotismo sublime certamente não lhe faltava! – é justamente aquilo que confere à sua imagem do mundo essa claridade contínua e transparência vítrea. Essa carência era também a razão pela qual seu vínculo com a irmã – a despeito de todas as diferenças no nível espiritual – era tão forte quanto o vínculo da irmã com ele, até mesmo quando ele tentaria romper esse vínculo com todas as suas forças.

Assim aconteceu que Nietzsche criou sua imagem da mulher em todos os seus traços essenciais conforme a imagem de sua irmã. Via até o físico de sua irmã como tipo ideal: ela era baixa, delicada, de estatura fina, com lindos pés e mãos, de cor rosada, e seu rosto era um pouco peculiar, mas não era feio. Ela logo aprendeu a cobrir sua testa grande e quadrada com alguns cachos artificiais. Ela era graciosa e possuía aquela denguice típica de mulheres não muito sensuais e que costuma obter o efeito desejado no sexo oposto quando se alia à delicadeza e aparente fraqueza das mulheres baixas, de forma que essas mulheres normalmente são muito bem-suce-didas com os homens – ainda mais quando conseguem esconder a determinação de sua vontade e a escolha inescrupulosa de seus meios por trás de ladinice e dedicação altruísta tão bem quanto Elisabeth Nietzsche o soube fazer mais tarde.

Para o irmão, Elisabeth era o objeto perfeito para sua pulsão pedagógica in-domável e seus desejos tirânicos, muito mais do que o eram seus amigos como Pinder ou, agora, Deussen. Quando Lisbeth, como a família a chamava, ingressou no pensionato de Dresden, o irmão escreveu à mãe em fevereiro de 1862: "Espero que o pensionato seja bastante elegante. [...] Espero apenas que ela aprenda a es-crever com mais estilo! Quando relata algo, ela precisa deixar de usar todos esses 'ah!' e 'oh!' e 'Você nem imagina como isso e aquilo foi maravilhoso, encantador etc.' Ela precisa parar com isso". E Lisbeth respondeu, obediente como sempre: "Movimento-me conforme seu desejo apenas na *haute-volée*. Também deixei de dizer e escrever tantos 'ah!' e 'oh!' e prefiro agora fazer um *changement des pieds*, não na escrita, é claro. [...] Finalmente, também, consigo tocar suas lindas peças, de preferência a quatro mãos, pois pratico muito. Agora, sei dançar *Lancier* e *Françai-se magnifique*, e no próximo Dia de São Miguel certamente me divertirei bastante no baile de Pforta. Estou tendo aulas de dança com a *comtesse* Ross, que trata sua pequena irmã com muito carinho. Você jamais teria imaginado que, em algum mo-mento, eu fosse capaz de conviver com senhores e damas tão nobres! Eu mesma acho isso bastante engraçado"[8].

Nietzsche tratava sua *Pusselchen* (termo carinhoso para "criancinha"), como Nietzsche a chamava de vez em quando, de forma muito crítica, mas ele a impressionava tanto que ela o seguia em tudo, mesmo quando ele se voltava contra a tradição de sua família ou contra os círculos de Naumburg, onde ela se realizava plenamente e aos quais ela permaneceu fiel durante toda a sua vida. A única coisa que ela compartilhava espiritualmente com seu irmão era um senso de independência extraordinário, só que, no caso dela, este se voltava totalmente para sua ambição pessoal, e não para a verdade, como no seu irmão.

Já em sua infância, Nietzsche, após ler o "Livro da natureza", de F. Schoedler, havia lhe dado o apelido de "Lhama", porque, como ela mesma escreve[88], o livro dizia: "'O lhama é um animal curioso; voluntariamente transporta cargas das mais pesadas, mas quando seu dono tenta forçá-lo ou o trata com maldade, ele se recusa a comer e se deita na poeira para morrer'. Meu irmão achou essa caracterização tão certeira que, principalmente em situações difíceis, quando precisava da minha ajuda, sempre recorria a esse nome. Nenhuma outra pessoa me chamava assim". Ela oculta, porém, que Schoedler também escreve sobre o lhama: "Outra curiosidade é que o lhama usa como meio de defesa sua saliva e comida semidigerida, cuspindo-a contra seu adversário". No decorrer de sua vida, ela demonstrou que essa parte da caracterização se aplica a ela tão bem quanto a passagem por ela citada. E certamente o irmão teve isso em mente quando lhe deu o apelido. No entanto, ele aceitava completamente e até se divertia com a violência de seu temperamento desenfreado, que, como sabemos, não era estranho à sua própria natureza.

Quando Nietzsche voltou para casa após o primeiro semestre em Bonn, encontrou a mesma subserviência, como ela mesma escreve: "Jamais ousei levantar-me contra sua autoridade; pelo contrário – tudo que ele me dizia era evangelho e isento de qualquer dúvida". Agora, nem mesmo os sermões de seus tios conseguiram se opor aos discursos revolucionários do irmão, especialmente quando, em uma carta de 11 de junho de 1865, ele comunicou à irmã com toda clareza o que ele queria: "Antes, porém, devo falar de uma passagem de sua carta escrito com um tom pastoral e com a cordialidade de um lhama. Não se preocupe, querida Lisbeth. Quando a vontade está decidida, como você escreve, os queridos tios não terão muita dificuldade. No que diz respeito ao seu princípio segundo o qual a verdade sempre está do lado do mais difícil, concordo em parte. No entanto, é difícil compreender que dois vezes dois não seja quatro; isso o torna mais verdadeiro?

Por outro lado, é realmente tão difícil simplesmente aceitar tudo aquilo que aprendemos como crianças, que se arraigou com o passar dos anos, que é visto como verdade pelos círculos de parentes e de muitas pessoas boas e que realmente conforta e eleva a alma do ser humano; é realmente mais difícil do que traçar novos caminhos na luta contra o costume, na incerteza do passo independente, sob frequentes oscilações do humor e até mesmo da consciência, muitas vezes desconfortante, mas sempre com o propósito eterno da verdade, da beleza e do bem? Será que o que realmente importa é encontrar uma concepção de Deus, do mundo e da reconciliação com a qual se possa conviver com o maior conforto, ou será que o pesquisador verdadeiro pouco se importa com o resultado de sua pesquisa? Será que o objetivo da nossa procura é a tranquilidade, a paz, a felicidade? Não, apenas a verdade, por mais feia e assustadora que seja.

Ainda uma última pergunta: Se tivéssemos acreditado desde a juventude que toda salvação da alma se encontra não em Jesus, mas em outro, em Maomé, por exemplo, não é certo que teríamos recebido as mesmas bênçãos? Sim, o que nos abençoa é a fé, não os fatos objetivos por trás da fé. Escrevo isso apenas, querida Lisbeth, para refutar a prova mais comum das pessoas crentes, que apelam às suas experiências e delas deduzem a inerrância da sua fé. Toda fé verdadeira é inerrante, ela fornece aquilo que a pessoa religiosa espera encontrar nela; no entanto, não oferece qualquer argumento para demonstrar uma verdade objetiva.

Nisso se dividem os caminhos das pessoas; se você quiser paz de espírito e felicidade, creia; se você pretende ser um discípulo da verdade, pesquise. Entre estes dois caminhos existem muitos meios-termos. O que importa é o objetivo principal".

Vemos aqui a expressão pura de uma pulsão fundamental de Nietzsche. Com Lessing – e talvez por meio dele – Nietzsche se convenceu de que o que importa não é a verdade, mas a procura por ela. Arde nele um desejo insaciável de pesquisar, que não se deterá em nenhuma verdade encontrada, muito menos em qualquer tipo de felicidade. A palavra de Zaratustra: "Acaso aspira à felicidade? Aspiro à minha obra!" já é lema de sua natureza. Aqui, não existem meias-verdades. Toda fé, todas as verdades precisam ser apresentadas sempre de novo ao tribunal da veracidade. Essa veracidade impiedosa, aquilo que, mais tarde, ele chamará de integridade ou consciência intelectual – é a essa veracidade que ele agora jura sua lealdade. Ela é o núcleo de sua personalidade.

Entrementes, ele havia retornado para Bonn e para a confraria, agora como estudante da filologia e não mais como estudante da teologia. No semestre de verão, ouviu a preleção sobre história geral da filosofia, de Schaarschmidt; sobre arqueologia, de Jahn; sobre gramática latina, de Ritschl; e sobre a história da literatura alemã do século XVIII, de Springer. Além disso, participou agora dos exercícios do seminário filológico, administrado por Ritschl, do seminário arqueológico de Jahn e do seminário da história da arte de Springer. A produção filológica desse semestre foi meramente um pequeno trabalho crítico sobre a lamentação de Dânae, de Simônides. Mas agora que havia tomado sua decisão, "adquiri apenas ontem [...] a consciência filológica adequada" (numa carta de 3 de maio de 1865).

Em 10 de maio, escreveu à mãe e à irmã: "Desisti completamente da minha intenção de me alistar no exército em Berlim no Dia de São Miguel, mas decidi com igual determinação que me despedirei de Bonn neste mesmo dia, pois não quero nem consigo permanecer na confraria por mais um ano. A falta de tempo e de dinheiro me impede. Confesso que a escolha da próxima universidade é difícil. Duas coisas serão decisivas – além da qualidade da faculdade. Quero conhecer a vida no sul da Alemanha ou também uma universidade estrangeira. Depois escolherei um local onde conheço poucas pessoas, caso contrário elas logo tentariam me incluir em seus círculos. Se não for para servir em Berlim, não tenho vontade nenhuma de ir para lá".

Poucos dias depois, a questão foi decidida por um fator externo.

Na Páscoa de 1865, seu amigo de Pforta Carl von Gersdorff havia feito seu *abitur*; a princípio, pretendera estudar em Leipzig, mas seu irmão mais velho o convenceu a estudar Direito em Göttingen como membro de uma confraria. Mas logo desgostou de ambas: da disciplina e, sobretudo, da vida na confraria com suas bebedeiras desmedidas. Quis imediatamente abandonar tudo, mas seu irmão o aconselhou a completar o semestre como prova de sua força de caráter. O caçula seguiu o conselho e comunicou tudo isso a Nietzsche numa carta de 17 de maio[14]; mencionou também a possibilidade de se mudar para Leipzig para o semestre de inverno e de substituir o Direito pela Germanística. No entanto, essa carta ainda não fala de uma saída da confraria da "Saxônia".

Nietzsche simpatizou profundamente com tudo isso. Ele também tinha dúvidas em relação à disciplina e já havia abandonado a teologia. Por outro lado, sentia-se atraído pela música. No que diz respeito à filologia, ainda precisava tomar uma decisão firme a favor ou contra. O conflito entre as autoridades Jahn e Ritschl lhe forneceu um pano de fundo adequado. Nietzsche se sentia mais próximo de Jahn, do biógrafo de Mozart e tendia a tomar o seu partido nesse conflito administrativo. Ritschl, porém, o transformou em adepto da filologia rígida.

O que mais pesou foi a menção de Leipzig, que Nietzsche interpretou como decisão definitiva de Gersdorff, e ele a acatou. E quando Ritschl aceitou o convite para assumir uma docência em Leipzig, isso lhe serviu como confirmação. No entanto, decidiu mudar-se para Leipzig já um mês antes de Ritschl aceitar o convite, tendo discutido essa possibilidade desde maio. Ou seja, ele não "seguiu" Ritschl, como vem sendo afirmado desde Wilamowitz, que o acusou de nepotismo.

Em 25 de maio de 1865, Nietzsche escreve ao amigo Gersdorff: "Caso agora você concorde com a opinião do seu irmão em relação à vida na confraria, resta-me apenas admirar sua força ética com que você, a fim de aprender a nadar nas correntezas da vida, se lança nas águas lamacentas e turvas e nela faz os seus exercícios. [...]

No entanto, junta-se a isso algo importante. O estudante que pretende conhecer seu tempo e seu povo precisa ingressar em uma confraria; as confrarias e suas vertentes representam o tipo da próxima geração de homens com a maior nitidez. Além disso, as questões de uma reorganização das condições estudantis são importantes demais para impedir que o indivíduo as conheça e avalie pessoalmente.

Naturalmente, precisamos estar atentos e não permitir que sejamos excessivamente influenciados. A habituação é um poder muito forte. Já se perde muito quando se perde a indignação ética sobre algo ruim, que acontece em nosso meio a cada dia. Isso vale, por exemplo, para a bebedeira e a embriaguez, mas também para o desrespeito e o desdém com que tratamos outras pessoas e outras opiniões.

Confesso-lhe que [...] a expressão do convívio nas noites de bebedeira me desagradava demais, de forma que não suportava determinados indivíduos em virtude de seu materialismo cervejeiro. Odiei também a arrogância com que julgavam *en masse* pessoas e opiniões. Mesmo assim, permaneci na confraria, porque aprendia muito. Tive que reconhecer também a vida espiritual nela cultivada. Sinto a necessidade de um convívio mais próximo com um ou dois amigos; na presença destes, é possível aturar os outros como acompanhamento, uns como sal e pimenta, outros como açúcar, outros como nada".

Então chega à conclusão de que Leipzig, com a mudança de Ritschl, se tornaria a Faculdade de Filologia mais importante. "E agora ainda algo agradável: Assim que você me escreveu que estava disposto a ir para Leipzig, eu tomei a mesma decisão. Assim poderemos nos rever. Após ter tomado essa decisão, ouvi também do convite a Ritschl, e isso fortaleceu minha decisão. Assim que chegar a Leipzig, pretendo ingressar no seminário filológico. Preciso trabalhar muito. Teremos muitas oportunidades de usufruir da música e do teatro. Evidentemente, permanecerei camelo" (expressão estudantil para um "selvagem", que não pertence a nenhuma confraria).

Em 4 de agosto, volta a escrever a Gersdorff, esperando revê-lo em Leipzig: Ritschl estaria levando consigo uma pequena colônia de estudantes de Bonn. O plano da mãe e da irmã de passarem um ano com ele em Leipzig lhe causa "uma surpresa das mais agradáveis". No entanto, este não se realizou.

No início de junho, Nietzsche aproveitou ainda ao máximo os três dias do festival de música de Colônia sob a direção de Ferdinand Hiller. Ele participou do coro gigantesco de 600 cantores como membro do *Bonner Städtischer Gesangsverein* (Associação de Canto do Município de Bonn): "Entre as damas, muitas se destacavam em virtude de sua juventude e beleza. Nos três concertos principais, compareceram todas vestidas de branco, com laços azuis presos aos ombros e com flores naturais ou manufaturados nos cabelos. Nós, os homens, todos de casaca e colete branco. Depois do primeiro concerto, ficamos juntos até as altas horas da noite. Dormi na poltrona de um velho 'francono' e acordei dobrado feito um canivete. Sofro desde as últimas férias com um forte reumatismo no braço esquerdo. [...] O primeiro grande concerto aconteceu no domingo. 'Israel no Egito', de Händel. Cantamos com entusiasmo incomparável aos 50º Réaumur". Os hotéis estavam lotados. Após uma longa procura malsucedida, Nietzsche dormiu uma hora e meia num banco da sala de jantar do "Hotel du Dôme". Quando foi descoberto, um funcionário do hotel o expulsou. Estava tão cansado que adormeceu durante o ensaio na manhã seguinte. Mas à noite já estava novamente bem-disposto durante a apresentação, "pois incluía minhas favoritas, a música do Fausto, de Schumann, e a sinfonia em Lá maior, de Beethoven. Mas à noite desejava muito encontrar uma cama e procurei uns 13 hotéis, mas tudo estava lotado e sobrelotado. Finalmente, no 14º hotel, após o hoteleiro me dizer que aqui também estava tudo ocupado, eu lhe disse friamente que ficaria aqui e que, por favor, tivesse a gentileza de organizar uma cama. Foi o que aconteceu. Camas de campanha foram montadas no restaurante, ao custo de 20 *groschen* por noite. No terceiro dia, por fim, fizemos a terceira apresentação. [...] O momento mais lindo foi a apresentação da sinfonia de Hiller sob o lema "Es muss doch Frühling werden" (Que venha a primavera), os músicos se empenharam com entusiasmo, pois todos nós venerávamos Hiller ao máximo. [...] Seu trono foi coberto com grinaldas e buquês, um dos artistas lhe deu uma coroa de louro, a orquestra tocou uma fanfarra tripla, e o velho homem cobriu seu rosto e chorou – o que emocionou as damas infinitamente...

Em virtude de uma falta total de *nervus rerum*, passei a última noite novamente na casa do velho 'francono', dessa vez no chão, o que não foi nada agradável. De manhã, retornei para Bonn. Como me disse uma dama: 'Foi uma existência puramente artística'. Após uma experiência desse tipo, retomo com ironia formal a leitura dos meus livros, a crítica textual e outras coisas do tipo"*.

---

* Todo o relato vivaz da viagem e dos concertos se encontra numa carta de 11 de junho de 1865 à irmã.

O que chama a atenção nesse relato é a falta quase absoluta de distância do jovem Nietzsche em assuntos musicais em relação ao entusiasmo geral e, sobretudo, às formas típicas do entusiasmo do seu tempo. A última canção composta em 11 de julho por Nietzsche, baseada em um de seus próprios poemas ("Junge Fischerin" (Jovem pescadora)) pode ser um eco a esse consumo desenfreado de música. Ela revela seu dilema e uma total falta de estilo. Nietzsche a dedicou à sua irmã como presente atrasado para o seu aniversário.

Nada nesse relato revela a crítica aguda a Wagner – e à música e prática musical romântica em geral – que Nietzsche viria a fazer mais tarde. Nietzsche deixa se cativar pela música de Ferdinand Hiller, de um compositor do tipo que sempre existiu e sempre existirá, mas que marcou esse período da história da música. Esses compositores conseguem despertar uma passageira onda de entusiasmo sobretudo no local de sua atuação, tornam-se mais importantes para a sua região do que os compositores verdadeiramente grandes, mas sua obra morre com seus criadores e é esquecida de imediato.

Mesmo mais tarde, Nietzsche deixaria se cativar repetidas vezes por compositores medíocres – no caso de Peter Gast, pela vida inteira. Se tivesse sido "wagneriano", isso lhe teria oferecido certa proteção. Mas ele não era "wagneriano", nem na época, nem mais tarde como músico. Tornou-se wagneriano num momento de entusiasmo momentâneo apenas por meio da magia da personalidade de Wagner e de sua casa em Tribschen. Seus puros instintos musicais permaneceram fiéis ao tradicional, e também como compositor jamais se tornou epígono de Wagner.

Por ocasião desse festival, Nietzsche parece ter entretido mais uma vez, também sob a impressão causada por Otto Jahn, a ideia de trabalhar não só como filólogo, mas também "como crítico e historiador da música", como sugere uma anotação de julho a agosto de 1865[2]; ou seja, de tomar o rumo da "beletrística", tão temida por sua mãe e seus amigos de Naumburg. Essa ideia permaneceu viva em Leipzig e desapareceu definitivamente apenas quando Nietzsche assumiu a docência em Basileia. E mesmo então ela se manifestou mais uma vez na luta em defesa de Wagner. Nietzsche sempre preservou uma tendência para o folhetim, não em sua natureza, mas em seu estilo, no âmbito artístico. Ainda em 1888, Avenarius o acusa disso no contexto do "Caso Wagner"[40].

Entrementes, cresciam os antagonismos com sua confraria. Nesse semestre de verão de 1865, os conventos semanais dos "franconos" formavam o palco de animadas discussões. Alguns confrades mais velhos, vindos para Bonn de outras confrarias, não gostaram das cores azul, vermelho e dourado da "Franconia" e queriam mudá-las para preto, vermelho e dourado. Segundo Scheurer, defendiam que a confraria como "associação democrática deveria ostentar também cores democráticas". Todos os ex-alunos de Pforta acataram essa posição; apenas Nietzsche se opôs, por "aristocratismo", como alega Scheurer. Nietzsche não teria concordado com o parágrafo dos estatutos do "Eisenacher Burschenbundes" (Aliança das Confrarias de Eisenach), ao qual pertencia também a "Franconia", segundo a qual os membros deveriam apoiar e buscar a união da Alemanha em *base popular*.

Sabemos praticamente nada da postura política de Nietzsche daquele tempo. Infelizmente, sua palestra sobre os poetas políticos do século XIX, realizada em sua confraria, se perdeu. No entanto, sabemos que ele não era favorável às tendências democráticas na "Franconia". Em 29 de maio, ele escreve à mãe: "Mudamos agora as cores dos nossos bonés – contra a minha vontade – usamos agora chapéus vermelhos". E em 30 de agosto de 1865, escreve a Mushacke: "Não sou partidário incondicional da 'Franconia'. [...] Considero pouco desenvolvido seu juízo político, que se apoia nas ideias de poucos".

No entanto, seria equivocado acreditar que Nietzsche tenha sido um monarquista convencido ou adepto de Bismarck naquela época. Quando, em meados de junho de 1865, o rei e seus ministros vieram para Colônia por ocasião do jubileu dos 50 anos da adesão da Renânia à Prússia, Nietzsche escreveu à mãe: "Os jornais falam da alegria e do entusiasmo do povo. Eu estive pessoalmente em Colônia e posso avaliar esse entusiasmo. Eu me surpreendi com a frieza das multidões. Realmente não entendo de onde vem esse suposto entusiasmo pelo rei e seus ministros". Mas acrescenta ser impossível "imaginar um efeito operístico mais belo" do que essa celebração: "A juventude de Colônia provocou entusiasmo cantando o *Düppelmarsch*, e a multidão exultou diante de coisas tão belas – e o monarca se alegrou".

Na verdade, Nietzsche pouco se interessava pela política na época; mas ele se irritava com o autocontentamento e com a ignorância de seus confrades. Na mesma carta, ele escreve: "Recentemente, nós, i.e., os franconos, celebramos um *commercium* com as duas confrarias Helvetia e Marchia. Ah! Que felicidade! Ah! Quantas foram as proezas da confraria! Ah! Somos nós o futuro da Alemanha, o berço dos parlamentos alemães! – Por vezes, diz Juvenal, é difícil não escrever uma sátira".

Em sua opinião, a confraria não possuía fundamento. Reconhecia o vazio: "O quanto nos engana a liberdade. O ser humano necessita da coerção para beber da liberdade em poucos goles roubados do momento. Dormimos, por assim dizer, com a liberdade na cama matrimonial inerte, não surpreende, portanto, quando ela nos parece um tanto morna e entediante. Para você, essa velha dama ainda serve como amante foguenta". Ele escreve essas palavras no fim de junho de 1865 a seu colega de Pforta Oskar Wunderlich, quase como se sentisse saudades da disciplina de Pforta. Com seu típico zelo pedagógico, tentou impor reformas à confraria. Em 6 de julho, mencionou o assunto em uma carta a Pinder: "Nós, os alunos de Pforta, conseguimos agora introduzir uma vertente científica, uma noite de bebedeira foi sacrificada. [...] Nosso objetivo é: a luta contra todos os anacronismos na confraria. Assim, queremos afastar qualquer celebração regada a álcool". É claro que esse tipo de postura lhe custou todas as simpatias da maioria de seus confrades; sua busca espiritual se estendia apenas ao ponto de garantir seu sustento profissional; e seu desejo de liberdade se esgotava no aconchego cervejeiro, que Nietzsche tanto desdenhava.

Mesmo assim, conseguiu sobreviver ao semestre sem provocar um conflito aberto, e em 5 de agosto de 1865 escreveu à mãe e à irmã que recebera "da Franconia uma demissão honrosa com faixa", o que não pode ser completamente correto. Deussen recorda[73]: "Nietzsche partiu de Bonn em agosto de 1865 sem nem mesmo informar a confraria ou devolver as insígnias. Em decorrência disso, foi demitido, e ele aturou esse destino com a maior tranquilidade". A esses dois testemunhos contraditórios contrapõe-se uma carta de Nietzsche de 20 de outubro de 1865, na qual ele, já em Leipzig, declara à Franconia em tom rude a sua saída da confraria e devolve sua faixa.

Dores físicas cada vez mais fortes estragaram os últimos dias em Bonn. Já vimos que ele reclamava de dores reumáticas durante o festival de música em Colônia, das quais vinha sofrendo desde as férias de Páscoa. Em 10 de julho, ele volta a escrever: "Sofro de um reumatismo agudo", e na carta de 4 de agosto de 1865 a Gersdorff, Nietzsche escreve: "Tenho estado doente durante as últimas semanas e passei muito tempo deitado na cama. [...] Minha enfermidade é um reumatismo violento, que subiu dos braços para o pescoço, de lá para a bochecha e para os dentes e que, atualmente, me causa uma aguda dor de cabeça. As dores constantes me deixaram muito enfraquecido, e estou apático às coisas externas". Passou alguns dias tranquilos apenas em Sem. Encerra a carta com as palavras: "Perdoe-me, querido amigo, também esta carta desagradável. Mas as fortes pontadas na cabeça impossibilitam qualquer coerência". E, no dia seguinte, escreve à mãe e à irmã: "Agora, as dores são tantas e tão frequentes que, a despeito de toda dieta e do maior cuidado, sinto-me pior do que nunca. Essas festas me excitam demais e provocam erros menores e maiores na dieta. [...] Façam-me o favor de organizar tudo de forma que eu possa viver com vocês na maior reclusão possível e que não seja torturado com eventos sociais desagradáveis. Temos tanto a nos contar. E, por favor, não levem a mal caso esteja um pouco mal-humorado. Nesse estado, irrito-me facilmente".

Mais uma vez, como já em Pforta e como aconteceria também muitas vezes mais tarde, uma forte crise interior provoca a doença, que lhe impõe um tempo da reflexão e da reorganização interior. O que chama a atenção é que ele identifica já aqui a excitação e erros em sua dieta como causas de sua doença.

Quando partiu de Bonn em 9 de agosto de 1865, ele havia encontrado um novo amigo em seu colega Hermann Mushake, que logo desapareceria de sua vida. Deussen, porém, se despede de seu amigo com sentimentos mistos. "Certa noite", escreve este[73], "quando acompanhei Nietzsche para o navio a vapor que o levaria embora de Bonn, fui tomado por um sentimento doloroso de solidão. Ao mesmo tempo, porém, respirei como um homem que se livra de um grande peso. Nos seis anos de nosso convívio, a personalidade de Nietzsche havia exercido uma grande influência. Sempre se interessara sinceramente por minha situação, mas sempre tendia a me corrigir em tudo, a se impor e, por vezes, até a me torturar, o que se manifestou de forma ainda mais clara em nossa correspondência posterior".

O próprio Nietzsche escreveu sobre essa despedida dois anos mais tarde em uma "Retrospectiva dos meus dois anos em Leipzig"[4]: "Saí de Bonn como um fugitivo. À meia-noite, quando meu amigo Mushacke me acompanhou até as margens do Rio Reno, onde esperamos o navio a vapor vindo de Colônia" – sua memória ou apagou Deussen, ou este relatou uma lembrança equivocada, como fez em outras ocasiões, ou Nietzsche confundiu Mushacke com Deussen em sua memória –, "não havia nenhum sentimento melancólico em mim por ter que dizer adeus a um lugar tão lindo e a uma terra tão próspera, a um bando de colegas jovens. Foram justamente estes últimos que me afugentaram. Não quero ser injusto com esse povo bom, como tenho sido muitas vezes antigamente. Mas minha natureza não se satisfez com eles. Eu mesmo era ainda muito tímido e retraído e não possuía as forças para assumir um papel no meio daquela confusão. Tudo me era imposto, e eu não soube ser senhor sobre aquilo que me cercava. No início, tentei me adequar às formas e de me tornar aquilo que chamam de um 'estudante safo'. Mas visto que sempre fracassei nessa tentativa, visto que a aura da poesia, que toda essa atividade parece exalar, havia dissipado, visto também que uma postura filisteia se manifestava nesse excesso de bebida, barulho e endividamento, algo começou a se manifestar dentro de mim. Cada vez mais, senti a vontade de me esquivar desses divertimentos vazios e procurar os prazeres silenciosos da natureza ou os estudos da arte; cada vez mais eu me sentia um estranho nesses círculos, dos quais me era impossível fugir completamente. Além disso, surgiram as dores reumáticas, e igualmente me oprimia o sentimento de ter adquirido nada para a ciência e para a vida, apenas muitas dívidas. Tudo isso fez surgir em mim a sensação de um fugitivo quando, naquela noite chuvosa, embarquei naquele navio a vapor e vi desaparecer as poucas luzes de Bonn às margens do rio".

Nietzsche permaneceu em Naumburg de 9 de agosto até 1º de outubro, onde pôde levar a vida calma que desejava, interrompida apenas por uma breve viagem a Gorenzen e a Goldene Aue. Aos poucos, curou-se aqui de seu reumatismo, mas precisou ainda de muito tempo para fazer as pazes com seu ano em Bonn. Uma carta ao novo amigo Hermann Mushacke de 30 de agosto reflete seu humor: "Espero que, algum dia, possa compreender também este ano do ponto de vista da memória como elo necessário do meu desenvolvimento". Essa necessidade de harmonizar suas experiências, que já havia se manifestado em Pforta, representa a forma mais precoce de seu *amor fati*. Não suportava nada em sua existência e em seu pensamento que não fizesse sentido. Nietzsche continua: "No momento, sou incapaz de fazê-lo. Ainda me parece que desperdicei o ano em vários sentidos. Minha permanência na confraria me parece – sinceramente – um *faux pas*, sobretudo no semestre de verão. Ignorei meu princípio de me entregar às coisas e às pessoas somente até eu conhecê-las. Aborreço-me comigo mesmo. Esse sentimento estragou meu verão e turvou até mesmo meu juízo objetivo sobre a confraria!" Aqui se manifesta outro traço de sua natureza: sua fome espiritual, a pulsão de pesquisa é mais forte do que a habituação e aquela lealdade barata da qual tantos se orgulham. Sua crítica, porém, não se satisfaz, e continua: "Estou insatisfeito também [...] com meus estudos. [...] Vejo com escárnio meus trabalhos que completei em Bonn, escrevi uma redação para a associação 'Gustav Adolf', outra para uma noite da confraria, e outra para o seminário. Abominável! Sinto vergonha só de pensar nessas coisas. Cada um dos meus trabalhos do ginásio é melhor.

Nos seminários não aprendi nada, com a exceção de algumas coisas individuais. Sou grato a Springer por alguns *prazeres*, poderia ser grato a Ritschl se o tivesse aproveitado mais. Mas, em geral, isso não me deixa infeliz. Prezo muito o autodesenvolvimento – e facilmente somos determinados por homens como Ritschl, facilmente somos levados por caminhos que não condizem à nossa natureza. Considero o maior lucro deste ano o fato de ter aprendido muito que contribuiu para a compreensão do meu eu. Um lucro igualmente grande foi ter encontrado um amigo cordial e empático. Para mim, essas duas coisas são inseparáveis. Por um lado, estranho ter atraído uma pessoa tão querida a despeito dos meus muitos conflitos e dos meus juízos frívolos, por outro, essa mesma razão mantém viva a minha esperança; talvez meu querido amigo Mushacke ainda não me conheça o bastante".

Nesse ano, Nietzsche havia evitado Ritschl, tentando esquivar-se do fascínio que sua personalidade exercia sobre ele, capaz de atraí-lo para uma disciplina pela qual o estudante ainda não havia se decidido.

O plano de Elisabeth de mudar-se para Leipzig com a mãe em outono foi abandonado durante as férias. Segundo o relato da irmã, a mãe – curiosamente ela e não o próprio Nietzsche – defendia a opinião segundo a qual seria melhor para o filho acostumar-se a ser independente.

Na segunda metade de setembro, Nietzsche finalmente havia definido sua posição em relação à confraria. Escreveu a Granier, que, um ano após sua separação e encontrando-se numa situação semelhante de solidão, lhe escrevera uma carta cordial e bem-humorada: "Parece-me que nossa juventude realmente não reflete muito. A vida na confraria corre perigo constante de cair no abismo das exterioridades de formalidades e de todos os tipos de insensatez. Esse 'acomodamento' é insuportável para mim. A postura política existia em algumas cabeças, a maioria acatava o senso de corporação, que acreditava desfrutar da juventude na bebida, nos estudos e no renome. Prefiro nada dizer sobre o estado moral, era triste demais.

No núcleo dessa massa, vive uma terrível alma filisteia: [...] essa falta de entusiasmo, de destreza, essa convicção ordinária e comum, essa sobriedade seca, que manifesta seu lado mais feio na embriaguez – como agradeço aos deuses de ter escapado desse deserto gritante, dessa abundância vazia, dessa juventude senil!

Meu querido Granier, você está absolutamente certo. Pessoas que possamos amar e respeitar, e mais ainda pessoas que nos compreendam são ridiculamente raras. Mas a culpa é nossa, nascemos com 20, 30 anos de atraso – ou estaria eu sendo vítima da ilusão que nos apresenta aquele tempo espirituoso em uma luz mais clara –, pois nós, esses coitados seres humanos, sempre nos iludimos assim que consideramos belo algo passado; a nossa felicidade é a ilusão, e os mais felizes são aqueles que mais se iludem.

Já me perguntei muitas vezes se a felicidade deve realmente ser o maior objetivo do ser humano, pois nesse caso o idiota seria o mais belo representante da humanidade, e nossos heróis do espírito, 'pois pensar significa dor e preocupação', seriam no mínimo tolos, macacos ou semideuses que traem sua espécie, sendo que o destino pior seria se fossem semideuses. Pois nossos cientistas naturais retraçam nossas origens ao macaco e condenam como ilógico todo o sobreanimal. Por Zeus, prefiro ser macaco do que ilógico. Veja todas as vertentes das ciências, das artes: o macaco se manifesta por toda parte, mas onde está o Deus?"

Como vemos, Nietzsche estava recuperando seu humor, mas ainda não se livrara completamente de um senso de desorientação e do sentimento de culpa por ter perdido um ano.

Para muitos estudantes, o primeiro semestre ou ano é um ano perdido (para o estudo profissional), para o desenvolvimento de sua personalidade, porém, é de grande valor. Alguns que sabem exatamente o que querem ser: "Serei médico" ou "Serei advogado" etc., se inscrevem em seu grande zelo em um número excessivo de cursos e não conseguem processar toda a matéria; ouvem muito, mas não aprendem nada, não apropriam a matéria. Outros ainda estão indecisos. Deixam-se seduzir pelas muitas coisas interessantes oferecidas pela universidade, ouvem isso e aquilo e duvidam do objetivo inicial. Outros mudam de faculdade, outros retornam com uma firmeza ainda maior. Agora, fizeram sua escolha, tomaram uma decisão. A escola tinha seu currículo fixo, ponderado e desenvolvido ao longo de gerações, o aluno precisava cumprir as tarefas que lhe eram atribuídas. Sem preparo, sem transição, o aluno é lançado na "liberdade acadêmica", e agora ele mesmo deve definir as suas tarefas. Para tanto, precisa de maturidade e experiência, coisa que não possui. Quando a adquire no primeiro ou segundo semestre, ganhou mais para a vida do que quando os estudos universitários se apresentam como mera continuação inquestionável da escola.

Foi justamente essa fase que o ex-aluno de Pforta teve que vivenciar em Bonn aos 20 anos de idade. Não era, portanto, um gênio precoce, como os gênios que conhecemos da história da música. Seu amadurecimento e sua concentração em sua vocação ocorrem de forma lenta e tardia, sob grandes impedimentos e dificuldades internos e externos e em dependência de extremos acasos, e esse processo não se decide nem se encerra com seus estudos e sua docência. Como estudante dos primeiros semestres, havia se interessado por isso e aquilo, e apenas uma negação foi definida nesse tempo: que não se tornaria teólogo. No entanto, levou uma dúvida também para Leipzig: Não sabia ainda o que mais o atraía, a filologia ou a música, e nem ao retomar seus estudos de Teógnis conseguiu se livrar da incerteza paralisante. Em 20 de setembro de 1865, relatou a Mushacke sua existência atual: "Estou aproveitando o silêncio e o isolamento da cidade provincial e contemplo bastante o ar puro e azul e meu Teógnis altamente entediante. No café da manhã, como um pouco de filosofia hegeliana, e quando estou sem apetite, tomo algumas pílulas de Strauss, por exemplo, 'Die Ganzen und die Halben' (Os meios e os inteiros). Às vezes tenho vontade de jogar conversa fora, então vou até Pforta e levo Corssen até Almrich, onde bebemos cerveja e Ritschl, este, é claro, com gargantas espirituais. Em geral, a alma se interioriza tanto ao vegetar em meio a essa total ausência de ocorrências que Berlim passa a me parecer muito vigorosa. Anteontem, assisti a um teatro amador de Naumburg, que evento incrível. A mulher do encadernador fazia o papel da protagonista, o aprendiz do sapateiro era o conselheiro; e um ex-aluno da escola de Naumburg, o *pair* da França, ou, como dizem os turíngios, o '*Bär*'.

Eu mesmo me sinto como uma daquelas tardes de outono, sempre calma, mas – por Zeus! – entediante; no entanto, a aproveito com o maior agrado".

Ele continua refletindo ironicamente sobre os filisteus de Naumburg, seu vinho azedo, o dia a dia das manobras e sobre si mesmo, e assina: "Teógnis, cidadão aposentado das pequenas cidades da Antiguidade".

Em 22 de outubro, ele escreve à mãe sobre essa visita: "A vida berlinense foi pronunciadamente amigável e prazerosa. O velho Mushacke é o homem mais amável que conheci até agora. Tratamo-nos com o 'du' informal. No meu aniversário, bebemos champanhe e fizemos um brinde à sua saúde". Na verdade, porém, Nietzsche estava de péssimo humor nesse tempo, como escreve dois anos mais tarde em sua "retrospectiva"[4]: "Em Berlim, fiz o papel de insatisfeito [...], de forma que certamente aborreci meu amigo com minhas eternas lamentações. Naturalmente, generalizei aquele incômodo sobre a situação dos estudantes em Bonn e critiquei duramente a confraria alemã. Num concerto de Liebig encontrei algumas pessoas dessa raça, o que foi muito constrangedor para mim, e tive a falta de educação de, após cumprir minha obrigação de cumprimentá-las, de passar a noite inteira ao seu lado sem dizer uma palavra. Quando um deles mesmo assim me convidou para acompanhá-los até a taverna, aceitei o convite por causa de meu amigo Mushacke, mas permaneci mudo e inacessível e dificilmente suscitei uma impressão favorável sobre meus dons e meu estilo de vida, ainda mais que não fumei, e bebi apenas pouca cerveja. – Na época, certamente não estive disposto a ver e prezar Berlim com um olhar desimpedido; no entanto, corresponde a meu estado inquieto e insatisfeito o fato de Sanssouci e a região de Potsdam em seu pitoresco traje de outono terem exercido um efeito poderoso sobre mim. [...] Nossas conversas também alimentavam meu humor amargurado – os sarcasmos do extraordinário Mushacke, seus conhecimentos sobre a administração do ensino superior, sua aversão à Berlim judia, suas lembranças da época dos jovens hegelianos, ou seja, toda a atmosfera pessimista de um homem que conhecia bem os bastidores – e tudo isso intensificava meu humor. Na época, aprendi a me deleitar com uma visão negativa, após eu mesmo ter passado por tanta coisa negativa por culpa alheia, como me parecia".

Foi provavelmente esse encontro infeliz com os confrades que levou Nietzsche – a fim de escapar de futuras obrigações desse tipo – a declarar em 20 de outubro de 1865, logo no início de seu primeiro semestre em Leipzig, sua saída da Franconia: "Devo comunicar ao convento da Franconia que, com o envio da minha faixa, declaro minha saída. Não cesso com isso a prezar altamente a ideia da confraria. Preciso apenas admitir que sua forma atual pouco me agrada. Isso pode, em parte, se dever a mim mesmo. Tornou-se difícil para mim aguentar um ano inteiro na Franconia. No entanto, considerei ser uma obrigação minha conhecê-la. Agora, já não há mais nenhum laço estreito que me prenda a ela. Que a Franconia logo possa superar a fase de desenvolvimento em que se encontra no momento. Que sempre possa contar com membros de boa moral e convicções diligentes".

Os franconos ficaram indignados com a "arrogância e o tom professoral" dessa carta de demissão, e o convento – a pedido de seu antigo mentor Haushalter – recolheu a faixa de Nietzsche e o demitiu da confraria. No entanto, a expressão de seu alto apreço pela ideia da confraria não era sarcasmo, como demonstrou, já professor, na primavera de 1872 em Basileia em suas palestras "Sobre o futuro das nossas instituições de ensino", celebrando a confraria primordial de 1815 como expressão mais bela da virtude alemã e da "renovação e excitação interior das forças morais mais puras" conforme os critérios da liberdade. Segundo Scheurer, que de resto não concorda com o estudante Nietzsche, ninguém apresentou um réquiem igual, "nem antes, nem depois".

Nessas palestras, encontramos também o eco definitivo e sóbrio do tempo de Bonn. Nietzsche chama esse ano* de "um ano que, em virtude da ausência de todos os planos e objetivos, desprendido de todas as intenções futuras, possui para mim uma qualidade de sonho, sendo enquadrado por períodos de atenção desperta no antes e depois. Nós dois permanecemos imperturbados, mesmo que tenhamos convivido com uma confraria numerosa, mas de excitação e orientação divergentes; [...]. Mas até mesmo esse jogo com um elemento oposto se apresenta, agora que o contemplo com minha alma, possui ainda um caráter semelhante, como os muitos obstáculos que cada um de nós vivencia no sonho, como, por exemplo, quando acreditamos poder voar, mas mesmo assim nos sentimos refreados por impedimentos inexplicáveis".

Agora, ele remete todo o sofrimento interior e toda a desorientação desse primeiro ano como estudante, ainda hoje típicos dos estudantes mais talentosos, a ra-

---

* 1ª palestra, 16 de janeiro de 1872.

zões mais profundas, ao fato de os professores da universidade não serem líderes espirituais para os jovens, líderes que poderiam lhes explicar o sentido de seus estudos a partir de uma cultura autêntica. Nietzsche acusa em nome dos jovens*:

"Vocês precisariam entender a língua secreta que este inocente culpado fala consigo mesmo: Assim, entenderiam também a essência interior dessa autonomia ostentada externamente. Nenhum dos jovens nobremente equipados permaneceu isento desse sofrimento educacional inquieto, cansativo, confuso e enervante: naquele período em que se vê como único homem livre em uma realidade servil, ele paga por aquela ilusão maravilhosa da liberdade com torturas e dúvidas que se renovam constantemente. Sente que não consegue ser seu próprio guia, que não pode ajudar-se a si mesmo. Então, imerge sem esperanças no mundo do dia e do trabalho diário. A ocupação mais trivial o envolve, seus membros enfraquecem. De repente, ele cria coragem mais uma vez: sente que a força que consegue mantê-lo à tona ainda está presente. Formam-se e crescem nele decisões orgulhosas e nobres. Ele se assusta com o pensamento de afundar tão cedo na mesquinhez e limitação da profissão; e agora, estende seu braço à procura de apoios e sustentos para não ser levado por essa correnteza. Em vão! Esses sustentos cedem. Pois havia se agarrado a caniços frágeis. Em humor oco e triste, vê seus planos se dissolverem em fumaça; seu estado é abominável e indigno; ele oscila entre atividade exagerada e amolecimento melancólico. Então se cansa, fica preguiçoso e foge do trabalho; assusta-se com o grande em ódio de si mesmo. Desmembra suas habilidades e acredita vislumbrar espaços ocos ou caóticos. Então, cai das alturas do autoconhecimento sonhado em um ceticismo irônico. [...] Assim, sua desorientação e a falta de um líder o leva de uma forma de existência para outra: dúvida, elevação, sofrimento existencial, esperança, desânimo – tudo o joga de um lado para o outro, como sinal de que todas as estrelas, pelas quais pudesse orientar seu barco, se apagaram. Essa é a imagem daquela autonomia tão louvada, daquela liberdade acadêmica, que se reflete nas melhores almas tão sedentas de educação: esta não é uma opção para aquelas naturezas mais rudes e despreocupadas, que se alegram de sua liberdade no sentido bárbaro. Pois estes demonstram em seu aconchego inferior e em sua limitação profissional que este elemento é apropriado para eles; e nada podemos opor a isso. Seu aconchego, porém, em nada condiz ao sofrimento do jovem que sente a atração da cultura e que precisa de liderança, que, aborrecido, solta as rédeas e começa a se desdenhar. Este é o inocente sem culpa; pois quem lhe impôs o fardo insuportável de ser indepen-

---

* Na 5ª palestra, 23 de março de 1872.

dente? Quem o incitou para a autonomia numa idade em que a entrega a grandes líderes e o seguimento entusiasmado no caminho do mestre costumam ser as necessidades mais naturais e próximas?" O resultado seriam muitas vezes pessoas cultas bastardas e descarriladas, levadas por um desespero interior ao ativismo inimigo contra a cultura, à qual ninguém se dispôs a mostrar o acesso. Não são os piores ou inferiores que, mais tarde, reencontramos como jornalistas ou redatores de jornais na metamorfose do desespero", aquela classe literária representada "pelo *Junges Deutschland* com seu contínuo epigonismo pululante".

Esta, então, era a tarefa de Nietzsche: encontrar o ou os líderes, aos quais seu coração inquieto e seu espírito sedento pudessem se entregar e, por meio deles, encontrar sua missão. Seu instinto e seu destino o levaram até eles no momento certo, quando teve consciência plena de uma hora decisiva.

Logo após iniciar seu primeiro semestre em Leipzig, ele escreve às tias*: "Vocês já sabem que, a cada sete anos, o ser humano se reveste de um corpo completamente novo e diferente. Por isso, os 7º, 14º e 21º anos são tão importantes. Começo agora a ingressar pela quarta vez num corpo novo. E quanto à nossa alma? Esta também já se transformou completamente três vezes? Nossas características, nossas faculdades também são tão inconstantes ao ponto de desaparecerem após sete anos e darem lugar a novas? Não, não estamos submetidos a essa rotação da alma, mas ela se amplia e adquire força, mas seus elementos fundamentais permanecem os mesmos, eternamente os mesmos. O nosso amor uns pelos outros não teria permanecido o mesmo, minhas queridas tias?

Mas o que acontecerá comigo nesta quarta rotação de sete anos? Tudo terá que se decidir nela; quando ela terminar, o ser humano precisa estar definido, toda sua estrutura precisa estar completa e sem mácula; então, resta-nos apenas adorná-la, mas não reconstruí-la".

Mais do que sugere a concepção superficial de suas "transformações", isso, no entanto, se aplicava a Nietzsche. Mas a si mesmo ele responde também à antiga pergunta referente à identidade, ao ser no fluxo das aparências, ao núcleo da personalidade, e devemos observar que ele recorre ao amor que tudo perdura como prova da subsistência eterna – ao laço daquele amor que lhe traria ainda tantas decepções.

---

\* Carta a Friederike Daechsel e Rosalie Nietzsche, fim de outubro/início de novembro de 1865, de Leipzig.

# VII

## Os dois primeiros anos em Leipzig

Nietzsche e seu amigo Mushacke chegaram a Leipzig em 17 de outubro de 1865, vindo diretamente de Berlim. Até a primavera de 1869, passou aqui seus anos de estudos decisivos, que lhe renderam também os encontros espirituais mais importantes, por meio dos quais ele viria a encontrar a si mesmo e o seu chamado.

Iniciou seu terceiro semestre como uma pessoa que começa uma vida nova. Primeiro, se livrou de todas as obrigações por meio de sua carta de demissão à Franconia, que, como reconheceu já nos primeiros dias em Leipzig, teriam limitado sua liberdade.

O humor abatido e a inquietação espiritual, nos quais ele havia "fugido" de Bonn e que chegavam a alcançar níveis de desespero, ainda o dominavam. Agora, porém, estava determinado a combatê-los. Graças ao duro treinamento recebido na escola de Pforta, jamais correu perigo de se entregar à inatividade ou à boêmia, como acontece com tantos jovens talentosos aos quais a universidade não fornece o alimento adequado para sua fome espiritual. Trabalho e desempenho continuavam sendo elementos vitais para ele. E agora acreditava ter encontrado também o ponto de ataque ao qual pudesse aplicar suas forças. Decidiu seguir a filologia como carreira profissional, mesmo sabendo que ela só podia servir-lhe como meio, não como fim em si, mas dedicou-se a ela como se fosse sua meta última. Durante os dois primeiros anos em Leipzig, ainda não chegou a reconhecer seu objetivo verdadeiro. As forças filosóficas de seu ser adormeceram nesse período, como se estivessem reunindo as forças para o primeiro assalto. Quando o assombravam, ele as acalmava por meio da leitura das obras de outros que conseguiam conquistar toda a sua admiração, fornecendo-lhe assim um instrumento para desenvolver a melodia da sua vida. Ele encontrou esse instrumento no momento certo, o que deu a esses anos seu peso e sua orientação.

A filologia lhe oferecia imagens de um mundo grande, mas irrevogavelmente perdido; representava um campo adequado para sua ambição intelectual e lhe deu, mais do que qualquer outra ciência, a oportunidade de desdobrar sua pulsão pedagógica, sua vontade indomável de lecionar. Mas sem o apoio da filosofia de Schopenhauer dificilmente teria suportado a filologia como conteúdo de sua vida por tanto tempo – e inevitavelmente a abandonaria quando sua própria força produtiva rompesse os limites de Schopenhauer. No final do seu tempo em Leipzig, ocorreu algo que convenceu o filólogo Nietzsche de que o grande mundo da Antiguidade, este mundo tão amado, não estava irrevogavelmente perdido, que poderia renascer na arte alemã: a experiência Wagner.

O espírito da música mais uma vez deu um forte impulso ao interesse filológico de Nietzsche, que já estava esvaecendo – talvez o impulso mais poderoso vivido pela filologia alemã no período pós-clássico, um impulso que rompeu seus limites e se amplificou, transformando-se em uma imagem interpretativa e legislativa do mundo. Mas também aqui a filologia lhe serviu apenas como meio para um conhecimento maior e que Nietzsche abandonaria assim que ela perdesse sua utilidade para essa visão e esse conhecimento ampliado.

A filologia consumiu grande parte da vida de Nietzsche como estudante e professor. Permaneceu fiel à filologia como profissão até 1879. Ela é parte essencial de sua vida e pensamento. Sua tradição literária da Antiguidade lhe forneceu a matéria a partir da qual ele desenvolveria vários de seus *leitmotiven* e alguns problemas de sua filosofia posterior. Adquiriu também a precisão científica da pesquisa e do pensamento filológico, mais, porém, como treinamento e disciplinamento do senso de verdade do que como fim em si mesmo. Sua fantasia, sua força de imaginação sempre rompeu inescrupulosamente os limites autoimpostos da filologia. Sempre se aproximou dos problemas filológicos – quando estes conseguiam cativar sua atenção – com os olhos do artista. Aprendeu a dominar sua disciplina mais cedo do que a maioria de seus colegas – e estava ciente disso –, mas quando seus trabalhos filológicos permaneciam limitados ao domínio da filologia – como, por exemplo, na continuação dos seus estudos sobre Teógnis – ele sempre sentia uma profunda insatisfação. O trabalho filológico minucioso não satisfazia sua pulsão produtiva. As conjeturas, nas quais Nietzsche havia se aventurado em seu penúltimo ano em Pforta, tentavam, segundo Deussen[73], "aprimorar não só a tradição, mas o próprio autor", de forma que Deussen, um filólogo autêntico, pedante e erudito nato, conseguiu identificar alguns erros já na época. E também mais tarde Nietzsche se interessava pela filologia apenas na medida em que ela era capaz de revelar o portador por trás das tradições literárias, o ser humano da Antiguidade, do qual ele se sentia tão próximo como nenhum outro homem do século XIX.

Para Nietzsche, a filologia era, além de objeto de sua ambição e profissão, um meio para conhecer o homem da Antiguidade, que, a seu ver, representava o ser humano de uma grande cultura encerrada em si mesma, da única cultura perfeita; e a imagem deste ser humano, por sua vez, lhe servia como meio para o autoconhecimento e para a crítica da cultura de seu tempo. O que a filologia como profissão exigia dele além disso logo se transformou em um fardo muito grande, do qual ele teria que se livrar em algum momento.

Por enquanto, porém, isso ainda não era o caso. Pelo contrário: Ele precisava de lastro para que seu barco não ficasse à mercê dos ventos e naufragasse. Precisava de trabalho para concentrar seu espírito inquieto e para recuperar o senso de autoconfiança e de desempenho que ele havia perdido em Bonn.

Assim, dedicou-se com entusiasmo irrestrito aos estudos filológicos, estudos estes para os quais ele trazia a melhor herança genética de seus antepassados e o treinamento da escola de Pforta. No entanto, não devemos esquecer que esses estudos só lhe interessavam dentro dos limites esboçados acima. Consequentemente, teve importância para sua vida e sua obra apenas nesta mesma medida.

Se contemplarmos a obra de Nietzsche como um todo, é evidente que a filologia, por mais que ela tenha enriquecido sua imagem do mundo e da cultura, limitou as possibilidades de sua pulsão de adquirir conhecimento. Quando se encontrava no auge de sua força criativa, Nietzsche se queixou repetidas vezes sobre o fato de que a filologia não teria lhe concedido o tempo de realizar estudos científicos na extensão que ele considerava necessária para o desdobramento de suas visões.

A amplitude espiritual de Nietzsche era extraordinária: por mais que tenha se sentido próximo da Antiguidade, ele era filho da era da ciência natural, como veremos com maior nitidez mais adiante. Esse lado de seu ser, porém, não recebeu o alimento necessário em seu tempo mais receptivo – tão ocupado pela filologia – e, mais tarde, teve que se contentar sem dispor daquele grande depósito de conhecimento que o filólogo Nietzsche possuía. No entanto, é justamente por isso que sua luta adquiriu a grandeza que a eleva acima do século das ciências naturais. A Antiguidade como ponto de partida remete a obra de Nietzsche ao grande passado clássico do pensamento alemão, que encontra sua continuação em sua concepção da cultura. A Antiguidade como ponto de partida protege essa obra também da alienação da existência humana e da continuação histórica, típica do século técnico-científico.

Por enquanto, porém, durante os anos de Leipzig, esses problemas ainda não se manifestam: Nietzsche se dedica com paixão e energia à filologia.

Após uma longa procura, que os leva também a muitos abrigos estudantis miseráveis, Mushacke e Nietzsche alugam um quarto nos subúrbios da cidade, na Blumengasse (que hoje se chama Scherlstrasse) n. 4, na casa do antiquário Rohn, "que infelizmente tem, além de livros, também filhos pequenos, que gritam muito. O ar é puro, os jardins de flores nos cercam, um silêncio festivo se deita sobre a vizinhança, apenas uma fábrica de cofres e as crianças já mencionadas produzem barulho", escreve Nietzsche dois dias após a sua chegada em 19 de outubro ao pai de Mushacke, e acrescenta: "Hoje se completam cem anos desde a matrícula do estudante Wolfgang Goethe na nossa universidade". Dois anos mais tarde, lembra-se[4]: "Em 17 de outubro de 1865, meu amigo Mushacke e eu desembarcamos na estação ferroviária de Leipzig. [...] No dia seguinte, registrei-me no tribunal da universidade; a universidade celebrava o dia com uma edição festiva e com a formatura de doutorandos, o dia em que, cem anos atrás, Goethe havia assinado o álbum com seu nome. Faltam-me as palavras para descrever o efeito revigorante que esse evento teve sobre mim; certamente era um bom augúrio para os meus anos em Leipzig, e o futuro provou que aquele dia mereceu ser visto como bom prenúncio. Kahnis, reitor da universidade, tentou explicar aos recém-matriculados que o gênio segue seus caminhos peculiares e que, por isso, os estudos de Goethe não nos deveriam servir como exemplo. Respondemos ao discurso deste homenzinho redondo e agitado com um sorriso discreto e lhe demos a mão. Mais tarde, recebemos nossos documentos".

Sua matrícula ocorreu, portanto, no dia 18 ou 19 de outubro de 1865, e ele encerra sua carta bem-humorada ao pai de Mushacke com as palavras: "Nutrimos a humilde esperança de que, daqui a cem anos, alguém também se lembre da nossa matrícula".

Em 25 de outubro, Ritschl fez sua preleção de posse, sobre a qual Nietzsche relata em suas memórias acima citadas: "O primeiro evento feliz foi, para mim, a primeira apresentação de Ritschl, que bons ventos haviam trazido para seu novo porto. Conforme os costumes acadêmicos, ele se viu obrigado a fazer sua preleção de posse no grande auditório. Todos esperavam ansiosamente esse homem famoso, cuja conduta em Bonn havia sido espalhada e propagada por todas as bocas e jornais. Por isso, a sociedade acadêmica havia se reunido em grande número, mas estavam presentes também muitos não estudantes. E lá veio ele, deslizando em seus sapatos de feltro*, de resto vestido festivamente em um terno com faixa branca.

---

* Ritschl sofria de um mal nos pés.

Com olhos espertos e alegres, olhou em sua volta e logo descobriu rostos que não lhe eram estranhos. Passeando pelos fundos da sala, exclamou de repente: 'Ah, e aí está também o Sr. Nietzsche!' e acenou para mim. Em pouco tempo, reuniu todo um grupo de estudantes de Bonn, com os quais conversou agradavelmente, enquanto a sala se enchia cada vez mais e compareciam também os dignitários acadêmicos. Quando se deu conta da presença desses senhores, subiu ao púlpito com descontração e sem qualquer embaraço e apresentou seu lindo discurso em latim sobre o valor e a utilidade da filologia. Seu olhar desimpedido, a juventude enérgica de suas palavras, o ânimo ardente de sua mímica provocou surpresa. Mais tarde, ouvi um velho saxônio observar: 'Viste o fogo deste homem velho?' E também em sua primeira preleção no auditório n. 1, a multidão de ouvintes foi impressionante. Iniciou seu discurso sobre a tragédia 'Os sete contra Tebas', de Ésquilo, cuja parte mais importante eu anotei".

Ritschl era o professor perfeito para Nietzsche. Ele nutria um entusiasmo refrescante por sua disciplina e conseguia comunicar esse entusiasmo de modo eloquente e pessoal também aos seus alunos. Jamais exigia que seus alunos decorassem a matéria, mas quando encontrava um aluno talentoso e o acolhia em seu círculo mais íntimo, esperava dele o mesmo empenho intenso e o mesmo raciocínio aguçado que ele mesmo cultivava. Via como propósito e objetivo dos estudos não a mera acumulação de conhecimento, mas o desenvolvimento do senso crítico e de uma atividade produtiva própria.

Nietzsche frequentou as preleções tanto de Ritschl quanto de seu colega mais jovem Georg Curtius (sobre epigrafia latina, a história da tragédia grega, a enciclopédia da filologia clássica, o "Miles gloriosus" de Plauto e a gramática latina), mas não conseguiu completar um único curso. O objeto de seu interesse era outro.

"Essa minha irregularidade chegou a provocar certa preocupação e inquietação, mas finalmente encontrei também para isso a fórmula redentora. Pois no fundo, os cursos não me atraíam pela sua matéria, mas apenas pela forma com que o professor acadêmico transmitia sua sabedoria. Eu me interessava vividamente pelo método; pois eu via que nas universidades pouco se aprende em termos de matéria e que, mesmo assim, esses estudos são altamente prezados e respeitados por toda parte. Percebi então que o ponto do qual parte o efeito recriador é a natureza exemplar do método, o modo de tratamento de um texto etc. Então, limitei-me a observar como os professores lecionam, como eles transferem o método de uma ciência para as almas de seus jovens alunos. Sempre me coloquei na posição de um professor acadêmico e, a partir desse ponto de vista, dava meu consentimento ou passava meu veredicto sobre os esforços de professores conhecidos. Empenhei-me mais para aprender a ser um professor do que para aprender o que se costuma aprender nas universidades. Apoiei-me sempre na consciência de que jamais me faltariam os conhecimentos exigidos de um acadêmico e confiei na peculiaridade da minha natureza que, seguindo sua própria pulsão e seu próprio sistema, reuniria tudo que precisasse saber. E até agora minha experiência tem justificado essa confiança. Pretendo tornar-me um professor verdadeiramente prático e despertar sobretudo a sobriedade e a autorreflexão necessárias nos jovens alunos, que os capacitarão a manter em vista o 'Por quê?' o 'Quê?' e o 'Como?' de sua ciência."

Esse trecho foi escrito durante o ano de serviço militar, ou seja, dois anos após o início dos estudos em Leipzig, quando Nietzsche já havia tomado a decisão de se tornar professor acadêmico. A passagem mostra que um dos impulsos básicos de seus estudos filológicos era de natureza pedagógica. E se isso suscitar a impressão de que ele teria se sentido – desde o início – mais como um futuro professor do que como um estudante, isso é verdade apenas em parte. Por um lado, o excelente treinamento recebido em Pforta já lhe transmitira um conhecimento incomum, que não deve ter ficado muito aquém do conhecimento de um filólogo mediano já no fim de seus estudos. Por outro, seus trabalhos desse ano e dos anos seguintes revelam que ele realmente sabia como "reunir tudo que precisasse saber".

O talento e desempenho filológico de Nietzsche sempre buscavam mais a profundeza do que a amplitude; já como estudante e também mais tarde como professor, ele tratou de uma parte relativamente pequena e limitada dos escritos da Antiguidade; esta, porém, com uma penetração e contemplação crítica sem par.

Para Nietzsche, as preleções se tornaram cada vez mais irrelevantes. Na mesma medida em que diminuía sua presença nas preleções, mais ele trabalhava em casa e nos grupos que Ritschl reunia ao seu redor. Ritschl demonstrou também em Leipzig que possuía um dom pedagógico extraordinário.

Mas antes de Nietzsche focar todas as suas forças no novo objetivo filológico, ele teve uma experiência espiritual, que exerceria uma impressão duradoura sobre ele.

Ao lembrar a decepção vivida em Bonn, ele continua o relato acima citado[4]: "Na época, sentia-me perdido e desamparado em virtude de algumas experiências e decepções dolorosas; eu não tinha princípios, esperanças e nem mesmo uma lembrança edificante. Desde cedo até tarde, voltava todos os meus esforços para a construção de uma vida conformada. [...] No feliz isolamento do meu apartamento, consegui me centrar, e quando me encontrava com amigos, estes eram sempre

Mushacke e Von Gersdorff, que também trabalhavam em projetos semelhantes. – Agora, imagine o leitor o efeito que a leitura da obra principal de Schopenhauer teve sobre mim nesse estado. Certo dia, encontrei no sebo do velho Rohn este livro, e, sem conhecê-lo, tirei-o da estante e comecei a folheá-lo. Não sei que demônio sussurrou em meu ouvido: 'Leve este livro para casa'. Eu não costumava adquirir livros apressadamente. Ao chegar em casa, deitei-me com o tesouro adquirido no sofá e comecei a me expor àquele gênio enérgico e sombrio. Aqui, cada palavra exigia abnegação, negação e resignação; aqui encontrei um espelho no qual reconhecia o mundo, a vida e minha própria alma em terrível grandeza. Aqui, depareime com o olhar desinteressado da arte em todo seu brilho. Aqui, vi doença e cura, banimento e refúgio, inferno e céu. Fui violentamente tomado pela necessidade de autoconhecimento, até de autodestruição. Testemunhas daquela virada são ainda aquelas folhas inquietas e melancólicas do diário com suas autoacusações inúteis e seu olhar desesperado que se eleva à procura de santificação e refiguração de todo o núcleo humano. Ao arrastar todas as minhas características e todos os meus esforços diante do foro de um obscuro autodesprezo, fui amargo, injusto e desmedido no ódio voltado contra mim mesmo. Torturas físicas também não faltavam. Durante quatorze dias seguidos, forcei-me a deitar apenas às duas horas da madrugada e a levantar exatamente às seis da manhã. Fui tomado por uma excitação nervosa, e ninguém sabe até que grau de tolice eu teria avançado se as tentações da vida, da vaidade e as obrigações impostas pelos estudos regulares não tivessem exercido um efeito oposto". Essa primeira leitura de "O mundo como vontade e representação" de Schopenhauer deve ter ocorrido no final de agosto até o início de novembro de 1865, pois a carta de 5 de novembro à mãe e à irmã já revela seu efeito, e no Natal desse mesmo ano Nietzsche pede como presente "Parerga e Paralipomena" e o livro recém-publicado de Haym sobre Schopenhauer e sua filosofia.

A lembrança daquilo que acontecera dois anos atrás já revela certa distância, mas ainda manifesta toda sua intensidade. O livro de Schopenhauer correspondia completamente ao humor de Nietzsche no final de 1865 e, assim, teve um efeito primariamente moral: como espelho de seu ser e de seu estado. O desprezo do ser humano, o evangelho da negação e abnegação, proclamado por Schopenhauer, também o evangelho da salvação por meio da arte "desinteressada", como Schopenhauer descreve justamente a música tão amada por Nietzsche, provoca um eco poderoso nele. Mais alto, porém, é o grito da falta de sentido da existência, e, impetuoso e sempre disposto a levar tudo à última consequência, Nietzsche começa a combater a si mesmo com uma autoanálise e autotortura impiedosa. Reconhece a ascese como único caminho, a ascese em sua forma física aguda.

Infelizmente, o "Livro das contemplações" (Buch der Betrachtungen), as folhas do diário mencionadas por ele, não foram preservadas, mas a carta citada de 5 de novembro nos transmite uma impressão imediata de seu estado naqueles dias. Ele não consegue entender como mãe e irmã conseguem suportar com tanta facilidade "essa existência contraditória, onde nada é claro além do fato de tudo ser tão confuso". "'Cumpra seu dever!' Tudo bem, minhas queridas, eu o cumpro, pelo menos me esforço a cumpri-lo, mas onde ele termina? E supondo que eu cumpra com minha obrigação, seria eu então um ser humano inferior ao animal de carga que cumpre com maior exatidão aquilo que se exige dele? Já realizamos nossa humanidade quando satisfazemos as exigências das circunstâncias em que nascemos? Pois quem determina que precisamos definir-nos pelas circunstâncias? Mas caso não quiséssemos fazer isso, caso decidíssemos respeitar apenas a nós mesmos e forçar as pessoas a reconhecer-nos do jeito que somos, o que seria? O que fazer então? Vale construir uma existência o mais suportável possível? Dois caminhos, minhas amadas: Nós nos esforçamos e nos acostumamos a ser o mais limitado possível, e quando conseguimos reduzir a mecha do espírito ao máximo, buscamos as riquezas e vivemos com as diversões do mundo. Ou: Sabemos que a vida é miserável, sabemos que, quanto mais tentamos desfrutar a vida, mais nos tornamos seus escravos; então nos livramos dos bens da vida, exercitamo-nos na abstinência, somos duros conosco mesmos e amáveis com todos os outros – porque temos compaixão com os companheiros na miséria –, ou seja, vivemos conforme as rígidas exigências do cristianismo primordial, não do atual, doce e confuso. Não é possível 'participar' do cristianismo *en passant* como se fosse uma moda passageira.

Assim a vida se torna suportável? Sim, porque o fardo diminui e nenhum laço nos prende a ela. Torna-se suportável, porque nos permite abandoná-la sem sofrimento."

A mãe lhe respondeu: "Prezo esse tipo de opiniões e desdobramentos muito menos do que uma boa conversa descontraída por correspondência". Esse tipo de cartas, porém, apenas a deixava preocupada com o filho, obrigando-a a supor um "conflito e uma insatisfação interior". Ela o admoesta a confiar seu coração a Deus, diante do qual toda a sabedoria do mundo que se pode encontrar nos grandes livros se transforma em nada. A tarefa de sua vida era servir como sustento forte para sua mãe e, mais tarde, para sua irmã. Assim, Nietzsche passou a ocultar dela seus humores e prometeu "entretê-la com um guisado de suas experiências", com coisas fúteis, mas anunciou ainda que, nos próximos domingos, participaria de dez matinês dedicadas exclusivamente à "música do futuro": Wagner, Liszt e Berlioz.

No entanto, sua postura ascética parece não ter perdurado muito. Os instintos vitais rapidamente se opuseram, na mesma medida em que começou a firmar seu pé na filologia. No Natal, quando voltou para casa e encontrou sua irmã, que havia acatado seus pensamentos de forma caricatural, entregue a um trágico humor sombrio, ele lhe disse que preferia cem vezes que ela permanecesse do jeito que era. Que seu sorriso era um refresco para ele.

Logo reconheceu que aquilo que o atraía em Schopenhauer não era a abnegação, a fuga do mundo, mas a personalidade do filósofo e sua moral criativa. Passou a ver Schopenhauer cada vez mais como educador, "capaz de nos elevar sobre a insuficiência, contanto que esta se deva ao tempo, e que nos ensina a ser simples e sinceros, tanto na vida quanto no pensamento, ou seja, a ser extemporâneos no sentido mais profundo da palavra; pois as pessoas se tornaram tão multifacetadas e complicadas que agora são forçadas a serem insinceras quando se põem a falar, fazer alegações e agir conforme suas palavras", como Nietzsche o formula nove anos mais tarde*.

Não foram as teses de Schopenhauer que tanto encantaram Nietzsche, mas a luta destemida e intransigente pela verdade. A pulsão de veracidade do próprio Nietzsche encontrou em Schopenhauer o grande exemplo heroico, que, mais tarde, ele encontraria tão bem representado no quadro "O cavaleiro, a morte e o diabo", de Dürer. Por isso, pôde dizer ainda nove anos depois: "Sou um daqueles leitores de Schopenhauer que, após ler a primeira página, já sabem que lerão todas as páginas e ouvirão cada palavra que ele disse. Minha confiança nele surgiu imediatamente e permanece a mesma há nove anos. Eu o entendi como se ele tivesse escrito para mim – para dizê-lo de forma compreensível, mas tola e imodesta"**.

Nietzsche acatou com toda a paixão de seu ser o pessimismo de Schopenhauer, que lhe manifestou filosoficamente o conteúdo trágico da vida, conteúdo este cujo ímpeto lhe revelou – por meio da arte e de sua ciência – toda a tragédia antiga. Agora, seu ser se desdobrava na grande tensão rica e perigosa entre os polos do conhecimento trágico e do "mesmo assim" de uma afirmação incondicional da vida, tensão esta da qual brotaram todas as grandes conquistas do ser humano moderno.

No entanto, não devemos imaginar que esse caminho foi tão fácil e linear como o retraçam as lembranças de Nietzsche. Mais tarde, quando Nietzsche viria

---

\* 1874: "Schopenhauer como educador", § 2.

\*\* Ibid.

a combater o obscurecimento do seu século com toda a sua paixão vital, ele o fez com um conhecimento íntimo de seu adversário. Nos últimos dias em Bonn e nos primeiros dias em Leipzig, ele o vivenciou e – venceu, numa primeira superação, à qual seguiriam muitas outras.

No início, Nietzsche não tinha consciência desses processos interiores, e essa consciência se desenvolveu apenas aos poucos, mas havia encontrado em Schopenhauer o apoio espiritual sem o qual não teria conseguido viver, visto que agora havia perdido o Deus de seus pais e da sua infância. Agora, reconquistou sua confiança na humanidade e em si mesmo. O fato de ele se entregar temporariamente a um pessimismo irrestrito não diminui sua força vital nem seu desempenho. Um dos mistérios da vida é que todos os jovens com pulsão criativa precisam passar por essa fase de negação e reconhecer que o pessimismo é sempre o reverso da medalha que, quando virada, revela o rosto da grandeza.

Em 4 de dezembro de 1865, Ritschl convidou quatro de seus estudantes, que ele já conhecia desde Bonn, para uma reunião noturna. Os estudantes eram Richard Arnoldt, Wilhelm Roscher, Wilhelm Wisser e Friedrich Nietzsche. Após uma conversa descontraída sobre assuntos variados, também sobre música e Wagner, da qual Nietzsche participou vividamente, Ritschl sugeriu aos seus convidados a fundação de uma associação filológica, que permitiria a cada um – em total independência das preleções e seminários – desenvolver campos de trabalho especiais, compartilhar os resultados com os colegas e submetê-los à crítica dos mesmos. Essa ideia correspondia à ambição e ao modo peculiar de Nietzsche de conduzir seus estudos, e assim ele, juntamente com seus três colegas, acatou a ideia com grande entusiasmo. Logo, eles conseguiram conquistar outros filólogos dedicados para sua associação, e oito dias mais tarde foi realizada a primeira "assembleia ordinária". No início, tratava-se de uma associação informal, mas em 15 de maio do ano seguinte a associação adquiriu formas mais fixas e permanentes quando o juiz da universidade aprovou e sancionou seus estatutos.

A segunda palestra, em 18 de janeiro de 1866, foi apresentada por Nietzsche. No restaurante de Löwe na Nikolaistrasse ele falou sobre a "Última redação da Teognideia". Ele havia retomado seu trabalho de despedida de Pforta e estendido suas pesquisas à história textual e à ordenação das coleções tradicionais. O sucesso foi surpreendente.

"Aqui, nesta sala arcada, consegui, após superar a timidez inicial, falar com força e vigor, e fui bem-sucedido, pois meus amigos expressaram seu maior respeito diante daquilo que haviam ouvido. Rejuvenescido, voltei para casa às altas horas da noite e me sentei à escrivaninha, para anotar no 'Livro das contemplações' palavras amargas e esconder na lousa da minha consciência a vaidade usufruída"[4]. Esse sucesso na associação lhe deu a coragem de oferecer o manuscrito também a Ritschl. "Após alguns dias de espera, ele me chamou para a sua sala*. Com um olhar pensativo, convidou-me a sentar. 'Com que objetivo o senhor escreveu este trabalho?', perguntou. Dei a resposta mais óbvia e lhe disse que, tendo servido como palestra para a nossa associação, já cumprira seu propósito. Agora, indagou minha idade, meu tempo de estudos etc., e após ouvir minhas respostas, ele declarou jamais ter visto algo semelhante em termos de rigor metodológico e firmeza lógica de um estudante do terceiro semestre. Então me incentivou vigorosamente a transformar a palestra em um pequeno livro e prometeu ajudar-me na comparação dos textos. Após essa cena, minha autoestima se elevou aos céus. À tarde, os amigos fizeram um passeio até Gohlis, o sol brilhava, e minha felicidade se imprimia em meus lábios. No restaurante, não consegui me conter e contei aos amigos maravilhados o que havia acontecido comigo. Durante algum tempo andei como que sobre nuvens; foi o tempo em que nasci como filólogo, vislumbrei a recompensa do elogio que poderia colher nessa carreira." A partir de então, Nietzsche e Ritschl, que reconheceu seu talento com tanta argúcia, firmaram um relacionamento mais próximo (em 15 de janeiro, Nietzsche já havia escrito ao tio Edmund Oehler o quanto a personalidade de Ritschl o cativava). "Todas as semanas eu o procurava várias vezes na hora do almoço e sempre o encontrava disposto a me entreter com uma discussão séria ou bem-humorada"[4]. Ritschl demonstrava uma postura bem informal nessas conversas e não ocultava de seu aluno suas críticas a diversos assuntos internos da universidade, mas também falava sobre si mesmo com bastante humor, mas sempre incentivando seu jovem estudante. Nietzsche o admirava porque era "livre de qualquer fé na ciência. [...] O que mais o aborrecia era uma entrega incondicional e acrítica aos seus resultados". Mas logo Nietzsche percebeu também os limites de Ritschl e os perigos que estes representavam para seu relacionamento. "Ele superestimava a sua disciplina e, por isso, não gostava quando os filólogos se ocupavam com a filosofia. Por outro lado, procurava recrutar seus alunos o mais rápido possível para os serviços de sua ciência; por isso, costumava estimular excessivamente a veia produtiva de cada um." Nietzsche oscilava entre admiração e crítica, cativado por esse homem importante, que lhe demonstrava sua atenção e preocupação paternal, da qual Nietzsche sentira tanta falta. Mesmo assim, tentou várias vezes libertar-se

---

* Em 24 de fevereiro de 1866.

dela, mas nunca teve a força para superá-la. Já a carta de 15 de janeiro de 1866 ao tio Edmund Oehler contém a passagem surpreendente: "Ficarei aqui ainda até o Dia de São Miguel, pois você não imagina o quanto a personalidade de Ritschl nos cativa e quão insuportável será a separação dele. Então irei para uma das universidades prussianas, não para Berlim, pois lá se encontram alguns adversários insensatos de Ritschl, pequenos ladradores mal-educados; não para Halle, pois sua filologia não goza de uma fama muito boa; não para Bonn, por razões evidentes; tampouco para Greifswald, pois lá há cinco filólogos; ou seja, escolherei uma das universidades restantes. Daqui a um ou dois anos começará o período da 'casaca' e do capelo obrigatório – caso ainda me reste alguma vaidade".

Nietzsche jamais cogitou realizar-se plenamente na filologia pura e obedecer ao desejo de Ritschl de desistir da filosofia. O evento Schopenhauer havia sido poderoso demais. Na mesma medida em que ele se empenhava na filologia e na associação filológica, ele também fazia propaganda para Schopenhauer. Justamente nos dias de seu grande sucesso com Teógnis, ele escreve à mãe, em 31 de janeiro de 1866: "Combinei com Gersdorff que nos encontraríamos uma vez por semana para a leitura grega; com ele e Mushacke, uma reunião a cada 14 dias para discutir sobre Schopenhauer. Esse filósofo ocupa uma posição muito importante em meus estudos e pensamentos, e o respeito que tenho por ele aumenta sem medida. Faço também propaganda para ele e o indico a alguns indivíduos, como, por exemplo, ao primo".

O presente que ele entregou à mãe por ocasião de seu aniversário em 2 de fevereiro de 1866 chama atenção como curiosidade em meio a essas atividades filológicas e filosóficas: uma composição, um *kyrie*, para solos, coral e orquestra; a orquestra, porém, como já no "Oratório natalino", apenas na versão de redução para piano. Não podemos dizer muito sobre o tamanho e a forma dessa peça, pois infelizmente sobreviveram apenas a contracapa e a primeira folha da partitura[125]. Mas visto que Nietzsche apresentou a peça para a mãe, ela deve ter existido como um todo. Esse *intermezzo* musical se torna ainda mais curioso em virtude de uma declaração sua feita na carta à mãe de 31 de janeiro de 1866: "Este *kyrie* é uma aparição rara, pois não compus nada há mais de um ano e retomei essa atividade apenas em vista do seu aniversário".

Manifesta-se aqui um traço estranho e insincero: Compor um *kyrie* é, no mínimo, inapropriado em vista de sua ruptura já efetuada com o cristianismo. Era uma manobra para ocultar da mãe sua postura real, e a alegação referente à "raridade" de sua composição é simplesmente falsa; a última canção, "A jovem pescadora", fora escrita havia apenas seis meses; e as últimas tentativas de compor uma adaptação musical baseada nas "Canções hebraicas" de Byron ("Sonne des Schlaflosen" (Sol do insonioso) e "O weint um sie" (Chorem por eles)) datava de um mês atrás![125] E também o seu desejo de brilhar diante do seu professor e dos seus colegas como filólogo genuíno se sustenta nessa mesma ambiguidade existencial, pois a filologia já não lhe era mais do que um caminho para a filosofia. Nas férias de Páscoa, quando volta a se dedicar com todo zelo ao trabalho sobre Teógnis sugerido por Ritschl, ele escreve a Gersdorff, em 8 de abril de 1866: "Não posso negar que, por vezes, não entendo essa preocupação autoimposta que me afasta de mim mesmo (e de Schopenhauer – o que, muitas vezes, é a mesma coisa), cujos efeitos me expõem ao juízo das pessoas e possivelmente até me obrigam a vestir a máscara da erudição, que não possuo".

É a primeira vez que ele se queixa da filologia como algo que o afasta de sua essência, uma queixa que ele expressa ainda no período mais feliz de seu trabalho filológico. Ele a repetirá durante todo o tempo em que se ocupa com a filologia.

Mesmo assim, dedicou-se ao trabalho sobre Teógnis, que resultou no plano de publicar uma nova edição das obras deste autor. Nietzsche abandonou esse plano apenas quando soube que dois eruditos já estavam preparando uma edição crítica de Teógnis, e assim Ritschl recomendou ao seu jovem amigo que publicasse seus resultados (tarefa esta que o ocuparia ainda durante o semestre de verão) sob o título de "Sobre a história da coleção de provérbios de Teógnis" (*Zur Geschichte der Theognideischen Spruchsammlung*) na revista "Rheinisches Museum für Philologie", editada por Ritschl, o que aconteceu em 1867.

O trabalho sobre Teógnis levou Nietzsche à *Suda*, um léxico do helenismo tardio, do século X d.C., que na época (em parte, ainda hoje) era atribuído ao lexicógrafo Suidas. Nietzsche fez sua segunda palestra na associação em 1° de junho de 1866 sobre as fontes literárias desse autor, e chegou a uma conclusão que ele chamou de *paradoxon**: "Suidas é incontestavelmente a fonte mais significativa da era clássica para a literatura grega, apesar de estar um milênio e meio à frente dela".

Nietzsche completou seu trabalho sobre Teógnis para a publicação no *Rheinisches Museum* em agosto de 1866. Mas Nietzsche não estava muito satisfeito com este seu primeiro trabalho: "Jamais escrevi com tamanho desgosto", ele escreve no final de agosto a Gersdorff. "Por fim, processei a matéria da forma mais simples."

---

* *Paradoxon* – algo que ocorreu de forma inesperada; Albin Lesky comenta sobre a Suda[151]: Para nós, a última, muitas vezes questionável, mas imprescindível represa da antiga literatura de coleções.

Quando recebeu as provas da gráfica, ele escreveu a Mushacke em 1° de outubro: "Às vezes, as lacunas, as fraquezas e a ignorância pesam no coração". Seu sucesso de forma alguma amenizou sua autocrítica; pelo contrário, aguçou-a ainda mais. No início do semestre de inverno de 1866 e 1867, Nietzsche ingressou também na *Societas philologica*, na qual Ritschl – ao contrário da associação filológica, que operava independentemente de Ritschl – exercia uma liderança total sobre seus estudantes, que, em sua maioria, também participavam da associação filológica.

Em agosto de 1866, Ritschl sugeriu que Nietzsche escrevesse, em troca de um bom honorário, um léxico sobre Ésquilo do ponto de vista atual da filologia para Wilhelm Dindorf, o colega de Ritschl. "Percebi que poderia aprender muito com esse trabalho, que poderia me familiarizar com Ésquilo [...], que teria a oportunidade, até mesmo a obrigação de preparar uma peça – como, por exemplo, as Coéforas – para uma preleção futura, e, após muitas deliberações, acabei aceitando a proposta", escreve Nietzsche no final de agosto a Gersdorff. Começou até a esboçar algumas folhas, principalmente durante as férias, mas então abandonou o trabalho, porque a personalidade de Dindorf lhe era altamente repugnante e porque, após uma reunião com Dindorf, o trabalho deveria ser reduzido a um mero registro, o que teria transformado a obra em um simples esforço manual e não em uma obra filológica autônoma. De toda forma, esse trabalho permitiu que Nietzsche adquirisse profundos conhecimentos sobre Ésquilo, que seriam de grande importância para sua concepção posterior sobre a tragédia grega, principalmente sobre o papel de Ésquilo na mesma; e o plano de fazer uma palestra sobre as Coéforas também foi realizado mais tarde em Basileia. A decisão, portanto, de se dedicar a uma carreira universitária já havia sido tomada no verão de 1866.

Tão antipática quanto Dindorf, mas muito mais interessante do ponto de vista psicológico, era a ψυχὴ ποικίλη (= a alma colorida) do teólogo e paleógrafo Tischendorf. Este introduziu Nietzsche ao estudo minucioso de antigos manuscritos e gravuras e até à decifração de palimpsestos* da biblioteca de Leipzig.

Nietzsche usufruiu dos cuidados especiais de Ritschl mais uma vez em novembro de 1866. Durante suas pesquisas sobre a *Suda*, Nietzsche havia se ocupado também com os dez livros de Diógenes Laércio[77] do século II, que tratavam da vida e dos ensinamentos dos filósofos gregos e que representavam uma das fontes mais importantes para a filosofia grega, desde as lendas sobre os sete sábios até as escolas

---

\* Palimpsesto: Manuscritos que, após apagar-se a primeira escrita, eram reutilizados para um texto mais recente; o desafio consiste em recuperar o primeiro texto a partir dos seus restos.

pós-platônicas de Peripato, do estoicismo e de Epicuro. Os textos se encontravam em grande desordem ou apresentavam outros problemas, atraindo assim o interesse filológico de Nietzsche. Ele já havia conversado com Ritschl repetidas vezes sobre seu interesse por esse autor. Portanto, ficou muito alegre e surpreso quando o tema do concurso universitário para os filólogos foi definido como "De fontibus Diogenis Laertii" (= sobre as fontes de Diógenes Laércio). Na época, tratava-se de um tema ainda pouco pesquisado e muito importante: Quais foram as tradições, quais as interpretações pelas quais os ensinamentos dos filósofos, que viveram um milênio ou mais antes dele, haviam chegado ao assíduo colecionador Diógenes? Ritschl havia escolhido o tema perfeito para os trabalhos e planos de Nietzsche. Este se dedicou imediatamente e com grande entusiasmo ao trabalho, pois esses estudos prometiam familiarizá-lo com todo o complexo da filosofia grega e assim lhe serviriam como caminho para um destino maior. Pois, já em 20 de fevereiro de 1867, Nietzsche escreve a Gersdorff: "Tenho em mente o plano de escrever uma história crítica da literatura grega".

O trabalho, porém, avançou apenas lentamente. Em 20 de abril de 1867, ele se queixa em uma carta a Mushacke: "Tropeço o tempo todo num obstáculo que até agora passou despercebido; simplesmente não tenho estilo na língua alemã, a despeito do vívido desejo de adquiri-lo. Já que decidi redigir meus estudos sobre Laércio primeiro em alemão, para então elaborar uma tradução em latim, vejo-me forçado a tratar dessa questão estilística. Sabemos que, como alunos do ginásio, não temos estilo; como estudante universitário, não temos prática; o que escrevemos são cartas, ou seja, pensamentos subjetivos sem pretensão artística formal. Chega então o momento em que a *tabula rasa* da nossa arte estilística começa a atormentar a consciência. É isso que vivo no momento, e é a isso que se deve a lentidão do meu trabalho".

Nietzsche havia despertado o escritor em si: "A venda é retirada dos meus olhos: durante tempo demais tenho vivido numa ingenuidade estilística. O imperativo categórico 'Tu deves e precisas escrever' me tirou do sono". Todas as regras estilísticas de Lessing, Lichtenberg e, é claro, também de Schopenhauer apenas o confundem. Mas essas mesmas autoridades também o consolam, pois afirmavam ser possível adquirir um estilo: "Nunca mais quero voltar a escrever de forma tão seca e desajeitada, em seguimento fiel ao prumo lógico, como o fiz em minha redação sobre Teógnis, que não apresenta qualquer graciosidade... Sobretudo, preciso libertar alguns espíritos descontraídos e introduzi-los em meu estilo, preciso aprender a tocar nele como em um piano, não, porém, peças estudadas, mas improvisações livres, tão livres quanto possível, mas sempre lógicas e belas"*. Sua ambição visa agora a plantar na seca terra da filologia as flores do folhetim, cuja arte ofuscante viriam a seduzi-lo muitas vezes também mais tarde, quando seu estilo já havia adquirido sua melodia e lucidez típicas.

A despeito do entusiasmo com que Nietzsche se dedicou aos problemas, a redação do trabalho avançou de forma tão lenta que, por fim, pressionado pelo prazo, viu-se obrigado a recorrer às noites, para então entregar o manuscrito na última hora em 31 de julho de 1867. Escolhera como lema de seu trabalho, que também viria a ser o lema de sua vida e do "Zaratustra": γὲνοὶ οῖος ἐσσί (Torna-te aquele que és)**, e venceu o concurso superando um concorrente. O vencedor foi proclamado por ocasião da posse do novo reitor em 1867 com os maiores elogios de Ritschl. O próprio Nietzsche, porém, tinha outra opinião sobre seu trabalho: "Não é mesmo, meu amigo? *Tant de bruit pour une omelette*! Mas é assim que somos, ridicularizamos esse elogio e sabemos muito bem o seu motivo, ou o que se esconde por trás dele; mesmo assim distorcemos o rosto e sorrimos agradecidos. Nessas coisas, o nosso velho Ritschl é um alcoviteiro, *his laudibus splendissimis****, sempre procura nos emaranhar na rede da dama filologia". (1º a 3 de fevereiro de 1868, em uma carta a Erwin Rohde.) Quando Nietzsche escreveu essas linhas ao amigo Rohde, ele já era soldado em Naumburg; e quando o trabalho foi publicado no *Rheinisches Museum*, ele sentiu um nojo semelhante ao que sentira por ocasião da publicação do trabalho sobre Teógnis: "Como me repugna todo esse trabalho! [...] Tantos erros, nada mais é do que um gaguejo ousado, e tudo isso expressado de modo imaturo" (8 de outubro de 1868 a Erwin Rohde).

Ele sabia que não poderia tornar-se aquele que era por meio da filologia. Mas a filologia permitiu que ele encontrasse o que precisava. "Quem é Diógenes Laércio para nós? Ninguém perderia uma única palavra sobre a fisionomia filisteia desse escritor se o acaso não o tivesse nomeado guardião desastroso, que vigia tesouros sem conhecer seu valor. Ele é o vigia noturno da história da filosofia grega, não podemos acessá-la sem antes recebermos a chave de sua mão"**** .

O tema da terceira palestra de Nietzsche na associação filológica também se dedicou às fontes da filosofia antiga. Em janeiro de 1867[2], falou sobre os πίνακες,

---

* Em uma carta a Von Gersdorff, de 6 de abril de 1867.

** Pindar[194] Pyth. II v. 73, no entanto, a citação completa diz: γὲνοὶ οῖος ἐσσί μαθῶν (Torna-te como aprendes a ser).

*** Com tais elogios esplêndidos.

**** Em outras anotações sobre as fontes de D.L., do inverno de 1868/1869.

os registros de escritos de Aristóteles, após ler o livro de Valentin Rose sobre Aristóteles, um livro que, a despeito de seu estilo deselegante, lhe forneceu muitos impulsos de natureza filológica, como, por exemplo, para seus extensos estudos sobre Demócrito, que provaram ser férteis também para sua própria filosofia. Adotou também o lema do livro de Rose, *sibi quisque scribit* (cada um escreve para si mesmo), que, mais tarde, ele viria usar frequentemente na fórmula *mihi ipsi scripsi* (escrevi para mim mesmo) como escudo para seus pensamentos.

Na primavera e no verão de 1867, o interesse filológico de Nietzsche se voltou ainda para um campo especial: para a questão de Homero. Esta veio a ocupar seus pensamentos com tanta intensidade, que o encerramento do seu trabalho para o concurso sobre Diógenes Laércio chegou a sofrer grandes atrasos. Ele se aproximou com cuidado e não visou imediatamente à pergunta sobre a personalidade de Homero, antes optou por investigar primeiro a cronologia dos autores épicos mais antigos, interessando-se não só por Homero e Hesíodo, mas também por Orfeu e Musaio como "representantes de uma nova vertente, da pessimista, por assim dizer, no helenismo" (Mette). Em uma carta de 31 de março de 1866, Gersdorff, sob a influência de seus trabalhos comuns sobre Schopenhauer, já havia lhe apontado essa vertente[14]: "Quando você tiver encerrado seu Teógnis, peço que comece a escrever sobre o pessimismo na Antiguidade; parece-me ser bem diferente do que o anseio de Cristo nos filósofos e poetas da Grécia e de Roma". Assim, Nietzsche já adquiriu algumas das ideias fundamentais que mais tarde encontrariam sua expressão maravilhosa em "O nascimento da tragédia no espírito da música".

Os estudos sobre Homero tiveram um primeiro eco na última palestra de Nietzsche na associação filológica em julho de 1867 "Sobre o concurso dos cantores em Eubeia". Nessa palestra, falou sobre um escrito do tempo do Imperador Adriano sobre uma suposta batalha entre Homero e Hesíodo, no qual Nietzsche encontra uma tradição peripatética. Ele chega à conclusão segundo a qual Homero teria sido o primeiro poeta artístico dos gregos, o criador do épos artístico, sucessor dos hinos heroicos e populares. Também: "Teríamos aqui um testemunho de Homero e Hesíodo como cantores hínicos e, simultaneamente, Hesíodo como poeta dos Ἔργα (Erga = "obras e dias")"[2]. Mais notável ainda nessa palestra é que Nietzsche se opõe passionalmente à noção segundo a qual a batalha entre Homero e Hesíodo seria um mero símbolo para duas vertentes artísticas divergentes. Para ele, o ἀγών (Agon), a luta, é uma característica dos gregos. Contrariando a opinião predominante, ele chega à conclusão segundo a qual "existem boas testemunhas para o pano de fundo histórico do ἀγών, que comprovam que o próprio ἀγών é um elemento ativo desde os tempos mais remotos da historiografia grega"[2]. Nesse *agon*, na luta,

Nietzsche reconheceu já agora uma das características decisivas da imagem cultural dos gregos, que se tornaria tão determinante para sua visão do mundo. Sobre o método de trabalho que Nietzsche aplica nesses estudos filológicos intensivos, ele escreve a Deussen em 4 de abril de 1867: "Reunir o material bruto é um trabalho prazeroso, apesar de ser de natureza um tanto artesanal. Mas a expectativa da imagem mágica que finalmente se revelará nos mantém despertos. O que mais me constrange é o trabalho da redação, e aqui frequentemente perco a paciência". No entanto, reconhece em seu trabalho ainda um sentido mais profundo, mais geral: "Cada trabalho maior [...] exerce uma influência ética. O esforço de concentrar a matéria e de moldá-la harmonicamente é uma pedra que cai na água da nossa alma: do primeiro círculo pequeno surgem muitos outros". E ele diz o quanto se importa com a figuração harmônica: "Você achará ridículo o zelo com que preparo as tonalidades e me esforço para escrever num estilo aceitável. Mas isso é necessário após tanto tempo de negligência. Isso exige de mim muita autossuperação. Pois muito *superfluum*, que nos agrada em alto grau, precisa ser excluído. Uma exposição rígida das demonstrações, uma apresentação leve e agradável, se possível sem a seriedade carrancuda e aquela erudição tão gratuita das muitas citações: estes são os meus desejos. O mais difícil é sempre encontrar o conjunto total das razões, a estrutura da construção. Esse é um trabalho mais adequado para a cama e caminhadas (!) do que para a escrivaninha". Ou seja, ele quer mais do que simplesmente reunir conhecimentos, ele busca o desempenho produtivo: "O que mais me dá prazer é encontrar um novo ponto de vista, ou vários, e reunir material para defendê-lo. O estômago do meu cérebro se aborrece com todo excesso. Uma leitura excessiva entorpece terrivelmente a cabeça. A maioria dos nossos eruditos valeriam mais também como eruditos se não fossem tão eruditos. Não faça refeições pesadas demais". Ele esboça sua meta de forma ainda mais clara numa carta a Gersdorff, de 6 de abril de 1867: "Não podemos negá-lo: Aquela visão total enaltecedora falta à maioria dos filólogos, porque se aproximam demais da pintura e analisam uma mancha de óleo em vez de admirarem e se deleitarem com os grandes e ousados traços da pintura como um todo. [...] Todo o nosso modo de trabalhar é abominável. Os cem livros na mesa diante de mim são alicates que estancam o nervo do pensamento autônomo". Ele se revolta contra "aquelas formas necessárias de doenças que geram tanto o sobrepeso da atividade erudita quanto a predominância excessiva da atividade física, que o erudito compartilha igualmente com o camponês. Só que, naquele, essas doenças se manifestam de modo diferente do que neste. Os gregos não eram eruditos, mas também não eram atletas toscos. Precisamos realmente escolher entre um lado e o outro. Teria também aqui o 'cristianismo' criado uma ruptura na natureza humana, que o povo da harmonia desconhecia? Não deveria a imagem de Sófocles envergonhar cada 'erudito', Sófocles que sabia dançar com tanta elegância e bater uma bola e, mesmo assim, possuía algumas destrezas espirituais?"

Na filosofia, propriamente dita, Nietzsche não produziu nada durante esses primeiros dois anos em Leipzig. Ele se aprofundou em Schopenhauer; além disso, tentou adquirir conhecimentos sobre a história da filosofia em geral. No entanto, não escolheu o caminho mais evidente de assistir às preleções oferecidas pela universidade: ele havia perdido qualquer confiança nos mestres oficiais da filosofia graças aos ataques passionais de Schopenhauer contra os filósofos universitários e ao encontro pessoal com Schaarschmidt em Bonn. Surpreso, Nietzsche e Deussen teriam se entreolhado, como este escreve: "Isso, então, seria um filósofo?" E assim Nietzsche se contentou com os livros.

Originalmente, seus pontos de partida haviam sido: a ocupação crítica com a teologia e o estudo da natureza da arte, sobretudo a da música.

Já na Páscoa de 1865, ainda durante seu tempo em Bonn, ele havia lido e discutido David Friedrich Strauss com sua irmã; leu simultaneamente Eduard Hanslick, o cientista de música de Viena e ardente adversário de Wagner. No período de transição entre Bonn e Leipzig, ele se ocupou temporariamente também com Hegel, que mais tarde foi completamente recalcado por Schopenhauer; manteve-se fiel a Emerson. Em agosto de 1866, fez outra descoberta significativa: Friedrich Albert Lange, "Geschichte des Materialismus" (História do materialismo)[149], que lhe demonstra a atualidade de Demócrito. Com isso, solidifica-se o objetivo de sua vida. Os estudos sobre Diógenes Laércio a partir de outubro de 1866 o introduzem definitivamente à temática filosófica. A extensão de sua leitura a Kant e Dühring ocorre apenas durante seu serviço militar, no inverno de 1867 e 1868.

Nesse tempo, sob a influência de Schopenhauer, adquiriu uma distância fria, mas tolerante em relação ao cristianismo, mas também em consideração pelo amigo Deussen, que ele respeitava muito, tanto que, apesar de vê-lo no caminho errado com seus estudos de teologia em Bonn, jamais se ressentiu com isso. Ele discute essas questões também em sua correspondência com Gersdorff, por exemplo, em uma carta de 7 de abril de 1866. Ele escreve: "Hoje ouvi um sermão espirituoso de Wenkel sobre o cristianismo, 'a fé que venceu o mundo', insuportavelmente arrogante diante de todos os povos não cristãos, mas também muito esperto. Pois a cada momento substituía a palavra 'cristianismo' por algo diferente, que sempre fazia sentido, também para a nossa concepção. Quando a sentença 'O cristianismo venceu o mundo' é substituída pela sentença 'O sentimento do pecado, ou seja, uma necessidade metafísica venceu o mundo', isso nada tem de escandaloso para nós, basta ser consequente e dizer 'Os indianos verdadeiros são cristãos', e também: 'Os cristãos verdadeiros são indianos'. Mais tarde, seu amigo Deussen, que na época mais se opôs a Schopenhauer para, mais tarde, se tornar seu profeta mais assíduo, sempre defendeu essa visão. Para Deussen, os ensinamentos de Platão, de Cristo e dos Upanixades possuíam o mesmo teor último, que teria encontrado sua forma perfeita em Kant e Schopenhauer. Mas Nietzsche continua: "No fundo, porém, essa substituição de palavras e conceitos já fixados não é muito honesta; pois confunde completamente os fracos em espírito. Se o cristianismo significa 'fé em um evento histórico e em uma pessoa histórica', nada tenho a ver com esse cristianismo. Se, porém, significar simplesmente a necessidade de salvação, posso prezá-lo altamente".

O que atraiu Nietzsche em Schopenhauer foi, desde o início, não seu sistema dogmático, mas, como já dissemos, sua personalidade ética. Dos seus ensinamentos, extraiu inicialmente apenas o pessimismo, mas ele o ativou imediatamente para si mesmo. Já em 12 de julho de 1866, ele escreve a Hermann Mushacke: "Desde que Schopenhauer retirou dos nossos olhos a venda do otimismo, vemos com maior nitidez. A vida tornou-se mais interessante, mesmo que mais feia". Schopenhauer libertou o psicólogo Nietzsche. A negação da vontade como exigência ética de Schopenhauer atraiu fortemente o jovem Nietzsche abalado pelos poderosos golpes da vontade, mas ainda inconsciente de seus objetivos. No mesmo tempo em que ele reconheceu numa tempestade a vontade pura, intocada pela ética e pelo ofuscamento intelectual, ele se exercia durante "horas naquela contemplação quieta, elevando-se em alegria e luto sobre a vida, semelhante àqueles lindos dias de verão que se deitam e se acomodam sobre as colinas, como o expressa Emerson de forma tão magnífica: então a natureza se torna perfeita, como ele diz, e nós nos livramos do encanto da vontade sempre crescente, então nos transformamos em olho puro, contemplativo e livre de interesses" (em carta de 7 de abril de 1866 a Gersdorff). E a obra de Schopenhauer provocou nele "aquele humor melancólico, mas feliz, que se apodera de nós também quando ouvimos música nobre". Este é o primeiro e verdadeiro efeito de Schopenhauer sobre Nietzsche: a música que apazigua toda inquietação, um clima e um consolo. Esse efeito confortante foi tão importante para ele que, em 16 de janeiro de 1867, ele escreveu a Gersdorff, cujo irmão havia morrido em decorrência de um ferimento de guerra, se Schopenhauer não conseguisse evocar esse humor no amigo em luto, ele mesmo abandonaria sua filosofia. E ele se alegrou quando Gersdorff lhe confirmou que Schopenhauer lhe oferecera esse mesmo consolo. Nos primeiros dois anos, o evento Schopenhauer forneceu apenas alegria e felicidade a Nietzsche. Apenas a partir do outono de 1867 ele começou a se ocupar de forma crítica com essa alegria, com sua razão e seu sentido, e assim, como veremos, a se desprender do evento.

O que possibilitou isso foi um livro, que teve um significado igualmente grande, talvez até maior para o desenvolvimento do pensamento filosófico de Nietzsche do que o evento Schopenhauer no ano anterior, mesmo que seu efeito inicial tenha sido muito mais forte. Tratava-se da "História do materialismo", de Friedrich Albert Lange, que Nietzsche conheceu no verão de 1866, imediatamente após a publicação da obra.

A impressão causada pelo livro foi tão forte que, em novembro de 1866, num adendo à longa carta a Hermann Mushacke, ele escreveu: "A obra filosófica mais importante publicada nas últimas décadas é, sem dúvida alguma, Lange [...], sobre a qual poderia encher folhas e folhas com elogios e recomendações. Kant, Schopenhauer e este livro de Lange – de nada mais preciso".

A obra de Lange[149] é, ainda hoje, um dos melhores livros sobre a história da filosofia. Lange não era filósofo universitário, não fazia parte do mundo acadêmico. Nascido em 1828 como filho de um teólogo, ele se tornou professor de Filosofia em Zurique apenas em 1870, em 1872 foi transferido para Marburg, onde morreu em 1875. Quando escreveu sua obra principal, trabalhava como professor de ensino médio e era escritor da esquerda burguesa, que participava do movimento – injustamente esquecido – dos democratas alemães, que, como Johann Jacoby e outros, reconheceram as mudanças sociais do tempo, colocando a serviço de objetivos sociais seu espírito independente, seus ricos conhecimentos e sua consciência social atenta. Isso os aproximou do movimento emergente dos trabalhadores até sua liderança social-democrata e marxista encobrir as atividades dos democratas.

O ponto de partida de Lange era um kantismo bastante livre. Ele representou não só o mundo dos pensamentos dos pensadores antigos e novos com um ceticismo sóbrio e livre de qualquer dogmatismo, mas também os problemas da vida moderna, que haviam surgido com o darwinismo, o capitalismo, o "liberalismo superficial" etc. Toda sua apresentação é marcada por uma grande seriedade ética, que deve ter agradado muito a Nietzsche, por exemplo, quando Lange refuta energicamente a noção segundo a qual "existiria uma área da vida específica para a ação interesseira e outra para a prática da virtude".

O que Nietzsche extraiu da obra de Lange foi muito mais do que uma mera orientação sobre a história da filosofia e os "conceitos tradicionais", como alega Jaspers[126]. Encontrou em Lange também um pensador sincero e livre de preconceitos, cujo realismo positivista correspondia a vários instintos de Nietzsche. Suas exposições lhe deram também uma abundância de impulsos e confirmações. Aqui, as grandes questões da atualidade eram apresentadas num grande contexto espiritual, permitindo assim que a apresentação de Lange adquirisse aquela vivacidade e atualidade, tão desejadas pelo jovem Nietzsche com seu espírito e sistema nervoso expostos a todos os problemas da atualidade. Por meio de Lange, familiarizou-se com o darwinismo, com as vertentes econômicas e políticas do seu tempo e recebeu impulsos para seus estudos sobre Demócrito, um dos escritores preferidos de Lange. Aqui, recebeu também uma primeira impressão da obra de Kant, que depois ele completou com a leitura dos dois volumes de Kuno Fischer sobre Kant e com o estudo da "Crítica da faculdade do juízo" de Kant (estética!) no final de 1867 e em janeiro de 1868. A obra de Lange o introduziu também aos positivistas ingleses, que, durante sua fase positivista, ocuparam um papel importante em seu pensamento. Não foi Rée, como muitos têm alegado, mas Lange que os apresentou a Nietzsche.

Em Lange encontrou também confirmações decisivas para um de seus instintos filosóficos fundamentais. Lange faz uma distinção clara e fundamental entre o conhecimento por meio da experiência como verdade científica e todo tipo de metafísica como poesia conceitual, e refuta toda identificação do ser com o pensamento, como o fizeram Platão e Hegel. Essa postura epistemológica crítica de Lange confirmou uma profunda convicção do jovem Nietzsche segundo a qual existe uma discrepância intransponível entre a infinidade da vida e sua realidade concreta, de um lado, e a limitação da razão, de outro. Ou seja, a vida e o mundo são alógicos em sua essência e se esquivam necessariamente de toda tentativa de compreendê-los de forma puramente racional. Já a interpretação do real como o alógico e irracional *par excellence* em Schopenhauer havia lhe aberto os olhos como uma revelação. Na atmosfera mais fria de Lange, ele encontrou sua confirmação.

Após uma primeira leitura de Lange, ele compartilhou sua conclusão com Gersdorff em uma carta do final de agosto de 1866: "Temos aqui diante de nós um kantiano e pesquisador de natureza altamente esclarecida. Seu resultado pode ser resumido em três sentenças:

1) O mundo dos sentidos é o produto da nossa organização.

2) Nossos órgãos visíveis (físicos) são – semelhante a todas as outras partes do mundo fenomênico – apenas imagens de um objeto desconhecido.

3) Nossa organização real permanece, por isso, igualmente desconhecida como as coisas exteriores reais. Sempre temos apenas o produto de ambos diante de nós.

Ou seja: a essência real das coisas, a coisa em si, não só nos é desconhecida, mas também o conceito da mesma é nada mais nada menos do que o último produto de uma oposição determinada por nossa organização, do qual não sabemos se ele possui qualquer significado fora da nossa experiência. Consequentemente, alega Lange, libertamos os filósofos para que eles nos edifiquem. A arte é livre, também no campo dos conceitos. Quem se aventura a refutar um movimento de Beethoven, e quem ousa acusar a *Madonna* de Raffael de um equívoco?

Como vê, mesmo desse rígido ponto de vista crítico, preservamo-nos o nosso Schopenhauer, ele até cresce ainda mais para nós".

Encontramos aqui, portanto, a primeira menção da "coisa em si" de Kant, que, a partir de agora, ocupará intensamente os pensamentos epistemológicos de Nietzsche e que levará a soluções no pensador maduro que até hoje não foram processadas de forma suficiente. Mas aqui também já se evidencia quão pouco ele se importa com o aspecto conceitual da filosofia. O evento Schopenhauer não foi para ele uma experiência racional e conceitual, mas a experiência de uma totalidade, de uma obra de arte, diante da qual todos os conceitos se tornam irrelevantes. Assim, pode se identificar completamente com essa experiência, até o momento em que seu senso vital já não corresponde mais com o senso vital de Schopenhauer.

Nietzsche se aprofundou cada vez mais no livro de Lange. Em 16 de fevereiro de 1868, ele volta a escrever a Gersdorff: "Se você tiver vontade de se informar completamente sobre o movimento materialista dos nossos dias, sobre as ciências naturais com suas teorias darwinistas, seus sistemas cósmicos, sua *camera obscura* animada etc., ao mesmo tempo também sobre o materialismo ético, sobre a teoria de Manchester etc., não posso recomendar-lhe nada mais extraordinário do que [...] F.A. Lange, um livro que oferece infinitamente mais do que promete seu título e que podemos ler e reler como um tesouro verdadeiro. Em vista da orientação de seus estudos, não posso lhe recomendar nada mais digno. Eu decidi apresentar-me a este homem e pretendo enviar-lhe meu tratado sobre Demócrito como sinal de minha gratidão".

Isso não se realizou – nem mesmo o próprio tratado. E quando, durante dois anos (1870-1872), estiveram muito próximos em termos geográficos – Nietzsche em Basileia e Lange em Zurique –, eles também não tiveram um contato pessoal. Mas Nietzsche ainda adquiriu a nova edição do livro de 1887 e a estudou, apenas para – no auge de seu imoralismo – condená-lo como excessivamente moral e religioso[4].

A despeito da abundância e intensidade de todos esses estudos, Nietzsche foi tudo, menos um leitor assíduo e recluso durante os anos que passou em Leipzig. Nem mesmo durante os primeiros anos em Basileia ele se envolveu tanto com as vertentes e os eventos da atualidade, da política e da arte; ele se movimentou num círculo tão grande de pessoas.

Um testemunho especial desse convívio descontraído é uma composição: "Herbstlich sonnige Tage" (Dias de outono ensolarados)[125], baseada num poema de Emanuel Geibel, para um quarteto vocal misto com piano. Um registro no arquivo informa: "composição de Friedrich Nietzsche, do primeiro feriado de Páscoa de 1867 (21 de abril), no apartamento de sua prima Mathilde Schenk, nascida Nietzsche em Weimar". A crônica da família do marido dessa prima preserva uma lembrança deliciosa dessa surpresa pascoal (texto na p. 183). A peça foi escrita em um romantismo ordinário e simples para ser cantada à *prima vista* para um grupo descontraído.

Nietzsche finalmente levava uma vida de estudante realmente livre, como correspondia ao seu coração. Continuava a levantar – como já no tempo de escola – muito cedo, usava as manhãs para trabalhar (normalmente sozinho), almoçava com amigos e colegas no restaurante de Mahn nas proximidades do antigo teatro, depois os acompanhava até o Café Kintschy, onde lia jornais e debatia, para então ir para a faculdade ou a biblioteca. As poucas noites em que não ia a algum teatro ou concerto, ele passava discutindo com seus amigos no restaurante de Simmer; na época não desprezava um vinho; rejeitava apenas o fumo, motivo pelo qual preferia o Café Kintschy, onde era proibido fumar, a todos os outros restaurantes.

É possível que essa aversão ao fumo tenha sido motivada por uma ordem médica. Pois há indícios de que Nietzsche passou por um tratamento médico em decorrência de uma infecção sifilítica. Não sabemos, porém, se ele contraiu essa infecção em Leipzig ou ainda em Bonn. A informação no prontuário de Jena, de janeiro de 1889, remete provavelmente ao próprio Nietzsche[197]: 1866, contágio sifilítico. Benda[48] acredita reconhecer naquela carta de 4 de agosto de 1865 a Gersdorff ("reumatismo violento, que subiu dos braços para o pescoço, de lá para a bochecha e para os dentes e que, atualmente, causa-me uma aguda dor de cabeça. As dores constantes me deixaram muito enfraquecido e apático") os sintomas de uma meningite luética precoce, uma infecção aguda sem pus da pia-máter. Lange-Eichbaum apoia sua tese[150]. Este, porém, afirma um pouco antes – e isso representa uma contradição: "Um famoso médico berlinense me informou que Nietzsche teria contraído a lues num bordel de Leipzig e que dois médicos de Leipzig teriam tratado sua sífilis. Os nomes desses médicos são conhecidos. Möbius, que vivia em Leipzig, possuía cartas desses médicos. Mais tarde, porém, essas cartas foram destruídas. Em 1930, um autor patográfico famoso escreveu à *Deutsche Medizinische Wochenschrift* (revista alemã de medicina, publicada semanalmente) que teria recebido a confirmação de um irmão de Möbius e do filho de um dos dois médicos".

Mesmo que o momento da infecção continue incerto, não podemos duvidar desse testemunho de um psiquiatra tão sério como Lange-Eichbaum. Segundo os conhecimentos atuais da pesquisa médica, podemos ter como certo que a paralisia posterior de Nietzsche só pode ter sido causada por uma sífilis; e, conforme o testemunho de Lange-Eichbaum, também que Nietzsche recebeu um tratamento contra a sífilis em Leipzig. No entanto, podemos supor que os médicos não informaram Nietzsche sobre o caráter maligno de sua doença e suas possíveis consequências tardias. De outra forma, seria inexplicável o fato de não encontrarmos nenhuma menção de Nietzsche sobre isso, a não ser que todos os traços tivessem sido apagados no Nietzsche-Archiv ou que, algum dia, eles ainda apareçam.

Esse tratamento em Leipzig dificilmente deixou marcas profundas em Nietzsche. Como costumava acontecer frequentemente em meio à hipocrisia burguesa e ao diletantismo médico da época, ele deve ter visto sua infecção como um episódio insignificante sem maiores consequências, ainda mais que não veio a sofrer nenhum distúrbio sério no tempo seguinte – com uma exceção, sobre a qual ainda teremos que falar.

Nietzsche frequentava principalmente a casa de Ritschl, cuja mulher inteligente havia acolhido esse estudante talentoso com seus muitos interesses. Aqui e através do contato pessoal com outros astros da universidade, como Dindorf e Tischendorf, e sobretudo através da franqueza de Ritschl, Nietzsche obteve acesso também aos bastidores da universidade e às tramas humanas que marcavam o olimpo acadêmico, acesso este que lhe roubou algumas ilusões referentes ao tipo do erudito alemão, ainda mais que sua visão se tornava cada vez mais aguçada sob a influência de Schopenhauer. Sua admiração por Ritschl, porém, permaneceu intata, mesmo reconhecendo já cedo o que o separava do filólogo puro, avesso a qualquer acréscimo filosófico à sua profissão. Ainda em 4 de abril de 1867, ele escreve a Deussen: "Você não acredita o quanto estou pessoalmente acorrentado a Ritschl, de forma que não posso nem quero me libertar dele. [...] Você não imagina o quanto este homem cuida e trabalha para cada indivíduo que ele ama, como satisfaz os meus desejos, que mal ouso expressar, como ele é livre daquela arrogância empoeirada e daquela discrição requintada, típicas de tantos estudiosos. [...] É a única pessoa da qual recebo críticas com prazer, pois todos os seus juízos são tão sensatos e poderosos, tão comprometidos com a verdade, de modo que ele se tornou uma consciência científica para mim". Essa admiração continuou por anos, mesmo quando os caminhos espirituais de Nietzsche e Ritschl se separaram.

No início, seu círculo de amigos havia se limitado a Mushacke e Gersdorff, até que, em julho de 1866, Gersdorff teve que ir à guerra. Eles foram "os primeiros que expus a toda a corrente da bateria de Schopenhauer, pois sabia que eles receberiam bem suas visões. A partir de então, nós três nos sentíamos vigorosamente unidos sob o encanto deste nome. Procuramos também assiduamente outras naturezas que pudéssemos atrair para essa mesma rede. Entre estes, destaca-se um em especial, Romundt de Stade/Hanover. Sua voz gritante e embaraçosa costumava assustar as pessoas. Ele teve o mesmo efeito sobre mim, mas depois me acostumei a ignorar essa impressão exterior. Sua situação era deplorável. Sua natureza talentosa não lhe apontava nenhum alvo que pudesse ter almejado. Os elementos do pesquisador, poeta e filósofo se misturavam completamente, de forma que ele se desgastava numa constante insatisfação. Evidentemente, seus olhos também foram cativados pelo nome de Schopenhauer"[4].

A amizade com Heinrich Romundt continuou por muitos anos, também porque, desde o início, Romundt reconheceu a superioridade de Nietzsche, vendo nele um homem completamente seguro de si mesmo, ao mesmo tempo em que este sofria com a indecisão e indefinição de Romundt.

Nietzsche havia nutrido a esperança de que Deussen, seu último amigo da escola, logo o seguiria para Leipzig. Mas Deussen permitiu que sua mãe enérgica e muito religiosa o convencesse a concluir seus estudos teológicos em Tübingen e a ignorar todos os seus interesses filológicos. Nietzsche tentou com todos os meios convencer seu amigo a rever sua decisão, pois acreditava reconhecer claramente que o talento verdadeiro de Deussen se encontrava na filologia, particularmente no campo da comparação linguística. O próprio Deussen comprovou a visão de Nietzsche com sua carreira tardia como sanscritista. "Não é pouca coisa", Nietzsche escreveu a ele em setembro de 1866, "não ter certeza referente à sua profissão durante muito tempo quando já se tem vinte anos de idade. Nós, os seres humanos, temos apenas poucos anos realmente produtivos: estes se perdem de forma irrecuperável nesta idade. As opiniões originais, que toda nossa vida posterior executará, demonstrará e reforçará com exemplos e experiências, nascem nestes anos; mas visto que nossa profissão nos acompanha durante toda a nossa vida, é imprescindível que aquelas opiniões e conhecimentos sejam encontrados *nela*". E ele não deveria permitir que ninguém se intrometesse na escolha de sua profissão.

Nessas cartas, Deussen percebia apenas o disciplinador, como ele mesmo escreve. Por mais que temesse a superioridade de Nietzsche, não conseguia desprender-se dela. Deussen lhe escrevia apenas cartas prolixas, que, conforme seu próprio testemunho, exigiam vários esboços. Mas ele foi precavido o bastante para não segui-lo para Leipzig, nem mesmo quando já havia abandonado seus estudos de teologia. Nietzsche, por sua vez, não sabia o que fazer com a falta de vivacidade e elegância espirituais do amigo e só conseguia responder com outra carta em tom professoral. Apenas quando o "papai Deussen" – assim o chamavam já seus colegas em Pforta, e como nós, seus alunos, o chamávamos também 50 anos mais tarde – começou a se aproximar de seu objetivo erudito, Nietzsche voltou a se interessar mais por ele. Outros colegas com os quais Nietzsche conviveu em Leipzig não deixaram traços duradouros na vida de Nietzsche, com a exceção de Rohde, sobre o qual ainda falaremos mais adiante. Durante algum tempo, Rudolf Schenkel, o irmão de seu tio Moritz Schenkel, que estudava Direito, vivia bem próximo do apartamento de Nietzsche. Os primos, como eles se chamavam, se encontravam com frequência, mas Nietzsche tinha pouco em comum com Schenkel. Quando tentou falar com ele sobre Schopenhauer, teve que reconhecer que isso pouco adiantaria, "pois", como escreveu à mãe em 31 de janeiro de 1866, "o saxônio verdadeiro sempre obedece ao lema *primum vivere, deinde philosophari* (primeiro viver, depois filosofar)".

Na associação filológica e às noites no café, ele gostava de se reunir com Windisch, que mais tarde se tornaria um orientalista famoso, com Roscher, filho do conhecido economista, com Rudolf Kleinpaul e alguns outros, sobre os quais ele escreve com uma psicologia mordaz no final desse período[4]. Sobre Gottfried Kinkel, filho do poeta revolucionário de 1848, por exemplo, Nietzsche escreve: "Preciso dizer algumas coisas sobre esse esquisitão: um homenzinho fraco com rosto velho e sem barba. Além disso, movimentos maleáveis, que lembravam um convívio intenso com mulheres. Uma indiferença e apatia inglesa diante de tudo do qual não queria tomar conhecimento. Curioso acima de tudo era, porém, que, apesar de se movimentar em condições pequenas e também como filólogo realizar apenas trabalhos semimecânicos, ele via tudo como que por através de uma lupa, principalmente seus amigos. Quando começava a descrever um de nós, víamo-nos transformados em seres hiperbólicos. [...] Provavelmente, tomava banhos de sol nos sóis que ele mesmo criara. Costumávamos convidar-nos reciprocamente, fazíamos música juntos e discutíamos sobre os objetivos da filologia. Ele, que sempre tinha diante de seus olhos os princípios políticos do seu pai; ele, que às vezes fazia discursos em associações trabalhistas, queria sempre reconhecer algum propósito político, enquanto eu defendia a dignidade altruísta da ciência. De repente, mudava de opinião, tomava minha mão direita e jurava a partir de agora viver segundo os meus princípios. Nosso convívio com ele era um complexo de respeito, compaixão e surpresa. [...] Sei que ele poetizava e que desejava apresentar sua cria a mim, mas eu me opunha decididamente a todo tipo de poesia juvenil; passei a datar a fase do autoconhecimento de um jovem a partir do momento em que ele queima seus produtos poéticos, e eu mesmo fiz isso em Leipzig, em obediência à minha visão. Que também estas cinzas descansem em paz!"

Além da caracterização humorística, chama a atenção aqui o abandono total de Nietzsche das numerosas proezas líricas de sua juventude.

No mesmo escrito, caracterizou ainda outros colegas da associação filológica com igual causticidade, como, por exemplo, Wilhelm Wisser, do norte da Alemanha, que Nietzsche tentou em vão recrutar como discípulo de Schopenhauer: "nele chamava atenção sobretudo uma ambição incansável, [...] possuía um jeito amável de tratar as crianças e os idosos e se sentia muito bem em situações rurais, onde podia representar algo". O próprio Wisser veio a reconhecer isso mais tarde; devemos à sua habilidade de lidar com o povo simples o tesouro de sua enorme coleção de contos de fada em baixo-alemão.

Outro colega de debate de Nietzsche nessa época foi o filólogo gordo, louro, desavergonhado e sarcástico Franz Hueffer: "Um ser humano talentoso, ao qual a natureza tinha negado o conceito de cintura, praticava com zelo as mais belas-artes, sobretudo a música, traduzia habilmente do francês e, visto que era muito rico, deixava-se levar tranquilamente em direção à corrente da vida literária. Sempre brigávamos sobre questões musicais; principalmente quando falávamos sobre a importância de Wagner, nunca nos faltava voz nem veneno. Em retrospectiva, admito agora que seu senso e sua sensibilidade musicais eram mais finos, apresentavam uma evolução mais saudável do que os meus. Na época, porém, não pude admitir isso, e senti várias mágoas em decorrência de sua oposição bruta". Hueffer era wagneriano passional, enquanto Nietzsche ainda assumia uma postura crítica diante de Wagner.

Foi também Hueffer ou Wisser por meio do qual Nietzsche veio a conhecer um jovem colega de estudos que se tornaria o amigo de sua vida: Erwin Rohde.

Rohde já havia estudado com Nietzsche em Bonn e seguira Ritschl para Leipzig – um aluno de Ritschl desde o início. Em Leipzig ele logo se tornou membro da sociedade de Ritschl, antes ainda de Nietzsche, mas tornou-se membro da associação filológica, onde Nietzsche dominava, apenas no verão de 1866. Já em junho ele se encontrou com Nietzsche após o teatro na casa de Mahn, e a partir de então seus encontros se tornaram mais frequentes, como revelam o diário de Wilhelm Wisser e a carta de Nietzsche de 12 de julho de 1866 a Mushacke. Mas ainda no final de agosto de 1866 Nietzsche escreve a Gersdorff apenas que Rohde agora era membro ordinário da associação filológica, "uma cabeça muito inteligente, mas teimosa e obstinada".

Apenas em 20 de fevereiro de 1867, Nietzsche comunicou a Gersdorff: "Encontro-me com Kohl e Rohde todos os dias no Café Kintschy, é com eles que mais convivo no momento". No verão desse ano, a amizade entre os dois brotou definitivamente. Entre as 4 e 5 horas da tarde, participavam das aulas de equitação do estribeiro Bieler e treinavam juntos também o tiro com pistolas. Quando voltavam para a aula de gramática latina, administrada por Ritschl, munidos ainda com o seu chicote, eles se destacavam entre os outros filólogos pálidos que, segundo a moda de então, usavam barba aos pouco mais de 20 anos de idade.

Erwin Rohde nasceu em 9 de outubro de 1845 como filho de um médico em Hamburgo; era, portanto, um ano mais novo do que Nietzsche. O garoto temperamental, sensível e nem sempre fácil foi enviado pelos pais ao *Stoysche Institut* em Jena de 1852 até 1859, onde recebeu sua primeira educação, e onde, como ele mesmo diz, foi "mais exercitado do que educado". Aqui, transformou-se em um eremita muito fechado e teimoso. Apenas no *Johanneum* em Hamburgo, onde permaneceu até o final do ensino médio, ele conseguiu se desdobrar com maior liberdade. Já aqui ele se conscientizou de seu chamado filológico. Seu amor pela música despertou já cedo, mas pouco mais aprendeu dela do que cantar um pouco com sua voz sonora. E como Nietzsche, mas evidentemente sem conhecê-lo ainda, participou também do festival de música em Colônia.

O que atraiu Nietzsche em Rohde não foi o extraordinário talento filológico, ao qual se aliava ainda um dom incomum para línguas – Rohde lia fluentemente o francês, o espanhol e o italiano e se dedicava assiduamente aos estudos do inglês, além disso imitava perfeitamente os mais diversos dialetos, sobretudo o saxônico –, Nietzsche amava nele a grande abertura e flexibilidade espiritual, que sempre buscava ir além dos limites da mera filologia. Em seu ser conflituoso Rohde era um verdadeiro romântico, que oscilava entre uma admiração passional por tudo que era belo e grande (demonstrando nisso uma inteligência irônica e até sarcástica com uma "teimosia arrogante", que provocou o desprezo de Gersdorff) e uma autoacusação torturante. Escondia sua rica vida emocional por trás de sua rudeza. Uma passionalidade extrema podia levá-lo para além de qualquer medida normal; ele era altamente vulnerável e possuía uma meiguice quase feminina. Em virtude de sua grande sensibilidade artística, teve consciência desde cedo de sua própria improdutividade e sofria com ela. Sua vida era sofrida, por mais que sua juventude extravazasse ocasionalmente.

Não surpreende, portanto, que ele também logo se apaixonou por Schopenhauer e assim conquistou o coração de Nietzsche, que, diferentemente de todos seus outros amigos e colegas, jamais assumiu uma postura altiva diante de Rohde, antes o tratava de igual para igual, esperando dele o mesmo desempenho que exigia de si mesmo. Em seu relacionamento com Rohde, Nietzsche desenvolveu todo o seu potencial de amizade. E ele lhe foi um amigo passional, tanto em suas expectativas quanto em sua generosidade. A felicidade da amizade foi talvez a única que Nietzsche jamais almejou. Os documentos dessa amizade, preservados em sua correspondência, pertencem ainda ao tempo clássico do maior apreço da amizade, que nós já desconhecemos.

No verão de 1867, no final do qual passaram a morar na mesma casa, os dois aproveitaram ao máximo essa amizade. Em 29 de novembro de 1867, Erwin Rohde escreveu a Wilhelm Wisser, ainda completamente marcado por essa impressão: "Este último verão me trouxe tantas coisas boas que o vejo como um dos períodos mais significativos da minha existência. Ele me presenteou com um grande bem – a amizade de Nietzsche. Creio que vocês nunca foram muito próximos, mas você deve ter reconhecido o grande valor de sua natureza, e assim não canso de me alegrar e maravilhar diante da felicidade de ter encontrado um amigo nesse homem profundo e sensível: e não tenho usado essa palavra muitas vezes na minha vida. Durante todo o verão, desfrutamos de uma existência curiosa, como que num círculo mágico móvel, não fechado para fora, mas quase que de convívio exclusivo. Passamos dias quase inteiros em bem-aventurada preguiceira, e pelo menos para mim esse ócio tem sido um grande enriquecimento, muito maior do que qualquer trabalho filológico poderia fornecer. Foi Schopenhauer que nos uniu, mas encontramos uma veia simpática em nós que permitiu essa harmonia verdadeiramente profunda. Conheço bem minhas falhas profundas e ainda melhor as fraquezas que encobrem os lados mais favoráveis da minha manifestação externa, para não me admirar e comover com a amizade de Nietzsche como algo desmerecido e quase inexplicável".

No final de junho de 1867, Nietzsche pensou em passar o semestre seguinte em Berlim para, caso fosse necessário, servir seu tempo no exército. Chegou a escrever a Mushacke que pretendia fundar com ele uma associação filológica em Berlim e continuar com sua equitação, mas acabou viajando com Rohde ao *Böhmerwald* em agosto.

Após muitas festas de despedida de Leipzig, para onde nenhum dos dois pretendia retornar, eles deram início à sua viagem em 8 de agosto. Nietzsche fala apenas pouco dessa viagem realizada em grande parte a pé. Em seus cadernos encontram-se sobretudo informações sobre localidades, anotações sobre gastos, versos copiados de livros de visitas e um desenho curioso de um monumento de Regensburg, desenho este que revela uma mão hábil e a mesma firmeza gráfica encontrada também na caligrafia de Nietzsche e em seus lindos esboços para capas de livros. Não escreveu cartas nessa viagem. Seis meses mais tarde, Rohde, por sua vez, escreveu em grande detalhe e com muitas contemplações poéticas sobre as impressões dos primeiros dias. Trata-se muito provavelmente de um eco de suas conversas com Nietzsche durante as longas caminhadas pelas florestas[2]: "Como é notável que nos contos de fada jamais se manifesta a ideia de um Deus supraterrestre; notável não somente em virtude da fé primordial do povo, mas sobretudo porque disso resulta com evidência que justamente a mais profunda união das naturezas animada e inanimada, que o povo criador dos contos, que, com seu instinto desimpedido, ouve atentamente as revelações misteriosas do campo, da floresta e do riacho, nada sabe da divisão das coisas em categorias irreconciliáveis conforme as ideias de um criador onipotente do qual nos conta a tola ilusão judaica em sua insensibilidade para as vozes delicadas que nos falam da natureza, mas que nós, os conhecedores, ouvimos advertir em alta voz: *tat twam asi* (isto és tu); é provável que Deussen tenha introduzido essa expressão no círculo de amigos. Deussen cita o provérbio indiano já em 29 de junho de 1866 numa carta a Nietzsche.

No final dessa viagem, passaram também em Meiningen. "Pois lá", escreve Nietzsche em 1º de dezembro de 1867 a Gersdorff, "acontecia um grande festival de música de quatro dias, organizado pelos futuristas, que aqui celebravam suas estranhas orgias musicais. Liszt presidia o festival. Esta escola apoderou-se agora passionalmente de Schopenhauer. A poesia sinfônica 'Nirwana', de Hans von Bülow, continha como programa uma coleção de sentenças de Schopenhauer; mas a música era terrível. Liszt, por sua vez, expressou perfeitamente o caráter desse nirvana indiano em algumas de suas composições sacras, sobretudo em suas 'Bem-aventuranças', '*Beati sunt qui*' etc." Nietzsche não evitou o confronto com os representantes ainda por ele rejeitados da nova música. Sua natureza investigadora queria entendê-los. Ele não imaginava que com ele se repetiria aquilo que aqui ele ainda comenta com certo humor: o que Bülow fez aqui com as sentenças de Schopenhauer, Richard Strauss viria a fazer com seu 'Zaratustra', no entanto, com uma destreza musical um pouco maior.

Em 28 de agosto, os dois amigos partiram de Meiningen e viajaram para a Festa de Wartburg, onde Liszt regeu seu oratório "Santa Elisabete". Em Eisenach, seus caminhos se separaram. Nietzsche permaneceu em Naumburg, e Rohde voltou para Hamburgo, para, no semestre seguinte, continuar seus estudos em Kiel.

Da mesma forma como Nietzsche encerrou essa viagem com um evento artístico, que aparentemente não foi apenas prazeroso, ele havia participado também de toda a vida artística – com exceção das artes plásticas – durante seus dois anos em Leipzig. Ele participou do coral de Riedel e passou muitas noites em teatros ou assistindo a concertos, consumindo de forma bastante acrítica tudo que lhe era oferecido. Em 29 de maio de 1866, ele escreveu à mãe sobre a "Africana", de Meyerbeer, o grande sucesso da temporada de 1866: "A música é lamentavelmente ruim, as pessoas são feias e, no fim da apresentação, é fácil acreditar que o ser humano descende do macaco". Uma anotação* dá a entender que ele assistiu ao "Tannhäuser", a única ópera de Wagner apresentada na época, mas não temos certeza disso; Rohde certamente a ouviu, provavelmente com Franz Betz no papel de Wolfram, e preservou a Canção à Estrela da Noite em sua memória para o resto de sua vida. Nietzsche assistiu também à "Flauta mágica" e ao "Feliz divórcio de Windsor", a "La Belle Helene", de Offenbach, a Theodor Wachtel em "Il trovatore" e no "Guillaume Tell", de Rossini. Ele insistira – em vão – que mãe e irmã viessem assistir a "Paixão de São João", de Johann Sebastian Bach. Nietzsche gostava também de ir ao teatro, onde viu Emil Devrient no papel de Hamlet e Graf Wetter vom Strahl (em "Käthchen von Heilbronn", de Kleist); durante os dias em Königgrätz participou de toda a euforia causada por Hedwig Raabe, após já ter sido abalado "como nunca" por Marie Niemann-Seebach nos papéis de Gretchen, Julia e Maria Stuart.

Hedwig Raabe o encantou sobretudo na comédia inofensiva de Müller von Königswinter "Sie hat ihr Herz entdeckt" (Ela descobriu seu coração). Mesmo assim, deixou escapar a oportunidade de conhecer o "anjo louro", quando se hospedou na casa de seus parentes. Em vez disso, sentou-se à sua escrivaninha em junho e escreveu-lhe uma carta, da qual não sabemos se ela jamais veio a ser enviada. Trata-se da primeira carta preservada de Nietzsche a uma mulher que não fazia parte da família.

"Meu maior desejo é", ele escreveu, "que me perdoai a dedicação insignificante de canções insignificantes. De forma alguma pretendo chamar vossa atenção à minha pessoa por meio dessa dedicatória. Quando outras pessoas demonstram seu encanto por meio de suas mãos e bocas, eu o faço por meio de algumas canções; outros talvez consigam se expressar melhor por meio de poemas. Todos, porém, compartilham de um sentimento: Dizer-vos como foram felizes durante um breve

---

* Em "Musikalische mignonnes"[2].

trajeto de sua existência, o quanto prezam a memória de uma visão tão ensolarada de uma vida perfeita. No entanto, não devei acreditar que essas homenagens sejam oferecidas à vossa sublime e amável natureza. No fundo, eu – e certamente todos os outros – venero vossas representações: com a doçura e a dor, com as quais minha própria infância se apresenta à minha alma como algo perdido, mas também como algo que existiu em algum momento, penso também em vossas figuras primordiais e sempre verídicas. Mesmo que estas figuras cruzem o caminho da minha vida apenas raras vezes – e até pouco tempo atrás, nem acreditava em sua existência –, recuperei firmemente minha fé nelas. Isso devo exclusivamente a vós; após esta confissão, creio que não vos aborrecereis com a liberdade desta carta. O que vos valem os sucessos momentâneos, os aplausos tempestuosos e uma multidão excitada. Mas saber que muitos desta multidão levam consigo uma lembrança salvífica, que muitos que viam a vida e as pessoas com um olhar triste agora prosseguem em seu caminho com um rosto mais alegre e com uma esperança amigável – imagino que isso seja um sentimento altamente enobrecedor.

Por fim, é o meu desejo que ouçais também nas notas destas canções os mesmos sentimentos calorosos e agradecidos".

Não sabemos se Nietzsche recorreu ao repertório de canções dedicadas a Marie Deussen e à sua irmã em 1864 ou se ele expressou sua profunda gratidão em novas composições, que, neste caso, teriam se perdido. Por mais que a irmã de Nietzsche alegue que ele se "apaixonara verdadeiramente" por Hedwig Raabe, essa carta não dá testemunho disso. Caso ele tenha nutrido algum sentimento elementar pela artista, este permanece praticamente invisível nessas reflexões extravagantes sobre o caráter "salvífico" de sua arte teatral. Creio que tenha se tratado apenas de uma daquelas paixões por uma artista celebrada que todo estudante experimenta em algum momento. Essa paixão ressurgiu por ocasião da apresentação da sentimental Susanne Klemm, que Nietzsche e Rohde viram repetidas vezes em seus papéis de adolescente, e os dois amigos até compraram um cartão com sua foto para afixá-lo na parede de seu apartamento. Essa paixão pela γλαυκίδιον (*Glaukidion* = a corujinha), como os dois amigos filológicos a chamavam entre si, também desapareceu sem deixar traços diante de novas experiências, apesar de mais tarde Nietzsche ter conhecido Susanne Klemm pessoalmente.

Típico para a cidade de Leipzig daquele tempo era que a Guerra Alemã de 1866 praticamente não afetou a vida habitual – com exceção, é claro, das regiões envolvidas na guerra. A euforia em torno de Hedwig Raabe atingiu seu auge em 5 de julho, quando Leipzig recebeu a notícia de Königgrätz. Nesse dia, em que Nietzsche também estava no teatro, Hedwig Raabe fazia o papel de Jane Eyre em "A órfã de Lowood", uma peça sentimental de Birch-Pfeiffer, na qual Emil Devrient representava o Lord Rochester.

As declarações de Nietzsche sobre os eventos políticos e militares desse ano revelam mais um observador atento e interessado do que um prussiano disposto a participar ativamente deles. Os eventos preocupam sua mente, mas não comovem seu coração. Ainda em 29 de maio de 1866, quando a mobilização prussiana já havia sido concluída, ele escreveu à mãe e à irmã: "Toda a nossa esperança está num parlamento alemão". Ele ainda acreditava numa solução por meio de recursos parlamentares. No entanto, refuta qualquer intromissão estrangeira: "Desejo ao congresso em Paris uma abençoada visita defecatória à privada". Em 16 de junho, quando os prussianos haviam ocupado Hesse, Hanover e a Saxônia e tropas prussianas se estabeleceram também em Leipzig após a fuga do Rei Johann para a Boêmia, Nietzsche ainda duvidava da vitória definitiva da Prússia e da legitimidade da política de Bismarck. Mas já demonstrava um apoio inequívoco pela causa prussiana.

"O perigo no qual a Prússia se encontra é muito grande. É totalmente impossível que ela seja capaz de impor seu programa por meio de uma vitória completa. Criar o estado unitário alemão desta maneira é uma grande ousadia de Bismarck: Ele possui coragem e consequência bruta, mas ele subestima as forças morais do povo. Suas últimas jogadas, porém, são extraordinárias: Ele conseguiu jogar grande parte, talvez até a maior parte da culpa na Áustria.

Nossa situação é muito simples. Quando uma casa se encontra em chamas, não perguntamos primeiro quem causou o incêndio, primeiro o apagamos. A Prússia está em chamas. Agora, vale salvar. Este é o sentimento generalizado.

No momento em que a guerra começou, todas as preocupações secundárias passaram para o segundo plano. Sou um prussiano tão engajado quanto o primo é saxônio*. [...] No fim, o método prussiano de se livrar dos príncipes é o mais cômodo. Considero uma grande sorte o fato de Hanover e Hesse não terem se juntado à Prússia; caso contrário, jamais teríamos nos livrado desses senhores.

Vivemos então na cidade prussiana de Leipzig. Hoje foi declarado estado de guerra em toda a Saxônia. Aos poucos, passamos a viver como numa ilha, pois a comunicação telegráfica, a rede de correios e as ferrovias se encontram em constante disrupção. [...]

---

\* Rudolf Schenkel.

As preleções continuam imperturbadas. [...]

Mesmo assim, estou ciente de que está muito próximo o dia em que serei alistado. É quase desonroso permanecer em casa quando a pátria inicia sua luta pela vida ou morte.

Por favor, informem-se quando exatamente ocorrerá a convocação dos voluntários e me deem notícias." Num adendo, ele rejeita o pedido da mãe de passar esses tempos críticos com ela em Naumburg: "Permanecerei aqui. Nestes tempos não quero mesmo ficar preso num buraco adormecido, sem acesso a jornais e que exala o cheiro da *Kreuzzeitung*".

Apesar de seus amigos Gersdorff e Krug terem se alistado prontamente e seu velho mentor Krämer ter caído na Batalha de Königgrätz, Nietzsche não se alistou voluntariamente. Em 5 de julho, ele escreveu a Wilhelm Pinder: "Por ora, parece-me que ainda não sentem muita falta das nossas forças. [...] Mas caso a sorte no campo de batalha sofra uma reviravolta, dificilmente seremos capazes de deter sua vontade. Servimos à pátria também com nossos estudos. Ora ela exige isso, ora aquilo de seus súditos, ora trabalho físico, ora espiritual. Cada um que dê o seu melhor: 'Pois é amando', como escreve Hölderlin, 'que o mortal dá o que possui de melhor'. Portanto, não nos aborreçamos por estarmos em casa, enquanto os jovens conquistam medalhas ensanguentadas.

Em geral, assistir a todo esse espetáculo é interessante o bastante: principalmente após o primeiro tempo de preocupações deprimentes, quando a guerra já ganhou velocidade e, como diz a imprensa vienense, prossegue 'com velocidade simiesca'. Minha vida na cidade prussiana de Leipzig oferece muita matéria para observações psicológicas. Os saxônios cultos são quase mais insuportáveis do que a multidão. Pois aqueles são covardes demais para tomar partido com suas simpatias. Gostam de assumir um ponto de vista prussiano; demonstram certo conhecimento afirmando que os prussianos são os antigos donos inevitáveis da Saxônia; pois todos eles compreendem essa necessidade. Seu espírito mesquinho, porém, os instiga constantemente a invejar nossos sucessos, a levantar pequenas suspeitas e a menosprezar-nos". Numa carta de 13 de julho a Gersdorff, ele caracteriza os cidadãos de Leipzig: "Aqui, são incapazes de viver um ódio ou um afeto vigoroso. Mas sempre se acomodam sob quaisquer circunstâncias e se adaptam". Agora, Nietzsche aprova completamente o plano da Prússia e de Bismarck, mesmo que ainda reste um pouco do "*ethos* de 48", que ele adquiriu em Pforta: "No entanto, todos os prussianos que se encontram em Leipzig sentem uma grande alegria, de forma que todos nós aplaudimos incondicionalmente os passos do nosso governo há mais ou menos seis semanas. Como lamentamos que este nosso ministro tão talentoso e determinado ainda se sente tão obrigado ao seu passado; este passado, porém, é amoral. Disso ninguém mais duvida. Não se pode alcançar o melhor com meios ruins. O certo foi reconhecido pelos jornais franceses, que o chamam de revolucionário.

Podemos aprender muito nestes tempos. O solo, que parecia firme e inabalável, estremece. As máscaras caem dos rostos. As inclinações egoístas revelam suas faces desprezíveis. Sobretudo, porém, percebe-se quão fraco é o poder do pensamento" (em uma carta de 5 de julho de 1866 a W. Pinder, que se encontra no "Naumburg prussiano").

Vemos, portanto, que a guerra havia transformado Nietzsche em um "prussiano engajado", mas no que dizia respeito a Bismarck, o imoralista posterior ainda nutria certas ressalvas morais, por mais que percebesse sua grandeza. Ao sentir pela primeira vez o sopro do demônio da vontade de poder, ele ainda recuou com todo seu passado cristão moralista, apesar de perceber claramente "quão fraco é o poder do pensamento" quando irrompem poderes mais profundos da vida.

"Tenho a sensação estranha, como se um terremoto tornasse inseguro o solo, que todos acreditavam ser inabalável, como se a história, após anos de estancamento, voltasse a fluir repentinamente e, com sua força, derrubasse inúmeras circunstâncias. E será que foi realmente apenas a cabeça de um único homem importante que acionou a máquina? [...] Antes desmoronam com estrondos os prédios podres, basta que uma criança sacuda uma coluna. Em todo caso, é preciso ter o cuidado de não ser soterrado nessa queda." E Nietzsche não quer que isso aconteça, pois seu instinto lhe diz que suas decisões serão tomadas em outro campo e que aqui ele só pode ser espectador. E assim ele continua: "E tudo isso poderíamos perceber de forma mais pura se não fôssemos obrigados a assistir a este espetáculo com um interesse pessoal, i.e., patriótico. Como devemos prezar-nos felizes por podermos gritar 'bravo!' e aplaudir até agora. No entanto, não tenho certeza se esse drama não pode se transformar ainda em tragédia. E nós dois poderíamos ser obrigados a assumir nele apenas um papel de figurante" (em uma carta de 12 de julho de 1866 a H. Mushacke).

Diante disso tudo, seus estudos lhe parecem um tanto risíveis, mas logo eles voltarão a prender toda a sua atenção.

Na próxima carta de 15 de julho que ele escreve a Gersdorff, o tenente prussiano no campo de batalha, ele expressa seu ponto de vista prussiano de forma ainda mais clara, mas já reconhece as consequências políticas dessa guerra: "Devemos ter orgulho de possuirmos este exército, e até mesmo – *horribile dictu* – este governo, cujo programa nacional não existe apenas no papel, mas o realiza com a maior energia, com um investimento enorme de dinheiro e sangue e o defende até mesmo contra o grande tentador francês, *Louis le diable*. No fundo, todo partido que aprova estes objetivos da política é um partido liberal, por isso reconheço também na significativa multidão conservadora do congresso apenas uma nova variante do liberalismo". Ele já desmascara toda a tolice de ficções partidárias em conflitos políticos elementares e adota o maquiavelismo de toda grande política, que pouco tempo atrás ainda havia condenado em Bismarck: "Não faz mal nenhum preservarmos o nome 'conservadora' para nossa forma de governo. Para as pessoas instruídas, é um nome; para os cuidadosos, um esconderijo; para nosso excelente rei, um tipo de camuflagem, que veda seus próprios olhos e lhe permite prosseguir tranquilamente em caminhos liberais e surpreendentemente ousados".

No entanto, Nietzsche reconhece quais serão as consequências políticas da luta: "Apenas agora, neste momento em que os países estrangeiros começam a se intrometer de forma preocupante, vem o grande tempo de provação, a prova de fogo para a seriedade do programa nacional. Agora é necessário reconhecer quantos interesses puramente dinásticos se ocultam sob esse empreendimento. Uma guerra contra a França provoca necessariamente a união na Alemanha; e quando as populações se unem, o Sr. Von Beust e todos os seus príncipes podem muito bem pedir seu próprio embalsamamento. Pois seu tempo acabou.

Em nenhum momento dos últimos 50 anos estivemos tão próximos do cumprimento das nossas esperanças alemãs. Aos poucos, começo a entender que não havia caminho mais ameno do que o terrível caminho de uma guerra de exterminação". Ainda, porém, a Áustria estaria recebendo o apoio da tese de Napoleão III sobre o equilíbrio, cujo centro se encontraria em Paris: "Enquanto Paris for o centro, nada se mudará na Europa. Nossos empreendimentos nacionais terão que mudar as situações europeias, pelo menos precisarão tentar essa transformação". E acrescenta: "Se fracassarmos, espero que nós dois tenhamos a honra de sermos atingidos por uma bala francesa e de morrermos no campo de batalha".

Em 5 de agosto de 1866, o Rei Guilherme anunciou a proposta de indenidade do governo, levando Nietzsche a escrever a Gersdorff no final daquele mês: "Nunca um ato do rei me alegrou tanto como este. [...] Para mim – e reconheço isso abertamente –, é um deleite raro e completamente novo de concordar plenamente com o governo atual. Devemos deixar descansar diversos mortos e estar cientes de que o jogo de Bismarck foi muito ousado, de que uma política que se atreve a gritar *va banque* pode ser tão amaldiçoada quanto adorada – dependendo de seu sucesso. Mas desta vez o sucesso se deu: o que se alcançou é grande. Durante minutos tento livrar-me da consciência da atualidade, das simpatias subjetivamente naturais pela Prússia, e então vejo o espetáculo de uma grande ação estatal, a matéria da qual a história é feita, de forma alguma moral, mas bastante linda e edificante para o espectador". Agora, defende também a "anexação incondicional" da Saxônia pela Prússia.

Em janeiro de 1867, ainda sob a impressão da guerra, Nietzsche participou de assembleias e se empenhou pela eleição do vice-prefeito de Leipzig Stephani para o Reichstag do norte da Alemanha e contra o particularismo saxônico. Stephani, porém, perdeu. Depois disso, Nietzsche rapidamente perdeu seu interesse pelo mundo da política. Não era seu mundo. Suas decisões foram tomadas em outro campo. Apenas observações eventuais em cartas a Gersdorff, cujos interesses políticos ele conhecia, demonstram ainda um envolvimento secundário em assuntos públicos, apesar de ter reconhecido sua importância. O que permanece é seu interesse pela eficácia de determinados homens e uma mudança em sua postura diante de Bismarck. Nietzsche abandona suas ressalvas morais e passa a contemplá-lo esteticamente como um pedaço da natureza.

Um ano mais tarde, em 16 de fevereiro de 1868, ele escreve a Gersdorff, após ter lhe contado de sua descoberta filosófica, principalmente de Lange: "Mas você dirá que agora não é hora para filosofar. E você está certo. A política é agora o órgão do pensamento geral. Fico maravilhado com os eventos e só consigo apropriar-me deles isolando a eficácia de determinados homens do fluxo geral e contemplando-os separadamente. Bismarck me causa uma alegria especial. Leio seus discursos como se estivesse bebendo um vinho forte: obrigo minha língua a beber lentamente para prolongar o prazer". Mas basta lembrar que Nietzsche não gostava muito de vinho forte. O teor experiencial dessa imagem não deve, portanto, ser visto como muito alto.

Em seus dois primeiros anos em Leipzig, a saúde de Nietzsche foi surpreendentemente boa, melhor do que em qualquer outro período de sua vida. Apenas na primavera de 1866 queixou-se de uma "forte tosse" e de uma rouquidão, que praticamente o deixou incapaz de falar. Também não conseguia trabalhar, "pois a cabeça está entorpecida". Esse estado durou mais ou menos quatro semanas. De resto, esteve doente mais uma vez em junho de 1866 durante três dias, e no final de janeiro de 1867 ele teve que adiar sua palestra na associação filológica em virtude de um catarro estomacal. Não temos registros de outras doenças nesses dois anos.

Da epidemia de cólera que irrompeu no verão de 1866 em decorrência da guerra e também chegou a Naumburg, onde Nietzsche passava suas férias de verão, ele conseguiu fugir com sua mãe, mudando-se para Kösen. Permaneceu aqui de

15 de setembro até 13 de outubro, enquanto sua irmã se refugiou com parentes na região Vogtland. A casa da mãe em Naumburg não ficou isenta da cólera: O artesão Lurgenstein, que vivia no térreo, caiu vítima da doença. Isso pode ser a origem da anedota relatada pela irmã, que, como vimos, passou esse tempo separada do irmão[88]: "Meu irmão guardou uma lembrança assustadora da cólera; ele alegava ter contraído a doença duas vezes e de ter se curado dos ataques ingerindo constantemente água quente. Uma noite que ele passou na mesma casa em que se encontrava um cadáver da cólera ficou gravada em sua memória como lembrança particularmente assombrosa". O próprio Nietzsche não menciona isso em nenhuma carta nem em qualquer outro documento. No entanto, ficou abalado com a notícia das mortes de dois professores de Filosofia da Universidade de Leipzig, que ele deve ter conhecido, os professores C.H. Weisse, que morreu em 21 de setembro, e L.F. Flath, falecido em 4 de outubro.

Adendo à p. 168: Crônica da Família Schenk, como comunicado pelo Sr. Falk Schenk em Tecklenburg: Deve ser mencionada também a visita de Franziska Nietzsche-Oehler de Naumburg a./S., que passou a Páscoa de 1867 com seus filhos Friedrich e Elisabeth na casa dos Schenk. O voluntário Friedrich Nietzsche demonstrou seu talento eminente não só em conversações espirituosas, mas também em suas maravilhosas interpretações ao piano. Enquanto os outros estavam na igreja no primeiro feriado de Páscoa, ele compôs em pouquíssimo tempo a canção "Herbstlich sonnige Tage, mir beschieden zur Ruh'" (Dias de outono ensolarados, para o meu descanso), e quando os outros voltaram da igreja, ele já havia anotado todas as notas e o texto para as quatro vozes da canção, que imediatamente foi ensaiado e cantado.

# VIII

## Serviço militar e fim dos estudos

Desde cedo e durante toda a sua vida, Nietzsche gostava de fazer planos, mesmo sabendo que eles não se realizariam. Assim, já em 4 de abril de 1867, quando seu zelo filológico e sua admiração por Ritschl atingiram seu auge, ele fez planos para os anos seguintes, compartilhando-os com seu amigo Deussen: "As previsões para meu futuro são incertas, mas bastante favoráveis. Pois a única coisa terrível é a certeza. Meus esforços se concentram em ganhar algumas centenas de tálers a cada ano de forma honrosa e pouco desgastante, mas que garantam a liberdade da minha existência durante alguns anos. Por exemplo, gostaria de ir para Paris no início do próximo ano e lá passar um ano trabalhando na biblioteca". Poucas semanas depois – na Páscoa de 1867 – ele escreveu a Mushacke: "Tenho ainda tantos planos aventureiros que grande parte terá que ser abandonada".

Em junho de 1867, decidiu passar o próximo semestre de inverno em Berlim, pretendendo viajar já no final de agosto. Ele preparou Mushacke e Deussen para sua chegada e já antecipava fundar com eles uma associação filológica em Berlim e voltar a praticar equitação. Aqui, porém, já estava incluindo em seus planos sua intenção de absolver seu ano de serviço militar voluntário, caso se tornasse necessário, em Berlim, onde ele teria a possibilidade de manter o contato com a vida universitária.

No início, Nietzsche não repudiava a ideia de se tornar soldado. Já em 6 de dezembro de 1863, quando ainda se encontrava em Pforta, ele escrevera à mãe: "Dificilmente conseguirei me livrar, e pouco o desejo". E em 13 de março escreveu sobre seu atestado militar: "O documento menciona a minha visão fraca, de resto, fui considerado saudável e forte e apto para o serviço militar". No entanto, não esteve disposto a prestar o serviço militar imediatamente após sua saída de Pforta. "Primeiro Pforta – e depois o regime de suboficiais! Não: 'O animal do deserto ama a liberdade!'" Na carta do fim de fevereiro à mãe, escrita em Bonn, na qual ele reproduziu esse humor, ele havia expressado sua decisão de ir para Berlim no outono para prestar seu serviço militar naquela cidade, visto que lá os recrutas recebiam um tratamento melhor do que em Halle. Mas logo desistiu desse plano em prol de sua mudança para Leipzig.

Durante a guerra entre a Prússia e a Áustria em 1866, ele demonstrou certo alívio por não ter sido convocado, apesar de ter escrito a Gersdorff em 7 de abril de 1866: "Do ponto de vista individual, eu já havia me familiarizado com o pensamento militar. Várias vezes, desejei ser arrancado dos meus trabalhos entediantes, ansiava a excitação, o impulso tempestuoso da vida, o entusiasmo", e em 22 de abril de 1866 escreveu à mãe e à irmã:

> Saúdem todos os conhecidos
> Com uma saudação minha
> E digam às velhas tias
> Que eu me ausentaria
> Como granadeiro prussiano.
> Um homem pronto para a guerra.

Quando a guerra terminou sem que ele tivesse sido obrigado a participar dela, ele procurou se esquivar do serviço militar por algum tempo. Ainda em 6 de agosto de 1867, escreveu à mãe: "Queria muito encontrar um caminho para resolver de forma favorável esse assunto militar: No momento, falta-me o tempo".

Em 26 de setembro teve que se apresentar novamente ao exame médico e novamente foi considerado apto para o serviço militar. Quando quis viajar para a conferência de filólogos em Halle, encontrou na estação ferroviária o comandante do 4º regimento da artilharia de campo de Naumburg. Este lhe disse que deveria esperar sua convocação para o serviço militar para o dia 9 de outubro. Quando Nietzsche lhe respondeu que gostaria de prestar seu serviço militar em Berlim, o comandante lhe prometeu escrever um atestado que lhe permitisse se apresentar a um dos regimentos em Berlim e assim tentar prestar seu ano de serviço militar naquela cidade. Mas antes Nietzsche participou de 1º a 3 de outubro da 25ª conferência de filólogos e educadores alemães em Halle, onde formou um grupo descontraído com grande parte de seus amigos de Leipzig. No dia 5 de outubro, viajou para Berlim. Lá, porém, foi informado que os regimentos de Berlim não aceitariam mais voluntários para um ano de serviço militar. Assim, teve que se alistar no dia 9 de outubro de 1867 em Naumburg como membro da 2ª bateria da divisão montada do 4º regimento de artilharia, para "abraçar os canhões daqui – com mais rancor do que carinho", como escreveu a Mushacke em 4 de outubro.

No entanto, com a determinação típica e a disciplina adquirida em Pforta de aceitar o inevitável e executar as necessidades sem queixas e com todas as suas forças, ele se rendeu ao serviço, que certamente não era fácil. Mas ele não sofreu muito. Logo, os esforços físicos ficaram mais leves, pois, conforme os costumes de então, os voluntários precisavam cuidar de seu próprio cavalo apenas durante as primeiras seis semanas, depois podiam contratar um servo que executasse todos os trabalhos sujos. Também não sofreu muito às mãos dos oficiais, pois executava suas tarefas com diligência e presteza. Mesmo assim, temos motivos para duvidar que a irmã, que não conhecia muito bem o regime prussiano, transmita adequadamente a visão dos oficiais, quando escreve[88]: "Fritz sempre lhes pagava o café da manhã, o que conquistou seus corações e repetidas vezes os incitava a dizer algo agradável ao senhor voluntário, por vezes, de modo bem engraçado. Quando, por exemplo, um destes oficiais explicou pela enésima vez a um canhoneiro, que já servia há dois anos, o funcionamento de um canhão, ele encerrou seu sermão com as palavras: 'Schulze, o senhor é burro demais, até o voluntário Nietzsche já entendeu'. Mas visto que o oficial desistiu de acrescentar 'ao qual eu expliquei isso uma única vez', o elogio pretendido acabou deixando uma impressão ambígua".

Nietzsche se empenhou com zelo e com algum humor, cantarolava melodias da "Schöne Helena", de Offenbach, que o deixara entusiasmado em Leipzig, e ele até sentia prazer quando montava seu "Balduin fogoso e temperamental" – apesar de ser obrigado a desaprender rapidamente tudo que havia aprendido em suas aulas de equitação em Leipzig. Estava tão ocupado que se viu obrigado a deixar passar dois meses inteiros antes de encontrar uma folga para responder à bela carta de seu amigo Rohde de 10 de setembro. Rohde, que costumava ser muito seco, lhe mandara dessa vez um retrato de Schopenhauer, "aos cujos ensinamentos devemos a nossa grande harmonia nos assuntos essenciais", demonstrando-lhe assim sua gratidão "pelo acolhimento cordial que você concedeu a este sujeito teimoso e repugnante. Sinto uma gratidão ainda mais profunda e calorosa, porque sei muito bem que minha natureza não incentiva esse tipo de acolhimento. Os últimos seis meses, durante os quais convivemos quase que exclusivamente um com o outro, foi o período mais feliz e mais produtivo do meu tempo na universidade, com todas as noites passadas em bares e restaurantes, os exercícios de equitação, as idas ao teatro e tantas conversas agradáveis sobre todas as coisas que interessam a uma pessoa culta: sobretudo, porém, lembro-me com prazer das noites em que você tocou o piano no escuro: percebi a distância entre uma natura produtiva e meus demônios com sua vontade impotente, mas a alma se abriu com a música e adquiri um passo *somewhat* mais elástico"[7].

Desde o início, Rohde se via como parte beneficiada e inferior nessa amizade; e a inferioridade percebida foi difícil de suportar – a inferioridade do improdutivo diante do produtivo. A nobreza do caráter de Rohde não permitiu que sentisse inveja, mas isso não aliviou seu fardo, antes tornou-se cada vez mais pesado, pois Rohde era independente o bastante para não querer e poder servir.

Quando Nietzsche finalmente encontrou o tempo e a tranquilidade em 3 de novembro de 1867 para escrever, ele respondeu a Rohde com uma longa carta, na qual ele lhe contou em grande detalhe sobre seus amigos de Leipzig, sobre a notícia de que seu trabalho sobre Laércio havia sido premiado – ele mesmo havia recebido essa notícia apenas poucos dias antes, em 31 de outubro –, sobre a conferência dos filólogos em Halle, sobre seus próprios trabalhos filológicos e, por fim, com um humor um tanto forçado, também sobre seu serviço militar, para então encerrar a carta com uma manifestação cordial, mas refletida e consciente de seus sentimentos pelo amigo.

"Garanto-lhe [...], agora minha filosofia tem a oportunidade de servir-me de forma prática. Até agora, não me senti humilhado em momento algum, mas muitas vezes não pude conter um sorriso. Por vezes, murmuro, escondido sob a barriga do cavalo: 'Schopenhauer, ajude-me'*; e quando volto para casa exausto e encharcado de suor, acalmo-me com a imagem sobre minha escrivaninha ou com algumas páginas das 'Parerga', que agora, juntamente com Byron, me são mais simpáticas do que nunca. [...] Meu querido amigo, você conhece agora o motivo pelo qual minha carta se atrasou tanto. Em seu sentido mais estrito, não tive tempo. E muitas vezes, também não estive no clima apropriado. Pois cartas a amigos que amamos tanto quanto eu amo você não devem ser escritas em um clima qualquer." Então, faz uma retrospectiva dos dias em Leipzig: "Uma vida na mais livre autodeterminação, no deleite epicureu da ciência e das artes, no círculo de combatentes, na proximidade de um professor adorável e – o que permanece como o mais sublime que eu posso dizer sobre aqueles dias de Leipzig – no convívio constante com um amigo que não é apenas colega de estudos ou ligado a mim por meio de experiências compartilhadas, mas cuja seriedade vital demonstra o mesmo grau de senso, cujo apreço pelas coisas e pelas pessoas obedece mais ou menos às mesmas leis como o meu próprio, cujo ser inteiro tem sobre mim um efeito fortalecedor. Assim, de nada sinto tanta falta quanto deste convívio. E ouso afirmar que, se ambos fôssemos condenados a sofrer sob este mesmo jugo, carregaríamos nosso fardo com alegria e dignidade: no momento, porém, resta-me apenas o consolo da memória. No início, fiquei até surpreso ao não encontrá-lo como meu companheiro de destino. E, por vezes, quando,

---

* Uma possível paráfrase de "Samiel, ajude-me", do "Freischütz".

montado em meu cavalo, viro-me em direção aos outros voluntários, acredito reconhecê-lo montado em seu cavalo". Ele se sente solitário em Naumburg e se agarra às
lembranças, por exemplo, à lembrança da festa de despedida dos amigos em Leipzig
ou "do nosso monumento às margens do rio de Leipzig, ao qual demos o nome de
'Nirvana' e que ostenta as palavras festivas, que provaram ser tão vitoriosas: γένοι
οἷος ἐσσί[194].

Se, para encerrar, meu caro amigo, eu aplicar estas palavras também a você,
quero que comportem o melhor que guardo por você em meu coração. Quem sabe
quando o destino reunirá novamente os nossos caminhos: que isso aconteça em breve; mas independentemente de quando aconteça, sempre me lembrarei com alegria
e orgulho daquele tempo em que ganhei um amigo οἷος ἐσσί*.

*Friedrich Nietzsche*".

Aqui precisamos nos deter por um momento e falar sobre Nietzsche, o escritor
de cartas. O trajeto da sua amizade com Rohde demonstra que os sentimentos expressados na carta eram profundos e autênticos. Mas como é grande a artificialidade
de sua expressão! Temos a impressão de que ele está acima de seus sentimentos. Ele
os apresenta ao amigo de forma definitiva, formulada e revisada com perfeição, e
suscita a impressão de que sua formulação lhe importa mais do que seu objeto. Em
nenhum momento a emoção se expressa de forma imediata, sem ser submetida à
censura da cabeça. Não se trata de um acaso, e nesta carta percebemos que Nietzsche
redigia quase todas as suas cartas primeiro como esboço, para então passá-las a
limpo em sua caligrafia extraordinariamente linda, sem qualquer correção, a despeito de seu temperamento muito impulsivo. E mesmo aqui, no caso do seu amigo
vitalício, que ele trata sem qualquer arrogância, ele precisa mostrar que seu amor é
um amor que exige. Ele confronta o amigo, esse amigo que ele ama como é, com
a exigência mais alta: "Torna-te aquilo que és". E o que é que ele ama nele? "A seriedade vital", que "demonstra a mesma medida do meu próprio senso", o "apreço
pelas coisas e pelas pessoas", que "obedece mais ou menos às mesmas leis como o
meu próprio", e cujo ser tem um efeito fortalecedor sobre ele. Ou seja, o que ele ama
no amigo é a si mesmo e a confirmação própria. Aquilo que Rohde tem de diferente,
de estranho, não o afeta. Nietzsche não o vê ou o ignora. Ele busca o companheiro e
tenta fugir da solidão para a companhia, mas seu ser não se transforma nem se abre

---

* "Como você o é."

para a experiência do ser humano, nem do amigo nem da mulher, antes reconhece neles seu próprio reflexo e se endurece. Nessa, e em todas as outras amizades de sua vida, ele demonstra a amplitude de espírito e o objetivo maiores. Demonstra até uma grande capacidade de variar seus sentimentos. Ele sempre compreende. Mas falta a essa compreensão o afeto caloroso, simples e irrefletido, a essência da vida entre o eu e o tu, mas que também exclui a perfeição no espírito. A solidão imprescindível de Nietzsche, que mais tarde se revelaria como felicidade e sofrimento ao mesmo tempo, já se manifesta na tentativa dessa primeira abertura de seu ser diante do outro, diante da amizade como sua única possibilidade de conviver com outros. Essa solidão só podia aumentar, por mais que ele tenha tentado rompê-la, e em vista de um diagnóstico tão fundamental da sua alma, erramos completamente se tentarmos atribuir a culpa a este ou àquele nesse desenvolvimento dos relacionamentos humanos de Nietzsche. Esses relacionamentos são tão fatidicamente "inocentes" que eles fogem a qualquer análise microscópica de circunstâncias individuais tanto quanto às interpretações morais de observadores tão envolvidos e simplistas como a irmã.

Após algum tempo, Nietzsche até conseguiu sentir prazer em seu serviço militar. Entre 1º e 3 de fevereiro de 1868, ele relatou a Rohde, cheio de orgulho, que era considerado o melhor cavaleiro entre todos os 30 recrutas e que todos gostavam dele, "desde o capitão até o canhoneiro". Ele compreendia a vida de soldado, por mais que ela o impedia de se dedicar às coisas que realmente o interessavam, como um "apelo contínuo à energia de um homem e [...] como ἀντίδοτον (*Antidoton* = antídoto) contra o ceticismo paralisante, sobre cujo efeito já discutimos tanto". E, em 13 de fevereiro, escreveu a Mushacke que via o serviço militar como "antídoto decisivo contra uma erudição rígida, pedante e mesquinha [...], contra a qual luto constantemente, sempre que me deparo com ela". Sugeriu aos filólogos em geral um pouco mais de disciplina militar também em seu trabalho. No entanto, seu interesse verdadeiro estava voltado aos seus problemas filológicos, mas que se deslocavam cada vez mais em direção ao filosófico. Isso se manifesta de forma clara em seus estudos sobre Demócrito. Antes de seu tempo no exército, ele havia partido de um ponto de vista puramente filológico, indagando a autenticidade dos quase 300 escritos atribuídos ao escritor grego. Agora, porém, em suas horas de folga, ele sentia uma atração muito maior pela própria personalidade de Demócrito. Ele retomou a leitura do livro de Lange, que dedica extensas passagens a Demócrito, ao "Humboldt do mundo antigo", como o próprio Nietzsche o chama certa vez, e então seguiu por conta própria todos os rastros deixados por Demócrito e seus escritos, tendo diante de si um objetivo ainda maior. Em uma carta de 1º de fevereiro, ele escreve a Rohde: "Estou com uma vontade surpreendente de dizer algumas verdades amargas aos filólogos em minha próxima redação* em homenagem a Ritschl. Até agora, deposito grandes esperanças nessa redação: dei-lhe um pano de fundo filosófico, algo que, até agora, não consegui fazer em outro trabalho. Além disso, todos os meus trabalhos estão tomando uma certa direção sem que eu o quisesse, e, por isso, dando-me um prazer ainda maior: Todos eles apontam como postes telegráficos para uma meta dos meus estudos [...] uma história dos estudos literários na Antiguidade e na Modernidade. Por ora, não me preocupo muito com os detalhes; no momento, interesso-me mais pelo caráter humano geral, pela pergunta sobre como surge a necessidade de uma pesquisa histórico-literal e como ela adquire sua forma nas mãos dos filósofos. O fato de termos recebido todos os pensamentos esclarecedores na história da literatura daqueles poucos gênios grandes [...], do fato, portanto, de que a criatividade na pesquisa literária provém daqueles que não realizaram esse tipo de estudos, de que as obras elogiadas deste campo foram redigidas por aqueles que não possuíam qualquer faísca criativa – essas concepções fortemente pessimistas, que contêm em si um novo culto ao gênio, ocupam-me continuamente e despertam em mim o desejo de examinar a história sob este aspecto. Eu mesmo sou uma prova disso, pois parece-me que você deveria perceber nas linhas escritas o cheiro que emana da cozinha de Schopenhauer".

O escrito sobre Demócrito aqui mencionado, planejado para ser incluído numa publicação festiva da "Escola de Leipzig" para Ritschl, não foi completado, já que a maioria dos contribuintes abandonou o projeto e todo o plano foi cancelado no verão de 1868. No entanto, sobreviveu toda uma série de esboços do período de outubro de 1867 a março de 1868, que demonstram claramente a mudança de curso mencionada por Nietzsche. Aqui já se revelam aspectos que permanecem válidos também para o Nietzsche posterior – como, por exemplo, seu ataque aos filólogos contemporâneos: "Quase todos os filólogos são trabalhadores de fábrica a serviço da ciência. A inclinação de abarcar um todo maior ou de apresentar ao mundo novos pontos de vista é sufocada. A maioria continua a dedicar seu trabalho com diligência e assiduidade a confecção de um pequeno parafuso"[2]. "O objetivo da próxima geração de filólogos é encerrar e assumir o grande legado do passado. [...] A ciência precisa se aproximar das aspirações dos homens da atualidade; aquilo que se encontra no sótão não deve ser retirado novamente. Precisamos pôr um fim à ruminação. [...] Nossos filólogos devem aprender a julgar mais à luz do todo, a fim de substi-

---

* Sobre a atividade de Demócrito como escritor.

tuírem as brigas por trechos individuais pelas grandes contemplações da filosofia. Precisamos aprender a fazer perguntas novas se quisermos obter respostas novas"[2].

Então, volta-se com toda agudeza contra o historicismo dos alemães, iniciando assim uma luta que ele travará também mais tarde: "Sobretudo, porém, devemos restringir o historicismo desenfreado. A humanidade tem coisas melhores a fazer do que se ocupar com a história. Mas caso não consiga deixar de fazê-lo, que procure os aspectos educadores [...]. Devemos analisar algo não só porque aquilo veio a acontecer, mas porque foi melhor do que o é hoje e, por isso, nos serve como exemplo". "O historiógrafo 'orgânico' precisa ser poeta: perdemos algo caso não seja poeta".

No que diz respeito aos estudos histórico-literários, ele chega à seguinte conclusão: "O igual reconhece os iguais. Devemos demonstrar que toda grande descoberta literária remete aos gênios do passado; o que seria uma bela demonstração da miséria do intelecto geral. Ele é incapaz de criar grandes obras: ele nem mesmo consegue reconhecê-las. [...] As mentes medianas precisam de uma quantidade enorme de material para 'compreender' seus poetas, pois querem (e podem) compreender apenas o concreto [...]. Elas se sentem atraídas por conhecimentos 'históricos', i.e., alinham as grandes personalidades em uma grande sequência formada por cabeças iguais às suas. Não querem reconhecer qualquer diferença absoluta, apenas uma diferença gradual. Então procuram demonstrar a existência da grande mente como 'necessária', i.e., não apenas explicável a partir do tempo e das circunstâncias, mas como inevitável, submetendo assim o gênio a uma terrível violência coerciva. Por fim, pretendem reconhecer ao máximo o fraco, o passageiro, o mal no grande indivíduo; também, como dizem, para compreendê-lo em sua íntegra, na verdade, porém, apenas para aproximá-lo deles mesmos".

Aqui se manifesta com toda clareza o aristocratismo do espírito e o culto ao gênio, que virá a dominá-lo durante anos. Ao "trabalho de fábrica" filológico e ao "mau gosto, que se concentra em análises de detalhes desconexos", ele contrapõe seu próprio método, método este que Nietzsche, o filólogo e observador da história, aplicará durante toda a sua vida: "Meu método é: abandonar um fato isolado assim que o horizonte mais amplo se tornar visível [...]. O resultado de uma pesquisa excita nossa razão, mas deixa frio o núcleo do nosso ser. Por vezes, porém, nos deparamos com concepções, analogias etc. que nos abalam fortemente. O mesmo vale para a pesquisa das ciências naturais. O que nos impulsiona são sempre aquelas regiões distantes e desconhecidas, onde os resultados da pesquisa coincidem harmoniosamente com o resultado da vida".

Em meio a essas sentenças, encontramos uma palavra que poderia servir como lema para toda a vida e pensamento de Nietzsche: "Assim, nossas aspirações são uma caminhada em direção ao desconhecido com a esperança inconstante de, algum dia, encontrar um destino onde possamos descansar"[2].

E já se manifesta a crítica ao intelecto, que também se tornaria um tema vitalício de Nietzsche: "Lentamente [...] formou-se um método crítico, que se apresenta ao nosso pensamento de forma clara e transparente como resultado do bom-senso humano. No entanto, esse tal de bom-senso humano é um problema. Acreditamos ter nele algo consistente, algo que perdura durante todos os tempos, de forma que juízos de, por exemplo, Péricles e Bismarck, contanto que tenham surgido de uma mesma raiz, devem harmonizar necessariamente. Um grande equívoco, refutado pela história de toda ciência! Aquele chamado bom-senso humano é antes um *perpetuum mobile*, uma coisa impalpável, um tipo de medidor do grau das habilidades lógicas de um período, de um povo, de uma ciência, de um ser humano. O alemão e o francês, o fabricante e o erudito, o pesquisador natural e o filólogo, a mulher e o homem, todos eles se servem da mesma palavra, mas cada um se refere com ela a algo diferente"[8]. Há muito, começou a duvidar do intelecto em si: "Querido amigo", escreve ele em 3 de abril de 1868 a Rohde, "você escreveu uma palavra segundo o meu coração: O instinto é o melhor aspecto do intelecto".

Enquanto a concentração filológica dos primeiros anos em Leipzig se dissolvia e seus instintos filosóficos voltaram a emergir, Nietzsche sofreu um acidente que parecia ter as mais graves consequências para a sua saúde, mas que também o libertou das obrigações militares, devolvendo-lhe assim o tempo para amadurecer sua virada espiritual. Pela primeira vez em sua vida, a doença se manifestou como momento ao mesmo tempo perturbador e libertador.

No início de março de 1868, ele não conseguiu executar corretamente um salto com seu cavalo. Seu peito se chocou violentamente contra a parte dianteira da sela, e Nietzsche sentiu uma dor aguda. Mesmo assim, continuou montado em seu cavalo, duro como era consigo mesmo, e ignorou a dor, apesar de cada vez mais intensa. À noite, porém, desmaiou duas vezes durante a hora de instrução e teve que se deitar. "Por dez dias, permaneci preso, no pior sentido da palavra, ou seja, imobilizado, como que amarrado à cama, sob terríveis dores, febre contínua, inquieto dia e noite, com compressas de gelo", ele escreveu em 3 de abril de 1868 a Rohde. "Juntou-se a isso como mau companheiro um catarro estomacal persistente."

É a primeira vez que Nietzsche menciona uma doença estomacal, que mais tarde ainda lhe causaria tantos problemas. No entanto, não sabemos qual foi o "incômodo" persistente que o prendeu à cama já em fevereiro, do qual ele fala em uma carta a Ritschl. O catarro estomacal parece ter passado sem maiores consequências, mas é a primeira prova de certa vulnerabilidade do estômago já antes do seu adoecimento na Guerra de 1870.

As consequências do acidente foram mais graves. Na carta acima citada, Nietzsche continua: "Finalmente, transcorridos estes dez dias, fizeram cortes em meu peito, e desde então tenho o prazer filoctético de uma forte infecção. Quando aqueles músculos se romperam*, muito sangue se coagulou no interior do peito, e este agora está se transformando em pus. Não exagero ao dizer que já retiramos 4 a 5 xícaras de pus daquela ferida. Desde então, tenho me levantado da cama, mas meu estado continua triste. Sinto-me fraco como uma mosca, atacado como uma velha senhorita e magro como uma cegonha.

Quando estou deitado, ainda preciso de ajuda para me levantar. Sinto-me como se todo o meu peito estivesse espartilhado; todos os tendões, músculos e ligamentos doem. Anteontem saí ao ar livre e tive que arrastar minhas pernas como um inválido e me cansei após quinze minutos". Durante o tempo das primeiras e mais fortes dores, Nietzsche recebeu "morfina todas as noites", e ainda, no início de abril, o simples ato de escrever uma carta ainda o cansava tanto que precisava voltar para a cama. Ele ainda sentia dores agudas a todos os momentos, e a ferida continuava a criar pus. Quando o promoveram a cabo (*Gefreiter*) em 1º de abril, isso pouco o alegrou: "Ah, malditos cães, queria que tivessem me promovido a *Befreiter* (libertado)".

Seu estado geral melhorou logo, mas sua ferida infeccionada não curou, pois, além dos músculos rompidos, seu esterno também havia sido danificado no acidente. "A infecção e o pus começaram também a afetar o osso", ele escreve a Ritschl em 26 de maio, "de forma que, para a minha surpresa, meu corpo expeliu um pedaço do osso. Agora, ataco o canal da infecção com chá de camomila e solução de nitrato de prata e tomo três banhos quentes por semana". E tudo isso dois meses e meio após o acidente!

Em 6 de junho (em uma carta a Rohde), ele teme "que a pior fase ainda está por vir. A infecção continua, o esterno foi afetado, e ainda hoje o médico me informou que uma operação no futuro próximo seria inevitável. Pois o corpo está rejeitando toda uma parte do osso; ele terá que fazer um corte na carne e 'reduzir' o esterno,

---

\* O médico havia diagnosticado o rompimento de dois músculos no peito, mas não percebeu a fratura do esterno.

como se expressou o médico, *scilicet* 'serrar'. Mas uma vez que uma pessoa se encontra sob a faca ou a serra dos operadores, ela sabe também quão tênue é a linha da qual depende aquela coisa chamada vida". Mas a princípio nada aconteceu, e em 22 de junho ele comunicou a Deussen a sua decisão: "Um ossinho após o outro sai pelo canal infeccionado e indica que o esterno foi fortemente danificado. Na próxima quinta-feira pretendo consultar-me em Halle com o famoso cirurgião Volkmann, e esperamos todos que ele me dê um diagnóstico satisfatório".

Em 25 de junho, ele se encontrou com Volkmann, o famoso cirurgião, que também escreveu os "Devaneios em lareiras francesas" (*Träumereien na französischen Kaminen*) sob o pseudônimo de Leander. Este o transferiu para o balneário de Wittekind, onde deveria tomar banhos medicinais.

Antes de viajar para lá, Nietzsche visitou seus velhos amigos em Leipzig, foi ao teatro em três noites, visitou o Seminário de Ritschl três vezes, que o convidou para o almoço no domingo, e passou uma noite nos aposentos de Roscher, de onde foi afugentado por percevejos, de forma que passou as duas noites seguidas em um hotel, para então passar as últimas duas noites na casa do "estranho esquisitão" Romundt, que pretendia conquistar o palco de Leipzig com sua tragédia "Mariana e Herodes", a qual Nietzsche deve ter criticado violentamente, pois, em 6 de agosto, Nietzsche escreve a Rohde: "O fogo poético do nosso amigo não é forte o bastante para matar um touro, mas basta para anestesiar um ser humano, motivo pelo qual eu implorei que interrompesse seu perigoso jogo com o fogo. Por ora, ele voltou a ser apenas filólogo".

Nem mesmo a estadia em Bad Wittekind parecia poupar Nietzsche de uma cirurgia. Mas então sua forte constituição se impôs, e a infecção diminuiu. Aplicações diárias de iodo na clínica de Volkmann em Halle, apesar de muito dolorosas, também ajudaram. De 19 a 25 de julho, Nietzsche já pôde participar da assembleia dos artistas sonoros em Altenburg, e quando ele se apresentou a Volkmann após seu retorno, este o declarou curado. Em 2 de agosto, Nietzsche voltou para Naumburg após cinco meses de doença.

Tudo indica que sua estadia em Wittekind foi divertida e bem-humorada. Já no terceiro dia, em 2 de julho, ele escreveu à sua "amiga maternal", a Sra. Sophie Ritschl, esposa de seu professor: "Na tarde de anteontem cheguei ao balneário que chamam de Wittekind; caía uma chuva forte, e as bandeiras, içadas em homenagem ao festival do poço, pendiam tristes e sujas. Meu anfitrião, um malandro de óculos azuis opacos, veio a meu encontro e me levou ao quarto alugado há seis dias, que era vazio como uma cela de prisão, com a exceção de um sofá completamente mofado.

Logo percebi que este hoteleiro empregava uma única faxineira para duas casas cheias de clientes, ou seja, para 20 a 40 pessoas. Dentro da primeira hora, recebi uma visita, mas uma visita tão desagradável que me vi forçado a livrar-me dela com todo respeito enérgico. Ou seja, toda a atmosfera que me recebeu era fria, chuvosa e triste.

Ontem fiz uma pequena inspeção da natureza e da humanidade deste local. À mesa, tive a sorte de desfrutar a companhia de um senhor surdo e mudo e de algumas mulheres de estatura maravilhosa. A região não me parece má, mas a chuva e a umidade não permitem dar um passo à frente ou ver qualquer coisa". E em 6 de agosto, ele escreve a Rohde sobre esse episódio: "retomei minhas composições; influências femininas".

Em 8 de agosto, ele escreve a Gersdorff: "É evidente que agora não posso continuar meu serviço militar; a princípio, serei declarado 'temporariamente inapto', e aos poucos desejo desaparecer das listas do serviço militar obrigatório, ainda mais agora que se tornou impossível uma carreira como oficial da *Landwehr*".

No início de outubro, quando seu capitão atestou sua qualificação para tenente da *Landwehr*, contanto que ainda acrescentasse um mês de serviço militar para adquirir os conhecimentos necessários para o treinamento de parelhas, Nietzsche ponderou o valor dessa promoção em vista da guerra inevitável, mas então desistiu dela quando recebeu o chamado para Basileia. Em todo caso, ficou aliviado quando, em 15 de outubro, no seu aniversário, foi definitivamente liberado do serviço militar, podendo agora "respirar livremente sem o aperto do uniforme" (em carta de 14 de outubro de 1868 a Dietrich Volkmann em Pforta). No dia seguinte, voltou para Leipzig.

Essa enfermidade de cinco meses, que – sempre que possível – narramos com as palavras do próprio Nietzsche, já que esses relatos transmitem uma impressão curiosa do modo como ele mesmo lidou com sua doença, certamente foi resultado de um mero acidente; mas Nietzsche sempre tendia a interpretar também o acaso – ou o aparente acaso – como destino, para transformá-lo em algo produtivo. Assim, conseguiu estabelecer uma relação especial com a doença: Por mais que esta o tenha impedido ou até paralisado temporariamente, ele conseguiu extrair dela aquele doce mel para seu pensamento e seu senso de vida, que a pessoa sempre saudável nunca vem a degustar. Boa parte de sua extraordinária perspicácia psicológica provém daí. Psicólogos charros têm falado de uma "fuga para a doença" sempre que Nietzsche queria se esquivar de um estado insuportável. O que realmente chama atenção é o fato de que a doença se manifesta em todos os pontos cruciais de sua vida e de seu pensamento, por vezes também como redentora em situações das quais Nietzsche dificilmente teria conseguido se libertar por força própria. Mas se formos interpretar isso como fuga inconsciente para a doença, ignoramos que a doença, com certeza a partir de 1870 e com grande probabilidade desde a mais tenra infância, lhe foi uma companheira constante, sim, até mesmo uma parte essencial de sua vida. E Nietzsche reconheceu isso desde muito cedo e tornou produtiva a doença para a sua vida sem se refugiar nela. Antes a usou para aumentar sua amplitude espiritual e sua sensação de vida. Preservou seu domínio sobre a doença, mais do que os saudáveis dominam sua saúde. Entendeu também a voz da saúde, que sempre é, ao mesmo tempo, a voz da consciência e um chamado para uma saúde mais sublime, melhor do que aqueles que a veem apenas como incômodo e perigo. E assim Nietzsche participou ativamente no desenvolvimento daquela interação secreta entre doença e destino, que impregna sua vida e sem a qual seus atos espirituais jamais teriam alcançado toda a sua altura e profundeza. Mesmo que tenha partido de outras margens para outros destinos no mar do conhecimento, seu barco também ostenta o lema do Mestre Eckhart: "O animal mais rápido que vos leva à perfeição é o sofrimento".

Quando o acidente prendeu Nietzsche à cama por meses, apenas uma visão muito limitada teria reconhecido nisso uma fuga do serviço militar: apesar de o serviço militar o ter incomodado em determinados momentos, ele nunca o percebeu como insuportável. Ele se submeteu aos exercícios físicos, sobretudo à equitação, até com certa alegria, e sua ambição de se tornar oficial da reserva era muito maior do que aquela demonstrada na vida da confraria em Bonn. Não lhe faltavam coragem e resistência física. O motivo da virada que acompanhou a doença se encontrava mais em seu interesse principal, em sua relação com a filologia e filosofia e na pergunta referente à sua profissão futura.

Sua produtividade filosófica estava inativa há quase quatro anos, com exceção apenas de seus estudos intensivos de Schopenhauer e Lange. Nesse tempo, ele havia ignorado suas dúvidas e sua inquietação filosófica e se concentrado quase que exclusivamente na filologia. Agora, a veia filosófica represada voltou a reclamar seu direito. Já vimos em suas anotações e em seus estudos sobre Demócrito que, já antes do seu acidente, ele havia começado a ampliar a filologia com metas filosóficas e político-culturais.

Ele sabia que dominava a filologia de sua época e que havia conquistado nela um lugar incomum para um estudante. Ele era colaborador do *Rheinisches Museum*, uma das revistas mais respeitadas de sua disciplina, e na primavera de 1868 Friedrich Zarncke o convidou para trabalhar também com o *Literarisches Centralblatt*. Em 15 de abril, Nietzsche respondeu a essa "carta amável e sedutora": "O campo que creio dominar um pouco é o dos estudos das fontes e da metodologia da história literária grega, e menciono também alguns nomes, dos quais me aproximei um pouco mais. Além de Hesíodo, devo mencionar aqui Platão, Teógnis e todos os poetas elegíacos, Demócrito, Epicuro, Diógenes Laércio, Estobeu, Suidas e Ateneu". E enviou também uma crítica do livro de Schömann sobre a "Teogonia de Hesíodo", que foi publicada já em 25 de abril e à qual se seguiram ainda outras sete críticas na mesma revista em 1868 e 1869. Portanto, podia considerar seus estudos praticamente encerrados. Agora, precisava apenas colher os frutos.

No início de abril de 1868, Nietzsche comunicou a Rohde seu plano de viajar para Paris no ano seguinte. Rohde se entusiasmou com a ideia de acompanhar Nietzsche, e queria partir já no inverno. Mas Nietzsche não pôde partir tão cedo. Em 3 de abril, escreveu a Rohde que, apesar de ter tomado sua decisão, não poderia realizá-la antes do verão do ano seguinte. Além de terminar outros trabalhos, precisava também completar sua dissertação de doutorado. Em uma carta a Gersdorff de 16 de fevereiro de 1868, escolhera como tema uma análise sobre a simultaneidade de Homero e Hesíodo. Mas então voltou a se aprofundar em estudos filosóficos, principalmente na obra "Kant", de Kuno Fischer, e no livro de Lange. Entre o final de abril e o início de maio, escreveu a Deussen sob o efeito dessa leitura, que havia fomentado seus instintos antimetafísicos: "Àquele que [...] mantém em vista o decurso das análises específicas, sobretudo as fisiológicas em Kant, não restam dúvidas de que aqueles limites foram identificados de modo tão certo e inequívoco que ninguém – com exceção dos teólogos, alguns professores de Filosofia e o *vulgus* – ainda se entrega a quaisquer ilusões. O reino da metafísica, ou seja, a província da verdade 'absoluta', foi relegada ao âmbito da poesia e da religião. Aquele que agora deseja saber algo se contenta com a relatividade consciente do conhecimento – como, por exemplo, todos os cientistas naturais importantes. A metafísica se localiza, portanto, em algumas pessoas ao âmbito das necessidades da alma e é essencialmente edificação; por outro lado, porém, é arte, ou seja, poesia conceitual; no entanto, devemos constatar que a metafísica, seja como religião, seja como arte, nada tem a ver com o chamado 'verdadeiro ou ser em si'.

Quando receber minha dissertação no final deste ano, você encontrará várias coisas que explicam esse aspecto do ponto de vista dos limites epistemológicos. Meu tema é 'O conceito do orgânico desde Kant', em parte filosofia, em parte ciência natural. Os trabalhos preparatórios estão quase encerrados".

Encontramos nessas linhas e no tema da dissertação já a abordagem crítica do ponto de vista epistemológico *e* científico. Outra parte da carta, porém, lança luz sobre a relação com o amigo Deussen, que já manifesta certas tensões: "Aquilo que mais me agradou em sua carta foi seu tom alegre e divertido, que se destaca de forma muito positiva da tonalidade de seus produtos verbais em Bonn e Tübingen. A 'qualidade senil' esvanece: esta é sua expressão tão característica para isso. Outras pessoas diriam: A 'qualidade juvenil' esvanece. Bem, não vamos brigar sobre isso.

Em relação a esse tom divertido, permito-me fazer uma sugestão. Já não bastam nossas constantes tentativas filosóficas de solapar as posições do outro, cujo palco tem sido as nossas cartas? Até hoje não conseguimos criar uma harmonia, por que, então, devemos tocar eternamente nas cordas que não harmonizam?" Nietzsche tenta incansavelmente preservar os relacionamentos como algo independente, mesmo ou justamente quando as opiniões divergem em relação a questões fundamentais, e mantê-las livres de meras diferenças de opiniões. Essa tentativa fracassaria de forma trágica em seu relacionamento com Richard Wagner, enquanto a bondade compreensiva de Malwida von Meysenburg se mostrou receptiva a seus esforços.

Já poucos dias depois, Nietzsche reconheceu que esse tema kantiano, apesar de dizer respeito a seus "temas principais", não era adequado para sua dissertação, "caso não queira me pôr ao trabalho com a insensatez de uma mosca", como escreve a Rohde em 3 ou 4 de maio. Decide então "tratar de uma questão filosófica mais limitada", ou seja, a pergunta se os "papas", que os historiadores da literatura grega atribuíam aos poetas e filósofos, eram pais verdadeiros ou apenas fingidos. Ele executou alguns trabalhos preparativos sobre o tema, mas a dissertação sobre o tema nunca foi concluída.

Na mesma carta a Rohde, porém, comunicou seus pensamentos mais recentes, instigados por eventos externos, sobre sua carreira no futuro próximo: "De passagem, Ritschl me disse certa vez que existe agora uma falta constante de docentes filológicos. Isso é confirmado pelas promoções rápidas, por exemplo, de Reifferscheid e, recentemente, de Riese em Heidelberg. Em todo caso, não avancemos em direção desse futuro acadêmico com esperanças exageradas. Mas creio que seja possível encontrar na posição de um professor o ócio necessário para dedicar-me a estudos próprios, um círculo de influência útil e uma situação social e política bastante independente. Esta última vantagem não encontraríamos numa carreira estatal, seja como jurista ou pedagogo.

Afinal de contas, por que precisamos fazer esse exame de licenciatura de fama tão duvidosa? Tenho pavor e chego a ranger os dentes diante desse desgaste da memória, da força produtiva, da curiosa pulsão de desenvolvimento, diante dessa máquina de uma máxima estatal antiquada que tudo nivela: sim, tenho certeza de que não poderei fazer esse exame, porque jamais quero poder fazê-lo. Portanto, apaguemos essa coisa do programa da nossa música do futuro: não precisamos dela para a nossa carreira acadêmica. – Agora falei de todos os pontos aos quais a carta de Windisch (que anexo à minha) me levou".

Ernst Windisch*, com o qual Nietzsche mantinha um relacionamento cordial desde Leipzig, mas sem desenvolver em seu convívio uma amizade tão próxima como com Rohde, ocupou nesses anos de 1868 a 1869 um papel muito mais importante na vida de Nietzsche do que tem sido reconhecido até então. Foi ele quem encorajou Zarncke a incentivar Nietzsche a colaborar com o *Literarisches Centralblatt*; foi ele que agora levou Nietzsche à decisão de se tornar professor; e foi ele também que viria a intermediar o contato entre Nietzsche e Richard Wagner. Eventos decisivos na vida de Nietzsche se devem, portanto, à sua iniciativa. Em termos humanos, porém, seu relacionamento se limitava ao relacionamento entre um cientista jovem e um talentoso colega de estudos. E sua visita ao Nietzsche enfermo em Naumburg no Domingo de Pentecostes de 1868, durante a qual Windisch aconselhou Nietzsche a fazer sua habilitação, também não os aproximou um do outro, apesar de Windisch ter agradado a Nietzsche como "uma daquelas naturezas que se desenvolvem completa e amplamente, cuja ambição é estranhamente sã e íntegra e que causa o mesmo prazer como a visão de uma árvore forte e saudável" (carta a Rohde em 6 de junho de 1868). A natureza muito ativa de Windisch ajudou Nietzsche mais durante esse tempo do que a amizade com Rohde.

Em 2 de maio de 1868, Windisch comunicou a Nietzsche seu plano de se habilitar em breve em Leipzig. Falou também dos planos de licenciatura de outros colegas de estudo[8]. No mesmo dia em que recebeu a carta, Nietzsche escreveu a Rohde, atribuindo a Windisch "uma importância decisiva para os nossos planos do futuro", apesar de Windisch não suspeitar de nada. Nietzsche só pode imaginar que Rohde e ele tomariam a mesma decisão. Ele escreve ao amigo: "Falando nisso, querido amigo, peço com insistência que não desvie seus olhos da carreira acadêmica – mas é necessário que, em algum momento, você tome uma decisão clara em relação a isso. É totalmente inadequado você se questionar em relação a isso. Não temos outra opção senão seguir o caminho indicado, porque não podemos agir de outra maneira, porque não temos outra carreira em vista que corresponda tanto a nós mesmos, porque simplesmente obstruímos os caminhos para outras posições úteis, porque não possuímos outro meio de oferecer nossa constelação de forças e opiniões aos nossos próximos. Afinal de contas, não podemos viver apenas para nós mesmos.

---

* 1844-1918, indólogo e sanscritista importante, professor em Leipzig.

Devemos fazer a nossa parte para que os jovens filólogos ajam com o ceticismo necessário, sem a mesquinhez e arrogância de sua disciplina, como verdadeiros defensores dos estudos humanistas. *Soyons de notre siècle*, como dizem os franceses: um ponto de vista que ninguém esquece com tanta facilidade quanto o filólogo futuro". Deveriam fazer um pouco de publicidade, depois escrever suas habilitações em Berlim ou em outro lugar, e então trabalhar como livre-docentes até serem promovidos, o que, segundo Ritschl, seria mais fácil no momento. Para o futuro próximo, porém, Nietzsche ainda não via a necessidade de pôr em prática esse plano. Ele continua: "Não tenho desejo maior no momento do que ver as belas imagens de um convívio parisiense transpostas para a realidade".

Nessa carta ao amigo mais próximo se expressa já toda a problemática que veio a dominar Nietzsche quando, muito mais cedo do que ele esperava na época, assumiu a profissão de professor acadêmico. A decisão de Nietzsche de se tornar professor continha, desde o início, todas as características de um compromisso, de um compromisso consciente, do qual inevitavelmente surgiriam os conflitos mais torturantes. Toda sua argumentação em prol dessa profissão parte da resignação. Ele percebe que seus estudos o levaram a um beco sem saída, e agora ele tenta fazer o melhor de sua situação. Sob a superfície, continua a arder o desejo de algo maior, mais livre, mas, "afinal de contas, não podemos viver apenas para nós mesmos". Precisa também pensar em seu futuro material. Sua herança é pequena demais para permitir-lhe a independência. Se a tia Rosalie, que morrera em 3 de janeiro de 1867, não tivesse lhe deixado uma herança que lhe permitiu ingressar na carreira de livre-docente, ele teria sido obrigado a fazer o exame de licenciatura tão desdenhado e a se tornar mestre de escola. Como professor universitário teria, pelo menos, uma posição mais respeitada e, talvez, o ócio para se dedicar ao que realmente o interessava.

O que o interessava não era a filologia. No momento em que escolhera a filologia como profissão, esta já não o interessava o bastante, e ele já havia decidido treinar seus estudantes com o "ceticismo necessário" e "sem a arrogância de sua disciplina". Todos os instintos o incentivavam a romper a prisão filológica e a adquirir uma visão mais ampla sobre a essência e o conhecimento de seu tempo. Assim, manteve-se firme em sua decisão de passar um ano em Paris com seu amigo Rohde, e na carta de 8 de agosto de 1868, tentou conquistar também Gersdorff para a ideia de "estudar um tempo naquela universidade da existência".

De resto, já havia decidido não só assumir a profissão de um professor universitário, mas também de fazer sua habilitação em Leipzig, já estava até esboçando seminários, por exemplo, sobre as Coéforas, de Ésquilo, sobre a questão homérica, sobre a pesquisa de fontes da história da literatura grega, sobre Teógnis, uma introdução a Platão e sobre o pessimismo na Antiguidade. Este tema, "importante para o drama e a história dos filósofos" (como diz uma anotação), já deve ter ocupado seus pensamentos entre a primavera e o outono de 1868, que o levaram cada vez mais à concepção do "Nascimento da tragédia".

Durante os meses de sua doença, seus laços com a filologia se tornaram cada vez mais fracos, na mesma medida em que seu sangue filosófico voltava a fluir. Agora, passou a aceitar a profissão de professor de Filologia como um destino que não podia mais ser evitado, mas tentou colocá-la sobre um fundamento filosófico, para assim colher dele alguns frutos. Para tanto, precisava de uma orientação mais ampla sobre todo o campo das concepções filosóficas, e adquiriu esta através de uma leitura renovada e mais aprofundada de Lange e do "Kant", de Kuno Fischer.

Mais urgente era, porém, um esclarecimento de sua relação com Schopenhauer. Nietzsche percebeu agora que o aspecto libertador que Schopenhauer havia representado para ele não se encontrava em seus dogmas, mas no caráter espiritual de Schopenhauer: em sua veracidade, em sua coragem intelectual, em seu horizonte superior e no poder artístico de seu estilo.

Sobre a obra principal de Schopenhauer, Nietzsche anotou[2]: "Uma tentativa de explicar o mundo sob um fator suposto. A coisa em si adquire uma de suas possíveis formas. A tentativa fracassou". Schopenhauer teria substituído o X kantiano (a coisa em si) pela vontade, gerada apenas com a ajuda da intuição poética" e atribuído "predicados excessivamente determinados a algo simplesmente impensável". Nietzsche afirma que o mundo não se deixa introduzir tão facilmente ao sistema. "Schopenhauer pretendia encontrar o X de uma equação: e seu cálculo revela que ele é igual a X, ou seja, que ele não o encontrou."

No entanto, essa refutação do dogma principal de Schopenhauer não significaria um argumento contra o filósofo: "Nada nos é mais distante do que querer atacar o próprio Schopenhauer por meio dessa crítica". Mesmo assim, e justamente por isso, o filósofo teria preservado a grandeza que possuía, pois "os grandes equívocos de grandes homens merecem nossa veneração, porque estes são mais terríveis do que as verdades de homens pequenos". Em uma anotação para sua terceira "Consideração extemporânea"[1] de 1874, Nietzsche explica o que ele venerava em Schopenhauer e o que ele considerava ser a essência de um filósofo: "Primeiro acreditamos num filósofo. Depois dizemos: Ele pode ter errado na forma da demonstração de suas sentenças, mas suas sentenças são verdadeiras. No fim, porém, não importa o que as sentenças dizem, a *natureza* do homem nos vale mais do que cem sistemas. Como professor ele pode ter errado cem vezes; mas seu ser está no direito, é a isso que devemos nos ater. O filósofo possui algo que uma filosofia jamais pode possuir: a causa para muitas filosofias, o grande homem".

E Nietzsche percebia Schopenhauer como expressão mais forte do tempo[2]: "É a era de Schopenhauer; um pessimismo saudável, que se serve do ideal como pano de fundo, uma seriedade masculina, um desdém pelo oco, pela falta de substância e um apreço pelo saudável e simples. Em comparação com Kant, Schopenhauer é o poeta; em comparação com Goethe, ele é o filósofo. Em comparação com Kant, ele é ingênuo e clássico [...]. Ele possui um estilo: enquanto a maioria dos filósofos não o possuem. [...] Schopenhauer é o filósofo de um classicismo revivificado, de um helenismo germânico. Schopenhauer é o filósofo de uma Alemanha regenerada. [...] Ele é o filósofo mais verdadeiro. [...] Para Schopenhauer, a filosofia é uma pulsão desenfreada".

Nietzsche escreveu essas observações sobre Schopenhauer no final de seu tempo como estudante. Mais tarde, agradeceu ao seu grande precursor no escrito "Schopenhauer como educador" (terceira "Consideração extemporânea"), um de seus trabalhos favoritos de toda sua vida, mesmo quando reconheceu que havia falado muito mais de si mesmo do que de Schopenhauer – ou talvez justamente por isso! E também as observações citadas acima revelam muito mais sobre Nietzsche do que sobre Schopenhauer. Aplica-se muito mais a Nietzsche do que a Schopenhauer, por exemplo, o fato de que seu ideal é o helenismo germânico – os anos seguintes serão uma única luta em torno disso. E seu destino já se anuncia quando Nietzsche diz que o grande homem é a essência da filosofia. E mil vezes mais se aplica a Nietzsche do que a Schopenhauer a observação de que a filosofia lhe é uma pulsão desenfreada, a pulsão desenfreada de uma veracidade que sempre o obrigava a avançar além do ponto em que Schopenhauer descansara.

Desde o início, Nietzsche lia em Schopenhauer apenas aquilo que lhe condizia. Para sua relação com Schopenhauer vale aquela sentença que ele cunhou sobre Kant nessa mesma época: "Kant apresenta grandes dificuldades de se identificar com filosofemas estranhos: o que é muito típico de um pensador original".

Quando Nietzsche voltou para Leipzig completamente recuperado em 16 de outubro de 1868, ele não se considerava mais um estudante. Em 8 de outubro, ele havia escrito a Rohde: "Um anúncio no jornal procura um 'requintado' aposento para um estudioso solteiro. Nossos conhecidos de lá, todos já subiram alguns degraus da fama; eu, pobre *homo litteratus*, também preciso pensar em adquirir logo um grau acadêmico para não ser considerado *pecus*\* da 'classe literária'. De resto, decidi tornar-me um homem mais sociável: na minha mira está uma mulher, da qual falam coisas milagrosas, a esposa do Prof. Brockhaus, irmã de Richard Wagner, sobre cujas capacidades o amigo Windisch (que me visitou) tem uma opinião surpreendente. [...] Os Ritschl convivem quase que exclusivamente com a Família Brockhaus".

O círculo dos Wagner o atrai em Leipzig. Com o próprio Wagner, Nietzsche estabeleceu uma relação espiritual pessoal, também graças à influência da leitura de Schopenhauer. Em outubro de 1866, ele ainda havia tocado a redução para piano da "Valquíria" com "sentimentos mistos" e concluído: "As grandes belezas e *virtutes* são anuladas por feiuras e falhas igualmente grandes. +a + (-a) é igual a 0, segundo Riese e Buchbinder" (em 11 de outubro a Gersdorff). Já em 8 de outubro de 1868, ele escreveu a Rohde: "Recentemente li também as redações de Jahn sobre música, também aquelas sobre Wagner. Para fazer jus a esse homem é preciso ter certa dose de entusiasmo: sinto-me instintivamente repugnado e ouço com ouvidos meio entupidos. No entanto, concordo com ele em muitas coisas, principalmente quando diz que Wagner é um representante de um diletantismo moderno, que suga e digere todos os interesses artísticos: justamente quando se assume esse ponto de vista, admira-se imensamente quão significativo é cada dom artístico desse homem, que energia indestrutível se alia aqui a múltiplos talentos artísticos, enquanto a 'Bildung' costuma se apresentar com um olhar fosco, pernas fracas e virilhas enervadas quanto mais colorida e abrangente ela é.

Além disso, Wagner possui uma esfera emocional totalmente ignorada por Jahn. Este permanece um herói mensageiro das fronteiras, um homem saudável para o qual a lenda de Tannhäuser e a atmosfera de Lohengrin são um mundo ao qual ele não tem acesso. Agrada-me em Wagner o que também me agrada em Schopenhauer, o ar ético, o cheiro faustiano, cruz, morte, sepulcro etc."

Em relação ao artista Wagner e principalmente em relação à sua "obra de arte do futuro", Nietzsche ainda mantém uma postura crítica, mas ele admira sua energia e vitalidade, e ele sente uma atração poderosa pela atmosfera emocional de obras como "Tristão", "Lohengrin" e "Tannhäuser" e reconhece nelas algo que sua razão já superou: cruz, morte e sepulcro, aos quais, porém, seu coração de músico sedento por salvação ainda se prende.

---

\* Animal doméstico, principalmente de pequeno porte.

Obedecendo ao conselho de Windisch, Nietzsche alugou um quarto em Leipzig na casa do Prof. Biedermann, na Lessingstrasse, livrando-se assim da necessidade de se alojar numa daquelas casas de estudantes abomináveis e de se alimentar da comida dos restaurantes. Biedermann, ex-parlamentar, era escritor da "Deutsche Allgemeine Zeitung" e se interessava por tudo relacionado à política e às artes. Sua casa era frequentada pela maioria das pessoas artísticas da cidade. Aqui, Nietzsche reencontrou a aclamada Susanne Klemm, a γλαυκίδιον, a "corujinha", e conheceu também Heinrich Laube, que acabara de ser chamado para Leipzig como novo diretor de teatro. Sua peça "Graf Essex", que Nietzsche viu com Romundt em 5 de novembro, porém, não lhe agradou. Vez ou outra pôde assistir a um concerto ou a uma palestra como representante, i.e., como correspondente da "Deutsche Allgemeine Zeitung"; pôde até escrever as críticas sobre as óperas. Tamanho era o respeito dos círculos acadêmicos pelos seus conhecimentos musicais.

Um concerto de 27 de outubro na "Euterpe" conseguiu entusiasmá-lo completamente para a música de Wagner. Ouviu aqui a abertura ao "Tristão" e aos "Mestres Cantores". "Meu coração simplesmente não me permite assumir uma postura fria e crítica diante desta música", ele escreve a Rohde no mesmo dia, "cada uma de minhas fibras, cada um dos meus nervos estremece, e há muito não experimento um sentimento tão duradouro de êxtase como durante a abertura aos Cantores Mestres." Estes "Cantores Mestres" seriam também o impulso para o encontro pessoal com Wagner.

Em 6 de novembro, Nietzsche fez a palestra de abertura do semestre de inverno de 1868 e 1869 em sua associação filológica sobre as sátiras de Varro e o cínico Menipo. Falou livremente, recorrendo apenas a pequenos bilhetes, e contratou Romundt para que este "observasse de forma bem pessoal o efeito do aspecto teatral, ou seja, da apresentação, da voz, do estilo e da disposição [...]. "E vede, tudo foi καλὰ λίαν*. Acho que darei conta dessa carreira acadêmica", ele escreve em 9 de novembro a Rohde.

Quando voltou para casa após a palestra, encontrou um bilhete de Windisch: "Caso queira conhecer Richard Wagner, venha ao Café Théâtre às 15:45h". Wagner – totalmente incógnito – estava visitando a irmã Ottilie, que era casada com o orientalista Hermann Brockhaus, mentor da habilitação de Windisch. A Sra. Ritschl, a velha apoiadora de Nietzsche, era amiga da Sra. Brockhaus. Quando Wagner tocou para ela e sua irmã a Canção dos Mestres dos "Cantores Mestres", a Sra. Ritschl

---

* *Kala lian* = muito bom.

lhe contou que ela já havia sido familiarizada com a peça por meio de um jovem filólogo com grande talento musical, Friedrich Nietzsche, aluno de seu marido. Então Wagner expressou seu desejo de conhecer este jovem homem. Isso resultou no bilhete de Windisch, e após algumas confusões Nietzsche teve seu primeiro encontro com Wagner na casa do Prof. Brockhaus na noite de 8 de novembro de 1868. Excitado, Nietzsche relata o evento a Rohde no dia seguinte:

"Crente que muitas pessoas estariam presentes, decidi me aprumar, e fiquei aliviado ao saber que meu alfaiate me prometera entregar um terno novo naquele domingo. Era um dia terrível de chuva e neve, ninguém quis sair de casa naquele dia, e assim fiquei feliz com a visita de Roscher naquela tarde, que me contou algo sobre a escola eleática e sobre o Deus na filosofia [...]. – O sol se pôs, o alfaiate não veio e Roscher se despediu. Acompanhei-o, procurei o alfaiate pessoalmente e encontrei seu escravo trabalhando assiduamente em meu terno. Prometeram enviá-lo em 45 minutos. Satisfeito, saí dali, passei no Café Kintschy, li o 'Kladderadatsch' e me diverti ao ler que Wagner se encontrava na Suíça, mas que estavam construindo uma bela casa para ele em Munique, enquanto eu mesmo sabia que o encontraria naquela noite e que ontem ele havia recebido uma carta do pequeno rei (Ludovico II da Baviera), endereçada 'Ao grande poeta sonoro alemão Richard Wagner'.

Chegando em casa, não encontrei o alfaiate, li com toda tranquilidade ainda a dissertação sobre a Eudócia, sendo interrompido de vez em quando por um sino gritante que tocava na distância. Por fim, compreendi que havia alguém esperando no antigo portão de ferro; estava trancado, como estava trancada também a porta da casa. Gritei para o homem que desse a volta pelo Naundörfchen, mas era impossível comunicar-me em meio ao barulho da chuva. A casa ficou em alvoroço, por fim, alguém destrancou o portão, e um homenzinho velho veio me entregar um pacote. Eram seis e meia. Estava na hora de me vestir e me arrumar, pois moro longe. Sim, o homem trouxe meu terno, eu o provo e ele cabe. Virada suspeita! Ele apresenta a nota fiscal. Eu, bem-educado, a aceito. Ele deseja ser pago, no momento da entrega. Eu fico surpreso, explico a ele que não trato de negócios com um funcionário do meu alfaiate, mas apenas com o próprio alfaiate, ao qual havia feito meu pedido. O homem se torna mais insistente, o tempo passa; pego as roupas e começo a me vestir, o homem agarra as roupas e me impede de vesti-las; violência da minha parte, violência da parte dele! Uma cena. Eu luto de camisa, pois quero vestir as calças novas.

Finalmente, um esforço de dignidade, ameaça cerimoniosa, maledicência do meu alfaiate e seu assistente, promessa de vingança: enquanto isso o homenzinho se afasta com minhas roupas. Fim do segundo ato: sento-me de camisa no sofá, olhando para um terno preto e tentando decidir se ele basta para um encontro com Richard.

– Lá fora, a chuva cai.

Quinze para as oito: Eu havia combinado que encontraria Windisch às 7 e meia no café do teatro. Corro pela escuridão da noite, um homenzinho preto, sem casaca, mas em clima intensificado de romance: a sorte me quer bem, até mesmo a cena do alfaiate possui algo de terrível e extraordinário. Chegamos ao salão muito confortável da Família Brockhaus. Ninguém está presente além do círculo mais íntimo da família, Richard e nós dois. Eu sou apresentado a Richard e digo-lhe algumas palavras de admiração. Ele exige que lhe explique em detalhe como conheci sua música, queixa-se altamente de todas as apresentações de suas óperas, com exceção da famosa apresentação em Munique, e zomba dos mestres de capela que, em tom tranquilo, gritam para suas orquestras: 'Meus senhores, agora vem um trecho passional', 'Meus queridos, um pouco mais paixão, por favor!' Wagner gosta de imitar o dialeto de Leipzig.

Agora, quero contar-lhe rapidamente o que esta noite nos ofereceu, prazeres de natureza tão picante que ainda não voltei às velhas trilhas e nada consigo fazer além de falar com você, meu fiel amigo, e contar-lhe as 'curiosas novas'. Antes e depois do jantar, Wagner tocou todas as partes importantes dos 'Cantores Mestres', imitando todas as vozes e se divertindo muito. Ele é um homem maravilhosamente vivaz e fogoso, que fala muito rápido, é muito engraçado e entretém fabulosamente uma sociedade deste tipo privado. Tive uma longa conversa com ele sobre Schopenhauer: ah, e você entenderá o prazer que senti ao ouvi-lo falar bem dele com calor indescritível, sobre o que ele lhe devia, sobre como Schopenhauer era o único filósofo que reconhecera a essência da música. Então, quis saber qual a posição que os professores de hoje assumiam diante dele; riu muito sobre o congresso dos filósofos em Praga e falou de 'servos filosóficos'. Depois, leu para nós um trecho de sua biografia, que ele está escrevendo atualmente, uma cena muito divertida de sua vida como estudante em Leipzig, da qual ainda preciso rir quando me lembro dela. Ele é um escritor extraordinariamente hábil e espirituoso. – No fim, quando nós dois nos preparávamos para a partida, ele apertou minha mão e me convidou para visitá-lo para musicarmos e filosofarmos. Também me encarregou de familiarizar sua irmã e seus parentes com a sua música: tarefa esta que aceitei cerimoniosamente".

Wagner, o grande mágico também no convívio com as pessoas, havia conquistado Nietzsche – muito mais novo do que ele – de imediato. As pessoas talentosas que Nietzsche conhecera até então haviam sido todas elas estudiosos ou escritores. Em Wagner, encontrou pela primeira vez um grande artista criativo, que despertou em Nietzsche todos os sonhos recalcados e secretos. Nietzsche se deixou cegar não tanto pela auréola que envolvia Wagner, mas pelo poder de uma personalidade verdadeiramente independente, que aqui se manifestou ao filho de pastor em toda a sua liberdade: um homem cujo entusiasmo, cuja vontade passional havia se imposto a um tempo moroso e criativamente pobre, cuja música e essência transmitiam um estado extático, que estremeceram os nervos e sensos sensíveis do jovem filólogo que havia se obrigado a suprimir suas pulsões musicais em prol de um espírito atento. E este homem tinha o mesmo deus – Schopenhauer – e nutria o mesmo desprezo pelos poderes dominantes no reino do espírito, pelos "servos filosóficos". Além do poder de sua música, ele tinha outro objetivo espiritual ainda maior: a renovação da cultura alemã, pela qual a alma de Nietzsche também ansiava. E o velho pescador de homens soube transformar o jovem entusiasta imediatamente em um aliado. Não estava aqui a mesma coisa que Nietzsche havia experimentado na leitura de Schopenhauer: O grande homem? Um novo líder?

Agora, sentia-se repugnado pela falta de espaço ao seu redor, mas seu novo modelo o ajudou a suportá-la.

Quando Rohde se sentiu magoado por Ritschl, Nietzsche lhe escreveu em 20 de novembro: "Agora que volto a ver essa cria de filólogos de perto, agora que sou obrigado a observar toda essa atividade de toupeiras, as bocas cheias e os olhos cegos, a alegria diante da minhoca capturada e o desinteresse diante dos problemas verdadeiros e urgentes da vida [...], entendo cada vez melhor que nós dois, contanto que permaneçamos fiéis ao nosso espírito, não conseguiremos seguir o caminho da nossa vida sem provocar muitos conflitos e choques. Quando a existência como filólogo e a existência como ser humano não coincidem completamente, a cria acima mencionada primeiro admira o milagre, depois ela se irrita e, por fim, arranha, late e morde [...]. Vivo na esperança certa de, em breve, também sentir um antegosto daquilo que me espera nessa atmosfera infernal. Mas, meu querido amigo, o que os julgamentos de outros sobre nossas personalidades têm a ver com seus e meus desempenhos? Pensemos em Schopenhauer e em Richard Wagner, na energia indestrutível com que se agarraram à fé em si mesmos em meio ao alvoroço de todo o mundo 'erudito'".

Nietzsche passou a ler passionalmente também as poesias de Wagner e seus escritos estéticos de 1849 a 1850, principalmente a 2ª edição recém-publicada de "Ópera e drama", que fortaleceu sua crença em uma renovação da cultura. Queria muito que seu amigo Rohde e ele chegassem à mesma opinião em relação a todas essas coisas. Esse desejo foi fomentado pelo fato de ambos – independentes um do outro – terem começado a se ocupar com os românticos, nos quais Nietzsche detectou "cheiros aconchegantes e familiares" e pelos quais Rohde desenvolveu um amor que duraria a vida inteira. Rohde reconheceu já agora "que os ensinamentos de Schopenhauer são, na verdade, uma cristalização pura, purificada de quartzos pastorais dos esforços dessa sua juventude". Rohde iniciara imediatamente a leitura de "Ópera e drama" e, ao chegar ao meio da obra, já teve "a impressão mais feliz" de "toda a natureza criativa e ininterrupta do artista" Wagner, e chamou o "pensamento de uma arte que represente o mundo inteiro, a vontade e o intelecto em uma imagem mais pura uma concepção grandiosa, sem que esta fosse apenas uma mera ilusão inalcançável"[7].

Assim, Nietzsche obteve a certeza "de que nós chegaremos a um entendimento completo de um gênio, que me parecia ser um problema insolúvel e o qual tentei compreender repetidas vezes ao longo dos anos: este gênio é Richard Wagner. Este já é o segundo caso em que nós, praticamente despreocupados com a opinião dominante sobretudo entre os estudiosos, erguemos nossos próprios ídolos: e dessa segunda vez já tomamos esse passo com mais firmeza e autoconfiança.

Wagner, como o conheci agora em sua música, em suas poesias, em sua estética e sobretudo em um feliz encontro com ele, é a mais concreta ilustração daquilo que Schopenhauer chama de gênio: sim, a semelhança de todos os traços individuais salta aos olhos. Ah, queria poder contar-lhe todos os detalhes que sei sobre ele por meio de sua irmã; queria poder ler com você as poesias (que Romundt preza tanto, ao ponto de considerá-lo o primeiro poeta da geração, e que, como o próprio Wagner me contou, o próprio Schopenhauer teve em alta consideração), percorrer juntos a trilha ousada e até estonteante de sua estética destruidora e edificante; queria, por fim, que a onda das emoções de sua música nos levasse consigo, esse mar sonoro schopenhaueriano, cujo ondear mais secreto eu sinto, que transforma meu ato de ouvir a música wagneriana em uma intuição jubilosa, em um autoencontro maravilhado" (9 de dezembro de 1868 a E. Rohde).

Um novo sentimento de vida se apoderou de um Nietzsche feliz. Já em 20 de novembro ele se sentiu no "centro" de sua vida e ansiava o momento de "apalpar" com o amigo "todas as coisas e relações, pessoas, estados, estudos, histórias mundiais, igrejas, escolas etc. com nossas antenas" e de deixar para trás na escola da vida de Paris a poeira da filologia de Leipzig. Foi quando esta filologia o alcançou e prendeu.

Ele acabara de reconhecer com clareza absoluta que a filologia o impedia de acessar os problemas decisivos de seu tempo, e, no momento em que estava pronto para romper essa esfera, ela voltou a se fechar novamente. Desta vez, de modo quase insuperável.

O jovem Nietzsche já havia percebido a perigosa unilateralidade de sua educação humanista. Seu espírito atento e a receptividade de seus nervos para todas as correntes de seu tempo permitiram que ele reconhecesse claramente a importância das ciências naturais. Agora, sentia o impulso forte de invadir esse mundo. Em 16 de janeiro de 1869, ele confessa a Rohde: "Semana passada quis sugerir-lhe que estudássemos química e que jogássemos a filologia naquele lugar onde ela deveria estar, no lixo doméstico dos nossos antepassados". Mas em 10 de janeiro de 1869, ele havia recebido uma notícia que o abalara tanto que conseguiu escrever a Rohde no mesmo dia apenas isto: "Tremo no corpo inteiro e não consigo me libertar nem abrindo meu coração para você. *Absit diabolus!*" Pois havia prometido confidência absoluta a Ritschl.

No início de dezembro de 1868, a cátedra de língua e literatura grega na Universidade de Basileia havia sido desocupada com a partida do Prof. Adolf Kiessling, que aceitara uma docência no *Johanneum* em Hamburgo. Com a intenção de sugerir um sucessor adequado, Kiessling entrou em contato com Ritschl, que havia sido seu professor em Bonn, para obter informações sobre Nietzsche, cujos trabalhos publicados no *Rheinisches Museum* haviam chamado sua atenção.

"Há 39 anos vejo tantos potenciais jovens se desenvolverem diante dos meus olhos: *jamais* conheci ou incentivei um jovem em minha disciplina que *tão* cedo e *tão* jovem fosse *tão* maduro como esse Nietzsche [...]. Profetizo que algum dia ele ocupará sua posição na primeira linha da filologia alemã. Ele tem agora 24 anos de idade: é forte, ativo, saudável e corajoso em corpo e caráter, feito para impressionar naturezas semelhantes. Além disso, possui o dom da fala livre eloquente e clara. Ele é o ídolo e (sem que soubesse disso) o líder de todo o mundo filológico jovem aqui em Leipzig, que (em número bastante grande) espera ouvi-lo o mais breve possível como docente"[242].

Kiessling repassou essa informação de Ritschl ao conselheiro de educação da cidade de Basileia, o Prof.-Dr. Wilhelm Vischer-Bilfinger, que pedira a seis estudiosos alemães de renome, entre estes também Usener em Bonn e Friedrich Ritschl em Leipzig, que lhe indicassem filólogos jovens qualificados.

Em 19 de janeiro, Usener também escreveu a Vischer: "Entre os representantes da geração mais nova, destaca-se Friedrich Nietzsche, cujos trabalhos publicados no *Rheinisches Museum* [...] surpreendem com seu vigor juvenil e sua visão penetrante".

Vischer, que conhecia os trabalhos de Nietzsche publicados no *Rheinisches Museum*, começou a ponderar a possibilidade de chamar Nietzsche, mas antes fez mais algumas perguntas a Ritschl. Este lhe escreveu no mesmo dia em que havia falado pela primeira vez com Nietzsche sobre o assunto, ou seja, em 10 de janeiro de 1869:

"Nietzsche possui alguns bens (o que, em minha opinião, é bastante conveniente para Basileia) e pretendia fazer uma viagem científica para Paris e para a Itália a partir da Páscoa [...]. Nietzsche não é uma natureza especificamente política, aparenta nutrir simpatias gerais para o crescimento da Alemanha, mas – assim como eu – não gosta muito do caráter prussiano, antes simpatiza vigorosamente com o livre desenvolvimento burguês e espiritual"[242].

Essa informação de Ritschl revela que, após sua defesa "enfurecida do caráter prussiano" do ano de 1866, Nietzsche havia passado por uma transformação em direção ao liberalismo nacional: A ideia do *Reich* havia se fortalecido; a da Prússia, enfraquecido. De resto, continuava não sendo uma "natureza especificamente política". Nietzsche não deve ter conversado muito com Ritschl sobre o seu ideal de uma renovação político-cultural da Alemanha inspirada por Wagner. Ritschl continua: "Que mais posso dizer? – Até agora, o foco de seus estudos tem sido a história da literatura grega (inclusive um tratamento crítico e exegético dos autores), com ênfase especial, parece-me, na história da filosofia grega. Mas não tenho dúvidas de que, caso seja confrontado com uma necessidade prática, seu grande talento lhe permitirá familiarizar-se também em outros campos. Ele poderá fazer tudo se ele o quiser.

Caso o senhor vier a falar com ele pessoalmente de alguma forma ou de outra, peço que, por favor, não se deixe convencer pela primeira impressão. Ele tem algo de Odisseu, reflete profundamente antes de falar, mas quando começa a falar o faz com eloquência poderosa, cativante e convincente. Eu posso estar errado, mas creio que ele será um excelente professor ginasial". A docência em Basileia trazia também a obrigação de lecionar a língua grega no último ano do Pädagogium (um ginásio) em Basileia.

Ritschl já havia informado Vischer de que Nietzsche ainda não havia terminado nem seu doutorado nem sua habilitação, mas que estava trabalhando em ambos. Além do extraordinário apoio caloroso de Ritschl, Vischer recebeu também notícias entusiásticas do jovem Bovet, de Basileia, que estudava em Leipzig e que havia realizado uma enquete entre os outros estudantes.

Em 16 de janeiro, a questão já havia progredido tanto que Nietzsche pôde informar a Rohde: "É muito provável e até certo que no futuro mais próximo serei chamado para a Universidade de Basileia. Preciso me acostumar com a ideia de que, a partir da Páscoa, eu serei professor acadêmico.

No início, meu título será o de professor extraordinário, meu salário será de 3.000 francos. Minha posição trará a obrigação de administrar seis aulas na última classe do ginásio da cidade. Após toda a encenação desse chamado, seria um capricho imperdoável se agora eu me recusasse".

Compreensivelmente, Nietzsche sentiu orgulho ao ser escolhido, mas logo sentiu também tristeza pelo fato de ter que desistir da viagem parisiense, e teve a sensação de agora ter deixado para trás a juventude: "A vida me parece bem abafada", ele escreve na mesma carta a Rohde, "sinto algo como a aproximação do verão".

Mas algo o consolava: estaria mais próximo de Wagner. "Recentemente, Richard Wagner me enviou suas saudações por meio de uma carta. Lucerna já não me parece mais inalcançável. No fim deste mês viajarei para Dresden para ouvir os 'Cantores Mestres'."

Essa estreia ocorreu em 21 de janeiro. Ela se transformou "no maior deleite artístico que este inverno me trouxe. Boa parte do meu corpo aparenta ser músico, pois durante todo aquele tempo tive a mais forte sensação de estar e me sentir em casa, e todas as minhas outras atividades me pareceram uma neblina distante, da qual eu havia sido resgatado. Agora, volto a enfrentar essa neblina densa e pesada" (a Rohde, em uma carta de 28 de fevereiro de 1869).

No primeiro dia de fevereiro, Nietzsche escreveu uma carta a Vischer, declarando sua disposição de aceitar um eventual chamado para Basileia. Como tema para sua preleção sugeriu: "Sobre as Erga de Hesíodo, *priv(atissime)*, e sobre as fontes da história da literatura grega, *pub(lice)*". Em 15 de fevereiro, anunciou definitivamente: "Os fragmentos dos poetas líricos gregos", 4 horas, priv., e "As fontes da história da literatura grega", 2 horas, publ. Na verdade, falou neste primeiro semestre do verão de 1869 sobre as Coéforas, de Ésquilo (3 horas semanais) e sobre os poetas líricos gregos (3 horas semanais).

Em 2 de fevereiro esteve em Naumburg para celebrar o aniversário da mãe, mas nada disse sobre seu chamado, pois ainda não havia recebido a confirmação definitiva. O pedido de Vischer havia sido aceito pela administração da universidade e apresentado ao conselho de educação. Este decidiu em prol do chamado em 29 de janeiro e informou a Pequena Câmera (o governo do cantão), pedindo sua confirmação. Em 6 de fevereiro, a Pequena Câmera tomou conhecimento da informação e da petição e confirmou o chamado em 10 de fevereiro de 1869. Esta informação foi enviada a Nietzsche em 12 ou 13 do mesmo mês, chegando, portanto, em suas mãos no dia 13 ou 14 de fevereiro. No mesmo dia, Nietzsche enviou um novo cartão de visita: "Friedrich Nietzsche. Prof. extra ord. de Filologia Clássica (com salário de 800 táleres) na Universidade de Basileia".

A felicidade da mãe e dos parentes foi enorme. O fato de um jovem homem de 24 anos de idade, que ainda não havia concluído seu doutorado e não era livre-docente, ser chamado para assumir uma docência, foi um evento extraordinário, ao qual poucos outros se comparam na história mais recente das universidades alemãs.

Como vimos, Nietzsche não foi tomado pelo mesmo entusiasmo. Além da honra, sentia claramente a obrigação que esta trazia, e que, por ora, destruía todos os seus planos de formação pessoal. Estava também muito ciente do trabalho que o "diabo destino" lhe impunha: precisava não só completar sua promoção o mais rápido possível, mas também preparar suas preleções. Além disso, precisaria enfrentar também as seis aulas semanais no ginásio e a direção do departamento filológico da universidade. Por isso, tentou abafar a euforia dos seus parentes, que o embaraçava: "Eu fiquei literalmente com um pouco de medo diante do entusiasmo de suas cartas", ele escreve na segunda metade de fevereiro à mãe e à irmã, "afinal de contas, tudo que aconteceu é que nasceu mais um professor, e assim tudo continua como era. Temo que os cidadãos de Naumburg possam estar exagerando em seu entusiasmo... Qual é a essência desse *poodle* glorificado? Suor e esforço". A despeito de todas as tentativas de rebater os elogios exagerados e de sua visão clara dos lados negativos dessa homenagem, não encontramos nenhuma modéstia falsa nesse jovem professor. Ele estava ciente de seu valor e seu desempenho e em momento algum se sentiu inseguro diante do desafio de sua nova tarefa. Manifestou imediatamente certa tendência para uma vida elegante e representativa. Na carta mencionada, pediu à mãe e à irmã que procurassem um servo que ele pudesse levar consigo para Basileia: "Não pode ser jovem demais, precisa ser organizado e honesto. Seria bom se fosse soldado. Odeio o dialeto popular de Naumburg. Não desejo um grau indevido de teimosia. Ele pode continuar a exercer sua profissão, se ela não causar sujeira e maus cheiros". Sua mãe, que não gostava desse tipo de extravagâncias, deve ter dissuadido seu filho já durante sua primeira visita a Naumburg. Infelizmente, não conseguiu impedir que ele rompesse sua amizade com Deussen de forma altamente arrogante.

O estado emocional de Nietzsche nesse tempo se revela em uma carta a Rohde, que ele começou a escrever em 22 de fevereiro, no aniversário de Schopenhauer. Rohde havia lhe desejado muita sorte e felicidade da forma mais amável possível: "Permita-me", ele escreveu, "que neste *dies festa* eu o elogie sem qualquer pudor, mas ninguém pode ter a certeza mais sincera de que você preencherá seu novo cargo de uma maneira que lhe renderá a gratidão da *universitas Basileensis* pela bênção recebida. Não sei eu de experiência própria que sua proximidade significa bênção e felicidade? E assim você não só ensinará aos jovens em Basileia e em todos os lugares a razão e destreza filológica, mas deixará também por meio do seu caráter um 'espinho em sua alma'. Isso fará com que, com você, o ser humano seja muito mais valioso do que o filólogo. [...] Neste *trivium*\* dos caminhos das nossas vidas, permita-me dizer-lhe mais uma vez que, em toda a minha vida, ninguém foi mais amável comigo do que você e que sinto isso com todas as fibras do meu ser. [...] Nossos interesses serão diferentes em muitos aspectos; mas no que há de melhor em nós, em nosso ser verdadeiro, permaneceremos unidos como antigamente".

Em 22 de novembro, Nietzsche respondeu: "Hoje, no aniversário de Schopenhauer, não tenho ninguém com quem pudesse conversar com tanta intimidade como com você. Pois vivo aqui na cinzenta nuvem da solidão, ainda mais que por todos os lados sou recebido com braços de acolhimento e, noite após noite, sou obrigado a obedecer à triste coerção dos convites. Ouço tantas vozes e não ouço a minha própria; como aguentar esse zumbido? Ou será que isso me fere apenas porque eu tenho os ouvidos da Calíope? Mas esse barulho lembra o mosquito, e você sabe que o mosquito é o monstro musical κατ᾽ ἐξοχήν\*\*, pois dois mosquitos juntos sempre cantam em semitom. Pessoas com as quais harmonizo ou cujas falas acompanham as minhas em belas terças não se encontram aqui, e até mesmo o maravilhoso Romundt, que, como percebo, deseja ser mais do que um bom conhecido, permanece estranho aos meus sentimentos por razões que desconheço. Portanto, a solidão não é algo que aprenderei apenas em Basileia".

E em 28 de fevereiro, ele prossegue: O comerciante de vinhos e admirador de Schopenhauer Wiesike lhe mandou uma fotografia de Schopenhauer como lembrança de seu aniversário. Ele organizara uma festa de aniversário para Schopenhauer em sua propriedade. Gersdorff também esteve lá, e todos brindaram à saúde de Nietzsche, porque agora um schopenhaueriano estava se tornando professor. "Isso não lembra as primeiras igrejas da Cristandade com sua embriaguez de vinhos doces?" O *leitmotiv* da Igreja cristã primitiva reaparecerá ainda várias vezes na concepção do mundo de Nietzsche. Ele continua seu relato a Rohde: "O dia de hoje também deve ser celebrado em honra a um mestre. Pois fui convidado para um jantar privado no Hotel de Pologne para ali conhecer Franz Liszt. Recentemente, tenho me destacado um pouco com minha opinião sobre a música do futuro etc., e agora sou

---

\* "Caminho triplo" = encruzilhada.

\*\* *Kat exochen* = por excelência.

fortemente assediado pelos seus seguidores. Desejam que eu sirva aos seus interesses com meus escritos; eu, porém, não tenho a mínima vontade de cacarejar publicamente como uma galinha; além disso, meus irmãos em Wagner costumam ser burros demais e escrevem de forma repugnante. No fundo, simplesmente não apresentam qualquer parentesco com aquele gênio e não veem sua profundeza, mas apenas a superfície. Daí a vergonha de a escola acreditar que o progresso na música consistiria justamente naquelas bolhas que a natureza muito peculiar de Wagner faz borbulhar aqui e ali. Nenhum dos sujeitos possui a maturidade para 'Ópera e drama'".

Por mais que ele tivesse se rendido ao encanto da personalidade de Wagner e agora se encantasse com sua obra, imediatamente se distanciou dos wagnerianos. Ele sentia uma ligação com Wagner mais profunda, de forma que, nem agora nem mais tarde, conseguiu suportar o fanatismo da seita de seus seguidores.

Então, fala de uma nova tarefa. Teme uma coisa acima de todas as outras: "Sobretudo a solidão, a solidão ἄφιλος ἄλυρος*. No momento, vivo distraído e viciado em prazeres, num *carnevale* desesperado em antecipação da grande quarta-feira de cinzas da profissão, da existência filisteia. Isso me afeta – mas nenhum dos meus conhecidos percebe algo, deixaram cegar-se pelo título de professor e acreditam que sou a pessoa mais feliz desta terra.

Querido amigo, sinto um grande desgosto por não podermos viver juntos. Nós dois somos virtuosos em um instrumento que outras pessoas não querem nem podem ouvir, mas que nos traz o mais profundo deleite; e, agora, cada um de nós se assenta em uma costa solitária, você no norte**, eu no sul, e ambos somos infelizes, porque sentimos falta da harmonia de nossos instrumentos".

Naquela época, nada importava a Nietzsche tanto quanto a amizade – e com Rohde ele a vivia plenamente.

Na casa do Prof. Biedermann, Nietzsche havia conhecido a vida de uma família harmoniosa, mas concluiu: "Isso aqui não se compara com as alturas, com a singularidade da amizade. A emoção no roupão de casa, o mais trivial e cotidiano brilha com esse sentimento que agradavelmente se estende sobre tudo – isso é felicidade familiar, tão frequente que não pode valer muito. Mas as amizades! Há pessoas que duvidam de sua existência. Sim, é uma iguaria seleta que se oferece a poucos, àqueles viajantes exaustos, para os quais o caminho da vida é uma trilha no deserto: eles

---

\* *Aphilos, alyros* = sem amigo e sem música.

\*\* Rohde pretendia fazer sua promoção e habilitação em Kiel.

são consolados por um demônio amigo quando se deitam na areia, ele umedece seus lábios ressecados com o néctar divino da amizade. Estes poucos, porém, cantam nos abismos e nas cavernas, onde fazem sacrifícios aos seus deuses sem a perturbação do mundo; oferecem belos hinos à amizade, e o velho sumo sacerdote Schopenhauer balança o turíbulo de sua filosofia" (carta de 10 de janeiro a E. Rohde).

A amizade lhe era sagrada, mas ele a via também como tarefa, e sua amizade era rígida e exigente. Ela não permitia a ociosidade, a falta de postura, muito menos ainda aqueles ataques de inveja, que mais tarde ele viria a perseguir impetuosamente sob o conceito do ressentimento.

Quando Deussen, que naquela época travava uma batalha dura como professor ginasial para iniciar uma carreira de estudioso, não conseguiu suprimir um sentimento de inveja, um sentimento de estar perdendo diante da docência de Nietzsche, este rompeu da forma mais brusca todos os contatos com ele. Há muito já se aborrecia com a postura de Deussen, que Nietzsche via como "infinitamente trivial e irrelevante"; agora, teve que observar como "o orgulho ainda pretende se aliar a tamanha superficialidade do pensamento, a tamanha falta de seriedade filosófica. O risível orgulho do camponês de não querer reconhecer o superior". Assim, evitou qualquer confronto e não lhe enviou o esboço com as observações citadas. No final de fevereiro, escreveu no reverso de um cartão de visitas: "Caro amigo, caso sua última carta não tenha sido provocada por perturbações ocasionais de sua mente, peço que considere encerradas as nossas relações. Friedrich Nietzsche".

Quando Deussen, que amava Nietzsche sem jamais entendê-lo em sua essência, pediu perdão, Nietzsche demonstrou alguma generosidade e lhe escreveu em 11 de abril de 1869, à véspera de sua viagem para Basileia, mas sem se afastar um milímetro de seu ponto de vista: "Aparentemente não existe razão para transformarmos isso em uma tragédia. Por vezes, porém, o velho Eurípides tem razão no que diz respeito a você: 'A pena escreve, e o coração de Deussen nada sabe disso'. Pois esta pequena pena maldita apresenta uma inclinação para a frase vazia e a vaidade de contar mais sobre aquele coração do que este sabe e responsabiliza. Trata-se evidentemente de uma pena de ganso; sugiro que a corte bastante ou a jogue fora e se acostume com outra [...]". Convida-o para uma visita a Basileia e afirma que gosta de se lembrar dos belos e longos dias do desenvolvimento conjunto. "Ainda nos suportaremos, caso não me assuste e irrite mais com esse tipo de *impromptus*." E encerra: "Como antigamente e sempre, seu velho camarada".

Deussen demonstrou grandeza ao não se sentir magoado e ao não entender esse orgulho apenas no sentido superficial moderno, mas também no sentido original da palavra, que denota um senso superior, um ser sublime.

Entrementes, o tempo passava. Antes de iniciar suas preleções em Basileia, Nietzsche ainda queria se acostumar um pouco à cidade e chegar lá em meados de abril. Kiessling e Vischer já estavam procurando um apartamento para ele. Antes de sua partida, porém, queria ainda completar sua promoção em Leipzig, escolhendo como tema seus novos estudos sobre Diógenes Laércio. Mas a faculdade de Leipzig o dispensou dessa necessidade: Unânime, ela declarou que os trabalhos publicados por Nietzsche no *Rheinisches Museum* eram absolutamente suficientes para conceder-lhe o título de doutor. Isso ocorreu no dia 23 de março, sem qualquer exame e disputa.

Além dos preparativos para seus cursos na Universidade de Basileia, restou-lhe realizar apenas mais um último trabalho, que ele havia aceito por intermédio de Ritschl: a produção de um registro de todos os números até então publicados nos 24 anos de existência do *Rheinisches Museum*. Com a ajuda de sua irmã, ele conseguiu cumprir também esta obrigação. Antes de assumir sua cátedra na Suíça, ele ainda teve que resolver uma questão que pesava em sua consciência: Deveria ele permanecer cidadão prussiano como funcionário público da cidade de Basileia? Aparentemente, o estado suíço havia exigido um esclarecimento sobre esse ponto. Pois em 7 de março de 1869 Nietzsche escreveu a Vischer: "Tenho refletido muito sobre outro ponto que o senhor menciona. Decidi, por fim, que a rescisão de minha cidadania prussiana é inevitável. Pois mesmo supondo que, em tempos de paz, eu consiga justificar minha ausência caso seja convocado para o serviço militar, isso seria impossível na possibilidade fatal de uma guerra. Eu não teria como fugir da minha convocação como membro da artilharia montada. Sob essas circunstâncias, considero minha obrigação diante da Universidade de Basileia de não submeter minha atividade a uma dependência de paz ou guerra".

Pediu então aos órgãos prussianos a sua expatriação e recebeu em 17 de abril de 1869 a certidão da secretaria em Merseburg, na qual lemos: "O governo real atesta por meio desta que o professor de Filologia Dr. Friedrich Wilhelm Nietzsche, de Naumburg, foi, a pedido próprio e em virtude de sua emigração para a Suíça, dispensado da aliança de súditos prussianos". A partir desse dia, Nietzsche não era mais prussiano nem alemão em termos jurídicos, mas, já que nunca permaneceu em Basileia ininterruptamente o tempo necessário para adquirir a cidadania suíça, apátrida, como na época se dizia na Suíça, e ele permaneceu nesse estado, pois quando saiu de Basileia jamais pediu sua repatriação. Ele se tornou e permaneceu *europeu*[112].

Nesses mesmos dias de março de 1869, Nietzsche escreveu ainda um breve currículo para seus empregadores em Basileia e algumas autorreflexões sobre sua relação com a filologia[4].

"Sempre considerei merecedor de atenção a pergunta sobre o caminho individual que leva uma pessoa justamente para a filologia clássica nos nossos dias; pois creio estar afirmando algo de conhecimento geral quando digo que algumas outras ciências, em sua força produtiva florescente e surpreendente, possuem um direito maior ao frescor de talentos emergentes do que a nossa filologia ainda vigorosa, mas que já revela traços de uma idade avançada. Ignoro as naturezas que são levadas para este caminho por um mero interesse de sobrevivência; e aqueles outros que são treinados sem resistência pela mão dos educadores filológicos para esta profissão também não me atraem. Muitos são impulsionados por um talento pedagógico inato: mas também para estes a ciência é apenas uma ferramenta útil, não o alvo sério e ansiosamente alvejado da jornada de sua vida. Existe uma pequena comunidade que, com prazer artístico, deleita-se no mundo das formas gregas, e uma comunidade ainda menor para a qual os pensadores da Antiguidade ainda não foram compreendidos em sua totalidade. Não tenho o direito de me identificar exclusivamente com alguma dessas classes, pois o caminho pelo qual cheguei à filologia se distancia igualmente do caminho da esperteza prática, do egoísmo inferior, e daquele que é iluminado pela tocha do amor entusiasmado pela Antiguidade. Admitir isto não é fácil, mas é sincero.

Talvez eu nem faça parte daqueles filólogos específicos em cujas testas a natureza gravou com estilete de aço: Este é um filólogo, e que percorrem seu caminho com a integridade e a ingenuidade de uma criança. De vez em quando, deparamo-nos com esse tipo de semideuses filológicos e então percebemos o quão diferente é tudo aquilo criado pelo instinto e o poder da natureza daquilo que foi gerado pela educação, reflexão e, talvez, até pela resignação.

Não quero dizer que pertenço totalmente ao grupo desses filólogos resignados, mas quando penso em como cheguei da arte para a filosofia, da filosofia para a ciência, e desta para um campo cada vez mais restrito, sou quase tentado a ver isso como uma abnegação consciente." E as linhas seguintes revelam um grande medo de ter perdido algo decisivo: "Deveria pensar que um homem de 24 anos de idade já tenha vivido o mais importante de sua vida, mesmo que venha a realizar apenas mais tarde aquilo que dê valor à sua vida. Pois é neste período que a alma jovem extrai o típico de todos os eventos e experiências feitas na vida e no pensamento: e ela jamais conseguirá fugir do mundo destes tipos. Quando mais tarde se apaga esta visão idealizadora do olho, encontramo-nos sob o encanto daquele mundo de tipos, que recebemos como legado de nossa juventude".

Foi com tamanha atenção a todas as vozes em seu interior e, mesmo assim, aceitando diligentemente suas obrigações, em plena consciência de uma plenitude maior do que seria exigido dele, que ele encarou a sua profissão, já sentindo o abalo do amadurecimento de um destino especial.

Ritschl havia descrito Nietzsche como "forte, ativo, saudável e corajoso em corpo e caráter". Sua irmã também não se cansa de elogiar sua saúde robusta naqueles anos. E, de fato, até então nada sabíamos de uma doença grave neste final de seu tempo em Leipzig, além da enfermidade causada pelo seu acidente a cavalo. Apenas a grande edição histórica de suas obras contém no volume V na página 205 a reprodução de um "registro autobiográfico", e os editores observam que, "sem dúvida alguma, este foi escrito num estado de grande excitação". Ele diz: "O que temo não é a figura terrível por trás da minha cadeira, mas sua voz; tampouco as palavras, mas o tom aterrorizante, desumano e desarticulado daquela figura. Ah, se falasse como falam as pessoas"[4].

O que significa essa anotação, que os editores datam no tempo entre o outono de 1868 e a primavera de 1869?

Em nenhuma carta, em nenhuma declaração de Nietzsche desse tempo, em nenhum testemunho do círculo das pessoas com as quais ele convivia, encontramos qualquer indício de perturbações mentais, que evidentemente causaram esse registro.

Somos então forçados a supor que tenha se tratado de um estado alucinatório único? Mas nós nos lembramos dos estados de forte excitação experimentados pelo aluno de Pforta, e lembramo-nos também das afirmações posteriores de um Nietzsche já demente, segundo as quais ele teria sofrido em sua juventude ataques epilépticos sem perda de consciência. Certamente, não devemos atribuir um peso excessivo às palavras de um homem doente. No entanto, também não podemos ter certeza de que a irmã – cuja negligência em relação aos documentos relacionados à doença do pai já conhecemos – não tenha ignorado, destruído ou extraviado do arquivo de Nietzsche outros documentos como este, encontrado na remota penúltima página de um caderno (P 1,11, p. 231) com anotações filológicas. Em todo caso, é possível que, aos 24 anos de idade, Nietzsche tenha sofrido ataques de alucinações, que o excitaram e aterrorizaram profundamente. Pelo menos nesse caso acima citado, a sua clareza desperta é dominada por uma alucinação, pela visão de uma figura que se encontra atrás de sua cadeira e que fala com ele em uma voz aterrorizante, desumana e desarticulada, como um mensageiro daquele reino no qual ele ingressaria vinte anos mais tarde.

Mas ele soube dominar aquela voz. Ninguém ficou sabendo de sua conversa com ela. A claridade do dia a espantou.

Não sabemos quantas vezes o demônio surgiu dessa profundeza ou desceu das maiores alturas para aterrorizar o jovem de 24 anos de idade; não sabemos o que ele sussurrou em seu ouvido com aquela voz aterrorizante, desumana e desarticulada, que o abalou em seu íntimo; não sabemos com que intensidade aquele demônio o tocou e se Nietzsche ainda o sentia presente na claridade do dia; mas sabemos que Nietzsche lutou com ele e sabemos que ele o venceu e o manteve preso durante vinte anos. Mas é possível que, durante todos esses longos anos, ele jamais o perdeu de vista e que, quando o reconheceu plenamente, ele se uniu a ele como que com o parceiro mais secreto e íntimo.

Em 12 de abril de 1869, quando o mesmo cocheiro, que já em 1845 havia levado seu pai e sua mãe para o casamento na igreja, o levou para a estação de trem, ele se apresentou à mãe e à irmã em perfeita saúde.

Ele não se apressou em sua viagem. No primeiro dia, viajou apenas até Colônia. Na noite do dia seguinte, fez uma excursão para Bonn e passou ali o próximo dia, "visitando locais de velhas lembranças e conhecendo novas pessoas", como escreveu à mãe em 20 de abril. Saiu de Bonn a bordo de um navio a vapor pelo Rio Reno, desembarcou em Bieberich e continuou de trem até Wiesbaden. No dia seguinte, seguiu até Heidelberg, onde viu "à noite, na mais bela iluminação e em um ambiente florido, a famosa ruína do castelo e onde encontrei alguns conhecidos de Leipzig. Passei o sábado naquela cidade, num hotel simples, mas bom, e trabalhei em minha palestra inaugural. No domingo, quis seguir diretamente para Basileia, mas 15 minutos antes de chegar a Karlsruhe mudei de ideia. Pois algumas pessoas jovens entraram em meu compartimento. Elas pretendiam ouvir os 'Cantores Mestres' em Karlsruhe. Não consegui resistir a essa tentação: saí do trem, validei minha passagem para o dia seguinte e me deleitei à noite com uma apresentação excelente desta minha ópera favorita".

Assim, despediu-se da Alemanha: com uma viagem pelo Rio Reno, com o romantismo de Heidelberg e com os "Cantores Mestres".

Entrementes escreveu em um hotel em Heidelberg sua palestra inaugural sobre "Homero e a filologia clássica"[4], que ele realizaria em 28 de maio em Basileia.

Nessa palestra, usou a questão de Homero para desenvolver, a partir dela, sua concepção do sentido da filologia e para fazer uma confissão pessoal sobre *sua* posição em relação à filologia.

"Onde o homem moderno se ajoelha em feliz admiração diante de si mesmo, onde o helenismo é visto como ponto de vista superado e, portanto, muito irrelevante [...], nós, os filólogos, precisamos contar sempre com a ajuda dos artistas e das naturezas artísticas, pois apenas eles são capazes de sentir como a espada da barbárie paira sobre a cabeça de cada um que perde de vista a incrível simplicidade e a nobre dignidade do helenismo." Nietzsche afirma que a filologia como ciência não é um corpo homogêneo, mas uma mistura de muitos ingredientes que se encontra em interação e contato indissolúvel com a arte. "A vida merece ser vivida, diz a arte, a mais linda sedutora. A vida merece ser reconhecida, diz a ciência. Dessa contraposição resulta a contradição interior e tão angustiante no conceito e, portanto, na atividade da filologia clássica orientada por este conceito." Quando o filólogo procede de modo puramente científico, ele pode até encontrar tesouros, mas "sempre perdemos o maravilhoso elemento formador, sim, o autêntico aroma da atmosfera antiga, esquecemo-nos daquela comoção ansiosa que guiava nosso pensar e deleite com o poder do instinto, essa mais nobre cocheira, para os gregos". A filologia é um centauro, e "todo o movimento artístico-científico desse curioso centauro busca – com tremendo ímpeto, mas com uma lentidão ciclópica – transpor aquele abismo entre a Antiguidade ideal – que, talvez, seja apenas a flor mais linda da ansiedade germânica pelo sul – e o real; e assim a filologia clássica busca nada menos do que a perfeição finita de sua própria natureza, um entrelaçamento e uma união completa das pulsões fundamentais originalmente inimigas e agora aqui reunidas."

Ele reconhece que essa meta possa parecer utópica e alógica, mas foi justamente ela que impulsionou as conquistas mais significativas da filologia clássica. Um exemplo disso é a questão de Homero, que Friedrich August Wolf retomou exatamente naquele ponto em que a própria Antiguidade a abandonara.

Durante algum tempo, acreditou-se que o conceito da *poesia popular* fosse capaz de resolver o misterioso problema da personalidade de Homero: "Supunham que um poder mais profundo e primordial do que a força de qualquer indivíduo criativo específico tivesse agido aqui, o povo mais feliz em seu período mais feliz, na mais sublime atividade da imaginação e na mais poética força figuradora, teria gerado esses poemas intransponíveis". Mas "não existe na estética moderna nenhuma oposição mais perigosa do que a entre *poesia popular* e *poesia individual* ou, como costumam dizer, *poesia artística*. Este é o revés ou a superstição em decorrência da descoberta mais significativa da ciência histórico-filológica, a descoberta e o reconhecimento da *alma popular*. Só com ela criou-se o solo para uma contemplação científica da história, que, até então, e de muitas formas até hoje, representava uma simples coleção de matéria [...]. Agora, compreendeu-se pela primeira vez o poder de individualidades e manifestações de vontade maiores do que o mínimo negligenciável do ser humano individual; agora, reconheceu-se como toda verdadeira grandeza no reino da vontade possui sua raiz mais profunda não na passageira e fraca figura individual da vontade; por fim, apercebeu-se dos grandes instintos de massa, as pulsões inconscientes dos povos como verdadeiros portadores e alavancas da chamada história mundial. Mas essa chama nova gera também suas sombras: a superstição acima mencionada que contrapõe a poesia popular à poesia individual [...]. Na verdade, porém, essa oposição entre poesia popular e poesia individual não existe: pois toda poesia, e evidentemente também a poesia popular, depende de um indivíduo intermediário. Essa contraposição abusiva só faz sentido se compreendermos como poesia individual uma poesia que não brotou no solo do sentimento popular, mas que remete a um criador não popular em uma atmosfera não popular, gerada, por exemplo, na sala de estudos do erudito [...]. Disso resulta que nada ganhamos com a teoria da alma popular poética, que, sob todas as circunstâncias, somos remetidos ao indivíduo poeta. Surge assim a tarefa de compreender o individual e de diferenciá-lo daquilo que a correnteza da tradição oral nos traz – uma parte da poesia homérica que deve ser considerada altamente significativa".

Partindo da análise das lendas populares de Homero e da antiga fábula sobre a competição entre Homero e Hesíodo, Nietzsche chega à conclusão: "Homero como poeta da Ilíada e da Odisseia não é uma tradição histórica, mas um juízo estético [...]. Com isso, porém, ainda não dissemos que o poeta das obras épicas mencionadas nada mais seria do que fruto da imaginação, na verdade, uma impossibilidade estética". O elemento original das duas poesias épicas seria o individual. Depois teria vindo a inundação pela tradição oral, que completou tudo conforme planejado. A conclusão de Nietzsche é: "Acreditamos naquele grande e uno poeta da "Ilíada" e da "Odisseia" – *não, porém, em Homero, como este poeta.*

A decisão sobre isso já está tomada. Aquela era que inventou as inúmeras fábulas homéricas, que criou o mito da competição entre Hesíodo e Homero, que considerava como homéricas todas as poesias do ciclo, percebeu não uma singularidade estética, mas material quando pronunciava o nome de Homero. Para este período, Homero pertence à mesma série de artistas como Orfeu, Eumolpo, Dédalo, Olimpo, à mesma série dos descobridores míticos de um novo ramo artístico, aos quais todos os frutos posteriores nascidos do novo ramo foram dedicados em gratidão.

Aquele gênio maravilhoso, ao qual devemos a Ilíada e a Odisseia, também pertence àquele mundo posterior, ele também sacrificou seu nome no altar do pai primordial da poesia épica heroica, de Homero".

Nietzsche afirma ter tocado a questão homérica nessa generalidade apenas para servir-se dela como meio para demonstrar como o trabalho filológico de quase um século de forma alguma destrói um conceito sem piedade, e sim confere a um monstro informe uma figura viva e convincente. Isso só teria sido possível pelo fato de que "os filólogos conviveram durante quase um século com poetas, pensadores e artistas". Tampouco devemos esquecer que, justamente quando nos sentimos mais ricos e mais felizes por meio das obras imortais do espírito helênico, "todo esse mundo mágico esteve enterrado, soterrado sob montanhas de preconceitos [...], que foram necessários [...] sangue e suor e o trabalho intelectual mais penoso para resgatar este mundo de seu esquecimento".

Então encerra – de forma um tanto repentina – com uma confissão bem pessoal: "Basta. No entanto, preciso ainda dizer algumas palavras de natureza profundamente pessoal. Mas a ocasião desta palestra as justificará.

Um filólogo também age bem ao resumir o objetivo de sua busca e o caminho que pretende percorrer na sucinta fórmula de um credo; e quero fazê-lo invertendo uma sentença de Sêneca:

*philosophia facta est quae philologia fuit*\*.

Com isso quero dizer que toda e qualquer atividade filológica deve ser abarcada e circunscrita por uma visão filosófica do mundo, na qual todo o individual e singular se desfaz na forma de vapor como algo reprovável e na qual persiste apenas o todo e o homogêneo. E, assim, permito-me expressar a minha esperança de que, com essa direção, eu não serei um forasteiro em vosso meio..."

Quando redigiu essas linhas, por meio das quais pretendia se apresentar em Basileia, ele, despedindo-se da Alemanha, já deve ter pressentido ou, conhecendo seus colegas filológicos, percebido quão rapidamente se tornaria – necessariamente – um forasteiro entre eles.

Aquilo que até então havia se contentado em ser filologia deveria se transformar em filosofia, ser abarcado pela filosofia e fluir para a filosofia! Nietzsche já havia expressado seus pressentimentos em uma carta a Rohde, dizendo-lhe que, com essa postura, certamente entraria em confronto com seus colegas. Não havia seu próprio e venerado Prof. Ritschl sempre refutado essa interpretação de sua tarefa? Será que ele teria recomendado seu aluno com tantos elogios se tivesse reconhecido um abandono tão decidido da filologia pura e autossuficiente em Nietzsche?

Sim, Nietzsche estava determinado a preencher o cargo e a tarefa assumida com toda a responsabilidade e com toda a lealdade disponível. Mas seu aprendiza-

---

\* Transformou-se em filosofia o que era filologia.

do havia terminado, e Nietzsche não queria ser um ruminante. Não era apenas seu espírito reformador e profundamente protestante que o impulsionava para além dos limites de sua disciplina, mas também uma sensação de uma situação de emergência e de uma missão que não podia rejeitar. Nele vivia e se apresentava aos seus olhos, mesmo que com contornos ainda confusos, a imagem de uma cultura pela qual precisava lutar. Nesse aspecto pode parecer-se com seu contemporâneo Karl Marx. O que ambos tinham em comum era o reconhecimento de que a situação cultural atual havia se esgotado e a consciência de que estavam vivendo num tempo de virada, de inversão dos valores e das forças dominantes. Jacob Burckhardt como observador também faz parte dessa imagem, quando fala de uma "era revolucionária" como fato. Mas no que diz respeito ao ponto de partida e ao caminho a ser percorrido, os dois assumiram posições contrárias.

Para Marx, tudo se fundamenta no âmbito material. Para ele, a situação cultural é o resultado ou espelho das condições econômicas; por isso, pretende primeiro mudar estas, para então provocar uma renovação cultural geral. Nietzsche, por sua vez, demonstrou nessa palestra sobre Homero – e ele nunca mais abandonaria essa posição – a necessidade de uma força espiritual, de um gênio, para marcar as circunstâncias culturais, depois, das "pulsões inconscientes dos povos", ou seja, de potências espirituais como "portadoras e alavancas da chamada história mundial". Nietzsche desejava provocá-las, queria ativar as potências espirituais, revolucionar as condições culturais, que automaticamente reorganizariam as situações econômicas. Nesse sentido, a chamada "questão trabalhista" não representava para ele um problema imediato.

As peças fundamentais para essa revolução eram, a seu ver, as obras de Schopenhauer e sobretudo de Richard Wagner, e nas profundezas da alma e do espírito alemão ele reconhecia o fundamento eterno; em seu mundo helênico, o exemplo eterno. Ele sentia-se sustentado por uma missão, e acreditava não estar sozinho. Mas um conhecimento mais profundo já lhe dizia que ele permaneceria sozinho, solitário como sempre foi, e que sua missão, que ainda permanecia escondida dentro dele, mas já agitava constantemente os seus nervos e o seu sangue, o desafiaria com corpo e alma.

Em 19 de abril de 1869, quando chegou a Basileia às duas da tarde, ele já havia deixado sua juventude para trás, e a obra começou a mostrar sua cabeça de Medusa.

## Segunda parte

# Os dez anos em Basileia (19 de abril de 1869 a 2 de maio de 1879)

# I

# O novo ambiente

Ao chegar em Basileia, Nietzsche encontrou um clima espiritual completamente novo, que teria um efeito muito forte sobre seu desenvolvimento. No entanto, iniciou-se também o período mais longo de permanência em um só lugar: dez anos inteiros. Esse período lhe permitiria viver e superar aquilo que trouxe consigo da Alemanha e encontrar seu caminho nesse novo espaço. Sua posição e a vida em Basileia lhe ofereceram a mistura perfeita de solidão, independência e apoio que Nietzsche precisava na época. O fato de que a aceitação precoce da docência filosófica traria como consequência de uma existência dupla desde o primeiro semestre em Bonn um primeiro colapso físico, nada tem a ver com Basileia; ele se devia antes a uma escolha errada. É possível que, em outro lugar sob condições mais rígidas, o desgaste físico teria ocorrido de forma mais rápida; o conflito entre profissão e chamado teria se acentuado de forma mais aguda.

### Origens

Nietzsche havia sido criado sob condições que sempre apresentavam um líder hierárquico. O pai havia recebido sua posição em Rücken do Rei Frederico Guilherme – e, como sinal de sua gratidão, o filho teve que ser batizado em nome do rei. A casa em Naumburg estava claramente sob o domínio da matriarca avó Erdmuthe Nietzsche. Após um breve período de relativa liberdade na própria casa da mãe, Nietzsche, como aluno da escola de Pforta, teve que se submeter à rígida disciplina da instituição e à liderança de um reitor, lembrando-se sempre da mercê e da generosidade do senhorio que lhe concedera o privilégio dessa educação. Após outro breve *intermezzo* de relativa liberdade – o ano em Bonn – ele se viu sob a liderança de um professor superior – Ritschl –, em cuja personalidade a Faculdade de Leipzig alcançara seu auge. E sobre tudo isso se estendia a autoridade de um organismo político liderado por um príncipe e, com o passar do tempo, cada vez mais pelo "forte chanceler" Bismarck. Até mesmo a organização religiosa, a Igreja Evangélica Alemã, possui um bispo como pastor supremo.

### Basileia antes de 1875

Nietzsche não encontrou nada disso em Basileia. A cidade não possuía castelo com parque como centro arquitetônico – essa cidade nunca fora regida por um príncipe que tivesse manifestado sua dominação por meio de construções. Tampouco existia uma vida cortês como centro social, nenhum desfile militar como sinal ou reivindicação externa de poder. A catedral e a universidade representavam há séculos o centro arquitetônico e social, eram pontos de reunião e irradiação. Nada acontecia por conta da mercê de um príncipe que pudesse ser conquistada ou perdida. Tudo estava nas mãos dos cidadãos. A universidade era dirigida por um reitor, eleito entre o colegiado dos professores para um curto mandato. O número de cátedras e seus recursos financeiros eram determinados pelo parlamento da cidade – cidadãos eleitos por cidadãos. O ensino e a pesquisa nunca foram subordinados ao ditado político, mas também não levavam uma existência totalmente desvinculada da sociedade política, o acadêmico não se transformou em uma pessoa isolada da sociedade. Antes partiam da universidade fortes impulsos para a vida da comunidade, e muitos dos docentes nativos se empenhavam em instituições políticas e privadas para o bem comum. Não existia uma autoridade estatal "de cima". Os representantes do cantão da cidade de Basileia se encontravam em constante concorrência com os outros cantões emergentes do país e muitas vezes em oposição direta aos órgãos nacionais, pois aqui existia uma oposição política entre o liberalismo e o radicalismo. A Igreja nacional da Suíça também não conhece uma hierarquia eclesial. No tempo de Nietzsche, o pastor principal da catedral possuía apenas o título de um "antístite", nada mais. Uma importância de liderança podia ser assumida no máximo pelos teólogos mais importantes das universidades.

Nietzsche vinha de um clima político que favorecia o florescimento de grandes estados nacionais. Com fogo e espada Bismarck por fim conseguiu construir o "Reich" em 1870/1871, e também a Itália conseguiu criar um Estado popular após grandes sacrifícios de sangue. A colorida família de povos sob a coroa do Danúbio, por sua vez, perdia cada vez mais o fundamento de sua existência, e em 1918 sofreu a grande catástrofe de sua divisão em vários estados nacionais pequenos.

Nietzsche continuou a se entregar a esse *Zeitgeist* (espírito do tempo) no êxtase da guerra até 1870 e ao programa político-cultural de Richard Wagner, representado na ideia do Festival de Bayreuth. Mas durante os dez anos que passou em Basileia, ele se transformou fundamentalmente e se tornou um dos primeiros europeus de cunho moderno. É provável que essa mudança não teria ocorrido se ele tivesse assumido uma docência, por exemplo, em Leipzig (o que teria sido bastante provável em vista da fama que gozava naquela cidade). Em Basileia, ele viveu o exato oposto, e uma experiência jamais passava por ele sem deixar rastros.

### O Estado suíço desde 1848

Essa aliança de estados pequenos (cantões), formada por habitantes de origem alemã e romana, havia se transformado em uma federação sob a pressão das circunstâncias e concedeu ao poder central apenas o imprescindível para garantir a defesa da autonomia política e econômica do Estado como um todo. Os frutos das convulsões sociorrevolucionárias da Europa de 1830 e 1848, que inicialmente não alcançaram seus objetivos em nenhum outro lugar, foram orgulhosamente colhidos. Ao contrário dos grandes estados nacionais que se apoiavam na emoção popular, criou-se aqui uma estrutura puramente política baseada em fundamentos racionais. Em 1869, 21 anos após a constituição dessa nova formação estatal, as piores doenças da sua infância haviam sido superadas. Políticos extremistas haviam ousado desafiar a sorte e levado o Estado à beira de uma guerra contra as grandes potências. O "Tratado de Neuenburg" com a Prússia em 1858 e a aventura de Savoyen em 1860 (para libertar Genebra de sua precária situação geográfica) apresentavam traços híbridos[95].

O que as grandes potências presas em sua ambição dinástica pelo poder nunca entenderam foi a coragem com a qual esse Estado estava disposto a arriscar tudo em nome de princípios políticos. Há muito, a política de asilo da Suíça vinha aborrecendo e irritando os gabinetes em Viena, Berlim e Paris. Durante anos, essa política havia oferecido proteção a Richard Wagner, tão venerado por Nietzsche naquela época. O país era – não injustamente – visto como berço de elementos revolucionários. Sobretudo a agitação causada na Lombardia, que ainda se encontrava sob o domínio da Áustria (Nietzsche chegou a conhecer pessoalmente seu principal e mais temido promotor, Mazzini), desafiava o General Radetzky para um ataque direto de retribuição. O fato de isso não ter ocorrido deveu-se não à Suíça, mas às suspeitas e aos conflitos cada vez maiores entre as próprias grandes potências – e à mão protetora da política inglesa, interessada em alimentar a desestabilização no continente europeu.

Nietzsche nada sabia dessas razões e desses contextos quando chegou a Basileia, mas ele desfrutou os resultados dessa despreocupação teimosa na superação da velha Europa. Apesar de Basileia apresentar uma imagem bem mais calma do que a excessiva política suíça, sua vida pública também era marcada pela consciência orgulhosa de ter sobrevivido ileso a um perigo e de ter demonstrado sua valia em tempos de crise.

Assim convergiram o espírito de sua nova pátria e o próprio caráter revolucionário de Nietzsche, aqui ele encontrou um ambiente no qual podia desenvolver seus pensamentos de "dinamite". O ambiente tolerante lhe oferecia proteção. Mas havia ainda outro componente que serviu aos seus interesses, mesmo que ele não tenha se conscientizado plenamente dele.

## As preocupações de Basileia com sua universidade

Basileia tinha seu próprio problema: Por toda parte, e também na Suíça, as confusões de 1830 haviam provocado uma onda de radicalismo político contra o antigo regime de conselheiros. Em todos os lugares, essa onda foi contida e apaziguada, apenas em Basileia os deputados suíços permitiram que ela causasse um naufrágio. Em 1833, o cantão foi dividido em dois semicantões: Basel-Stadt (a cidade de Basileia) e Basel-Land (as regiões rurais de Basileia, tendo Liestal como sua capital). Nisso, os limites do cantão da cidade de Basileia foram traçados de forma tão restrita que a comunidade política quase foi sufocada dentro destes. E mais: os bens do Estado foram divididos em desvantagem da cidade, numa relação de 64 por 36. O maravilhoso tesouro da catedral também foi submetido a essa divisão e as peças mais valiosas foram, já que não tinham nenhuma utilidade para o novo cantão de camponeses, vendidas a preço de banana para o mundo inteiro. No entanto, precisamos dizer também que a cidade perdeu a oportunidade de recuperá-los por um preço justo. Mas o novo governo de Liestal também quis sua partilha dos bens da universidade. Sob grandes sacrifícios pessoais de alguns cidadãos da cidade, as coleções puderam ser protegidas da destruição e dissolução, mas a antiga universidade, fundada em 1460, sendo assim uma das mais antigas, encontrava-se à beira da ruína. E, como se isso não bastasse, os radicais cantões liberais de Berna e Zurique fundaram suas próprias universidades, privando assim Basileia de um grande número de estudantes provenientes dos cantões vizinhos. Além disso, durante décadas o plano de uma universidade suíça central assombrava o país, suscitando imediatamente brigas sobre sua futura localização. Desse projeto restou no fim apenas o Instituto Federal de Tecnologia, fundado em 1855 em Zurique, deixando muito claro aos cidadãos de Basileia quem eram seus maiores adversários[67].

230

Confinados em seu território, isolados economicamente e enfraquecidos financeiramente, a cidade enfrentou grandes dificuldades em sua tentativa de manter sua universidade. A universidade, antigamente famosa por suas promoções, agora se via até incapacitada de realizar cursos propedêuticos; algumas faculdades, como a de Medicina e Direito, tiveram que ser temporariamente desativadas, porque a cidade não conseguiu nem ocupar as poucas cátedras. Mas essa limitação forçada trouxe também algumas vantagens, como logo se revelaria. O antigo regime de conselheiros subsistiu até 1875, mas seus membros eram todos cidadãos cosmopolitas altamente formados, dispostos a fazer sacrifícios. Essa elite política constituía ao mesmo tempo uma elite espiritual formada por acadêmicos, fabricantes (indústria de seda) e comerciantes, cujos navios navegavam por todos os mares do mundo.

Ao decorrer do tempo, essa "tribalização" de poucas famílias gerou um vínculo com a terra, um orgulho local e um espírito possível apenas na total urbanidade desse tipo de *polis*, desse tipo de cidade-Estado. No conselheiro Prof. Wilhelm Vischer-Bilfinger, Nietzsche conheceu um representante típico dessas famílias como colega, chefe e mecenas. E ainda falaremos sobre a importância que o cidadão de Basileia Jacob Burckhardt teve para Nietzsche.

Esse era o lado espiritual de Basileia, que certamente vinha ao encontro da imagem ideal de Nietzsche, desse admirador do helenismo. Mas a situação apresentava também consequências práticas.

A emergência econômica exigia também economias no orçamento da cidade. Naturalmente surgiu também a pergunta se a universidade poderia ser mantida. Sempre é bom quando essas perguntas precisam ser respondidas em tempos de crise, pois nesses casos sempre se fala sobre a essência. Em 1835, todos os membros da Grande Câmara (o parlamento da cidade) votaram de forma unânime a *favor* da instituição altamente respeitada, mesmo que em dimensões adaptadas às condições financeiras. Rapidamente, os conselheiros e professores Andreas Heusler, Christoph Burckhardt, o Reitor La Roche e Peter Merian formaram a "Sociedade Acadêmica Voluntária", que com suas contribuições cada vez mais significativas permitiram à universidade a criação de cátedras não previstas pela lei, a contratação de curadores para suas coleções, a ampliação das coleções, a concessão de aumentos de salários e pensões (em 1879, p. ex., também a Nietzsche) e a organização de palestras públicas. Jacob Burckhardt participou com frequência dos ciclos de palestras da "Sociedade Acadêmica Voluntária", e também as palestras de Nietzsche "Sobre o futuro de nossas instituições de ensino" seriam viabilizadas por meio dessa organização. Foi importante também que o número crescente de membros dessa sociedade levou o apoio à universidade e a preocupação com seu desenvolvimento a todos os níveis da sociedade, arraigando assim a universidade na consciência popular e no orgulho da cidade.

Por outro lado, a nova lei universitária de 1866 (como já o faziam também as leis de 1818 e 1835) obrigava os docentes da Faculdade de Filosofia a administrarem aulas aos últimos anos do ginásio humanista (que, na época, ainda era chamado de "Pädagogium"). Essa obrigação dupla pretendia fortalecer o vínculo entre a universidade e os cidadãos. "Professores estrangeiros, que já haviam trabalhado em diversos lugares, afirmaram que, em nenhum outro lugar, haviam sido obrigados a abandonar os limites de sua disciplina e docência e a introduzir-se na vida da cidade"[56]. Muitos dos alunos do ginásio não escolhiam um estudo acadêmico, mas muitos dos futuros fabricantes e comerciantes se formaram nessa escola e a encerraram com a *matura*\*. Todos eles foram instruídos por professores da universidade e permaneceram gratos a eles por toda a sua vida. A esses círculos devemos muitos testemunhos valiosos sobre Jacob Burckhardt e Nietzsche.

Em 1850, quando a pergunta sobre a sobrevivência da universidade da cidade voltou a dominar a agenda sob a pressão do projeto da universidade nacional, isso já não representou mais nenhum perigo significativo. Em 3 de fevereiro de 1851, a Grande Câmara voltou a confirmar seu apoio com 81 a 27 votos à universidade cantonal. "A universidade deve ser um foco de impulsos espirituais para todos os cidadãos", dizia a decisão. Essa confirmação deu novas forças aos amigos da universidade. Agora, investiram suas energias para libertar a instituição de seu nível propedêutico e reconduzi-la às antigas alturas. Um dos homens mais empenhados nesse esforço é o professor de Grego Wilhelm Visher-Bilfinger, membro da administração, do conselho de educação e da Pequena Câmara (governo da cidade-cantão). Ele foi o primeiro também a fundar um seminário em sua disciplina na Universidade de Basileia: no semestre de inverno 1861/1862, ele instalou o "Seminário Filológico-Pedagógico"[272]. A nova lei universitária de 1866 abriu então novas possibilidades para outros desenvolvimentos.

Uma das principais preocupações (e dificuldades) continuou a ser durante muito tempo a contratação de bons docentes. A reputação do instituto havia sofrido em virtude dos eventos do passado recente e precisava ser reconstruída. O alcance que a universidade podia oferecer a um docente era muito limitado – ainda em 1870,

---

\* *Matura* = exame realizado ainda hoje no final do ensino médio na Suíça [N.T.].

todas as quatro faculdades juntas contavam apenas com 116 estudantes, a maioria matriculada na Faculdade de Teologia. Até professores populares tiveram que cancelar cursos em virtude da falta de estudantes. Também o famoso jurista Andreas Heusler teve que se queixar da falta de interesse por parte dos estudantes, e sobre o docente de direito alemão, o Prof. Wilhelm Arnold, a história da universidade conta que ele, "visto que nem sempre conseguiu reunir o número suficiente para seus cursos sobre o Direito Germânico, se ofereceu para assumir voluntariamente a disciplina do Direito Canônico"[56].

Assim, a universidade conseguia interessar apenas docentes jovens, que usavam Basileia, como trampolim e que, após adquirirem aqui alguma experiência, partiam para outra universidade após pouco tempo. Eram sobretudo as universidades de Giessen, Göttingen, Rostock e Königsberg que enviavam seus docentes para Basileia, para que lá absolvessem seu "estágio". Nessas décadas, encontramos em todas as faculdades de Basileia nomes que, mais tarde, alcançariam fama mundial. Naturalmente, esse ir e vir constante impossibilitava o desenvolvimento de amizades mais profundas entre os professores. Apenas um círculo pequeno, mas muito unido, permanecia na universidade. Isso também correspondia à natureza de Nietzsche. Ele não conseguia ser πολύφιλος (amigo de muitos, i.e., amigo para todos os lados). Num círculo íntimo de amigos, ele conseguia se adaptar, ele procurava contato com personalidades extraordinárias, e estas amizades ele não perdia, nem mesmo quando ocorria uma alienação ou ruptura externa. Desde cedo se aplica a ele a declaração que ele escreveu a seu velho companheiro Erwin Rohde ainda no tempo de sua última separação, em 11 de novembro de 1887: "Na minha idade e no meu isolamento, *eu* pelo menos não perco mais as poucas pessoas nas quais tenho confiado"*. Com seus dez anos como membro do corpo docente, Nietzsche representava um exemplo de lealdade como docente estrangeiro.


### O chamado precoce de Nietzsche

A forma como se deu o chamado do jovem Nietzsche causou – e causa ainda – bastante alvoroço.

A universidade emergente procurava forças jovens. Em virtude da constante necessidade de repor seus docentes, a universidade e os conselhos responsáveis

---

* Ao acrescentar "não gosto mais", a edição de Ges. Br. II, p. 583, distorce as palavras de Nietzsche ao ponto do incompreensível.

estavam sempre à procura de livres-docentes recém-habilitados, aos quais a Universidade de Basileia podia oferecer a chance de ingressar na carreira acadêmica. O linguista Jakob Wackernagel, que viria a adquirir grande fama em sua disciplina, havia se habilitado como livre-docente em 1876 com apenas 23 anos de idade e, aos 26 anos, sucedeu Nietzsche na cátedra de filologia clássica.

Em 1850, a Faculdade de Medicina contratou um anatomista de 28 anos de idade – Karl Bruck –, e, em 1857, a Faculdade de Direito chamou Hermann Fitting com 27 anos de idade e, em 1864, Gustav Hartmann com 29 anos de idade. A juventude não era, portanto, um empecilho, pelo contrário. E a universidade não fez experiências ruins com isso – com exceção da breve permanência dos docentes. Como fundamento para suas escolhas, o conselho da universidade se apoiava em recomendações pessoais por parte de autoridades reconhecidas e na qualidade confirmada por peritos de publicações científicas dos candidatos.

Desse ponto de vista, o chamado de Nietzsche não apresentava nenhum traço sensacional. O candidato já estava na idade de se habilitar, a recomendação pessoal por parte da autoridade de Ritschl era brilhante e foi sustentada por pesquisas adicionais[242], e as publicações no *Rheinisches Museum* eram, em seu tempo, contribuições notáveis para um complexo temático ainda muito novo de uma crítica das fontes de Diógenes Laércio, que depois avançou e logo ultrapassou os resultados de Nietzsche. Mas no momento de seu chamado, não existia publicação melhor do que a de Nietzsche. Assim, Basileia lhe ofereceu a oportunidade de um chamado precoce. O fato de ele não ter seguido o exemplo de seus colegas alemães de logo abandonar a universidade só pode ser explicado com o clima espiritual favorável encontrado em Basileia, que lhe correspondia de alguma forma – a despeito de suas queixas sobre "exaustão". Ele tentou ser transferido para a cátedra de filosofia, mas essa tentativa ocorreu dentro da Universidade de Basileia. Nunca procurou uma cátedra de filosofia em outra universidade, e até rejeitou uma oferta de Greifswald no início de 1872. E também o corpo estudantil de Basileia deve ter agradado a Nietzsche mais do que as confrarias alemãs\*. Além disso, essa cidade-república apresentava alguns traços familiares.

---

\* E. Bonjour descreve a diferença em sua história da universidade[56]: "Jamais era atribuída ao estudante de Basileia a posição de exceção que ele desfrutava na Alemanha do romantismo. Ele não destacava exageradamente a sua posição acadêmica [...], antes procurava introduzir-se à comunidade burguesa como membro trabalhador. [...] Estudavam aqui sobretudo membros da burguesia média e baixa: filhos de pastores, funcionários públicos, professores, artesãos. A formação universitária em Basileia de forma alguma era um privilégio restrito às elites sociais e econômicas. [...] O estudante de Basileia copiou dos confrades alemães a prática de atletismo e das caminhadas, mas

Basileia era uma cidade pequena com menos de 30 mil habitantes, uma cidade medieval com muros e vala (como também Naumburg!), protegida por grandes torres ao lado dos portões, que eram fechados toda noite. Apenas em 1868, no ano da chegada de Nietzsche, foram derrubados os últimos bastiões medievais[178]. Dominava ainda a hipocrisia burguesa com toda a sua mesquinhez, e a imprensa recém-inaugurada alimentava e provocava com fofocas. A isso se deve uma boa dose de seu desprezo pela "democratização"; ele teve bastantes oportunidades de estudar a inferioridade espiritual. Mas de onde vinha *ele*? Por mais que tenha expressado posteriormente sua raiva sobre o espírito provincial de Naumburg, sobre a "virtude de Naumburg": ele também continuava sendo um cidadão provincial no que dizia respeito à sua conduta. Nunca se sentiu em casa no "mundo grande". Apenas no isolamento rural de Tribschen, perto de Lucerna, ele teve a coragem de sentir seu "cheiro", onde Richard Wagner encenava o "grande mundo". Mas esse "sentir o cheiro do mundo grande" também fazia parte de Basileia.

## A largada para uma "nova era" em conflito com o conservadorismo

Com a ligação à ferrovia francesa, que passava pela Alsácia, a Suíça obteve em 1844 sua primeira conexão ferroviária. Mas foi necessário permitir que o muro da cidade de Basileia fosse perfurado para a construção de um "portão ferroviário". "Até à década de 1850, os sete portões antigos e o novo portão ferroviário eram fechados todas as noites. Durante a noite, não havia qualquer trânsito na cidade; sem qualquer perturbação pelo barulho, os cidadãos gozavam do sono dos justos"[170].

Até então, a Suíça não possuía qualquer política ferroviária positiva. Até a fundação da Federação em 1848, cada projeto ferroviário era sufocado por conflitos referentes à responsabilidade e à soberania dos cantões individuais. O único investimento possível em meios de transporte foram os navios a vapor nos lagos. O jovem Estado também não dispunha dos recursos financeiros necessários e se viu obrigado a deixar tudo para a iniciativa privada – ou para os estados vizinhos, como a linha do Gotardo –, além disso, dominava uma oposição férrea por toda parte. Era um tempo de mudança de todos os fundamentos econômicos, sociais e espirituais.

---

de modo comedido. A euforia nacional-política do alemão encontrou um eco apenas fraco em Basileia [...]. Tampouco surgiu aqui um corpo de docentes políticos. [...] Por isso, a Universidade de Basileia nunca se transformou em centro de uma renovação nacional. [...] O Direito Penal de Basileia proibia os duelos. A maioria das confrarias locais rejeitaram e aboliram os duelos completamente. Por isso, os poucos estudantes membros de confrarias se duelavam com os estudantes de Freiburg, na própria cidade de Freiburg i. Br. ou [...] em território da Basileia rural, onde o risco era menor de serem descobertos. Raramente um caso era julgado; na década de 1870, nenhum".

Hesitante, o Conselho de Basileia permitiu outra conexão ferroviária do lado direito do Rio Reno: as linhas da *Badische Bahn* foram estendidas até o território da cidade. Em 19 de fevereiro de 1855, a estação ferroviária de Baden foi festivamente inaugurada. O *status* jurídico das instalações já havia sido definido em 1852 por meio de tratados estatais. Agora, existia uma estação ferroviária da França e de Baden em território suíço: sob o ponto de vista do direito das gentes, isso representava uma novidade absoluta e foi resolvido de forma tão moderna que ela prevalece até hoje. Por enquanto, porém, a cidade continuava a ser fechada também nesse ponto de acesso por um portão medieval. Assim, cruzavam-se nessas instalações o avanço ousado de modernas soluções interestatais para além das fronteiras e a aderência a formas antiquadas e obsoletas.

Finalmente, estabeleceu-se também uma linha ferroviária suíça: passando por Olten, esta ligava Basileia a Berna, como linha principal da chamada "Centralbahn-gesellschaft" (Sociedade Ferroviária Central), mas a estação ferroviária inaugurada em 4 de junho de 1860 ficava ainda fora dos muros da cidade; por isso, foi necessário construir outro portão para dar acesso à estação, e nesse caso o conselho da cidade também exigiu que ele fosse fechado à noite e vigiado pela polícia*.

Basileia começou a desmontar suas fortificações apenas em 27 de junho de 1857 com a "Lei sobre a ampliação da cidade". A cidade estava plenamente ciente da inutilidade estratégica de suas fortalezas. Além do mais, os muros se encontravam em péssimo estado de conservação, as valas haviam sido preenchidas ao ponto de serem irreconhecíveis como tais e, em vista do desenvolvimento bélico, os muros não conseguiam oferecer nem mesmo uma proteção ilusória. Mas os antigos ramos artesanais e o pequeno comércio da cidade temiam a entrada de uma grande quantia de produtos baratos e não fiscalizados que arruinariam a produção doméstica. Por fim, a nova postura liberal ignorou essas preocupações. A razão principal para a demora havia sido uma exigência financeira do cantão da Basileia rural. Caso a destruição do muro resultasse na geração de "bens estatais", ou seja, solo aproveitável, o tratado de divisão de 1833 exigia que dois terços fossem entregues ao governo em Liestal. E de fato, em 16 de novembro de 1859 – 26 anos após a resolução do conflito e a divisão dos cantões –, o governo de Liestal voltou a estender sua mão exigindo sua parte. Após um longo e duro processo com a participação dos docentes da universidade, a cidade obteve a vitória em 29 de outubro de 1862; mesmo assim, pagou em 31 de

---

* Esse é o motivo pelo qual a estação ferroviária se encontra ainda hoje em uma posição um pouco periférica, mesmo que a cidade tenha crescido para além dela. O novo portão da cidade era acessível pela Elisabethenstrasse.

maio de 1863 a quantia considerável de 120 mil francos para quitar quaisquer rei-vindicações. Finalmente, nada impedia mais o desenvolvimento da cidade. Os muros caíram rapidamente, e apenas três portões foram preservados como monumentos ar-quitetônicos. Um dos últimos bastiões a cair em 1868 foi o "Fröschenbollwerk" (uma instalação de defesa militar) perto do portão de Spalen, e no mesmo ano a universida-de recebeu o "Posto Alto" bem perto dali, na vizinhança do Petersplatz, para que ali a Sociedade acadêmica voluntária pudesse construir o "Bernouillianum", batizado assim em homenagem à famosa família de matemáticos.

### O novo lar de Nietzsche

Aqui, numa nova rua criada pelo nivelamento das valas a poucos passos do impressionante portão de Spalen[170]* e do novo prédio da universidade, Nietzsche veio morar primeiro no Spalentorweg 2 e, mais tarde, no Schützengraben 45 (47, na numeração atual), numa linda casa de um único piso, como correspondia ao gosto da época.

A localização às margens da cidade era maravilhosa: jardins e campos abertos em proximidade imediata, uma visão desimpedida em direção à Floresta Negra e aos Vosges, ou seja, bem parecida com a de sua casa em Naumburg, no "Weingarten".

Uma caminhada de 10 minutos o levava ao prédio da universidade no Rheins-prung e ao Ginásio "Pädagogium" "auf Burg" no Mentelinshof, perto do Münster-platz. Nietzsche precisava atravessar primeiro um pequeno vale cortado pelo Córre-go Birsig e depois subir pelo outro lado, passando por becos estreitos até a chamada Colina do Castelo, no topo da qual não havia um castelo, mas a catedral gótica. Todo o núcleo da cidade velha era dominado pela arquitetura gótica. A arquitetura romana havia sido destruída pelo terremoto de 1356, e o barroco jamais conseguiu se firmar nessa cidade profundamente protestante, com a exceção talvez de alguns prédios profanos.

Esse foi o ambiente que Nietzsche encontrou quando chegou à cidade em 1869.

---

* "Entre os portões de Basileia, o Spalentor ocupa uma posição especial. Nenhuma das numerosas fortificações da cidade foi adornada com tantas obras de arte como esse acesso que se abre ao via-jante vindo do Sundgau. Mas também em sua estrutura arquitetônica, esse portão é tão peculiar que dificilmente se encontrará uma fortificação mais impressionante em toda a Europa Central. [...] A torre recebeu na época (no início do século XV) as ricas esculturas no lado externo, [...] Maria com a criança e os profetas são obras que se parecem muito com as esculturas da escola de Parler de Praga. Também por volta de 1400, o portão recebeu as torres redondas laterais, que conferem ao portão seu caráter especial. [...] As consoles e os merlões da antetorre ricamente adornados com esculturas de forma alguma correspondem a seu propósito de fortificação. [...] Em primeiro lugar, o visitante [...] deveria receber uma forte impressão da grande riqueza da comu-nidade de Basileia."

# II

# A "ilha dos bem-aventurados"

Na carta de 9 de novembro de 1868 ao amigo Erwin Rohde, na qual ele relata seu primeiro encontro pessoal com Richard Wagner na casa do Prof. Brockhaus em Leipzig, Nietzsche escreve: "No fim, quando nós dois nos preparávamos para a partida, ele (Wagner) apertou minha mão e me convidou para uma visita, para musicarmos e filosofarmos".

Estava Wagner falando sério quando o convidou? E o que Wagner quis dizer quando convidou Nietzsche para "uma visita"? E o que Nietzsche podia esperar desse convite para o futuro, para o *seu* futuro?

Richard Wagner já se encontrava em seu 56º ano de vida. Sua vida havia sido dramática, repleta de auges e mais repleta ainda de humilhações. Quatro anos antes, a mercê e o favor do jovem rei da Baváría Luís II o havia tirado de sua profunda miséria. Wagner era uma das pessoas mais veneradas e, ao mesmo tempo, mais odiadas de seu tempo, criador de uma obra tão imensa quanto revolucionária (e, por isso, contestada), possuía uma personalidade demoníaca e mágica, protegida por uma camada de charlatanice. A catarata de eventos o obrigara a se afastar dos holofotes da metrópole cultural de Munique. Encontrou um refúgio idílico em Tribschen, nas proximidades de Lucerna, às margens do Lago dos Quatro Cantões. No momento em que conheceu Nietzsche, encontrava-se em uma disputa acirrada por sua futura parceira Cosima, que ainda era esposa (católica!) de seu amigo e companheiro, o mestre de Capela Hans von Bülow. Na época, esse assunto pessoal ainda não estava resolvido, e existia a possibilidade de ele sair como perdedor. Ele estava prestes a tomar decisões de maior importância para o seu destino. Para fugir das complicações criadas por ela e Wagner, a Sra. Cosima havia permanecido em Munique.

Sem Cosima, Tribschen lhe parecia ermo e abandonado, e por isso havia feito essa viagem: para acalmar sua nervosidade. Estava totalmente em aberto se "Tribschen" permaneceria apenas um belo sonho ou se aquele lugar se transformaria em um futuro concretizado. Sob essas circunstâncias, qual podia ter sido o propósito de seu convite? Onde esse jovem e pobre estudante da filologia clássica de apenas 24 anos de idade deveria visitá-lo?

Em novembro de 1868, ninguém podia imaginar que, poucos meses depois, o jovem acadêmico, sem promoção e habilitação, seria chamado para assumir uma docência de filologia clássica, muito menos, que esse chamado o levaria a Basileia, tão próxima de Tribschen. O máximo que Wagner podia esperar era uma visita de alguns dias à grande casa em Tribschen, durante uma viagem de estudos ou de férias de Nietzsche. Nesse sentido, o convite amigável ao jovem inteligente, entusiasmado e obcecado com a música pode muito bem ter sido sincero. Wagner procurava – e precisava – sempre de contatos e os buscava também entre os membros da geração mais nova.

Para Nietzsche, porém, esse convite era mais. Esse convite o tocou em seu íntimo, e ele se sentiu chamado pelo destino. Quando, dois meses depois, o Prof. Ritschl falou com ele sobre seu possível chamado para Basileia, esse convite, a proximidade de Tribschen, pode ter exercido um peso muito grande em suas reflexões e mais ainda em suas emoções. Os planos de uma viagem de estudos a Paris com seu amigo Rohde, a necessidade de ampliar seus conhecimentos com estudos da ciência natural, para daí encontrar seu caminho para o destino de sua vida, a filosofia: Nietzsche recalcou tudo isso. Apesar de reconhecer claramente que ainda era jovem demais para isso, assumiu o jugo dessa docência filológica para assim assegurar o contato, a "amizade" com esse primeiro homem extraordinário em sua vida. Nem mesmo o acordo bastante definitivo com seu amigo mais próximo Erwin Rohde conseguiu detê-lo. E Nietzsche ainda nada sabia da intensificação da experiência de Tribschen por meio do encanto que partiria de Cosima, da mulher mais importante, da "mais venerada senhora" que jamais encontraria em sua vida, dessa mulher que, apenas sete anos mais velha do que ele, era-lhe bem mais próxima do que seu amigo Wagner.

Nietzsche chegou em Basileia em 19 de abril de 1869. No início, é claro, estava totalmente ocupado tentando se estabelecer nesse novo ambiente. E nos primeiros dias de maio começaram também o primeiro semestre na universidade e as aulas no "Pädagogium". Desde seu chamado em fevereiro, não tivera muito tempo para se preparar para as oito horas semanais de aula na universidade e para as seis aulas como professor ginasial. Mesmo assim, em meio a esse aperto de tempo e trabalho, ele se lembrou do convite, pôs seu destino à prova e, já em 15 de maio, no sábado antes de Pentecostes, viajou para Lucerna e dali para Tribschen, para aparecer na casa de Wagner sem anúncio prévio.

### A primeira visita em Tribschen

O próprio Nietzsche, porém, não parece ter estado absolutamente convencido da seriedade do convite feito seis meses antes na distante Leipzig durante uma conversa ocasional. Ele não se aproximou de Tribschen com passos seguros e autoconfiantes. Ele havia combinado com conhecidos fazer uma visita à Pedra de Tell no chamado "Urnersee", na parte sul do Lago dos Quatro Cantões. Na época, o trem só ia até Lucerna. Aqui, os passageiros eram obrigados a seguir viagem num barco a vapor. E apenas aqui, na proximidade imediata de Tribschen, ele decidiu definitivamente, mesmo que com passos hesitantes, fazer a caminhada de meia hora pelos campos de Röhricht e as margens ainda não cultivadas do lago até a colina de Tribschen. Uma caminhada com graves consequências!

Era ainda manhã. Wagner costumava trabalhar até às duas da tarde. Desde 1º de março, ele estava ocupado esboçando a composição do 3º ato de "Siegfried", que ele encerraria em 14 de junho. Ninguém podia perturbá-lo durante seu horário de trabalho, nem mesmo a "Sra. Baronesa" (= Cosima, que, após resolver todos os seus assuntos em Munique, havia retornado para Tribschen). Ela protegia o horário de trabalho do mestre como um Cérbero. Cita-se muito uma história segundo a qual Nietzsche teria entregue ao servo (que deve ter sido Jakob Stocker) seu cartão de visita e, após uma pequena espera, foi convidado para um almoço tardio ou para a próxima segunda-feira após Pentecostes. Mas isso apenas após Wagner ter perguntado se esse tal de Prof. Nietzsche era o mesmo Sr. Nietzsche que ele havia conhecido seis meses antes na casa de seu cunhado em Leipzig.

Por mais que essa narrativa agrade ou até mesmo se baseie em um relato de Nietzsche, o que realmente aconteceu naquela casa e quem realmente o convidou permanece incerto. Tudo indica que não tenha sido o próprio Wagner. Nem Stocker nem Cosima devem ter ousado interromper o trabalho do mestre por causa de uma bagatela de um visitante que nenhum dos dois conhecia. Mas Tribschen era uma casa hospitaleira, e a Sra. Cosima gostava de convidar pessoas, sobretudo quando queria apresentar ao mestre novos e jovens admiradores. Portanto, é possível que ela tenha tomado a decisão que se transformaria em um fato histórico de grande importância.

O diário de Cosima[258] não menciona *essa* visita. Nesse dia, ela também saiu de casa por algumas horas para resolver alguns assuntos – talvez durante o tempo em que Nietzsche conversava com Wagner. Ela registra: "de volta em casa, ouço Richard ao piano", ou seja, ela estava em casa durante parte do tempo em que ele trabalhou naquele dia.

Outro *epitheton ornans* dessa primeira visita exige uma postura crítica. Reza a lenda que Nietzsche, indeciso, permaneceu imóvel em frente a casa durante muito tempo. Ele ouviu Wagner tocando acordes, que, como se lembra mais tarde, acredita ter sido a passagem do 3° ato de "Siegfried" "Verwundet hat mich, der mich erweckt". Mas a primeira anotação de Nietzsche (P II 9 b, p. 184) constata apenas: "No sábado antes de Pentecostes, parti cedo para Lucerna e, tendo tempo antes da partida do navio a vapor, caminhei meio indeciso até Tribschen. Fiquei parado em frente a casa e ouvi repetidas vezes um acorde doloroso. Aceitei o convite para o almoço, que foi transferido para a segunda-feira em virtude da minha visita à Pedra de Tell". Wagner estava de fato trabalhando no 3° ato de "Siegfried", mas se Nietzsche realmente ouviu a passagem citada é incerto, mas possível. Esta não seria a única mistificação de Wagner por parte de Nietzsche.

Continuando sua narrativa sobre essa primeira visita, Nietzsche relata*: "Entrementes, dias de descontração com Osenbrüggen, Boretius e Exner, também com a irmã deste, na Pensão Imhof. Na segunda-feira, com o navio matinal para Tribschen (de carruagem a partir do 'Rössli'), Baronesa von Bülow [na época, Cosima ainda se apresentava como 'Baronesa von Bülow']. Fotografia. Com Wagner de volta para o 'Rössli', convite cordial". Com isso, Nietzsche havia ingressado na vida e no mundo de Tribschen. Esse mundo completamente novo que ali o acolheu exerceria um poder determinante sobre ele.

### Lucerna no tempo do Concílio Vaticano I[275]

Diferentemente de Basileia, que, localizada na fronteira noroeste do país, está exposta aos ventos da política europeia, Lucerna está situada no centro do país no meio dos pré-Alpes, onde se cruzam importantes vias do comércio doméstico. Há séculos desenvolvia um tráfico intenso com a região de Berna e o Gotardo. Em alternância com Berna e Zurique, Lucerna era um dos locais de reunião do governo central e poderia ter se tornado a capital do país se, na década de 1840, não tivesse assumido uma posição de liderança no *Sonderbund* (aliança entre sete cantões conservadores e católicos). Como membro orgânico da Suíça Central, Lucerna havia sido preservada dos tumultos religiosos e políticos da Reforma. Sofreu um ataque de certa forma tardio da crise espiritual apenas em meados do século XIX. O chamado dos jesuítas e a fundação do seminário jesuíta em Lucerna havia aguçado o conflito com as regiões vizinhas comprometidas com o liberalismo e o pensamento

---

\* Ibid.

livre. Na Guerra do Sonderbund de 1847, a cidade foi humilhada e forçada a aceitar um governo liberal[95].

Parece até um milagre o fato de esse conflito não ter produzido ressentimentos duradouros. Dez anos mais tarde, em 5 de março de 1858, o governo de Lucerna sugeriu à pequena comunidade protestante a construção de sua própria casa e lhe permitiu arrecadar dinheiro para tal fim. Em 29 de setembro de 1861, a nova igreja "Matthäuskirche" reformada (atrás do Hotel "Schweizerhof") foi inaugurada, na qual Richard e Cosima se casariam em 1870. Quando o Concílio Vaticano I elevou ao *status* de dogma a inerrância do papa, o mundo católico foi tomado por uma perigosa agitação. Mas a cidade de Lucerna superou também essa crise com tranquilidade e respeito. Sob a liderança do respeitado professor de Teologia Dr. Eduard Herzog, de Lucerna, a congregação da Velha Igreja Católica se emancipou e recebeu da cidade a igreja "Mariahilfkirche" para o exercício de sua religião. O núcleo dos habitantes da igreja permaneceu católico e fiel a Roma. Esse exemplo de Lucerna nos tempos de crise da "guerra cultural" na Alemanha e em outros lugares demonstra de forma impressionante como a garantia de posse pode se dar ao belo luxo da generosidade e da tolerância.

Foi essa tolerância autêntica dessa comunidade (uma tolerância que Basileia ainda não demonstrava naquela época) que permitiu a permanência de Wagner e Cosima em Tribschen, até a legalização de sua união em 25 de agosto de 1870. Para Nietzsche, isso também foi uma nova experiência política que se destacava de "Naumburg". Mas a generosidade dessa pequena cidade (que, na época, contava com apenas 14 mil habitantes) se devia ainda a outra razão.

Protegida pela determinação defensiva das regiões circundantes, Lucerna pôde abrir mão de suas fortificações (muito antes de, p. ex., Basileia), abandonar a Idade Média e transformar-se em uma cidade aberta.

As primeiras demolições começaram já em 1833 e, por isso, não precisaram ser realizadas com tanta pressa; a última fortificação, o "Bruchtor", caiu apenas em 1867. Felizmente, foram preservadas as torres de "Musegg", que continuam a impor um acento arquitetônico à cidade. Assim, Lucerna não enfrentou quaisquer problemas ao introduzir o transporte ferroviário, apesar de implementá-lo apenas muito tarde. No início, a primeira conexão ferroviária vinda da cidade de Aarau e passando por Olten só ia até Emmenbrücke (completada em 9 de junho de 1856). Até a inauguração do último trecho até Lucerna em 1º de julho de 1859, os ônibus dos hotéis (puxados por cavalos) tiveram que buscar os hóspedes em Emmenbrücke. Visto que a "Schweizerische Centralbahn" (Companhia Ferroviária Central da Suíça), que inaugurou sua linha principal para Berna em 1858, já ligava Basileia a Olten, foi possível viajar de Basileia até Lucerna por via ferroviária. Daqui, era possível prosseguir para o sul de barco. Uma sociedade de barcos a vapor, fundada já em 1835, já operava seu primeiro navio a lenha e velas (primeira viagem em 26 de setembro de 1836). Ao desembarcar no Porto de Flüelen, o viajante cruzava o passo do Gotardo de diligência (no inverno, de trenó). Foi assim que Nietzsche e sua irmã viajaram para Lugano em fevereiro de 1871. Zurique logo procurou estabelecer uma ligação com esse eixo de transporte. Em 30 de maio de 1864, foi inaugurada a linha Zurique-Lucerna, sem a qual a visita surpresa do Rei Luís II, vindo de Munique, por ocasião do aniversário de Wagner em 22 de maio de 1866 dificilmente teria sido possível. A linha para Berna só veio a ser operada a partir de 9 de agosto de 1875. Até então, a melhor forma de percorrer o trajeto Berna-Lucerna era viajar de diligência, que passava pelos lagos do Oberland, atravessava o passo de Brünig até Alpnachstad. Daqui, um navio levava o viajante até Lucerna. Vemos então que, na época, viajar era ainda bastante cansativo e demorado.

Sem essas facilitações recentes criadas para os viajantes, a estadia de Wagner em Tribschen, suas atividades, suas viagens espontâneas, mas também as visitas de Nietzsche não teriam sido possíveis. Para reconhecer a importância disso tudo, basta pensar nos impulsos espirituais que partiram desse lugar idílico.

Os novos meios de transporte ampliaram também o fluxo de visitantes e admiradores ilustres, com os quais a cidade de Lucerna prosseguiu em seu caminho de abertura e tolerância. Um dos principais pontos turísticos era a Montanha de Rigi, que se tornara famosa por meio da pintura contemporânea e da literatura (Goethe). A estação "Klösterli", um santuário de peregrinação conhecido desde o século XVI, permitia há muito admirar o nascer do sol no topo do Rigi*. Em 1821, Lucerna recebeu uma atração artística especial com a construção do "Löwendenkmal" (Monumento do Leão) (baseado nos esboços de Berthel Thorwaldsen e realizado pelo escultor Ahorn, de Constança), que exerceria um papel na "experiência Lou Salomé" de Nietzsche.

Os novos tempos exigiam uma ampliação generosa das estradas, dos ancoradouros e dos hotéis. Uma das construções mais marcantes é o Hotel "Schweizerhof" do arquiteto Melchior Berri, de Basileia. Berri era adepto de um estilo neoclássico e impôs sua marca também à cidade de Basileia. O "Schweizerhof" começou a ser

---

* Napoleão Bonaparte também visitou Rigi. Em 7 de agosto de 1819, Rigi recebeu a visita do Rei Frederico IV da Prússia (o mecenas do pai de Nietzsche!); e em 10 de agosto de 1820, o Tsar Alexandre I da Rússia.

construído já em 1844, mas suas duas alas só foram completadas em 1856 – dois anos após a morte de Berri. O Conde Leon Tolstoi se hospedou aqui em 7 de julho de 1857 e aqui ele escreveu sua novela "Lucerna"[245]. Ele se entusiasmou com a paisagem – e se aborreceu com o novo ancoradouro reto e com os ingleses que passeavam sobre ele e que o escritor esperava encontrar em qualquer lugar do mundo, menos "no meio dessa natureza curiosamente maravilhosa e, ao mesmo tempo, indizivelmente harmoniosa e suave". Será que esse lugar gerou também em Nietzsche sua aversão contra os ingleses?

No entanto, esses ingleses cultivavam um vínculo mais cordial do que Tolstoi imaginava. Em 1869, quando a cidade, tomada pelo entusiasmo renovador, quis desmontar a famosa "Kapellbrücke", os ingleses protestaram e conseguiram salvar esse monumento arquitetônico. Quando a nova ponte foi completada em 1870, as margens do lago ofereciam a Nietzsche mais ou menos a mesma visão que se oferece aos turistas de hoje; só a nova estação ferroviária foi construída apenas em 1895/1896.

Lucerna era uma cidade aberta também à vida social e musical. De 1837 a 1839, a cidade havia construído um teatro, e associações de música organizavam concertos. Em 1º de fevereiro de 1869, os dois corais masculinos se reuniram e formaram o "Liedertafel Luzern" sob a direção do diretor musical Gustav Arnold, de Altdorf. Desde 1867, esse mesmo Arnold havia sido o professor de piano de Daniela, a filha mais velha dos Bülow em Tribschen.

Poderíamos, então, falar de uma "aurora de um novo tempo" a partir de 1870 também no caso de Lucerna, mas os fundamentos eram totalmente diferentes da situação em Basileia. Mais uma vez Nietzsche conheceu aqui outro caminho independente da evolução de um município nessa era revolucionária. Lucerna era internamente calma e equilibrada. A cidade não estava envolvida nos conflitos da vida espiritual europeia com uma universidade emergente, Lucerna era anfitriã de uma sociedade tranquila no "grande mundo" de então, e aqui o jovem Nietzsche teve seu primeiro contato com esse mundo. Mas ele nunca se entregou a ele.

### Richard Wagner em Tribschen

Richard Wagner havia se refugiado temporariamente nessa atmosfera mista de abertura e acolhimento para aqui recuperar seu fôlego antes de sua longa corrida para o auge de sua carreira, a obra de Bayreuth, e também Nietzsche voltou a procurar essa atmosfera nos anos após a experiência de Tribschen, para aqui "recuperar o fôlego". Tribschen!

Os fundamentos com muros de oito metros de espessura são testemunhas de uma construção medieval, e uma antiga gravura (preservada agora no museu que ocupa as salas da casa) nos apresenta a visão surpreendente de uma casa parecida com uma fortaleza. No início do século XIX, a casa foi reformada e adquiriu a forma atual, mas o secretário municipal responsável pelos prédios da cidade, quando Lucerna adquiriu a propriedade em 1933, mandou remover o terraço com vista do lago e a cozinha e os estábulos ao oeste, que ainda haviam servido a Wagner, para assim dar acesso ao jardim na colina. Cada um dos três pisos da casa possui cinco ou seis quartos não muito grandes, mas essa divisão do espaço permitia acolher muitas pessoas ao mesmo tempo e criar quartos de trabalho. Uma fazenda a 200 metros da casa também pertencia à mesma propriedade, e lá se hospedavam os muitos criados de Wagner. Tudo tinha a forma de uma pequena corte. As cartas de Wagner e Cosima documentam quem e o que vivia ali: Wagner, a Sra. Cosima com suas filhas Daniela, Blandine, Isolde e, mais tarde, também Eva; em 6 de junho de 1867 juntou-se à família também o filho Siegfried. Uma governanta, uma babá, a administradora Verena Weidmann, que se casou com Jakob Stocker (o "zelador do castelo") em 28 de janeiro de 1867 (em 4 de outubro de 1868, o casal teve seu primeiro filho), o servo Peter Steffen, uma cozinheira e uma criada. O jovem músico Hans Richter passou vários meses aqui como hóspede.

Wagner amava animais. Ele tinha um grande cachorro preto da raça Terra-Nova, chamado Russ, o pequeno Pinscher Koss, o velho cavalo Fritz e o cavalo Grane, que Wagner recebera do rei da Bavária. A Sra. Cosima havia trazido de Munique o casal de pavões Wotan e Fricka. Galinhas e ovelhas e um gato completavam o grupo de animais de Tribschen. Para Wagner, esses animais eram todos "membros da família", e nas cartas do casal eles ocupam o papel de personalidades. Cosima, por exemplo, escreveu à sua filha Daniela: "Recentemente, os pavões, o carneiro negro, Koss e Russ, as galinhas e o gato fizeram um passeio juntos, como os 'Músicos de Bremen'".

Infelizmente, Wagner não conseguiu contagiar Nietzsche com seu amor pelos animais. Este era *homo sapiens* e mantinha o "*páthos* da distância" em relação à natureza desprovida de espírito. *Seus* animais, a águia e a serpente simbólicas do "Zaratustra", não são amáveis nem vivos. Não são animais autênticos, mas sim seres humanos mascarados. Nesse sentido, Nietzsche jamais teve acesso à "natureza" que tantas vezes invoca.

No entanto, mostrou-se muito acessível ao outro elemento da natureza de Tribschen: à paisagem. Em 6 de maio de 1866, Wagner escreve a Heinrich Porges:

"Este lugar é de uma beleza e sacralidade inimaginável", e já antes, pouco tempo após sua mudança para cá, ele escreve ao Rei Luís II: "Não importa para que lado saia da minha casa, vejo-me rodeado de um mundo mágico: não conheço lugar mais lindo neste mundo, nenhum lugar mais acolhedor do que este"[84]. Nietzsche sentiu o mesmo.

É preciso conhecer esse local para poder compreender todo o seu encanto. O fundo é dominado e, ao mesmo tempo, protegido pelo Monte Pilatus, em cujo pé se encontra a propriedade de Tribschen. Os três outros lados oferecem uma visão desimpedida do lago e de colinas suaves no primeiro plano e montanhas majestosas no horizonte. Aqui domina o silêncio, mas não a solidão. A calma superfície do lago oferece uma visão de intensa atividade. Cosima escreve sobre esta já no outono de 1866: "Hoje [...] manhã maravilhosa – dia de feira – barco após barco vem de Uri, Schwyz e Unterwalden para a feira de Lucerna. Uma visão maravilhosa, indizivelmente linda – nesse lago amavelmente calmo, onde cada barco é rodeado por um círculo prateado. Se o preço de uma manhã assim foi um duro mês de inverno, valeu a pena". Tribschen havia chamado a atenção de Wagner quando, na Sexta-feira Santa, no dia 30 de março de 1866, ele e Cosima, vindo de Genebra e Berna, passaram pela propriedade no navio a vapor que os levava para Lucerna, onde pretendia procurar um lar calmo para ele e sua nova namorada Cosima. Já em 2 de abril, queria alugar Tribschen. Ele vistoriou toda a propriedade em 4 de abril e assinou o contrato de aluguel com o dono, o Major Walter Amrhyn, em 7 de abril de 1866. O aluguel era de 3 mil francos por ano (incluindo todos os móveis) – o que correspondia exatamente ao salário inicial de Nietzsche como professor em Basileia. Wagner e Cosima mudaram todo o interior da casa, o decoraram num exagero romântico, que hoje seria considerado insuportável, ao estilo de uma decoração de teatro, para nele ostentar um estilo de vida que era diametralmente oposto a tudo que sabemos dos costumes puritanos de Nietzsche. É difícil entender como Nietzsche não sentiu repúdio diante desses arranjos, que a Sra. Cosima reinventava continuamente, que a sensibilidade estética de Nietzsche não se sentiu humilhada por tanta ostentação.

Igualmente supreendentes – tanto para os atores quanto para os observadores – são as "encenações" na casa de Wagner. Cito aqui apenas um exemplo: Por ocasião do aniversário do mestre em 22 de maio de 1871, a Sra. Cosima faz um arranjo: Tudo agrupado em torno de um busto do mestre, ela mesma se veste com a roupa de Sieglinde (da "Valquíria"), a filha Daniela se apresenta como Senta ("O holandês voador"); Blandine, como Elisabeth ("Tannhäuser"), Eva e Isolde como heroínas dos "Cantores Mestres" e do "Tristão", e Cosima ainda carrega o menino Siegfried nos braços! Aparentemente, todas essas fantasias estavam disponíveis em Tribschen.

246

Mas por trás de todos esses artefatos e desse cenário teatral, Nietzsche reconheceu personalidades que conquistaram um poder demoníaco sobre ele. Em uma carta de 3 de setembro de 1869 a Rohde, esse sentimento irrompe com força elementar: "Tenho minha Itália, como você tem a sua. Só que, no meu caso, só posso me refugiar nela aos sábados e domingos. Chama-se Tribschen e já se transformou em meu lar. Recentemente, tenho passado por lá quatro vezes seguidas, e quase toda semana uma carta minha percorre este caminho.

Querido amigo, o que aprendo e vejo, ouço e compreendo lá é indescritível. Schopenhauer e Goethe, Ésquilo e Pindar ainda estão vivos, acredite-me".

Nietzsche não havia encontrado encantos românticos desse tipo nem em Naumburg e Pforta nem em Bonn e Leipzig, e nem mesmo Basileia oferecia o clima para isso. Aqui, vibrou uma corda em seu ser que, até então, só havia ressoado em algumas de suas composições, mas que faz parte do acorde de sua natureza tanto quanto sua argúcia intelectual. A ambivalência de seu ser espiritual e psicológico, a contradição interior transparece em sua maior claridade no entusiasmo do Prof. Nietzsche por Tribschen. O vai e vem entre a existência erudita em Basileia e o sonho da "ilha dos bem-aventurados"* revela a ambivalência fatídica de sua existência.

E aparentemente conseguiu vencer outro obstáculo sem maiores problemas: Nietzsche conheceu Cosima quando esta estava em estado avançado de gravidez, como Sra. Von Bülow ainda não divorciada, que há quatro anos vivia aqui em uma união livre com o Mestre Richard e em breve lhe daria seu terceiro filho. Seu encanto o ajudou a ignorar isso. Entre sua existência burguesa e Tribschen existia um portão mágico que se abria para o mundo do irracional.

---

* Expressão segundo Hesíodo, *Erga* v. 171 e Pindar Ol. II v. 71.

# III

# O círculo de colegas em Basileia

No dia de sua chegada em Basileia, Nietzsche escreveu à mãe e à irmã: "Já me encontro em meu apartamento provisório, que não posso descrever em maior detalhe do que já o fez Vischer. Ele é bastante feio, mas apresenta a vantagem de estar apenas a 20 passos de meu apartamento definitivo. Creio que este me agradará também no futuro: os quartos ocupados pelo colega Schönberg, que ficam abaixo dos quartos destinados a mim, fazem uma boa impressão".

Esse apartamento provisório se encontrava no Spalentorweg 2, na esquina com o Schützengraben. Nietzsche teve que permanecer aqui até o final de junho, quando se mudou para seu apartamento definitivo no Schützengraben 45 (hoje, Schützengraben 47). Wilhelm Vischer havia organizado tudo isso, tanto o apartamento provisório quanto o definitivo.

A carta continua: "Comi com os colegas Schönberg e Hartmann no restaurante de Recher, na estação central. Fiquei surpreso com a qualidade da comida, que nada tem de restaurante. [...] Sinto muita falta de uma pessoa amiga. Provavelmente, porque até agora sempre tive alguém por perto". Essas, portanto, são as impressões do primeiro dia. A todas as outras mudanças e adaptações ao novo ambiente, juntou-se também um sentimento de solidão causado pela distância de um lar aconchegante e do calor do convívio com amigos, sendo obrigado a se contentar com o convívio distanciado com "colegas" que nem eram de sua própria faculdade, pois Schönberg era economista; e Hartmann, jurista.

Gustav von Schönberg era um dos muitos jovens acadêmicos alemães que passavam pela Universidade de Basileia para depois retornar para a Alemanha[56]. Esse estudioso nascido em 1839 vinha da Silésia prussiana, onde havia sido preletor numa academia de agricultura, permaneceu um ano em Basileia (1869/1870), para depois seguir para Freiburg im Breisgau, onde manteve um bom contato com Basileia.

Gustav Hartmann havia sido livre-docente em Göttingen, quando foi chamado para Basileia em 1864 como professor ordinário de lei privada romana, mas trabalhou também na área do direito das sucessões. Após ter trabalhado oito anos em Basileia, ele também foi para Freiburg em 1872.

Esses dois eram, portanto, os dois colegas com os quais Nietzsche compartilhava suas refeições quando chegou a Basileia.

A Faculdade Filológico-pedagógica havia sido reorganizada para o semestre de inverno de 1861/1862 a pedido dos professores Wilhelm Vischer-Bilfinger, Otto Ribbeck e Franz Dorotheus Gerlach (esta a ordem das assinaturas na moção)[272]. O impulso inicial deve ter partido de Ribbeck, talvez tenha até sido uma condição por ele imposta para que aceitasse seu chamado, pois em sua docência anterior em Berna ele já havia organizado a faculdade desta forma. Coube então a Vischer convencer o governo da necessidade dessa reorganização. Ribbeck era aluno de Ritschl, nascera em 1827 e tinha 34 anos de idade quando assumiu sua docência em Basileia, em 1861, onde permaneceu apenas três semestres, antes de seguir para Kiel em 1862. Ele escreveu também a biografia de Ritschl.

Seu sucessor em Basileia foi outro aluno de Ritschl, Adolf Kiessling, de apenas 25 anos de idade. Ele permaneceu em Basileia até 1869, quando foi chamado para Hamburgo, abrindo assim espaço para Nietzsche. Antes de deixar a universidade, escreveu ainda para Ritschl pedindo uma indicação para um possível sucessor. Dificilmente tomou esse passo sem a aprovação de seu colega e superior, o Conselheiro Vischer. E, assim, mais um aluno de Ritschl veio a preencher a vaga.

Já que Ribbeck era o sucessor direto de Vischer, Nietzsche se tornou indiretamente o sucessor daquele homem ao qual ele devia seu chamado para Basileia e que sempre seria seu mentor fiel e prestativo.

### Prof. Wilhelm Vischer-Bilfinger

Wilhelm Vischer nasceu em Basileia em 30 de maio de 1808 como filho de uma antiga família de conselheiros e comerciantes; era, portanto, cinco anos mais velho do que o pai de Nietzsche e tinha 61 anos de idade quando Nietzsche começou a trabalhar em Basileia[253, 111]. Ele recebeu uma educação e formação cuidadosa. Em 1816, aos 8 anos de idade, ingressou no sofisticado instituto educacional do reformador pedagógico Emanuel von Fellenberg em Hofwyl, próximo de Berna, onde permaneceu nove anos. O instituto em Hofwyl valorizava muito a educação física, e as aulas de língua começavam com grego, seguido pelo latim, e apenas nos últimos anos acrescentava-se o ensino em línguas modernas e história até a Modernidade.

249

Já em maio de 1825, Vischer se matriculou em Basileia nas disciplinas de História e Filologia, onde Fr. Kortüm e Franz Dorotheus Gerlach – que em poucos anos se tornaria seu colega – foram seus professores mais importantes. No outono de 1828 foi para Bonn, onde estudou com Niebuhr e Welcker (arqueologia), e na primavera de 1830 seguiu para Jena, onde, em 19 de abril de 1831, pouco antes de completar 22 anos de idade, obteve seu doutorado com uma dissertação em latim. Mas, a fim de obter uma visão mais geral da Antiguidade, passou ainda um ano em Berlim como estudante de August Boeckh. Ou seja, Vischer estudou com as maiores autoridades do seu tempo.

Em 1832, Vischer retornou para Basileia, onde se casou com Emma Bilfinger em outubro. No início de 1833, ele, antes de completar 25 anos, assumiu as aulas de grego no "Pädagogium" e uma preleção sobre a tragédia "Prometeu acorrentado", de Ésquilo, na universidade. Em junho de 1835, foi nomeado professor extraordinário; e em maio de 1836, professor ordinário de Língua e Literatura gregas.

Havia, portanto, muitas semelhanças entre as biografias de Vischer e Nietzsche: Aqui, nove anos em Hynwil – ali, seis anos em Pforta. Ambos estudaram em Bonn; Vischer, três semestres – Nietzsche, dois. Absolveram a parte principal de seus estudos em cidades vizinhas; Vischer em Jena – Nietzsche em Leipzig; ambos com ênfase em grego. Ambos adquiriram fama acadêmica na mesma idade. Isso deve ter incentivado Vischer a cuidar de forma paternal do jovem candidato.

Antes de Vischer assumir seu cargo na universidade, a filologia grega não apresentava um nível muito elevado. Apenas por meio dele, graças à sua excelente formação e ao efeito do exemplo de seus professores, ela "foi elevada à categoria de um estudo sério e respeitado". "Foi ele quem criou aqui um lar para a ciência da Antiguidade no espírito de August Friedrich Wolf e August Boeckh. [...] De August Boeckh, o criador do monumental *Corpus Inscriptionum Graecarum*, Vischer recebeu a inspiração para a epigrafia, que permaneceria um de seus temas preferidos pelo resto de sua vida. Sobretudo, porém, aprendeu de Boeckh a nova concepção de ciência, à qual ele se dedicara: segundo a qual a ciência representava todo o conhecimento histórico de toda a atividade, de toda a vida e obra de um povo em determinado período; segundo a qual o conceito da filologia coincidia em grande parte com o conceito da história. No altivo espírito artístico de Friedrich Gottlieb Welcker, reuniam-se a poesia, a religião, a mitologia e as artes plásticas gregas em uma visão geral de toda a humanidade grega"[272].

Vischer se empenhou com todo o seu ser para evitar que as alturas alcançadas com tanto esforço e zelo científico não se perdessem, e quando renunciou ao seu cargo de professor, para assumir a responsabilidade pela universidade como conselheiro e diretor do Departamento de Educação, ele tinha em suas mãos praticamente todas as possibilidades para garantir a qualidade do ensino científico. Por isso, procurou sempre contratar peritos em grego da rígida escola de Ritschl, e, no caso de Nietzsche, também um *alumnus portensis*! Em virtude dos fundamentos de sua própria formação, Vischer teve também compreensão e até mesmo uma afinidade com os impulsos artísticos de Nietzsche e com sua preocupação por uma visão histórico-mitológico-artística da antiguidade grega, independentemente dos resultados obtidos por Nietzsche, que talvez lhe eram estranhos. Mas os temas das preleções e dos exercícios de Nietzsche lhe agradaram. Deste ponto de vista, o reconhecimento sincero por parte das autoridades pelo ensino de Nietzsche não surpreende. O fato de as duas biografias terem se distanciado tanto uma da outra a despeito das paralelas em sua fase inicial se deve às diferenças em suas origens e em suas predisposições.

Ao retornar para Basileia, Vischer presenciou de perto os conflitos que levaram à divisão do cantão em 1833: como major, seu pai liderou as tropas da cidade contra os insurgentes rurais. A derrota e a divisão do cantão tiveram um impacto imediato sobre a família. O jovem Wilhelm, decepcionado com o tratamento arrogante de sua cidade materna por parte das autoridades federais, se transformou em conservador e federalista convicto. Já cedo, ele ofereceu seus serviços à cidade e, em 1834, tornou-se membro da Grande Câmara. Em 1847, opôs-se à convocação federal das tropas da cidade para lutar contra o *Sonderbund*; em 1848, defendeu – juntamente com o químico Schönbein – a garantia da liberdade de religião e consciência pela nova constituição federal – em ambos os casos sem sucesso (a liberdade de consciência só foi incluída na reforma constitucional de 1874). Mas em 1851 foi vitorioso (com um escrito publicado anonimamente) em sua luta contra a universidade federal e pela universidade autônoma de Basileia, a cuja preservação e desenvolvimento ele havia dedicado a sua vida. Durante quase três décadas, Vischer foi professor de Grego na universidade e no "Pädagogium", mas em 1861, com a chegada de Ribbeck, ele se aposentou de sua atividade no ginásio para poder trabalhar no conselho da universidade e no departamento de educação, responsável por todos os institutos de ensino da cidade. Nessa posição, pôde também abrir o caminho para a instituição da Faculdade de Filologia em 1862. Em dezembro de 1867, quando foi eleito para a Pequena Câmara como diretor de todo o departamento de educação – tornando-se assim *ex officio* presidente do conselho da universidade e do colégio de educação –, teve que desistir de sua docência. Ele o fez após muitos anos de atividade bem-sucedida e em prol do bem da cidade. Nessa posição de destaque, Vischer conseguiu também impor a contratação do "Sr. Friedrich Nietzsche, de Leipzig" diretamente como "representante principal de sua disciplina". Mas uma carta de 16 de fevereiro de 1869 ao amigo Rudolf Rauchenstein revela que Vischer teve que vencer alguns obstáculos: "Ousei, a despeito de todas as forças contrárias, contratá-lo e consegui alcançar unanimidade formal no conselho, no departamento de educação e na Pequena Câmara. O conselho da universidade me apoiou com toda sua força. No departamento de educação e na Pequena Câmara, as poucas vozes que se opuseram indiretamente não ousaram apresentar uma moção contrária".

Sob a proteção desse homem, o jovem Prof. Nietzsche teve a liberdade de ousar as extravagâncias de seu discurso inaugural sobre Homero, as palestras sobre o futuro das nossas instituições de ensino e o provocante livro "O nascimento da tragédia" e as duas primeiras "Considerações extemporâneas". O que ele não pôde ousar foi a publicação de seu primeiro escrito cético "Sobre a verdade e a mentira no sentido extramoral". Quando Wilhelm Vischer morreu em 5 de julho de 1874, a posição de Nietzsche já era forte o bastante para não depender mais desse protetor. Nietzsche sempre se lembrou de Wilhelm Vischer com grande veneração e respeito, e teve boas razões para isso.

### Os colegas da faculdade

Mais difíceis foram os relacionamentos com os dois colegas mais velhos de sua faculdade: Franz Dorotheus Gerlach e Jacob Achilles Mähly.

Gerlach nasceu em 18 de julho em Wolfsbehringen na região de Gotha como filho de um pastor[111]. Após a morte precoce dos pais, ele foi criado pelo seu tio, o Pastor Christian Friedrich Gerlach, que cuidou dele dos 6 aos 17 anos de idade até seu ingresso no ginásio em Gotha. De 1813 a 1815, estudou teologia e principalmente filologia clássica em Göttingen, onde concluiu seus estudos com uma dissertação em latim. Em 1817, tornou-se professor de Grego e Latim na escola cantonal do novo cantão Aargau (até então região súdita de Berna), em Aarau, e em 1819 foi transferido para o "Pädagogium" em Basileia como professor de Latim. Na Páscoa de 1820, ofereceram-lhe a docência de latim em Basileia, que ele ocupou durante 55 anos até 1875.

Ele desenvolveu uma atividade importante como bibliotecário da biblioteca universitária entre 1830 e 1866. Mas visto que era excessivamente "neo-humanista" na aquisição de livros, ele teve que ceder às emergentes ciências naturais, o que feriu profundamente esse homem vigoroso. Tendo se tornado cidadão de Basileia em 1833, colocou-se do lado da cidade humanista em meio aos conflitos relacionados à divisão do cantão, e em 1834 pôs sua imensa força de trabalho a serviço do conselho de educação. Durante toda sua vida, defendeu energicamente a valorização e o reconhecimento das línguas antigos no ensino e redigiu inúmeros escritos menores sobre sua disciplina, sobre a história romana e a mitografia. Teve que abandonar um trabalho maior sobre história romana, que estava escrevendo juntamente com J.J. Bachofen, pois o emprego um tanto acrítico de mitos etiológicos como fontes históricas foi superado pelos trabalhos de Mommsen (que trabalhou em Zurique entre 1852 e 1854). A crítica cientificamente aguçada não era uma das grandes qualidades de Gerlach. Assim Gerlach, a despeito de seu grande reconhecimento público como excelente professor de temperamento cativante, foi ultrapassado pelo novo tempo, pela nova pesquisa e se tornou um homem carrancudo e amargurado. Não desenvolveu a "mansidão da idade", e ainda em idade avançada falou mal de "Mommsen, esse anão miserável" diante de seus alunos surpresos.

Por isso, também, odiava a rígida escola de Ritschl, e ele se irritava muito toda vez que seu antigo aluno e colega Vischer contratava alguém dessa escola. Assim, opôs-se veementemente à contratação de Nietzsche. Na carta acima citada de 16 de fevereiro de 1869 ao amigo Rauchenstein, Wilhelm Vischer relata[253]: "O que ele (Gerlach) esbravejou na semana passada seria inacreditável se eu não o conhecesse. Ele fez jus a si mesmo em toda essa questão, não quero usar aqui a palavra apropriada. Mas não posso negar-lhe a informação de que ele, convidado para participar de uma reunião do conselho da universidade, se pronunciou oficialmente muito bem e de forma alguma favorável a Mähly, mas *privatim* se empenhou de forma irresponsável a favor de Mähly! Por quê? Temo que o fez porque, além de sua paixão protetora, que já não pode mais satisfazer, não quer ver ao seu lado um homem diligente da escola de Ritschl, dessa escola por ele tão desdenhada".

Esse Jacob Achilles Mähly havia se candidatado para a docência de grego, que agora estava desocupada em virtude da partida de Kiessling. Mas Vischer queria um homem mais jovem, e sua opinião sobre Mähly e sobre a "rigidez" de seu trabalho científico não era a melhor.

Mähly[111] nasceu em 24 de dezembro de 1828 em Basileia (e faleceu em 18 de junho de 1902), era, portanto, 16 anos mais velho do que Nietzsche. Estudou em Basileia como aluno de Gerlach. Sobre sua carreira como acadêmico, Vischer escreve a Rauchenstein em 31 de março de 1869: "Já que estou lhe escrevendo, repasso-lhe algumas informações sobre o ensino de Mähly em uma escola inferior. No início, só esteve empregado num ginásio com foco em ciências naturais, onde trabalhava em tempo integral, pois desde o início sua única intenção era ganhar o máximo possível no tempo mais curto possível. As autoridades de supervisão do ginásio humanista e o reitor, que costumam contratar professores com formação filológica, sempre se recusaram a transferi-lo, e ele só começou a dar aulas filológicas quando me retirei do 'Pädagogium' (1861). Mais tarde, assumiu também parte das aulas de latim de Gerlach. Ele continuou administrando 13 aulas no primeiro ginásio, 10 das quais eram aulas de caligrafia. Mas ele escolheu essas aulas porque possui um pulmão, ou melhor, uma garganta fraca e não precisa falar muito durante as aulas de caligrafia. Tampouco exigem muito tempo de preparação ou de correção. Além do mais, são – *mirabile dictu* – tão bem pagas quanto as aulas científicas. Ele mesmo não se queixa dessas aulas, antes as pediu explicitamente".

E já na carta de 16 de fevereiro de 1869, Vischer havia escrito a Rauchenberg sobre a contratação de Mähly: "Mähly, que com seus empregos em diferentes escolas chega a ganhar um salário de 4.500 francos, recebeu alguns privilégios, e uma pequena parte de seu salário é paga pela universidade. Mas isso aconteceu porque eu mesmo o sugeri".

Os protocolos do conselho da universidade, do departamento de educação e da Pequena Câmara do final de janeiro e de fevereiro de 1869, que mencionam o chamado de Nietzsche[236], apresentam todos as três fases: 1) Aprovação do pedido de demissão de Kiessling; 2) O chamado de Nietzsche; 3) Reorganização das condições de contratação do Prof. Mähly, no sentido de que lhe sejam garantidas algumas preleções na universidade na condição de professor extraordinário com um salário de 600 francos a serem pagos pela universidade e dispensa de algumas aulas no ginásio científico. Finalmente, em 1875, um ano após a morte de Vischer, a demissão de Gerlach permitiu que Mähly fosse nomeado professor ordinário de Filologia Latina, e Mähly permaneceu nesse cargo até 1890.

Um traço simpático de Mähly é que ele nunca se vingou de Nietzsche por não ter sido considerado em 1869. Ele foi um colega amigável e prestativo e várias vezes assumiu as aulas de Nietzsche quando este não conseguia cumprir suas obrigações em virtude da deterioração de sua saúde. E ainda em 1900, em suas "Lembranças de Friedrich Nietzsche"[158], dedicou ao antigo rival e colega as belas palavras (após descrever uma cena barulhenta com Gerlach): "[...] nós conhecíamos a conduta rude do velho barulhento – mas tivemos pena do bom Nietzsche, acostumado a condutas bem mais mansas no convívio social. Ele mesmo era uma natureza bastante aberta e, como tal, se queixava e lamentava várias coisas, mas quando Nietzsche *falava*, ele revestia suas palavras com uma forma suave e mansa; quando elogiava, o fazia sem mel; quando repreendia, o fazia sem amargura. Mas quando Nietzsche *escrevia*, mudava o tom. Uma pessoa acostumada à comunicação oral, ao seu respeito amigável diante das opiniões e dos juízos de outras pessoas, mesmo muito inferiores a ele mesmo, ao tom abafado de sua voz, que transmitia confiança – ela se surpreendia ou até assustava com a metamorfose pela qual passava essa natureza mansa e inofensiva na expressão escrita. [...] Seus alunos amavam e o veneravam, pois percebiam que ele compartilhava de sua juventude e que não havia nenhuma camada de poeira erudita sobre aquele frescor espiritual. E também o cuidado que dedicava à sua aparência, sobretudo a seu terno, sem qualquer vaidade feminina, os deixava impressionados, ainda mais que seu poderoso bigode o protegia de qualquer acusação de feminilidade excessiva. E também o fato de sempre exalar um cheiro agradável dele não podia ser contado como um pecado seu, pelo contrário, diante do calor infernal que existia nas salas de aula [...].

Nietzsche era uma natureza completamente inofensiva e, por isso, gozava da simpatia de todos os colegas que o conheciam".

### Johann Jakob Bachofen[111, 98]

Nietzsche encontrou os homens importantes, necessários para seu desenvolvimento e cujo efeito sobre ele foram mais ou menos profundos, mais ou menos evidentes, no círculo mais amplo da universidade. O destino lhe ajudou, e Nietzsche os encontrou principalmente na geração de seu pai. Este foi o caso de Johann Jakob Bachofen, que se tornou famoso por causa de seu simbolismo sepulcral, a cuja casa Nietzsche deve ter sido apresentado pelo Conselheiro Vischer.

J.J. Bachofen provinha – como Vischer – de uma antiga família de fabricantes e comerciantes; há algumas gerações, os pais eram fabricantes de laços. Ele foi – como Vischer – o primeiro acadêmico de sua família. Nasceu em 22 de dezembro de 1815. Ele absolveu todas as escolas em Basileia e teve suas primeiras aulas de latim com Gerlach. Escolheu como disciplina de estudos a Jurisprudência, não sabemos bem por que, pois essa disciplina não correspondia muito com sua natureza delicada. Logo passou a se interessar mais pela história do Direito e pelos fundamentos do Direito das gentes em seus estudos em Basileia, Berlim e Göttingen. Concluiu seus estudos em 1837 – aos 22 anos de idade – em Basileia com uma dissertação em latim de 346 páginas impressas. Foi professor acadêmico em sua disciplina apenas durante pouco tempo, entre 1842 e 1844, como professor de Direito Romano em Basileia. Então exerceu atividades práticas, foi juiz criminal em Basileia, depois membro do conselho de apelação (até 1866). Casou-se apenas em seu 50º ano de vida, em 1865, com Louise Elisabeth Burckhardt, de 20 anos de idade, com a qual, a partir de 1870, manteve uma casa cultivada e socialmente exclusiva, o que lhe rendeu a fama injusta de homem inacessível.

Há muito já havia se voltado para seus estudos especiais, e quando Nietzsche chegou a Basileia, as obras principais de Bachofen já haviam sido publicadas: "Oknos", publicada em 1858; "Gräbersymbolik" (Simbolismo sepulcral), em 1859; e "Mutterrecht" (Direito materno), em 1861. A "Sage von Tanaquil" (A lenda de Tanaquil) já se encontrava nas gráficas e chegou às livrarias em 1870. Wagner leu esse livro em fevereiro de 1872, ainda em Tribschen, provavelmente seguindo uma recomendação de Nietzsche[258].

Durante muito tempo, o mundo acadêmico tem focado apenas no aspecto problemático de sua pesquisa pessoal, como demonstra também o historiador Eduard His[111]: "Bachofen declarou, juntamente com Gerlach [...] uma guerra aferrada contra a escola crítico-racionalista e não conseguiu se abster de expressar repetidas vezes sua mágoa pessoal, sobretudo contra Mommsen. Mas, visto como um todo, a escola crítica foi mais bem-sucedida, mesmo que sua postura cuidadosa e seu método formal não tenham possuído a intuição ousada de um Bachofen, da qual este se orgulhava, mas que às vezes o levava a conclusões um tanto arriscadas e o fazia esquecer da distinção correta entre fatos históricos e tradição ou hipóteses próprias [...]. No entanto, deve-se reconhecer que as obras de Bachofen, sobretudo seus pequenos tratados, são facilmente legíveis e apresentam uma beleza estilística e ilustrações palpáveis. Sua natureza artística, poética, emocional e sensível ressaltava os aspectos estéticos. Assim, Bachofen, visto como um todo, se apresenta como talento grande, mesmo que unilateral, que conseguiu desenvolver um trabalho frutífero nas fronteiras entre conhecimento e fé".

No entanto, não é – como alega His – "o aspecto estético" que Bachofen pretendia esclarecer, mas o fundamento metafísico dos fenômenos históricos. Ele procurava ultrapassar as fronteiras da ciência e, num passo genial e intuitivo, compreender os estados sociais pré-históricos por trás das normas jurídicas históricas e codificadas e o espírito, cuja objetivação essas normas representam. A avaliação que a pesquisa mais recente (os editores das "Obras reunidas") faz de Bachofen se revelar no artigo de Thomas Gelzer sobre a correspondência de Bachofen[98]: "O objetivo principal de sua visão da história é alcançar uma reconstrução especulativa daquele tempo primordial ideal. [...] Mas ciente do fato de que nem aquele teor mais elevado dos símbolos e dos mitos, que pretendem servir-lhe como acesso àquele tempo primordial, nem a sua experiência da harmonia da criação e de sua revelação podem ser expressos em palavras, seu trabalho não procura uma explicação racional, mas uma intuição e uma contemplação na intimidade dos prazeres daquela experiência emocional. As melhores páginas de sua obra devem sua força e sua beleza a essa participação decisiva das emoções e da imaginação por elas liberada". Bachofen expõe claramente seu ponto de vista, que tanto se desviava da ciência histórica contemporânea em sua "Griechischen Reise" (Viagem grega) (citada aqui segundo Gelzer): "Por isso, a vida dos antigos, em todas as suas expressões ocultas e públicas, possuía algo tão perfeitamente típico, pois típicas e imutáveis são a fé e a religião, e já que esta dominava tudo e atraía tudo para o seu domínio e tudo assimilava, esse mesmo caráter típico necessariamente se estendia a tudo. O quanto não se afastou o nosso espírito daquele! Quão incapaz este é de compreender aquele! Daí as aberrações da história moderna. Uma peneira não consegue conter a água, quem zomba de sua própria religião não pode reconhecer o valor da religião do mundo antigo; e quem perdeu o espírito seguro e firme não pode ser sensível para um tempo e um povo para o qual o divino era a única norma, o único conteúdo de toda vida". E assim como mais tarde Nietzsche viria a atacar o romantismo em Wagner, Bachofen se volta com os mais violentos ataques contra Mommsen como cabeça da vertente contemporânea da ciência histórica, que, por sua vez, refutava friamente a obra de Bachofen. A rejeição de uma obra de um estudioso de Basileia, que interpretava a Antiguidade, não era, portanto, uma novidade para os cidadãos de Basileia quando, poucos anos mais tarde, "O nascimento da tragédia" de Nietzsche se tornou alvo da mesma rejeição.

O jovem Nietzsche se sentiu atraído pelo ponto de vista de Bachofen na pesquisa. Bachofen já havia tomado o passo que Nietzsche ainda precisava tomar. Ele também estava no caminho de questionar os valores codificados em palavras e os conhecimentos dos textos antigos, que fundamentam nosso pensamento, e de assim transformar a filologia em filosofia. Nesse empreendimento, serviu-se do vocabulário de Bachofen como inspiração. Termos como o par antitético "apolíneo-dionisíaco" no "Nascimento da tragédia" são importantes já na obra de Bachofen, mesmo que ainda não centrais. Mas havia ainda outra fonte e tradição científica que os unia: Friedrich Creuzer[69]. Voltaremos a falar em detalhe sobre isso no contexto do "Zaratustra" de Nietzsche. Sobre a importância de Creuzer para Bachofen, Gelzer escreve[98]: "Friedrich Creuzer, o redescobridor de Plotino e editor de Proclo, que com isso exerceu uma influência profunda sobre o romantismo de Goethe, é – como demonstrou E. Howald – o fundamento teórico do 'simbolismo sepulcral' e – como apontou Meuli – também do 'Unsterblichkeitslehre der orphischen Theologie' (Doutrina da imortalidade da teologia órfica)". O fundamento pronunciadamente cristão da visão do mundo de Bachofen, porém, impediu que se desenvolvesse um relacionamento íntimo entre Bachofen e Nietzsche. Esse foi também o motivo de seu distanciamento. Mas a casa de Bachofen dispunha ainda de outro elemento instigante, semelhante à casa de Tribschen: O jovem Nietzsche dificilmente conseguiu escapar do charme da jovem e musical senhora da casa (ela era um ano mais nova do que Nietzsche). A diferença de idade entre o casal Bachofen era semelhante ao do casal Wagner em Tribschen, e Nietzsche soube usar seu talento de improvisação ao piano para demonstrar sua veneração na casa dos Bachofen. Música e *eros* são companheiros que sempre andam de mãos dadas.

### Ludwig Rütimeyer

Em 8 de maio de 1875, Nietzsche escreveu ao amigo Carl von Gersdorff: "O mesmo tomo contém um artigo extraordinário de Rütimeyer, 'A população dos Alpes'[209], do mais alto interesse: deste mesmo estudioso recomendo ainda [...] 'Do mar aos Alpes', Berna 1854 [...]" E ainda em 1881, Nietzsche o inclui em uma lista das personalidades suíças de maior destaque[1]: "A grande fama do pesquisador natural Häckel prejudicaria de alguma forma o mérito ainda maior de Rütimeyer?"

Hoje já não podemos mais determinar se Nietzsche teve algum contato pessoal mais próximo com Rütimeyer, que, desde 1855 e a convite de Peter Merian e Wilhelm Vischer, trabalhava na Universidade de Basileia como professor. Mas esse homem de caráter forte dificilmente teria escapado aos olhos de Nietzsche, que sempre estava à procura de personalidades autênticas. Dificilmente teve acesso direto a ele, mas isso não exclui o fato de a aparência e o trabalho de Rütimeyer, este homem altamente respeitado em Basileia, ter causado uma impressão profunda em Nietzsche. E o modo como ele o menciona em sua carta a Gersdorff pressupõe que Gersdorff também já conhecia Rütimeyer.

Ludwig Rütimeyer nasceu em 26 de fevereiro de 1825 em Biglen, nas proximidades de Berna, como filho de um pastor. A região de Emmental e o grande poeta Jeremias Gotthelf (1797-1854), nativo dessa região, marcaram a visão do mundo deste jovem. Suas caminhadas e seu hábito de desenhar na natureza fomentaram sua paixão de descobridor. Absolveu as escolas em Berna e, após encerrar o ensino médio com a prova de maturidade, dedicou quatro semestres aos estudos da teologia, mas depois mudou para a Faculdade de Medicina. Em 1850, passou nos exames de medicina, mas não assumiu a profissão de médico. Preferiu ampliar seus estudos para além de sua disciplina e dedicar-se à pesquisa de toda a natureza como geólogo, paleontólogo, zoólogo e biólogo. Em 1855, após viagens de pesquisa ao sul, tornou-se professor extraordinário de anatomia comparativa em Berna.

Em 1855, o Instituto de Tecnologia Federal em Zurique quis contratar Rütimeyer como professor de Geologia e Paleontologia, mas dessa vez a Universidade de Basileia foi mais rápida do que o Conselho Federal. Ofereceram a Rütimeyer um campo de atividade mais amplo e mais livre, dando-lhe o título de professor de Anatomia e Zoologia comparativas. Ele ocupou esse cargo com excelência até 1894. Em 1865, assumiu a reitoria da universidade. Seu biógrafo Wilhelm His descreve a personalidade desse pesquisador versátil com as seguintes palavras: "É difícil oferecer uma imagem adequada da personalidade aguçada e marcante àqueles que não conheceram Rütimeyer pessoalmente. Já os traços externos e toda a postura de seu corpo revelavam a seriedade incomum e a natureza profunda do homem cuja existência inteira [...] se concentrara no cumprimento ideal de suas obrigações. E, assim, cada uma de suas palavras era testemunha da firmeza de sua vontade, conquistada pelo intenso trabalho de seu espírito". Os estudos de Rütimeyer, baseados em um conhecimento e uma observação minuciosa dos fatos, sobre a história natural de espécies animais individuais também lhe permitiram assumir uma posição autônoma diante dos problemas atuais da evolução, e naquele tempo esses problemas eram altamente em voga desde a publicação da famosa obra de Darwin em 1859.

A disputa entre os espíritos era acirrada, e pela primeira vez os problemas da ciência natural passaram a ocupar o primeiro plano, recalcando as ciências do espírito, e estas (incluindo a teologia) pareciam tornar-se diretamente dependentes dos resultados da ciência natural. Foi nesse contexto que Gerlach, um humanista de cunho antigo, ainda bibliotecário da biblioteca universitária, teve que ceder diante do avanço das ciências naturais. Nietzsche, portanto, demonstrou uma alta sensibilidade ao decidir em 1868 – juntamente com seu amigo Erwin Rohde – que ainda queria estudar as ciências naturais. Talvez seja a tragédia de sua vida que o chamado precoce para sua docência filológica o tenha impedido de realizar esse plano e, mais tarde, tenham lhe faltado o tempo e a força para retomá-lo, de forma que nunca conseguiu superar um diletantismo lamentável em suas opiniões científicas.

As novas teses de Darwin – que, em grande parte, nem eram tão novas assim, mas apenas pouco conhecidas – desencadearam uma imensa revolução espiritual e causaram alvoroço durante uma década inteira, até que o interesse por elas foi recalcado pelos interesses políticos, despertados com a guerra de 1870. Nietzsche também se sentiu profundamente tocado por elas. A grande novidade da obra de Darwin não foi o conhecimento de que existia uma evolução das espécies, mas suas afirmações sobre como essa evolução ocorria, sua "teoria específica sobre o processo dessas transformações, sobretudo a ideia segundo a qual as forças naturais realizam uma seleção natural entre as muitas variações aleatórias, por meio da qual algumas vertentes eram incentivadas; e outras, extintas. Darwin reconhece nessa seleção o fator decisivo para a metamorfose das formas" (Adolf Portmann[204]). Mas o que, na opinião de muitos, garantia a vitória das ciências naturais sobre todas as visões do mundo teológicas ou teleológicas, era isto: "Darwin oferece com sua explicação da evolução das espécies por meio do jogo da variação aleatória e da seleção a oportunidade de remeter ocorrências de vida ao jogo de forças da física e da química, de explicar com as leis atômicas e moleculares também os processos da vida – Darwin amplia as possibilidades de uma explicação homogênea do mundo"[204].

"Aqui, as opiniões se dividem – tanto na época quanto ainda no presente! Rütimeyer reconhece os efeitos da luta existencial – reconhece também que Darwin, com sua coleção de fatos, lançou uma nova luz sobre o significado desse fator. Ao mesmo tempo, porém, manifesta também um ceticismo diante da suposta onipotência dessa seleção: sempre volta a ressaltar a convicção segundo a qual uma valorização excessiva da seleção nos cegaria diante da realidade e que é necessário supor a ação de outras forças [...]. Ele pergunta se a luz que Darwin colocou em nossas mãos também seria capaz de iluminar o próprio devir e assim a região mais sombria do metafísico, que se encontra além das fronteiras do físico, com o qual ele se ocupou." Rütimeyer duvida disso e recorre a Karl E. von Baer, que já em 1860 argumentava contra Darwin da seguinte forma: "Não deveríamos comparar os processos vitais dos corpos orgânicos com melodias ou pensamentos? Na verdade, prefiro chamá-los de *pensamentos da criação*; sua representação ou manifestação no mundo dos corpos se distingue da representação de uma peça musical ou de um pensamento apenas no fato de que o ser humano não é capaz de representar estes de tal forma que estes adquiram independentemente um corpo autônomo [...]. O processo de vida orgânico, porém, apesar de estar sempre vinculado a matérias, mesmo que a pouquíssimas, se desenvolve construindo sempre seu próprio corpo, absorvendo para isso as matérias simples da natureza externa. Mas ele desenvolve seu corpo e o transforma conforme seu próprio tipo e ritmo. Por isso, é também um pensamento da criação [...]"[204].

Essa evolução encontrou seu fim com o ser humano, existe um fim, um *telos*? Se isso não for o caso, quais as forças que nos levam adiante?

Nietzsche vivencia em Basileia, na discussão acadêmica pública, toda a tensão do conflito entre Darwin e o partido oposto, que aqui está fortemente representada por meio de Rütimeyer. Mas este conflito é também o seu próprio. A evolução é resultado de um acaso cego ou execução de um "pensamento de criação"?

Em seu "Zaratustra", Nietzsche apresentará ainda uma terceira possibilidade, um silogismo claro, ou seja, a dedução das premissas temporais de Darwin e Rütimeyer: A evolução se torna vítima do acaso *apenas se* ela não for guiada por algo espiritual. Visto, porém, que Nietzsche já perdeu Deus e o pensamento da criação, ele se vê obrigado a substituí-lo pelo único ser que lhe resta como ser dotado de uma vontade de figuração: o próprio homem. A convicção de que o ser humano determina seu próprio objetivo, para assim preservar a primazia do espiritual sobre o mero evento natural sem sentido, este é o elemento de Rütimeyer no conceito filosófico da existência humana de Nietzsche.

Rütimeyer também transpôs o âmbito de sua ciência, mas jamais abandonou o fundamento da cientificidade – como o fizeram Bachofen e Nietzsche –, e nesse ponto os caminhos dos dois se separam de forma fundamental. Rütimeyer concorda com Darwin e sua escola na convicção de que existam determinações científicas da morfologia, ou seja, uma *teoria* da descendência, "da qual as tentativas especiais de uma explicação devem ser separadas cuidadosamente como muito mais incertas". Nietzsche não seguiu Rütimeyer nessa postura. Mesmo assim, essa figura faz parte das personalidades que marcaram Nietzsche nesses anos que ele passou em Basileia.

### Jacob Burckhardt

Jacob Burckhardt foi o "colega" mais importante de Nietzsche dessa geração "paternal", um cientista que não transpôs os limites de sua ciência, mas que explorou até o extremo as suas possibilidades.

Jacob Burckhardt nasceu em 25 de maio de 1818 em Basileia como quarto filho do assistente maioral, que mais tarde se tornaria o antístite da Igreja Reformada de Basileia. Já seu avô havia sido pastor. A morte precoce da mãe em 17 de março de 1830, que ocorreu quando Jacob Burckhardt tinha 11 anos de idade, marcou profundamente sua juventude. Aqui, deu-se conta de forma dolorosa de toda "futilidade e insegurança do terreno". Essa experiência o preparou para o pessimismo de Schopenhauer, e ele suportou essa cicatriz em sua alma como Nietzsche suportou a perda precoce do pai, que Nietzsche tentou compensar parcialmente com seus relacionamentos com homens mais maduros daquela geração como, por exemplo, seu Prof. Ritschl, Bachofen, Burckhardt e também Wagner.

Três anos após essa perda dolorosa, o jovem Jacob Burckhardt reagiu com algumas tentativas de composição: Em janeiro de 1833, ele compôs o coral "O Haupt voll Blut und Wunden" (Cabeça coberta de sangue e feridas) com uma melodia própria. No último verso do coral, Burckhardt anotou: "Aqui, os tambores rufam abafados". Conhecemos uma abertura para orquestra de cordas em sol menor, onde ele observa no acorde final: "Rufam os tambores". Aos 18 anos de idade, Nietzsche também se ocupou com a composição de motetos, entre eles "Jesus meine Zuversicht" (Jesus, minha esperança), o coral apresentado no enterro de seu pai[125].

Burckhardt compôs ainda a peça "Celebração fúnebre para Luís XVI" e "começado em 7 de fevereiro de 1833" um "Dies irae" para um coro de quatro vozes e piano, mas que permaneceu fragmento. Do jovem Nietzsche dessa idade também existem fragmentos de trabalhos intensos em uma missa e um réquiem. Um grande oratório natalino não passou da fase de esboço. Em junho de 1833, Burckhardt encerra a série de composições com o coral "O Welt, sieh hier dein Leben" (Oh mundo, vê aqui a tua vida)[234], ou seja, ele supera essa fase bem mais cedo do que Nietzsche. Werner Kägi[131] observa sobre essas tentativas: "O que os impulsionam não são reflexões, mas fortes emoções. Trata-se de música pesada criada para grandes textos já existentes".

Em 1834, Burckhardt compôs peças (perdidas) para um teatro de fantoches. Segue então a primavera das canções do jovem. Essas composições se estendem até 1847, quando Burckhardt encerra suas criações musicais aos 29 anos de idade. Nietzsche alcançou essa fronteira um ano mais tarde.

Infelizmente, as composições de Burckhardt não são acessíveis. Mas o pouco que sabemos delas já revela sua importância: esta não se encontra em seu valor musical, que dificilmente resistiria a uma crítica profissional, mas em sua função para o próprio compositor, na conquista do espaço psicológico do sentimento lírico – como ocorreu também em Nietzsche.

Burckhardt absolveu as escolas até o ensino médio em Basileia, sendo marcado sobretudo pelas aulas de alemão de Wilhelm Wackernagel. Passou nove meses em Neuenburg para aprender o francês. Aqui, não adquiriu apenas uma habilidade linguística, mas conheceu também o mundo dos pensamentos franceses. Obedecendo ao desejo do pai, iniciou na primavera de 1837 seus estudos de teologia, mas após quatro semestres passou a estudar história com a permissão do pai. Esse estudo o levou a Berlim, onde estudou com Leopold Ranke, August Boeckh e o historiador de arte Franz Kugler entre o outono de 1839 e a primavera de 1843. Ele não gostou da cidade, mas desfrutou da vida musical, sobretudo a ópera, e participou de um quarteto e de corais com seu tenor. Um episódio positivo de seus anos de estudante foi o semestre de verão de 1841 em Bonn. Mas os responsáveis por essa experiência positiva não foram o docente Fr. G. Welcker nem a universidade (que ele vivenciou como excessivamente restrita), mas um pequeno círculo de pessoas selecionadas, que se reuniam sob o nome "Maikäferbund" (Aliança da joaninha) sob a liderança de Johanna Möckel-Matthieux. Esta logo se tornaria a esposa do poeta revolucionário Gottfried Kinkel. Burckhardt sentiu uma ligação profunda com essas pessoas. E visto que Johanna Möckel-Matthieux era uma música formada que também compunha, formou-se um círculo no qual a música, a poesia e a arte eram igualmente representadas. Nesse período, Burckhardt escreveu muitas poesias – e fez muitos desenhos, que demonstram sua mestria inata. Em retrospectiva, escreveu sobre aqueles dias[61]: "Devo a Bonn e a Colônia as mais belas lembranças da minha vida". E em 28 de setembro de 1841, ele escreve à irmã Louise[61]: "[...] ninguém poderia ter previsto que uma sociedade tão pequena e tão criticada quanto aquela que se reunia em torno da M^me Matthieux estenderia seu brilho sobre toda a minha estadia em Bonn. Quantas tardes o nosso pequeno grupo não passou caminhando pelas maravilhosas vizinhanças de Bonn! O terraço de um pequeno restaurante em Küdingshoven com uma bela vista do Drachenfels e de Rolandseck foi nosso destino preferido. Lá, cantávamos e recitávamos; lá, Kinkel era um herói; e a Matthieux, uma profetisa; lá, nós dois ou três companheiros nos encontrávamos em um êxtase bem-aventurado e dizíamos entre nós que nos lembraríamos desses momentos quando velhos. A última noite antes da minha partida para a Bélgica passamos nas águas do Reno e em suas baías escuras e silenciosas; nosso barco vibrava de tantos cantos e júbilos. – E, assim, essa última noite na companhia da M^me Matthieux foi também uma das mais lindas que vivi em Bonn [...]".

E também Burckhardt com sua educação burguesa ignora no êxtase da experiência romântica a relação livre entre Kinkel e Matthieux, essa "sociedade tão criticada".

Burckhardt enviou sua dissertação em latim para a Faculdade Filosófica de Basileia e recebeu seu título de doutor sem exame oral em 19 de maio de 1843. Encontramos também aqui uma semelhança curiosa com Nietzsche. Nos anos seguintes, Burckhardt trabalhou como livre-docente ou professor extraordinário em Basileia, cooperou como redator do jornal conservador "Basler Zeitung" e fez longas viagens de estudo pela Itália, que se tornou sua segunda pátria espiritual, até ser chamado como professor ordinário de História da Arte, Arqueologia e História da Arquitetura para o Instituto Federal de Tecnologia em Zurique, inaugurado em 15 de outubro de 1855.

Na primavera de 1858, voltou definitivamente para sua cidade natal e passou a trabalhar na universidade e no "Pädagogium". Desenvolveu uma atividade extensa em palestras acadêmicas públicas. Burckhardt foi uma das figuras mais populares na Basileia de então. Apesar de não participar do convívio distraído da cidade, essa figura estranha e teimosa gostava de frequentar o teatro e alguns concertos, mas sua maior fonte de consolo e alegria era seu piano em sua casa, no qual costumava tocar as sonatas mais fáceis de Mozart, mas também as óperas de Mozart e Gluck na redução para piano – e até chegava a improvisar.

Quando o jovem docente Nietzsche chegou a Basileia, um homem quieto, retraído e sério de aparência e conduta requintadas, entregue à música, à música do lar e ainda na "idade de compor", que também havia estudado em Bonn e que, portanto, conhecia os locais de felicidade de Burckhardt, e que havia conhecido o filho de Gottfried Kinkel em Leipzig, havia muitos interesses comuns e muitas perguntas sobre como isso ou aquilo havia mudado desde a estadia de Burckhardt naqueles lugares. No início, o interesse de Burckhardt pelo jovem colega não deve ter sido mais profundo, mas durante os intervalos no "Pädagogium" os dois naturalmente se conheceram. A grande sensibilidade de Nietzsche percebeu instantaneamente que Burckhardt era um homem extraordinário, e foi ele também que foi ao seu encontro com sua postura de veneração, veneração esta que o homem mais velho certamente não procurava. Essa "amizade" foi talvez até mais unilateral do que a amizade com Wagner, e apesar de todos os pontos comuns e de todas as possibilidades de se aproximar em virtude de experiências semelhantes, Burckhardt, que já havia alcançado seu equilíbrio interior e que prezava a tranquilidade e o comedimento clássico, não tinha nenhum interesse em deixar-se levar pela correnteza dos pensamentos desse jovem guerreiro e revolucionário espiritual inquieto e desequilibrado.

Alfred Martin[161] – sem que concordássemos com ele em todos os pontos – formulou corretamente a posição de Burckhardt: era ainda um homem do classicismo de Weimar. Certamente percebeu o caráter extraordinário de seu colega mais jovem, mas ele o viu em sua relação, como expressão ou sintoma da era revolucionária, que ele também reconheceu como tal – mas com a qual não concordava. Tampouco negava a genialidade de Michelangelo ou de Beethoven, mas sua estética preferia Raffael e Mozart.

O fato de que os caminhos dos dois se separariam completamente ficou claro já durante as primeiras semanas após seu primeiro encontro. Para Burckhardt, Wagner era abominável, tanto como pessoa quanto como compositor. E quando essa diferença diminui ao longo dos anos, quando Nietzsche começou a se desprender de Wagner e passou a usar alguns argumentos de Burckhardt, Burckhardt já havia se alienado do mundo espiritual de Nietzsche. Mas Nietzsche encontrou em Burckhardt aquilo que ele imaginava como "grande mestre". Burckhardt era um professor de seu povo, e Nietzsche admitiu que era visível que os habitantes de Basileia tinham um Burckhardt. A despeito de sua popularidade, a despeito de sua influência por meio de suas palestras públicas e como professor ginasial de uma escola aberta para todos, Burckhardt nunca foi "até o povo". Ele preservou o "*páthos* da distância", era "nobre". Em que medida Burckhardt preencheu a função de grande mestre na imaginação de Nietzsche se revela completamente numa carta de Nietzsche no início de sua loucura, quando a máscara caiu e as experiências fundamentais de Nietzsche se revelaram à luz do dia: "Tu és [...] nosso grande, nosso maior mestre" (Turim, 4 de janeiro de 1889).

# IV

# Os três primeiros semestres em Basileia
## (abril de 1869 a agosto de 1870)

O jovem docente atacou sua tarefa com energia notável e ainda se via plenamente como filólogo. À primeira vista, sua docência representava a continuação ininterrupta de sua existência como estudante. As numerosas novas impressões tiveram um efeito estimulante sobre ele, e no início deixou- se levar por certa euforia. "No que diz respeito a mim", ele escreve à mãe no início de maio de 1869, "sinto-me perfeitamente bem aqui, mas tenho a esperança de me adaptar e me aconchegar ainda mais. No momento, há muitas coisas novas. E a eterna apresentação a pessoas novas me aborrece terrivelmente [...] e, na hora do almoço, meus colegas, os governantes e conselheiros me perseguem. [...] A região é de grande beleza e oferece lindos passeios para todos os lados, para as montanhas do Jura, para os Vosges, para a Floresta Negra: tudo muito próximo. [...] Ainda não lhe contei que todas as minhas coisas chegaram em perfeita ordem. [...] Por favor, encomende o mais rápido possível um terno *preto* com o alfaiate Haverkamp, que eu possa usar em visitas. Aqui, nunca se usa uma casaca". Apenas o dinheiro deve ter causado algumas dificuldades iniciais, pois ele se queixa com a mãe: "Nosso salário é insanamente pago a cada seis meses, posteriormente nos dias 1º de julho e 1º de janeiro".

Em 29 de maio, Nietzsche escreve a seu amigo Rohde sobre uma vantagem especial: "Criei um contato mais próximo com o espirituoso Jacob Burckhardt; isso me alegra muito, pois descobrimos uma maravilhosa congruência de nossos paradoxos estéticos". E, em meados de junho, ele escreve à mãe: "De importância inestimável é que tenho um amigo e vizinho em Lucerna, não próximo o bastante, mas tão próximo que posso usar cada dia livre para um encontro. Trata-se de Richard Wagner, que, como ser humano, é tão grande e singular quanto o é como artista. Já passei vários dias felizes com ele e com a genial Sra. Von Bülow (filha de Liszt), [...] numa solidão encantada de montanhas e lagos, [...] com conversas animadas, num círculo familiar amável e longe de qualquer trivialidade social. Para mim isso é um grande achado".

### Sozinho em terras estrangeiras

Mesmo assim, o entusiasmo diminui consideravelmente nesse tempo. Nietzsche revela ser uma pessoa altamente dependente de seus humores, e as oscilações entre entusiasmo ardente e depressão paralisante abarcam um espaço amplo: "A vida que levo aqui é bem diferente. [...] Percebo nitidamente como a atividade desejada, quando se torna 'oficial' e 'profissional', se transforma em amarra, que, por vezes, tento romper impacientemente. Em momentos assim, invejo meu amigo Rohde, que viaja pela Campagna e Etrúria, livre como um animal do deserto. O que mais me aborrece [...] é a massa abominável de colegas 'venerados', que me convidam noite após noite, cumprindo assim a sua obrigação: de forma que já me tornei bastante engenhoso em rejeitar os convites. De resto, as pessoas me tratam com simpatia" (carta à mãe, meados de junho de 1869). Como razão dessa simpatia geral ele identifica a impressão deixada por sua palestra inaugural: "Esse discurso inaugural convenceu as pessoas de diversos aspectos, e ele firmou minha posição, como reconheço claramente". E a Rohde ele escreve em 16 de junho: "Aos poucos vem acontecendo o que eu havia esperado desde o início: no meio da multidão de meus respeitados colegas, sinto-me estranho e indiferente, de forma que já recuso com o maior prazer os convites de todo tipo que venho recebendo todos os dias. Até mesmo os prazeres da montanha, da floresta e do lago são estragados pela *plebecula* de meus colegas. Nisso concordamos mais uma vez: suportamos e amamos a solidão". E já em 29 de maio surge o pensamento ao qual ele se agarraria por muito tempo: "Recentemente, tive o desejo *ousado* de você fazer sua habilitação aqui: o que exigiriam de você seria um discurso inaugural e a entrega de seus trabalhos". E em meados de junho: "Sempre reflito sobre as possibilidades [...] de trazê-lo para as proximidades de Basileia. Quando observo o estado da filologia nesta universidade, sinto que em breve precisaremos de um novo professor. Vischer fará uma preleção de apenas duas horas no próximo semestre: ou seja, ele fará sua última preleção, pois seus 'assuntos ministeriais' consomem todo o seu tempo. Gerlach também não consegue realizar mais do que uma preleção de duas horas e é muito velho. Mähly, após ser sujeito a todo tipo de coerção, também faz uma preleção, mas também apenas de duas horas. [...] O velho Gerlach poderia muito bem morrer finalmente: essa possibilidade alimenta a minha esperança. Você não teria como se apresentar ao respeitadíssimo Vischer?" Gerlach, porém, não satisfez esse desejo mórbido dos dois amigos: ele continuou a lecionar na universidade até 1875 e morreu apenas em 31 de outubro de 1876 em decorrência de um acidente.

### O primeiro semestre na profissão

Rohde como colega em Basileia teria significado um alívio real para Nietzsche, pois agora estava carregando o fardo principal de sua disciplina. Em 10 de maio ele escreve a seu Prof. Ritschl: "A cada manhã da semana faço minha primeira preleção às sete horas da manhã – nos três primeiros dias, sobre a história da poesia lírica grega, e nos três últimos, sobre as Coéforas, de Ésquilo. A segunda-feira traz também o seminário, que organizei conforme o seu esquema. [...] Às terças e sextas dou duas aulas no 'Pädagogium'; às quartas e quintas, apenas uma: faço isso agora com prazer. Durante a leitura do Fédon, tenho a oportunidade de contagiar meus alunos com a filosofia; com a operação inédita das *extemporalia*, eu os arranco de seu sono gramatical. Sete estudantes assistem às minhas preleções, e me dizem que devo estar satisfeito com isso aqui. Os estudantes são todos assíduos, atendem a um número irracional de preleções e não conhecem a palavra 'cabular' nem de ouvir falar". E, em 29 de maio, escreve à irmã: "Desde o início de maio estou em plena atividade na universidade e no 'Pädagogium', mas apenas ontem fiz minha palestra inaugural 'sobre a personalidade de Homero' no grande auditório do museu, diante de um público que lotou a casa. [...] Também acabei me acostumando com o fato de ter apenas oito ouvintes, visto que se tratam de todos os estudantes de filologia e de um teólogo. No ginásio, divirto-me com uma classe inteligente e creio não ser um mestre nato, mas não ser totalmente inútil como tal". Por enquanto, ainda se divertia com todas as atividades filológicas, malgrado suas queixas sobre o jugo da profissão. Ainda no início de julho ele confessa a Paul Deussen: "Toda essa coisa [...] cabe em mim como uma luva. [...] No entanto, creio que precisarei de mais algum tempo até a natureza ter se acostumado completamente com essa atividade: por enquanto, ainda me sinto bastante cansado. Aceitei fazer demais neste primeiro semestre; sobretudo dois seminários, para os quais preciso me preparar de dia em dia, de forma que vivo sem muitas reservas. [...] Por fim, consigo até fingir ser um mestre de escola aceitável. Quem teria imaginado isso?" E já comunica a Paul Deussen os seus planos para o semestre de inverno: "Para o próximo semestre, anunciei gramática latina e história dos filósofos pré-platônicos (com interpretações de fragmentos selecionados)", como já havia revelado a Rohde em 16 de junho. Além disso: "Os 'Erga', de Hesíodo, no seminário".

Na época, as filologias grega e latina ainda não eram rigidamente separadas na Universidade de Basileia, por isso todos os docentes da filologia clássica eram obrigados a oferecer preleções e exercícios em ambas disciplinas. No entanto, Nietzsche não realizaria nesse semestre de inverno exatamente o que anunciara, assim como já estava fazendo uma preleção sobre Ésquilo, e não sobre a "pesquisa de fontes da história da literatura grega". Em nenhum lugar ele menciona o tema dos exercícios, como também havia anunciado apenas um "seminário" sem informações sobre um tema[122].

Leu o "Fédon", de Platão, com os alunos do "Pädagogium" e o 18º canto da Ilíada de Homero, o lamento de Aquiles e dos aqueus perante a morte de Pátroclo. Após as férias de verão, leu com eles biografias de Sócrates e Platão, talvez de Diógenes Laércio, e depois introduziu os alunos à métrica da tragédia ática com o "Prometeu" de Ésquilo. No Curso de Gramática, treinou com eles o uso do infinitivo, dos particípios e das negações.

Esse programa revela imediatamente que Nietzsche se serviu dos conhecimentos adquiridos na escola e nos últimos anos de seus estudos. Como sabemos, ele havia começado a trabalhar num léxico sobre Ésquilo, os poetas líricos lhe agradavam em virtude de sua natureza musical e seus conhecimentos sobre a história da filosofia provinham de seus trabalhos sobre Diógenes Laércio. Mesmo assim, teve que processar uma quantia enorme de conhecimento e exigia o empenho de todas as suas forças. Por isso, escreveu com todo direito à mãe no início de julho: "As férias de verão começam em breve. [...] Precisarei dos primeiros dias para recuperar minhas forças e meus espíritos vitais, pois as aulas na escola e as preleções diárias me deixaram esgotado, e preciso urgentemente de férias. Mas logo terei que voltar ao trabalho, pois preciso preparar muitas coisas para as quais não terei tempo no dia a dia acadêmico". Com isso, frustra os planos da mãe e da irmã de visitá-lo. Uma visita seria um fardo adicional, e ele pede que a adiem para o outono. Pretendo continuar trabalhando em sua ciência e revela a Rohde *sub sigillo* em 16 de junho: "Usener e eu pretendemos preparar um *corpus* de história da filosofia, ao qual contribuirei com Laércio; e ele, com Estobaio, Pseudo-Plutarco etc." Quando Nietzsche abandonou esse grupo de trabalho e a filologia com seu livro "O nascimento da tragédia", Usener ficou profundamente decepcionado.

### O escasso tempo livre

Todas essas atividades não lhe deixaram muito tempo e energia para sua vida social. Antes das férias de verão, foi para Tribschen apenas mais uma vez no fim de semana de 5 e 6 de junho e estava na casa quando Siegfried Wagner nasceu na madrugada de 6 de junho. Nietzsche havia sido convidado para o aniversário de

Wagner em 22 de maio, mas se viu obrigado a responder: "Como queria ter aparecido neste dia em sua casa solitária, mas a infeliz corrente da minha profissão me prende a minha casa de cachorro em Basileia". Enviou, em vez disso, uma "carta de congratulação" num estranho tom patético, semelhante ao tom musical de suas "composições de amizade" ("Nachklang einer Sylvesternacht" (Eco de uma noite de São Silvestre) e sobretudo "Hymnus auf die Freundschaft" (Hino à amizade)) de 1873 e 1874[125], distanciando-se completamente do seu estilo revigorante das outras cartas: "Prezado e venerado senhor, há quanto tempo tenho nutrido a intenção de expressar sem qualquer timidez o grau de gratidão que sinto pelo senhor, visto que os melhores e mais sublimes momentos estão ligados ao seu nome e conheço apenas um único outro homem, seu grande irmão em espírito Arthur Schopenhauer, o qual prezo com a mesma veneração, até *religione quadam*. Alegro-me por poder fazer esta confissão num dia festivo e o faço com certo orgulho. [...] Devo ao senhor e a Schopenhauer o fato de eu ter perseverado até hoje na seriedade vital germânica, numa contemplação aprofundada dessa existência enigmática e notável [...]" (22 de maio de 1869).

Sua fuga das obrigações sociais não se devia apenas às suas atividades profissionais. Ele não gostava delas. "Meu precursor Kiessling era, como descobri, uma natureza bem diferente. Era acessível, de caráter sanguíneo, sempre empenhado em reunir um grupo de pessoas etc., enquanto eu mesmo não sinto nenhum prazer em fazer caminhadas com seis a oito colegas, prefiro muito mais caminhar sozinho. Aos poucos, as pessoas se acostumam com isso e me deixam em paz, mas com certo pesar, pois acreditam que, dessa forma, eu não me sentirei bem nem me divertirei em Basileia" (carta a Rohde nos meados de julho de 1869). A preferência por caminhadas solitárias e a solidão artificial já estão completamente formadas. Ele teria ido ao teatro – se Basileia tivesse tido um teatro nesses meses. Mas Nietzsche chegou à cidade justamente na "temporada quieta" e lamentou em uma carta à irmã de 9 de julho que se encontrava num "lugar hostil às graças do teatro", uma sentença que ele corrigiu no outono. Na época, Basileia não possuía um teatro permanente. A casa era alugada a um "diretor", que usava o palco com sua tropa por conta própria. Isso garantia uma diversidade nas apresentações, mas não no repertório, que se limitava às óperas italianas populares de Bellini, Donizetti, Rossini (e outros nomes que hoje já caíram em esquecimento), e também de Mozart (principalmente o "Don Juan") e até mesmo o "Fidelio", de Beethoven. Mas tudo isso não agradava muito a Nietzsche, mas sim a Jacob Burckhardt, que preferia ficar de pé, pois assim podia fugir da "sociedade" a qualquer momento.

### As primeiras férias de verão

Finalmente, em meados de julho, as férias de verão começaram no *Bündelitag* (dia da trouxa), no sábado de 17 de julho. Nietzsche relata o evento em uma carta a Rohde: "Você já ouviu falar do Bündelitag de Basileia? Todos preparam sua trouxa e vão para a estação ferroviária, todas as escolas e também a universidade fazem uma pausa de quatro semanas. E os climatologistas de Basileia alegam que ficar em Basileia nessa época faz mal à saúde. Por isso, partem para o mundo! Mas para onde? O gelo das montanhas nos chama... mas nem tanto: eu preferiria visitar a região montanhosa da Bavária e Boêmia, se pudesse fazê-lo em sua companhia [...]". Mesmo assim, viajou para o "gelo das montanhas" mais próximas e mais acessíveis. Muitas vezes, essa volatilidade em seus planos de viagem assume formas irritantes: nas cartas, anuncia uma viagem para o mesmo dia ou para o dia seguinte, que ele acaba não realizando. Ou decide fazer outra viagem em seu lugar, aparecendo de repente em algum lugar sem ter feito qualquer alusão a tal destino. O que o levava a tomar essas decisões e quando exatamente ele viajava não pode mais ser determinado. Em 26 de julho, escreve uma carta de Interlaken à Sra Sophie Ritschl que revela a volatilidade e inconstância de seus juízos sobre seu meio ambiente e que lança uma luz desfavorável sobre o futuro filósofo da sinceridade absoluta.

Ele aplica muita arte retórica para conquistar o favor da destinatária: "Como já no ano passado, de Wittekind, a senhora recebe também este ano uma carta de verão de Interlaken, escrita aos pés do Jungfrau; [...] a sociedade de Basileia não (oferece) nenhuma impressão cultivada: em lugar algum se desgastam menos luvas do que aqui, e se a 'senhorita' B. ou Merian (em alemão, Schulze e Müller) diz algo ou não é completamente indiferente e entediante. Nada se percebe aqui da influência feminina, a não ser que as mulheres transformam cada reunião em uma grande fofoca. [...] Mas de forma alguma quero que a senhora pense que pretendo elogiar os homenzinhos de Basileia, sobretudo meus respeitáveis colegas, às custas das mulherzinhas. A quase todos, a natureza negou a graciosidade e a elevação artística, e até mesmo Jacob Burckhardt, que me é mais próximo, vive como homem de posses na mais desgostosa escassez, e noite após noite procura a companhia de seus colegas filisteus para beber a sua cerveja. Acrescente a isso o absurdo patriotismo suíço (que, como o queijo suíço, provém da ovelha e se apresenta com a mesma cor amarelada da inveja), a postura de superioridade com a qual veem os alemães: junta-se assim o bastante para condenar-me para uma vida de ermitão. [...] Mas chegou a hora de encerrar a carta, de beber meu soro de leite e de ouvir música ruim. Pois cabe a nós filólogos ser fiel sobretudo nas coisas pequenas, ou seja, por exemplo, na dieta de soro de leite". Trata-se de um *esboço*; não sabemos o que Nietzsche usou para a carta definitiva; mas isso não importa. Encontramos aqui passagens diametralmente opostas a passagens de outras cartas da mesma época, nas quais ele se apresenta orgulhosamente como "suíço livre" aos seus amigos. Infelizmente, precisamos levar em conta uma boa porção de retórica em ambos os tipos de cartas ou vê-las como produtos de seus humores inconstantes. Mesmo em assuntos superficiais e em cartas pessoais já se manifesta a tendência vergonhosa e crescente de fazer observações maliciosas. Talvez seja este também o solo do qual nascem as contradições irresolúveis e a volatilidade em sua obra filosófica tardia. E, nessa época, sua doença certamente ainda não exerce qualquer influência, antes devem ter suas raízes em sua natureza desequilibrada, incontrolada e dominada por humores, por fim, numa ambiguidade que logo viria a se manifestar.

Consciente ou inconscientemente, é provável que seu desgosto tenha sido causado em parte pelos altos preços dos destinos turísticos, e ele ficou profundamente ressentido com o fato de que seu salário de professor não lhe permitia levar uma vida adequada à sua posição. Em 27 de julho, ainda em Interlaken, ele se queixa em uma carta à irmã: "Não posso deixar de mencionar que as viagens aos destinos mais visitados e mais bonitos da Suíça são surpreendentemente caras. [...] É necessário levar em consideração que os preços nos hotéis das regiões mais belas, que normalmente são também as mais afastadas, são muito altos em virtude dos custos de transporte. Por exemplo, em Grindelwald: o quarto para uma pessoa por noite custa 2 francos e meio; o café da manhã, um franco e meio; o almoço sem vinho, quatro francos; jantar, três francos; serviço de quarto, um franco etc. [...] Diga-me o mais rápido possível quanto devo receber em juros dos meus bens ainda este ano. Nossos salários em Basileia têm dois aspectos nada agradáveis: Pagam-nos apenas duas vezes ao ano, em 1º de julho e 1º de janeiro, [...] de forma que tenho apenas 200 tálers para o ano inteiro de abril até 1º de janeiro. [...] E Basileia é uma cidade muito cara". E então encontramos uma frase extremamente fria nessa carta de resto totalmente amável: "Mas por que você assumiu o controle sobre a administração do meu dinheiro?"

Passaram-se apenas três meses desde que ele saiu de casa, um homem em posição respeitada, e a irmã mais nova já se sente autorizada a administrar os seus bens – para a surpresa de Nietzsche. "Ex ungue leonem." A pergunta ficou sem resposta.

Ele não conseguiu ficar muito tempo em Interlaken. Aparentemente, voltou para Basileia, onde encontrou "carta de Wagner e convite. Sábado até domingo à tarde, depois para o Pilatus"[6]. Nietzsche reagiu imediatamente ao convite e chegou em Tribschen ainda no sábado, 31 de julho. Cosima escreve sobre a visita[258]: "Uma pessoa agradável e de boa formação". A conversa sobre assuntos musicais já parece ter sido bem aberta. Conversaram também sobre o oratório "Die heilige Elisabeth" (A Santa Elisabete) de Liszt (o pai de Cosima!), que não agradou a Wagner por causa de sua "fixação apoteótica", e Cosima registra a sentença de Nietzsche: "é mais incenso do que aroma de rosas". Poucos dias depois, em 7 de agosto, aparece no diário de Cosima a expressão "a garota de Tschandala (*Tschandala-Mädchen*)" como termo frequentemente usado nas conversas. Foi, portanto, aqui que Nietzsche ouviu a expressão que ele viria a usar em seus escritos tardios para pessoas "inferiores".

Na tarde de 2 de agosto, Nietzsche partiu em direção ao Pilatus, onde já existia um pequeno hotel. Não sabemos se ele se aproveitou da possibilidade de percorrer a cavalo o trecho inicial ao pé da montanha. Mesmo assim, a escalada representou um esforço físico considerável e foi a primeira excursão de Nietzsche acima de 2.100 metros. Levou consigo o manuscrito do escrito mais recente de Wagner, "Sobre o Estado e a religião", que este havia escrito como instrução do rei da Baviera. Nessa época, Nietzsche não se ocupou com literatura fora de sua disciplina, portanto, deve ter lido o escrito de Wagner com grande fome e interesse. Tempestades o obrigaram a ficar na montanha durante três dias, dando-lhe assim o tempo necessário para ler e escrever cartas. Em 2 de agosto, Nietzsche produz outro documento escrito para agradar seu destinatário, dessa vez, seu Prof. Ritschl: "Pela primeira vez desfrutando plenamente das minhas 'férias', venho a ter uma sensação que não tive desde os meus anos como aluno. Pois meus tempos como estudante não significam nada além de um passeio farto pelos campos da filologia e da arte, de forma que eu, com profunda gratidão ao senhor, reconheço o 'destino' da minha vida e como veio no momento perfeito aquele chamado que me transformou de uma 'estrela vagante' em uma 'estrela fixa' [...]. E quão diferente é o trabalho do homem quando tem como fundamento a ἀνάγκη (*ananke*) de sua profissão, como seu sono se torna mais tranquilo; e o dia, mais seguro, pois sabe o que ele dele exigirá [...]. Digo isso apenas para indicar o quão grato sou pelo seu instinto pedagógico na transformação da minha vida [...]. Aqui nas alturas do Pilatus, envolto em nuvens [...], a minha biografia se apresenta a mim em luz tão maravilhosa, revela-se a proximidade na qual tive o privilégio de viver com o senhor por tanto tempo, como alavanca tão importante da minha vida interior e exterior, de forma que me sinto compelido a expressar a minha gratidão vigorosa e ardente com esta pena".

Como é forçada a formulação dessa carta, não há nenhum traço de espontaneidade nela. A carta escrita em 5 de agosto a Carl von Gersdorff se apresenta de forma muito mais natural. Nietzsche lhe conta sua experiência com Richard Wagner: "Nele domina uma idealidade tão incondicional, uma humanidade tão profunda e comovente, uma seriedade vital tão sublime que me sinto próximo do divino quando estou com ele. Quantos dias já passei naquela propriedade amável às margens do Lago dos Quatro Cantões, e a novidade dessa natureza maravilhosa jamais se esgota". E no final da carta ele lhe recomenda a "Filosofia do inconsciente", de Eduard von Hartmann, "a despeito da desonestidade do autor", como diz. E em 4 de agosto escreve a Gustav Krug: "Estes dias que tenho passado em Tribschen neste verão são os resultados mais valiosos da minha docência em Basileia". Ou seja, não a docência como tal pela qual ele agradece a Ritschl!

Ele não pôde desfrutar completamente das curtas férias, pois em 5 de agosto ele já estava de volta em Basileia sem passar por Tribschen – o que Cosima lamenta[15] –, para continuar seu trabalho para o registro do "Rheinisches Museum", que veio a ser publicado apenas em 1871. Em 15 de agosto, no final das férias, fez ainda uma excursão para Badenweiler, na Floresta Negra. O jornal "Fremdenblatt" menciona como dia de sua chegada o dia 14 de agosto; Nietzsche se hospedou no Hotel "Römerbad"[42]. No dia 16 teve que estar de volta em Basileia para o início das aulas na universidade e na escola.

### Visita importante

Sua mãe foi responsável por fornecer-lhe uma interrupção "principesca" do seu dia a dia. A Princesa Alexandra von Altenburg, uma das três princesas que o pai de Nietzsche educara brevemente, passou por Basileia em 20 e 21 de agosto durante sua estadia na Suíça. Franziska informou seu filho e o instruiu a recebê-la com um buquê na estação ferroviária. Nietzsche obedeceu e relatou à mãe em 23 de agosto: "Ela parece ser uma mulher sensível e bem-formada, demonstra traços espirituosos e uma seriedade comumente encontrada em princesas, compreensível em vista do fardo de sua posição. Seu comportamento é amável e acessível e não sofre do vício de representar continuamente. Eu a recebi da forma como você me instruiu, com um buquê na estação ferroviária, depois a acompanhei a pé até a ponte do Reno e ao hotel 'zum Wagen'. Jantei com ela e seu cortejo – ela ocupou 21 quartos – de forma que passei duas a três horas com ela e durante algum tempo completamente *en deux*".

Este foi um episódio que ele considerou como mero entretenimento, pois sua esfera humana estava completamente ocupada por Tribschen. Em 21 de agosto, viajou para Tribschen e permaneceu ali até a manhã da segunda-feira, dia 23 de agosto[258]. Em 25 de agosto, ele confessa a Paul Deussen: "Recentemente uma aproximação afortunada do tipo mais caloroso de Richard Wagner, o que significa: do maior gênio e maior ser humano destes tempos, completamente incomensurável!

[...] Como mulheres de maior influência devo mencionar a Sra. Ritschl e a Baronesa von Bülow (filha de Liszt)". Cita ainda alguns outros nomes de pessoas que lhe "são próximas, mas não ocupam a primeira linha de amizade" – mas não inclui Jacob Burckhardt! E conclui: "Um registro desse tipo é instrutivo, e muitas observações me vêm espontaneamente. Essa série de amigos é, de certa forma, uma projeção do nosso interior, um tipo de escala musical, na qual todas as notas da nossa natureza encontram sua expressão. Isso me deixa pensativo. – Aparentemente, não nasci para a sorte e para a alegria". Assim se manifesta em meio ao êxtase sempre também seu lado depressivo, oscilam os humores numa mesma carta de linha em linha.

### Decepções

Logo viria a ter motivos reais para sua ira e decepção. As viagens nas férias, os finais de semana em Tribschen e Badenweiler haviam custado muito dinheiro, e ele dispunha apenas do salário de três meses. O próximo salário viria apenas em 1º de janeiro. Por isso, teve que escrever à sua "administradora de bens" Elisabeth no final de agosto: "Agora um pedido que precisa ser cumprido rapidamente. Troque mais uma nota promissória e envie o dinheiro pelo correio". Mas Elisabeth não se encontrava em Naumburg, e assim a carta chegou às mãos da mãe que não deixou de repreender o filho e aconselhá-lo a levar uma vida mais econômica.

Ela escreveu[8]: "O mundo inteiro – até mesmo Wenkel – acredita que você está economizando seu salário e que não toca em seus juros. Tudo está indo embora, incluindo o capital, algo está errado. Pelo amor de Deus, esteja atento e procure outro alojamento. Deixe-me dizer-lhe ainda uma palavra como sua mãe, para que esse ponto não se torne um assunto de briga eterna. Você é meu bom filho, [...] mas não acredito que esse procedimento seja correto [...]. Mas [...] adote outra conduta de vida e mantenha um registro de suas despesas. [...] Nem ouso mais esperar uma resposta clara às minhas perguntas". A resposta veio, breve e dura, no início de setembro: "Peço reconsiderar se as expressões usadas na carta são *adequadas*. F.N.

Também não sei como dar uma resposta mais 'clara' às suas respostas. Por favor, leia a minha carta *mais uma vez*".

Seu consolo em meio a tudo isso era Tribschen. A Rohde, que estava vagando pela Itália, ele havia descrito Tribschen como "sua Itália" e acrescentado: "Recentemente tenho ido a Tribschen quatro vezes seguidas".

Essas quatro vezes foram: 5 e 6 de junho; 31 de julho a 2 de agosto; 21 a 23 de agosto, sendo que desta vez Nietzsche retornou apenas na manhã da segunda-feira, faltando assim a uma preleção e ao seminário. Cosima ficou preocupada com as dificuldades que resultariam disso para Nietzsche. Mas aparentemente ele havia informado seus estudantes, pois não houve nenhuma queixa. E no final de semana seguinte, em 28 e 29 de agosto, já estava de volta a Tribschen, onde passou também o fim de semana de 18 e 19 de setembro. Nessa euforia, a morte de seu velho e querido Prof. Otto Jahn em 9 de setembro foi ignorada. Nietzsche não a menciona em lugar algum. Ou será que a dor era grande demais por ter "traído" esse homem? Jahn era um adversário férreo de Wagner. O silêncio também fala!

O semestre da universidade terminou em 25 de setembro, o "Pädagogium", por sua vez, encerrou suas aulas apenas em 3 de outubro. E agora Nietzsche esperava ansiosamente a visita de sua mãe e irmã para levá-las ao Lago de Genebra, que nessa época era especialmente lindo. Tudo já havia sido combinado, e ainda em 25 de setembro ele pede que as mulheres informem seu horário de chegada. Mas alguma pessoa em Naumburg advertiu a mãe do clima e das tempestades nessa época do ano na selvagem terra montanhosa, e um telegrama informou Nietzsche que a viagem havia sido cancelada. Ele decidiu então viajar para Naumburg, onde passou as férias de outono de 6 a 18 de outubro. Como relatou a Cosima, sua estadia o entediou. Em 19 de outubro, Cosima responde[15]: "O que o senhor me diz sobre suas decepções me lembra de experiências próprias, que me ensinaram que a maioria dos relacionamentos na juventude se formam e perduram na base de equívocos. Tive que pensar também no relato mal-humorado de Schiller a Körner sobre seu primeiro retorno a Suábia".

### Primeiros problemas de dieta

Na época, outro problema o preocupou de forma muito mais intensiva: Nietzsche começou a fazer experimentos dietéticos, que ele jamais conseguirá abandonar. A ideia havia partido de Gersdorff, que, em 8 de setembro, repentina e decididamente declarou ser vegetariano por motivos ideológicos. E o mais estranho: Nietzsche deixou-se convencer e aderiu à ideia, mesmo conhecendo todos os argumentos contrários e sendo advertido dos riscos desse experimento pelas pessoas em Tribschen. O próprio Wagner havia sido vegetariano durante muito tempo, mas havia abandonado essa prática em decorrência de experiências negativas. Nietzsche resumiu esses argumentos da seguinte forma em uma carta de 28 de setembro a Gersdorff: "O cânone oferecido pela experiência nesta área é o seguinte: Naturezas espiritualmente produtivas e intensivas *precisam* de carne. O outro modo de vida é reservado aos padeiros e camponeses, que nada mais são do que máquinas digestivas". Nietzsche não só participa do experimento, ele também abre mão de seu próprio poder de decisão: "Para demonstrar-lhe minha energia afirmativa, tenho praticado esse modo de vida até agora e continuarei a fazê-lo *até você mesmo* me der a permissão de viver diferentemente. [...] Reconheço que os restaurantes nos acostumam a uma alimentação excessiva, por isso já não gosto mais de frequentá-los. Estou também ciente de que uma abstinência temporária da carne por razões dietéticas pode ser muito útil. Mas por que – para usar uma expressão de Goethe – 'fazer disso uma religião'? Isso parece inevitável em todas essas peculiaridades, e quem está pronto para essa dieta vegetal costuma estar pronto também para uma 'dieta' socialista".

O salto da dieta vegetal para o socialismo é surpreendente e, neste contexto, não possui nenhuma razão específica. Mas se estudarmos a história de Basileia, encontramos essa razão: é um problema real que o preocupa, e Nietzsche foi confrontado com ele de forma bem concreta quando, em setembro de 1869, foi realizado em Basileia a 4ª Internacional, um congresso trabalhista. E já que Bakunin, um velho companheiro de luta de Wagner nos tumultos de 1848 em Dresden também participaria do congresso, mas que Wagner não queria reencontrar, Nietzsche se viu obrigado a assumir uma posição clara em suas conversas com Wagner. E em 15 de novembro, a cidade industrial de Basileia adotou também uma "lei para as fábricas". Nietzsche não menciona esses eventos explicitamente, de forma que poderíamos vir a crer que ele nem os percebeu ou os ignorou conscientemente. Ele revela seu envolvimento apenas neste único reflexo. Ele teme esse fantasma – juntamente com Jacob Burckhardt – e se agarra à fórmula clássica do εὐφημεῖτε – *Euphemeite**.

### O semestre de inverno de 1869/1870

Na tarde de 18 de outubro – uma segunda-feira –, Nietzsche voltou para Basileia e se despediu com uma carta de sua avó Wilhelmine Oehler: "Agora [...] constato com prazer que essa atividade parece ter sido escolhida a dedo para mim e que ela é a continuação perfeita dos meus estudos, meus interesses e minhas forças". O semestre acadêmico começava apenas em 1º de novembro; as aulas no ginásio, porém, já em 19 de outubro. Seria um semestre cansativo. Na universidade, fez a preleção anunciada sobre a gramática latina e, provavelmente, também sobre os filósofos pré-platônicos. Mesmo que o registro dessa preleção tenha se perdido, não temos nenhum documento que comprove que ele tenha realizado menos preleções, de forma que devemos supor que esta também tenha ocorrido[122]. No início de no-

---

* Falem bem = calem-se para não despertar os demônios.

vembro, Nietzsche escreve a Ritschl, falando de "preleções de inverno" "com meus três ouvintes ignorantes". Em cartas posteriores, porém, esse número aumenta para oito ou nove, Nietzsche fala também de oito participantes em seu seminário. Como exercício, usa não as Erga de Hesíodo, mas as Coéforas de Ésquilo como continuação do semestre de verão.

No relato semestral do "Pädagogium", lemos: "Na primeira metade [...] os alunos leram as obras e os dias de Hesíodo. Além destes, também a apologia de Platão e o livro XII e parte XIII da Ilíada. Na segunda metade, a Electra de Sófocles e o Protágoras de Platão. Acompanhando a leitura, exercícios gramaticais [...]. Em relação à leitura privada, os alunos merecem ser elogiados por lerem independentemente e sem qualquer obrigação vários diálogos platônicos, algumas tragédias de Sófocles e partes de Heródoto e Demóstenes [...]". A despeito de ser uma leitura "voluntária", o professor a supervisionava e orientava. Nietzsche continuou também trabalhando no registro para o "Rheinisches Museum". Em dezembro, foi publicado o discurso inaugural "Sobre Homero [...]". Ele chegou às mãos dos leitores em 22 ou 23 de fevereiro. Precisava, portanto, corrigir as provas e distribuir as cópias, pois tratava-se de uma impressão particular. Wagner havia lhe atribuído a mesma tarefa. Wagner escrevia ou ditava suas memórias (publicadas sob o título de "Mein Leben" (Minha vida)) e, no Natal, publicou um primeiro capítulo como impressão particular, produzida pela gráfica de Bonfantini em Basileia. Em 3 de dezembro, entregou a Nietzsche o manuscrito para uma revisão crítica e para a supervisão da impressão. Evidentemente, Nietzsche ficou muito feliz e impressionado com essa demonstração de confiança e com a conquista da autoconfiança de Wagner para escrever o livro. O fato de Wagner ter alterado algumas coisas *ad usum Delphin* passou despercebido. Esse fato e a impressão sobre o jovem Nietzsche não devem ser subestimados na avaliação de seu "Ecce homo", onde ele assumiu uma posição contrária a Wagner nesse nível.

Mas como se isso não bastasse, em 22 de setembro o Rei Luís II ordenou a estreia de "Rheingold" contra a vontade de Wagner, o que gerou uma profunda crise de confiança. Por motivos artísticos e solidariedade humana, o mestre de capela Hans Richter recusou sua participação – e foi substituído por Franz Wüllner, que Wagner julgava incapaz de fazer uma interpretação sensível de sua obra. Em primeira linha como panfleto contra Wüllner, Wagner escreveu então "Über das Dirigieren" (Sobre a regência). Nietzsche também teve que ler esse escrito imediatamente, e as cartas de Cosima o mantiveram a par de todas as reviravoltas desse escândalo.

Além disso, trabalhou em duas palestras acadêmicas públicas, com as quais começou a se aventurar em caminhos próprios: "O drama musical grego", realizada em 18 de janeiro de 1870; e "Sócrates e a tragédia", em 1º de fevereiro. Em 10 de março, o número 25, fascículo II do "Rheinisches Museum" finalmente publicou seu trabalho filológico "Analecta Laertiana", que já estava pronto – pôde enviar o manuscrito ao redator Ritschl no final de outubro –, mas teve que corrigir as provas. E, ao lado de tudo isso, encontrou tempo em fevereiro para estudar os escritos "Zeit Konstantins des Grossen", de Jacob Burckhardt, e "Römische Forschungen", de Mommsen. E no fim desse semestre cansativo já o vemos planejando novas publicações filológicas. Ritschl planejava editar uma série de trabalhos filológicos sob o título de "Meletémata Societatis Philologicae Lipsiensis" (mais ou menos: Estudos da sociedade filológica de Leipzig) e ofereceu a Nietzsche a honra de iniciar a série. Este aceitou imediatamente e sugeriu em 28 de março "Certamen Hesiodi et Homeri", ou seja, um trabalho sobre a famosa disputa entre Hesíodo e Homero, e também reunir em um livro seus trabalhos sobre Diógenes Laércio.

Nietzsche observa em várias apologias da ascese e do prazer da solidão que com todo esse trabalho não lhe restava muito tempo para cultivar amizades e para o convívio social. Apesar de confessar à mãe no final de novembro: "Existem aqui concertos e teatros e palestras públicas em grande número", acrescenta: "Mas tornei-me aristocrático demais para me deleitar com esse tipo de brincadeiras", palavras estas que poderiam muito bem ter saído da boca de Burckhardt. Assistiu a apenas um concerto na Martinskirche, quando foi apresentada de forma bastante diletante a abertura dos "Cantores Mestres". Ele relatou isso a Cosima, pois ela reage a essa notícia em 9 de dezembro[15]. Durante todo o inverno, fez apenas três visitas a Tribschen: em 13 e 14 de novembro (não existem provas para a visita datada em "final de outubro" por Thierbach) e em 12 e 13 de fevereiro – e sobretudo esteve lá como "Papai Noel" nos feriados de Natal, de 24 de dezembro de 1869 a 2 de janeiro de 1870.

### A Festa de Natal de 1869 em Tribschen

Cosima estava planejando um cenário natalino com as crianças como anjos, rei e diabo. Visto que ela não conseguiu encontrar os materiais necessários em Lucerna, ela pediu que Nietzsche os comprasse em Basileia. Ela escreve em 9 de dezembro[15]: "Sou muito grata por todas as suas compras, mesmo que o rei não seja tão real; e o diabo, não tão preto quanto desejava, mas a imaginação das crianças se contenta com alusões [...]. O senhor conhece o Sr. Kiefer em frente aos correios? Uma loja grande e linda com os mais diversos artigos? O senhor poderia ir até lá e encomendar para mim um *verre d'eau*, i.e., um jarro de água com seis ou quatro copos sobre uma travessa de vidro?" E em 15 de dezembro: "Por favor, não perca a paciência por causa do Natal! Mais um pedido – tule com estrelas ou pontinhos dourados; caso não encontre tule, tarlatana; anotarei este pedido em um bilhete separado, para que o entregue na maior loja de Basileia. Pois queremos vestir um Menino Jesus e não encontramos a roupa adequada para o céu em nenhum lugar de Lucerna! Preciso ignorar que o senhor é professor, doutor da filologia, e lembrar-me apenas que tem 25 anos de idade e gosta do povo de Tribschen". E Nietzsche cumpriu esses pedidos com prazer. Mas teve também outras coisas a fazer. Um pedido apresenta a data já de 29 de setembro, ou seja, antes de sua viagem para Naumburg[15]: "Trata-se de um retrato do tio Adolph Wagner, que ele supostamente deixou para sua empregada em Leipzig e que eu gostaria de comprar dela para entregá-lo ao mestre como presente de Natal. [...] O senhor me faria o favor de investigar com a Srta. Doris (Brockhaus) o paradeiro da dona do retrato e insistir com esta até ela me enviar o retrato em troca de dinheiro e palavras de gratidão?" Nietzsche foi bem-sucedido, pois em 30 de novembro Cosima relata: "Na mesa de presentes, o senhor encontrará também o retrato que devemos aos seus esforços". No início de novembro, ela pediu: "Gostaria de adquirir – para o Natal do mestre – a folha de Dürer conhecida sob o título de 'A melancolia'". E seu terceiro pedido foi: "O senhor poderia encomendar também os clássicos e organizar sua encadernação; os gregos, em marrom-avermelhado e os romanos em marrom-amarelado (papel mármore com lombada de couro, o papel com manchas marrons, p. ex., branco, amarelo com uma pequena mancha marrom), e os títulos dos autores em pequenos bilhetes de cores diferentes. [...] Em Basileia, existe na Eisengasse uma grande loja de brinquedos; o senhor teria a bondade de entregar este bilhete a esse Papai Noel tão importante, mas cujo nome eu esqueci?" Que subterrâneo fervilhante!

### Profissão e chamado em conflito

Nessa época os fios de seus diversos relacionamentos começam a atar o nó trágico de sua vida. No dia de Natal, Cosima leu para o jovem amigo de Wagner o esboço do "Parsifal" e depois anotou em seu diário (p. 182): "renovada impressão terrível". Ao contrário de uma interpretação frequente, isso só pode se referir à própria Cosima, pois apenas para ela "renovou-se" a impressão profunda e avassaladora – ou "terrível", em suas palavras. Para Nietzsche, o texto era novo. Cosima não registra a impressão que ele causou em Nietzsche, e ele também não se manifesta sobre o texto, ele oculta seu sentimento. Além disso: Sua assiduidade filológica, sua entrega e submissão à Tribschen eram autênticas? Não abafava ele assim – consciente ou inconscientemente – aquela voz mais profunda, que em sua correspondência com Rohde, Deussen e Gersdorff se manifestou primeiro timidamente, depois de forma cada vez mais clara e alta, a voz do destino negado e recalcado, a voz da filosofia?

Em 5 de novembro, Erwin Rohde, que se encontrava em Roma, havia-lhe escrito uma carta entusiasmada sobre suas impressões de Florença e Roma[7], e no meio de seu relato se dirigira diretamente ao amigo: "Todos os dias desejo que você estivesse aqui, de manhã, à tarde e à noite; que vida teríamos juntos aqui! Seria um tempo em que, como diz Jean Paul, não poetizaríamos com a pena, mas com todo seu ser e sua vida, em que ressoa toda a essência como numa peça musical entusiástica [...]. Assim, porém, se cala todo um lado essencial da alma; fala apenas consigo mesmo e com o amigo distante, que ouve o eco de seu ser em palavras soltas". No final da carta, Rohde fala sobre seu trabalho filológico "Pólux" e critica: "Não consegui corrigir a abordagem infeliz ao tema, por isso vejo-me obrigado a me ater ao molho, que tentei engrossar o máximo possível: o peixe em si é apenas um *gobio* marinado". Nietzsche responde em 11 de novembro, retomando essa imagem: "[...] quem pode escrever cartas tão sedutoras? Acredite, quando leio algo assim, a comida dura da minha existência atual se transforma em pedra na minha boca; o peixe da minha docência não é nem mesmo 'marinado', antes se transforma em serpente. Ou será que essa docência foi uma serpente que me seduziu a abandonar a trilha que me levava ao amigo e às maravilhas do mundo?" A imagem da serpente, cuja cabeça ele precisa arrancar, retorna no "Zaratustra"!

Aos esforços filosóficos de Paul Deussen, Nietzsche sugere as seguintes sentenças, que ele descreve como "princípios da fé": "Uma filosofia que aceitamos por pura pulsão de conhecimento nunca se tornará plenamente nossa [...], com a consciência não conseguimos produzir novas motivações. O existente existe, mas o fato de existir não o torna automaticamente racional. É apenas necessário. Também a filosofia, que o homem adota como sua, é necessária".

Em 19 de dezembro, ele conta a Gersdorff onde se encontram todos os amigos: "[...] todos em posições respeitadas, no limiar para a existência 'filisteia'. Temos contra essa abominação das abominações, contra essa esfera cinzenta da mediocridade o mais maravilhoso antídoto na veneração da nossa filosofia mais sagrada, na arte e na nossa amizade".

Ele deseja comunicar o desespero de sua alma, mas em Basileia faltam-lhe os amigos com os quais cresceu, nos quais reconheceria uma inclinação psicológica semelhante – "Tribschen" era, a despeito de tudo, "outro mundo". Esse anseio de harmonia na amizade irrompe na carta que ele escreve ao amigo Rohde no final de janeiro de 1870: "Sinto muito a sua falta: por isso, dê-me o prazer de sua presença e cuide para que ela não seja tão breve. Pois, para mim, é um sentimento novo não ter *ninguém* por perto com o qual pudesse compartilhar o melhor e o mais difícil da vida. [...] Sob estas condições de ermitão, em anos tão jovens e difíceis, minha amizade realmente adquire um caráter patológico: peço como pede um doente: 'venha para Basileia!' [...] Meu próximo plano é: quatro anos de trabalho cultural, depois anos de viagens – com você, talvez. Temos realmente uma vida bastante difícil, a bem-aventurada ignorância que dependia de professores e tradições era tão feliz – segura. [...] O que mais me incomoda é que sou obrigado a representar constantemente, a agir como professor, como filólogo, como ser humano [...]. A ciência, a arte e a filosofia se fundem tanto em mim que algum dia parirei um centauro".

Com uma clareza cada vez maior, ele sente como sua tarefa verdadeira, sua inclinação inata, deseja se expressar. Em fevereiro, ele confessa a Paul Deussen: "Existem dias – muitos – em que falo apenas a serviço do meu ofício [...], percebo também como meus esforços filosóficos, morais e científicos se orientam por uma única meta e que eu – talvez como primeiro de todos os filólogos – me transformo em unidade. A história se apresenta a mim de forma maravilhosamente nova e transformada, sobretudo o helenismo! Pretendo enviar-lhe em breve minhas palestras mais recentes, a última das quais (Sócrates e a tragédia) foi recebida aqui como série de paradoxos e provocou em parte ódio e raiva. Causou um escândalo. Já desaprendi a ter consideração pelas opiniões dos outros: diante do ser humano individual sejamos misericordiosos e cedamos, mas ao afirmar a nossa visão do mundo sejamos teimosos como a antiga virtude romana".

E em 16 (ou 23 = "quarta-feira") de fevereiro, ele adverte Deussen: "É triste, mas característico da enorme pobreza da vida social alemã, que você se deleita no convívio com atores. Passei pelo mesmo. A auréola da arte livre lança sua luz também sobre seus servos mais indignos. De resto, idealizamos essa camada da sociedade e, por vezes, se intromete na conversa também o pequeno demônio, do qual Sófocles acreditava ter fugido. Em geral, o ser humano mais sério pode ter a certeza de que esses círculos se aproveitam e riam dele. Mas percebe isso muito tarde, e por isso, é um passatempo divertido. No momento, essa natureza é fatal para mim". Ele, que havia se apaixonado por uma Suschen Klemm, por uma Hedwig Raabe um ano atrás e que lhe havia dedicado em junho de 1866 algumas de suas canções e que sempre teria uma fraqueza por personagens do teatro, se defende aqui contra um de seus perigos, que tentavam desviá-lo de sua natureza mais profunda, de sua essência. E não reconhecia que frequentava como amigo a casa daquele que, em poucos anos, ele denunciaria como "*o* ator", como mero comediante, como "Klingsor de todos os Klingsores". Se olharmos para o todo da vida de Nietzsche, essas últimas orações nos parecem fatídicas, como uma ironia trágica. O fato de ele ter mostrado a Cosima a carta de Deussen, na qual ele confessa sua entrega à sociedade de atores, e sua resposta acima citada, provocando, é claro, a oposição de Cosima ("A vida social dos alemães é tão miserável e mesquinha que as pessoas desse tipo, que vivem fora de suas leis e regras, necessariamente se apresentam como semideuses") demonstra uma cegueira assustadora neste aspecto. Esse também é um dos fios do nó de sua existência, que nesses anos se torna cada vez mais complicado.

Nenhuma das pessoas com as quais Nietzsche convivia em Basileia percebeu algo de suas dúvidas referentes à ciência, expressadas num bilhete desse tempo[1]: "O propósito da ciência é a destruição do mundo. [...] Vale demonstrar que o processo já foi executado na Grécia: mesmo que essa ciência grega pouco signifique. A arte tem a tarefa de destruir o Estado. Isso também aconteceu na Grécia. Depois, a ciência dissolve também a arte [...]".

### A contratação definitiva

Os órgãos oficiais viam apenas sua dedicação, seu interesse pelo trabalho e pelo instituto, o sucesso no ensino, a popularidade entre os alunos do "Pädagogium", o crescente reconhecimento público – expressado justamente por Jacob Burckhardt. Por isso, o governo não viu nenhum motivo de preocupação e decidiu em 7 de abril consolidar sua posição com sua promoção a professor ordinário. Em 9 de abril, Nietzsche foi notificado dessa decisão, e ele comunicou isso à sua família e – de passagem, numa única oração – também ao seu Prof. Ritschl, em poucas palavras e sem emoção, diametralmente opostas ao grande espetáculo causado um ano atrás por ocasião de seu chamado.

Apesar de encerrado o semestre, Nietzsche estava submerso em trabalho. "Os exames e as comissões de aprovação" o atordoavam (em carta a Ritschl). Finalmente, porém, teve alguns dias de descanso. Em 13 de abril, a mãe e a irmã chegaram em Basileia para uma visita prolongada, e no dia seguinte a família toda viajou para o Lago de Genebra, hospedando-se em Clarens, na pensão Kletterer. De lá, escreveu a Ritschl: "Tudo aqui é azul, azul, azul e quente, quente, quente, desde cedo até tarde. A pena e a tinta, porém, recusam o serviço. Muitas vezes desejei a sua presença aqui, aqui, onde existe uma única obrigação: deitar-se ao sol como uma marmota". Mas esse intervalo dura apenas uma semana. No final de abril, de volta em Basileia, ele responde a Ritschl: "Deixei os meus no Lago de Genebra. Pois me vi obrigado a voltar, porque a pressão do meu programa (no 'Pädagogium') estava ficando grande demais e porque a universidade pretendia organizar algo em homenagem a Gerlach. Ontem fiz um discurso em latim em sua homenagem a pedido do senado. Não foi fácil". Gerlach completava 50 anos a serviço da universidade, e isso teve que ser festejado.

E o semestre de verão também já estava prestes a começar. Nietzsche havia anunciado[122]: "Neste verão, leio duas *interpretatoria*, o *Oedipus rex* e as *Erga*, de Hesíodo, e no seminário, as *Academica*, de Cícero. O número de filólogos alcançou certo nível, que aqui causa grande admiração, 14 homens! Que miséria!" ele escreve em 30 de abril a Rohde. Falta também aqui o registro oficial da segunda preleção, mas em virtude da "procura", ela deve ter sido realizada. Isso é apoiado também pela carga horária de Nietzsche, que ele comunica a Rohde: "Estou totalmente sobrecarregado, pois neste semestre assumi as aulas do Sr. Mähly no 'Pädagogium': quatro aulas de latim e duas aulas de grego; de forma que, agora, administro 20 aulas por semana – sou um coitado burro mestre de escola!" E em 2 de julho escreve a Gersdorff: "Este semestre" tive que trabalhar excessivamente; 20 horas de preleções e aulas por semana, isso significa um grande cansaço diário. Fiquei cansado e não pude dar atenção a mim mesmo – nem aos amigos". Essas 20 horas se somam da seguinte forma: duas preleções de três horas cada, um seminário de uma a duas horas, suas seis horas de aulas de grego e as seis horas de Mähly. Ou seja, a segunda preleção anunciada foi realizada. E no seminário, um exercício em latim. Ofereceu à sua turma no "Pädagogium", após uma introdução à história da literatura, "uma introdução mais específica ao drama grego [...] e lemos primeiro a Electra, de Sófocles. Os alunos tiveram que escrever uma monografia sobre a impressão das Bacantes, de Eurípedes e sobre a essência do culto dionisíaco. Discutimos então as partes principais do Agamemnon e das Coéforas, de Ésquilo, e a Medeia, de Eurípedes, de forma que os alunos puderam compreender todo o desenvolvimento da tragédia grega [...]"*. A despeito dessas muitas tarefas e desse grande número de textos, ele conseguiu escrever o trabalho "Certamen Hesiodi et Homeri" para a coleção de Ritschl, que ele lhe enviou em 12 de julho.

### O jovem professor ginasial

Louis Kelterborn descreve o efeito que esse professor teve sobre os seus jovens alunos[8]: "Com o mesmo olhar de admiração com que eu, aos 17 anos, havia

---

* Anuários do "Pädagogium"[105].

olhado para este professor genial e infinitamente inspirador, eu o via também quando a sorte cruzava nossos caminhos em anos posteriores. [...] O mais curioso era talvez o fato de que ele suscitava a impressão de uma diferença de idade muito maior durante suas lições ou em conversas particulares; em vez dos sete anos, ele parecia estar meia-vida à frente, e isso a despeito de seu zelo jovem inconfundível, que sempre transparecia com toda sua beleza. Ele emanava a aura de um homem que já havia realizado um trabalho espiritual e um pensamento autônomo incrível [...], um homem em posse de enormes conhecimentos adquiridos e, ao mesmo tempo, com metas ousadas, sublimes e distantes. [...] Em maio de 1870, quando o diretor do Departamento de Educação de Basileia, o conselheiro Prof. Vischer, apresentou o novo professor de Língua, Literatura e Filosofia gregas aos alunos do terceiro ano e, a despeito de sua juventude, o recomendou como professor extraordinário, todos os alunos da turma se sentiram elevados, e esta primeira impressão, de que tínhamos diante de nós um eleito para iniciar-nos no mundo dos pensamentos e da beleza helênica e de que jamais lhe faltariam com o mais alto respeito, se manteve durante todos os meses de sua atividade. E seu próprio jeito de se apresentar a nós era novo e impressionante e, de certa forma, aumentou também a nossa própria autoestima".

### Contatos com a vida musical de Basileia

A mãe permaneceu em Basileia até 1º de julho, quando viajou para Cainsdorf nas proximidades de Zwickau, onde tinha alguns parentes. Elisabeth ainda acompanhou Nietzsche nas férias de verão. Não sabemos se elas o acompanharam ou se ele assistiu à apresentação sozinho. Em 30 de abril, ele escreveu a Rohde: "Nesta semana, ouvi *três vezes* a Paixão segundo São Mateus, do divino Bach, e todas as vezes com o mesmo sentimento de imensa maravilha. Quem desaprendeu o cristianismo completamente, ouve-o aqui realmente como um evangelho"*. No entanto, ocorreu apenas *uma* apresentação em 29 de abril, com um ensaio final aberto ao público na véspera[99]. Ou seja, Nietzsche deve ter assistido ainda a um ensaio fechado, o que demonstra tanto seu vínculo com a obra quanto com a vida musical de Basileia. A população deve ter considerado Nietzsche uma pessoa com afinidade para as artes, pois ele continua a carta dizendo: "No verão, celebraremos o jubileu de Beethoven, também com a apresentação da *Missa solemnis*. E perguntaram se eu pudesse abrir as festividades com um discurso". Na época, a universidade não contava ainda com um cientista de música, por isso recorreram a um filólogo com talento

---

\* Tratava-se de uma apresentação na catedral com o coro de Basileia sob a direção de Ernst Reiter (dirigente do coro até 1875) e bons solistas.

musical. Nietzsche relata isso a seus amigos em Tribschen, aparentemente em tom um tanto malicioso, pois Cosima o encoraja em uma carta de 15 de maio[15]: "Não zombe do discurso sobre Beethoven, tudo isso é um estudo preliminar ao Sócrates, e alegro-me em ouvir do senhor algo sobre o criador da nossa música, pois sei quão profundamente o senhor compreende a música". Tratava-se do 100º aniversário de Beethoven. Mas a *Missa solemnis* só chegou a ser apresentada em 11 de dezembro como um dos concertos da Martinskirche[99].

### Distanciamento de "Tribschen"

Novamente, o trabalho impediu Nietzsche de ir a Tribschen para o aniversário do "Mestre" em 22 de maio, mesmo caindo num domingo. Mesmo assim, organizou doze roseiras, que chegaram em plena floração[15] e que receberam seu lugar na decoração festiva exagerada na escadaria. O rei presenteou Wagner com o cavalo "Grane", e a folha "A melancolia", de Dürer, organizada por Nietzsche, também chegou a tempo. Possivelmente, Nietzsche se ausentou para evitar o dilema de ir sozinho e deixar a mãe em Basileia – ou de levá-la e expô-la à festa opulenta, onde dificilmente teria se sentido à vontade. Sua "virtude naumburguense", encantada pelo charme de Cosima, não conseguiria ignorar a pompa luxuriosa – e o relacionamento "livre" de Cosima e Wagner. Chama atenção o fato de que nunca houve um contato direto entre "Tribschen" e a Sra. Nietzsche, viúva de um pastor. Assim, as visitas a Tribschen foram interrompidas a partir do dia 12 de fevereiro. Mas as cartas continuaram a ir e vir, e Nietzsche ofereceu todos os seus trabalhos à venerada Sra. Cosima – e ela lia e comentava tudo minuciosamente, até mesmo o discurso em latim para Gerlach. Em 15 de maio, escreveu sobre os problemas que este lhe causara[15]: "Se o senhor se lembrar do nosso escritório, prezado senhor professor, imagine-me nele, a grande folha latina na mão, procurando decifrar sua caligrafia com a ajuda do dicionário, da divinação linguística e o latim básico adquirido por meio dos documentos do concílio"*.

Tribschen se interessava vigorosamente pelo mundo espiritual de Nietzsche. A partir de janeiro de 1870, os diários de Cosima falam de uma leitura intensiva de autores gregos (certamente traduzidos). Wagner gostava de ler para outras pessoas, intercalando suas leituras sempre com interpretações próprias. Assim, leram juntos todo o Platão, mas também Aristófanes, Ésquilo, Sófocles. Mais tarde, Cosima

---

* Em novembro de 1869, o "escritório" havia sido adaptado para as aulas que Cosima administrava exclusivamente aos seus filhos. Quando Nietzsche visitava Tribschen, ele era hospedado nesta sala.

menciona também Heródoto e Tucídides. Ou seja, a influência era recíproca. Em maio, Nietzsche encaminha uma análise da métrica e música de Brambach "imediatamente para Wagner, que deseja se informar sobre os mais recentes pontos de vista referentes à métrica grega" (carta a Brambach de 18 de maio).

### Uma visita querida (Erwin Rohde)

Para Nietzsche, foi um momento de grande alegria quando o amigo Rohde finalmente o visitou em Basileia por duas semanas. Em 9 de junho, Rohde escreve à sua mãe[54]: "Estou em Basileia e minha estadia completou oito dias no domingo passado (29 de maio): pretendia ficar no máximo oito dias, mas meu amigo finalmente conseguiu me convencer de estender a minha visita. Nos feriados de Pentecostes (5 e 6 de junho) [...] estivemos no Berner Oberland, em Interlaken, na Wengernalp e em Lauterbrunnen em companhia da mãe e da irmã de Nietzsche [...]. Aqui revivemos o feliz passado, damos continuação aos dias bem-aventurados de Leipzig, quando, isolados de todo o mundo, nos incentivamos e fortalecemos mutuamente. Infelizmente, Nietzsche está tão ocupado neste semestre que nos restam apenas poucas horas do dia". Além disso, escreve que "Nietzsche, na medida do possível, tenta apresentar a música de Wagner ao piano. Ontem à noite estivemos em Muttenz com o espirituoso Jacob Burckhardt. Muttenz é um vilarejo próximo a Basileia, onde contraí uma pequena ressaca. [...] No sábado e no domingo, pretendemos visitar Richard Wagner em Tribschen, i.e., se as circunstâncias permitirem. Pretendo despedir-me de Nietzsche o mais tardar na segunda-feira". A festa deve ter sido boa naquele restaurante em Muttenz, a 5 quilômetros de Basileia. Jacob Burckhardt estava acostumado a beber; seus dois companheiros, porém, não. Nietzsche – apesar de não viver em abstinência – nunca gostou muito de bebidas alcoólicas.

Os dois dias que Nietzsche e Rohde passaram em Tribschen foram dos mais felizes. Apesar de falar sobre seu amigo, as linhas que ele dirige a Cosima em 19 de junho refletem essencialmente seus próprios sentimentos: "Devemos-lhe dois dias maravilhosos, *eu* devo-lhe até quatro, pois compartilho de todos os sentimentos do meu amigo Rohde, tendo, portanto, o prazer de viver tudo em dobro. Rohde, que se despediu de Basileia no dia seguinte, confessou ter vivido o auge de toda a sua viagem de quinze meses em Tribschen; levou consigo uma veneração e admiração por toda a sua existência em Tribschen que chega a ter aspectos religiosos. Entendo como os atenienses puderam erguer altares de sacrifício para Ésquilo e Sófocles, como puderam dar a Sócrates o nome heroico de 'Dexion', pois havia recebido e alimentado os deuses em sua casa. Este *Dasein* (estar presente) dos deuses na casa do gênio provoca aquela atmosfera religiosa da qual estou falando". Mas a toda essa alegria juntou-se também uma gota amarga: Em 5 de março, Wagner havia começado a desenvolver seus planos para Bayreuth, e – o mais tardar em junho – devem ter conversado sobre isso. Nietzsche sentiu isso como um golpe. Viu todo o sonho de sua existência se dissipar. Ele havia trazido tudo para cá: alegrias, sofrimentos, problemas, trabalhos, e tudo era recebido com compreensão ou, no mínimo, sem preconceitos. Em longas cartas calorosas e acolhedoras, Cosima respondia a tudo, mas também compartilhava tudo que a comovia. Seria possível dar continuação a isso a despeito da distância espacial e da missão enorme que os esperava em Bayreuth? Sob essas circunstâncias, seu trabalho em Basileia ainda faria sentido? Nietzsche pondera um pensamento ousado: "No que diz respeito a Bayreuth, estive pensando se não deveria suspender a minha atividade como professor durante alguns anos e peregrinar com vocês para o Fichtelgebirge. São esperanças às quais me entrego no momento"[15]. Assim, poderia ter preservado a proximidade de Cosima e Wagner.

Muitas vezes, o corpo procura refugiar-se numa doença após golpes psicológicos costumam, para assim, em posição de descanso externa, recuperar o equilíbrio interno. E assim Nietzsche torceu um tornozelo em 22 de junho e permaneceu preso à cama durante quase duas semanas. Foi a primeira interrupção de sua atividade como professor em decorrência de um problema de saúde.

Em 1870, o "Bündelitag" caiu no 16 de julho. Mas encontramos Nietzsche em Basileia ainda em 19 daquele mês, escrevendo uma carta a Rohde com um relato sobre Tribschen. Em vista da situação idílica em Tribschen, ele não havia percebido a tempestade política que estava prestes a assolar a Europa. Nietzsche é interrompido no meio da carta e é surpreendido por uma notícia: "Aqui, uma terrível trovoada: a guerra franco-alemã foi declarada, e toda a nossa cultura hipócrita se lança nos braços do demônio mais abominável. O que vivenciaremos! Amigo, meu querido amigo, nós tivemos a sorte de nos encontrar mais uma vez no crepúsculo da paz. Como lhe sou grato! Se a existência se tornar insuportável para você, volte para mim. O que valem todas as nossas metas! Já podemos nos encontrar no início do fim! Que deserto! Voltaremos a precisar de mosteiros. E seremos os primeiros *fratres*.

O suíço fiel".

Essa assinatura contribuiu para o equívoco segundo o qual sua docência em Basileia teria resultado também em sua naturalização como cidadão suíço, mas isso não ocorreu. Talvez ele mesmo tenha acreditado o contrário. Não sabemos por que ele assinou a carta dessa forma e – caso tenha pretendido usar apenas uma metáfora – com que intenção. Será que queria facilitar a volta de Rohde para um país neutro, não afetado pela guerra?

# V

# O novo companheiro

O desejo ardente de trazer seu amigo Erwin Rohde para Basileia não se realizou. Em vez disso, o destino o presenteou com um novo companheiro, que se tornaria significativo para sua vida e sua obra, sobretudo porque permaneceu um amigo leal até após a morte de Nietzsche: Franz Overbeck. Em 25 de abril de 1870, o novo professor de Teologia Franz Overbeck chegou a Basileia, em tempo para o novo semestre de verão. Em 7 de junho (na terça-feira após Pentecostes), ele fez seu discurso inaugural "Sobre a evolução e o direito de uma contemplação puramente histórica dos escritos neotestamentários". Ele conseguiu se hospedar na Schützengraben 45, na casa da viúva Adolphine Vogler-Rieser, que era costureira – ou seja, na mesma casa em que morava Nietzsche. Pouco antes, um apartamento havia sido desocupado com a partida do Prof. Gustav Schönberg. Foi a Sra. A. Schultz que, a pedido de seu marido, o "teólogo intermediário" Hermann Schultz, na época professor de Teologia em Basileia, encontrou e alugou o apartamento, cumprindo assim de forma imprevisível o papel do destino. Esse convívio perdurou até 1876. Foi também W. Vischer (acatando uma sugestão de Schulz) que impôs a contratação de Overbeck a despeito de uma forte oposição. Em 8 de janeiro de 1870, a Pequena Câmara confirmou sua contratação: "10 a 12 aulas-hora com foco especial na exegese neotestamentária e da história da igreja mais antiga"[56, 50, 67, 111, 177, 188].

Overbeck provinha de uma família enfaticamente cosmopolita. O avô por parte do pai era alemão, que em 1807 emigrou de Frankfurt am Main para Londres e lá se tornou cidadão britânico. Sua existência como comerciante fracassou diante do bloqueio continental de Napoleão. Seu filho – o pai de Franz Overbeck – se mudou para São Petersburgo como comerciante. Ele permaneceu cidadão britânico, e seu filho, já um jovem adulto, ainda viajou usando o passaporte britânico. A mãe, Johanna Camilla Cerclet, era de descendência francesa católica, criada em São Petersburgo. O casal havia chegado ao acordo de que os filhos deveriam ser criados na fé do pai, ou seja, na confissão protestante.

Franz nasceu em 16 de novembro de 1837 em São Petersburgo, no mesmo ano em que Cosima nasceu em 25 de dezembro como filha de Franz Liszt e da Condessa d'Agoult em Bellagio, no mesmo ano em que o pai de Nietzsche se tornou educador das três princesas em Altenburg, e um ano antes do nascimento de Georges Bizet. Antes de completar 9 anos de idade, em julho de 1846, os pais enviaram Franz Overbeck para o "Ancien collège de St. Germain" em Paris, onde ficou até abril de 1848. Lá, o garoto teve contato com a política emocional do ano revolucionário de 1848: em casaca azul e calças amarelas, ele cantou a *Marseillaise* no coro de alunos durante a revolução de fevereiro. O fruto duradouro desses dois anos parisienses foi o domínio perfeito da língua francesa – além do inglês da casa paterna e do russo de São Petersburgo. Dois anos após seu retorno, em abril de 1850, a mãe e os cinco filhos se mudaram para Dresden (o pai ficou em São Petersburgo até 1854), cumprindo assim o desejo de seu pai (francês) de dar uma educação alemã aos netos. Até a primavera de 1856, Franz Overbeck frequentou o ginásio municipal, a chamada "Kreuzschule", um instituto renomado. Aqui, aprendeu o alemão e naturalmente também o latim e o grego. Deve ter feito também o exame em hebraico, pois a partir de abril de 1856 nós o encontramos estudando teologia, primeiro dois semestres em Leipzig, depois quatro semestres em Göttingen, onde se familiariza também com a vida de confrade como membro da "Hannovera", e mais dois semestres em Leipzig, onde recebe em 3 de abril de 1860 o título de "Doctor Philosophiae et Liberalium Artium Magister". Nesses anos, desenvolve uma amizade com o historiador político Heinrich von Treitschke, que, por intermédio de Overbeck, chega a exercer uma influência até sobre Nietzsche. Durante seus anos como jovem adulto, Overbeck esteve completamente sob a influência de Treitschke.

Apesar de não ter estudado teologia por convicção religiosa ou fanatismo cristão, Overbeck continuou seus esforços científicos dentro de sua disciplina também após o encerramento formal de seus estudos e não rompeu ou mudou de faculdade como Gerlach, Burckhardt, Rütimeyer – e Nietzsche. Overbeck passa ainda um ano como stud. theol. em Berlim e lá se ocupa principalmente com Schleiermacher. Entre 1861 e 1863, está de volta em Leipzig para preparar sua habilitação, mas no outono de 1863 se muda para Jena. Em 8 de junho ele absolve o *colloquium* diante da Faculdade Teológica em Jena, que era necessário para adquirir o grau de licenciatura em teologia, e em 4 de agosto realiza com êxito sua disputa pública. Em 21 de outubro, faz sua preleção teste como livre-docente. Ele exerce essa função durante cinco anos e meio, até ser chamado, em 8 de janeiro de 1870, para ocupar a quinta docência de teologia recém-criada em Basileia. Jena o homenageou – na tentativa de segurá-lo – em agosto de 1870 com o título de Doctor Theol. *Honoris Causa*. Ao todo, portanto, Overbeck apresenta um desenvolvimento sem rupturas e de grande amplitude. Nunca teve a intenção de se tornar pastor, um proclamador da Palavra de Deus, um combatente dos céus. Ele se aproximou do texto com ferramentas científicas sólidas, tratando-o não como uma sabedoria revelada, mas como documento histórico-filosófico. No fundo, rompia assim com um fundamento essencial da confissão cristã, mas não se tratava de uma ruptura conquistada, não foi fruto de um conflito ou de um problema existencial como no caso de Nietzsche. Era uma predisposição natural, nunca encarou ou vivenciou o cristianismo de outra forma.

Apenas assim se explica a firmeza e tranquilidade que o capacitou a se tornar o companheiro mais fiel e inabalável de Nietzsche.

Para Nietzsche, Overbeck representou a maior sorte de sua vida, mas para os cidadãos de Basileia ele foi uma decepção. Até 1875, o antigo regime dos conselheiros ainda estava protegido pela constituição do cantão, e o liberalismo florescente no resto da Suíça não pôde se desenvolver em Basileia. Mas na Igreja já surgiam os primeiros conflitos. "O Partido da Reforma" dos protestantes havia reclamado repetidas vezes uma docência "liberal". O Conselheiro Vischer acreditava fazer jus a esse desejo ao sugerir o nome de Overbeck, que definitivamente não podia ser visto como ortodoxo ou pietista. A despeito de toda liberdade em seu pensamento, ele não correspondeu às expectativas da associação reformadora liberal, que desejava um pregador militante, e não um erudito excessivamente crítico e filosófico, que, desde o início, estava determinado a seguir seu próprio caminho.

"Já em seus primeiros anos em Basileia, Franz Overbeck, com seu precoce juízo aguçado, adotou uma posição dentro e diante da teologia que permaneceu determinante para toda a sua atividade posterior. Sua especialidade científica era a exegese do Novo Testamento e a história da Igreja antiga (pré-Reforma), principalmente os Padres da Igreja"[111].

Mas não era isso que os "reformadores" queriam. Por isso, já se opuseram à nomeação de Overbeck. Para o conselho da universidade, porém, havia outros pontos determinantes. Basileia havia se isolado com sua "Igreja Confessional". A faculdade corria o perigo de não receber mais estudantes de fora, sobretudo do leste da Suíça, se não passasse a representar também o método científico moderno. E as autoridades também não se impressionaram com lemas do tipo que o "Volksfreund" publicava: "Precisamos de um lúcio entre as carpas, não de uma quinta roda na carruagem", como alusão à quinta docência[67]. Overbeck foi eleito contra a vontade dos ortodoxos e contra a dos "reformadores", que se opuseram com o argumento: "Ele não apresenta os requisitos para a tarefa a ele atribuída. Apesar de apresentar concepções liberais em suas pesquisas críticas, sua atividade se limita quase que completamente a investigações históricas, e ele não parece muito apto para a teologia filosófica e especulativa; esta, porém, representa o fundamento e o aspecto mais importante da nova teologia livre. O único representante desta vertente deveria ter seu fundamento neste solo filosófico e dogmático. Além do mais, a postura de Overbeck é excessivamente calma e subserviente, inadequada para uma oposição independente e forte diante do partido adversário compacto e decidido"[56].

Neste último ponto as pessoas ainda teriam que rever suas convicções, mas estavam certas em que Overbeck não pretendia "apoiá-las em sua luta partidária dentro da Igreja". Escreveu a seu amigo Treitschke que não tinha forças nem chamado para tal e que pretendia ater-se à sua atividade oficial[56]. Assim, "a Faculdade Teológica de Basileia realizou sua mais curiosa nomeação em toda a sua longa história"[67]. Em 1873, quando foi publicado seu pequeno escrito "Sobre a cristandade da nossa teologia atual", a ruptura não pôde mais ser ignorada. Overbeck foi consequente: declarou publicamente que ele e sua esposa não eram mais membros da Igreja cristã. Isso resultou na situação paradoxal de que um "pagão", um desertor da Igreja cristã, um apóstata, ocupava uma docência na Faculdade de Teologia cristã. O fato de jamais terem pensado em demiti-lo em virtude de seu desempenho científico é um belo exemplo da abertura e generosidade da Basileia "conservadora" de então. Overbeck agradeceu pelo "refúgio concedido" à atividade acadêmica verdadeiramente livre. A universidade havia levado a sério o princípio da liberdade em ensino e pesquisa.

Este era, então, o novo vizinho de Nietzsche. E nesse convívio diário com esse pesquisador zeloso e assíduo e protegido pela liberdade de ensino na universidade, Nietzsche foi capaz de escrever suas próprias "Considerações extemporâneas". Mas a tolerância de Basileia ia ainda um passo além: Nietzsche havia assumido sua docência apenas há um ano e havia desistido de sua cidadania prussiana como prova de lealdade. E agora procurou obter uma licença para oferecer à "sua pátria alemã" suas forças nesse grande conflito político. Apesar de a sociedade de Basileia não simpatizar com o lado alemão, ela nunca o condenou por sua postura, como também não o fez Overbeck, que nunca se tornou "europeu" como Nietzsche, mas permaneceu alemão – a despeito de suas origens diversas e sua desistência da amizade com Treitschke. Ele acreditava na ideia do *Reich* alemão, mas não na forma exagerada de Treitschke, oportunamente vinculada a uma interpretação especial do cristianismo. Confrontado com as duas alternativas "Treitschke" ou "Nietzsche", *Reich* ou "Basileia", Overbeck logo percebeu qual seria a melhor escolha. Esse desenvolvimento pessoal também se realizou de forma orgânica e silenciosa em Overbeck. Nietzsche, por sua vez, precisava antes ouvir as trovoadas dos canhões para reconhecer claramente que sucessos políticos ou até mesmo bélicos de forma alguma significam uma prova de uma cultura mais elevada.

# VI
## A experiência da guerra (1870)

A irrupção da Guerra Franco-prussiana no dia 19 de julho de 1870 realmente veio como surpresa tão grande quanto Nietzsche demonstrou diante dela?

A correspondência de pessoas próximas a Nietzsche mostra que ele realmente foi tomado de surpresa. Esse fato curioso exige uma explicação, pois explica ao mesmo tempo um traço da personalidade de Nietzsche e de sua postura diante do "mundo", que – apenas uma geração mais tarde – parece estranha.

Essa guerra introduziu um elemento à vida e ao pensamento político do europeu que lhe era desconhecido nessa agudeza; no entanto, ele já havia se desenvolvido há muito tempo na vida cultural. Até então, a política havia sido algo reservado às dinastias e dependera de algumas poucas famílias. E também o recurso do conflito bélico havia sido usado apenas por elas para preservar o poder pessoal e também para ampliar o território, que trazia também um aumento na arrecadação de impostos. Até mesmo o grande experimento de Napoleão I sob o pretexto da "unificação da Europa" teve o único propósito de sujeitar toda a Europa ao fisco de Paris, num momento, em que – no âmbito espiritual em geral e no artístico em especial – a "unidade estilística europeia" começava a desmoronar e os estilos nacionais começaram a se formar. E o resultado político do contra-ataque alemão das guerras de libertação em 1813, a restauração dos antigos principados no Congresso de Viena, foi uma demonstração da mesma miséria. O indivíduo como "cidadão" era, no meio disso tudo, nada mais do que uma bola de jogo, ele não era levado em consideração como "cidadão", muito menos como ser humano. E isso gerou uma indiferença, uma incompreensão real sobretudo no estrato culto, que nós, como membros de uma era politizada, já não conseguimos entender mais. Mas na época essa era a norma, e nessa mesma indiferença viviam também Nietzsche e as pessoas mais próximas a ele até 1870.

Essas pessoas eram adeptas de uma "formação clássica". Elas liam e comenta-vam os autores da Antiguidade, estudavam e discutiam a filosofia antiga e se entusiasmavam com a alta poesia dos poetas líricos, épicos e trágicos. A "beleza clássica" era venerada, o povo ideal dos gregos na visão de Winckelmann e Goethe, mas a vida real desse povo infeliz, que só viveu um breve período de felicidade de 50 anos sob Péricles e apenas em Atenas, não era compreendida. Apesar de lerem suas tragédias, ignoravam o trágico de sua existência; apesar de lerem os belos discursos de Tucídides, não reconheciam o que havia feito dele o grande historiógrafo: a representação da tragédia de sua nação, fazendo assim uma descoberta política de altíssima importância, ou seja, a distinção entre razão de guerra, pretensão de guerra e ocasião de guerra.

O novo elemento, que as pessoas "apolíticas" do tempo não reconheceram ou não quiseram reconhecer, era que a razão de guerra para o confronto bélico de 1870 existia há muito tempo. O pretexto da guerra – a sucessão ao trono espanhol – não foi levado a sério por ninguém e havia se tornado obsoleto com a desistência ao trono pelo pretendente de Hohenzollern; e a ocasião da guerra – a recusa do rei da Prússia de garantir que jamais permitiria uma nova pretensão ao trono espanhol por parte dos alemães – não podia ser aceita por ninguém como suficiente para uma decisão tão grave como a declaração de guerra francesa. Mas ambos os lados precisavam dessa guerra por necessidades internas, mesmo que as razões se localizavam em estratos contrários.

Sob a direção firme de Bismarck, a Prússia havia se transformado em uma potência militar, que havia comprovado sua eficiência de forma assustadora na guerra por Schleswig-Holstein e contra a Áustria. A supremacia francesa e a dinastia napoleônica estavam ameaçadas, no mínimo, no que dizia respeito a seu prestígio; mas ela enfrentava ameaças igualmente fortes em virtude de tensões políticas domésticas. Sua corrupção moral é desmascarada ousadamente pelas operetas de Offenbach, que revestem toda a economia da corte com o manto transparente da Antiguidade.

Um golpe militar bem-sucedido contra a Prússia teria afastado o incômodo adversário e a concorrência política e devolvido à dinastia enfraquecida seu antigo brilho e poder. Tratava-se de uma guerra dinástica iniciada por motivos meramente pessoais de cunho tradicional. Um mundo antigo, um pensamento antiquado passou para a mesma ação de sempre.

Para Bismarck, a situação se apresentava de forma diferente. A despeito das reivindicações da Alsácia, que por fim conseguiu impor, estas não foram os motivos de guerra, esta não era uma guerra de conquista ou uma guerra dinástica. Mas a guerra não veio a contragosto, mesmo que um pouco cedo demais. Um povo militarizado e politizado em virtude de um serviço obrigatório de três anos para todos os cidadãos exigia agora a formação de um novo Estado, de um estado nacional alemão que corresponderia àquilo que havia se desenvolvido desde a guerra de libertação no âmbito espiritual, na arte e na literatura: um povo estava à procura de sua forma. Isso era a novidade e a surpresa absolutas na constelação política que Bismarck conseguira subsumir a tempo sob sua autoridade. Por isso, foi uma reação adequada, mas muito atrasada quando Gambetta fugiu da Paris sitiada num balão para tentar formar um exército nacional francês em Orleans. Agora, encaravam-se duas potências equivalentes, mas a guerra já estava decidida em virtude do treinamento do exército prussiano.

Até os indivíduos mais atentos e espertos levaram algum tempo para perceber a extensão desse desenvolvimento, avançado subitamente por meio da guerra. Isso se expressa exemplarmente em Jacob Burckhardt, cujas cartas não fazem, até a véspera da guerra, a mínima alusão a esse tipo de desenvolvimento dos assuntos europeus, mas em 27 de setembro de 1870 ele escreve a seu amigo Friedrich von Preen em Bruchsal[61]: "Essa terrível plenitude da vingança só teria sua justificação (relativa) se a Alemanha realmente fosse a parte tão completamente inocente e puramente atacada quanto alegam ser. Pretendem avançar com o exército até Bordeaux e Bayonne? Pois em consequência lógica teriam que ocupar toda a França talvez durante anos com um milhão de alemães. [...] Existe agora um elemento novo na política, um aprofundamento do qual os vencedores do passado nada sabiam ou do qual não fizeram uso. Procuram humilhar o derrotado *diante de si mesmo*, para que, no futuro, não tenha mais coragem para nenhuma proeza. Talvez consigam alcançar esse objetivo; se isso os tornará mais felizes ou melhores, é uma pergunta bem diferente.

Ah, como se enganará a pobre nação alemã, quando devolver sua arma ao sótão e quiser desfrutar das artes e da felicidade da paz! Então dirá: de volta aos treinamentos militares! E após algum tempo, ninguém poderá mais dizer para que a vida existe. Pois então a guerra russo-alemã entrará em foco e logo ocupará o primeiro plano.

Entrementes, agradeçamos ao céu pelo fato de as regiões da Alsácia e de Baden não terem sido unidas, o resultado teria sido uma *assemblage* desafortunada. Isso foi completamente impossibilitado quando Baden recebeu a tarefa de sitiar Estrasburgo. [...] De duas coisas resta agora uma: A Alsácia ou se torna diretamente prussiana, ou permanece francesa. Justamente pelo fato de o domínio alemão nesses países ser tão difícil, ele só pode ser manuseado diretamente pela Prússia, e todas as formas intermediárias como conselhos ou tutelas do *Reich* alemão seriam insustentáveis. [...] O filósofo (Schopenhauer) ganhou mais crédito nestas últimas semanas. Vive aqui um de seus adeptos, com o qual converso de vez em quando da melhor forma possível em sua língua [...]".

E em 17 de outubro de 1870, ele escreve a seu cunhado J.J. Oeri-Burckhardt: "Acreditamos aqui que Paris será tomada, pois o governo parisiense está lidando não só com objetivos militares, mas com uma terrível atmosfera popular. A Prússia, por sua vez, é *obrigada*, após ter *desejado* isso por tanto tempo. Ela levará para casa dessa crise terrível um germe mal da ruína futura". E certamente não é nenhum acaso que depois dessa guerra Jacob Burckhardt desenvolve suas novas ideias – diametralmente opostas a Winckelmann – sobre a história grega como história cultural e suas reflexões sobre a história mundial e que seu relacionamento e suas conversas com o jovem Nietzsche igualmente abalado se intensificam. Pois o reconhecimento segundo o qual a guerra despertara novas forças políticas preocupava também Nietzsche e a partir do qual ele desenvolveu suas profecias trágicas de futuras guerras ideológicas e populares: não como desejo pessoal, mas como reconhecimento trágico, cristalizado inicialmente na figura de Dioniso, do deus com sua terrível natureza dupla, que presenteia o ser humano com o feliz êxtase da vida e com a destruição certa.

Até mesmo pessoas mais próximas aos acontecimentos foram tomadas de surpresa pela irrupção da guerra. Carl von Gersdorff, oficial do 4º regimento da 1ª divisão da infantaria prussiana em Berlim, escreveu ainda em 6 de julho uma carta a Nietzsche falando de seus planos para as férias[14]: "Acrescento o pedido de que permaneça fiel a seu plano de retornar para a Suíça em 15 de julho, onde possa procurar e encontrá-lo. Ainda não fixei meus planos de viagem; não sei se devo viajar de Basileia diretamente para Genebra e, passando pelo Montblanc e por Monte Rosa, prosseguir para a região de Berna, ou fazer o percurso inverso: primeiro para Lucerna, ou Zurique, Rigi, Faulhorn etc. O início da minha viagem a partir de Basileia depende inteiramente de sua presença".

Pretendia, portanto, fazer uma viagem para a Suíça após o dia 15 de julho. As autoridades suíças fizeram uma avaliação da situação muito mais realística. Em virtude de seu próprio passado mais recente, o país conhecia as forças que aqui se manifestavam, e entrementes, em seus tratados de Saboia e Neuenburg, haviam conhecido as dinâmicas da França napoleônica e da Prússia. Os homens responsáveis não deixaram se surpreender. Em 20 de julho, Franz Overbeck relata a seu amigo Treitschke[50]: "Nós, os alemães aqui em Basileia, elegemos já ontem um comitê de apoio, que hoje publica um apelo a todos os alemães na Suíça para que unam suas forças. – A confusão aqui, sobretudo no sábado e no domingo, era grande. [...] Juntaram-se a isso as medidas rápidas e enérgicas tomadas pela Suíça para a preservação de sua neutralidade. Já desde domingo (= 17 de julho), a cidade está ocupada por 6 a 7 mil homens de todos os cantões, mas aqueles que não puderam ser abrigados na grande caserna montaram um grande acampamento fora dos limites da cidade. As simpatias pela Alemanha não são grandes. Por outro lado, temos aqui a oportunidade de maravilhar-nos diante da idiotia incompreensível com a qual os governantes franceses provocaram esta guerra".

Essa prontidão é quase grotesca diante da prontidão dos dois partidos de guerra. A despeito da declaração do Marechal Leboeuf em Paris diante de uma comissão encarregada com a avaliação do esboço da declaração de guerra segundo a qual o exército francês estaria "arquipronto (*archiprêts*) até o último botão das polainas"[171], um ataque imediato com um exército negligenciado por uma administração corrupta e desorganizada era impensável. E também o aparato militar bem-treinado da Prússia precisava de algum tempo para se preparar para uma ação eficaz. A Baviera, aparentemente não envolvida, reagiu de forma mais rápida: O Rei Luís II mobilizou seus soldados em 16 de julho. Mas o público europeu se iludia até o último momento com a convicção de que tudo isso não passava de postura de ameaça.

### Richard Wagner e a Guerra Franco-prussiana

Os habitantes de Tribschen se encontravam numa situação especialmente infeliz e indecisa.

Por parte da mãe, Cosima provinha da nobreza francesa. Neste momento, já não se entendia mais com sua mãe, que morava na França. Tinha outros amigos e parentes em Paris, entre eles também o ministro de guerra Ollivier, que era seu cunhado. E também Wagner mantinha muitas boas relações com franceses cultos, e justamente no dia após a declaração de guerra alguns desses amigos, vindo de Weimar, chegaram em Tribschen: Catulle Mendés com a esposa Judith, a amiga de Wagner, também o pianista Camille Saint-Saëns e outros. Os Mendés ficaram em Lucerna até 30 de julho.

Wagner tinha simpatias também pela cultura francesa, e ainda em 16 de março de 1870, ele escreve a Champfleury, o fundador de uma nova revista, sobre sua "ideia preferida", a "união dos espíritos alemão e francês"[84], e: "O senhor sabe que sempre nutri a ideia de um teatro internacional em Paris, no qual as grandes obras das diversas nações poderiam ser apresentadas em sua língua original". Segundo Wagner, o primeiro francês a se apresentar nesse teatro deveria ser Méhul.

No entanto, não tinha muitas simpatias por Bismarck. A seu ver, a supremacia da Prússia dentro do espaço alemão e a emergência de um Estado militar não resultariam numa renovação cultural da Alemanha. Ele depositava todas as suas esperanças em Luís, rei da Bavária, como cabeça brilhante de uma aliança de príncipes, tendo Munique como metrópole cultural da Alemanha. Não era, porém, cego e fanático ao ponto de não reconhecer a importância de Bismarck. Em 1866, havia se recusado a influenciar o Rei Luís contra Bismarck a pedido do amigo Wille. Em vez disso, recomendou ao rei que se entendesse com Bismarck de forma que lhe garantisse uma posição de destaque dentro das novas relações de poder. Bismarck, por sua vez, também nunca se aproximou muito de Wagner, a despeito da "Marcha imperial" que Wagner compôs por ocasião do retorno vitorioso das tropas em 1871. Para o império de Guilherme I, "Bayreuth" nunca se transformou em assunto nacional, como viria a ser mais tarde para sua infelicidade. Após as apresentações do verão de 1876, Berlim não deu ouvidos às grandes necessidades financeiras do grande empreendimento projetado a nível nacional.

Mesmo assim, tanto Wagner quanto a Sra. Cosima ficaram indignados com a ousadia da declaração de guerra francesa. O partido francês havia conseguido exatamente aquilo que podia conseguir sob essas circunstâncias: reunir sob a bandeira prussiana também os alemães contrários à supremacia da Prússia. Assim, as simpatias de Tribschen também tendiam em direção ao lado alemão, mas era igualmente forte a convicção de que cada um que estivesse a serviço da ciência e da arte, ou seja, de potências supranacionais, havia coisas melhores a fazer do que deixar-se matar por uma bala em nome de uma ideia do *Reich* ou da política de Bismarck. E Cosima defendeu essa posição também diante de Nietzsche. Em 9 de agosto, quando ele já havia tomado a decisão de oferecer seus serviços pelo menos como enfermeiro, ela lhe escreveu: "E outra coisa precisa ser levada em consideração: as obras da paz não podem ser suspensas se a luta não for desesperada; o senhor é um estudioso, e parece-me que deve permanecer um estudioso enquanto não deva ser considerado uma vergonha ser estudioso, ou seja, enquanto nosso querido país não estiver ameaçado e até que o único homem de dignidade vier a ser o combatente".

Tribschen mantinha contatos com as autoridades mais altas de ambos os lados; aqui, a calamidade estava sendo prevista. Como que para fugir da realidade assustadora, toda a família Wagner – acompanhada do jovem Hans Richter e do estudante Schobinger – subiu ao Pilatus em 10 de julho, para ali dedicar-se à leitura de Schopenhauer. Uma mudança climática os forçou a ficar na montanha até 15 de julho. No dia após seu retorno, em 16 de julho, Cosima escreveu a Nietzsche: "Não consegui fechar um olho durante toda a noite em virtude da guerra iminente; jamais se apresentou a meu olho o sacrilégio da arrogância francesa em luz tão clara e odiosa [...], assim reconheço que a guerra é tão necessária quanto inevitável, e nutro o desejo de que ela seja travada até a exterminação de uma vaidade e ousadia que impossibilita qualquer paz [...]. Talvez resulte disso a unidade alemã. E que o domínio da moda parisiense seja derrubado. [...] A oliveira nasce do abismo à beira do qual se encontra o Castelo de Bayreuth. Mas como são terríveis os tempos que nos esperam, parece-me que jamais voltarei a encontrar a tranquilidade.

Em meio a essas terríveis expectativas, a declaração da inerrância soa como os sininhos no chapéu do tolo da corte, em que a tiara se transformou". (A declaração da inerrância do papa em assuntos dogmáticos era esperada dentro de poucos dias, como de fato foi publicada em 18 de julho.)

### A reação de Nietzsche ao início da guerra

Inicialmente, Nietzsche se retirou com a irmã para as montanhas. Primeiro, precisava se orientar neste mundo subitamente transformado, encontrar o *seu* caminho em meio às opiniões dos amigos e das vertentes do tempo, para então – como já no caso do vegetarianismo – tomar uma decisão contrária a Tribschen.

Em 20 ou 21 de julho, ele e Elisabeth viajaram para Morschach/Axenstein, que se encontra acima de Brunnen numa plataforma do Fronalpstock, acima do Lago dos Quatro Cantões, onde se hospedou em um grande hotel com 120 camas. A viagem de navio de Lucerna a Brunnen passa bem em frente a Tribschen. Em 28 de julho, voltou para Tribschen, e Elisabeth chegou no dia seguinte para um primeiro contato com esse mundo. Cosima observa[258]: "Uma moça modesta e bem-educada". Entrementes, o relacionamento moral entre Wagner e Cosima já havia sofrido uma melhora, até por uma sanção, pois em 18 de julho o divórcio entre Cosima e Hans von Bülow havia sido efetuado.

Em 30 de julho, Nietzsche e Elisabeth continuaram em sua viagem até o Meandertal. Trata-se de um vale montanhoso selvagem e romântico, um vale ao leste do Rio Reuss, que se estende desde as alturas da geleira de Hüfig ao norte das montanhas Hüfistock e Bristenstock* até os abismos da Windgälle e que em Amsteg conflui com o Vale do Rio Reuss. Nietzsche e sua irmã se hospedaram no "Hotel Alpenblick", a mais ou menos três horas de Amsteg, numa altitude de mais de 1.300 metros acima do nível do mar**. É possível que este lugar tenha sido recomendado a Nietzsche por Rütimeyer, que o visitou em 1865. Essa paisagem bruta imersa no

---

* O pico marcante que, visto de Brunnen, parece se erguer diretamente atrás de Flüelen.

** Essas informações foram apuradas por E. His no livro de hóspedes do hotel.[112]

brado de inúmeras cachoeiras gerou, em meio à atmosfera séria, "A visão dionisíaca do mundo", um manuscrito que, em dezembro, Nietzsche entregou a Cosima sob o título de "O nascimento do pensamento trágico". Tratava-se possivelmente do registro das conversas do final de julho em Tribschen, possuindo já a assinatura de todas os escritos posteriores de Nietzsche: trata-se de um diálogo, mas apresenta apenas as contribuições do dialogador Nietzsche. Nesse caso, conhecemos os outros participantes do diálogo, ou seja, Wagner e sobretudo Cosima, à qual ele responde a uma pergunta filosófica.

### Uma decisão difícil

E ele comunicou a ela ainda outra decisão. Lenta, mas inevitavelmente, amadurecera nele a decisão de se apresentar ao exército alemão como voluntário. Em 7 de março do ano anterior, na véspera de sua posse em Basileia, ele já havia escrito ao Conselheiro Vischer: "Mesmo supondo que, em tempos de paz, eu consiga justificar minha ausência caso seja convocado para o serviço militar, isso seria impossível na possibilidade fatal de uma guerra. Sob essas circunstâncias, considero minha obrigação diante da Universidade de Basileia não submeter minha atividade a uma dependência de paz ou guerra". Ele não era obrigado a tomar esse passo, mas as autoridades de Basileia certamente aprovaram essa atitude, pois a viam como garantia para a permanência do jovem docente em sua universidade. E agora, em 8 de agosto de 1870, ele escreve ao mesmo Vischer: "Na situação atual da Alemanha, minha decisão certamente não o surpreenderá: Procurarei cumprir minhas obrigações para com a minha pátria. Dirijo-me ao senhor com a intenção de pedir que o conselho educacional me dispense pelo resto do semestre de verão. Sinto-me tão fortalecido que posso oferecer meus serviços como soldado ou enfermeiro sem qualquer restrição. Creio que a minha *obrigação* de contribuir a minha pequena parte para o sacrifício da minha pátria será vista com naturalidade e compreensão justamente pelas autoridades educacionais da Suíça. Apesar de estar perfeitamente ciente das minhas grandes obrigações em Basileia, eu só poderia cumpri-las por coerção vergonhosa e sem utilidade real diante do tremendo chamado da Alemanha de cumprir minha obrigação *alemã*". Bem, essa compreensão não era tão natural, e Nietzsche apostou no fato de a esposa de Vischer ser alemã, tendo, portanto, vínculos pessoais com a Alemanha, enquanto a postura de Basileia era contrária à sua pátria – como Overbeck já havia descrito. Ele aparenta ter comunicado essa decisão simultaneamente a Cosima, pois ela responde imediatamente, já em 9 de agosto: "De forma alguma posso consentir com sua decisão, apesar de respeitar e compreender sua motivação; não por causa do aparente perigo, ao qual o senhor se expõe, mas por causa da inutilidade de seu ato. Não estamos em 1813; temos um exército bem-organizado e por ora vitorioso em território francês; igualmente bem-organizada é a assistência médica, e cada diletante será malvisto como pessoa que mais atrapalha do que ajuda. Neste momento, o exército depende muito mais de doações do que de pessoas, e o senhor faria uma contribuição muito maior enviando cem charutos do que com sua pessoa e todo seu patriotismo e sacrifício. [...] Só Deus sabe para onde enviarão os voluntários, pois o exército se apresenta em todo o seu brilho, como expressão do maior esforço de toda uma nação".

Nietzsche e sua irmã retornam imediatamente do Maderanertal para Basileia, passando por Tribschen sem despedida pessoal, rumo a um futuro incerto. O diário minucioso de Cosima não menciona nenhuma visita, apenas uma carta de Basileia em 16 de agosto.

Em 11 de agosto, Nietzsche é dispensado pelas autoridades de educação, mas em vista da neutralidade da Suíça, só lhe permitiu servir como enfermeiro. Nietzsche partiu imediatamente, chegando em Lindau em 12 de agosto e em Erlangen no dia 13, onde absolveu um curso de enfermagem. Nessa viagem, compôs – supostamente – o coral para "vozes masculinas" "Ade ich muss nun gehen" (Adeus, preciso partir) na base de um poema publicado na revista "Kladderatatsch"[125]. Trata-se de um dos poucos manuscritos musicais escritos a lápis. Como informa sua irmã[136], a canção foi imediatamente entoada pelos passageiros do trem. Se isso realmente aconteceu, os passageiros eram pessoas altamente musicais, pois a harmonia e as vozes são tão difíceis e delicadas que diletantes medianos não teriam sido capazes de cantá-las espontaneamente. Curiosamente, a poesia não se encontra nas edições de julho e agosto de 1870 do "Kladderatatsch", e o relato segundo o qual Nietzsche teria composto a peça durante sua viagem é negado pela carta a Cosima, cujo diário relata em 21 de agosto: "Carta do Prof. Nietzsche; ele compõe no lazareto". Aparentemente, não enviou a composição para Tribschen. Certamente, Wagner e Cosima teriam considerado esse tipo de música como inapropriado diante da seriedade da situação.

### Serviço militar

Nietzsche teve que ficar no lazareto em Erlangen até completar seu "treinamento" em 22 de agosto. No dia 18, Elisabeth havia viajado para Oelsnitz (o coral pode, portanto, ter sido escrito entre 13 e 17 de agosto em Erlangen). Nietzsche foi enviado para o campo juntamente com seu novo camarada, o pintor de paisagens Adolf Mosengel, que ele havia encontrado no Maderanertal (possivelmente foi ele quem "entusiasmou" Nietzsche para a guerra") na função de "diácono de campo"*. Em 22 de agosto, os dois conseguiram chegar até Stuttgart; no dia 23, até Nördlingen; e no dia 24, até Karlsruhe, onde perderam seu trem de conexão. Daqui, seguiram para uma região já assolada pela fúria da guerra e onde os dois viram apenas os rastros frescos e tristes das lutas. As estações do restante da viagem foram: em 25 de agosto, Weissenburg, onde chegaram à noite; no dia 26, Sulz; no dia 27, Gersdorff. Em Wörth, parecem ter assistido ao funeral de alguns soldados e carregado os fuzis e as mochilas dos soldados mortos em um trem. Em 29 de agosto, chegaram em Hagenau e Bischweiler, nas proximidades de Estrasburgo, que estava sendo sitiada pelo exército alemão, e em Zabern. Em 1º de setembro, os amigos alcançaram Nancy, e no dia seguinte (no dia da prisão de Napoleão III no quartel-general de seu Comandante Mac Mahon), foram enviados para Ars sur Moselle, perto de Metz. Aqui foram imediatamente destacados como membros de um batalhão hospitalar, que numa viagem de dois dias e duas noites acompanhava os feridos para o lazareto de Karlsruhe. No dia seguinte, Nietzsche retornou para Erlangen, onde chegou com disenteria e difteria, precisando de cuidados médicos. Ou seja, foi exposto às impressões imediatas da guerra apenas durante uma semana, de 27 de agosto a 2 de setembro, mas isso já era o suficiente para sua natureza sensível.

Segundo as respostas preservadas, ele relatou sua experiência de guerra em maior detalhe e em numerosas cartas a Cosima, mas infelizmente essas cartas se perderam. À mãe escreve em 28 de agosto: "Ontem cumprimos nossas missões numa marcha de 11 horas em Gersdorff e Langensulzbach e no campo de batalha. Envio-lhe juntamente com esta carta uma lembrança do campo de batalha terrivelmente assolado, coberto de inúmeros restos mortais e impregnado com o cheiro de cadáveres. Hoje pretendemos seguir para Hagenau, amanhã, para Nancy etc.; seguindo o exército do sul. Mosengel e eu viajamos sozinhos: reencontraremos nosso colega Ziemsen de Erlangen apenas em Pont à Mousson". E em 29 de agosto, Nietzsche escreve à Sra. Sophie Ritschl, a segunda mulher altamente venerada após Cosima: "2 horas da madrugada – vagões de gado – com pés gelados apesar da coluna de fogo de Estrasburgo. Campo aberto entre a estação Hagenau e Bischweiler.

---

* A diaconia de campo (Felddiakonie) era uma instituição paramilitar (semelhante às nossas companhias da Cruz Vermelha), criada por J.H. Wichern na Guerra Dano-prussiana de 1864 e ampliada nas guerras de 1866 e 1870 para cuidar dos feridos no campo de batalha e nos lazaretos. Os diáconos de campo serviam também como assistentes aos pastores e padres por meio da correspondência, do consolo e da oração. Seu distintivo era uma faixa branca com a cruz vermelha. A diaconia de campo subsistiu até o início da Primeira Guerra Mundial, quando seus membros foram incorporados à organização do exército, onde serviram como soldados do corpo médico.

Espera de nove horas no meio de cavalos e sua cavalaria, população hostil. – Já nos acostumamos a viajar assim. Amanhã: Nancy, depois quartel-general e adiante.

Uma lembrança do terrível campo de Batalha de Wörth segue em anexo. Uma lâmpada a óleo miserável me impede de escrever mais". Nenhuma lembrança, porém, do camarada Mosengel, que Nietzsche não menciona nunca mais. Doente, escreve à mãe em 11 de setembro: "Estou com disenteria. Mas o pior já passou, poderei partir na terça ou na quarta-feira para me recuperar em Naumburg. [...] Avancei até as proximidades de Metz e de lá acompanhei um trem com feridos até Karlsruhe. Ao fazer os curativos das feridas em parte já gangrenosas, ao dormir nos vagões de gado, onde seis gravemente feridos dormiam no capim, peguei o germe da disenteria; o médico descobriu também uma difteria, adquirida por meio da mesma atividade. Combatemos também este mal com ferocidade. Apesar de tudo isso, fico feliz por ter ajudado um pouco em meio à tamanha calamidade. E sem hesitar teria feito outra excursão se a doença não tivesse me impedido". E no mesmo dia escreve finalmente também uma carta ao Sr. Richard Wagner em tom formal e subserviente.

### De volta em casa

A doença não deve ter sido muito grave, pois apesar dos recursos medicinais ainda bastante rudimentares, o paciente pôde viajar para Naumburg já em 14 de setembro, onde se submeteu aos cuidados da mãe até 21 de outubro.

A despeito da curta duração dessa experiência de guerra, as impressões tiveram um efeito duradouro. Testemunhou não o brilho da vitória e o *páthos* heroico, mas a sujeira e a miséria e uma ameaça irresponsável à existência humana. Pessoas que lhe eram próximas estavam expostas a esse fogo traiçoeiro, algumas já haviam sido mortas; vítimas desnecessárias de uma arrogância irracional e sacrílega, descansavam agora em solo estrangeiro. Nessa situação, veio a compreender os versos de um coro de Ésquilo (Agam. V. 437-443) em toda a sua profundeza:

ὁ χρυσαμοιβὸς δ᾽ Ἄρης σωμάτων
καὶ ταλαντοχοῦς ἐν μάχῃ δορὸς
πυρωθὲν ἐξ Ἰλίου
φίλοισι πέμπει βαρὺ
ψῆγμα δυσδάκρυτον ἀντ –
ήνορος σποδοῦ γεμί –
ζων λέβητας εὐθέτους

Ares, o cambista de ouro de corpos

e segurador da balança na luta de lanças

envia de Ilion aos entes

poeira queimada pelo fogo

poeira deprimente e lamentável em vez de

homens, jarros facilmente transportáveis

com as cinzas dos mortos.

Em meio a essa atmosfera, chega a ele uma carta de Gersdorff, que expressa muito daquilo que o comovia e daquilo que deve ter relatado a Tribschen[14]: "[...] Às oito horas foi realizada uma grande missa nos campos de Mars-la-Tour. Não posso negar a festividade do momento. Era um momento de feliz escolha: para aqueles que precisavam do consolo de um clérigo para poder morrer em paz, para aqueles que precisam das palavras de um homem de Deus para entrar em clima de batalha. Para mim, a melodia 'In allen meinen Taten' (Em todos os meus atos) foi muito mais edificante do que os discursos tolos dos homens que, com o suor azedo e por dinheiro e boa comida, dizem o que não sabem. Mesmo assim, foi um momento grandioso, que também me elevou: ver 30 mil guerreiros bem-equipados, cujos capacetes cintilavam à luz do sol se curvarem diante – sim, diante de quem? Quem pode mencionar seu nome? Diante da necessidade férrea, de cuja mão ninguém escapa [...] Marchamos. [...] Em Mars-la-Tour, entrei no pequeno pátio da igreja; num canto deste havia nove túmulos frescos; num deles, estava meu querido Kurt Flemming, ele havia sido atingido fatalmente em 16 de agosto na batalha durante um ataque corajoso do 2º Regimento de Guarda dos Dragões. Não tive tempo para derramar lágrimas, mas hoje meus olhos ficam turvos quando lembro desse amável e fiel amigo – surgem lembranças de muitas horas felizes entre os muros cinzentos de Pforta. [...] Não posso gabar-me como tantos outros de ter sujado minhas mãos com sangue; no entanto, creio ter agido no espírito da ética de Schopenhauer, quando protegi a igreja lotada com centenas de franceses feridos contra a fúria de nossos soldados, que queriam derrubar tudo. Fui bem-sucedido e fico feliz que, por meio da minha intercessão junto ao comandante da divisão, os feridos entregues à morte pelo fogo das granadas puderam ser retirados das casas em chama. [...] Não foi possível alegrar-me com a vitória, pois ainda não conhecemos sua extensão e os sacrifícios foram grandes demais. O regimento da guarda perdeu 10 mil homens; a minha divisão, 5 mil e 500 soldados. Entre eles, muitos oficiais; aqueles que eu conhecia estão quase todos mortos ou feridos [...]. A vivacidade com que essas imagens de terror ainda se projetam sobre meus olhos impossibilita qualquer descrição [...]. Algumas experiências me enriqueceram. O mais importante é para mim, que após ter passado por estas, a verdade de Schopenhauer se firmará ainda mais. Jamais abandonarei essa concepção de vida. Em meus momentos de ócio, leio também aqui diante das portas da metrópole a obra principal, que sempre levou comigo em minha mala, juntamente com os Parerga. [...] No que diz respeito às perdas, Pforta há de lamentar muitas. [...] Krüger lidera o 5º grupo de telegrafia do 2º exército [...] e se aproxima de Metz; recentemente, alegrou-me com um cartão. 'O que faz Schopenhauer?' foi sua última palavra no cartão. [...] Sejamos fiéis à bandeira à qual juramos lealdade".

Evidentemente, Nietzsche não podia usar uma fala tão anticlerical em sua comunicação com Cosima, que lhe escreveu em 2 de setembro: "Com um aperto no coração, vi-o partir, e seu relato me enche com tristeza. O senhor não foi feito para ver tais cenas abomináveis, e pergunto-me como as suportará. Que lhe venha ao socorro o sentimento religioso, que a sabedoria da existência, que a filosofia tem lhe dado, o acuda para suportar essas terríveis experiências". E em 18 de setembro ela lhe escreve para Naumburg, onde Nietzsche se recuperava: "Estávamos preocupados com o senhor, e diversas vezes conversamos dizendo que não deveríamos ter permitido a sua partida. Temia sobretudo pelo estado de sua alma, que agora o senhor me relata como havia temido; sei que existem experiências que marcam nosso interior para sempre, igual ao ferro ardente com o qual marcam a pele do prisioneiro!"

Em 25 de agosto, Cosima e Wagner haviam se casado na Igreja Reformada de Lucerna, e em 4 de setembro batizaram seu filho Siegfried. Cosima relata: "Siegfried não demonstrou seu melhor comportamento no batismo; primeiro, não parava de falar, e por fim – no momento da descida do Espírito Santo – ele chorou. Mas agora é um cristão; e mesmo que não tenha agradado ao pastor, espero que permaneça fiel ao nosso Salvador até a cruz".

Os caminhos começavam a se separar; os espíritos, a se distanciar.

Por enquanto, porém, existia ainda um signo sob o qual todas essas pessoas tão diferentes: Jacob Burckhardt, Carl von Gersdorff, Paul Deussen, Erwin Rohde, Richard Wagner e Cosima e Nietzsche ainda se reuniam. Todos eles procuravam e encontravam consolo e apoio, edificação e instrução em Schopenhauer. Jacob Burckhardt o expressa em palavras bem simples: "o filósofo", que é Schopenhauer.

Trata-se de uma rota de fuga espiritual para um exílio, uma solução tipicamente romântica para o desafio de lidar com o predomínio do político, que os surpreende como uma catástrofe natural. Essa veneração da filosofia de Schopenhauer não poderia durar para sempre, precisava ser amenizada pelo menos em sua forma. Mas a forma de como e onde cada um retornou desse exílio psicológico revelaria a separação essencial que existia entre eles.

# VII

## O retorno (outubro de 1870 a março de 1871)

"Procurei refugiar-me na ciência de todas as imagens terríveis que minha viagem me mostrou. Questões rítmicas e métricas, que as preparações para o semestre de inverno estão levantando, não me deixam descansar; aguardo agora ansioso o meu trabalho na universidade. Encontrei Ritschl com boa saúde e na costumeira juvenilidade; ele lhe envia suas melhores saudações. [...] Meu desejo de retornar mais uma vez ao campo de batalha não se cumpriu; minha saúde estava abalada demais, e ainda agora sofro frequentemente ataques de agitação nervosa e fraqueza súbita, condições estas que me proíbem quaisquer atividades extraordinárias e me obrigam a manter uma rotina e muita tranquilidade. Encontrarei ambas nas atividades do semestre de inverno", escreve Nietzsche em 19 de outubro de 1870 ao Conselheiro Vischer.

Nietzsche estava profundamente agitado e nunca mais encontraria sua paz, um mínimo de equilíbrio interior. Ele havia sido confrontado com a pergunta pelo sentido da existência humana não no jogo de pensamentos, não nas figurações fantasiosas da arte, mas na realidade dura e irreversível, e nela reconheceu a aleatoriedade e a ausência de qualquer garantia.

As respostas oferecidas pela teologia dogmática cristã à pergunta pelo sentido da vida há muito haviam sido descartadas por ele. Inicialmente, substituiu essa instância pela doutrina de Schopenhauer, que ele elevou à posição de uma fé filosófica. Em 20 de outubro, respondeu à carta de Gersdorff: "Tudo que você me escreve me comove profundamente, sobretudo o tom sóbrio e fiel com o qual você fala dessa prova de fogo da nossa visão do mundo compartilhada. Eu também fiz a mesma experiência, também para mim esses meses significam um período em que aqueles ensinamentos fundamentais se comprovaram como firmemente arraigados: podemos morrer com eles – isso é mais do que dizer: podemos viver com eles". Contudo, essa confissão pessimista não conseguiu acalmá-lo. No final dessa mesma carta, ele afirma: "A atmosfera dessas experiências me envolveu como uma neblina sombria: durante algum tempo, ouvi um choro de lamento infindável. Minha intenção de voltar ao campo de batalha tornou-se impossível. Preciso contentar-me agora de assistir aos eventos da distância e assim compartilhar do sofrimento.

Ah, meu querido amigo, que bênçãos desejo enviar-lhe! Nós dois sabemos o que devemos pensar da vida. Mas *precisamos* viver, não *para nós*".

Mas para quem? O "sacrifício pela pátria" havia sido descartado rapidamente e foi substituído por um ceticismo inquietante. Primeiro, Nietzsche tentou viver para a ciência. Ele deve ter se manifestado nesse sentido também numa carta a Cosima, pois ela responde em 30 de outubro[15]: "Wagner, semelhante ao senhor, também se refugia dessa agitação terrível dos tempos atuais em trabalho intenso, pelo menos durante algumas horas". Mas por mais que imergisse em seu trabalho, ele não conseguiu se acalmar; precisava encontrar sua própria resolução filosófica. Como ponto de partida, ele havia escolhido – já antes da sua experiência de guerra – o problema da tragédia nos gregos. A formulação desse pensamento logo geraria uma tensão adicional com seu ambiente; num aspecto puramente físico na forma de volume de trabalho e de forma fundamental com sua ciência – e na execução com Richard Wagner, a cujas exigências ele precisava adequar a forma do livro.

A mãe não percebeu nada desses sofrimentos externos e internos – Nietzsche voltou a exercer seu papel duplo de modo formidável, como o fazia desde os primeiros dias em Bonn. Em 17 de outubro, a mãe escreveu aos parentes em Oelsnitz (onde Elisabeth se encontrava desde sua despedida em Erlangen)[8]: "Primeiro preciso agradecê-los pelo acolhimento amável e pela sua bondade que vocês demonstraram para a minha Lieschen e, como soube apenas posteriormente, também para o meu Fritz [...]. Agora, é claro, estamos muito felizes. Pois temos conosco o nosso Fritz, e não me canso de repetir como o amor e a diversão dominam nossos dias. Sua campanha de guerra (se me permitem usar essa palavra) lhe fez muito bem. Conheceu agora a vida de um lado bem diferente e agora se interessa também pelos nossos assuntos, ou seja, o convívio com ele se tornou mais fácil [...]. Certamente, você consegue imaginar nossa profunda alegria. Ele parecia ainda fraco, e também aqui teve que tratar a boca com nitrato de prata por muito tempo para afastar todos os rastros da difteria. No entanto, como muito bem todos os dias e, para nossa grande alegria, desenvolve um apetite jamais visto nele. Junta-se a isso a existência linda e divertida. Temos a agradável impressão de que, para ele, seu lar é o cantinho mais aconchegante do mundo, e isso nos alegra muito".

E Nietzsche realmente se mostrou muito ativo. Nessas cinco semanas viajou não só para Oelsnitz, mas duas vezes também para Leipzig, onde se encontrou com seu Mestre Ritschl (em 27 de setembro e 12 de outubro). Em 18 de outubro, fez uma visita a Pforta. O propósito dessas viagens eram assuntos filológicos. Estava preparando as preleções para o semestre de inverno – dedicou estudos minuciosos à métrica grega, à prosódia do verso grego, cujos resultados foram fortemente influenciados pelo seu talento musical. Em 23 de novembro, escreveu a Erwin Rohde sobre isso: "Em meu aniversário, tive a melhor ideia filológica de toda minha vida – evidentemente, isso não demonstra muito orgulho, nem pretende fazê-lo! Agora, estou trabalhando nela. Se você quiser me acreditar, posso contar-lhe que existe uma nova *métrica*, que descobri e diante da qual todo o desenvolvimento mais recente da métrica desde T. Hermann até Westphal ou Schmidt se revela como *equívoco*. Ria ou zomba de mim – para mim, é muito surpreendente". Ele dava muita importância a ela, e ainda em agosto de 1888 ele a explica ao Dr. Carl Fuchs! Permaneceu também parte da ciência, como sua contribuição para a filologia.

Em 28 de setembro de 1870, o 4º fascículo do 25º ano do "Rheinisches Museum" publicou a primeira parte de seu tratado "Der Florentinische Tractat über Homer und Hesiod, ihr Geschlecht und ihren Wettkampf" (O tratado florentino sobre Homero e Hesíodo, seu gênero e sua competição"; a segunda e última parte só pôde ser publicada em fevereiro de 1873, encerrando assim a série de suas publicações científico-filológicas. Ele havia redigido o manuscrito antes da guerra e o enviou a Ritschl em 12 de julho. Certamente, suas duas visitas a Leipzig estavam relacionadas a esse assunto. Mas ainda havia uma forte conexão humana com seu antigo professor, de forma que compartilhou com ele suas experiências como jovem docente, as experiências com Wagner e suas impressões de guerra. E Ritschl ainda via com agrado a assiduidade e o êxito inegável de seu aluno e colega, a filosofia ainda não havia os separado.

Nietzsche voltou para Pforta com frequência. Ele visitava a antiga escola como bons pais de criação, aos quais deve muito. Mas esta visita veio acompanhada por um grande temor. Uma carta a Gersdorff de 20 de outubro revela por quê: "Esta manhã me trouxe a surpresa mais feliz e a libertação de muita inquietação e temor – sua carta. Anteontem assustei-me profundamente quando, em Pforta, mencionaram seu nome com voz duvidosa, e você sabe o que essa voz duvidosa significa nos dias de hoje. Imediatamente, pedi ao reitor uma lista de todos os alunos de Pforta mortos em batalha, que o correio me entregou ontem. Ela me acalmou em um ponto principal. De resto, continha muitas notícias tristes [...] 16 (mortos) *in summa*".

### De volta à atividade profissional

Nietzsche se despediu de Naumburg em 21 de outubro e chegou em Basileia no dia seguinte, no sábado. Em 24 de outubro, escreve para Naumburg sobre essa viagem: "Quando cheguei, não me senti muito bem. Pois durante todo o segundo dia de viagem tive que lutar contra a ânsia de vômito. No primeiro dia, cheguei em Frankfurt à meia-noite, morrendo de frio. No segundo dia, cheguei em meu apartamento às 8 da noite e pedi imediatamente um chá de flor de tília. E ainda não estou bem. [...] Os Vischer me receberam com muito carinho". A escola exigiu sua atenção imediata[105]. Ele precisava administrar exames, e o semestre de inverno começaria em poucos dias. Ele havia anunciado[122]: "História do *épos* grego", três horas, tema este que ele viria a limitar às Erga de Hesíodo; "Métrica grega", três horas, preleção que ele havia preparado com muito zelo e que ele realizou na forma pretendida. Para o seminário, previra um exercício em latim: o primeiro livro da *institutio oratória*, de M. Fabius Quintilianus\*. Este primeiro livro de sua obra enciclopédica sobre a formação do orador e a retórica em geral trata do fundamento da educação nos anos de infância e da juventude. Como professor ginasial, o próprio Nietzsche se via confrontado com esse problema sem o preparo de um seminário pedagógico, e ele se propôs a se orientar por um autor altamente ético da Antiguidade, vinculando assim seu presente sem elos intermediários diretamente à Antiguidade. Mas esse seminário não foi realizado. Em vez disso, continuou o exercício interrompido no semestre de verão: a "Academica", de Cícero, uma das principais obras filosóficas do famoso autor e orador, na qual ele apresenta os ensinamentos dos "acadêmicos" e os contrapõe ao polo contrário do estoicismo na forma do diálogo.[26]

O próprio Cícero prezava altamente a escrita estilisticamente sofisticada. Agostinho a lia com admiração, a despeito de sua refutação espirituosa do ceticismo, preservada em seu escrito "contra academicos libris". Mas além de seu valor artístico, essa obra é importante também como fonte mais significativa para o conhecimento sobre o ceticismo acadêmico, juntamente com os livros de Sextus Empiricus – e este está relacionado à questão das fontes de Diógenes Laércio e, portanto, também à questão das fontes da filosofia de Nietzsche... A base desse exercício, portanto, era constituída por arte (estilo) e filosofia. Quanto ao seu trabalho no "Pädagogium", sabemos apenas que fez uma introdução à filosofia de Platão e uma leitura do diálogo "Fédon" e de um livro da "Ilíada". Evidentemente, essas leituras eram acompanhadas de exercícios gramaticais.

---

\* Quintiliano era um orador e mestre de filologia da segunda metade do primeiro século da era cristã. Ele provinha da Espanha, mas ocupou durante grande parte de sua vida uma posição altamente respeitada em Roma sob os imperadores Galba, Vespasiano e Domiciano[60].

### O ponto de vista da pátria é questionado

Nietzsche também voltou a estudar: com seu grande mestre Jacob Burckhardt. Em 7 de novembro, escreve a Gersdorff: "Ontem à noite tive uma experiência prazerosa. Jacob Burckhardt fez um discurso livre sobre 'grandeza histórica', partindo completamente da nossa vida intelectual e emocional [...], em passeios particulares ele chama Schopenhauer de 'nosso filósofo'. Assisto a uma preleção semanal de Burckhardt sobre o estudo da história e creio ser o único de seus 60 ouvintes que compreende os pensamentos profundos com seus curiosos desvios e rupturas, onde chega a alcançar o duvidoso. Pela primeira vez sinto prazer numa preleção, ela é de tal forma que, se eu fosse mais velho, eu mesmo poderia ser seu autor. Em sua preleção de hoje, tratou da filosofia da história de Hegel, digna do jubileu". Ambos, o discurso e a preleção, foram publicados postumamente sob o título de "Weltgeschichtliche Betrachtungen" (Reflexões sobre a história do mundo)[65]. Sob a impressão dessa visão, Nietzsche rapidamente adotou uma posição nova e mais distanciada em relação à história mais recente. Em 29 de outubro, ele ainda havia escrito a Ritschl: "A atmosfera política (em Basileia) é abominável [...]. Tornou-se impossível comunicar-se até mesmo com os cidadãos de Basileia mais calmos e favoráveis à Alemanha. O ódio contra os alemães aqui é instintivo, e grande é o prazer que provocam os relatos das vitórias francesas. Hoje, luto generalizado por causa de Metz". Dez dias mais tarde, já escreve: "Sinto as maiores preocupações diante do estado cultural iminente. Temo que o preço dos enormes sucessos nacionais será alto demais numa região em que não estou disposto a fazer qualquer sacrifício. Confesso que considero a Prússia atual um poder altamente perigoso para a cultura. Mais tarde, talvez, falarei publicamente dos estabelecimentos de ensino com suas atividades religiosas que voltaram a ser praticadas por Berlim em prol do poder eclesiástico católico. – Por vezes, é bastante difícil, mas precisamos ser filósofos o bastante para preservar a sobriedade em meio ao êxtase – para que não venha o ladrão e roube ou diminua o que, a meu ver, não se compara nem mesmo com os maiores atos militares, nem mesmo com todas as exaltações nacionais.

Precisamos de combatentes para o período cultural vindouro: para este precisamos nos conservar". E com palavras ainda mais aguçadas, escreve a E. Rohde em 23 de novembro: "Saia já dessa Prússia fatal e contrária à cultura, onde os servos e clérigos brotam como cogumelos e em breve escurecerão com seus odores toda a Alemanha". E aparenta ter escrito nesse tom também a Cosima pouco tempo após o discurso de Burckhardt, pois ela responde em 17 de novembro[15]: "Não me surpreende que o senhor vê os eventos futuros com tanto pessimismo! Quem não compartilha dessa visão quando olha para o mundo? Consola-me uma experiência, mais especificamente que, na história, aos grandes atos bélicos sempre seguiram belos períodos culturais. Apesar de não contar nem com os senhores de Bismarck nem com os príncipes para que levem a Alemanha para uma era dourada, conto sim com as mães alemãs, que neste ano, com sacrifícios e entusiasmo pela pátria, deram à luz seus filhos". Ouvimos aqui a voz da mãe feliz, que precisa cuidar de seu pequeno Siegfried de um ano e meio: "A conquista dessa única felicidade, que jamais considerei possível neste mundo, provoca em mim um sentimento religioso cada vez mais profundo. Preciso agradecer à divindade que aqui se manifestou. À fé que me preenche junta-se o amor e, como terceira nesta aliança, a sempre velada esperança!"

A esta altura, Nietzsche já não conhecia mais nenhuma divindade à qual poderia ter agradecido. Nele crescia continuamente uma concepção nova e independente de pensamentos e do mundo, na qual ele continuou trabalhando incessantemente, mas oculto aos olhos das pessoas mais próximas. Em Naumburg, ele se escondia por trás da fachada do "Fritz" alegre e descontraído; em Basileia, por trás do seu papel de professor assíduo.

### O Fragmento "Empédocles"

Assim, Nietzsche criou em Naumburg, partindo do círculo de problemas envolvendo a tragédia, o esboço para um livro intitulado de "A tragédia e os espíritos livres", que já ultrapassava em muito o tema original, a história do desenvolvimento da tragédia grega. E logo em seguida encontramos esboços para o drama "Empédocles", que – de forma assombrosa – já antecipam o caminho do Nietzsche tardio e símbolos significativos. Como mais tarde em "Zaratustra", Nietzsche se serve aqui de uma figura histórica – o filósofo, milagreiro, poeta e fundador religioso do século V a.C., o lendário Empédocles – como máscara, por trás da qual ele mesmo se apresenta, aqui, porém, permanecendo mais próximo à tradição histórica, enquanto preservará do persa Zaratustra apenas o nome e a função como fundador de uma religião. Nietzsche conhecia Empédocles de seus estudos sobre Diógenes Laércio[77]. O que deve ter fascinado Nietzsche em sua visão do mundo filosófica foi a tentativa de Empédocles de unir o misticismo e o pitagorismo com a ciência natural moderna. Na doutrina da reencarnação de Empédocles encontramos um dos impulsos para a teoria de Nietzsche sobre o retorno eterno do mesmo como hipoteca ética. Sobretudo, porém, Nietzsche retoma o círculo de lendas, que a era esclarecida de Diógenes Laércio apresenta apenas como curiosidade, como a autodeificação de Empédocles e sua morte no Etna. Distanciando-se completamente da tradição e ultrapassando em muito um processamento do tema, como o fez Hölderlin em seu fragmento[115] (curiosamente, o fragmento de Nietzsche não apresenta nenhuma referência ao "Empédocles" de Hölderlin), Nietzsche lhe dá como companheiro não só um amante (Pausanias), que aparece também em Diógenes Laércio e em Hölderlin, mas também uma mulher chamada "Corina". Existe uma Corina histórica; trata-se de uma poetisa da Beócia, que veio para Tessália e, como reza a lenda, foi professora de Pindar, vencendo-o numa competição poética. Em todo caso, foi uma mulher altamente culta.

E com isso inicia-se o simbolismo pessoal, que acompanharia Nietzsche durante toda a sua vida até a loucura. Mais tarde, Empédocles se transforma em Dioniso; Corina, em Ariadne. Empédocles representa o próprio Nietzsche; Corina/ Ariadne, provavelmente, neste outono de 1870, já Cosima. Algumas citações desses esboços sustentam essa interpretação[1]:

"Terceiro ato: Teseu e Ariadne. O coro. Pausanias e Corina. Empédocles e Corina no palco. Delírio de morte do povo na proclamação do renascimento. Ele é venerado como deus Dioniso, enquanto recomeça a sofrer. (O ator Dioniso está ridiculamente apaixonado por Corina.) [...] Quinto ato: [...] Duas correntes de lava, eles não têm como escapar (Empédocles e Corina). Empédocles se sente como assassino, merecedor de uma punição eterna, espera um renascimento da morte expiatória. Isso o leva para dentro do Etna. Pretende salvar Corina. Vem a eles um animal. Corina morre com ele. 'Estaria Dioniso fugindo de Ariadne?'" Também o "Deus está morto" do "Zaratustra" se encontra já nesse fragmento na oração: "O grande Pã está morto!" Outros traços da lenda de Empédocles também são incorporados ao "Zaratustra". Nietzsche expressa sua própria problemática filosófica no início do fragmento: "Empédocles passa por todas as fases – religião, arte, ciência – e volta a última destas contra si mesmo. Da religião por meio do conhecimento segundo o qual ela é uma ilusão. Agora, prazer na aparência artística, afastado desta por meio do reconhecimento do sofrimento do mundo. A mulher como natureza. Agora, contempla o sofrimento do mundo como anatomista, se transforma em tirano, que usa a religião e a arte, e se endurece cada vez mais. [...] O povo reunido em torno da cratera: ele enlouquece e proclama antes de seu desaparecimento a verdade do renascimento. Um amigo morre com ele". Nietzsche emprega aqui de forma alterada as três potências das "Reflexões sobre a história do mundo", de Jacob Burckhardt. Burckhardt usa duas potências estáticas, a religião e o Estado, e uma potência dinâmica, a cultura como forças que agem dentro da história[65]. Nietzsche, por sua vez, conhece apenas um elemento estático, a religião, e divide a cultura em dois elementos dinâmicos: a arte, que constrói um mundo de aparências e imaginação, e

312

a "ciência", que dissolve toda ilusão e todas as figurações. O Estado não é uma força criativa na história, mas apenas expressão e resultado, não é potência.

### Novamente em Tribschen

Já se passaram cinco semanas desde que Nietzsche voltou a Basileia, e apenas agora ele retorna para Tribschen. Segundo os diários minuciosos de Hans Richter[241] e Cosima[258], ele chega no sábado, dia 26 de novembro, e fica até 28 de novembro. Os assuntos mais discutidos devem ter sido as experiências da guerra e no lazareto de Nietzsche, uma preocupação com o exército de Loire e o sucesso final da campanha. E havia também o escrito mais recente de Wagner, "Beethoven", cujo manuscrito Nietzsche havia recebido no início de novembro e agora trazia consigo. Ele se mostra entusiasmado. Em 7 de novembro ele escreve a Carl von Gersdorff: "Alguns dias atrás Wagner me enviou um manuscrito maravilhoso, intitulado de 'Beethoven'. Temos aqui uma filosofia profunda da música em seguimento rígido de Schopenhauer. Esse tratado foi escrito em homenagem a Beethoven – como maior honra que uma nação pode lhe prestar". E em 10 de novembro escreve ao Mestre: "Na primeira onda de trabalho do novo semestre, que desta vez [...] foi particularmente violenta, nada mais revigorante poderia ter me acontecido do que o recebimento de seu 'Beethoven'. Quão grande era meu desejo de conhecer sua filosofia da música – e isso significa: *a* filosofia da música – se expressa em uma redação que escrevi para mim mesmo neste verão sob o título de 'A visão do mundo dionisíaca'. Esse estudo preliminar me permitiu compreender completamente e com grande deleite a necessidade de sua argumentação, por mais distante que sejam todos os pensamentos, por mais surpreendente que seja tudo e, sobretudo, a exposição do ato verdadeiro de Beethoven".

Diante da problemática de Empédocles, as reflexões estéticas de Wagner eram, de fato, "pensamentos distantes", mas Nietzsche teve que se orientar também nessa temática. O escrito de Wagner havia sido ocasionado pelo 100º aniversário de Beethoven. Basileia também realizou uma celebração do centenário com a apresentação da 9ª sinfonia em 11 de dezembro, na Martinskirche. Nietzsche não discursou. Ele menciona as festividades apenas sucintamente em uma carta à mãe e à irmã de 12 de dezembro: "Esta semana, tivemos a celebração de Beethoven", e então continua: "Na última reunião, o senado acadêmico elegeu meu amigo Heusler como reitor da universidade e me nomeou secretário. Novos problemas!" Ele está muito ocupado e relata: "Há muito a fazer: seis horas no Pädagogium, oito horas na universidade. Além disso, as reuniões da regência, da faculdade, da comissão bibliotecária e as conferências do Pädagogium!" No final da carta, confessa agora também diante de seus familiares as suas dúvidas políticas: "Minhas simpatias diminuem continuamente para a atual *guerra de conquista* alemã. O futuro da nossa *cultura* alemã me parece mais ameaçado do que nunca".

### O "Idílio de Siegfried"

O Natal de 1870 foi um grande evento. Nietzsche voltou a ser convidado para Tribschen, e ele aceitou o convite com prazer. Permaneceu ali de 24 de dezembro a 1º de janeiro de 1871.

Em 25 de dezembro, Cosima celebrou seu 33º aniversário. Era a primeira vez que ela pôde celebrar a festa como esposa legítima de Wagner, e o Mestre lhe deu um presente digno de um rei: a estreia de um movimento sinfônico, que a família chamou inicialmente de "Idílio de Tribschen" e "Música de escadaria" e que, mais tarde, se tornaria mundialmente famoso como "Idílio de Siegfried". Wagner deve ter composto a peça em novembro e no início de dezembro. O incansável Hans Richter recrutou em Zurique os 15 músicos necessários e organizou com eles em 11 de dezembro, no apartamento do primeiro-violino Oskar Kahl um primeiro ensaio. Um segundo ensaio, do qual participou também Otto Wesendonck, foi realizado em 21 de dezembro, em Zurique. No dia 24, os músicos chegaram em Lucerna e se reuniram no Hotel du Lac para um último ensaio sob a direção de Wagner, das 15 às 17 horas da tarde, na qual Nietzsche também estava presente[84]. Depois, Wagner o acompanhou até Tribschen, onde as velas da árvore de Natal foram acesas às 19 horas. "O primeiro Natal em que eu nada dou a Richard e nada dele recebo", Cosima anota em seu diário. Mas havia ali um presente de Nietzsche para Cosima: Uma cópia de seu estudo "A evolução do pensamento trágico". E para Richard Wagner, a folha de Dürer "Cavaleiro, morte e diabo", que Wagner havia pedido. E Nietzsche também recebeu presentes. Em 30 de dezembro, escreve para sua família: "No Natal, recebi uma cópia luxuosa do 'Beethoven', uma edição de todo o Montaigne (que venero muito) e – como algo muito singular – a primeira cópia da redução para piano do primeiro ato do 'Siegfried', que acaba de ser completado, e é possível que se passe um ano inteiro antes que essa redução para piano chegue ao público".

O que Cosima não sabia era que Wagner havia preparado um presente para ela, mas apenas para o dia 25 de dezembro, seu aniversário. Às sete e meia da manhã, os músicos se instalaram na escadaria de Tribschen para a estreia no círculo mais íntimo. Cosima registra em seu diário[258]: "Sobre este dia, meus filhos, nada posso lhes dizer, nada sobre meus sentimentos, nada sobre meu humor, nada, nada. Limito-me a relatar secamente o que aconteceu: Quando acordei, meu ouvido detectou um tom, que crescia cada vez mais, alto demais para acreditar estar sonhando, a música ressoou, e que música! Quando ela acabou, Richard entrou no quarto com as cinco crianças e me entregou a partitura da 'Saudação sinfônica de aniversário' – chorei e, comigo, a casa inteira; Richard havia instalado sua orquestra na escadaria, e assim nossa Tribschen foi consagrada para sempre". E em 15 de janeiro, ela escreve à sua amiga Eliza Wille em Maienfeld[84]: "Essa inspiração do amor e do gênio foi uma saudação de aniversário; pois meu astro o quis que nascesse na noite de 24 para 25 de dezembro. Quando acordei ao nascer do sol, meu espírito vagou de um sonho para outro; tons familiares, retirados do Siegfried, mas refigurados, tons como que transfigurados me alcançaram; era como se a casa, ou melhor, toda a nossa existência se elevasse com a música até o céu; lembranças sagradas, canto de pássaros e nascer do sol, entrelaçados com a música de Siegfried, envolveram meu coração como bálsamo, e aos poucos, lentamente, percebi que não sonhava, mas que o mais feliz dos sonhos se realizava.

As crianças chamam a obra de música de escadaria, que – como me dizem – ouviram extasiados e paralisados. O amado havia posicionado seus homens na escada, e uma harmonia, como jamais a ouvira, subiu dali, destruindo os obstáculos da existência com asas delicadas, trazendo a libertação da alma. 'Quão fria seria eu chamar-me apenas de feliz', exclamo aqui com as palavras de Elsa. E agora peço que me deixe retornar para a Terra, pois me assusto por ter tocado no mistério mais sagrado, cuja humildade mais profunda, o conhecimento de minha própria indignidade, pode fazer-me digna".

À tarde, houve mais um concerto particular: Primeiro o "Idílio de Siegfried", depois o septeto de Beethoven e mais uma vez o "Idílio de Siegfried". Após essa apresentação, os músicos retornaram para Zurique. À noite, Wagner se dedicou à sua atividade preferida: Leu para todos o texto de seus "Cantores Mestres". Na noite seguinte, no dia 26, leram e discutiram o manuscrito de Nietzsche. Em 31 de dezembro, vieram quatro músicos de Zurique e apresentaram peças para quatro instrumentos de corda, e aparentemente esteve entre eles o primeiro-violino Friedrich Hegar. É possível que Nietzsche tenha encontrado aqui pela primeira vez este homem que, segundo Peter Gast, foi tão importante para o filósofo. Ouviu pela primeira vez os quartetos de Beethoven, o op 59,1 em fá maior e o op 135 em fá maior, o que deve ter sido uma experiência maravilhosa para Nietzsche, que venerava Beethoven desde sua juventude.

Ricamente presenteado com impressões sublimes do "outro" mundo, ele voltou para Basileia na tarde do 1º de janeiro de 1871, onde passou as próximas semanas passando a limpo pela primeira vez o "Nascimento da tragédia no espírito da música". E um aspecto novo desperta sua atenção. De repente, planeja candidatar-se pela docência de filosofia, vacante desde a partida de Teichmüller[56], pretendendo, ao mesmo tempo, que seu amigo Erwin Rohde assumisse a sua docência de filologia clássica.

Essas experiências, trabalhos e planos o ocuparam tanto que o mundo real passou a ser coberto como que por um véu. A Guerra Franco-prussiana continuava como espetáculo da história mundial. Nas cartas, Nietzsche não fala mais dela. Não menciona a coroação do Rei Guilherme I como imperador alemão em 18 de janeiro, em Versailles, tampouco comenta que foi o Rei Luís da Baviera que o incentivara a "aceitar a dignidade de um imperador alemão" e que, em vista da admiração de Luís por Wagner, o rei jamais teria feito isso sem o consentimento de Wagner. Não menciona o fato de que, em 1º de fevereiro, todo o exército do General Bourbaki invade o território suíço nas proximidades de Verrières e lá foi desarmado e internado, trazendo assim sofrimento infinito e obrigações humanitárias para o país, assumidas em boa parte justamente por Basileia. Tudo isso já não comovia mais o nosso filósofo. Mas o corpo já não resistia mais à crescente tensão interior. No decorrer de janeiro, seu estado degenerou rapidamente, de forma que seus médicos exigiram urgentemente uma licença de seu trabalho, férias no sul para sua recuperação – que ele então usaria para o trabalho mais exaustivo em seu livro, sua importante estreia como escritor.

### Pela primeira vez no sul

No início de fevereiro, Nietzsche escreve à sua família: "Minha saúde tem piorado muito, terríveis insônias, hemorroidas, grande fraqueza etc. – Estou sendo tratado por Liebermeister e Hoffmann; dizem que se trata de uma infecção no intestino e estômago, causada por exaustão. Estou cansado dessa docência em Basileia. [...] Os médicos exigem agora que saia de Basileia até a Páscoa e que me fortaleça numa região do sul, sem qualquer atividade. Quem de vocês estaria com vontade de me acompanhar? Pois creio que, para nós três, a viagem ficaria cara demais. Sugeriram-me os lagos do norte da Itália. Posso também viajar sozinho. Como Hoffmann me explicou ainda ontem, meu estado não é preocupante, *caso* tome alguma medida imediatamente. [...] Como já disse, de forma alguma é necessário que vocês me acompanhem. No entanto, peço que passem o verão em Basileia e se organizem para isso.

Mesmo assim, queria perguntar se uma de vocês deseja me acompanhar agora. Não domino o italiano, mas é possível comunicar-se em francês. [...] Telegrafo hoje: Quando receberem esta carta, já terei recebido sua resposta e sua decisão já estará tomada, de forma que poderíamos partir de Basileia na quinta-feira. Estas são as instruções de Liebermeister, que acaba de me visitar e me recomendou Lugano. Caso não seja possível tomar uma decisão tão rápida, eu não poderei esperar". Prof. Carl Ernst Emil Hoffmann era legista e professor de Anatomia Normal; ou seja, não era médico praticante. Nietzsche deve tê-lo procurado em virtude de vínculos pessoais. Carl von Liebermeister, por sua vez, era professor de Patologia Especial e Terapia, e diretor do departamento clínico do hospital. Foi ele também que lhe deu o atestado e que deu entrada ao pedido de dispensa, na base do qual o conselho da universidade licenciou Nietzsche em 15 de fevereiro[236], quando ele já estava a caminho de Lugano, juntamente com Elisabeth, que viera o mais rápido possível. Ele lhe sugeriu o seguinte itinerário: "Na segunda-feira (= 13 de fevereiro) com o trem (de forma que você precisa partir de Naumburg à meia-noite de domingo). Minna (a empregada da dona de seu apartamento) a receberá na estação ferroviária. E você passará a noite em meu apartamento, mas eu partirei já no sábado para Tribschen. Às duas horas da tarde da terça-feira (= 14 de fevereiro), estarei no trem e no navio a vapor em Lucerna: Você teria que partir de Basileia na terça-feira às 10 e meia. Nesta terça-feira, viajaremos ainda até Andermatt, onde passaremos a noite. Na quarta-feira, seguimos viagem até Bellinzona, onde passamos a noite, e ao meio-dia da quinta-feira chegaremos em Lugano. Viajamos com calma: assim me instruíram. Prepare-se para um grande frio".

Nietzsche não foi para Tribschen. No diário de 10 de fevereiro de 1871, Cosima lamenta: "Carta do Prof. Nietzsche, que viaja para a Itália sem se despedir de mim e desperta pensamentos sombrios em Richard". A irmã também não menciona a visita nem o encontro em Lucerna, de forma que somos levados a supor que Nietzsche a esperou em Basileia, partindo já de lá em sua companhia. Seu relato da viagem[86] comete equívocos referentes às datas, o que parece ser um mal da família Nietzsche. E também nas cartas de "Fritz" as datas nem sempre correspondem aos dias de semana, apesar de errar menos do que a irmã.

Uma interrupção dos correios (diligências e trenós postais) em virtude de uma forte queda de neve obrigou os dois viajantes a permanecerem na última parada do navio, em Flüelen. Aqui, encontraram o patriota e revolucionário italiano Mazzini, que ainda estava refugiado na Suíça e que agora estava planejando outra de suas viagens de agitação no sul. Felizmente, as condições climáticas melhoraram rapidamente, de forma que o grupo pôde seguir em sua viagem no dia seguinte. Sob um céu azul, mas em muita neve, eles ultrapassaram o passo de São Gotardo em pequenos trenós para duas pessoas, cada um puxado por um cavalo. Dificilmente devem ter chegado a Lugano no mesmo dia. Os relatos não nos informam se a escala ocorreu como planejado em Bellinzona, ou já antes. Em 16 de fevereiro, os irmãos chegaram em Lugano para uma estadia de seis semanas (segundo as datas equivocadas da irmã, esta teria sido de quase oito semanas, o que não foi o caso conforme a correspondência) e se hospedaram no Hotel Du Parc.

Foi o primeiro passo de Nietzsche em direção àquela independência, a primeira experiência com a forma de existência do sul, aparentemente indispensável para a criação de sua obra essencial.

# VIII

## A candidatura fracassada à docência de filosofia

Em 18 de dezembro de 1870, Nietzsche acrescentou um *post scriptum* à carta à mãe e à irmã: "Nosso filósofo Teichmüller foi chamado para Dorpat; se Wenkel *tivesse* escrito um tratado filosófico científico, poderíamos ter sugerido seu nome".

Na época, Wenkel era pastor principal em Naumburg. Nietzsche o respeitava – a despeito de sua posição teológica – por causa de sua formação filosófica e poderia tê-lo imaginado como docente de filosofia. Em dezembro de 1870, portanto, Nietzsche ainda não pensava em uma candidatura própria. Por isso, a carta de janeiro de 1871 ao Conselheiro Vischer nos surpreende um pouco. Certamente não foi fácil para ele, pois nessa carta ele revela a esse homem tão venerado por ele com uma sinceridade singular todo seu terrível sofrimento existencial: "Respeitadíssimo senhor conselheiro, para o assunto que se segue preciso em medida especial de seu conselho benevolente e de sua empatia autêntica, que já demonstrou tantas vezes. [...] Meus médicos já devem ter informado o senhor na medida em que voltei a sofrer e que essa situação foi provocada por um excesso de trabalho. Tenho-me perguntado repetidas vezes como essa situação de exaustão, que se dá na metade de cada semestre, poderia ser explicada. [...] Por fim, cheguei a uma resposta que gostaria de apresentar ao senhor.

Vivo aqui num conflito curioso, e é ele que me cansa e esgota até mesmo fisicamente. Minha natureza me obriga incessantemente a refletir filosoficamente sobre um tema homogêneo e de entregar-me constantemente a longos pensamentos, por isso sinto-me desviado por minhas várias profissões diárias. [...] Creio que essa descrição represente aguçadamente aquilo [...] que exausta meu corpo e gera o tipo de sofrimentos que me acometem no momento; sofrimentos estes que, caso retornem mais vezes, me obrigariam fisicamente a desistir de qualquer profissão filológica. Por isso, pretendo candidatar-me à docência de filosofia, vacante desde a partida de Teichmüller.

No que diz respeito à minha qualificação pessoal de me candidatar à docência filosófica, preciso primeiro apresentar meu currículo pessoal [...]. As pessoas que me conhecem desde meus anos como aluno e estudante jamais duvidaram da prevalência das inclinações filosóficas; e também nos estudos filológicos sempre me senti atraído por aquilo que me parecia significativo para a história da filosofia ou para os problemas éticos e estéticos. [...] Quero lembrar que já anunciei duas preleções de natureza filosófica. [...] Desde que me dedico à filologia, jamais me cansei de manter um contato íntimo com a filosofia; sim, minha preocupação principal sempre esteve relacionada a questões filosóficas, como muito poderão testificar [...]. Creio que tenha sido um puro acaso não ter colocado a filosofia no centro de meus planos universitários: o acaso, que me negou um mestre filosófico importante e verdadeiramente inspirador [...]. Certamente, porém, seria esta a realização de um dos meus maiores desejos, se eu pudesse seguir também nisso a voz da minha natureza. E creio poder ter a esperança de que, após remover o conflito acima mencionado, minha saúde apresentará uma constância bem maior. [...] Acredito que os dois últimos anos lhe deram a certeza de que sei evitar quaisquer escândalos e distinguir o que se deve apresentar aos estudantes, e o que não.

Permita-me agora apresentar-lhe a minha combinação: creio que o senhor encontraria em Rohde um sucessor perfeitamente apto para minha docência filológica e para minha função no Pädagogium. Rohde, que conheço muito bem há quatro anos, é – entre todos os filólogos mais jovens que conheci – o mais qualificado e um verdadeiro adorno para qualquer universidade que o contrate. [...] Não tenho palavras para expressar como minha existência aqui em Basileia se tornaria mais fácil com a proximidade de meu melhor amigo. [...]"

Não sabemos de nenhuma resposta de Vischer a esse documento de confiança – que nas mãos de uma pessoa menos benevolente poderia facilmente ter levado à demissão de Nietzsche de sua posição filológica –, e as circunstâncias nos fornecem uma explicação para esse fato. A questão foi resolvida em Basileia até o dia 15 de abril, enquanto Nietzsche estava em Lugano, olhando para um futuro incerto. Mesmo quando voltou para Basileia em 8 de abril e todos já estavam prontos para tomar uma decisão, *ele* ainda não havia recebido nenhum relato ou nenhuma informação sobre o desenvolvimento dessa questão.

A universidade possuía dois professores de Filosofia, mas apenas um deles era docente ordinário, e este era Karl Steffensen. A segunda docência era financiada principalmente por meio de doações da Sociedade Acadêmica Voluntária, ocupada por Gustav Teichmüller[56].

Karl Christian Friedrich Steffensen nasceu em Flensburg, em 25 de abril de 1816; portanto, pertencia também à "geração dos pais" de Nietzsche. Estudou jurisprudência, mas teve que abandonar seus estudos pouco antes de sua promoção em virtude de uma doença cardíaca. Passou alguns anos no sul – nos Pireneus franceses, em Nápoles e em Roma – onde se recuperou e se reorientou. A ameaça imediata por meio da doença o havia confrontado com a pergunta referente ao fundamento da existência humana. Ele encontrou uma resposta diferente do que o mais robusto Nietzsche: ele se voltou para a teologia e a filosofia da religião e fez sua promoção filosófica em Kiel, em 1841. No início, serviu como professor doméstico e educador (como o pai de Nietzsche), entre outros para os filhos do Conde Conrad Holstein, depois para os filhos do cônsul suíço Mörikoffer em Paris e, por fim, para o Duque Christian von Schleswig-Holstein-Sonderburg-Augustenburg, em nome do qual viajou para Paris, Londres e Frankfurt em missão diplomática no conflito com a Prússia. Politicamente, era, portanto, contra a Prússia, ou seja, no lado oposto de Nietzsche.

Em 1854, seu amigo, o historiador suíço Heinrich Gelzer, o recomendou para a docência ordinária em Basileia, mas teve que se ausentar por meio ano em virtude de sua doença. Em 1855, assumiu seu cargo na universidade. Logo encontrou muitos adeptos e conquistou grande respeito em Basileia. Foi procurado também por muitos estudantes de teologia, pois possuía uma voz cativante e todo o seu ser aristocrático e comedido, sacerdotal e sério correspondia muito bem à Basileia conservadora. Em 1859, casou-se com Maria Margarethe Burckhardt, filha de uma das antigas e tradicionais famílias da cidade. De 1874 até a sua morte em 1888, foi membro do sínodo da Igreja Evangélica Reformada. "Seu elemento espiritual era a metafísica; [...] poderíamos chamá-la de cristã [...]"[247]. Ele publicou pouco – artigos em revistas eclesiásticas; era, em primeira linha, professor, um educador dos estudantes para a filosofia. Eduard His escreve[111]: "A filosofia de Steffensen, que aqui não podemos descrever em detalhe, não se apoiava em um sistema pronto com conceitos fixos. Suas exposições não apresentavam uma sistemática rígida. Tampouco serviu-se da terminologia erudita, antes preferia a expressão simples com *páthos* sacerdotal. Seus ensinamentos se fundamentavam no idealismo alemão e na ética cristã e ostentavam, ao contrário de Schopenhauer, um otimismo enfático. Chamou (1866) Schleiermacher de seu 'líder'; revelava também influências de Schelling e antipatias contra Hegel, contra o epicurismo e contra o materialismo contemporâneo. Steffensen procurava reunir conhecimentos científicos com fé religiosa. Chegou até a conceder primazia à fé, à Igreja e ao ofício do pastor diante do conhecimento científico, da universidade e da profissão do pesquisador. Assim, sua filosofia adquiriu [...] o caráter de uma filosofia da religião cristã".

Aos 63 anos, estava tão fraco que teve que desistir de suas atividades como professor na primavera de 1879, mas sem abandonar formalmente a sua docência.

Há muito, precisava do apoio de alguém, de forma que em 1867, com sua ajuda, foi instituída uma segunda docência de filosofia, para a qual ele também contribuiu financeiramente, garantindo assim uma influência sobre a seleção do professor. O primeiro a ser chamado foi o jovem Wilhelm Dilthey, mas que ficou em Basileia apenas durante um ano. Como seu sucessor, escolheram Gustav Teichmüller, nascido em Braunschweig em 1832, e este estava agora (em 1871) sendo chamado para Dorpat[56]. Ele foi substituído por Rudolf Eucken, que assim abandonou sua atividade filológica como professor ginasial em Frankfurt e passou para a filosofia. Mas ele também só ficou até 1874. Veio então o jovem Max Heinze de Leipzig, que ficou um ano; depois dele, veio, por fim, Hermann Siebeck. Nietzsche não voltou a se candidatar pela docência de filosofia, nem em 1874 nem em 1875, anos em que surgiu a mesma oportunidade. Ele havia desistido. É possível que Vischer tenha lhe explicado as circunstâncias numa conversa particular. E após a morte de Vischer em 1874, Nietzsche não tinha mais nenhuma chance. Segundo os protocolos do conselho universitário[236], as autoridades da universidade só foram informadas sobre a partida de Teichmüller no início de janeiro de 1871. Em 10 de janeiro, porém, souberam que a confirmação material da contratação de Teichmüller pelo ministério de Dorpat poderia demorar ainda sete semanas. Na reunião de 15 de fevereiro, o conselho da universidade falou também sobre Nietzsche: "O presídio comunica que, conforme uma carta do Prof. Liebermeister, o Prof. Nietzsche precisou ser dispensado até o final do semestre de inverno por motivos de saúde e que é necessário substituí-lo.

Essa licença será concedida e a metade das seis horas de aula do Sr. Nietzsche na 3ª série do Pädagogium será transferida para o Sr. Prof. Mähly (a 4 francos por hora); a outra metade, para o Sr. Dr. Heinrich Gelzer, filho (a 2 francos e meio por hora)".

Sua candidatura pela docência filosófica não é mencionada com uma única palavra. O protocolo da reunião de 2 de março diz: "A presidência informa maiores detalhes sobre as personalidades de interesse para a vaga na docência de filosofia e recebe a missão de obter informações sobre os senhores Dr. Eucken em Frankfurt e o Prof. von Stein em Rostock". Outros candidatos também são mencionados, não, porém, Nietzsche.

Em 2 de abril, o protocolo registra: "[...] o Sr. Prof. Teichmüller falou com o Sr. Dr. Eucken em Frankfurt e também o recomendou enfaticamente. O Dr. Eucken, até agora um filólogo dedicado e professor ginasial respeitado, se ocupou nos últimos anos com intensidade e sucesso cada vez maior com a filosofia, sobretudo com Aristóteles; detém, além disso, uma função escolar em Frankfurt com um salário de 4.200 francos e meio ano de aviso prévio. O Sr. Prof. Steffensen estaria disposto a abrir mão de 1.200 francos – 200 francos a mais do que até então – para facilitar a contratação do Dr. Eucken; em todo caso, a Sociedade Acadêmica dará continuação à sua contribuição de 2.000 francos, e o fundo extra está disposto a contribuir com 1.000 francos". E em 12 de abril: "[...] pede ao colegiado educacional a contratação do Sr. Dr. Eucken como segundo professor ordinário de Filosofia com um salário anual de 4.200 francos". Na época, Nietzsche recebia pelas suas atividades na universidade e no colégio 3.000 francos, mas três aumentos sucessivos rapidamente elevaram essa quantia para 4.500 francos.

Em 15 de abril, a Pequena Câmara aprovou os pedidos do conselho universitário e do colegiado educacional.

Vischer deve ter tido consciência desde o início que a aprovação indispensável de Steffensen para uma docência filosófica de Nietzsche seria impossível de obter, e coube a ele a tarefa ingrata de minimizar com grande tato a decepção de uma resposta negativa formal, que possivelmente teria acarretado sua demissão da docência filológica.

Já em 1861, Steffensen havia fixado sua concepção do fenômeno "Sócrates" em uma preleção. Podemos supor que ele incorporou o filósofo ético do Classicismo à sua visão do mundo num tipo de cristianismo pré-cristão. É, portanto, muito provável que tenha reagido de forma muito negativa às palestras de Nietzsche "O drama musical grego", de 18 de janeiro, e sobretudo "Sócrates e a tragédia", de 1º de fevereiro de 1870. Já na época, Nietzsche escreveu a seu amigo Paul Deussen: "Pretendo enviar-lhe em breve minhas últimas palestras, das quais a última [...] provocou ódio e ira. Espero ser confrontado com oposição". Ele deve ter escrito algo semelhante a Cosima, pois ela lhe responde em 20 de fevereiro de 1870: "É absolutamente natural que o professor de Filosofia esteja enfurecido, pois sua fúria é o segundo fator de seu avanço; primeiro vem a ira das pessoas contra o senhor; depois, a fúria dele, que confere a esta ira um caráter vantajoso para ele. Apenas no mais íntimo de sua alma ele pode ser grato ao senhor".

Nietzsche estava ciente desse perigo, pois em 29 de março de 1871, durante sua estadia em Lugano, ele expressa seu medo numa carta a Rohde: "Antes da minha partida de Basileia e após ter enviado a carta a você, tomei conhecimento de alguns indícios de que o 'filósofo' Steffensen não vê meu projeto com olhos favoráveis. Imagine só o quanto ele tem em mãos contra mim se ele me acusar de ser um discípulo de Schopenhauer, coisa que jamais ocultei! Por outro lado, preciso legitimar-me filosoficamente: acabei de completar um pequeno escrito 'Origem e objetivo da tragédia'". No entanto, não deve ter tido conhecimento da forte posição de Steffensen em virtude de sua contribuição financeira. A carta revela também que o relacionamento humano entre os dois não era dos melhores, pois chama Steffensen de "filósofo" apenas entre aspas. Mas a carta contém também uma razão bem objetiva para a recusa de sua candidatura.

Como filósofo, Nietzsche era autodidata. Ele se vê obrigado a confessar que não teve a sorte de ter encontrado um mestre de filosofia. Sua ocupação com a filosofia era peculiarmente eclética. Ele conhecia os filósofos da Antiguidade, mas com lacunas consideráveis. De Aristóteles, por exemplo, não leu os escritos fundamentais sobre a metafísica e ética, mas a retórica. Depois, ignora toda a patrística, escolástica e o racionalismo e volta sua atenção para sua atualidade imediata e para o passado mais recente: para Schopenhauer, depois também para Friedrich Albert Lange, Eduard von Hartmann, Ludwig Feuerbach; conheceu Kant a partir da apresentação de Kuno Fischer, no original leu apenas a "Crítica da faculdade do juízo", ou seja, estética. Chama a atenção que, quando um filósofo permitia uma abordagem por via do problema da estética, Nietzsche optava por este.

Os temas preferidos de Steffensen eram a metafísica, a filosofia da religião e sua história, Teichmüller discursava sobre a lógica, a psicologia e a pedagogia. Introduziu também a sociedade filosófica, ou seja, a discussão direta entre docentes e estudantes, distanciando-se assim da cátedra e da preleção para se dedicar a perguntas individuais. Nietzsche não poderia ter oferecido uma aula sistemática nesse sentido. Era uma pessoa independente demais, mas ainda não amadurecida no momento de sua candidatura, ainda não formada em sua essência, de forma que não poderia ter preenchido a função de professor do amplo campo da filosofia numa pequena universidade. Diante das exigências absolutamente justificadas, a oposição de Steffensen foi correta, e seria desnecessário e desonesto acusá-lo de motivações pessoais; isso não corresponderia à sua personalidade. Ele se sentia repugnado pela interpretação de Sócrates apresentada por Nietzsche e não via nenhuma possibilidade de uma cooperação produtiva. Quanto a isso, certamente fez uma avaliação correta, e Vischer deve ter concordado com ele.

80 anos mais tarde, a Universidade de Basileia pôde se dar ao luxo de contratar uma personalidade filosófica autônoma para a segunda docência: Karl Jaspers. Mas este era um caso completamente diferente. As aulas filosóficas sistemáticas estavam garantidas, a segunda docência era independente e não precisava mais assumir a metade do trabalho de um docente principal de saúde frágil. Quando foi chamado,

Jaspers já tinha 65 anos de idade. Havia consolidado sua visão do mundo há muito tempo, era seguro no manuseio de sua óptica, ele conhecia e dominava todo o campo da filosofia.

Nietzsche, por sua vez, ainda não havia desenvolvido sua própria visão, não possuía ainda uma filosofia própria. Ele aderia à filosofia de um outro – Schopenhauer –, cujos ensinamentos eram rejeitados pela maioria e o qual logo ele mesmo viria a superar. Justamente naqueles temas em que Nietzsche mais dava de si, como no tema da tragédia antiga, o olho formado já podia reconhecer os pontos de ruptura. Se ele realmente tivesse recebido essa docência, seus estudantes teriam feito experiências curiosas ao longo de seus cinco anos na faculdade, nesse curto tempo ele os teria levado ao longo de um caminho difícil e até aventuroso. Quantos teriam sobrevivido a esse experimento sem maiores danos? Nem mesmo os amigos mais próximos de Nietzsche podiam imaginar a esta altura que Nietzsche não se tornaria um *mestre* acadêmico de filosofia, mas sim um *filósofo*.

Em retrospectiva, é improvável também que uma mudança de docência realmente teria trazido a libertação esperada, que lhe parecia tão necessária. Ele teria sido obrigado a se ocupar com pensadores e sistemas filosóficos que aumentaram seu conhecimento, mas que teriam impedido o avanço rápido em seu caminho. Logo teria percebido também essa obrigação profissional, esse trabalho imposto, como fardo. Mesmo assim, neste momento de sua vida, o fracasso de sua candidatura foi o mal maior e teve consequências catastróficas; foi um dos pontos de virada decisivos de sua vida.

Desde seu primeiro semestre em Bonn, desde 1865, Nietzsche vivia numa tensão desgastante, numa existência ambígua e insincera. Para evitar um conflito com a mãe, ele havia se matriculado como teólogo, coisa que jamais conseguiria ser em vista de sua posição contra o cristianismo eclesiástico-dogmático. Nunca veio a realmente estudar a teologia, mas fez palestras na associação protestante "Gustav Adolf". Na confraria, fez amizades com os filólogos, mas não se tornou membro do Seminário Filológico de Ritschl. No conflito entre seus professores Otto Jahn e Friedrich Ritschl, ele – interiormente – tomou o partido de Jahr, o biógrafo de Mozart e adversário de Wagner, mas em Leipzig permitiu que Ritschl lhe desse a formação de filólogo. E, na época, a oposição de Jahn a Wagner ainda não representava um conflito entre estudante e mestre, pois naquele momento Nietzsche ainda não havia se aproximado de Wagner. Depois de um ano, partiu de Bonn. Originalmente, pretendera frequentar uma universidade prussiana, em Halle ou Berlim, em virtude das perspectivas profissionais. Mas quando recebeu a notícia de seu amigo Carl von Gersdorff de que este iria para Leipzig, Nietzsche mudou de opinião, pois em

325

Leipzig poderia estar com seu amigo. Quando soube que Ritschl também iria para Leipzig como docente, ele se apresentou em casa como estudante dedicado e disse que iria para Leipzig por causa de Ritschl. Esperava assim livrar-se das repreensões constantes e cansativas da mãe. Em Leipzig, conheceu a obra de Friedrich Albert Lange ("História do materialismo") e de Schopenhauer, o que despertou sua curiosidade pela filosofia. Mesmo assim, brilhava como filólogo. Para o aniversário da mãe em 2 de fevereiro de 1866, ele compôs um *Kyrie* para solistas, coro e orquestra, fazendo de conta que essa composição era um evento singular, alegava não ter composto nada há um ano. A canção "Jovem pescadora" havia sido composta apenas seis meses atrás; e as duas composições para textos de Byron (das "Canções hebraicas"), apenas um mês atrás. E justamente um *Kyrie*, ainda agora, em 1866! Pretendera várias vezes afastar-se de Ritschl, libertar-se da formação como filólogo, mas não teve a força para isso. Ritschl soube segurá-lo repetidas vezes com tarefas interessantes. Por fim, pretendeu abandonar a filologia após o encerramento de seus estudos para iniciar os estudos da ciência natural com seu amigo Rohde, primeiro em Paris. Esperava conquistar assim uma nova abordagem à filosofia. Neste momento, recebeu o chamado da Universidade de Basileia, frustrando assim também essa tentativa de fuga. Típica é a passagem da carta de 10 de janeiro de 1869 a Rohde: "Tremo no corpo inteiro e não consigo me libertar nem abrindo meu coração para você. *Absit diabolus*!" O destino havia estendido suas garras diabólicas. Novamente, não teve a força para dizer "não"; acreditava demais no destino (como Goethe). Ele se submeteu ao "acaso". Assim, escolheu mais uma vez o caminho errado indo para Basileia e se viu cada vez mais dominado pelo conflito entre chamado e profissão, por uma tensão existencial. Essa tensão se intensificou ainda mais por sua vida dupla, dividida entre dois mundos: Basileia e Tribschen.

Ainda em Leipzig, ele havia entrado no círculo mágico de Wagner, onde ficou fascinado, encantado com sua personalidade demoníaca. Como músico, porém – isso comprova suas próprias composições –, Nietzsche não possuía qualquer afinidade com o mundo e o poder emocional de Wagner. Sentia-se mais próximo de Schumann. Em Tribschen, juntou-se a isso tudo um segundo fascínio: Cosima. E também a essência mais íntima dessa mulher permaneceu estranha a ele: Ela não era uma pessoa dogmática, mas profundamente religiosa, e esse elemento se manifesta desinibidamente em suas cartas. Nietzsche jamais pôde ser aberto nesse sentido sem temer a reação assustada de Cosima. Portanto, também aqui tudo era ambíguo, insincero.

Tudo isso *junto* causava a "exaustão física", da qual fala em sua carta a Vischer. Via na docência filosófica mais uma vez uma oportunidade de se livrar pelo menos da pesada obrigação profissional. Finalmente, estava tomando uma decisão, tentando assumir as rédeas de seu destino. Mas quando essa única tentativa fraca e hesitante falhou, ele voltou a se entregar totalmente a seu "destino", e cabia agora a este encontrar uma saída desse beco sem saída cada vez mais estreito. Encontrou a saída na doença. Ela desatou nó após nó, vínculo após vínculo.

Na época de seu serviço militar, um acidente o libertara de sua função como artilheiro. Outro pequeno incidente – um tornozelo torcido – o livrara em junho de 1870 de uma carga horária excessiva na escola, e uma doença o tirara da aventura de guerra, a qual ele havia sido incapaz de encarar com seu ser sensível e seus nervos à flor da pele em virtude da tensão gerada pela sua vida dupla há tanto tempo. Agora, com seu pedido a Vischer, ele havia desafiado o destino em outro nível, mas não teve as forças para permanecer em Basileia e defender seus interesses. Ele estava em Lugano nas semanas decisivas. A partir de agora, a doença assumiu completamente a função de decidir por ele quando ele não conseguia encontrar as forças para decidir por si mesmo. Ela o livrou da obrigação no Pädagogium, cortou os vínculos com Wagner, deu-lhe um ano de licença, que ele usaria para sua primeira obra filosófica totalmente independente "Humano, demasiado humano"; ela o livrou de sua docência em Basileia e lhe deu a liberdade de criação, e, por fim, dissolveu seu espírito quando ele se viu diante da tarefa – impossível em vista de seu modo de filosofar – de escrever uma "obra filosófica fundamental" sistemática. Ela o protegeu da necessidade de reconhecer a impossibilidade desse empreendimento. "Vivo aqui num conflito curioso, e é ele que me cansa e esgota até mesmo fisicamente" (carta a Vischer). Este é o diagnóstico assustadoramente correto de sua existência desde Bonn até ao colapso em janeiro de 1889. E a doença se deita sobre o fenômeno Nietzsche como um nimbo, alimentando assim a força mágica que dele emana.

Mesmo que a doença tenha um motivo medicinal-fisiológico concreto, ela tem seu fundamento também no âmbito psicológico, na tensão já insuportável entre profissão e chamado, entre aparência e ser. Ela é elemento essencial do destino e do caráter de Nietzsche. Mais uma vez, ele procura esquivar-se dela, e isso se manifesta de forma avassaladora no grito de sua candidatura, na qual cada palavra precisa ser levada a sério, na qual cada palavra pesa tanto. E também o grito da solidão, o desejo de aproximar seu amigo, provém de uma solidão profunda. Aqui se revela abertamente todo o emaranhamento trágico na vida de Nietzsche.

Nietzsche esperava que essa candidatura à docência filosófica lhe mostrasse o caminho para a liberdade, o caminho para si mesmo. O destino não lhe abriu esse caminho mais fácil, o destino escolheu para ele apenas o caminho da catástrofe, o caminho do sofrimento na doença, primeiro num colapso físico na primavera de 1879 e, por fim, no colapso espiritual.

# IX

# O ano do "nascimento da tragédia" (1871)

Em 2 de janeiro de 1872, chegou às prateleiras das livrarias a primeira grande obra de Nietzsche que procurava transpor os limites da própria disciplina: "O nascimento da tragédia no espírito da música", publicada por E. Fritzsch em Leipzig, editor também dos escritos de Wagner.

A redação final da obra ocorreu essencialmente em 1871; trabalhos preliminares e anotações individuais, porém, foram realizados já bem antes, antes até da sua aventura de guerra em 1870.

Precisamos iniciar a história do desenvolvimento interior do livro com experiências feitas na infância – as mortes precoces do pai e do irmão; no que diz respeito à história exterior do livro, a palestra de 18 de janeiro de 1870 no auditório do museu, organizada pela Sociedade Acadêmica Livre, "O drama musical grego", parece ser a primeira abordagem palpável ao tema. Duas semanas mais tarde, seguiu a esta a palestra "Sócrates e a tragédia", realizada no mesmo local. Depois, Nietzsche interrompe o trabalho, mas sua leitura em maio de 1870 da "Estética", de Friedrich Theodor Vischer\*, agora novamente reabilitado em Tübingen, mostra que ele continuou a se ocupar intensivamente com o tema.

Os preparativos cansativos para o semestre na universidade e no ginásio e as publicações no "Rheinisches Museum" consumiram todo o tempo e todas as forças de Nietzsche, de forma que não pôde se dedicar ao "Livro dos gregos", como deveria ser chamado originalmente. Teve que esperar até as férias no final de julho e no início de agosto, que passou no Maderanertal, para completar um primeiro manuscrito, que agora recebeu o título de "A visão dionisíaca do mundo" e que, após a experiência da guerra, foi entregue a Cosima e Wagner no Natal, agora com

---

\* Em 1844, Vischer caiu em desgraça por causa de sua postura liberal, foi obrigado a emigrar e trabalhou como professor em Zurique (de 1855 a 1866), até poder retornar para Tübingen.

o título de "O nascimento do pensamento trágico". Essas primeiras versões todas focavam ainda no pensamento do trágico e do dionisíaco, mas o esboço "A tragédia e os espíritos livres", redigido em 22 de setembro em Naumburg durante sua reconvalescência, já ampliou seu tema.

Na versão entregue a Cosima, os pensamentos de Nietzsche já haviam alcançado tamanha concretude que podiam servir como base para uma discussão autêntica, por meio da qual o "espírito da música" conquistou uma posição de destaque. No entanto, isso não significava a introdução de um mundo de pensamentos alheios, antes correspondia à natureza de Nietzsche, pois ele também desenvolvia seus conceitos "no espírito da música", como demonstram suas composições (infelizmente levadas ao conhecimento do público com grande atraso), onde a ideia musical sempre domina sobre o texto. Wagner teria apenas acessado uma fonte do potencial produtivo de Nietzsche – nesse caso, uma das mais fortes!

Nietzsche se pôs ao trabalho imediatamente e com veemência. Nas semanas de janeiro e fevereiro criou um manuscrito novo, a primeira versão do futuro livro. Em 22 de fevereiro, escreveu em Lugano o "Prefácio a Richard Wagner", e um prefácio significa sempre um pós-escrito final. Mas aqui nos deparamos com outra característica do modo produtivo de Nietzsche: ele nunca termina. Já suas composições, criadas anos atrás, apresentam esse traço; ele as reescreve repetidas vezes, sobretudo os acordes finais. E encontramos o mesmo traço também nas cartas de Nietzsche, tanto em sua juventude quanto em sua obra posterior: acréscimos, pós-escritos nas margens, no cabeçalho e até mesmo no envelope. Com o passar do tempo, seus livros se confundem cada vez mais, são continuações. E também aqui, no "Nascimento da tragédia", o prefácio não conclui a obra, ele continua a trabalhar nela durante toda a sua estadia em Lugano. E nesse estado de fermentação, ao voltar para Basileia, traz o livro para Tribschen, onde faz uma escala entre 3 e 8 de abril*. Durante esses poucos dias, o mestre e sua esposa precisam ler o manuscrito e discuti-lo com o autor.

Nos últimos tempos, Wagner também havia se ocupado intensamente com os fundamentos da obra de arte musical e dramática, completando em 24 de março seu escrito "Sobre o destino da ópera". Ou seja, ele já estava imerso na temática de Nietzsche.

---

\* Conforme informações dos diários de Richter e Cosima[241, 258].

O próprio Nietzsche alega uma influência direta de Wagner sobre a reformulação do "Nascimento da tragédia", mas não devemos supervalorizá-la. Nietzsche certamente não se alienou de sua posição durante esses poucos dias. Nos dias de Páscoa (9 e 10 de abril), ele já estava de volta em Basileia e usou esses dias para recuperar seu equilíbrio e para acalmar seus nervos após uma viagem cansativa. Em 10 de abril, escreve a Rohde sobre duas noites de insônia. Mas logo volta ao trabalho. As férias ainda continuariam até o dia 10 de maio, e até lá ele pode se dedicar ao livro, incorporando a ele agora as passagens que remetem diretamente à obra de Wagner. Em 26 de abril, Nietzsche envia a primeira parte do manuscrito, intitulado de "Música e tragédia", ao editor Engelmann em Leipzig, que, após um período de hesitação, não o aceita e devolve. Para Nietzsche, é um tempo improdutivo de temor e esperança. Tenta acalmar sua impaciência no início de junho com a publicação privada da palestra de 1º de fevereiro do ano anterior sob o título de "Sócrates e a tragédia". Em 7 de junho, anuncia a Rohde seus planos publicitários com as palavras: "Meu livrinho, cujo nascimento lhe anunciei com – se me lembrar corretamente – bastante cacarejo, se atrasou em virtude das dificuldades dos editores. Extraí uma pequena redação e arquei com os custos de sua publicação em Basileia – trata-se de uma versão modificada da antiga palestra 'Sócrates e a tragédia'. Outra peça 'Sobre o dionisíaco e o apolíneo' deve ser publicada nos 'Preussische Jahrbücher' – caso a aceitem, o que duvido. Tudo parece resultar no custoso prazer de possuir uma biblioteca de pequenos escritos não editados, mas lindamente impressos". Nietzsche exigiu de forma bastante rude que Engelmann lhe devolvesse o manuscrito de sua obra. Engelmann o entregou a Romundt em Leipzig em 29 de junho, após ter sido advertido mais uma vez por Nietzsche: "[...] que voltei a negociar sobre meu manuscrito, negociações estas que não posso mais reverter. [...] Entrementes, necessito urgentemente do meu manuscrito, que precisa ainda de algumas modificações, e peço novamente que me faça o favor de enviá-lo imediatamente ao Sr. Romundt". Estas negociações eram uma mentira tática, a não ser que o próprio Wagner já tivesse recomendado Nietzsche a seu editor Fritzsch; nesse caso, porém, Nietzsche dificilmente teria investido dinheiro numa publicação particular. Como única expressão de decepção encontramos uma oração na carta a Rohde nos meados de julho: "Meu livrinho não encontrou um editor, agora, publico-o em partes: que tortura para a parideira!"

Nietzsche passou as férias de outono com a mãe em Naumburg. Durante sua estadia, fez uma excursão de vários dias para Leipzig. Entre 12 e 14 de outubro encontrou-se ali com amigos, e nessa ocasião entregou seu manuscrito a E.W.

Fritzsch, editor de Wagner. Numa carta de 16 de novembro, Fritzsch aceita o livro e pede que Nietzsche lhe envie o manuscrito completo[8]. Nietzsche responde imediatamente: "Por isso, envio ainda hoje todas as partes já completas do meu livro e prometo enviar-lhe o resto e o prefácio o mais rápido possível. Devemos fazer de tudo para encerrar nosso trabalho até o Natal. Eu e meus amigos esperamos muito deste escrito, e se nossas esperanças se cumprirem, mesmo que apenas em parte, o senhor também se alegrará e receberá o seu agradecimento por ter ajudado a levá-lo ao público. No que diz respeito a todo o resto, creio que, com a ajuda de Richard Wagner, nós chegaremos a um acordo que agrade a todos. [...] Resta-me agora apenas desejar que nossos nomes se reuniram sob uma estrela favorável: visto que nossos nomes se *rimam*".

Dedicou-se também a questões aparentemente secundárias com sua paixão típica – característica que ele preservaria até o fim –, como, por exemplo, à criação e à produção da folha de rosto.

No mesmo dia, em que escreve a Fritzsch, escreve também ao amigo Gersdorff em Berlim: "Fritzsch [...] promete produzir o livro até Natal. Uma produção idêntica ao "Destino da ópera" de Wagner já está *decidida*: alegre-se comigo! Haverá, portanto, um espaço maravilhoso para uma bela vinheta: diga isso a seu amigo artístico e envie-lhe minhas saudações [...]. Estou muito confiante até agora: o livro será vendido em grande número, e o senhor artista criador da vinheta já pode se preparar para um pouquinho de imortalidade". Esse artista era Leopold Rau, que, aparentemente, trabalhava com grande rapidez, pois já em 27 de novembro Nietzsche pôde informar ao seu editor Fritzsch: "Envio-lhe aqui para o nosso livro uma vinheta, criada por um artista formidável. Ela representa o Prometeu libertado de suas amarras. Agora, peço que encarregue o mais rápido possível um gravurista bom e provado com a execução desta vinheta. O criador da vinheta pede que a gravura lhe seja enviada para eventuais correções".

A gráfica também trabalhou rapidamente, pois, apesar de Nietzsche enviar ainda em 12 de dezembro suas últimas correções, o livro saiu da gráfica e da editora já em 29 de dezembro. Em 2 de janeiro de 1872, Nietzsche escreveu a Erwin Rohde: "Foi um momento comovente quando recebi hoje os primeiros exemplares. Tenho em meu coração constantemente estas palavras: 'Cria, ó grande espírito, a obra diária das minhas mãos, para que eu a complete!'"*

---

\* Uma citação de Goethe imprecisa: "Hoffnung", v. 1s. Como Nietzsche costumava fazer, citou-a de memória.

**Momentos de felicidade**

Quando escreveu para casa em 27 de dezembro, antecipando esse evento feliz: "Foi um bom ano, a despeito de seu início preocupante", ele não estava falando apenas da realização de seus sonhos como autor. O ano passado havia lhe dado muitas experiências boas, externas e internas. Sobretudo seu desenvolvimento interior deixou-o em estado de êxtase em virtude de uma concretização significativa de seu caminho. Foi, talvez, o melhor ano de sua vida.

O ano começou sob os efeitos da doença sofrida durante o serviço militar durante a guerra, que exigiu uma primeira licença médica antes do final do semestre. Nietzsche fracassou também com sua candidatura à docência filosófica e em sua tentativa de trazer seu amigo para Basileia, imaginando Erwin Rohde como seu companheiro ideal. Mas sua viagem para Lugano e sua estadia de seis semanas naquela cidade ajudaram a fortalecer sua saúde, devolvendo-lhe sua autoconfiança e sua vontade de trabalhar. E logo ele pôde colher os primeiros frutos: cumpre suas obrigações de ensino durante dois semestres sem problemas de saúde e conquista o respeito das autoridades, que recompensam seu sucesso com dois aumentos sucessivos de 500 francos cada: primeiro em 28 de outubro de 1871, e mais uma vez em 27 de janeiro de 1872. O ano representa também um auge na harmonia entre os irmãos, vivida não só durante as seis semanas em Lugano e na aventura de uma viagem de trenó no passo de São Gotardo, mas também nas férias de verão de 15 de julho até o início de agosto no hotel "Schilthorn" em Gimmelwald (no Vale de Lauterbrunnen, entre Stechelberg e Mürren) – e também nos três meses entre essas duas ocasiões que Elisabeth passou em Basileia. E Nietzsche ganhou também uma nova amizade: passa a tratar seu vizinho de quarto Prof. Franz Overbeck pelo "tu" mais informal, fato notável em vista dos costumes sociais da época e o isolamento de Nietzsche. E o convívio com Jacob Burckhardt também desenvolve uma intimidade surpreendente, mesmo que a diferença de idade tenha impedido uma amizade verdadeira. Burckhardt preservou certa distância como homem mais velho e em virtude de sua peculiaridade.

Sua vida emocional atingiu um auge em 15 de outubro, no dia de seu aniversário, durante suas férias de outono em Naumburg. No dia seguinte, escreveu a Paul Deussen, que não pôde estar presente: "Passei o dia na companhia agradável de Rohde, Von Gersdorff, Krug e Pinder, com uma solenidade incomum. Tratava-se do último dia de um reencontro com os amigos mencionados: passamos a semana passada em Leipzig, numa celebração bem-aventurada de nossas lembranças". Mas, como veremos, na semana seguinte Deussen entrou de forma curiosa no círculo mágico dessa aliança exclusiva, como Nietzsche descreve seus amigos numa carta a Carl von Gersdorff: "Nos nossos tempos, temos um direito de existir apenas como combatentes, como vanguarda de um *saeculum* vindouro. [...] Não temos nós também da nossa última memória de Leipzig a lembrança de tais momentos alienados, que pertencem a outro século? – Ou seja, é assim: Devemos viver na completude, na plenitude e na beleza! Mas isso exige uma grande determinação e não é para todos!"

A sensível alma artística de Nietzsche precisava de uma confirmação, de um eco dessa alegria profunda. Na véspera de sua partida para Basileia, ele escreveu a Rohde e Gersdorff apelos semelhantes – em 20 de outubro de 1871 a Rohde: "Amanhã viajarei para Basileia, erguendo-me da ceia de minhas alegrias de férias como um bebedor satisfeito. Jamais as vive de forma tão solene e farta e sei o que devo a meus amigos. Mais, porém, a todos os demônios aos quais devemos oferecer em breve *uma* hora de sacrifício comum: por meio do qual confirmaremos de forma brilhante a idealidade do tempo e do espaço. Na próxima segunda-feira, às 10 horas da noite, cada um de nós erga a sua taça de escuro vinho tinto e despeje metade na noite escura, com as palavras χαίρετε δαίμονες*, e beba a outra metade. *Probatum est.* Abençoado Samiel! Uhú!" (A invocação de Samiel é uma reminiscência surpreendente da ópera "Freischütz", de Weber, cena do vale do lobo, justamente aquela pela qual Nietzsche desprezou toda a ópera, porque a achava ridícula.)

Na tarde do dia de sua partida (21 de outubro), a mãe convidou ainda um grande número de parentes e amigos, e nessa tarde apareceu também Ulrich von Wilamowitz, agora ainda como admirador de Nietzsche. Wilamowitz, quatro anos mais novo do que Nietzsche, havia ingressado na escola de Pforta imediatamente após a saída de Nietzsche, e veio agora para expressar sua admiração e prestar sua homenagem ao ex-aluno já tão famoso. À noite, Nietzsche embarcou no trem e chegou em Basileia na noite de sábado (22 de outubro) após uma longa e cansativa viagem. Uma semana mais tarde, na segunda-feira (30 de outubro), após uma visita a Tribschen (em 27 de outubro), foi realizada a "consagração aos demônios". Ao amigo Gersdorff ele relatou em 18 de novembro: "Celebrei a consagração aos demônios com Jacob Burckhardt, em sua sala: ele se juntou ao ato festivo e despejamos dois grandes copos de vinho na rua. Em séculos passados, teríamos sido suspeitos de bruxaria. – Quando, já bastante demoníaco, voltei para casa à uma e meia da madrugada, tive a surpresa de encontrar meu amigo Deussen, com o qual andei pelas ruas ainda até às duas horas. Ele partiu com o primeiro trem. Tenho uma

---

* *Chairete, daimones* = sejam saudados, demônios.

lembrança quase fantasmagórica dele, pois o vi apenas à luz fraca das lâmpadas e da lua". "No dia seguinte, tive uma ressaca demoníaca", ele confessa a Rohde em 23 de novembro.

Mas ele escreve sobre essa experiência também a Wagner em 18 de novembro, querendo incluí-lo também: "Da minha última visita a Tribschen (27 de outubro[258]) tenho as lembranças mais ardentes e agradáveis e sei o que devo aos meus demônios, aos quais recentemente ofereci um sacrifício, com uma oferenda de vinho tinto e as palavras χαίρετε δαίμονες: uma festividade realizada simultaneamente em Basileia, Berlim e Kiel, e durante cuja realização todos pensamos também no senhor: Pois o que pedimos aos demônios, o que lhes devemos que não estivesse intimamente vinculado ao senhor?" Disso, porém, Jacob Burckhardt, ao participar da cerimônia, nada sabia; pois, para Wagner, ele jamais teria feito nenhum sacrifício, nem mesmo de brincadeira.

No entanto, Nietzsche demorou três semanas para enviar esses relatos sucintos aos companheiros de sacrifício. Precisava antes terminar seu manuscrito para Fritzsch (cf. p. 331) e compôs também dois manifestos musicais sobre a amizade. Na carta de 18 de novembro a Gersdorff, lemos: "Você não vai acreditar como aqueles calorosos dias do meu encontro durante as férias voltou a se manifestar: na forma de uma composição maior para quatro mãos, na qual ressoa toda a beleza de um outono ensolarado. Já que remete a uma lembrança de juventude, chamei o *opus* de 'Nachhall einer Sylvesternacht, mit Prozessionslied, Bauerntanz und Mitternachtsglocke' (Eco de uma noite de São Silvestre, com hino de processão, dança camponesa e sino da meia-noite). Não é um título engraçado? Poderia muito bem ter acrescentado ainda 'mit Punschbowle und Neujahrsgratulationen' (com ponche e saudações de Ano-Novo). Overbeck e eu tocamos essa composição, é agora o nosso *specificum*. No Natal, presentearei e surpreenderei a Sra. Wagner com esta música. Vocês, meus queridos amigos, são os *dei ex machina* inconscientes desta composição! Há seis anos que não compus nada, e *este* outono voltou a me estimular! Bem-executada, a peça tem uma duração de 20 minutos".

Em 13 de novembro, em uma carta a Gustav Krug, Nietzsche já havia escrito sobre a peça em maior detalhe: "Quão agradáveis são as lembranças que levei comigo dos meus dias de outono em Naumburg! Há muito tempo que não me deleito tanto no prazer da amizade, da pátria, do passado e do presente, e deve grande gratidão aos meus amigos [...]. Entrementes, completei um *opus* curioso, como que caído do céu. A primeira ideia era apenas adaptar algumas peças antigas para quatro mãos, para que eu pudesse tocá-las com meu amigo Overbeck. Lembrei-me daquela

334

'Noite de São Silvestre'*: mas assim que comprei o papel pautado, tudo se transformou sob as minhas mãos, e a partir do primeiro acorde criou-se algo completamente novo [...]. Você sabe o quanto fiquei surpreso ao encontrá-lo ainda em vigorosa disposição de compositor, e senti-me murcho ou também 'sábio' pelo fato de ter resignado há seis anos [...]. E veja só os frutos que seu exemplo produziu em mim! No entanto, agora que a obra está terminada, voltei ao ponto anterior e não pretendo compor outras peças: [...] esta composição [...] tem um caráter popular, jamais se rende ao trágico, apenas de vez em quando à sobriedade e melancolia. Por vezes, é triunfal, até dolorosamente descontraída – se você quiser se lembrar da atmosfera das nossas férias, das nossas caminhadas no *Knabenberg* e até mesmo da 'coisa em si', você terá uma exemplificação desta 'manifestação dionisíaca'. Toda a peça se apoia em poucos temas; seu caráter, porém, é orquestral e exige uma orquestração, mas, como você sabe, isso ultrapassa minhas habilidades. Os aniversários são o 1º ao 7 de novembro: o manuscrito é tão legível que, até agora, tenho usado sempre a primeira versão para tocá-la com Overbeck. Agora, o copio mais uma vez para dá-lo como presente de aniversário para minha excelente e venerada amiga Cosima Wagner. [...] A cada seis anos me livro de forma dionisíaca do encanto da música! [...] Trata-se de um eco também do meu período musical, um eco de São Silvestre de um ano musical".

Repetidas vezes, Nietzsche alega não ter composto nada há seis anos, desde a composição do *Kyrie* para sua mãe em 2 de fevereiro de 1866. Mas, em 1867, compôs um quarteto vocal com acompanhamento de piano ("Dias ensolarados de outono" (texto de Geibel)[125]) para sua prima Mathilde Schenk, e o coro "Adeus, preciso partir", composto em agosto de 1870 – e nos mesmos dias em que escreve que jamais voltaria a compor algo após o "Eco", ele escreve o "Kirchengeschichtliches Responsorium" (Responsório da história da Igreja) para coro com acompanhamento de piano para o aniversário de seu novo amigo Franz Overbeck (16 de novembro de 1871). Trata-se de uma peça curta, e o texto também parece ser do próprio Nietzsche:

1º coro de preguiçosos estudantes de teologia que se espreguiçam:
> Ó! Á! Não aprendo história da Igreja com Overbeck,
> Mas com o velho Hagenbach gralhador.
> Hagenbach nos preza como estudantes
> Que estudam por ofício, pão e mulher.

---

* Para violino e piano, composta entre 29 de dezembro de 1863 a 2 de janeiro de 1864.

(Choraliter:) Quem confiar em Deus
E no velho Hagenbach
Sobreviverá maravilhosamente
Mesmo em tempos de exames.

Entra então o "coro de espectadores indignados":
Pois maravilhosamente bruto, burro e destemido
Sem um pingo do espírito do nosso Overbeck
Nem de todas as suas outras amáveis particularidades.

O vocabulário desse texto descontraído provém evidentemente dos ataques ardentes de Schopenhauer contra a filosofia universitária, que Nietzsche reveste com sua típica ironia*.

Nesse outono de 1871, encontramos Nietzsche em um humor descontraído. Temporariamente, fez as pazes até com suas obrigações profissionais, chega até a reconhecer nelas uma tarefa importante, um pensamento que o capacita a escrever suas palestras "Sobre o futuro dos nossos estabelecimentos de ensino", após entreter mais uma vez brevemente a ideia de abandonar seu cargo. Em 3 de setembro, Cosima escrevera: "Para que eu não me esqueça quero informá-lo logo que a Princesa Hatzfeld [...] me falou de seu filho [...] e me disse que gostaria de enviá-lo em uma viagem (Itália, Grécia, Oriente, América) em companhia culta. O senhor poderia recomendar alguém? Parti da convicção [...] que essa oferta poderia servir a homens dedicados". Apressadamente e sem reflexão aprofundada, Nietzsche pretende aproveitar pessoalmente essa oportunidade. Poucos dias depois, escreve à irmã: "Você conhece meus desejos referentes a uma grande viagem. Recebi de Tribschen uma oferta relacionada a isso. Confidencio-lhe que um dos amigos de Tribschen (um jovem príncipe alemão, que participou da guerra e é candidato a um alto cargo público e também morgado) procura para uma viagem para a Itália, Grécia, Oriente etc. um companheiro inteligente e culto, e me perguntaram se eu conhecia alguém que pudesse recomendar. --- Não sei. --- . Estes são os últimos pensamentos com os quais permaneço calado sob os selos da discrição [...]". Ele deve ter escrito algo parecido a Cosima, pois ela refuta essa ideia logo no início de sua carta de 17 de

---

* Carl Rudolf Hagenbach (1801-1874), tão atacado neste texto, era filho de uma antiga família de Basileia. Desde outubro de 1824, era professor extraordinário e, a partir de 1828, professor ordinário de História da Igreja na Universidade de Basileia. Participava ativamente não na vida política, mas na vida científica, artística e social de sua cidade natal[111]. É nesse aspecto "prático" que o jovem Nietzsche ataca o velho senhor da outra faculdade, defendendo seu amigo Franz Overbeck, que – desde a Páscoa de 1870 – ocupava a quinta docência da Faculdade Teológica como professor extraordinário também de História da Igreja.

setembro: "Não havia pensado em algum de seus amigos, mas em alguma pessoa dedicada e ambiciosa, ainda sem emprego ou que ainda não queira se submeter ao jugo de um cargo; em tom de brincadeira, eu disse ao Mestre 'quão bem-vinda teria sido tal oferta a Winckelmann ou Lessing; assim, o primeiro não teria caído nos braços dos jesuítas; e o segundo não teria se juntado aos comediantes'. De forma alguma, porém, pensei no senhor, prezado professor, e cometeria uma blasfêmia se eu o aconselhasse a desistir de sua posição respeitada por algo que não sei como poderia lhe agradar". Rapidamente, Nietzsche desiste da ideia; no entanto, e ao contrário do voto de discrição, ele deve ter falado sobre isso em Basileia, provavelmente com o Conselheiro Vischer, pois o primeiro aumento de seu salário em 28 de outubro foi efetuado com a justificativa: "porque, recentemente, ao receber uma oferta vantajosa de se tornar acompanhante de viagem de uma pessoa nobre, ele a recusou"[242]. Evidentemente, isso era apenas um pretexto para elevar seu salário ao nível do salário de Eucken, que acabara de iniciar sua atividade de ensino com um salário anual de 4.200 francos.

Essas primeiras semanas de outono eram completamente dedicadas a serviços de amizade. Heinrich Romundt de Leipzig visitou Nietzsche em Basileia de 5 a 8 de setembro. Nos meados de junho do ano seguinte, Romundt se mudaria para Basileia como livre-docente de filosofia, e certamente Nietzsche iniciou as negociações para a *venia legendi* nesses dias de setembro. E dedicou-se com sucesso ainda a outro empreendimento. Certa família Kantchin da Rússia perguntara a Overbeck se ele podia recomendar-lhes um educador. Overbeck, porém, não conhecia nenhum e ele deve ter falado com Nietzsche sobre esse pedido. Dessa vez, Nietzsche não pensou em si mesmo, mas se lembrou do amigo Deussen, ao qual escreveu em 12 de setembro: "Você ainda pretende se habilitar para a filosofia? [...] recebi hoje uma oferta, que lhe poderia ser útil. [...] Trata-se de viver na casa de uma família russa, a partir do inverno, em Florença. Um garoto talentoso, mas um pouco mimado, de 13 anos de idade, precisa ser instruído em inglês, latim e alemão. A família se comunica em francês. Esse acúmulo linguístico não representaria nenhuma dificuldade para você. O salário é alto, 3 a 4 mil francos, ou seja, mais ou menos mil tálers. Hospedagem naturalmente de graça. Isso lhe daria uma liberdade de quatro anos, e você poderia se dedicar completamente aos preparativos filosóficos. [...] Você ganharia tempo e dinheiro, sem falar de sua estadia na Itália, na Suíça etc. [...] única condição é que assuma a posição já neste inverno". Deussen realmente recebeu o emprego, mas apenas em outubro do ano seguinte (1872). Esse êxito deve ter dado alguma satisfação a Nietzsche, visto que seu plano inicial de trazer Rohde para Basileia e, mais tarde, para Zurique havia fracassado a despeito de seus grandes esforços.

O caminho por meio de uma posição de educador para a filosofia como a tarefa educativa por excelência, por meio da profissão de filólogo como fundamento para a tarefa existencial do filósofo: nesse sentido, como degrau e caminho, Nietzsche aceita sua posição atual já na carta de 2 de julho a Deussen: "Esta duplicidade da posição, em parte como professor ginasial, em parte como docente universitário, contém algo muito valioso. Eu peço que não desista de seu emprego na escola por mero aborrecimento. Trata-se de nossa posição mais esperançosa: e quem – como eu – pensou nas reformas mais profundas dos estabelecimentos de ensino, preza altamente a prática, a rica empiria de uma posição como professor ginasial. Pois nela precisamos *começar* a expressar nossa contemplação mais séria do mundo. A universidade dificilmente seria o solo mais fértil para isso".

### Reconciliação com a profissão

Aparentemente, Nietzsche sentia um vínculo particularmente forte com sua turma ginasial. Nas conferências de professores do Pädagogium, Nietzsche se empenhou para que as aulas de grego fossem distribuídas de modo mais homogêneo durante a semana e procurou fornecer uma atmosfera livre de perturbações exteriores. Na Conferência de 25 de agosto de 1871, depositou o pedido para que se solicitasse junto às autoridades "uma diminuição do barulho das carruagens no Münsterplatz por meio do processo de macadame e uma diminuição obrigatória da velocidade". O pedido foi encaminhado para o conselho educacional, à Pequena Câmara, ao colegiado de infraestrutura, ao engenheiro cantonal, mas é rejeitado após a elaboração de um projeto sólido por este último. A Pequena Câmara sugere então ao colegiado educacional entrar em acordo com os donos das respectivas carruagens.

Para Nietzsche, a carga horária do semestre de inverno havia sido reduzida por apenas duas horas semanais. No semestre de verão de 1871, porém, leu ainda: "Introdução ao estudo da filologia clássica" (3 horas); anunciara, além disso, novamente o $1^\circ$ livro de Quintiliano, mas não existem documentos que comprovem a realização deste curso. Para o seminário, havia anunciado o "Édipo rei", de Sófocles, mas o substituiu pelas "Erga" de Hesíodo e alguns textos de Tucídides[122].

Em 13 de novembro, escreveu à irmã sobre o início do semestre de inverno: "Retomei todas as preleções no início da semana passada, com nove estudantes numa e seis estudantes na outra. Faço uma preleção de três horas e outra de uma hora; além disso, exercícios para o seminário e minhas aulas no Pädagogium. Ou seja, onze horas semanais, o que me deixa satisfeito". E a Gustav Krug escreve também em 13 de novembro: "Agora, o novo semestre está exigindo minha atenção:

meus interesses estão voltados para Platão e a epigrafia latina. Ouço a musa da arte sonora apenas de longe". As preleções eram: "Introdução ao estudo dos diálogos platônicos" (3 horas); "Epigrafia latina" (1 hora); cancelou a preleção anunciada sobre o diálogo "De oratoribus". O exercício do seminário se concentrou novamente em Hesíodo. No Pädagogium, os dois semestres eram concebidos como curso anual conforme o ano escolar, que começava na primavera. No semestre de verão, ensinou aos alunos as "Formas principais da poesia grega", com exemplos de Hesíodo (para a poesia épica), de Tirteu, Sólon e Teógnis (para a poesia elegíaca), de Alceu, Álcman, Safo, Simônides e Píndaro (para a poesia lírica), de Teócrito (para a poesia bucólica) e, para encerrar, o final do "Prometeu", de Ésquilo (para a poesia dramática). No semestre de inverno, tratou das "Formas principais da prosa grega", com exemplos do "Fédon", de Platão; das "Filípicas I e II", de Demóstenes, e como leitura particular Heródoto, Tucídides, Plutarco, Luciano e, para que os poetas não fossem esquecidos: Homero, Ésquilo, Eurípides e Aristófanes. Um programa rico para uma turma ginasial![105, 122]

### Como cavalheiro de Cosima Wagner

O ano de 1871 terminou com um auge absoluto. A associação wagneriana de Mannheim havia organizado para o dia 20 de dezembro o concerto beneficiente em prol do empreendimento de Bayreuth, com Wagner como dirigente. O programa oferecia: 1) Marcha imperial; 2) Mozart, abertura da "Flauta mágica"; 3) Beethoven, 7ª sinfonia (em lá maior); 4) Wagner, prelúdio ao "Lohengrin", prelúdio aos "Cantores Mestres", prelúdio e cena final (a chamada "morte de amor") de "Tristão e Isolda"[258]. Wagner havia partido de Tribschen já em 9 de dezembro, com uma escala em Munique, de onde partiu em 13 de dezembro para Bayreuth, para inspecionar o terreno para o teatro. Em 16 de dezembro, seguiu para Mannheim, para dirigir os ensaios. No dia 16, Cosima se despede de Tribschen e viaja até Basileia, onde chega às 9 horas da noite[258], e segue para Mannheim no dia seguinte, com Nietzsche como seu companheiro de viagem. Durante quatro dias ocupou a posição de cavalheiro e, no dia 20 de dezembro, levou a dama ao concerto, o que – curiosamente – Cosima não menciona (discretamente) em seu diário. No ensaio geral, realizado naquela manhã, o "Idílio de Siegfried" foi apresentado duas vezes a convidados especiais.

Aos olhos do mundo inteiro, Nietzsche era agora a pessoa mais próxima à família Wagner. Era como ele mesmo se via: "Reservamos o primeiro piso no hotel 'Europäischer Hof', e das muitas honras concedidas a Wagner algumas recaíram também sobre mim como seu confidente mais próximo", Nietzsche escreveu em

23 de dezembro à sua família, no entanto, em virtude da mesquinhez burguesa de Naumburg, precisa acrescentar imediatamente: "Apesar de tudo, esta viagem me custou relativamente pouco, mesmo estando fora da segunda à quinta-feira". Escreveu com maior liberdade a Carl von Gersdorff e sobretudo a Erwin Rohde já no dia de seu retorno após uma viagem de trem noturna, feita imediatamente após o concerto: "Sinto-me maravilhosamente confirmado em meus conhecimentos musicais [...] por aquilo que vivenciei esta semana em Mannheim juntamente com Wagner. Ah, meu amigo! Queria que você pudesse ter participado! O que valem todas as outras lembranças e experiências artísticas comparadas a estas mais recentes! Senti-me como alguém cuja noção vaga finalmente se concretiza. Pois música é exatamente isto, e nada mais! E é exatamente isto que expresso com a palavra 'música' quando descrevo o dionisíaco, e nada mais! E quando imagino que algumas centenas de pessoas terão da música o que eu tenho dela, espero uma cultura completamente nova! Tudo que resta e que não pode ser expresso em relações musicais gera em mim nojo e repugnância!"

Nietzsche também recebeu manifestações de uma delicadeza singular de outro lado. No final do ano, Cosima lhe escreveu: "Recentemente, gozamos juntos da felicidade, na aliança da fé compartilhada; devemos pedir do demônio do Ano-Novo outras horas em lá maior, que tornam o amor e a lealdade tão palpáveis. O senhor sente como eu que ainda não ouvimos o bastante? Esta é a forma atual do meu anseio pelo indizível". Mas ela havia sido obrigada a começar sua carta com estas palavras: "Sentimos muito a sua falta ao pé da nossa árvore de Natal; o agradável se transforma tão rapidamente em costume, e como quando li as suas linhas, que tanto me alegraram, senti que o senhor teve o mesmo sentimento. Neste ano, porém, transferimos a Festa de Natal para Mannheim, e assim podemos supor que a corrente não foi interrompida. Para o senhor, este ano se encerra bem melhor do que começou".

### Natal e Ano-Novo movimentados

No fim desse ano, Nietzsche havia se mantido afastado de Tribschen, sem nenhum motivo evidente, pois o que ele alega nas cartas a Rohde e à família dificilmente justifica sua ausência. Em 21 de dezembro escreve a Rohde: "Passarei o Natal deste ano sozinho em Basileia e recusei os convites de Tribschen. Preciso de tempo e de solidão para refletir sobre minhas seis palestras (o futuro dos estabelecimentos de ensino) e para me acalmar. Dediquei à Sra. Wagner, que celebra seu aniversário no dia 25 de dezembro [...] minha "Noite de São Silvestre" e estou ansioso para ouvir o juízo de Tribschen sobre meu trabalho musical, pois até agora nunca me deram uma crítica competente". Durante esses dias, andou por Basileia – de forma alguma solitário – e relata em 27 de dezembro à mãe e à irmã: "Por meio de Pianino vem um quadro de Holbein, o grande Erasmo, que os jovens Vischer me deram como presente na noite de Natal. Assim, vocês sabem onde estive naquela noite: hoje estarei com a família Bachofen; e na noite de São Silvestre, na casa do velho Vischer, de forma que terei três experiências com a árvore de Natal. Para a sexta-feira (= 29 de dezembro), fui convidado pelo velho Stähelin em Liestal". Ou seja: um convite a cada dois dias. Em Tribschen, ele teria encontrado mais tempo e tranquilidade para refletir sobre suas palestras. O motivo mais profundo para a desistência dessa visita a Tribschen se manifesta timidamente na carta a Rohde: No ano anterior, Wagner havia surpreendido sua Cosima com a composição do "Idílio de Siegfried"; neste ano, Nietzsche havia retomado suas atividades como compositor e presenteado a Sra. Cosima com seu "Eco de uma noite de São Silvestre", para piano a quatro mãos. Como esse trabalho seria recebido? Nietzsche foge dessa reação, ele se esconde em sua "toca em Basileia" e prefere perder a experiência de passar os dias de Natal em Tribschen.

Cosima reage com tato e delicadeza em 30 de dezembro de 1871[15]: "O Dia de São Silvestre agradece pela melodia noturna de São Silvestre; impressões compartilhadas transformadas em lembranças ressoavam nos sinos da meia-noite do meu aniversário, e agradeço ao amável 'melômano'!" Apenas 15 anos mais tarde, em novembro de 1887, em uma carta a Felix Mottl, ela revela algo daquilo que se passou em Tribschen: "Jakob Stocker, meu servo [...], enquanto retirava a louça da mesa [...] parou, ouviu atentamente e, por fim, saiu com as palavras 'Não me parece bom'. Confesso que, de tanto rir, apesar da nossa grande amizade na época, não consegui terminar de tocar a peça"[81, 123]. A cena é relatada em maior detalhe por Hans Richter, que "tocava os 'Sinos de São Silvestre' juntamente com a Sra. Mestra. Wagner ouviu inquieto, amassava sua boina e saiu da sala antes do final da peça [...], eu temia uma irrupção de raiva. Mas a crítica de Jakob (que Richter também registra) o acalmou; o Mestre caiu na gargalhada. 'Convivemos com uma pessoa há um ano e meio e não fazemos ideia de algo assim; então ele se aproxima traiçoeiramente no disfarce de uma partitura'"[254]. Mas em sua próxima visita a Tribschen em 20 de janeiro de 1872, Nietzsche teve a oportunidade de melhorar a impressão. Cosima anota em seu diário[258]: "Prof. Nietzsche, cuja visita nos alegra muito. Discutimos muito; planos para o futuro, reforma da escola etc.; ele toca lindamente para nós a sua composição".

Com seu livro, porém, Nietzsche teve sucesso total em Tribschen. Ele havia nutrido a esperança que sua obra fosse publicada ainda antes do Natal, mas teve que se contentar em presenteá-lo aos Wagner no Ano-Novo. Em 2 de janeiro de 1872, enviou alguns exemplares a Tribschen. No dia 18, Cosima agradeceu e reconheceu: "Como é lindo o seu livro! Quão lindo e profundo e ousado! Quem o recompensará, perguntaria temorosa, se não soubesse que a própria concepção destas coisas lhe significa a maior recompensa [...]. Neste livro, o senhor domou espíritos os quais eu acreditava serem submissos apenas ao nosso Mestre; o senhor lançou a mais forte luz sobre dois mundos, um dos quais não vemos por ser tão distante, o outro dos quais não reconhecemos por ser próximo demais, de forma que apreendemos a beleza que, até então, nos encantava apenas como vaga noção, e compreendemos a feiura que quase nos esmagava; e o senhor dirige a sua luz confortante para o futuro – que, para os nossos corações, é o presente – permitindo assim que possamos dizer com esperança: 'o bem vencerá!' Não tenho palavras para lhe dizer o quanto o seu livro me eleva [...] e como conseguiu expor as mais difíceis perguntas de forma tão plástica! Li este escrito como uma poesia [...] pois ele me dá respostas para todas as minhas perguntas inconscientes do meu íntimo. [...] Por ora, fique bem; os aposentos inferior e superior o saúdam, neste último trabalha agora o Mestre e descanso do seu lado: o seu livro!"*

Nietzsche pôde então escrever com todo direito aos familiares em Naumburg: "Este foi um bom ano".

### A sombra de Dioniso

Foi, provavelmente, o melhor ano de sua vida, pois poucos meses mais tarde começariam já os abalos de ataques contra a obra, perdas pessoais, dúvidas internas e a deterioração contínua de sua saúde física. Mas mesmo sobre este ano de felicidade, deita-se já um véu de melancolia. A obra desse ano jubiloso não apresenta – a despeito da exposição fogosa do tema da existência trágica, do "dionisíaco" – o "bacântico"!

Ele esboça a diferença na segunda seção de seu livro: "[...] para desvelar o enorme abismo que separa os gregos dionisíacos dos bárbaros dionisíacos. De todos os confins do mundo antigo [...] podemos demonstrar a existência de festas dionisíacas, cujo tipo, na melhor das hipóteses, se apresenta em relação ao tipo da festa grega como o barbudo sátiro, cujo nome e atributos derivam do bode, em relação ao próprio Dioniso. Quase por toda parte, o centro dessas celebrações consistia

---

\* "Trabalha agora o mestre": estava compondo a cena das nornas do "Crepúsculo dos deuses".

numa desenfreada licença sexual [...]. Contra as excitações febris dessas orgias, cujo conhecimento penetrou até os gregos por todos os caminhos da terra e do mar, eles permaneceram, ao que parece, inteiramente assegurados e protegidos durante algum tempo pela figura, a erguer-se aqui em toda a sua altivez, de Apolo [...]. É na arte dórica que se imortalizou essa majestosa e rejeitadora atitude de Apolo. Mais perigosa [...] tornou-se a resistência, quando, por fim, das raízes mais profundas do helenismo começaram a irromper impulsos parecidos: agora a ação do deus délfico restringiu-se a tirar das mãos de seu poderoso oponente as armas destruidoras [...]. Quando vemos porém como, sob a pressão deste pacto de paz, a potência dionisíaca se manifestou, reconhecemos agora nas orgias dionisíacas dos gregos, em comparação às Sáceas babilônicas e sua retrogradação do homem ao tigre e ao macaco, o significado das festas de redenção universal e dos dias de transfiguração. Só com elas alcança a natureza o júbilo artístico"*.

Como todas as obras de Nietzsche, "O nascimento da tragédia no espírito da música" é um livro confessional. Apoiando-se em sua vivência íntima, o livro esboça em exposição passional uma imagem mais da situação espiritual do autor do que do objeto apresentado – a tragédia ática. A forma de representação é o diálogo: Nietzsche fala com um "tu", com amigos específicos ou imaginados, aos quais repetidas vezes ele se dirige diretamente, sobretudo a Richard Wagner, ao qual ele dedica um prefácio, onde lemos: "[...] represento-me o instante em que vós, meu mui venerado amigo, recebereis este ensaio [...] vós haveis de [...] ler o meu nome e imediatamente ficar convencido de que, seja o que for aquilo que se encontrar neste escrito, o autor tem certamente algo de sério e urgente a dizer, outrossim que [...] conversava convosco como se estivésseis presente e só devesse escrever coisas que correspondessem a essa presença"**.

Trata-se de um grande monólogo dentro de um simpósio.

Em 25 seções sucintas, Nietzsche procura desvelar os fundamentos a partir dos quais a tragédia pôde surgir como obra de arte, mas também como e por que ela morreu após um curto período de florescimento. Com a visão da obra de Richard Wagner como verdadeiro renascimento da tragédia e com a esperança do seu efeito educador, ele se afasta dois milênios de seu tema e confere ao livro seu aspecto "moderno" e contemporâneo. Encontramos esse traço em toda a natureza

---

* NIETZSCHE, F. *O nascimento da tragédia*. São Paulo: Companhia das Letras, 1992, p. 33-34 [Trad. de J. Guinsburg].

** Ibid., p. 25.

e obra de Nietzsche: a referência imediata à Antiguidade, sem intermediários – e, inversamente, o salto da Antiguidade para o presente, também sem intermediários.

Assim, estabelece vínculos diretos entre símbolos antigos (Dioniso, Apolo e Sócrates) com Schopenhauer e Wagner, interpretando-os a partir da visão, da metafísica da filosofia de Schopenhauer.

O mundo acadêmico tem aplicado muita argúcia e assiduidade para demonstrar e acusar o filólogo Nietzsche de que seus deuses Dioniso e Apolo não correspondem aos conhecimentos da história da religião, também que seu emprego como símbolos não teria sido inventado por ele, mas que existiriam para isso fases preliminares e modelos. H. Wagenvoort, por exemplo, defende a tese[257] segundo a qual Nietzsche teria lido em 1866 – por intermédio de Rohde – o livro "La Bible de l'humanité", de Jules Michelet, e publicado em 1864, no qual o historiador francês nascido em 1798 já expõe a polaridade "apolíneo – dionisíaco" no mesmo sentido como o faz Nietzsche em seu livro.

A fonte mais provável é apresentada por Martin Vogel em sua exposição abrangente[256], que remete ao círculo de Tribschen. O centro de sua tese é ocupado pelo quadro encontrado em Tribschen "Dioniso (Baco) entre as musas", de Bonaventura Gemelli (1798-1868), o qual Nietzsche cita explicitamente em sua carta a Rohde de 16 de julho de 1872 em sua defesa contra Wilamowitz. Mas existe ainda algo que conecta as duas teses: Tribschen conhecia Michelet e o discutia!

Em 1860, Malwida von Meysenbug havia conhecido o historiador em Paris, ela o prezava e permaneceu em contato com ele pessoalmente. Quando o historiador morreu em 1874, o genro de Malwida, Gabriel Monod, presenteou seu colega com uma biografia em 1875. Malwida introduziu a obra de Michelet no círculo de Wagner e organizou no inverno de 1876 uma leitura de seus textos em Sorrento, juntamente com Nietzsche e Rée. Cosima menciona o livro mais recente de Michelet, "La France devant l'Europe", no diário de 12 fevereiro de 1871. Podemos supor que o par de conceitos "apolíneo – dionisíaco" tenha sido discutido em Tribschen como par antitético, porque a palestra de Nietzsche "O drama musical grego", de 18 de janeiro de 1870, ainda não o contém nesta forma. Nessa palestra, Nietzsche menciona Dioniso apenas uma vez no cortejo de seus companheiros. Isso seria um argumento contra uma influência direta de Michelet já em 1866.

Não podemos também esquecer as conversas sobre as extensas leituras de Wagner dos textos de Platão, sobre os ataques de Platão a Homero, sobre o recalcamento da arte e também da música e sua transformação em mera "função educacional".

É possível demonstrar tais influências para toda a obra de Nietzsche, até o "Caso Wagner" (Bourget, Baudelaire[267]). Mas o que ganhamos com isso?

Nietzsche possuía uma capacidade excepcional de adaptação. Ele acatava conceitos, pensamentos e fundamentos sem se transformar em plagiador, pois refletia os elementos acatados numa forma, numa consequência e num radicalismo não contidos no original. Apenas por meio dele é que os "elementos acatados" adquiriam seu peso, sua forma e sua importância, que lhes permitiram sobreviver e se transformar em elementos fundamentais da filosofia. E por mais corretas sejam todas essas referências e objeções, elas não afetam a essência do pensamento de Nietzsche. Nietzsche usa o "apolíneo – dionisíaco" para designar possibilidades, modos de expressão e conteúdos artísticos reais da obra de arte, e emprega para isso os nomes desses deuses como símbolos. Ao fazê-lo, reduz essas deidades a poucos traços característicos, que elas possuem, mas que não constituem todo o seu ser. Mas quem conhece todo o seu ser? Diante da dificuldade ou até mesmo impossibilidade de obter clareza sobre a religiosidade multifacetada dos gregos, a imaginação do artista preserva um amplo campo de ação, do qual os poetas e pensadores e também os artistas plásticos da Antiguidade aproveitaram em toda a sua extensão. Formaram para si e para seu povo (e para a posterioridade) seus deuses e lhes atribuíram um conteúdo – de forma incessante. Como é grande a diferença entre os deuses de Homero e Epicuro! Mas também a imagem dos heróis foi essencialmente cunhada pelas tragédias áticas. Por que aquilo que os artistas da Antiguidade fizeram com seus próprios deuses não deveria ser permitido a um descendente tardio, para o qual esses deuses não podem ser mais do que símbolos, se ele possuir as forças mitográficas de um artista? E não há como negar que Nietzsche as possuía. No bem e no mal, contribuiu até a sua morte – e além dela – para a formação de mitos. Isso se devia também ao seu tempo. O que nos significariam as figuras das lendas germânicas e o mito do "Anel" sem a obra de Wagner? A germanística dificilmente teria conseguido reavivar este mundo dos textos medievais.

Nietzsche formulou claramente como queria que seus símbolos fossem compreendidos[3]: "Até agora examinamos o apolíneo e o seu oposto, o dionisíaco, como poderes artísticos: [...] por um lado, como o mundo figural do sonho, cuja perfeição independe de qualquer conexão com a altitude intelectual ou a educação artística do indivíduo; por outro, como realidade inebriante que novamente não leva em conta o indivíduo, mas procura inclusive destruí-lo e libertá-lo por meio de um sentimento místico de unidade".

Desses dois símbolos, o dionisíaco, como elemento salvador, recebe o seu significado que sustenta toda a vida, toda a existência espiritual de Nietzsche; ele precisava remi-lo do peso de uma profunda ferida psicológica. Em uma retrospectiva autobiográfica de 1863, lemos[4]: "Nasci como planta perto do cemitério; como ser humano, na casa de um pastor". Nessas palavras do jovem de 19 anos de idade se expressa mais uma vez o abalo causado pela morte precoce do pai. Essa experiência primordial e trágica, o reconhecimento da efemeridade de todo nosso mundo é comum a todos os seres humanos, que a vivenciam de forma mais ou menos intensa, de forma mais ou menos consciente. Os cultos fúnebres, a relação com o reino dos mortos, com um mundo no qual os mortos podem ser imaginados como vivos, predominam em todas as culturas primitivas. As grandes religiões definem essa relação em dogmas sublimes, e, no fundo, também a filosofia gira em torno da pergunta sobre a relação entre aquilo que surge e desvanece e o fundamento primordial que sustenta tudo isso. Nietzsche voltou a se ocupar sempre de novo com dois pensamentos filosóficos desse tipo: Platão e Schopenhauer. E essa ocupação, que preenche toda a sua obra, se inicia aqui no "Nascimento da tragédia" com toda a sua gravidade e o conduz para uma região que ele nunca mais abandonaria e que reluziria de forma assustadora na exaltação da loucura no início de seu colapso espiritual. Algumas orações da primeira passagem do livro se apresentam como uma visão assombrosa de seu próprio futuro[3]:

Cantando e dançando, manifesta-se o homem como membro de uma comunidade superior: ele desaprendeu a andar e a falar, e está a ponto de, dançando, sair voando pelos ares. [...] Do interior do homem também soa algo de sobrenatural: ele se sente como um deus, ele próprio caminha agora tão extasiado e enlevado, como vira em sonho os deuses caminharem"*. Overbeck o encontraria em Turin em janeiro de 1889 nesse mesmo êxtase.

Partindo da metafísica de Schopenhauer, Nietzsche procura uma posição de oposição ou substituição ao cristianismo, e ele a encontra no símbolo do Dioniso-Zagreu, no mito do Dioniso esquartejado, na divisão do uno primordial em todos os destinos individuais, no mundo das manifestações, que ele designa como parte "apolínea". O uno primordial, o fundamento do ser – a "vontade" de Schopenhauer – se apresenta a ele como algo que pode ser vivenciado de forma imediata e é, de fato, vivenciada por meio da música, mais especificamente por meio da música de Beethoven e agora, também, de Wagner. Nietzsche diz sobre isso: "A música [...] se diferencia nisso de todas as outras artes, pois é imagem imediata da própria vontade e, portanto, representa o metafísico correspondente a todo o físico do mundo, a coisa

---

* Ibid., p. 31.

em si correspondente a toda manifestação. Poderíamos, portanto, chamar o mundo também como música encarnada, como vontade encarnada". Aqui, Nietzsche repete simplesmente as palavras de Schopenhauer ("O mundo como vontade e representação", 3º livro, capítulo 52).

"Para aquele que se entrega inteiramente à impressão de uma sinfonia, cria-se a impressão como se visse passar diante de seus olhos todos os eventos possíveis da vida e do mundo: mesmo assim, não pode, ao conscientizar-se, indicar qualquer semelhança entre aquele conjunto de tons e as coisas que imaginou."

O conhecimento trágico busca, afirma a dissolução da individuação em um fundamento primordial geral, da qual emanam em uma plenitude incomensurável sempre novas manifestações. Assim surge na tragédia ática do coro, do espírito da música como representante do dionisíaco geral, a personalidade individual, o herói trágico, que, assim que pisa no palco, se aproxima de forma inevitável da destruição, da dissolução, do retorno para o uno primordial. Inconfundivelmente presente está aqui já o conceito posterior do "retorno eterno do mesmo", igualmente evidente é, porém, também sua refutação da solução cristã para o problema com a promessa de uma existência individual eterna num outro mundo "melhor", pela graça de Deus. Já aqui Nietzsche interpreta o cristianismo como o atacará 17 anos mais tarde em seu "Anticristo". Ele não pode aceitar a ideia de que a morte seja um castigo para a culpa hereditária, para o pecado original de Adão. Seu pai foi e permaneceu um dos homens que Nietzsche mais venerou e respeitou. Sua veneração do pai se recusava a aceitar que este homem pio e bondoso teria sofrido a morte precoce como castigo para sua "culpa", para seu pecado. Ele não podia aceitar como verdadeira essa sequência lógico-causal da teologia dogmática cristã. Ainda em "Ecce homo" (no capítulo "Porque sou tão sábio"), ele escreve[5]: "Escapa-me completamente a que ponto poderia eu ser 'pecador'. [...] 'Deus', 'imortalidade da alma', 'redenção', 'além', simples conceitos a que não dediquei nenhuma atenção, também nenhum tempo, nem sequer em criança"*. A isso ele contrapôs o conceito trágico-dionisíaco, que mais tarde se cristalizaria na fórmula da "ingenuidade do devir". Aqui, no "Nascimento da tragédia", ele aguça a oposição na contraposição da lenda de Prometeu ao mito da queda, que se transformam para ele em elementos típicos da natureza ariana (Prometeu) e semítica (queda), plantando assim já a semente do tema do "Anticristo" (1888).

---

* NIETZSCHE, F. *Ecce homo*. Covilhã: Lusosofia, 2008 [Trad. de Artur Morão].

Nietzsche confere amplo espaço à exposição da queda da tragédia em decorrência da emergência da dialética de Eurípides, e Nietzsche vê esta como manifestação do tempo e como consequência do racionalismo e da fé na ciência que se impuseram com a ajuda de Sócrates. Para Nietzsche, "Sócrates" também é um símbolo para uma potência real com efeito mágico[3]: "Quem, nos escritos platônicos, houver percebido um só sopro daquela divina ingenuidade e segurança da orientação socrática de vida sentirá também como a formidável roda motriz do socratismo lógico acha-se, por assim dizer, em movimento *por detrás* de Sócrates, e como isso deve ser olhado através de Sócrates como através de uma sombra. Que ele próprio, porém, tinha um certo pressentimento desta circunstância é algo que se exprime na maravilhosa seriedade com que fez valer, em toda parte e até perante os seus juízes, a sua divina vocação. Era tão impossível, no fundo, refutá-lo a esse respeito quanto dar por boa a sua influência dissolvente sobre os instintos. Em face desse conflito insolúvel impunha-se [...] uma única forma de condenação, o banimento; [...]. Mas o fato de ter sido pronunciada contra ele a sentença de morte, e não apenas a de banimento, parece algo que o próprio Sócrates levou a cabo. [...] O Sócrates moribundo tornou-se o novo e jamais visto ideal da nobre mocidade grega: mais do que todos, o típico jovem heleno, Platão, prostrou-se diante dessa imagem com toda a fervorosa entrega de sua alma apaixonada"*.

E novamente Nietzsche tem uma visão profética: A ciência – a ciência natural – também alcançará uma última fronteira, ela também encontrará em suas descobertas das manifestações individuais o uno primordial, o último fundamento, o qual não conseguirá esclarecer, ela também confluirá com uma *unio mystica* com Dioniso, que seria também o caminho de Nietzsche desde "Humano, demasiado humano" até os bilhetes da loucura[3]: "ergue-se por certo [...] na pessoa de Sócrates [...] aquela inabalável fé de que o pensar, pelo fio condutor da causalidade, atinge até os abismos mais profundos do ser e que o pensar está em condições, não só de conhecê-lo, mas inclusive de corrigi-lo. Essa sublime ilusão metafísica é aditada como instinto à ciência, e a conduz sempre de novo a seus limites, onde ela tem de transmutar-se em arte, que é o objetivo propriamente visado por esse mecanismo.

Olhemos agora, sob o fanal desse pensamento, para Sócrates: ele nos aparece como o primeiro que, pela mão de tal instinto da ciência, soube não só viver, porém – o que é muito mais – morrer; daí a imagem do Sócrates moribundo, como o brasão do homem isento do temor à morte pelo saber e pelo fundamentar, encimar a

---

* NIETZSCHE, F. *O nascimento da tragédia*. Op. cit., p. 86-87.

porta de entrada da ciência, recordando a cada um a destinação desta, ou seja, a de fazer aparecer a existência como compreensível e, portanto, como justificada: para o que, sem dúvida, se as fundamentações não bastarem, há também de servir, no fim de contas, o mito, o qual acabo de designar como a consequência necessária e, mais ainda, como o propósito da ciência"*.

E a seção 17 começa com as palavras: "Também a arte dionisíaca quer nos convencer do eterno prazer da existência: só que não devemos procurar esse prazer nas aparências, mas por trás delas. Cumpre-nos reconhecer que tudo quanto nasce precisa estar pronto para um doloroso ocaso; somos forçados a adentrar nosso olhar nos horrores da existência individual – e não devemos todavia estarrecer-nos: um consolo metafísico nos arranca momentaneamente da engrenagem das figuras mutantes. Nós mesmos somos realmente, por breves instantes, o ser primordial e sentimos o seu indomável desejo e prazer de existir; a luta, o tormento, a aniquilação das aparências se nos afiguram agora necessários, dada a pletora de incontáveis formas de existência a comprimir-se e a empurrar-se para entrar na vida, dada a exuberante fecundidade da vontade do mundo [...]. Apesar do medo e da compaixão, somos os ditosos viventes, não como indivíduos, porém como o uno vivente, com cujo gozo procriador estamos fundidos". O quanto Nietzsche se aproxima aqui de confissões panteístas ou do monismo emergente – ou até da física estoica!

Sem a arte – e para Nietzsche esta é em primeira linha a música – o *Dasein* não seria possível. Precisamos reconhecer a importância fundamental da música em toda a sua intensidade para o sentimento de vida de Nietzsche se quisermos entender sua vida e sua obra "no espírito da música". Ele extrai dessa fonte forma e conteúdos, ela lhe serve como ampliação da faculdade lógica. "Será que não existe um reino da sabedoria, do qual a lógica está proscrita? Será que a arte não é até um correlativo necessário e um complemento da ciência?"[3]**

### Sementes da obra posterior

Sob esse ponto de vista, podemos atribuir a este seu primeiro livro também a posição no conjunto de sua obra: Trata-se da exposição de uma figuração monumental, que encontra seus paralelos na música contemporânea no drama cíclico do "Anel", de Wagner, ou nas sinfonias de Anton Bruckner com seus complexos temáticos.

---

* Ibid., p. 93-94.
** Ibid., p. 91.

Nessa exposição grandiosa encontramos o material temático para quase todo o Nietzsche posterior. Na página 29[3], encontramos o acorde básico de "Além do bem e do mal": "Quem, abrigando outra religião no peito, se acercar desses olímpicos e procurar neles elevação moral, sim, santidade, incorpórea espiritualização, misericordiosos olhares de amor, quem assim o fizer, terá logo de lhes dar as costas, desalentado e decepcionado. Aqui nada há que lembre ascese, espiritualidade e dever, aqui só nos fala uma opulenta e triunfante existência, onde tudo o que se faz presente é divinizado, não importando que seja bom ou mau"*. Nietzsche, porém, não deu as costas, mas percorreu exatamente o caminho que aqui já reconhece como contraposição. Na quinta seção, sua descrição de Arquíloco pouco mais revela do que a própria experiência de figuração artística, a partir da qual surgem todas as suas anotações variadas e mistas, que mais tarde lhe servem como material para a criação de seus livros num único processo extático: "Por isso nossa estética deve resolver antes o problema de como o poeta 'lírico' é possível enquanto artista: ele que, segundo a experiência de todos os tempos, sempre diz 'eu' e trauteia diante de nós toda a escala cromática de suas paixões e de seus desejos. Precisamente esse Arquíloco nos assusta, ao lado de Homero, com o grito de seu ódio e de seu escárnio, pela ébria explosão de seus apetites [...]. Vemos o embriagado entusiasta Arquíloco imerso em sono profundo – tal como Eurípides no-lo descreve em 'As bacantes' – [...] e então Apolo se aproxima dele e o toca com o seu laurel. O encantamento dionisíaco-musical do dormente lança agora à sua volta como que centelhas de imagens, poemas líricos, que em seu mais elevado desdobramento se chamam tragédias e ditirambos dramáticos"**.

E também o desprezível "último homem" do "Zaratustra" e a oposição entre moral do senhor e moral do escravo se impõem já como tema ao "Nascimento da tragédia" (§ 11): "A frase do conhecido epitáfio, 'quando velho, leviano e excêntrico', aplica-se outrossim à helenidade senil. [...] O quinto estado, o do escravo ou, pelo menos, a sua mentalidade, chega agora ao poder; e se em geral ainda se pode falar da 'sereno-jovialidade grega', trata-se da sereno-jovialidade do escravo, que não sabe responsabilizar-se por nada de grave, nem aspirar a nada de grande nem valorizar nada do passado e do futuro mais do que do presente. Essa aparência da 'sereno-jovialidade grega' foi o que antes revoltou as naturezas profundas e terríveis dos primeiros quatrocentos anos do cristianismo [...]. E cabe atribuir à sua

---

* Ibid., p. 35-36.
** Ibid., p. 43-44.

influência o fato de a visão da antiguidade grega subsistente durante séculos reter com tenacidade quase invencível aquela cor rosada da sereno-jovialidade – como se nunca tivesse existido o século VI, com o seu nascimento da tragédia, com os seus Mistérios, com o seu Pitágoras e com Heráclito, sim, como se nunca tivessem existido as obras de arte da grande época, as quais, no entanto – cada uma por si –, não podem explicar-se de modo algum como se brotadas do solo de uma tal sereno-jovialidade e de um tal prazer de viver senis e de natureza servil, apontando para uma consideração do mundo inteiramente outra como seu fundamento de existência"*.

Nietzsche reconhece um paralelo com essa cultura do helenismo cada vez mais aplainada pela "moral escrava" da serenidade em seu próprio tempo, que ele vê como herdeiro e consequência do "socratismo", da superstição científica: "E agora não vamos ocultar de nós mesmos o que se acha oculto no regaço dessa cultura socrática! O otimismo que se presume sem limites! Agora é mister não assustar-se, se os frutos desse otimismo amadurecem, se a sociedade, levedada até as suas camadas mais baixas por semelhante cultura, estremece pouco a pouco sob efervescências e desejos exuberantes, se a crença na felicidade terrena de todos, se a crença na possibilidade de tal cultura universal do saber converte-se paulatinamente na ameaçadora exigência de semelhante felicidade terrena alexandrina, no conjuro de um *deus ex machina* euripidiano! Note-se o seguinte: a cultura alexandrina necessita de uma classe de escravos para existir de forma duradoura; mas ela nega, na sua consideração otimista da existência, a necessidade de uma classe assim, e por isso, uma vez gasto o efeito de suas belas palavras transviadoras e tranquilizadoras acerca da 'dignidade da pessoa humana' e da 'dignidade do trabalho', vai pouco a pouco ao encontro de uma horripilante destruição. Não há nada mais terrível do que uma classe bárbara de escravos que aprendeu a considerar a sua existência como uma injustiça e se dispõe a tirar vingança não apenas por si, mas por todas as gerações. [...] Enquanto o infortúnio que dormita no seio da cultura teórica começa paulatinamente a angustiar o homem moderno, [...] grandes naturezas, com disposições universais, souberam utilizar com incrível sensatez o instrumento da própria ciência, a fim de expor os limites e condicionamentos do conhecer em geral e, com isso, negar definitivamente a pretensão da ciência à validade universal e a metas universais: prova mediante a qual, pela primeira vez, foi reconhecida como tal aquela ideia ilusória que, pela mão da causalidade, se arroga o poder de sondar o ser mais íntimo das coisas. A enorme bravura e sabedoria de Kant e de Schopenhauer conquistaram

---

* Ibid., p. 75.

a vitória mais difícil, a vitória sobre o otimismo oculto na essência da lógica, que é, por sua vez, o substrato de nossa cultura"[3]*. Com isso, porém, Nietzsche já assume definitivamente uma posição contra os socialistas e contra Karl Marx – cujo nome ele jamais mencionará.

Com sua confissão contra o hedonismo socialista – que exatos 10 anos mais tarde voltaria a assumir uma forma no mito de "Zaratustra" – Nietzsche se aproxima de Bachofen. Aqui e agora, porém, ele ainda está disposto a assumir sua parte na culpa coletiva pelo florescimento desenfreado desse "socratismo", como escreve a Gersdorff em 21 de junho de 1871, quatro semanas após o incêndio das Tulherias no contexto da Revolta da Comuna em Paris: "Aquela cabeça de Hidra internacional nos assustou para além da luta das nações, cabeça esta que de repente apareceu de forma tão terrível, como prenúncio de outras lutas futuras. Se pudéssemos conversar pessoalmente, certamente concordaríamos que justamente naquele fenômeno se revela na nossa vida moderna, na verdade em toda a Europa cristã antiga e em seu Estado, sobretudo, porém, nessa 'civilização' romana predominante por toda parte, o tremendo estrago que adere ao nosso mundo: como todos nós, com todo o nosso passado, somos culpados pelas calamidades que assim se manifestam; de forma que devemos evitar de imputar com grande arrogância o crime de uma luta contra a cultura apenas àqueles infelizes. [...] Quando soube desse incêndio parisiense, fiquei desolado e me dissolvi durante dias em dúvidas e lágrimas: toda a existência científica e filosófico-artística se apresentava a mim como uma absurdidade, pois um único dia conseguiu destruir as mais maravilhosas obras de arte, até mesmo períodos inteiros de arte; agarrei-me com convicção profunda ao valor metafísico da arte, que não pode existir apenas em prol dos pobres seres humanos, antes precisa cumprir uma missão mais sublime. Mas mesmo em minha dor mais profunda não fui capaz de lançar uma pedra naqueles blasfemadores, que eram apenas portadores de uma culpa geral, sobre a qual precisamos refletir muito!"

Por ora, porém, ele continua a nutrir a esperança de que o otimismo e sua forma de manifestação como "civilização" sejam superados – "civilização" esta que se apresenta apenas como organização superficial e suportável da existência sem conteúdos mais profundos –, e essa esperança se apoia em filosofia *e* música: "Lembremo-nos em seguida como, por meio de Kant e Schopenhauer, o espírito da filosofia alemã, manando de fontes idênticas, viu-se possibilitado a destruir o satisfeito prazer de existir do socratismo científico, pela demonstração de seus limites,

---

* Ibid., p. 109-110.

e como através dessa demonstração se introduziu um modo infinitamente mais profundo e sério de considerar as questões éticas e a arte, modo que podemos designar francamente como a sabedoria dionisíaca expressa em conceitos: para onde aponta o mistério dessa unidade entre a música alemã e a filosofia alemã, se não para uma nova forma de existência, sobre cujo conteúdo só podemos informar-nos pressentindo-o a partir de analogias helênicas? Pois, para nós, que estamos na fronteira divisória de duas formas diferentes de existência, o modelo helênico conserva [este] incomensurável valor"[3]*.

Viver na "fronteira divisória de duas eras" é o lema de seus escritos posteriores, trata-se de um de seus *leitmotiven*. Desde a nona sinfonia de Beethoven, a arte sinfônica acatou como elemento formal remeter, por meio de reminiscências, a movimentos anteriores no movimento final. A "técnica do *leitmotiv*" de Wagner viabilizou esse elemento para a ópera. Esse modo de figuração nascido no espírito da música pode ser encontrado também na obra filosófica de Nietzsche.

A primeira obra de Nietzsche "O nascimento da tragédia no espírito da música" oferece em sua história de desenvolvimento externo e interno prenúncios e retrospectivas significativos. Aqui se revela, de um lado, o significado de experiências e influências do passado e, de outro, o livro já apresenta um forte caráter de exposição.

O fundo biográfico é o trauma psicológico que o jovem Nietzsche vivenciou com a perda precoce do pai e com a qual o isolamento desse garoto sério se iniciou. Encontramos no tempo e no destino também a alienação precoce do cristianismo. Na base de suas composições, podemos supor que esse afastamento ocorreu meses após sua confirmação; até então, predominavam em suas composições os temas religiosos, mas precisamos vê-las como fracassos. É possível que a dimensão da "religiosidade" não fazia parte de sua natureza inata e que ele procurou conquistá-la por meio da estética, por meio da obra musical. Ele não foi bem-sucedido nessa tentativa – a música (as composições próprias) não lhe deu acesso nem à religião cristã nem à postura do "crente" por ela exigida. Mesmo assim, seu vínculo com a música representa um fermento que permeia todo o seu ser. Se isso não fosse o caso, Wagner e sua música não poderiam ter tido uma influência tão forte sobre seu destino. Nietzsche tinha plena consciência de sua entrega à música. Ainda em 1887, ele escreveria ao famoso mestre de capela Hermann Levi que jamais existiu um filósofo que tenha sido "músico na medida e no grau" como ele.

---

* Ibid., p. 119.

Ao contrário de muitos de seus contemporâneos, não procurou nem encontrou como substituto do cristianismo o racionalismo ou otimismo. Ele recorreu a algo mais antigo, ao mito grego, e nisso foi decisivamente influenciado pelo método e pelos resultados de J.J. Bachofen e pela imagem cativante dos gregos de Jacob Burckhardt. (Escreveu sua "História da cultura grega" naquele tempo na forma de preleções[64].) A visão pessimista de Burckhardt sobre a existência grega comoveu Nietzsche profundamente, pois correspondia à sua própria natureza séria e passional. Ele queria iluminar e esclarecer o fenômeno mais enigmático da Antiguidade, o surgimento da tragédia. Para tanto, transformou Dioniso em um símbolo e em uma contraparte metafísica ao cristianismo perdido – e o preservou nessa posição até os dias de seu colapso espiritual.

Encontrou uma nova possibilidade da compreensão também na filosofia de Schopenhauer, e Nietzsche não hesitou em travar seu diálogo com a Antiguidade a partir desse fundamento. Seus pensamentos e sua obra receberam sua última figuração por meio da personalidade de Richard Wagner. A partir de então, foi com ele, para ele e, mais tarde, contra ele que Nietzsche dialogou constantemente. A obra da vida de Friedrich Nietzsche se inicia e se encerra no diálogo com Wagner. "O nascimento da tragédia no espírito da música" é o primeiro fruto desse diálogo, que determinaria todo o resto da vida de Nietzsche e que encontraria seu fim cruel nos ataques veementes do outono de 1888 ao Wagner já morto.

# X

# A virada decisiva (1872)

## O PRIMEIRO ATAQUE (CINCO PALESTRAS "SOBRE O FUTURO DOS NOSSOS ESTABELECIMENTOS DE ENSINO")

Grande parte do encanto exercido pela primeira obra de Nietzsche, "O nascimento da tragédia", se deve à ausência de polêmicas específicas. O tom predominante é o do tributo. Seus ataques contra os "alexandrinos" ocupam apenas o segundo plano. Apesar de Nietzsche compreender também este livro como ataque, principalmente como ataque contra o método historiador e crítico-textual da filologia, ele não destrói os atacados com sua crítica, antes procura apresentar numa pintura grandiosa a paisagem que a ciência deveria desbravar para adquirir novas possibilidades de expressão e conhecimento.

As palestras "Sobre o futuro dos nossos estabelecimentos de ensino", organizadas pela "Sociedade Acadêmica Voluntária" e realizadas no auditório do museu no contexto de seus eventos científicos para o público (em 16 de janeiro, 6 e 27 de fevereiro, 5 e 23 de março de 1872), foram diferentes. Com essas palestras, Nietzsche optou definitivamente pelo caminho que ele seguiria até o fim.

Ele havia oferecido "O nascimento da tragédia" ao editor já antes de completar o manuscrito. Agora, ele anuncia seis palestras, antes mesmo de dispor de uma exposição do tema, muito menos uma execução detalhada de seus pensamentos. Existem até esboços para uma sétima palestra, que, porém, juntamente com a sexta, não foi realizada. Tampouco executou seu plano de transformar as palestras em livro. Nietzsche nunca encerra um trabalho, e todos os seus livros, palestras e anotações se revelam cada vez mais como partes, como trechos aleatoriamente fixados de um diálogo ininterrupto, que aqui até chega a determinar a forma. O modelo do diálogo platônico é palpável: uma estrutura para a introdução e como transição entre as cenas; como orador principal um velho filósofo, um "Sócrates", que expressa tudo aquilo que Nietzsche acredita ser correto. Ele é, já aqui, o "velho filósofo", no papel do qual ele se apresentará em poucos anos em suas cartas – e o qual ele nunca chegou a ser. Ele nunca alcançou a sobriedade da idade filosófica, permaneceu sempre o combatente passional com a arma da expressão eloquente. Nessas palestras ele se apresenta agora com sua pretensão crítico-cultural, à qual adere também uma boa dose de crítica social.

Outro traço típico é o arraigamento em sua biografia, à qual ele recorre com grande liberdade artística.

A "estrutura narrativa" é fornecida por uma imagem aparentemente emprestada da vida[4]: "Coloquemo-nos no estado de espírito de um jovem estudante [...]. Foi neste estado de espírito que, com um amigo de minha idade, passei um ano em Bonn, cidade da universidade nas margens do Reno [...]. Meu amigo e eu tínhamos em comum muitas lembranças do nosso anterior estado de vigília, da época do ginásio [...]. Durante uma viagem no Reno, realizada no fim de um verão, tínhamos, meu amigo e eu, no mesmo lugar e quase ao mesmo tempo – e contudo cada um por sua conta – imaginado um plano: sentíamos que esta extraordinária coincidência nos obrigava a executá-lo. Decidimos então fundar uma pequena sociedade de colegas pouco numerosa, com o fim de dar uma organização sólida e obrigatória às inclinações que deveríamos criar no domínio da arte e da literatura [...]; de fato, o sucesso foi tal que só pudemos conservar um sentimento de reconhecimento solene para o momento e o lugar de onde esta ideia nos vinha.

Este sentimento encontrou logo um modo justo de expressão: nos comprometemos todos a voltar, na medida em que isto fosse possível, a cada ano, na mesma data, ao lugar solitário perto de Rolandseck, onde então, no fim do verão, sentados todos juntos, perdidos em nossos pensamentos, sentimos de repente o mesmo entusiasmo pela mesma decisão [...]. As coisas não foram fáceis, pois, exatamente neste dia, a numerosa e alegre companhia de estudantes, que nos impedia de fugir, nos causou muitas dificuldades e se aferrou com todas as suas forças a todos os fios que nos pudessem reter aí. Nossa associação tinha decidido, nesta data, uma grande excursão solene a Rolandseck, a fim de se certificar mais uma vez de todos os seus membros no fim do semestre do verão e deixá-los retornar com a melhor lembrança da sua despedida.

Era um desses dias perfeitos, como somente o fim do verão pode oferecer, pelo menos no nosso clima: céu e terra irradiando numa harmonia pacífica, onde se misturavam maravilhosamente o calor do verão, o frescor do outono e a intensidade do azul"*.

---

\* NIETZSCHE, F. *Escritos sobre a Educação*. Rio de Janeiro: PUC-Rio, 2007, p. 49-51 [Trad. de Noéli Correia de Melo Sobrinho].

A fundação a ser celebrada no tempo ginasial se refere sem dúvida alguma à "Germânia". Mas esta não havia sido fundada numa viagem pelo Reno em Rolandseck perto de Bonn, mas em Schönburg, perto de Naumburg, e não no fim do verão, mas no meio do verão, em 25 de julho de 1860. Por fim, nenhum dos membros – os amigos Krug e Pinder – foram colegas em Bonn. Nem mesmo Nietzsche passou o fim de verão em Bonn, ele se despediu da cidade em 9 de agosto de 1865, e sua viagem no Reno não data do tempo de seu tempo ginasial, mas ocorreu durante sua transição para a universidade em outubro de 1864.

Segue então a narrativa de uma divertida competição de tiro com seu amigo, mas isso também é fruto de sua imaginação, pois sua extrema miopia certamente o impedira de participar dessa diversão. Mesmo assim, essas passagens se apresentam como relatos de experiências autênticas.

Por mais falsas que sejam as informações biográficas, as teses aqui apresentadas surpreendem com sua sinceridade e seu tom confessional. Na verdade, o palestrante Nietzsche se encontrava no solo errado, diante de um auditório errado, e ele estava ciente disso, pois em sua introdução se vê obrigado a dizer que, ao falar de "nossos" estabelecimentos de ensino, não está falando dos estabelecimentos de Basileia, mas do ginásio alemão, especialmente do ginásio da Prússia. Mesmo assim, teve um público numeroso, que lhe permaneceu fiel ao longo de todas as cinco palestras. O auditório do museu lotava todas as vezes com um público curioso e atento. Na véspera de sua quinta palestra (em 22 de março de 1872), Nietzsche escreveu a seu editor Fritzsch: "Neste inverno, fiz [...] seis palestras públicas [...]. Sempre tive mais ou menos 300 ouvintes: Fui incentivado pelos mais diversos lados a publicar estas palestras. Eu, porém, desejo que sejam impressas com qualidade e beleza".

Este é um dos exemplos que nos lembram do cuidado com que devemos ler os testemunhos apresentados por Nietzsche com tanta firmeza: antes mesmo de fazer sua quinta palestra, ele oferece ao editor o texto de seis palestras, como se todas elas já tivessem sido realizadas e como se o texto já estivesse pronto para as gráficas.

Apesar de o ataque se voltar principalmente contra o ginásio prussiano e, portanto, era apenas de interesse indireto para o público de Basileia, ele possuía a admiração de círculos amplos (segundo Jacob Burckhardt, naquele semestre todas as faculdades juntas possuíam 168 estudantes, o que ele designa como novo recorde), sobretudo em virtude da magia de sua personalidade. Em 21 de abril, Jacob Burckhardt escreveu sobre isso a Arnold von Salis[61]: "O Sr. Beck o informará sobre todos os detalhes das palestras de Nietzsche; ele ainda nos deve a última, da qual esperamos a solução para as perguntas e queixas levantadas com tanta ousadia e grandeza, entrementes, porém, ele se retirou para o Cantão de Vaud, onde descansará nos próximos 10 dias. O senhor precisava ter ouvido essas coisas! Algumas passagens eram encantadoras, outras, porém, revelavam uma profunda tristeza, e ainda não vejo como os *auditores humanissimi* interpretarão tudo isso de forma *confortante*. Uma coisa, porém, é certa: um homem de grande talento, que tem e comunica tudo de primeira mão".

Pela primeira vez, deparamo-nos nessas palestras com a ética da aristocracia do espírito: Todos os esforços educacionais precisam subordinar-se à liderança de um gênio e serve apenas à geração do gênio. Como meio de disciplina, ele recomenda em primeira linha uma formação rígida no uso da língua materna sob a orientação dos clássicos alemães. Com fortes ataques contra uma generalização e nivelação da "educação", ele se opõe sozinho às vertentes de seu tempo, que no nosso século XX alcançariam a vitória absoluta. Nas anotações para a primeira palestra, encontramos a seguinte passagem[1]: "A educação geral é apenas uma fase preliminar ao comunismo: desta forma, a educação é tão enfraquecida que se torna incapaz de providenciar um privilégio. De forma alguma serve como recurso contra o comunismo. A educação geral, i.e., a barbárie, é a precondição do comunismo. A educação 'adequada para o tempo' passa para o extremo da educação 'adequada para o momento': i.e., o aproveitamento bruto da utilidade momentânea. Se começarmos a ver a educação como algo útil, logo confundiremos o útil com a educação".

Ele se volta contra a influência do mercantilismo contemporâneo e do interesse estatal sobre o currículo e o propósito do ginásio e destaca nesse sentido a *Realschule* (escola focada em ciências naturais), que honestamente promete transmitir conhecimentos práticos e úteis – não, porém, "educação" (*Bildung*).

Qual é, então, o propósito do ginásio? É justamente a essa pergunta que ele não responde, aqui ele se esquiva da decisão, diante dessa tarefa ele fracassa, assim como sempre fracassará diante da necessidade de dar uma resposta positiva, assim como também jamais conseguirá cumprir sua promessa feita durante anos de uma "obra filosófica principal". Possivelmente, ele possuía uma noção dessa educação, marcada pela experiência de "Tribschen", uma educação essencialmente estética, uma cultivação dos juízos de gosto. 16 anos mais tarde, uma passagem no "Ecce homo", escrita em retrospectiva desses anos, indica algo nesse sentido[5]: "Os poucos casos de alta educação que encontrei na Alemanha eram todos de origem francesa, sobretudo a Sra. Cosima Wagner, de longe a primeira voz em questões de gosto que ouvi".

Mas ele abandona sua série de palestras após a parte crítica, viaja com o médico Immermann para o Lago de Genebra e de lá para Tribschen. Abandona também o plano de publicar suas palestras.

**Disposição para a solidão**

Agora, criará obra após obra, e todas elas apresentarão a mesma imagem: Problemas são abordados, estados e convicções são reavaliados como problemas, elevados a uma atualidade excitante, são vistos em toda a sua questionabilidade, mas não chegam a uma resolução final. Antes são entregues à solução na liberdade do gênio, do espírito soberano, que é legislador e juiz ao mesmo tempo. Já aqui, Nietzsche sabe que esse gênio filosófico – pois é desse tipo que tratamos aqui – é condenado à solidão em sua liberdade singular. Esse reconhecimento trágico já se expressa em sua primeira palestra[4]: "Falas com menosprezo sobre a tarefa do professor? E queres então, numa separação hostil daquela massa, levar uma vida solitária? [...] Acreditas alcançar num salto imediatamente aquilo que eu, após longa e persistente luta para poder viver como filósofo, consegui por fim conquistar? E não temes que a solidão se vingará? Tenta ser um ermitão da educação – é preciso ter um excesso de riqueza para poder viver para todos! – Discípulos estranhos! Acreditam ter que imitar sempre e justamente o mais difícil e mais sublime que só o mestre pôde alcançar: quando justamente eles deveriam saber o quão difícil e perigoso isso é e quantos talentos formidáveis ainda ruirão diante deste desafio!"

Seríamos tentados a identificar essa passagem no "Zaratustra" se não fosse pela sua forma estilística.

A solidão é, portanto, um privilégio do grande mestre – do filósofo, um privilégio, porém, não no sentido de uma facilidade, mas de um fardo especialmente pesado. Os destinos mais difíceis são o privilégio trágico do forte. A partir de então, Nietzsche subordina sua vida e obra a essa submissão ao destino, sustentada pelo orgulho das próprias faculdades. Esse privilégio não cabe ao aluno e leigo, ele se transformaria apenas em sacrifício insensato. No próprio Nietzsche brota o pensamento do "sacrifício", mas ele reconhece em sua devoção um sacrifício sensato. Trata-se da "profunda tristeza", que Jacob Burckhardt identificou com sua sensibilidade, talvez como único no grande círculo de ouvintes.

E logo Nietzsche faria a experiência dolorosa de que realmente precisaria fazer esse sacrifício do isolamento. Por ora, porém, ainda gozou de sucesso e reconhecimento; ainda não levou a sério os primeiros pronunciamentos críticos sobre o "Nascimento da tragédia". Durante alguns meses, teve ainda o prazer de desfrutar o lado ensolarado da vida. A nobre sociedade de Basileia, que deveria ter estranhado sua obra, o mimou com atenção e convites. Mas ele recebeu manifestações de simpatia também de fora. Em 12 de março de 1872, escreveu à família: "Recebo muitas cartas positivas, por exemplo, também de Gustav Krug [...]. Recebi palavras amáveis da Ministra Schleinitz, maravilhosas de Franz Liszt. Etc. Aqui, um convívio rico [...]. Novos convites de Brunner, Bachofen, do Presidente Thurneysen". E já em 14 de fevereiro, relatou: "Aqui, tenho recebido e aceito convites de Burckhardt-Heusler, Vischer-Sarasin, Thurneysen: Ontem aconteceu o baile na casa da Sra. Bischoff-Fürstenberger: não pude ir em virtude de um catarro e resfriado". E em 29 de janeiro, escreveu: "Ontem estive no nosso concerto no cassino e acompanhei a Sra. Bachofen, cujo marido está doente. De manhã, recebi a visita de Binding, de Friburgo (que agora está se mudando para Estrasburgo), e de Liebermeister, de Tübingen. Anteontem, estivemos na casa dos Hoffmann – reunião de senhores".

Liebermeister, o professor de Medicina, a quem Nietzsche devia suas férias em Lugano no ano anterior, havia se despedido de Basileia e se mudado para Tübingen. Ele foi sucedido por Hermann Immermann, de apenas 35 anos de idade, e Nietzsche logo se tornou seu paciente, mas também se aproximou dele pessoalmente, encontrando nele um amigo médico. Immermann era um daqueles eruditos imigrados, que permaneceu fiel a seus pacientes e à cidade de Basileia; trabalhou aqui até a sua morte em 1899[56].

## O chamado para Greifswald

No início de 1872, Nietzche recebeu mais uma honra científica, pouco antes de ser banido pelos melhores de sua disciplina: a venerada universidade fundada em 1456 – quatro anos antes da Universidade de Basileia – da pequena cidade de Greifswald na Pomerânia voltou seus olhos para o jovem filólogo já tão bem-sucedido. Como deve ter sido grande a tentação de se mudar para tão perto de seu amigo Erwin Rohde, que se estabelecera como livre-docente em Colônia! Mas Nietzsche recusou sem ponderar por muito tempo, assim como Burckhardt recusara seu chamado para Berlim como sucessor de Ranke. Mas permanece uma grande diferença entre os dois: Jacob Burckhardt recusou porque se sentia intimamente ligado à Universidade de Basileia. Os motivos de Nietzsche, porém, foram outros. Greifswald não lhe oferecia nenhum "Tribschen" (e era tão distante de Bayreuth quanto Basileia) – e nenhum Jacob Burckhardt. Mais importantes para sua recusa foram, porém, os planos que ele toca de passagem em sua carta de 31 de janeiro à mãe e à irmã: "Parece-me que, com Greifswald, deixei-as felizes, i.e., com 'não Greifswald'. Ah, não deem importância demais a essa decisão, e não se preocupem com o meu conforto! Os motivos verdadeiros, caso viesse a contar-lhe, talvez nem lhes agradassem. Tenho pouquíssimas ambições em termos de uma 'carreira acadêmica': e se fosse ambicioso, eu o seria em coisas que talvez me rendessem apenas zombaria e risadas, mas nenhum dinheiro [...]. É preciso saber apenas o que um lugar é capaz de dar: uma pessoa amiga e uma posição respeitada [...]. E assim sobrevivo em Basileia". Mas o que Basileia ainda podia significar para ele diante da partida iminente de Wagner para Bayreuth? Nietzsche nutria um plano que, porém, foi rigidamente refutado por Wagner, ao qual comunicara suas intenções em 24 de janeiro, e também por Cosima: pretendia desistir da docência para poder servir ao empreendimento de Bayreuth. Mesmo após Wagner e Cosima terem expressado de forma inequívoca que não podiam nem queriam aceitar esse sacrifício, ele não desistiu da ideia e chegou a incluir uma nova – e, ao mesmo tempo, velha – combinação, que finalmente apresentou a Rohde em 11 de abril: "Estou refletindo sobre como você poderia assumir as honras da minha docência em Basileia, como poderia tornar-se meu sucessor completo. Pois eu pretendo passar o próximo inverno viajando pela pátria alemã, i.e., a convite das associações wagnerianas [...] para fazer palestras sobre o 'Anel dos Nibelungos' – pois cada um deve cumprir as suas obrigações, e, no caso de colisão, aquilo que é sua obrigação *maior*. Destarte, quando tiver me separado da universidade durante um inverno, aproveitarei o vácuo gerado para passar dois anos no sul. Para tanto, pedirei demissão da minha posição atual, de forma que você se tornará meu sucessor em todos os sentidos; [...]. Com o resto dos meus bens – 2.000 tálers, talvez – pretendo poder existir ainda dois anos e meio – e só Deus sabe o que será depois, também não me interessa por ora. Sentimento maravilhoso: ir para o sul *não* como bolsista, os olhos voltados para trás para um ministério imperial!"

Antes, já havia enviado quatro de seus alunos mais talentosos para Leipzig, com cartas de recomendação destinadas a Ritschl.

As autoridades de Basileia não suspeitavam de nada. Interpretaram sua recusa do convite de Greifswald como ato de lealdade, e os estudantes pretendiam organizar uma procissão de tochas como ato de gratidão. Nietzsche, porém, recusou essa honra energicamente, sabia muito bem que essa demonstração de gratidão não passaria de uma farsa vergonhosa. Ele já vivia numa ambiguidade terrível, e esta não podia ser intensificada ainda mais por um ato externo. Até então, nesses meados de janeiro, ele ainda não havia compartilhado seus pensamentos e planos nem mesmo com Wagner. As autoridades usaram sua recusa do convite de Greifswald para aumentar seu salário de 4.000 francos para 4.500 francos, aproximando assim o salário de Nietzsche ao de seu rival filosófico Eucken.

## Entre Wagner e Mendelssohn

O convite de Hans von Bülow em 27 de março lhe trouxe uma alegria mais descontraída, mas esse primeiro contato pessoal com o homem nobre e músico dedicado teria consequências mais significativas. Bülow, um admirador entusiasmado e um dos apoiadores mais capacitados da obra de arte wagneriana, era mestre de capela – e havia perdido a seu mestre sua amada esposa Cosima. Ele também era um "escolhido", um homem que passara por experiências trágicas, uma natureza profundamente séria. Bülow havia lido "O nascimento da tragédia" com entusiasmo e veio agora expressar sua admiração pelo jovem autor. Mas não veio de mãos vazias. Em suas "horas de ócio", passadas na Itália, ele havia se dedicado à obra pessimista de Leopardi e a traduzira para o alemão. Ao perguntar se podia dedicar essa tradução a Nietzsche, Bülow apresentou a Nietzsche uma obra e um mundo de pensamento que exerceria uma influência duradoura sobre ele.

No início do ano, Nietzsche recebeu uma oportunidade real de interromper sua docência durante a Páscoa daquele ano. E novamente ele a recusou.

Karl Mendelssohn-Bartholdy – nascido em 1838 e primogênito do compositor –, historiador e professor em Friburgo im Breisgau, sugeriu que fizessem uma viagem para a Grécia. Nietzsche fala dessa ideia pela primeira vez em uma carta de 4 de fevereiro a Carl von Gersdorff e em outra à família de 14 de fevereiro: "Para os meses de março e abril, recebi um convite urgente para uma viagem à Grécia (Atenas, Creta, Naxos) de uma pessoa conhecida e muito rica, que queria fazer esta viagem comigo. Eu recusei, pois preciso fazer ainda minhas palestras 'sobre os estabelecimentos de ensino' até o final de março: as quais levo muito a sério. Talvez vocês achem graça se eu lhes disser que essa pessoa conhecida é o filho de Felix Mendelssohn".

Quanta insinceridade! Ele abandonou as palestras (a quinta foi realizada em 23 de março, uma semana antes da Páscoa) e em 16 de abril viajou com o Professor Immermann – ao qual se juntou ainda o amigo Wilhelm Pinder – para Vernex, próximo a Montreux, onde permaneceu uma semana. Antes, havia passado a Páscoa em Tribschen, para onde voltou após sua estadia em Vernex – seria esta sua última visita e despedida definitiva de Tribschen. A razão verdadeira era: A incompatibilidade de Mendelssohn e Wagner (que escreveu o panfleto voltado contra Mendelssohn e Meyerbeer sobre "O judaísmo na música"). Nietzsche alude a isso quando escreve "talvez vocês achem graça". Ele se explica com uma sinceridade maior em 23 de setembro, quando escreve ao mestre de capela Hugo von Senger: "[...] que fui tentado a aceitar repetidas vezes um convite para uma viagem grega. Nesta primavera [...]

fui convidado a fazer uma viagem para a terra dos anseios. Quem me convidou foi o filho de Felix Mendelssohn-Bartholdy. Quero agora explicar-lhe que o mesmo livro, por meio do qual consegui conquistar o agrado do senhor, na época me obrigou a recusar o convite. Pois, desde a publicação daquele livro, tornou-se impossível para mim suportar lado a lado aquilo que chamamos de nosso *Hellas* e as lembranças de Antígone de Mendelssohn". As adaptações musicais de Felix Mendelssohn dos coros da Antígone (op. 55) o impediram de visitar sua venerada Grécia com o filho do compositor! Também aqui: Quanta insinceridade! Na verdade, ele temia a reação de Wagner, que certamente não teria aprovado sua associação com um homem de descendência judaica – e precisamos lembrar que o próprio Wagner não era um antissemita muito consequente. Mas Nietzsche teve o prazer de receber o consentimento da "Mestra", que, em 9 de fevereiro, lhe escreveu: "Mas o filho de Felix! Isso é realmente curioso; creio conhecer a decisão que o senhor tomará, e eu concordo". Mesmo assim, Nietzsche respeitava esse Prof. Mendelssohn e o via como pessoa próxima, caso contrário não teria encorajado seu amigo Rohde em 2 de agosto no conflito filológico com Wilamowitz: "Mencionei seu nome repetidas vezes e com grande ênfase no meu círculo em Friburgo. Mas – peço que envie seu escrito sobre Wilamowitz aos professores Schönberg e Mendelssohn".

Entregue à magia de Wagner e ao encanto de Cosima, Nietzsche não se encontrava numa situação fácil!

As últimas visitas a Tribschen eram marcadas pela melancolia da despedida iminente. Após ter apresentado sua composição em 20 de janeiro, Nietzsche ouviu no dia seguinte o "2º ato do Crepúsculo dos deuses", e Cosima acrescenta[258]: "Prezamos muito o nosso amigo". No domingo de 18 de fevereiro, ela retorna de uma excursão e é "surpreendida pela visita do Prof. Nietzsche, ao qual Richard relata suas experiências feitas na viagem". (Até agora, não tínhamos nenhuma referência a essa visita.) Na manhã da segunda-feira, Wagner toca "para o nosso amigo a primeira cena, e ele passa mal" (provavelmente Wagner, devido ao esforço), "de forma que não consegue desfrutar o dia [...]. Mesmo assim, discutimos muito a reforma dos estabelecimentos de ensino"[258]. Nietzsche se encontra com Wagner pela última vez em Tribschen durante os dias de Páscoa. Ele chega em Tribschen em 28 de março, na Quinta-feira Santa, após ter passado muito tempo com Hans von Bülow em Basileia, e agora traz 100 francos para sua filhinha Lulu. Em 31 de março, no Domingo de Páscoa, ele ajuda Cosima a esconder os ovos de Páscoa no jardim. A atmosfera é descontraída. "À tarde, faço música com o Prof. Nietzsche", relata Cosima: eles tocam piano a quatro mãos, provavelmente também a "Noite de São Silvestre".

Para Wagner, a despedida de Tribschen não significa um fim, mas o início da consumação da obra de sua vida. Para Nietzsche, foi um fim, ao qual seguiria uma virada. Em 25 de abril de 1872 iniciaram-se os eventos que, onda após onda, o desarraigariam completamente em pouco tempo. Entrementes, porém, ele escreve à mãe em tom descontraído sobre os dias de Páscoa e os ovos e pede: "Por favor, peça ao venerado alfaiate que faça para mim uma casaca, uma casaca *exemplar* [...]. E uma calça clara e elegante para o verão".

### De Tribschen para Bayreuth

Richard Wagner havia se despedido definitivamente de Tribschen já em 22 de abril. No dia 25, quando Nietzsche, vindo de Montreux, chegou a Tribschen, encontrou apenas Cosima com as crianças e os criados. E também agora procura alegrá-la com música. Cosima registra na sexta-feira, 26 de abril: "À noite, um pouco de música, o Prof. Nietzsche toca para mim"[258]. Poucos dias depois, em 30 de abril de 1872, Nietzsche lamenta em uma carta a Rohde: "Com o dia de hoje, Tribschen chegou ao fim! Como que entre ruínas, passei ali ainda alguns dias cheios de melancolia". E em 1º de maio escreve a Carl von Gersdorff: "No último sábado, triste e comovente despedida de Tribschen. Tribschen já não existe mais: caminhamos como que entre destroços, tudo se comovia, o ar, as nuvens, o cão não comia, a família dos criados chorava constantemente, sempre que nos dirigíamos a ela. Embrulhamos os manuscritos, cartas, livros – ah, que desolação! Estes três anos que passei nas proximidades de Tribschen, durante os quais fiz 25 visitas – quanto significam para mim! Sem elas, o que seria de mim! Fico feliz por ter petrificado para mim mesmo em meu livro aquele mundo de Tribschen".

A "Ilha dos bem-aventurados" se dissolveu. Essa existência singular de Tribschen havia servido como um mundo dos sonhos de Nietzsche, ela lhe havia dado os melhores impulsos, e agora ela se desfazia, tornando-se inabitável. Nietzsche perdeu sua pátria. Mesmo após os longos anos de alienação, após todas as lutas internas contra Wagner, após o panfleto "O Caso Wagner", Nietzsche ainda escreveria em "Ecce homo"[5]: "Ao falar aqui das distrações da minha vida, preciso ainda de uma palavra para expressar a minha gratidão por aquilo que em mim, de longe, me descontraiu no mais íntimo do coração. Tal foi, sem dúvida, o trato muito cordial com Wagner. Desisto sem custo de todas as outras minhas relações com os homens; por nenhum preço gostaria de riscar da minha vida os dias de Tribschen, dias de confiança, de serenidade, de acasos sublimes, de instantes *profundos*... Não sei o que outros sentiram com Wagner: no *nosso* céu, nunca passou nuvem alguma". E

"Bem-vistas as coisas, não teria suportado a minha juventude sem a música wagneriana"*. Num tipo de êxtase estético, Wagner e a atmosfera de Tribschen haviam lhe dado aquilo que uma pessoa religiosa recebe de sua religião em termos de satisfação ética e metafísica. Para Nietzsche – e para muitos outros do seu tempo e também da posteridade –, esse êxtase substituiu uma religião há muito perdida, por meio dele ele experimentou sua última conexão com um *mundo espiritual ideal*, cuja perda ele nunca mais conseguiu repor. E isso pesou ainda mais quando teve que reconhecer aos poucos e de forma irreversível que justamente com aquele livro, no qual ele acreditava ter petrificado o sonho de Tribschen, ele havia perdido também a conexão com o *mundo espiritual real*, a conexão com o mundo científico, mais especificamente com a filologia. Ele ainda não havia recebido o grande eco que esperava do círculo de seus colegas de disciplina; e provavelmente não imaginava a veemência e humilhação dessa reação quando escreveu a Cosima sobre sua grande solidão, e esta lhe respondeu em 24 de abril: "O que o senhor me escreve de sua situação pouco me surpreende; creio, porém, que um longo silêncio metafísico e uma aparição com um trabalho especificamente filológico poderá reestabelecer a ordem, assim que o senhor se sentir disposto para isso. Compreendo perfeitamente o seu sentimento. Trata-se de um sentimento peculiar e quase insuportável de ter perdido o rumo e de pairar no ar. Permito-me dizer isso com tanta liberdade e certeza, porque conheço todas as sombras das mais diversas situações". Visto de fora, ela sugeria uma solução praticável ao aconselhá-lo de remediar o relacionamento com seus colegas, mas internamente esse caminho já não existia mais. O único colega jubiloso no círculo de sua disciplina era Rohde, e Nietzsche começou a temer por ele em virtude de seu consentimento público. Rohde já havia se manifestado de forma arriscada em prol de seu amigo. No fim de janeiro, Rohde havia enviado uma crítica sucinta sobre o livro de Nietzsche ao "Litterarisches Centralblatt" de Zarncke, para o qual ele contribuía esporadicamente. Nietzsche lhe agradeceu com as seguintes palavras: "Sua crítica, querido amigo, é uma verdadeira obra-prima de um reflexo abreviado e rejuvenescido do original, e sinto-me nova e profundamente endividado com você. Fiquei surpreso [...] com a beleza e novidade, com o estilo de seu texto e não sei como posso lhe agradecer senão pela confissão mais sincera de que não voltarei a vivenciar outra vez algo como esta crítica". Naturalmente, essa demonstração de amizade foi apresentada também aos amigos em Tribschen. Mas Zarncke se recusou a publicar o texto. Nietzsche escreve sobre isso na mesma carta: "Não

---

* NIETZSCHE, F. *Ecce homo*. Covilhã: Lusosofia, 2008, p. 33 e 35 [Trad. de Artur Morão].

se aborreça com esse Zarncke; tratar com o autor desse tipo de cartas é prostituição. Que ele vá para o inferno; [...] que ousadia dele falar de um 'serviço entre amigos' no caso desta crítica, que outra pessoa seria incapaz de escrever! [...] O idiota do Zarncke acredita que você pretende fazer um favor *a mim*! Como se a única intenção de sua crítica não fosse fazer um favor aos outros!" Mas todas as tentativas de publicar uma crítica positiva em alguma revista importante fracassam. Em 30 de abril, Nietzsche recebe a notícia que provaria ser ambígua: Rohde havia se tornado professor em Kiel! A princípio, apenas professor extraordinário, mas Rohde estava sendo reconhecido e conseguindo se firmar em sua disciplina. Alegrado e tranquilizado, Nietzsche lhe envia seus parabéns ainda no mesmo dia: "Esperei nestes dias de coração uma virada rápida, pois de repente comecei a temer que nossa amizade lhe traria desvantagens. Pretendia neste momento escrever-lhe uma carta com o pedido insistente de não fazer nada que indicasse um convívio próximo comigo ou até mesmo com Wagner; pois temo que já agora o nosso conflito com o 'Central-blatt' tenha se propagado o suficiente para despertar a inimizade de um ou outro contra você". Ao mesmo tempo, porém, dissolvia-se uma das maiores esperanças de Nietzsche: a de trazer seu amigo para perto de si. E teve que desistir também da ideia de encontrar um substituto para sua docência em Basileia. "[...] é provável que sobreviva ainda aos próximos semestres dentro da universidade, adiando assim minha fuga bem-aventurada para o sul para algum momento no futuro, para quando minha posição se tornar insuportável e repugnante. Até agora, isso não aconteceu", ele escreve na mesma carta.

Isso representa mais um passo em direção ao isolamento, a despeito da alegria dos amigos e de seu plano de se reencontrarem brevemente em Bayreuth, durante o feriado de Pentecostes, para a celebração do início das construções do teatro em 22 de maio, no 59º aniversário de Wagner. Mas então acontece algo que ameaça frustrar também essa festa. O fenômeno da "doença", que obscureceria todo o resto da vida de Nietzsche, se anuncia. Em 12 de maio, Nietzsche se vê obrigado a escrever a Rohde: "Estou um pouco doente, peguei um 'cobrelo' na nuca; espero, porém, que a infecção cutânea faça as pazes a tempo com a função cerebral: pois *preciso* ir a Bayreuth, apesar do *cingulum*". E ele se impôs; "os dois professores 'wagnerianos'", como ele se expressa, não podiam faltar nessa festa. Por ordem pessoal de Wagner, duas entradas foram reservadas para Nietzsche e Rohde. Nietzsche partiu de Basileia em 17 de maio e chegou em Bayreuth no dia 18; Rohde chegou apenas no Domingo de Pentecostes, ou seja, no dia 19 daquele mês. No dia seguinte, começaram os ensaios da orquestra para a apresentação na festa. Nietzsche e Rohde estiveram presentes no segundo ensaio à tarde e conhecerem aqui Malwida von

366

Meysenbug, que se transformaria em uma mãe bondosa e preocupada para Nietzsche e de cujos cuidados ele dependeria em medida crescente. Nesse caso, o destino se mostrou bondoso.

Ele havia também convidado sua irmã Elisabeth, mas ela desistiu em prol de Gustav Krug, pois era impossível conseguir entradas e hospedagem para ambos. Os 700 lugares do teatro da cidade de Bayreuth estavam esgotados. Mas Elisabeth consolou seu irmão, prometendo que o visitaria em Basileia no verão, onde, de fato, chegou em 1º de junho.

Além de Gustav Krug, veio para Bayreuth também Carl von Gersdorff, e mais uma vez antes de sua queda súbita Nietzsche pôde desfrutar da felicidade da amizade. No dia 22 de maio foram realizados a Festa da Pedra Angular e o concerto no lindo teatro barroco de Bayreuth; Wagner dirigiu a 9ª sinfonia de Beethoven. Tiveram ainda um dia para desfrutar da euforia, mas no dia 24, após uma semana de férias, Nietzsche teve que retornar para Basileia. Deve ter sido nesses dias que Nietzsche se sentou ao piano para improvisar um pouco – para o desespero de Wagner, como relata Malwida von Meysenbug[166]. Wagner teria encerrado a apresentação de Nietzsche com as palavras irônicas (e fulminantes para um músico): "Não, Nietzsche, o senhor toca bem demais para um professor". A própria Malwida, porém, avaliou sua apresentação ao piano como "verdadeiramente maravilhosa, na maior parte improvisações livres".

## Rohde introduz o "Nascimento da tragédia" ao mundo literário

Em 26 de maio, o jornal "Norddeutsche Allgemeine Zeitung" publicou a resenha de Rohde sobre o livro do seu amigo[206]. Exultante, Nietzsche agradece no dia 27: "Amigo, amigo, amigo, o que você fez! Este E.R. [Erwin Rohde] não se vivencia duas vezes. Mergulhei, sem ver estas letras, numa leitura lenta e cada vez mais surpresa, no abismo dos sentimentos de Bayreuth e, finalmente, percebo que a voz, que se manifesta de forma tão festiva e profunda, é a do amigo. Ah, amigo mais querido, isto você fez para mim! [...] Derreto. Luta, luta, luta! Necessito da guerra". Bem, esta viria três dias mais tarde. Em 31 de maio, Nietzsche enviou a resenha a seu tutor, o Prof. Wilhelm Vischer: "Aqui, envio-lhe a primeira resenha minuciosa do meu escrito sobre o nascimento da tragédia. Ela foi escrita pelo Prof. Rohde em Kiel e, por isso, talvez mereça sua atenção. A primeira resenha – mais sucinta – foi publicada pela 'Rivista Europea' italiana".

Em seu entusiasmo e em sua esperança de que agora se iniciaria um grande coro de aprovação, Nietzsche ignorou completamente que a resenha de Rohde justamente não fornecia aquilo que Nietzsche mais necessitava naquele momento: a justificação filológica.

Existia um vínculo profundo entre os dois amigos, que se devia à filosofia de Schopenhauer e o entusiasmo delirante pela obra de Wagner, sendo que em ambos os casos a entrega passional de Nietzsche deve ter sido o impulso determinante. Nessa fase de consentimento, os dois amigos ainda não podiam saber que esse fundamento de sua amizade já continha o germe de sua alienação vindoura: Rohde permaneceria arraigado na filosofia de Schopenhauer de prosseguir em seu caminho de filólogo, enquanto Nietzsche se libertaria, ou melhor, seria libertado por sua passionalidade. Por ora, porém, os dois ainda compartilhavam do mesmo fundamento. Rohde reconheceu no livro do amigo o discípulo da filosofia de Schopenhauer e o profeta de uma nova música emergente. Percebeu a irrupção de duas potências espirituais reais no tempo: Schopenhauer com seu ataque total aos fundamentos metafísicos do Ocidente cristão e Wagner como superação dos princípios "clássicos" da música europeia – e de toda a concepção artística. Partindo dessa plataforma nova e "moderna", Nietzsche – invertendo toda metodologia científica – realmente compreendeu as raízes de toda a história em uma retrospectiva da Antiguidade e no espírito da atmosfera de uma virada e de uma "era revolucionária" (Jacob Burckhardt), interpretando-a e reavaliando-a, nisso, porém, recalcando o trabalho científico – que não operava com valores e não julgava na base de categorias filosóficas – para um papel secundário. O ponto de vista de Nietzsche ignorou completamente que toda interpretação filológica sempre permanece presa ao material interpretado e que este precisa ser fornecido e assegurado pela ciência – no caso da tragédia ática, pela filologia. Rohde tinha consciência disso e, por isso, excluiu cuidadosamente as partes atacáveis em sua resenha sobre o livro de Nietzsche. Rohde o elogia como "uma contemplação filosófica da arte" e como enriquecimento da disciplina filosófica específica da estética. A esta, ele contrapõe os êxitos, mas também os limites da lógica, inserindo-o assim ao conflito agudo com Hegel e ainda mais com os sucessores de Hegel, que – em seu otimismo científico – acreditavam poder calcular e produzir a "felicidade" como propósito da humanidade e que viam a arte apenas como contribuição agradável para esse estado de felicidade, não, porém, como expressão essencial.

Com sua resenha, porém, Rohde defende as forças e possibilidades de expressão da arte, contidas em estratos mais profundos, que não podem ser contidas em expressões lógico-linguísticas, mas que transparecem apenas nas fantasias do mito. "Como uma lógica soberana, que, confiante, acredita poder alcançar sua meta mais sublime, a explicação e o desvelamento conceitual de todos os enigmas do mundo, como esta lógica poderia reservar para a arte outro lugar senão o do saltimbanco gracioso para as horas de cansaço causado pelo trabalho abstrato dos pensamentos?"[206] No entanto, reconhece: "Quem já teve o privilégio de acessar, como aprendiz, uma pequena parte da enorme construção [da ciência], só pode contemplar [...] com admiração a soma de forças com a qual há séculos muitas gerações de homens dedicaram suas maiores qualidades à sua edificação. Não há de se admirar que, ciente de seus sucessos conquistados com tremenda energia, a suprema deusa de toda ciência, a *lógica*, aos poucos vem reivindicando todo o reino da terra nas mentes das pessoas como sua propriedade? [...] Mas o prumo da lógica é curto: Ela negará as profundezas insondáveis daquele mundo das coisas mais reais, para o qual as leis da causalidade, as ferramentas da lógica não têm validade?"

"O antigo mundo dos mitos pode estar morto, mas na arte nobre sobrevive ainda a habilidade de apresentar ao olho encantado num reflexo mítico os traços ocultos da grande deusa do mundo. No entanto, estariam enganados aqueles que, [...] presos a uma interpretação falsa dos mitos, considerassem possível reavivar a fé desfalecida no mesmo sentido em que acreditamos em eventos históricos. Mas nem mesmo os gregos acreditavam em seus mitos neste sentido. [...] Caso contrário, não poderíamos compreender que os gregos estavam plenamente cientes de que aqueles mesmos mitos, que representavam o maior tesouro da fé grega, haviam sido formados e inventados por Homero e Hesíodo. [...] Na consciência dos mais nobres gregos, uma lembrança do caráter parabólica dos mitos deve ter se unido à convicção bem-aventurada da capacidade de naturezas geniais de compreender a essência oculta do mundo por meio de revelações figurativas e de interpretá-la para seus ouvintes de forma mais profunda e plena do que qualquer reflexão conceitual. [...] Quando uma filosofia, não menos profunda e clara em seu conhecimento do mundo, consegue se provar na possibilidade que ela oferece a uma contemplação verdadeiramente estética dos mais profundos problemas da arte – que apresenta uma relação mais íntima com os enigmas últimos do mundo do que costumamos acreditar –, neste caso a filosofia de Schopenhauer demonstrou sua validade de forma brilhante neste livro. Os adeptos do grande pensador, ao estudarem este livro com seriedade, entenderão facilmente em que sentido pretendo atribuir a este livro, para a explicação e justificação do *fenômeno*, um significado análogo à própria obra de Schopenhauer para a contemplação da essência das coisas que se manifesta sob todos os fenômenos."

**Ulrich von Wilamowitz**

Rohde havia compreendido perfeitamente e expressado de forma equívoca que o lugar do livro de Nietzsche é a filosofia, e ele reconheceu também sua qualidade de ser uma ampliação e um desenvolvimento digno da obra de Schopenhauer, inserindo Nietzsche assim em uma tradição. Trata-se da primeira obra filosófica de Nietzsche, com a qual ele dá continuação orgânica à obra de outro pensador e com a qual ele também abandona a temática e o método de sua própria disciplina. E foi justamente isso que causou o pavor de seus colegas filológicos, talvez porque o haviam percebido como talento extraordinário e haviam esperado dele uma contribuição significativa para a *sua* ciência – e agora, amargamente decepcionados, tiveram que reconhecê-lo como desertor. Só assim podemos explicar o ataque desenfreado lançado em 30 de maio – preparado e executado antes mesmo da publicação da resenha de Rohde.

FILOLOGIA DO FUTURO!

Uma réplica de

Ulrich von Wilamowitz-Möllendorff

Dr. Phil.

ao

"Nascimento da tragédia"

de Friedrich Nietzsche,

professor ordinário de Filologia Clássica em Basileia

Já o título contém pontadas contra Nietzsche. Assim como os adversários de Wagner haviam reagido ao seu livro "A obra de arte do futuro", de 1850, com a expressão pejorativa da "música do futuro", a expressão de Wilamowitz "filologia do futuro" também se volta contra o filólogo *e* amigo de Wagner. (Mais tarde, Nietzsche fará o mesmo com a paráfrase "Crepúsculo dos ídolos"!) De responsabilidade inteiramente de Nietzsche é a nuança das posições ou títulos acadêmicos dos dois autores, pois Nietzsche não havia adquirido seu doutorado pelo caminho convencional. Além disso, Wilamowitz define Nietzsche como filólogo, negando a Nietzsche a possibilidade de alegar que seu livro transcendia a filologia. Nietzsche havia se dirigido explicitamente aos filólogos, ele queria provocá-los – e este era o nível no qual Wilamowitz – quatro anos mais novo do que Nietzsche – possuía qualidades no mínimo equiparáveis. Seu ataque pesa ainda mais, porque em sua longa vida (1848 a 1931) o autor se tornaria um dos representantes mais brilhantes de sua disciplina. Com sua empatia quase inimaginável com o ser da língua grega e seu imenso conhecimento de toda a literatura antiga, ele contribuiu com trabalhos históricos e críticos de importância fundamental. Nos dias de hoje, todos os trabalhos sérios sobre textos antigos fazem referência a Wilamowitz e o citam como testemunha para sua seriedade. Ao mesmo tempo, porém, foi justamente esse vínculo rígido à sua disciplina, da qual ele não conseguia fugir, que limitou uma propagação, um efeito generalizado de seu panfleto. E também as muitas citações em grego – não traduzidas – impediram o acesso de um público leigo mais amplo a essa briga interna. Os dois panfletos (o segundo se voltava contra a réplica de Rohde e publicado em fevereiro do ano seguinte) não são considerados trabalhos "bons" pela sua disciplina e, por isso, não foram incluídos na coleção de "Pequenos escritos", ao contrário da resenha positiva de Rohde. Mais tarde, o próprio Wilamowitz se distanciou em certa medida de seu texto[271]: "A publicação do 'Nascimento da tragédia' de Nietzsche suscitou minha ira. Schöll (na época, livre-docente em Berlim, que em breve se mudaria para Greifswald como professor), de natureza mais irônica, encontrou-me neste estado e me incentivou a escrever uma resenha. [...] Eu cedi à tentação e escrevi o 'Futuro da filologia' em Markowitz, quase sem nenhuma ajuda de livros [...]. Nietzsche havia provocado minha ira especialmente com um ataque ousado a Otto Jahn. A meu ver, ele menosprezava tudo que eu havia recebido de Pforta como algo intocável e sagrado. [...] Nós, os mais jovens, havíamos olhado para Nietzsche como uma pessoa especial, mesmo que um pouco estranha. No entanto, com restrições: diziam que Paul Deussen superava seu amigo autoritário no grego, no qual ele era superior a todos os outros, e sobretudo na matemática, para a qual Nietzsche era notoriamente incapacitado. Nietzsche havia seguido Ritschl de Bonn para Leipzig (daí seu ataque contra Jahn) e recebeu por meio deste a docência em Basileia e seu *doctor honoris causa*. Não compreendo como alguém pode desculpar esse nepotismo, um favorecimento inaudito de um principiante, que não podia ser justificado pelas publicações de Nietzsche no 'Rheinisches Museum' [...]. Logo após a guerra [...] visitei o professor em Naumburg. Poucos meses depois, ele publicou seu 'Nascimento da tragédia'. A forma como ele violentava os fatos históricos e toda a metodologia filológica era evidente e me levou a defender a minha ciência ameaçada. Foi um ato de desesperada ingenuidade. Nietzsche não buscava aqui um conhecimento científico; o tema não era nem mesmo a tragédia ática, mas o drama musical de Wagner, o qual eu não via com muito agrado [...]. O apolíneo e dionisíaco são abstrações estéticas como a poesia ingênua e a poesia sentimental em Schiller, e os deuses antigos forneciam apenas nomes sonoros para uma oposição que contém alguma verdade [...]. Nietzsche havia aprendido algumas coisas sobre Dioniso com Erwin Rohde, pois um dos grandes méritos deste estudioso extraordinário é a descoberta segundo a qual o deus estranho introduziu também uma nova [...] e estranha forma do sentimento e da ação religiosa. [...] Por mais pueril que meu escrito tenha sido, seu resultado final foi perfeito. Nietzsche fez o que exigi dele, desistiu da docência e da ciência e se tornou profeta de uma religião não religiosa e de uma filosofia não filosófica. [...] Meu escrito não deveria ter sido publicado. A ortografia insípida, na qual eu me perdera partindo de Jakob Grimm, conferiu lhe um caráter distorcido. [...] Eu era um garoto tolo, que não tinha consciência de sua arrogância. Mas não tenho motivos para me arrepender, pois obedeci a meu demônio: corajoso e sincero conduzi 'a espada no campo de murta', como exigia o lema da nossa associação em Bonn. [...] Tive que arcar com as consequências".

Aparentemente, Wilamowitz não havia reconhecido isso ainda quando, no prefácio à sua tradução da "Oresteia", de 1899, refutou também a "História da cultura grega", de Jacob Burckhardt, com as palavras que esta "não existe para a ciência". Aqui, revolta-se mais uma vez a escola dos historiadores de Berlim – Treitschke, Mommsen e Wilamowitz – contra a tríade de Basileia, formada por Bachofen, Burckhardt e Nietzsche[63].

Essa agressividade juvenil se manifesta em frequentes invectivas pessoais, que prejudicam o valor do texto[270] – por mais engraçadas que sejam, como, por exemplo, na página 13, onde uma bela paráfrase grega lembra Nietzsche de sua péssima nota em matemática: "O senhor alegará que errou seu cálculo apenas em algumas centenas de anos e que números são algo ordinariamente matemático: bem, desde Platão está inscrito sobre o portão da filosofia, a despeito de Schopenhauer, μηδείς ἀγεωμέτρητος ἐνθάδ εἰσίτω (que aqui não entre nenhum que ignore as ciências matemáticas), e eu queria apenas que em Pforta tivessem obedecido ao lema na versão ἐνθένδ ἐξίτω (que daqui ninguém saia).

Os detalhes da crítica pretendem demonstrar que Nietzsche é um filólogo ruim, um estudioso desqualificado da língua grega. Wilamowitz alega que Nietzsche não conhece Homero, ou apenas o Homero do *Certamen Homeri et Hesiodi* – atacando assim também o último estudo filológico de Nietzsche (p. 12); que Nietzsche faz uma leitura errada de Eurípides (p. 19), ou até que ele nem o conhece (p. 27); que Nietzsche não conhece os trágicos e mesmo assim faz uma preleção ousada sobre as Coéforas de Ésquilo neste semestre de verão (p. 23); Wilamowitz o acusa de forma generalizada de uma "falta de conhecimento" (p. 21). Grandes são as diferenças de opiniões referentes às descobertas arqueológicas e à sua avaliação por Winckelmann. As difamações filológicas são exageros desmedidos e podem ser atribuídas em grande parte à disputa acadêmica entre as faculdades de Berlim e Leipzig – e

Nietzsche percebe isso imediatamente, quando escreve a Rohde em 8 de junho: "Ele deve ser ainda muito imaturo – aparentemente, usaram, estimularam e excitaram ele – cada palavra transpira Berlim. [...] De nada adianta, precisamos abatê-lo, mesmo que o garotinho tenha apenas sido seduzido. Mas é necessário por causa de seu mau exemplo e por causa da provável enorme influência desse panfleto de mentira e enganação". E em 18 de junho: "Isso, porém, é o mais inesperado, o verdadeiramente terrível, que um filólogo – respeitado – ousa ficar do meu lado: a expectativa de que isso jamais aconteceria viabilizou o tom infinitamente desbocado desse menino berlinense [...]. Como advertência e para que não sejamos obrigados a lidar com esses berlinenses abomináveis toda vez que lançarmos um novo produto, você faria um bem enorme se você, mesmo após a carta de Wagner, expusesse aos filólogos a *nossa* posição diante da Antiguidade em toda a seriedade e rigidez, enfatizando sobretudo que não cabe a um Dr. Phil. qualquer participar da discussão". A divergência nas opiniões referentes a Winckelmann é mais profunda ainda; é a mesma tensão que abalaria a relação com Jacob Burckhardt, ou melhor, de Burckhardt com Nietzsche: o classicismo de Weimar contra a concepção romântica de arte e vida.

Nietzsche não demorou a responder, mas ele a publicou com o seu nome. (Mais tarde, pretendeu usar o mesmo procedimento, mas não o executou, quando quis convencer Carl Spitteler a publicar o escrito "Nietzsche contra Wagner", em 1888.) Ele forneceu a Rohde suas fontes e suas testemunhas da Antiguidade e também as interpretações modernas, nas quais ele podia se apoiar: "Desde ontem, tenho em mãos o manuscrito e estou absolutamente tranquilo. Não sou nem tão ignorante quanto alega o autor nem privado de amor à verdade: a erudição miserável, que ele ostenta com tanta pompa, precisa ser absorvida um pouco antes que se possa participar da discussão sobre estes problemas. Ele consegue o que quer apenas por meio das interpretações mais atrevidas. Além disso, não me leu corretamente, pois não me compreende nem no todo, nem no detalhe". O conhecimento do mundo antigo, sobretudo da religiosidade antiga e de sua tradição em testemunhos literários ainda não está fixado, e nem mesmo hoje podemos considerar sua pesquisa encerrada (basta lembrar aqui a "questão homérica"). E onde existe pesquisa, há também novos resultados, novos pontos de vista e opiniões contrárias. Por isso, Rohde foi capaz de dar uma resposta filologicamente fundamentada, pôde refutar objetivamente as objeções de Wilamowitz, só que ele demorou um pouco até publicá-la em 15 de outubro.

Na introdução e conclusão de seu panfleto, Wilamowitz formula um outro pensamento – pensamento este que Nietzsche viria a sentir dolorosamente e que avançaria ainda mais o seu isolamento: Wilamowitz o exclui do círculo de filólogos.

373

"A ênfase principal do livro está no tom e na tendência, pois o Sr. Nietzsche não se apresenta como pesquisador científico. Por vezes, apresenta sua sabedoria adquirida por via da intuição como pastor; por outras, por meio de um raciocínio muito parecido ao do jornalista, do 'escravo do papel do dia'. Como iniciado nos mistérios de seu deus, o Sr. N. proclama milagres passados e futuros: sem dúvida alguma muito edificantes para seus 'amigos' crentes"[260] (p. 6). "Também não quero de forma alguma me envolver com o metafísico e apóstolo N. Se fosse apenas isto, dificilmente teria me apresentado como 'novo *lykurgos*' contra o profeta dionisíaco. [...] No entanto, o Sr. N. é também professor de Filologia Clássica, fala sobre uma série de perguntas importantíssimas da história da literatura grega, [...] apresenta uma concepção totalmente nova de Arquíloco, Eurípides e outras descobertas maravilhosas. Lançarei luz sobre isto; e demonstrarei com facilidade que existe uma relação direta entre a genialidade e o atrevimento de suas alegações e sua ignorância e falta de amor à verdade" (p. 7). "Parece escrever apenas para aqueles que nunca leram Winckelmann" (p. 8 e 9). "Ousaria o Sr. N. alegar que conhece Winckelmann? Ele que manifesta uma ignorância verdadeiramente infantil assim que fala de algo arqueológico" (p. 9). E Wilamowitz conclui (p. 32): "Creio que esteja demonstrado [...] quando ele responder que nada quer saber de 'história e crítica', nada da 'chamada história do mundo', que pretende criar uma obra de arte 'apolíneo-dionisíaca', 'um consolo metafísico', que suas alegações possuem [...] a 'realidade mais elevada do mundo dos sonhos' – sim, neste caso revogo e me desculpo formalmente. Neste caso, deixo seu evangelho intocado; neste caso minhas armas não o alcançam. Não sou, evidentemente, uma pessoa metafísica, trágica, para mim, este evangelho sempre será apenas 'um acréscimo divertido, um tilintar descontraído na seriedade da existência', também na seriedade da ciência: o sonho de um extasiado ou o êxtase de um sonhador. Uma coisa, porém, eu exijo: que o Sr. N. cumpra a sua palavra, que ele tome seu tirso, que ele vá da Índia para a Grécia, mas que desça de sua cátedra, onde deveria ensinar a ciência; que reúna aos seus pés tigres e panteras, mas não a juventude filológica da Alemanha, que deseja aprender a trabalhar em ascese altruísta [...]".

### Distanciamento do mestre Ritschl

Bem, Nietzsche não cumpriu essa exigência. Desistiu de sua docência apenas sete anos mais tarde, por motivos completamente diferentes, como veremos mais adiante. E quando as memórias de Wilamowitz mesmo assim atribuem essa desistência ao efeito de seu panfleto, elas se enganam, como se enganam também na acusação do nepotismo. A relação de Nietzsche com Ritschl não pode ser reduzida a essa fórmula simples. Ritschl era mais do que um "mecenas" de Nietzsche, era para ele um pai espiritual, e a Sra. Ritschl era a amiga materna igualmente importante. Avassalador foi por isso o distanciamento que se deu também aqui. Nietzsche havia providenciado que a editora enviasse seu livro diretamente ao venerado mestre (e, para Nietzsche, um "mestre" era sempre muito mais do que uma pessoa que transmite conhecimentos e instrui seus alunos em algum assunto, um "mestre" era para ele uma pessoa que possui a força e a superioridade para ser um líder espiritual, que transmite uma centelha geradora), para que ele o recebesse sem atraso. Ritschl usou esse envio quase anônimo como desculpa para não reagir a ele, pois provocou seu desagrado tanto em seu método quanto em sua execução, e ele teria preferido se esse produto de seu aluno jamais tivesse chegado a ele ou se tivesse tido a oportunidade de ignorá-lo com seu silêncio. Aparentemente, leu o livro imediatamente, pois seu diário o menciona já em 31 de dezembro de 1871. Sua sentença, porém, é fulminante, expressão de sua decepção: "libertinagem espirituosa"[8]. Mas Nietzsche não suportou o silêncio.

Em 30 de janeiro de 1870, ele lhe escreveu: "O senhor entenderá minha surpresa pelo fato de ainda não ter ouvido nenhuma palavra sua sobre meu livro recém-publicado, e espero que entenda também a minha sinceridade com a qual expresso a minha surpresa. Pois este livro tem algo de um manifesto, e não creio que ele incentive o silêncio [...]. Pensei que este livro poderia suscitar alguma esperança no senhor. [...] Pretendo conquistar com este livro sobretudo a geração mais nova dos filólogos, e eu consideraria um fracasso vergonhoso se não conseguisse alcançar meu propósito. – Seu silêncio me preocupa um pouco. Não que duvidasse de seu interesse por mim: [...] Mas esse interesse explicaria uma preocupação pessoal pela minha pessoa". E Ritschl responde em 14 de fevereiro[7]: "Visto que o senhor, querido professor, teve a generosidade de me enviar seu livro por meio do seu editor, sem uma carta pessoal, realmente não acreditei que o senhor esperasse uma reação pessoal imediata. [...] Se, porém, agora [...] ainda me sinto – e provavelmente continuarei a me sentir – incapaz de fornecer uma resenha detalhada, peço que leve em consideração que já sou velho demais para me ocupar com novas orientações de vida e espírito. Com toda a minha natureza pertenço à vertente histórica e à contemplação histórica dos assuntos humanos de forma tão determinada que jamais acreditei na descoberta da redenção do mundo neste ou naquele sistema filosófico [...] – tampouco quanto *uma* religião basta, bastou ou jamais bastará para as diferentes individualidades dos povos. – O senhor não pode exigir do 'alexandrino' e estudioso que ele condene o *conhecimento* e que veja *apenas* na arte a força redentora, libertadora e figuradora do mundo [...]. Se suas visões podem ser aproveitadas como novos fundamentos *educacionais*; se a grande massa da nossa juventude não seria levada apenas a um desprezo imaturo da ciência, sem substituí-la por uma sensibilidade elevada pela arte; se assim nós não propagaríamos a poesia, mas abriríamos as portas para o diletantismo generalizado: estas são preocupações que o senhor deve permitir ao velho pedagogo sem que ele precise se sentir como 'mestre pedante'. [...] Em vista de sua 'abundância de visões' creio ser inapropriado dirigir ao senhor uma pergunta alexandrina sobre a *Laertiana* histórico-bibliotecária ou sobre o Mouseion de Alcídamas e outras futilidades semelhantes: por isso, deixo-a de lado. Talvez o senhor mesmo volte a ela mais tarde, mesmo que apenas para mudar de ares ou para relaxar". Ao encerrar a carta com estas palavras, Ritschl ofereceu a Nietzsche a mesma solução que também Cosima havia sugerido a ele: a de retornar para o círculo de filólogos por meio de um sólido trabalho filológico; Ritschl lhe ofereceu essa oportunidade a despeito de sua decepção causada pelo "Nascimento da tragédia". E assim, no verão de 1872, encontramos Nietzsche retomando seu trabalho sobre o "O tratado florentino sobre Homero e Hesíodo, seu gênero e sua competição", cuja primeira parte já havia sido publicada na edição de setembro de 1870 do "Rheinisches Museum". Nietzsche enviou a segunda e última parte em 12 de agosto de 1872 a Ritschl, que a publicou em fevereiro de 1873 no "Rheinisches Museum", encerrando assim definitivamente as publicações filológicas de Nietzsche.

A possibilidade de transpor essa profunda ruptura interior deve ter sido bem-vinda tanto a Ritschl quanto a Nietzsche. Por isso, Nietzsche dirá ainda em 1888 (no "Ecce homo")[5]: "Ritschl – digo-o com veneração –, o único erudito genial com que, até hoje, deparei. Possuía aquela agradável depravação que nos caracteriza, aos que nascemos na Turíngia, e com a qual até mesmo um alemão se torna simpático: – para chegar à verdade, preferimos mesmo os caminhos secretos"*. Nietzsche estava ciente de que perdera seu mestre e, com ele, a antiga geração de filólogos, assim, pôde escrever a Ritschl em 6 de abril: "Entrementes cheguei à conclusão que os filólogos necessitarão de algumas décadas até conseguirem entender um livro tão esotérico e – em seu sentido mais elevado – científico. Logo será publicada uma segunda edição". Já em 30 de janeiro, Nietzsche havia declarado que seu público-alvo era a geração mais nova de filólogos, e a isso Ritschl havia lhe respondido com seu medo do diletantismo.

Mas quão distante estava Ritschl em termos acadêmicos – a despeito de toda proximidade pessoal? A correspondência dos meses seguintes evitou cuidadosamente essa pergunta que nunca foi respondida claramente. No início de junho,

---

* Ibid., p. 40.

Ritschl enviou um catálogo recém-publicado de sua *societas philologa* estudantil, também aos "antigos membros", aos quais se dirigiu como "membros honorários". Nietzsche, visivelmente aliviado, agradece pela remessa em 26 de junho com as palavras: "Agradeço-lhe de coração pelo envio do belo e respeitável catálogo, sobretudo também porque o senhor teve a bondade de endereçar o pacote ao 'membro honorário da sociedade de Leipzig', uma expressão que me fez rir no dia de sua chegada, pois acreditava ser mais apropriado chamar-me de 'membro vergonhoso'. Pois eu acabara de me contemplar no espelho do Sr. Wilamowitz e me dera conta de toda a feiura da minha fisionomia". E isso lhe dá a coragem de se dirigir a Ritschl com um pedido: "Meu amigo Rohde me escreve que tem em mãos um escrito de natureza puramente filológica, na forma de uma carta a R. Wagner. Neste texto, o garoto juvenil é refutado com a maior sinceridade filológica como exemplo negativo. Agora quero fazer-lhe um pedido, venerado senhor conselheiro, e confio nisso em seu amor por mim. Gostaria muito que o escrito de Rohde [...] fosse publicado por Teubner, assim sendo inserido diretamente no grande mercado filológico. Ou seja – não quero ter que recorrer a um editor musical (como Fritzsch)". Mas Teubner recusou a publicação, pois temia um prejuízo econômico. Ritschl comunicou isso a Nietzsche em 2 de julho e acrescentou sua opinião, que refletia um motivo de recusa mais profundo[7]: "Certamente acredito que uma repreensão estritamente científica do panfleto de Wilamowitz seja a única solução digna: mas esta não deveria [...] ostentar o signo da inimizade contra a filologia. Pelo menos o senhor, meu querido amigo, deve reconhecer que um velho filólogo como eu [...] não pode se oferecer como padrinho [...]. Sempre preservarei o respeito neutro pela seriedade e pelo idealismo de seus esforços; mas jamais concordarei com o senhor que *apenas* a arte e a filosofia sejam os mestres da humanidade. A meu ver, a história também tem esta função, e como disciplina especial desta, também a filologia". Será que Ritschl teria plantado com isso – involuntariamente – a semente para a pergunta referente à utilidade da história como ciência para a vida? A princípio, porém, Nietzsche se ocupou com outra pergunta de maior urgência naquele momento: se, com essa demarcação, Ritschl pretendia excluí-lo da comunidade de sua ciência. Nietzsche se defende. Ele não só completa agora seu último trabalho filológico ("Certamen"), mas investe muito esforço na publicação do texto de Rohde e acaba recorrendo aos serviços do editor de música Fritzsch. Em 12 de agosto, ele escreve a Ritschl: "Agradeço-lhe muito pelos seus esforços referentes a Teubner. Sinto muito pelo fato de não ter funcionado; mesmo assim, a redação de Rohde será publicada em breve, e o senhor verá se sua intenção é realmente uma 'luta contra a filologia' ou contra a 'história' [...]. Ao contrário: eu me defendo como filólogo; não querem me reconhecer como filólogo; e por isso, eu, o filólogo, sou representado por Rohde".

No fim do ano, acabou ocorrendo a decisão tão adiada: Nietzsche visitou seu velho mestre em 30 de dezembro, em Leipzig, e aqui, no confronto direto, não houve mais desvios, ocultações ou formulações bem-educadas. A ruptura entre suas opiniões se evidenciou à luz do dia.

### Reveses em virtude do "Nascimento da tragédia"

Já que a réplica de Rohde demorou a ser publicada – o pequeno livro chegou às livrarias apenas em 15 de outubro – a "filologia do futuro" de Wilamowitz teve tempo de sobra para causar seus estragos. Evidenciou-se que Nietzsche havia provocado "um grito de ira" não só nos berlinenses, mas também "em Leipzig há *uma* só voz sobre meu escrito: o animoso Usener, que respeito muito, revelou [...] aos seus estudantes o seu conteúdo: 'é a mais pura insensatez, sem nenhuma utilidade: a pessoa que escreveu isto está cientificamente morta'. É como se eu tivesse cometido um crime; calaram-se agora há dez meses, pois todos acreditam ter superado o meu escrito". Assim escreve a Rohde em 25 de outubro. E isso teve consequências. No semestre de verão havia feito uma preleção de três horas sobre as Coéforas de Ésquilo com sete estudantes e outra preleção, também de três horas, sobre os filósofos pré-platônicos com dez estudantes e, além disso, realizado um exercício sobre Teógnis. No semestre de inverno, porém, só conseguiu realizar uma preleção de três horas sobre a retórica grega e romana com dois ouvintes não filológicos. Ninguém se interessou por seu seminário e sua preleção sobre Homero e a questão homérica. Nietzsche sentiu o golpe. Nos meados de novembro, escreveu a Ritschl e Wagner: "Existe, porém, um ponto que me inquieta muito no momento: Iniciamos o nosso semestre de inverno, e eu estou sem estudantes! [...] Na verdade, trata-se de um *pudendum* e deve ser temerosamente ocultado do mundo. [...] Pois o fato pode ser explicado facilmente – de repente, fui difamado pelos colegas de minha disciplina, de forma que nossa pequena universidade acaba sendo prejudicada! Isso me abala muito, pois sou devoto e muito grato a ela e de forma alguma desejo prejudicá-la; agora, porém, os meus colegas filológicos, e também o Conselheiro Vischer, celebram algo que nunca vivenciaram em toda sua carreira acadêmica [...]. No entanto, corresponde àquilo que ouço também de outras cidades universitárias [...] mesmo aqueles que me 'conhecem' não conseguem ir além de sentir pena de mim por causa dessa 'absurdidade' [...]. Eu até conseguiria suportar isso, mas o prejuízo que causei a esta pequena universidade, a uma universidade que tanto confiou em mim, me dói muito e provavelmente me levará a tomar decisões que, por outros motivos, sempre voltam a emergir. – De resto, posso fazer um bom uso deste semestre de inverno, pois agora posso me limitar a ser um simples professor ginasial do Pädagogium".

No Pädagogium, leu com seus alunos durante os dois semestres as "Eumênides" de Ésquilo, e o diálogo "Protágoras" de Platão, e no inverno também o 10º livro da Ilíada, o "Édipo Rei" de Sófocles, e as "Filípicas I e II" de Demóstenes, o que era conveniente em vista de sua preleção sobre a retórica grega e romana. O que chama a atenção é o fato de que ele não era o único a sofrer com a falta de estudantes, os outros filólogos da universidade também lamentavam a ausência de ouvintes, e tudo indica que fenômenos semelhantes se manifestavam também em outras universidades. Portanto, a falta de estudantes não se devia exclusivamente à reação negativa a seu livro por parte dos filólogos. Além disso, o boicote perdeu forças rapidamente, pois entrementes (em 15 de outubro) havia sido publicado o escrito de Rohde "Afterphilologie" (Filologia anal) contra Wilamowitz, e em 19 de novembro Ritschl havia escrito com alegria e satisfação[7]: "Saudações e minhas mais sinceras congratulações ao corajoso par de Dióscuros pela bem-sucedida destruição da mais atrevida [...] arrogância".

Em 7 de dezembro, Nietzsche escreveu a Rohde sobre seu escrito: "Meu livreiro aqui em Basileia me informou que a procura é grande". Basileia se interessava intensamente pela controvérsia. E, aos poucos, o "Nascimento da tragédia" de Nietzsche conseguiu se impor, uma 2ª edição se tornou necessária (esta foi impressa em fevereiro de 1874, mas chegou às livrarias apenas em 1878). "Em Leipzig, meu livro já está esgotado. A novidade mais recente é a declaração de Jacob Bernays, que alega serem *suas* as ideias, apenas muito exageradas. Considero isso um atrevimento divino deste culto e esperto judeu, ao mesmo tempo, porém, também um indício engraçado de que os 'espertos do país' têm um faro certeiro. Por toda parte, e também aqui, os judeus estão à frente, enquanto o bom Usener alemão permanece lá atrás, cornudo na neblina", Nietzsche escreve a Rohde na mesma carta. Deparamo-nos aqui pela primeira vez com o respeito de Nietzsche pelos judeus, aqui ainda em tom irônico, mas que mais tarde, na grave decisão contra o antissemitismo político de seu cunhado, se transformaria em sincera admiração. Jacob Bernays, nascido em 1824, havia se tornado professor de Filologia Clássica em 1866, ou seja, depois de Ritschl, era colega de Hermann Usener, nascido em 1834, que adquiriu fama com seus estudos sobre Epicuro e que foi responsável pela difícil edição crítica do 10º livro de Diógenes Laércio. Usener se dedicava a estudos bastante semelhantes aos de Nietzsche, por isso Nietzsche sentiu muito quando perdeu esse dedicado colega como pessoa próxima a ele.

E nesse período Nietzsche perde ainda outro velho amigo, pelo menos interiormente, pois o contato externo ainda é preservado: Paul Deussen. Nietzsche lamenta em uma carta de 2 de agosto a Carl von Gersdorff: "Deussen passou alguns dias aqui. Ah, isso merece um capítulo próprio. Na verdade, ele me torturou até a exaustão – o resultado é, como ele me escreve, a plena emancipação. Preocupo-me [...] seriamente com sua sanidade mental. Ele está sendo devorado por uma ambição completamente insatisfeita". Não seria a última vez que Nietsche comenta uma visita de Deussen dessa forma.

### A "meditação sobre Manfredo"

Mas Nietzsche desafiou o destino ainda em outro nível – e fracassou: como compositor.

Nos meados de abril, antes de sua partida para o Lago de Genebra no dia 16, ele escreve à família: "Por favor, comuniquem ao Gustav [Krug] que acabei de completar uma composição para piano a quatro mãos e que estou bastante satisfeito com ela, trata-se de uma adaptação da primeira página da minha 'Noite de São Silvestre', que agora abarca sete páginas". Ele está se referindo à infeliz "Meditação sobre Manfredo" – infeliz porque parte de duas negações, e a negação nunca foi uma base adequada para qualquer atividade artística. Ele nega o antigamente tão venerado Schumann e sua música sobre "Manfred", que essa composição procura refutar musicalmente; e tenta expressar uma aversão emergente contra Byron, igualmente venerado no passado. Ainda em 1888, ele escreveria no "Ecce homo"[5]: "Os alemães são *incapazes* de qualquer conceito de grandeza: a prova é Schumann. Certa vez, levado pela fúria contra este saxônio adocicado, compus uma antiabertura de *Manfredo*". Nenhuma de suas outras inúmeras composições foi gerada a partir de uma postura semelhante; pelo contrário, a maioria foi composta como expressão de amizade. Por isso, é metodologicamente ilícito aplicar a crítica de Bülow voltada contra essa peça a todas as composições de Nietzsche e de julgar sua musicalidade a partir desse caso especial. Formalmente, a peça também é infeliz: Apresenta uma mistura de reminiscências ao "Eco de uma noite de São Silvestre", sendo que as partes deste são abreviadas (Nietzsche sempre abreviava quando revisava suas composições), e de partes novas e originais, tematicamente dominadas por um acorde menor que despenca para as profundezas, mas que, em seu *páthos* sombrio, se contrapõe de forma estranha às partes adotadas da "Noite de São Silvestre", sem criar uma tensão musical autêntica, como a tensão apresentada pela sonata com seus dois objetos. Caso Nietzsche tenha tentado compensar o fracasso do "Eco" diante de Wagner (as abreviações e a exclusão da dança camponesa apontam para essa direção), ele, na verdade, aumentou o fracasso a ponto de criar uma catástrofe.

Em 28 e 30 de junho, Nietzsche havia ouvido o "Tristão" em Munique sob a direção competente de Hans von Bülow. E agora decidiu subitamente dedicar sua composição mais recente ao músico venerado. O filólogo, sob ataque dos colegas de sua disciplina, queria provar-se diante do músico como músico. Em 20 de julho, enviou-lhe o manuscrito e, com ele, uma longa carta: "Como é grande o meu desejo de dizer-lhe mais uma vez com que admiração e gratidão eu sempre me lembro do senhor. O senhor me deu acesso à impressão artística mais sublime da minha vida; [...] e incapaz de expressar isso de forma mais explícita e eloquente, tive a ideia de, enviando-lhe uma composição [...], revelar-lhe o meu *desejo* de demonstrar a minha gratidão. Que desejo mais nobre! E que música mais duvidosa! O senhor pode rir de mim, pois eu o mereço [...]. Um panfleto berlinense contra meu escrito [...] procura me destruir, e um antiescrito [...] do Prof. Rohde de Kiel, que será publicado em breve, pretende por sua vez destruir o panfletista. [...] Em meio a tudo isso, vivencio o poder curador do Tristão, depois, renovado e purificado, retorno então aos gregos. O fato, porém, de o senhor possuir essa poção mágica, faz do senhor o meu médico: E se o senhor chegar à conclusão que a música produzida por seu paciente seja horrível, o senhor conhece a arte pitagórica de curá-lo por meio de 'música boa' [...] enquanto ele, sem música boa [...] por vezes começa a suspirar musicalmente como os gatos nos telhados".

Imediatamente – já em 24 de julho – Bülow responde ao presente com uma crítica devastadora, citada sempre por todos aqueles que pretendem negar a grande importância e função da música e da atividade como compositor na vida de Nietzsche. Até certo ponto, porém, o descomedimento da crítica de Bülow se condena a si mesma; ela não perde em nada aos ataques do adversário filológico Wilamowitz[7]: "Sua meditação sobre Manfredo é a coisa mais extrema em termos de extravagância fantástica, o mais aterrorizante e mais antimusical que há muito vejo em papel pautado. Repetidas vezes tive que me perguntar: Seria tudo isso uma brincadeira, teria o senhor pretendido criar uma paródia sobre a chamada música do futuro? Foi com propósito que o senhor zomba ininterruptamente de todas as regras de harmonia, desde a sintaxe mais elevada até à ortografia ordinária? Fora seu interesse psicológico, [...] do ponto de vista musical sua composição tem apenas o valor de um crime no mundo moral [...]. Uma fantasia que se embriaga com lembranças de tons wagnerianos não é uma base de produção [...]. Caso o senhor, prezado senhor professor, tenha levado a sério sua aberração no campo da composição – coisa que eu duvido até agora –, sugiro que se limite a compor música vocal e permita que a palavra guie o barco à deriva no selvagem mar sonoro [...]. O senhor chamou sua música de 'terrível' – e de fato ela o é [...] prejudicial para o senhor, que não sabe usar suas eventuais horas de ócio de outra maneira do que senão disciplinando de forma semelhante a Euterpe [...]. Bem, talvez o 'Lohengrin' consiga curar o senhor, que será apresentado no dia 30 [...] infelizmente não sob a minha direção". Essa crítica contém um ponto correto. Bülow percebe corretamente as possibilidades e os limites musicais de Nietzsche: Quando permitiu que a mão de um poema o guiasse, ele produziu seu melhor em termos musicais, suas canções revelam um talento lírico autêntico. Bülow, porém, erra completamente quando o acusa de se embriagar com os tons de Wagner; não os encontramos em parte alguma. Essa acusação se apoia na suposição incorreta de que a peça teria sido escrita sob a influência das mais recentes apresentações do Tristão. Sua composição data de dois meses antes e recorre a ideias bem mais antigas. Com esse ataque, infelizmente Bülow revela um aspecto mais fraco de seu caráter de resto tão generoso, uma falta de controle, uma tendência ao descomedimento no ataque, que também Cosima lamenta como um traço surpreendente e lamentável, constatado por muitas pessoas. Mas Bülow revela também os limites de seus conhecimentos musicais. Um músico de renome menor – mas igualmente formado –, Peter Gast, já observou que as supostas violações sintáticas não são tão graves assim, e em 1965 Martin Vogel apresentou uma análise minuciosa, refutando algumas críticas de Bülow[254]. Os desvios, as "audácias" de Nietzsche já revelam aqui aquela predestinação para o Impressionismo, que se manifestam claramente nas descrições da natureza do "Zaratustra" ou, mais tarde, na experiência de Turim e de suas vizinhanças. Bülow foi incapaz de entender a decorrente fuga da rígida harmonia funcional de seu tempo. E o revestimento sonoro também é inadequado: piano a quatro mãos. Como todas as fantasias desde o "Hermenerico", a "Meditação" foi escrita para a grande orquestra, mas Nietzsche se viu obrigado a confiná-la a uma adaptação para piano, pois não dominava a arte da partitura orquestral. Falta à obra, como a todas as suas grandes fantasias, a disciplina formal. Nietzsche estava ciente de suas fraquezas e limitações. Antes de receber a crítica de Bülow, ele confessa em 24 de julho a seu amigo Gustav Krug: "*Apaixonei*-me por sua música [...], dela flui, para usar uma expressão bíblica, o óleo da graciosidade e da melancolia; sinto-me um completo desajeitado com meus *fortissimis* com *tremolis*; [...] você se realizou: um músico assíduo, enquanto eu me rendo ao ridículo com o 'dionisíaco' e o 'apolíneo' [...], pois é vergonhoso deitar-se na barriga com tanta melancolia musical, como um urso em sua pele de urso [...]. Como demonstram essas composições, deixei-me levar escandalosamente pelo fantástico e feio, pelo inadequado e vagante. [...] Mas se você sentir um afeto autêntico pelo Manfredo [...] preciso adverti-lo [...] dessa minha música ruim [...]. Meu gosto não é bom, e meus conhecimentos musicais deterioraram, nem [...] domino mais a ortografia. – Agora, sou músico apenas na medida necessária para o uso doméstico filosófico".

Se a data desta carta for correta (24 de julho), Nietzsche revelou nela uma previsão incrivelmente precisa daquilo que viria. E caso tenha escrito essas linhas já sob a impressão da crítica de Bülow, elas revelam uma resignação no momento do golpe, do qual ele não se recuperaria durante muito tempo. No fundo, essa crítica o afetou mais do que o panfleto de Wilamowitz. Rejeitá-lo como músico significava rejeitá-lo na essência de seu ser – a filologia era apenas uma profissão adquirida. Mesmo assim: Apenas após a publicação da réplica de Rohde, ou seja, apenas após poder se reabilitar como filólogo diante do músico, ele lhe respondeu em 29 de outubro: "Quero garantir-lhe que jamais teria ousado pedir sua opinião sobre minha 'música', nem mesmo em tom de brincadeira, se eu tivesse tido qualquer noção de sua absoluta falta de valor! Infelizmente, ninguém me arrancou dessa minha ilusão inofensiva [...] de conseguir produzir uma música grotescamente leiga, mas – para mim – altamente natural. – [...] Creio ainda hoje que sua avaliação teria sido um pouco mais favorável se eu tivesse lhe apresentado aquela 'não música' pessoalmente, do meu jeito incompetente, mas expressivo. [...] Imagine só que, desde a minha juventude *mais remota*, tenho vivido na mais louca ilusão, vivendo muitos momentos de alegria com minha música! [...] Sempre tive dificuldades de entender de onde vinha essa alegria. Nela havia algo de muito irracional [...]. Justamente no caso desta música de Manfredo, tive um sentimento tão furiosamente patético, uma diversão furiosa, como uma ironia diabólica! Minha outra 'música' é, o senhor terá que acreditar nisso, mais humana, mais mansa e também mais pura. Até o título era irônico – pois diante do Manfredo de Byron, que quando garoto eu venerava como minha poesia preferida, não consigo vê-lo senão como um monstro monótono sem forma – [...] o senhor me *ajudou muito* – uma confissão que ainda me causa alguma dor. – [...] Digo, como costumam dizer as crianças após cometerem alguma tolice: 'Não voltarei a fazê-lo'". No entanto, não se passaram nem mesmo seis meses, quando ele voltou a fazê-lo; agora, nem anos mais tarde, ele conseguiu se despedir definitivamente dessa atividade tão amada, na qual se manifestava a "essência de sua natureza" (como ele viria a dizer anos mais tarde)! As composições em geral e essa meditação sobre Manfredo em especial são de grande "interesse psicológico", como Bülow observou corretamente. Um esboço da carta a Bülow é ainda mais revelador[8]: "Pois infelizmente preciso confessar – produzo música de fabricação própria desde a infância, possuo a teoria por meio do estudo de Albrechtsberger, escrevo inúmeras fugas e domino o estilo puro – até determinado grau de pureza. Por vezes, porém, eu era tomado por um desejo tão bárbaro e excessivo, por uma mistura de teimosia e ironia, que eu – tampouco quanto o senhor – sou incapaz de discernir o que a música mais recente ostenta com seriedade, como caricatura ou ironia. Para os meus companheiros mais próximos (ah, os *boni*!), eu a incluí como panfleto na música programática. A designação original da atmosfera foi *cannibalido*. No entanto, sei hoje infelizmente que esta mistura de *páthos* e malícia correspondia absolutamente a um humor real e que senti um prazer ao escrevê-la como jamais senti até então [...]. Sou, porém, [...] infinitamente incapaz, da posição dessa excitação semipsiquiátrica, de julgar e admirar a música wagneriana. Da minha música sei apenas que por meio dela me transformo em senhor sobre meu humor, que, insatisfeito, é muito mais danoso. Nela venero justamente essa mais alta necessidade [...]. O que me divertiu muito nesta última música foi justamente certa caricatura de sua necessidade. E foi justamente essa contrapontuação que deve ter confundido o meu espírito ao ponto de eu perder qualquer juízo. [...] No entanto, farei uma tentativa de empreender uma cura musical: e talvez, ao estudar a sua edição das sonatas de Beethoven, eu permaneça sob sua supervisão e liderança".

Nietzsche sempre recorre a Beethoven quando fala sobre a música em tom absolutamente sério.


### Um *intermezzo* feliz

Mas esse período trouxe também momentos de leveza, e a vida de Nietzsche ainda era dominada por um vigor de existir e trabalhar que o ajudava a superar qualquer obstáculo ou resistência. Ainda tentava domar o "demônio da filosofia" em harmonia com sua disciplina e trabalhava em um livro sobre os filósofos gregos. Ele se ocupava sobretudo com a interpretação dos pré-socráticos e se entusiasmava com essa tarefa. Ele se encontrava em uma "tensão de êxtase", como escreveu a Rohde em 11 de junho: "Tenho o prazer de ter comigo a minha irmã e vivo com ela a existência mais inofensiva", escreve. Ele se esforça a superar o ataque de Wilamowitz com um espírito descontraído.

Um velho amigo e colega de estudos estava presente: Heinrich Romundt, nascido em 1845, que, desde o início do semestre de verão, trabalhava como livre-docente na Faculdade de Filosofia da Universidade de Basileia e que ocupava um apartamento na mesma casa em que viviam Nietzsche e Overbeck. Juntos, eles filosofavam, polemizavam e planejavam seus escritos revolucionários, o que rendeu à sua casa o apelido de "Gifthütte" (cabana do veneno), nome adotado de um restaurante homônimo. No final de agosto, Romundt publicou sua habilitação "O conhecimento humano e o ser das coisas" com uma dedicatória a Nietzsche.

O grande evento do mês de junho foi a "carta" de Richard Wagner contra Wilamowitz, publicada em 25 de junho na "Norddeutsche Allgemeine Zeitung"[260]. Ainda no outono de 1888, Nietzsche lhe agradece emocionado[5]: "Alguém entendeu qualquer coisa minha – *me* entendeu? – Um, apenas um e mais ninguém: Richard Wagner [...]. Qual dos meus 'amigos' alemães [...] teria tangido de longe a *profundeza* da visão através da qual Wagner se transformou em profeta para mim dezesseis anos atrás? Na época, ele me apresentou numa carta [...] aos alemães com estas palavras imortais: 'O que esperamos do senhor só pode ser tarefa de uma vida inteira, a vida de um homem que necessitamos desesperadamente e como o qual o senhor se anuncia a todos aqueles [...] que exigem da fonte mais nobre do espírito alemão [...] explicação e orientação sobre a natureza de uma educação alemã que possa ajudar à nação renascida a alcançar seus propósitos mais nobres'". Dessa forma, Wagner usou todo o peso de sua fama para estender publicamente sua mão protetora sobre o jovem amigo. Ele atacou Wilamowitz na sentença final de seu panfleto, que diz (p. 32)[270]: "a juventude filológica da Alemanha, que deseja aprender a trabalhar em ascese altruísta, a procurar sempre apenas a verdade, a libertar seu juízo por meio da entrega voluntária, para que também a Antiguidade Clássica lhe conceda aquele único eterno, prometido pelas musas e que apenas a Antiguidade Clássica pode conceder nessa plenitude e pureza [...], o conteúdo em seu seio e tão distante em seu espírito [...]", e ele pergunta pelos frutos desse trabalho ascético. Lembra-se primeiro de seus próprios anos na escola e reconhece com tristeza: "[...] como meus professores na *Nikolaischule* e na *Thomasschule* em Leipzig conseguiram destruir completamente os meus dons inatos e minhas inclinações naturais. [...] Apenas no decorrer posterior do meu desenvolvimento, percebi em vista do florescimento constante pelo menos daquelas inclinações que aquela disciplina mortalmente falsa realmente havia suprimido algo em mim [...]. Por outro lado, quando invejava Mendelssohn por sua filologia pronta, sempre me maravilhava diante do fato de que essa sua filologia não o impedira de escrever sua música justamente para os dramas de Sófocles [...]. Conheci também outros músicos que permaneceram gregos completos, mas que nada souberam aproveitar disso como mestres de capela, compositores e músicos [...] (sobre a citação de Wilamowitz): Ainda totalmente extasiado com as maravilhosas palavras finais de seu panfleto, olhei em volta no reino alemão recém-criado à procura do êxito indubitável e abertamente manifesto da eficácia bem-aventurada dessa ciência filológica [...]. Primeiro percebi que tudo que se diz dependente do favor das musas, ou seja, toda a nossa comunidade de artistas e poetas, consegue subsistir sem qualquer recurso à filologia [...]. Pois é evidente que a filologia atual não exerce qualquer influência sobre o estado geral da educação alemã [...]. Não queríamos acreditar que haveria tanta rudeza no 'serviço das musas' e que seu 'favor' causaria tamanha falta de educação como a que constatamos naquele que possui 'a única coisa eterna' [...]. Eu, por minha parte, lamento profundamente essa experiência feita diante do caso presente. [...] O que nos serve, então, o esforço no campo da filologia? [...] Perguntamos justamente o senhor, que foi chamado tão jovem e preferido por um mestre extraordinário da filologia a muitos outros para ocupar a cátedra, e aqui rapidamente conquistou tamanha confiança que lhe permitiu com corajosa firmeza fugir de um contexto vicioso para apontar com mão criativa para seus danos". E Wagner encerra com as palavras que Nietzsche usou também em seu esboço do "Ecce homo".

O outro grande evento feliz do mês de junho foram as duas apresentações do Tristão em Munique, em 28 e 30 de junho sob a direção de Hans von Bülow. Lá, ele encontrou também seu amigo Carl von Gersdorff e aprofundou sua amizade com Malwida von Meysenbug.

Nietzsche se permitiu apenas uma breve interrupção de seu trabalho. Na quinta-feira de 27 de junho, ele viaja de Basileia para Munique, e na noite de 30 de junho – imediatamente após a segunda apresentação – ele volta para Basileia. O eco dessa experiência em suas cartas é estranhamente fraco. Apenas após uma semana e exclusivamente numa carta a Rohde de 7 de julho, nós lemos: "Ah, meu querido amigo! Não devo falar do 'Tristão'! – Na primeira quinzena de agosto haverá uma repetição; e para o jubileu da universidade, uma apresentação do 'Lohengrin' e, talvez, dos 'Cantores Mestres'". Ou seja, apresentações tentadoras, às quais ele não assistiu, a despeito da facilidade durante as férias de verão e do fato de que a universidade pretendia enviá-lo como seu representante para as celebrações do 400º aniversário da Universidade de Munique (apesar de Wilamowitz!). Em 25 de julho, demonstrou na carta a Rohde ainda a intenção de viajar: "Na próxima terça-feira viajarei a Munique para o jubileu. Ao longo de nove dias, apresentarão: Lohengrin, o Holandês, Tristão. – Provavelmente Gersdorff também virá [...]. Queria que você ouvisse o *Tristão* – é a coisa mais ingente, mais pura e mais inesperada que conheço. O ouvinte é tomado por um sentimento de elevação e felicidade". Mas em 2 de agosto lemos (numa carta a Malwida von Meysenbug): "Acabei não viajando a Munique: minha decisão começou a vacilar quando Gersdorff escreveu que ele não poderia vir. [...] É insuportável ver-se só diante de uma arte séria e profunda – resumindo, preferi ficar em Basileia". Uma passagem do "Ecce homo" lança luz sobre o núcleo – na época ainda inconsciente – desse medo. Nela, Nietzsche compara essa música com haxixe, ele a chama de veneno e então continua[5]: "Pareciam-me abaixo de mim as anteriores obras de Wagner [...]. Mas hoje procuro ainda uma obra de fascínio tão perigoso, de uma infinidade tão horrenda e doce como é o *Tristão* – em vão a procuro entre todas as artes. Todas as estranhas criações de Leonardo da Vinci perdem em seu encantamento às primeiras notas do *Tristão*. Esta obra é absolutamente o *non plus ultra* de Wagner [...] Considero como uma felicidade de primeira ordem ter vivido na época justa [...] para estar à altura de semelhante obra: a tal ponto existe em mim a curiosidade do psicólogo. O mundo é pobre para quem nunca esteve assaz doente para esta 'volúpia infernal' [...] – Julgo saber melhor do que ninguém a imensidade de que Wagner é capaz, os cinquenta mundos de estranhos arroubos para os quais ninguém, exceto ele, teve asas; e, tal como sou, bastante forte para ainda tirar vantagem do que há de mais problemático e de mais perigoso e assim me tornar mais forte, chamo a Wagner o maior benfeitor da minha vida. A nossa afinidade em virtude de termos sofrido também um pelo outro mais profundamente do que os homens deste século podem suportar unirá eternamente os nossos nomes"*. Em agosto de 1872, porém, ele não foi forte o bastante para se expor a essa música sem o apoio humano de seu amigo Gersdorff. Juntou-se a isso também a tensão entre ele e Bülow após sua reação à meditação sobre Manfredo.

Nietzsche passa um mês de julho terrivelmente quente – e especialmente abafado em Basileia – e um mês de agosto um pouco mais agradável em Basileia, onde trabalha numa nova revisão de suas "palestras sobre a educação", que não gera nenhum resultado, e onde também completa seu estudo sobre Homero e Hesíodo para Ritschl. Em 21 de agosto ele relata a Rohde: "Minha ocupação com os filósofos pré-platônicos foi especialmente fértil". Nietzsche começa a desenvolver também um novo relacionamento com o diretor musical de Genebra Hans von Senger, que ele conhecera em Munique – também um admirador ardente de Wagner. Senger se torna importante para ele, porque elabora uma tradução para o francês do "Nascimento da tragédia" com a ajuda de uma Sra. Diodati, mas que nunca conseguiram completar. Em 5 de outubro, informa Gustav Krug que algumas pessoas em Florença estavam trabalhando em uma tradução para o italiano. Ou seja, já com sua primeira obra Nietzsche tenta invadir o espaço cultural romano, uma ideia que se intensificaria com suas últimas obras.

No final de agosto, Malwida von Meysenbug, sua filha de criação Olga Herzen e o noivo desta, o historiador francês Gabriel Monod, passam alguns dias em Basileia. A mãe de Nietzsche visita a filha de 3 a 10 de setembro. Nessa ocasião, com um pequeno grupo de seis pessoas, Nietzsche faz uma pequena viagem pela Suíça, que culmina no Pico do Rigi, que desde 1871 pode facilmente ser alcançado por trem.

---

* Ibid., p. 35.

### Refúgio nas montanhas

Aparentemente, Nietzsche prometera à mãe que ele a visitaria em Naumburg nas férias de outono, mas mudou seus planos inadvertidamente; em vez disso, recebeu em 1º de outubro um relato minucioso e descontraído de sua viagem. Em 27 de setembro, após uma estadia de quase quatro meses em Basileia, Elisabeth havia partido para Wiesbaden, onde pretendia visitar alguns parentes. No dia 28, Nietzsche também partiu, não para Naumburg, mas em direção a Chur. Em virtude de violentas dores de cabeça e de um mal-estar, ele teve que interromper sua viagem em Weesen (na ponta oeste do Lago Walen). Essa dor de cabeça tornar-se-ia um companheiro constante em suas viagens. "Com dores de cabeça levantei-me na manhã seguinte. Minha janela se abria para o Lago Walen, que você pode imaginar semelhante ao Lago dos Quatro Cantões, mas mais simples e sem a nobreza deste. Depois prossigo para Chur, infelizmente com um desconforto cada vez maior, que me fez passar por Ragaz em desinteresse quase completo: fiquei aliviado quando pude desembarcar em Chur [...] e rapidamente me deito na cama, após hospedar-me no Hotel Lukmanier. [...] Um garçom zeloso [...] me recomenda a caminhada até Passugg. [...] Subo confortavelmente pela estrada: toda a paisagem se apresenta, como já no dia anterior, em dourada luz de outono. [...] Após meia hora, uma pequena trilha [...]. Esta me levou ao vale pelo qual corre o Riacho Rabiusa: impossível exagerar em sua descrição. Atravesso pontes e sigo trilhas estreitas nas encostas das montanhas por meia hora e encontro então, indicado por uma bandeira, Bad Passugg [...]. Mais tarde, ao pôr do sol, retorno, alegrado por esta tarde, apesar de lembrar-me muitas vezes da recepção, ou melhor, da não recepção em Naumburg [...]. Na segunda-feira, levantei-me às quatro da manhã, a diligência partiu às cinco. Antes, fui obrigado a aguardar numa sala de espera de cheiro desagradável [...]. A partida me salvou, pois havia combinado com o cocheiro que ficaria do seu lado ao ar livre. Lá, fiquei só: foi a viagem de diligência mais linda que já experimentei. Não ouso escrever sobre as incríveis maravilhas da *Via mala*: parecia-me que ainda não conhecia a Suíça. Esta é a *minha* natureza, e quando nos aproximamos do Splügen, tive o desejo de permanecer ali... Este vale alpino [...] é toda minha alegria: existem aqui ares puros e fortes, colinas e rochas de todas as formas, em sua volta poderosas montanhas de neve [...]. Conheço agora um lugar onde eu, fortalecendo-me em atividade refrescante, posso viver sem nenhuma companhia." Ele relata o restante de sua viagem à sua irmã nos meados de outubro, após seu retorno a Basileia: "Minha viagem foi [...] no meu sentido masculino, um sucesso incomparável [...]. O ar das alturas! O ar dos Alpes! Ar dos Alpes Centrais! – Uma tentativa de viajar para a Itália foi malsucedida – ar enjoado e adocicado, sem iluminações! Consegui chegar

388

até Bergamo [...] e de lá voltei o mais rápido que pude para Splügen [...]. No último dia dessa viagem passei um dia de outono celestial em Ragaz". Isso foi no dia 10 de outubro. Uma visita de Deussen obscureceu a luz desses dias: "Anteontem recebi a visita de – Deussen. Passou, mas ontem e hoje tive dores de cabeça". Isso também se repetiria várias vezes: uma forte dor de cabeça em decorrência de visitas, sobretudo de Deussen.

### A "História da cultura grega", de Jacob Burckhardt

Um impacto mais profundo teve um evento especial: Naquele semestre de verão, Jacob Burckhardt realizou pela primeira vez sua preleção sobre sua "História da cultura grega". Em 17 de junho, escreveu a Jakob Oeri sobre o sucesso dessa preleção[61]: "Na 'História da cultura grega' tenho 53 ouvintes matriculados. Vários precisam ficar de pé! – Imagine! – Mas oferecerei um grande sacrifício de gratidão aos deuses se eu alcançar o fim de setembro sem perturbações". Nietzsche também queria assistir a esta preleção, mas como docente isso não lhe era permitido. Assim, ficou esperando o fim de cada preleção na porta da universidade, e, enquanto juntos voltavam para casa, Jacob Burckhardt lhe fornecia um resumo de sua preleção, após o qual os dois discutiam vividamente. Muitos anos depois, Nietzsche teve a alegria de receber o texto transcrito cuidadosamente por seu aluno Louis Kelterborn[8]. Podemos ver nesse trecho de caminho compartilhado a culminação harmoniosa desse encontro tão significativo para a história do espírito. Tratava-se de um dar e receber equilibrado e compreensivo, uma sorte para Nietzsche, que se gravou em sua alma de forma tão profunda que jamais conseguiu acreditar na alienação entre os dois, nem mesmo após a rejeição mais fria que Nietzsche viria a sofrer por parte de Jacob Burckhardt.

### O golpe de Rohde contra Wilamowitz

A felicidade encontrada na natureza era uma felicidade silenciosa e interior, mas Nietzsche jubilou publicamente quando, em 15 de outubro, finalmente foi publicada a réplica de Rohde a Wilamowitz[206] sob o título "Filologia anal", sugerido por Franz Overbeck[8].

A réplica se apresenta na forma de uma "carta a Richard Wagner" de 48 páginas, ou seja, 30% mais longa do que o ataque de Wilamowitz. Rohde inicia com uma profissão da filosofia de Schopenhauer e de sua continuação no livro de Nietzsche, como também da obra de Wagner e seu empenho pela arte. Numa extensa parte central, Rohde refuta a maioria das objeções de Wilamowitz. O autor demonstra que Wilamowitz recorre de forma insuficiente às suas fontes, apesar de citá-las com frequência, que Wilamowitz ignora os resultados da pesquisa mais recente e de filólogos importantes, e também que os conhecimentos de Wilamowitz sobre os escritores antigos são insuficientes, que evidentemente Wilamowitz desconhece fontes importantes, o que poderia até ser perdoado em vista de sua idade (Wilamowitz escreveu a "Filologia do futuro" aos 23 anos de idade), não, porém, sua arrogância de empreender tamanho ataque a despeito da aparente falta de conhecimentos. A pior acusação, porém, é de natureza metodológica: Rohde alega que Wilamowitz – em virtude de uma leitura superficial, de uma incompreensão dos textos ou de uma intenção má – teria citado de forma imprecisa ou até mesmo errada e baseado nessas citações erradas toda a sua argumentação; e isso é o pior crime do qual um filólogo pode ser acusado. Uma das críticas principais de Wilamowitz a Nietzsche havia sido que este havia aplicado à Antiguidade as concepções e medidas obtidas por meio de Schopenhauer, quando cada ciência é obrigada a preservar a objetividade e extrair os critérios exclusivamente do objeto de estudo e de sua situação histórica; isso excluiria a aplicação de conhecimentos que os próprios autores da Antiguidade não possuíam. Rohde explica então que esse axioma seria uma "imprecisão ingênua, com que cada um, nem sempre em plena consciência disso, transfere suas próprias concepções para a Antiguidade. Pois essa objetividade, que mesmo na exploração da essência mais secreta da arte antiga "alega basear-se apenas em testemunhos, é, no fundo, puramente ilusória. Vemo-nos diante desse destruído mundo de milagres de maravilhas antigas na mesma posição em que nos encontramos diante de toda a natureza das coisas: tanto aqui quanto lá somos inundados por uma infinidade desconexa de objetos individuais para a qual tentamos encontrar uma unidade que, no fundo, só podemos obter a partir de uma unidade do conhecimento contemplativo criada dentro de nós mesmos".

Nietzsche havia contraposto ao gênio artístico gerador de mitos o tipo do "homem socrático", como antipolo espiritual que dissolve o mito por meio da *ratio*. Wilamowitz se diz afetado e ferido por isso, mas Rohde não lhe permite identificar-se com esse "adversário extraordinário de uma cultura artística", que era – no mínimo – uma grande potência espiritual, e lhe diz que ele e seus semelhantes teriam tanto em comum com esse antítipo antigo quanto "o macaco tem em comum com Héracles" (p. 12). Como vemos, Rohde usa expressões tão difamadoras quanto Wilamowitz usara em seu ataque contra Nietzsche. Também na página 38, onde escreve: "Isso como resposta ao palavreado confuso do Dr. Phil. [...] que demonstra ao mesmo tempo sua estupenda ignorância e uma inexprimível rudeza de suas concepções".

390

E Rohde inicia o resumo da parte filológica com as seguintes palavras (p. 44): "Chega, chega de refutações pouco edificantes a este pasquineiro. Para justificar nosso amigo, tive que remeter as reivindicações arrogantes do Dr. Phil. a um conhecimento melhor, desmascarando-as como o que realmente são, ou seja, a irreflexão, a ignorância e desonestidade não de um filólogo ajuizado e metodológico, mas de uma distorção completa do método crítico, de um verdadeiro filólogo anal". Segue então a profissão de filologia como ciência que abarca as possibilidades de acesso também aos valores internos e humanos do antigo mundo de arte. E é justamente nesse ponto que ele acusa Wilamowitz de ter fracassado, de se confinar a limites espirituais e psicológicos excessivamente restritos (p. 3): "Aparentemente, temos diante de nós um exemplar daquele curioso gênero de 'críticos', em cujas mãos caiu um livro não destinado a ele, e que agora, sem entender nada de seu conteúdo e que jamais será capaz de entender nada em virtude das limitações de seus dons – extrai dessa incompreensão a única razão para se produzir como 'crítico' deste livro [...] sem nem mesmo [...] entender o sentido da pergunta que o velho Lichtenberg dirigiu a um representante de sua ordem: 'Quando uma cabeça se chocar contra um livro e esse choque produzir um som oco, este sempre se deve ao livro?"

Nietzsche ficou muito feliz e agradeceu Rohde em 25 de outubro: "Não consigo expressar em palavras o que você fez por mim neste dia; eu mesmo teria sido completamente incapaz de fazer o mesmo e sei que não existe uma segunda pessoa da qual eu poderia esperar tamanha demonstração de amizade [...]. Compreendo agora em retrospectiva o nojo e o constrangimento ainda melhor, sentindo agora o que você sofreu [...] Seu escrito, explodindo com sua magnanimidade e corajosa alma de combatente no meio do cacarejo do povinho – que espetáculo! [...] Gostei sobretudo de sempre ouvir o estrondo profundo da tonalidade como que de uma grande cachoeira, que consagra a polêmica e causa a impressão de grandeza".

### Dissonâncias persistentes

Inadvertidamente, nessa feia controvérsia, Nietzsche havia bebido o veneno da polêmica. Ele havia sido atacado e defendido com armas que até então ele não havia conhecido (nem mesmo em suas palestras sobre a educação) e com as quais ele imediatamente se armou, passando a praticar seu uso. Desde a "Filologia do futuro", de Wilamowitz, até o "Crepúsculo dos ídolos", de Nietzsche, corre uma veia ininterrupta e cada vez mais agressiva de invectivas desenfreadas. Ambos os textos, porém, parecem presos ao "estilo do tempo". Um modelo é bastante evidente: a polêmica de Bachofen contra Mommsen. Já em 24 de janeiro de 1862, ele havia escrito a um amigo após a publicação da terceira edição da "História romana", de Mommsen[41]: "A língua não possui palavras para expressar a falta de escrúpulos pueril do autor. É uma obrigação protestar publicamente contra um livro deste tipo. [...] Particularmente repugnante é a prática de remeter Roma às ideias preferidas do liberalismo prussiano moderno mais superficial. [...] Como o senhor vê, tenho em mãos algo asqueroso. Por favor, não fale disso. Perderei mais ou menos um ano com este assunto". Bachofen acabou perdendo oito anos: em 1870, publicou sua "Lenda de Tenaquil" como resposta ao capítulo sobre os etruscos na obra de Mommsen. Depois disso, Bachofen voltou a falar sobre Mommsen numa carta de 4 de abril de 1870 ao mesmo destinatário[41]: "A única coisa que nos resta é zombaria. Contemplações sérias são reservadas para trabalhos sérios e não para exercícios pueris de insultos [...]. Engoliram esse tabaco de bar de esquina [...]. Pois com os alemães é impossível lutar contra uma asseguradora de bandos científicos, ou melhor, não científicos. Mas sinto-me obrigado a protestar uma vez contra aquilo que considero a ruína extrema, mesmo que o faça sozinho". E usa então a expressão "bando berlinense de lambedores de saliva", o modelo para a primeira glosa de Nietzsche sobre Wilamowitz: "tudo respira Berlim" (cf. p. 373) ou "tom atrevido daquele garoto de Berlim". Estas e a expressão "berlinenses repugnantes" revelam sua origem: tudo indica que não eram usadas apenas na casa de Bachofen. Na época, Nietzsche frequentava as casas das melhores famílias de Basileia. Os cidadãos de Basileia não abandonaram seu professor original, e jamais o fariam por causa de uma crítica berlinense.

Nietzsche passou três dias felizes em Estrasburgo, de 22 a 24 de novembro, onde se encontrou com a Família Wagner. Nesse ano, passou os feriados de Natal em Naumburg, partindo de Basileia já em 21 de dezembro. No dia 26, fez sua primeira pequena excursão para Weimar, onde ouviu pela primeira vez o "Lohengrin", e em 27/28 de dezembro se encontrou em Leipzig com seu editor Fritzsch e com seu velho Prof. Ritschl, quando ocorreu a decepcionante discussão.

Mas no fim deste ano, a despeito de vários momentos felizes, ele não pôde escrever "este foi um bom ano", por mais bem-sucedido e promissor que tenha sido seu início. Em 12 de dezembro, ele escreveu a Gersdorff: "Uma das coisas mais difíceis às quais devemos sobreviver é certamente o isolamento cada vez maior – irmãos, pais, amigos – todos se vão, aos poucos, tudo se transforma em passado, até nós mesmos para nós mesmos".

Ele havia perdido a "Ilha dos bem-aventurados" (Tribschen), o apoio dos colegas de sua disciplina e alguns amigos. Além disso, havia perdido também sua identidade como filólogo e como pessoa social e descontraída. Sua segunda voz, ainda relegada ao segundo plano no "Nascimento da tragédia" e em suas palestras sobre a educação, agora insistia, reivindicando seu papel de liderança. Como presente de Natal, entregou a Cosima Wagner "Cinco prefácios para cinco livros não escritos", entre eles também "Sobre o *páthos* da verdade". Aqui se anuncia uma era totalmente nova. Em novembro, ele havia começado a emprestar livros científico-naturais da biblioteca da universidade[37]. Mas já na primavera o demônio que o impelia havia erguido sua cabeça: Primeiro em abril, na "Meditação sobre Manfredo", que, neste contexto, de repente atrai o "interesse psicológico" (Bülow) – e depois, dando continuação a essa autoexposição dos conflitos interiores, no final de maio, os primeiros esboços para o tratado profundamente cético "Sobre a verdade e a mentira no sentido extramoral", que ele nunca publicou. Ele sabia: aqui se abria o abismo. Agora começam as ousadas escaladas mentais nas beiras da cratera, até Nietzsche ser engolido pela profundeza, igual a seu antigo modelo Empédocles.

Ele poderia ter escrito já agora as palavras que antecedem o aforismo final da "Gaia ciência": *Incipit tragoedia.*

# XI

## Os primeiros passos no novo espaço (o semestre de inverno de 1872/1873)

A Família Wagner havia convidado Nietzsche para passar o Natal de 1872 em Bayreuth; a primeira Festa de Natal em Bayreuth! Mas como no ano passado, quando se esquivou da festa em Tribschen com uma desculpa e permaneceu em Basileia, ele se desculpou também neste ano, alegando "exaustão". Viajou em vez disso para Naumburg, sem fazer o pequeno desvio por Bayreuth. Desde 1868 não havia passado o Natal em casa, a escolha de Naumburg não correspondia, portanto, a uma tradição. O Natal da casa da viúva do pastor era celebrado de forma pia e contemplativa, o que certamente não agradou muito a Nietzsche, mesmo assim essa recuada para Naumburg correspondia a uma necessidade interior, era sintomática. E também não seria a última vez que ele se refugiaria numa situação parecida de destruição geral de todos os apoios no último porto seguro e indestrutível, buscando a segurança do amor materno.

Nietzsche também não enviou presentes para Bayreuth, pois desde a primavera, desde as palestras incompletas sobre os estabelecimentos de ensino e a composição sobre "Manfredo", o ano havia sido pouco produtivo. Temos muitos esboços do verão e outono, planos para livros se revezam em rápida sequência, mas nada que pudesse ter sido enviado às gráficas. Tudo era um tatear e experimentar, uma tentativa de se orientar na nova situação, que se parecia muito com um vácuo desesperador.

Esses experimentos cansativos e desorientados resultaram na "exaustão", não em decorrência de seu trabalho como professor, que jamais havia sido tão leve com suas seis horas no Pädagogium e as três horas de preleção para dois ouvintes, e muito menos em decorrência de uma produtividade intensificada. Wagner sabia disso, e até mesmo uma pessoa com uma sensibilidade muito inferior teria percebido a natureza da desculpa. Assim, Wagner reagiu com um profundo mal-estar, que pode ter sido intensificado por autoacusações. Um ano antes, Nietzsche havia lhe enviado sua composição "Eco de uma noite de São Silvestre", e Wagner havia zombado dela. Será que Nietzsche havia sido informado sobre isso? Agora, precisava se perguntar se havia ido longe demais, se havia ferido seu jovem admirador no ponto mais sensível de sua alma. Talvez, lamentava também o fato de ter magoado e, possivelmente, perdido um admirador tão fiel e entusiasmado, pois Wagner admirava seus grandes talentos, a seriedade filosófica do jovem erudito. Nessa época, Cosima escreveu a Carl von Gersdorff: "Quero dizer-lhe que sabemos o que temos nele e que as oscilações eventuais não ameaçam este relacionamento mais firme". Mas Wagner se irritava facilmente. Ele e Cosima estranharam a tendência crescente de Nietzsche de se expressar de forma polêmica e apodíctica. Em uma carta a Malwida von Meysenbug, Cosima escreveu – referindo-se às palestras sobre a educação[14]: "Por vezes, manifesta-se nelas uma rudeza inapropriada, numa grande profundeza de sentimentos. Queríamos que ele se ocupasse sobretudo com temas gregos".

Simplesmente não comparecer na Festa de Natal em Bayreuth, mas mesmo assim aturar a longa viagem para Naumburg – para Wagner, isso também era uma "rudeza", que ele não superou durante várias semanas, nem mesmo quando, nos primeiros dias de Natal, chegou um presente pessoal para a Sra. Cosima: os "Cinco prefácios para cinco livros não escritos". E apenas quando Nietzsche voltou a escrever publicamente em prol de Wagner e da obra de Bayreuth e ele se ofereceu como jurado de um concurso de trabalhos sobre os Nibelungos, Cosima conseguiu apaziguar o Mestre ao ponto de ele permitir que ela agradecesse pelo presente em 23 de janeiro na forma sucinta de um telegrama[15]: "Ao som das canções do ferreiro, lembra-se do senhor com gratidão Cosima Wagner, entristecida em virtude do silêncio imposto". Em 12 de fevereiro, segue uma carta: "[...] por que não lhe agradeci imediatamente, mesmo sem ter lido o manuscrito, nem mesmo por meio de poucas linhas como o fiz em meu coração? Por que deixei passar a chegada da remessa e a vinda do ano-novo sem escrever-lhe o quanto pensava no senhor? Este é o ponto do qual gostaria de tratar abertamente com o senhor [...]. O Mestre ficara magoado com a sua ausência e com a forma em que o senhor nos comunicou sua não vinda; não me senti à vontade de comunicar-lhe isso imediatamente, e confiei que a paciência do tempo apagasse as mágoas e fizesse florescer a pureza dos sentimentos verdadeiros – hoje, isso aconteceu, e, quando falamos sobre o senhor, já não ouço mais nenhum tom de amizade ferida, mas apenas a alegria sobre aquilo que o senhor voltou a nos oferecer". E então elogia explicitamente a quinta peça, "A competição de Homero", no qual Nietzsche descreve o *agon*, a luta, como motor da vida grega e também de seus produtos espirituais. O primeiro texto "Sobre o *páthos* da verdade" a toca, porque ela mesma já havia refletido sobre seu tema, ou seja, sobre a relação entre arte e filosofia, e agora compartilha com ele sucintamente seus pensamentos, encerrando essa parte da carta com as palavras: "Acredito que o conhecimento filosófico correto deve ser o fundamento de todo trabalho intelectual, mas concordo com o senhor que se deve filosofar o mínimo possível, i.e., *falar* o mínimo possível sobre estas coisas. [...] Espero que o senhor reconheça nestas poucas palavras o quanto eu prezo e valorizo este primeiro esboço, ele harmoniza com minhas próprias reflexões, assim como o n. 5 me parecia o impulso para aquilo que acreditava poder reconhecer como o correto".

Certamente Wagner e Cosima eram leitores atentos e compreensivos, os melhores leitores que Nietzsche podia encontrar. Mesmo assim surpreende o fato de que eles não se assustaram com aquilo que se anuncia nesse manuscrito já em sua forma puramente externa, na dissolução das forças formais.

Não é uma "obra", nem parte de um plano para uma obra, mas também não é um manifesto "pessoal", que se dirige diretamente à pessoa presenteada, não é diálogo, tampouco a "resposta" prometida na dedicatória. Também não são trabalhos cuidadosamente desenvolvidos de longa data, como o foram os presentes dos anos passados. Cosima usa corretamente a expressão "esboço". Passados a limpo apenas durante os dias de Natal em Naumburg e com a data de 29 de dezembro de 1872, o caderno é enviado numa feia capa inapropriada de couro marrom nos primeiros dias de janeiro. Estranha é também a dedicatória: "Para a Sra. Cosima Wagner, em cordial veneração e como resposta a perguntas orais e por escrito, anotada em espírito descontraído nos dias de Natal de 1872". Como esse espírito descontraído condizia ao conteúdo? Cosima escreveu: "Devo confessar-lhe que não sabia como interpretar o 'espírito descontraído'?" Trata-se da "diversão furiosa" que o dominara pela primeira vez na "Meditação sobre Manfredo" e que, a partir de agora, acompanharia toda sua produção até aos excessos extremos, o "Caso Wagner" (designado por ele como "sua opereta") e o "Crepúsculo dos ídolos". É claro que o casal Wagner não podia prever isso, mas já deveria ter percebido que seu amigo estava começando a trilhar caminhos peculiares.

### Os cinco "prefácios"

O pensamento básico da "Competição de Homero", segundo o qual o *agon* teria sido o fermento da existência grega, podia ser aceito como uma conclusão extraída pelo historiador e filólogo do próprio objeto de pesquisa. Deve tratar-se de um dos pensamentos já discutidos em conversas pessoais, mencionadas na dedicatória.

Portanto, o assunto não era novo para os destinatários, muito menos ainda para a ciência[254]. Ernst Curtius, historiador e arqueólogo, escavador de Olímpia (1875-1881), havia desenvolvido essa visão já em 1856, e Nietzsche tinha conhecimento disso, como comprova uma carta de Nietzsche a Rohde de 22 de abril de 1871. Esse conhecimento, porém, se tornou imperioso para Nietzsche apenas quando, no semestre de verão de 1872, também Jacob Burckhardt construiu sua "História da cultura grega" sobre esse fundamento – num diálogo constante com Nietzsche! Mas os amigos deveriam ter ficado mais alerta devido à forma como Nietzsche, generalizando-o humanamente, introduziu esse pensamento na situação atual[4]: "O indivíduo predominante é eliminado para despertar a competição das forças: pensamento este que é hostil à exclusividade do 'gênio' no sentido moderno, mas que parte da pressuposição segundo a qual sempre existem *vários* gênios na ordem natural das coisas. [...] Este é o núcleo da noção helênica da competição: ela desdenha a autocracia e teme seus perigos, ela deseja, como *proteção* contra o gênio – um segundo gênio". E ele demonstra a proveniência desse segundo gênio regulador recorrendo ao exemplo de Platão, o filósofo[4]: "Aquilo que, por exemplo nos diálogos de Platão, possui um sentido artístico especial, é, na maioria das vezes, o resultado de uma disputa com a arte dos oradores, dos sofistas, dos dramaturgos de seu tempo, inventado para que ele pudesse dizer no fim: 'Vejam, também consigo fazer o que meus grandes adversários conseguem; sim, consigo fazê-lo até melhor do que eles [...]. Apenas a competição fez de mim um poeta, um sofista [...]'". A pretensão de dominância se expressa de forma ainda mais clara no quarto prefácio "A relação da filosofia de Schopenhauer com uma cultura alemã", que avalia a qualidade e até mesmo a existência de uma cultura com recurso ao critério de sua relação com um filósofo contemporâneo.

O peã bélico do terceiro prefácio "O Estado grego" hoje já nos repugna. Nele, Nietzsche afirma que o Estado só surge e se desenvolve a partir da guerra; o Estado, por sua vez, é a condição para a geração do gênio bélico sentido e coroa do ser humano[4]: "Cada homem, com toda a sua atividade, possui dignidade apenas na medida em que é – consciente ou inconscientemente – instrumento do gênio; a consequência ética imediata é que o 'homem em si', o homem absoluto, não possui dignidade, nem direitos, nem obrigações: apenas como ser completamente determinado, que serve a finalidades inconscientes, pode o homem justificar a sua existência". E "Eu pensaria que o homem bélico é um meio para o gênio militar; e seu trabalho também apenas um meio para o mesmo gênio". Aqui se anuncia já a apoteose posterior de Napoleão. Os amigos não tinham como saber isso, mas a careta convulsiva dessa visão deveria tê-los decepcionado: mal havia passado o terror da Guerra

Franco-prussiana, que abalara Nietzsche em seu íntimo, e agora essa glorificação da guerra! Não se manifesta aqui o desejo do impotente por força e dureza, que ele jamais possuiu na vida? Em parte, o romantismo de guerra e heroísmo vigente na época, representado por inúmeros coros soldadescos em óperas (p. ex., em Verdi, mas nunca em Wagner!), o desculpa. A lenda do "banho de aço da nação" viria a sofrer um duro golpe apenas pela Guerra de 1914-1918, mas nem esta conseguiu extingui-la por completo. Mas Nietzsche vai além disso. Ele questiona o valor da existência humana individual, e isso deveria ter provocado a ira de Cosima que, no contexto de sua conversão para o protestantismo (em 31 de outubro de 1872), se ocupara intensamente com questões religiosas fundamentadas no *ethos* cristão – por mais que Nietzsche tenha formalmente justificado sua argumentação com recurso ao princípio de Schopenhauer da desvalorização do "fenômeno". No entanto, Cosima se limita a insistir que esse pensamento precisa ser vinculado ao prefácio "A disputa de Homero" e ignora seus fortes ataques a Marx e ao socialismo, às expressões "dignidade do trabalho" e "dignidade do homem".

O segundo prefácio "Reflexões sobre o futuro dos nossos estabelecimentos de ensino" não oferece o que o título promete, antes apresenta a imagem de seu leitor ideal[4]: "O leitor do qual espero algo deve apresentar três qualidades. Ele deve ser calmo e ler sem pressa. Não deve intrometer-se sempre, nem interferir na leitura com sua 'formação'. Por fim, não deve esperar, no fim, novas tabelas como resultado". Aqui, entende "tabelas" no seu sentido mais amplos: nenhuma filosofia dogmática, nenhum "sistema". Aqui, Nietzsche ainda reconhece corretamente os seus limites.

Os fundamentos últimos do primeiro prefácio da série, "Sobre o *páthos* da verdade", permaneceu incompreensível aos amigos. Já vimos que o "conhecimento" de Nietzsche sobre o caráter fundamental da agonia da vida grega se apoia numa experiência existencial própria, numa situação de competição com Wagner[254]. Essa disputa era travada pelo favor de uma mulher. Mas essa há muito já havia sido decidida, Wagner era o vencedor claro, e Nietzsche foi relegado à função de um trovador medieval, que cortejava a mercê de uma senhora inalcançável. Diante desse cenário no primeiro plano, dessa situação já não mais aguda, mas crônica, não podemos ignorar a disputa travada no interior do próprio Nietzsche: artista ou filósofo. Essas duas potências travavam uma guerra por uma supremacia que nenhuma das duas jamais conseguiria conquistar. Nos melhores momentos, ocorreu apenas uma síntese da filosofia artística, para a qual Platão podia lhe servir como modelo – como de fato ele o invoca aqui.

Para Nietzsche, essa pergunta se agravou e adquiriu dimensões existenciais. É possível viver com a filosofia, ela possui forças constitutivas? Dado que se desista de sistemas dogmáticos, ela tem algo mais a oferecer senão ceticismo e destruição? Caso contrário, como seria possível escapar disso? Por meio da integração das forças constitutivas da arte, capaz de construir pelo menos um mundo ilusório, o que se proíbe ao filólogo após refutar toda metafísica como engano. A arte possui ainda uma última possibilidade paradoxal, que permanece negada à filosofia: o reconhecimento de sua falsidade, de sua "artificialidade" como projeção de sua imaginação livre. A verdade da arte não pretende ser objetiva, antes é subjetiva, estética (Grillparzer[104]). A filosofia, por sua vez, visa à verdade objetiva. Mas que ousadia! "A verdade! Ilusão exaltada de um deus! O que importa aos homens a verdade!

E o que era a 'verdade' heraclítica!

E para onde ela foi? Um sonho que escapa, apagado das faces humanas com outros sonhos! – Não foi a primeira! Talvez um demônio sem sentimentos não soubesse dizer, daquilo que nomeamos com as metáforas orgulhosas 'histórias do mundo', 'verdade' e 'glória', nada além das seguintes palavras: 'Em algum canto perdido do universo que se expande no brilho de incontáveis sistemas solares surgiu, certa vez, um astro em que animais espertos inventaram o conhecimento. Esse foi o minuto mais arrogante e mais mentiroso da história do mundo, mas não passou de um minuto. Após uns poucos suspiros da natureza, o astro congelou e os animais espertos tiveram de morrer. Foi bem a tempo: pois, se eles vangloriavam-se por terem conhecido muito, concluiriam por fim, para sua grande decepção, que todos os seus conhecimentos eram falsos; morreram e renegaram, ao morrer, a verdade. Esse foi o modo de ser de tais animais desesperados que tinham inventado o conhecimento."

Seria esse o destino do homem, se ele fosse um animal que busca conhecer; a verdade o levaria ao desespero e ao aniquilamento, a verdade de estar eternamente condenado à inverdade. Ao homem, entretanto, convém a crença na verdade alcançável, na ilusão que se aproxima de modo confiável. Será que ele não vive propriamente por meio de um engano constante? Será que a natureza não lhe faz segredo de quase tudo, mesmo do que está mais próximo, por exemplo, de seu próprio corpo, do qual só possui uma "consciência" fantasmagórica? Ele está aprisionado nessa consciência, e a natureza jogou fora a chave. Curiosidade fatídica dos filósofos, que possibilitou olhar para fora e para baixo, por uma fresta na cela da consciência: talvez o homem pressinta, então, que se apoia no ínfimo, no insaciável, no repugnante, no cruel, no mórbido, na indiferença de sua ignorância, agarrado a sonhos, como sobre o dorso de um tigre. 'Deixem-no agarrar-se', grita a arte. 'Acordem-no', grita o filósofo, no *páthos* da verdade. Mas ele mesmo mergulha em um sono mágico ainda mais profundo, enquanto acredita estar sacudindo aquele que dorme – talvez sonhe então com 'ideias' ou com a imortalidade. A arte é mais poderosa do que o conhecimento, pois ela é que quer a vida, e ele alcança apenas, como última meta – o aniquilamento"*. Mesmo assim, demarca de forma epigramática a própria contraposição contra o chamado da filosofia, que agora promete uma alta recompensa eterna: a fama póstuma, e é desta que trata a primeira parte do pequeno estudo[4]: "Na exigência de que a grandeza deva ser eterna, incendeia-se a batalha terrível da cultura; pois tudo mais, tudo o que ainda vive grita 'não!' [...] O caminho segue através de cérebros humanos! [...] de vida curta, [...] [que] repelem com esforço, por tempo limitado, a degradação [...]. Quem dentre eles poderia ousar aquela difícil corrida com a tocha olímpica, pela qual só a grandeza sobrevive? [...] É no meio dos filósofos que se deve procurar os cavalheiros mais audazes entre aqueles que procuram a glória, os que acreditam encontrar seus brasões inscritos em uma constelação. Sua ação não se volta para um 'público', para o alvoroço das massas [...]. O muro de sua autossuficiência precisa ser de diamante, para não ser destruído nem invadido [...]. Sua viagem para a imortalidade é mais penosa e mais acidentada do que qualquer outra, e contudo ninguém pode acreditar com mais segurança que chegará à sua meta do que o filósofo [...]. Ele tem a verdade; é possível que a roda do tempo role para onde quiser, mas nunca poderá escapar da verdade.

É importante saber que tais homens já viveram. Nunca se imaginaria, como uma possibilidade ociosa, o orgulho do sábio Heráclito, que pode ser o nosso exemplo"**.

A passagem acima citada "Em algum remoto rincão [...] etc." retorna como início do pequeno escrito "Sobre a verdade e a mentira no sentido extramoral", que ele ditou a Carl von Gersdorff em junho de 1873. Seria esta passagem aqui uma adoção do *páthos* ou lá a antecipação dos estudos preparatórios para o escrito passado a limpo mais tarde – ou remeteriam ambas as passagens aos mesmos esboços? Já aqui os limites entre uma obra e outra se confundem na mesma forma tipicamente atribuída aos escritos posteriores. A divisão em "livros" ou "obras" se torna aleatória – aleatória do ponto de vista do autor – e inicia-se o diálogo contínuo, o esforço ininterrupto de encontrar um solo firme, a partir do qual seria possível entender e justificar o mundo e, sobretudo, a própria existência. A destruição total do ano pas-

---

\* NIETZSCHE, F. *Cinco prefácios para cinco livros não escritos*. 4. ed. Rio de Janeiro: 7 letras, 2013 [Trad. de Pedro Süssekind].

\*\* Ibid.

sado havia questionado tudo. Nietzsche não se preocupa com as grandes perguntas fundamentais da filosofia, com a pergunta pela razão última do ser e pelas possibilidades e limites desse tipo de conhecimento. Metafísica e lógica deixam de ser disciplinas centrais, o centro é agora ocupado pela pergunta sobre as possibilidades da existência humana, da ação humana, ou seja, ciência e arte passam a ocupar o primeiro plano nas disciplinas da ética e da estética.

### O contexto filosófico

A filologia ainda lhe oferece uma coisa: as precondições científicas e o material para o recurso aos filósofos gregos mais antigos. Durante todo o semestre de inverno, ele trabalha em um "Livro do filósofo", que pretende apresentar sobretudo os filósofos pré-platônicos. Mas ele não consegue ater-se ao tema, sua paixão pela argumentação e discussão o distancia dele. Sempre surgem posicionamentos em relação a Kant e à estética mais recente. Sua ocupação com Kant reclama um espaço surpreendente. A pesquisa nietzscheana tem como certo que Nietzsche jamais leu Kant no original – com exceção da "Crítica da força do juízo". Ele o conhecia por intermédio da interpretação de Kuno Fischer, também em virtude da forte referência de Schopenhauer a Kant e da visão histórico-filosófica de Albert Lange, que recorre a Kant como ponto de partida, segmentando sua obra da seguinte forma: 1º livro: "até Kant"; 2º livro: "desde Kant"[149]. O diálogo com Kant, porém, é tão intenso, tão profundo e detalhado que recomendo a formulação mais conservadora: até agora, a pesquisa não pode comprovar uma leitura direta de Kant, mas essa possibilidade não deve ser excluída.

Na ocupação com os filósofos da Antiguidade e com Kant – Nietzsche ignora todos os elos intermediários –, Nietzsche constrói o tipo do filósofo que lhe servirá como modelo. No início, emergem em suas visões os "Sete sábios" e os legisladores, os poetas-filósofos lendários ou também históricos da era pré-socrática. "A certa altura, tudo se reúne e tudo se torna um – os pensamentos do filósofo, as obras do artista e os bons atos." "Existe uma ponte invisível entre um gênio e outro – esta é a 'história' verdadeiramente real de um povo [...]"[1].

"Grande incerteza se a filosofia é uma arte ou uma ciência. É uma arte em seus propósitos e em sua produção. Mas o meio, a representação em conceitos, ela compartilha com a ciência. É uma forma da arte poética [...]"[1]. "Superação do conhecimento por forças geradoras de mitos. Kant estranhamente – conhecimento e fé! Parentesco íntimo entre filósofos e fundadores de religiões."

"O filósofo do futuro? Ele precisa transformar-se em tribunal supremo de uma cultura artística, de certo modo a autoridade de segurança contra toda desordem"[1]. Dezesseis anos mais tarde, em 20 de outubro de 1888, em uma carta a Malwida von Meysenbug, ele declara abertamente ser esse tribunal superior: "A senhora não percebeu que, há dez anos, sou um tipo de tribunal de consciência para os músicos alemães, que plantei por toda parte a honestidade artística, o gosto nobre, o ódio mais profundo contra a repugnante sexualidade da música wagneriana?"

O filósofo se transforma em juiz da arte, como Platão o foi em seu tempo. Encontramos aqui novamente o vínculo direto com a Antiguidade: "A história do mundo se torna mais breve se a medirmos segundo os conhecimentos filosóficos mais importantes e ignorarmos os períodos hostis a eles. Encontramos nos gregos uma atividade vigorosa e uma força criativa como em nenhum outro lugar: eles ocupam o maior espaço temporal, eles geraram todos os tipos"[1]. E ele explica também a força criativa da qual resultam os conhecimentos filosóficos: "Quando pensamos, já precisamos possuir o que procuramos, por meio da imaginação – apenas então a reflexão pode avaliá-lo. Ela o faz medindo-o conforme as sequências comuns e comprovadas... Em todo caso, trata-se de algo artístico, essa produção de formas, que permitem à memória ter uma ideia: a memória ressalta essa forma e assim a fortalece. Pensar é ressaltar".

O pensamento de Nietzsche se liberta do encanto de Schopenhauer e já não gira mais exclusivamente em torno de Wagner como seu sol central. Essa emancipação de Wagner se anuncia no "*Páthos* da verdade". Nietzsche vislumbra um abismo ainda não explorado e não provado e pressente a consequência: a solidão. Ele já provou o gosto de ser diferente, de ser rejeitado não só por seus colegas e contemporâneos, e já nas anotações desse inverno encontramos passagens como: "Terrível solidão do último filósofo! Ele está cercado pela natureza, abutres voam sobre ele. E assim ele clama à natureza: dá-me esquecimento! Esquecimento! – Não, ele suporta o sofrimento como Titã – até lhe ser oferecida a reconciliação na mais sublime arte trágica".

### "Édipo – Discursos do último filósofo consigo mesmo

Um fragmento da história da posteridade.

Chamo-me o último filósofo, pois sou o último homem. Ninguém fala comigo, exceto eu mesmo, e minha voz vem até mim como a de um moribundo! Contigo, amada voz, contigo, último sopro de lembrança de toda felicidade dos homens, deixa que contigo fique mais uma hora, contigo engano a solidão e mentindo iludo a multiplicidade e o amor, pois meu coração se recusa a crer que o amor esteja morto, não suporta o abalo da mais solitária solidão e me força a falar como se eu fosse dois.

Ainda te ouço, minha voz? Maldizes sussurrando? E mesmo assim tua maldição deveria explodir as entranhas deste mundo! No entanto, ele ainda vive e me olha de forma ainda mais brilhante e fria com seus astros impiedosos, ele vive, tão parvo e cego como sempre, e um só morre: o homem.

Contudo! Ainda te ouço, amada voz! Morre ainda outro além de mim, o último homem, neste universo: o último suspiro, teu suspiro morre comigo, o extenso Ai! Ai! Suspira por mim, o último dos homens do Ai. Édipo"[1].

Reconhecemos já aqui inconfundivelmente os "tons de Zaratustra" e a autoidentificação com um herói da Antiguidade.

Agora, Nietzsche introduz como novo fator também as ciências naturais em sua visão do mundo. Naquelas décadas, sofreram uma enorme valorização em todas as áreas. No entanto, ele não consegue se unir ao coro do otimismo materialista: "Nossa ciência natural avança em direção à ruína, no propósito do conhecimento; nossa formação histórica, em direção à morte de toda cultura. Ela luta contra as religiões – de passagem, destrói as culturas.

Trata-se de uma reação não natural contra uma terrível pressão religiosa – agora, refugiando-se no extremo. Sem qualquer medida"[1].

"Quando falo da terrível possibilidade de o conhecimento ser levado para a ruína, de forma alguma estou disposto a elogiar a geração agora vivente: dessas tendências ela nada possui. Mas quando vemos o decurso da ciência desde o século XV, revela-se este poder e possibilidade."

Esta é a sua impressão que ele obtém por meio de um repentino e intensivo interesse por essas ciências. A biblioteca da universidade lhe oferecia os livros necessários, e chama nossa atenção o uso frequente e a escolha de autores, pois também aqui ele prefere os "solitários", os atacados, com os quais ele se identifica.

Entre numerosas publicações mais antigas e mais recentes, Nietzsche se interessa especialmente pelo astrofísico Johann Karl Friedrich Zöllner (nascido em 8 de novembro de 1834), professor em Leipzig desde 1866, mas sem que Nietzsche o tivesse percebido durante seus estudos naquela cidade. Agora, em 6 de novembro de 1872, ele encontra na biblioteca da universidade a obra recém-publicada "A natureza dos cometas", cuja longa introdução havia provocado um escândalo e a proscrição de Zöllner por seus colegas. Poucos dias depois, Nietzsche escreveu a Rohde: "Você ouviu do escândalo que Zöllner provocou em Leipzig? Você precisa ler seu livro sobre a natureza dos cometas; ele contém muito que nos diz respeito. Desde este ato, este homem honesto foi excomungado da forma mais rude por todo o mundo acadêmico, seus amigos mais próximos se distanciam dele, e o mundo inteiro o difama como 'louco'! [...] Este é o espírito da oclocracia dos eruditos de Leipzig!"

Anni Anders[37] demonstrou a importância dessa leitura para Nietzsche e as relações com seu pensamento. Das três acusações que Zöllner faz contra seus colegas cientistas: certa superficialidade científica, por ignorarem publicações importantes de seus precursores; "a falta de um conhecimento claro e consciente dos primeiros princípios da epistemologia entre muitos dos representantes das ciências exatas"; e a "popularização" da ciência, porque cientistas altamente talentosos buscam em primeiro lugar a "fama" fácil diante das massas e nisso se esquecem da responsabilidade que seu conhecimento lhes confere – Nietzsche se identifica com essas acusações no que diz respeito à crítica ética. Ele não reconhece qualquer ciência irresponsável, "livre de valores" éticos. Ou seja, também aqui a pretensão do filósofo de ser um "tribunal supremo", por trás da qual reconhecemos facilmente a 'República' de Platão. "Ao contrário de Zöllner, porém, Nietzsche aplica a pergunta aos fundamentos. Zöllner, que em nenhum momento questiona o valor da ciência, luta apenas contra uma ética cada fez mais fraca dos cientistas; Nietzsche, por sua vez, questiona a própria visão do mundo da ciência natural"[37]. "Zöllner desenvolve na terceira parte [...] uma teoria sobre a origem da 'consciência científica' e sobre a 'origem e o sentido prático da razão'. Segundo ele, a consciência científica se desenvolveu como a vergonha moral a partir da responsabilidade social pela espécie e, indiretamente, para a vantagem do indivíduo. O motor original é prazer e desgosto. Nietzsche encontrou aqui uma confirmação para sua dedução do '*Páthos* da verdade'."

Uma leitura bem diferente abala a relação de Nietzsche com a arte, até então apoiada na concepção artística romântica de Wagner e Schopenhauer: Os "Estudos sobre a estética", de Grillparzer[104]. Em 7 de dezembro de 1872, Nietzsche escreve a Rohde: "Entrementes, sugiro que leia o penúltimo tomo de Grillparzer [...] sobre a estética: ele é – quase sempre – um de nós!" Naquela época, trata-se de um consentimento muito curioso, pois Grillparzer defende energicamente a forma, a "integridade artística" (como Nietzsche diria mais tarde), diante dos "conteúdos" altivos: "O isoladamente perfeito é o esteticamente perfeito; o perfeito em sua relação com o todo é o moralmente bom".

"Belo é aquilo que, por meio da perfeição em sua espécie, evoca a ideia da perfeição em geral." "A chamada opinião moral é o maior inimigo da arte verdadeira, pois uma das vantagens principais desta é justamente o fato de que seu meio permite desfrutar também aqueles lados da natureza humana que a lei moral mantém afastados da vida real." No entanto, permanece incompreensível como o "wagneriano"

Nietzsche pôde aceitar sem qualquer objeção as exposições de Grillparzer sobre "Os estragadores da arte", de 1856. "São justamente os artistas extraordinários que estragam a arte, quando se entregam com uma preferência excessiva a direções individuais. Neste caso, porém, a censura não se dirige a eles [...]. Mas quando os imitadores, seduzidos [...] pelo brilho do nome, se entregam ao individual sem possuir a individualidade [...], a arte se desvia de seu caminho, e ocorre a selvageria [...]. Na música, Beethoven seja talvez um talento musical tão grande quanto Mozart ou Haydn, no entanto, algo bizarro em sua predisposição natural, em combinação com sua ambição de ser original e com as tristes circunstâncias de vida, fez com que a formação de imitadores sem talento transformasse a arte sonora em um campo de batalha, onde as notas travam uma guerra civil sangrenta com a arte, e vice-versa."

### O contexto burguês

Tudo isso era ainda novo e ousado demais. Os novos espaços espirituais desbravados ainda lhe são estranhos, e o usual já perdeu seu efeito entusiasmante. Assim, não consegue avançar ao ponto de obter algum resultado apto para a publicação. Após seu retorno a Basileia em 5 de janeiro de 1873, ele rapidamente se refugia por trás de uma fachada de contentamento burguês. As cartas que envia para sua família são toscas, como ele mesmo observa em 7 de janeiro: "Minha carta é como uma carta de uma cozinheira". Ele recebe convites para eventos sociais, espera ansiosamente a visita de Gersdorff, que passa os dias de 17 a 20 de janeiro em Basileia, e aceita a nomeação como jurado pelo "Allgemeiner Deutscher Musikverein" (Associação geral de música alemã) (Prof. Riedel em Leipzig) para um concurso sobre os Nibelungos (o "Anel", de Wagner). O júri será composto por três peritos, e a associação pede que Nietzsche sugira um terceiro. No esboço de uma carta do final de janeiro ao Prof. Riedel, encontramos a sugestão surpreendente: "Eu sugiro o nome de Hans von Bülow, cujo juízo considero absolutamente válido e cuja rigidez crítica eu conheço de experiência própria. É muito importante encontrarmos um nome bastante conhecido, tão incentivador quanto intimidador – e este seria o nome Bülow". Mas em 31 de janeiro ele escreve a Rohde: "Prof. Heyne, Prof. Simrock e eu somos os juízes, o primeiro por sugestão minha". Teria sido a nomeação de Bülow num *esboço* de carta apenas uma "antítese irônica", por meio da qual ele pretendia superar sua humilhação musical com uma demonstração de "generosidade"? Visto que a carta definitiva a Riedel parece não ter sobrevivido, não sabemos se essa sugestão conseguiu ultrapassar os limites do esboço ou se permaneceu nesse seu esconderijo.

Mas Nietzsche se dirige com grande seriedade a Riedel com outro pedido: "[...] considero o valor do prêmio muito baixo, principalmente em vista da importância do tema e do evento. Deveríamos pelo menos nos igualar aos prêmios de uma academia alemã, tudo abaixo disso me pareceria indigno de uma associação tão grande e de um evento tão singular". E ele sugere: "Sugiro uma certidão de patronagem completa". Isso correspondia a um valor de 300 tálers em prol do empreendimento de Bayreuth, e o vencedor teria acesso livre às primeiras apresentações de Bayreuth. Essa sugestão foi acatada, como Nietzsche relata a Rohde. Toda essa história o leva de volta a Bayreuth, onde ele reata velhos relacionamentos, mas os estudos e esboços que disso resultam também não levam a nada, exceto um manifesto, publicado em 17 de janeiro de 1873, no "Musikalisches Wochenblatt" de Fritzsch, contra Alfred Dove (editor da publicação semanal "Im neuen Reich" (No novo reino). O manifesto de Nietzsche, intitulado de "Uma palavra para o Ano-Novo", defende passionalmente Zöllner, atacado por Dove, e Wagner, difamado como "megalomaníaco" pelo psiquiatra Puschmann, de Munique.

Seus pensamentos, porém, para a publicação festiva "As possibilidades de uma cultura alemã" e "Contemplações sobre o horizonte de Bayreuth" permanecem meros esboços e não o ajudam a avançar em seu caminho filosófico. E já agora começou a perder um vínculo mais íntimo com sua obra "O nascimento da tragédia", publicado há apenas um ano e que lhe rendera tanto sofrimento em virtude de ataques e isolamento. O conflito Wilamowitz/Rohde, continuado e encerrado no pós-escrito "Filologia do futuro II" de Wilamowitz, publicado em 21 de fevereiro, mal desperta seu interesse, ele nem pretende tomar conhecimento dele, mas acaba não resistindo à tentação. E quando, em 24 de fevereiro, o "Rheinisches Museum" publica a continuação e o fim de seu último trabalho filológico (sobre a competição entre Homero e Hesíodo), ele nem menciona esse fato em suas cartas à família e aos amigos. Ele não revela se estava sofrendo com o esfriamento de seu ambiente mais próximo e com a alienação de Ritschl. Na carta de 31 de janeiro à família, observa apenas: "Em Leipzig há ainda uma grande raiva voltada contra mim: A Sra. Wagner teve uma discussão forte com o velho Brockhaus sobre mim, durante a qual surgirão coisas incompreensíveis. [...] Sem alguns amigos, eu estaria entregue a eles, e eles me destruiriam. Assim, porém, continuo com bravura". E em 22 de março, escreve a Rohde: "[...] e amaldiçoei novamente o demônio que nos separa ou, para ser bem direto, a conduta tola do povo de Friburgo, que poderia ter ficado com você, ou, para ser ainda mais direto, a perfídia do meu 'amigo' Ritschl, que o impediu". Uma carta de Ritschl, de 2 de fevereiro de 1873, ao Conselheiro Vischer lança luz sobre os fatos reais[253]: "Mas o nosso Nietzsche! – sim, este é um capítulo bastante lamentável, como também o senhor o expressa em sua carta – a despeito de todo afeto por este homem formidável. É curioso como convivem neste homem duas almas. Por um lado, o método mais rígido da pesquisa científica [...] por outro, essa paixão artístico-místico-religiosa fantástico-exagerada, excessivamente espirituosa e à beira do incompreensível por Wagner e Schopenhauer! Pois não exagero quando digo que ele e seus adeptos Rohde e Romundt – completamente entregues à sua influência mágica – pretendem fundar uma nova religião. Que Deus os acuda! Eu não escondi dele nada disso – ao qual apenas aludo aqui – tanto em cartas quanto em conversas pessoais. No fundo, o que nos falta é uma compreensão mútua; para mim, ele é vertiginosamente elevado; para ele, eu sou uma minhoca que rasteja pela terra. O que mais me aborrece é sua impiedade com sua verdadeira mãe, que o amamentou em seus seios: a filologia."

Uma leve gripe que o acometeu logo após seu retorno a Basileia reduziu suas forças de defesa e sua vontade de lutar, mas ele conseguiu cumprir suas obrigações imediatas. Em 31 de janeiro, relata à família: "Queria gozar de uma saúde um pouco melhor [...], pois, apesar de ter cumprido todas as minhas obrigações profissionais desta semana, a gripe não melhorou [...]. Um resfriado e uma tosse fatais e um cansaço, algo altamente trivial, mas o bastante para causar a sensação de doença". Mesmo assim, não perdeu a grande festa dos patrícios na "Casa azul" (Blaues Haus) no Rheinsprung (perto da universidade), realizada em 16 de janeiro. A gripe se estendeu até os meados de fevereiro. Finalmente encontra o tempo e o ócio para escrever um presente musical bem-intencionado: "[...] nos últimos dias, preparei um presente para o casamento da Srta. Olga Herzen, que se casará em março com o Sr. Monod: uma composição para piano a quatro mãos, dedicada aos noivos, intitulada de 'Une Monodie a deux'. Creio que ficou boa e não atrairá cartas de Bülow" (a Rohde em 21 de fevereiro). Esse casamento da afilhada de Malwida von Meysenbug com o historiador francês Gabriel Monod ocorreu em 6 de março em Florença. Nietzsche não havia investido muito esforço nessa composição. Além do título, um jogo de palavras espirituoso com os nomes dos presenteados (*Monod*-ie, como paradoxo para dois destinatários, e o subtítulo "Lob der Barm*herz*igkeit" (Louvor à misericórdia)), ele não inventou nada de novo. Trata-se de citações fiéis de seus esboços para um oratório natalino, mais especificamente a parte "Introdução à Anunciação da Virgem Maria", composta em março de 1861[125].

Visto que seus manuscritos musicais se encontravam em Naumburg, ele deve ter planejado esse presente já durante as férias de Natal, copiando o material ou trazendo os originais para Basileia. O agradecimento dos noivos parece não ter sido muito convincente, pois Nietzsche revela sua decepção na carta de 5 de abril a

Rohde: "Ela e seu Monod me escreveram; este, porém, mais como francês e homem político, o que não me pareceu muito apropriado para um assunto tão privado". Mas o próprio Nietzsche não tratou o assunto de forma tão privada, pois deu de presente um segundo exemplar a outra pessoa. Existem também dessa peça duas versões com finais bem distintos – revelando também aqui uma insegurança na finalização –, uma das quais ostenta a surpreendente dedicatória: "Para meu amigo Franz Overbeck, companheiro de música e seriedade na trincheira 45", referindo-se às suas frequentes sessões ao piano e conversas sérias. Visto que os Monod eram casados apenas no civil e devido ao final pomposo e festivo-eclesiástico (onde a redução para piano informa "Tromboni" = trombones), Wagner – após tocar a peça com Nietzsche ao piano – teria dito: "Com isso, o senhor impôs aos Monod ainda a bênção papal"[254].

Em 24 de fevereiro, Nietzsche fugiu dos excessivos tambores do carnaval de Basileia (que ocorre *após* a Quarta-feira de Cinzas) para Gersau, às margens do Lago dos Quatro Cantões, e aqui finalmente encontrou a tranquilidade interior para refletir sobre sua relação com Richard Wagner. Ele o faz em sua correspondência com seu amigo Carl von Gersdorff e escreve: "Do Mestre e da Sra. Wagner recebe cartas maravilhosas, revelaram o que eu nem sabia, que Wagner se magoou muito com minha ausência no Ano-Novo – você sabia disso, meu amigo, mas o ocultou de mim. Mas agora todas as nuvens se dissiparam, e é bom que eu não sabia disso, pois muitas coisas não conseguimos melhorar, apenas piorar. Deus sabe quantas vezes eu aborreço o Mestre: admiro-me sempre de novo e não consigo descobrir o motivo disso [...]. Por favor, diga-me a sua opinião sobre esse repetido aborrecimento. Não sei como poderia ser mais fiel a Wagner nas questões principais e como poderia me entregar ainda mais a ele [...]. Mas em pequenas questões secundárias e em uma abstinência necessária, que chamaria até de 'sanitária' de um convívio pessoal mais frequente, preciso preservar minha liberdade para poder preservar a lealdade naquele sentido mais elevado [...]. Desta vez jamais imaginei ter causado tamanho aborrecimento; e sempre temo que experiências deste tipo me tornem ainda mais medroso do que já sou".

# XII

# A tentativa de uma síntese

Os próximos três anos até agosto de 1876 são marcados pelo esforço desgastante de satisfazer a três exigências e de harmonizá-los o máximo possível: profissão filológica, chamado filosófico e lealdade a Richard Wagner. Tratava-se de uma tentativa que não pôde ser mantida em longo prazo.

A filosofia reivindica cada vez mais a primazia, e Nietzsche tenta satisfazer seu chamado escolhendo para suas preleções e seus exercícios na universidade, mas também como leitura no Pädagogium, textos filosóficos ou textos que permitam pelo menos uma contemplação filosófica, postura essa que ele já havia anunciado no final de seu "Homero": que precisaria se transformar em filosofia o que, até então, havia sido filologia.

No início, ele ainda subordinou sua obra filosófica ao método histórico-filológico e ao programa cultural de Bayreuth ("Strauss", "História"), mas, passo a passo, foi dissolvendo esses vínculos. Os "Cinco prefácios" redigidos para a Sra. Cosima já haviam servido a esse propósito. Mas Nietzsche queria se revelar como filósofo diante do público filosófico. Para isso, planejou treze "Considerações extemporâneas", das quais conseguiu executar apenas quatro, algumas ficaram presas em fases avançadas, outras nem chegaram a se concretizar em esboços – certamente não apenas, mas também devido à falta de tempo e de forças e às suas obrigações profissionais. Apenas após se livrar de parte de sua carga profissional – seu ensino no ginásio – após a desvinculação simultânea de Bayreuth (1876), Nietzsche obteve a liberdade para escrever sua primeira obra filosófica independente: "Humano, demasiado humano". E Nietzsche teve que abrir mão de mais uma coisa: seu vínculo com a música. Em 1873/1874, ele encerra sua atividade musical com a composição "Hino à amizade".

A primeira coisa, porém, que vem a sofrer sob o esforço desgastante de alcançar uma síntese (ou simbiose) é a saúde. Em uma frequência e gravidade cada vez maior, as doenças o acometem a partir da primavera de 1873. Elas atacam primeiro seus órgãos mais fracos, os olhos. Nos meados de abril de 1873, ele se vê forçado a fazer um tratamento de atropina, que prejudica sua visão ao ponto de ter que ditar seus trabalhos. Sua situação piora tanto que, em 22 de maio, o médico lhe proíbe qualquer leitura, o que obriga Nietzsche a lecionar sem anotações durante duas semanas.

Nietzsche não era um "homem visual". Ele nunca desenvolveu um interesse especial por uma pintura ou escultura, nem pela arquitetura. E também suas descrições de paisagens, seu entusiasmo por vales montanhosos ou pelo mar sempre permanece ambíguo; por isso, suas descrições de paisagens (p. ex., no "Zaratustra") nunca são palpáveis. Nem mesmo uma imaginação produtiva consegue visualizar suas visões. Até certa medida, ele compartilha esse aspecto com Wagner, cujas visões de cenários também são irrealizáveis e, por isso, exigem certa experimentação até hoje. Mas Wagner teve um efeito inspirador sobre pintores, e existem representações plásticas de seus cenários. Não existem, porém, "paisagens de Zaratustra", mas tentativas de transposições para a música na forma de uma poesia sinfônica (Richard Strauss). E isso nos remete a uma característica da natureza de Nietzsche. Apenas a música conseguia tocá-lo em seu íntimo. O mesmo vale para a literatura apenas quando ela transmite conteúdos filosóficos ou modos de existência familiares a ele. Ele nunca se entusiasma com a beleza de uma linguagem culta de uma poesia lírica – nem mesmo como filólogo. A linguagem culta é, para ele, apenas um critério de estilo e "pureza intelectual", mas nunca lhe propicia uma experiência artística. Ele nunca menciona a sonoridade da língua grega, por exemplo, dos corais de Ésquilo ou de Pindar. E a pureza do estilo, a elegância, a virtuosidade da expressão, também de suas próprias produções líricas, servem exclusivamente à representação de conteúdos filosóficos.

Do ponto de vista da experiência artística, a perda da audição teria representado uma perda maior para Nietzsche, mas para sua missão filosófica a perda da visão, que prejudicava seu exercício de atividades imprescindíveis como escrever e ler, se tornou uma grave ameaça existencial, e, a partir de agora, sua preocupação, sim, até seu medo se manifesta em inúmeras lamentações comoventes nas cartas aos amigos.

70 anos antes, Beethoven enfrentara a mesma situação de sofrimento psicológico. Beethoven, timidamente venerado por Nietzsche, o único grande homem que sempre permaneceu intocável para Nietzsche. "Nietzsche sentia a mais profunda empatia pela grandeza e nobreza solitária do gênio beethoveniano, empatia esta que se manifestava justamente no fato de que nunca perdeu muitas palavras sobre

ele e certa vez chegou até a afirmar que Beethoven era sublime demais para servir como tema de uma conversa descontraída. 'A melhor coisa que podemos fazer em relação a ele é calar-nos'"*. Mais ou menos na mesma idade, a perda de audição começou a se manifestar em Beethoven, e antes de completar 32 anos de idade ele escreveu seu testamento em Heiligenstadt, datado em 2 de outubro de 1802, onde lemos: "Ó homens, que me considerais ou declarais hostil, teimoso ou misantropo, quão injusto sois comigo. Não conheceis a causa secreta daquilo que assim se apresenta a vós. Meu coração e minha vontade, desde a infância, sempre nutriram o sentimento delicado da benevolência, sempre estiveram dispostos a realizar grandes atos. Agora, peço consideração pelo fato de que, há seis anos, me acomete um estado incurável [...], nascido com um temperamento fogoso, receptível até para as diversões da sociedade, tive que me isolar já cedo, passar minha vida em solidão [...]. Ah, como poderia eu informar a fraqueza de um sentido que deveria prevalecer em mim num grau mais perfeito do que em outros [...]. Por isso, perdoai-me se me vedes recuar quando deveria me misturar convosco; duplamente me dói o meu infortúnio, pois não sou reconhecido em meu sofrimento". Esse sentimento começou a dominar cada vez mais também a vida de Nietzsche. Ele também se viu obrigado a recuar quando preferia se misturar com o povo. Passo a passo, ele começou a se retirar do convívio com a sociedade de Basileia, que até então ele havia desfrutado com prazer, e retirou-se também do exclusivo "Kirschgartenkreis", do círculo que se reunia na casa "zum Kirschgarten" de Charlotte Kestner (1788-1877), filha de Charlotte Buff, da "Lotte" de Goethe. Ele não o fez com mágoas, pois não tinha motivos para isso; mesmo em seus últimos anos de vida, ele se lembrava com gratidão da benevolência da sociedade de Basileia, mesmo em tempos de provação. Aqui, estabeleceu preciosos contatos humanos e desfrutou de um companheirismo leal por parte de seus colegas e de grande admiração por parte de seus alunos no Pädagogium. "Se analisarmos a atividade de ensino de Nietzsche no Pädagogium, não resta dúvida de que seu êxito como professor foi excepcional. Os alunos lhe seguiam como a nenhum outro de seus professores. Seu espírito altivo, seu caráter nobre, sua conduta amigável, ou seja, a magia de sua personalidade encantava cada um de seus alunos. Dele partia um efeito educacional no sentido mais nobre, que entusiasmava, cativava e motivava estes jovens a se entregarem completamente ao ideal vislumbrado"[105].

---

* Essas palavras de Nietzsche foram documentadas por seu aluno e admirador Louis (Ludwig Wilhelm) Kelterborn[8].

### A vida como professor ginasial

Muitas lembranças pessoais de ex-alunos demonstram como Nietzsche trabalhava como professor e como tentou aproximar seus jovens admiradores de determinados problemas, causando assim em alguns casos um impacto duradouro e determinante sobre suas vidas. O que chama a nossa atenção é que, aparentemente, não tentou impor aos pensamentos de seus alunos determinada visão do mundo. Quis "apenas" ensinar-lhes respeito pelas grandes figuras da história do espírito ocidental e pelos grandes problemas da existência, educando-os para a seriedade no pensamento. Existe o caso do cand. August Beck, que, supostamente sob a influência de Nietzsche, teria desistido de seus estudos de teologia e se tornado "ateu" (informação dos descendentes familiares!), passando a lecionar no ginásio (na época, o ensino fundamental do Pädagogium) Alemão, História e, mais tarde, também Geografia e Matemática. Mas vários dos alunos de Nietzsche no Pädagogium se tornaram teólogos, pastores evangélicos nas proximidades de Basileia ou, como no caso de Fritz Speiser (1853-1913), doutor da jurisprudência, que, "após sua conversão para o catolicismo, se tornou *abbé* e professor de Direito Canônico na Universidade de Friburgo"[105]. E nas memórias de Ludwig Wilhelm Kelterborn, lemos: "O modo comedido, cerimonioso, refinado e ao mesmo tempo tão natural e autêntico de sua expressão, como também toda a conduta deste homem, até mesmo a forma como ele se dirigia e saudava as pessoas, apresentava uma curiosa harmonia e estilo. Uma de suas metas principais era educar-nos para a atividade independente, isso já com a [...] tarefa de traduzirmos as 'Bacantes', de Eurípedes, mas também, por exemplo, de fazermos pequenas palestras sobre um tema por ele sugerido. Certa vez, vivemos uma situação cômica quando ele nos confrontou com um enigma, perguntando o que seria a filosofia ou um filósofo, uma pergunta que nenhum de nós conseguiu responder e que nem ele nos respondeu [...]. Aceitava com prazer de visitá-lo pessoalmente, também durante aquele período em que um tornozelo torcido o prendeu à cama. Impressionou-me também nesta situação a combinação de educação refinada, postura e conduta nobre e amabilidade natural e simpática, de forma que logo me sentia transportado para uma atmosfera espiritual mais bela e nobre, mais pura e alta [...]. Seu apartamento numa bela casa burguesa demonstrava uma completa harmonia com o bom gosto ostentado por sua postura e roupa e com a exatidão quase militar. Em minhas lembranças, vejo-o em suas calças claras e seu manto ou jaqueta marrom. Nos quentes dias de verão procurava refrescar a temperatura com a ajuda de gelo. Com sua boa educação, sempre acompanhava o visitante até a escada quando este se despedia. Nas conversas, o professor sempre passava para o segundo plano e ele incentivava o visitante por meio de perguntas a expressar sua própria opinião – mesmo quando se tratava de um aluno [...]. Grande parte de nossas conversas posteriores girava em torno de questões musicais, cujo centro era ocupado pelo astro brilhante de Richard Wagner [...]. Quando o visitei pela primeira vez, ele logo me informou que, no passado, pretendera – como eu também – dedicar sua vida inteira à música, que havia se dedicado aos estudos musicais com a maior seriedade e que devia seus conhecimentos teóricos não aos manuais modernos, mas às mesmas fontes antigas que alimentaram também os conhecimentos dos nossos mestres clássicos [...]. Um momento que contribuiu em grande medida para aumentar minha admiração por nosso novo professor foi quando demonstrou explicitamente sua veneração entusiasmada pelo nosso grande professor de História de Arte e Cultura Jacob Burckhardt [...]. Nietzsche, referindo-se ao Prof. Jacob Burckhardt, declarou várias vezes que, atualmente, não existia professor igual a ele nas universidades alemãs. [...] Dizia então que na Alemanha não existiam escolas que ensinassem a falar e escrever bem a língua alemã, explicando o grande esforço que costumava fazer até se declarar satisfeito com uma oração: ele a declamava em voz alta, avaliando sua melodia e seu ritmo, sua tonalidade, sua ênfase e seu movimento métrico, expressando ao mesmo tempo o pensamento com a maior clareza e determinação. Anos mais tarde, voltaria a falar sobre o assunto, especialmente no contexto de seus aforismos nas obras pós-wagnerianas [...]. Parecia que ele via as convicções sinceras de outras pessoas, também de seus alunos, como algo sagrado, que não deveria ser tocado desnecessariamente. Outros tiveram esta mesma impressão na área religiosa quando falavam com ele". Esta lembrança entusiasmada não é um caso isolado. Traugott Siegfried* se mostra igualmente comovido e relata[8]: "Para nós era uma questão de honra obter notas boas nas aulas de Nietzsche, e quem se expunha por falta de dedicação ou conhecimentos era repreendido pelos colegas. Toda a natureza de Nietzsche nos incentivava a conquistar sua satisfação. Ele não era um homem de muitas palavras, mas víamos sua alegria quando um aluno mais fraco mostrava um bom desempenho [...]. Sua amabilidade e benevolência nos incentivavam para o trabalho, e ele sempre nos encorajava a expressar nossos pensamentos [...]. Um *pastor emeritus*, já idoso, que veio a ser aluno de Nietzsche depois de nós, contou-me recentemente que, na época, ele era um jovem tímido e esquivo [...]. Mas quando Nietzsche, numa aula sobre o processo contra Sócrates e seu discurso de defesa, incentivou seus alunos a irem até a frente e repetirem o discurso de

---

\* 1851-1936, Dr. Iur., atuário do tribunal de apelação em Basileia, aluno de Nietzsche no ano escolar de 1869/1870.

Sócrates, ele, amigavelmente encorajado pelo professor, decidiu tentar sua sorte. Ele conseguiu fazê-lo com tanto sucesso que o professor demonstrou sua satisfação com um sorriso. 'Naquele dia', contou-me o velho pastor, 'eu encontrei a minha voz; minha timidez se dissipou, e devo isso ao meu venerado Prof. Nietzsche, que incentivou um jovem tímido a se apresentar e que soube despertar em mim o dom adormecido'. [...] A conduta dos alunos diante do professor foi sempre perfeita e louvável. Cada um tentava não magoar o homem, que vinculava o mais sublime conhecimento a uma educação refinada, que possuía uma nobreza em toda sua conduta. [...] Tanto para ele quanto para Jacob Burckhardt a disciplina era algo inquestionável. [...] Em 26 de agosto de 1872, foi inaugurado em Basileia o monumento em memória à Batalha de Sankt Jakob, criado pelo maestro Ferdinand Schlöth em Roma. Houve uma grande procissão festiva na cidade, acompanhada pelo toque dos sinos da cidade e pelo trovejar de canhões. A procissão era liderada pelos estudantes, seguidos pelos professores, entre eles também Nietzsche, visivelmente comovido pela atmosfera festiva. No Münsterplatz (praça em frente à catedral), ele se juntou aos alunos do Pädagogium e iniciou uma conversa amigável e quis saber também se no dia seguinte os alunos estariam dispensados das aulas. Ao receber uma resposta negativa, procurou imediatamente o presidente do conselho educacional (W. Vischer-Bilfinger!) e pediu que declarasse também o dia 27 de agosto como feriado para o Pädagogium, para que os alunos pudessem festejar devidamente este grande dia. O pedido lhe foi concedido, e alegre o venerado professor transmitiu esta feliz notícia aos alunos". Outro aluno desse mesmo ano escolar de 1872/1873, Ludwig Gelpke*, também fez sua contribuição – em 1941 – para esta imagem de Nietzsche[105]: "De grande sensibilidade espiritual, Nietzsche foi para nós a imagem primordial da nobreza de espírito propagada por Goethe: Nobre seja o homem, prestativo e bom. Um Pestalozzi, um Jacob Burckhardt, um Henri Dunant, mas jamais um Cesare Borgia! Ele nos tratou mais como camaradas, não como os moleques selvagens que éramos. Mas jamais teríamos ousado abusar de sua bondade. Ele ignorava com generosidade a tradução alemã dos textos gregos [...], como também a maçã que um ou outro guardava em sua gaveta e da qual precisava comer um pouco de vez em quando para não perder o vínculo entre a elevada esfera da filosofia platônica e a realidade terrena [...]. Nossa veneração era sincera e profunda. Como Sócrates, ele nos deixava disputar de vez em quando sobre a questão da autoria da

---

\* 1854-1946, Prof.-Dr. Med., médico-chefe do Hospital do Cantão de Basileia em Liestal e professor extraordinário na Universidade de Basileia.

Ilíada e da Odisseia: Se tudo havia sido criado por um único poeta, se por um único ou por muitos Homeros [...]. De estatura física fina e delicada, de cor pálida, seu bigode marcial se destacava de toda sua aparência restante como uma compensação exagerada".

Sobre seu sucessor Jakob Wackernagel\*, o filho deste, Prof.-Dr. Hans Georg Wackernagel, relata[105]: "Jakob Wackernagel elogiou muito as aulas de grego administradas por Nietzsche no Pädagogium. Ele costumava dizer que Nietzsche sempre se preparava cuidadosamente para as aulas e corrigia com grande zelo os trabalhos dos alunos. Ele jamais ignorava qualquer detalhe. Seu trabalho como professor universitário foi menos convincente". E, no programa para a Universidade de Basileia de 1937, Edgar Salin relata as palavras de Wackernagel[210]:

"Eles sempre viram Nietzsche como algo 'especial' [...] – mesmo idoso, Wackernagel ainda se comove ao lembrar os temas das preleções sobre Platão (p. ex.: 'Sobre a justificativa do estudo dos antigos'), cujo escopo ultrapassava em muito os padrões de uma aula comum. Visto que Nietzsche não expunha um conhecimento já familiar, antes permitia que seus estudantes (tão próximos de sua própria idade) compartilhassem de sua experiência, ele incentivou – numa antecipação viva de seu método educacional posterior – também os menos talentosos para uma aplicação de todas as suas forças". É difícil determinar que parte dessa representação é ainda Wackernagel – cuja sentença sobre o professor universitário Nietzsche não era tão favorável (alegou que usou Platão não para praticar a filologia, mas apenas para transmitir sumários) – e que parte já deve ser atribuída a Salin, que, uma geração mais tarde, possui mais distância e começa a reconhecer relações que permaneceram ocultas aos contemporâneos de Nietzsche. Fato é que Nietzsche levou essas problemáticas pessoais às salas de aula, provocando assim o fascínio da experiência própria. Ou seja, ele teve dificuldades de administrar uma aula ordenada e adequada, e ele dificultou sua tarefa ainda mais por meio de um programa exigente, obrigando-se a investir muito tempo e esforço na preparação das aulas. Seus relatos semestrais\*\* enumeram os temas tratados na sala de aula: no semestre de inverno de 1872/1873 o 10º livro da Ilíada; as "Eumênides", de Ésquilo; o "Édipo Rei", de Sófocles; o diálogo platônico "Protágoras"; as primeira e segunda Filípicas, de Demóstenes. No semestre de verão de 1873: o "Fédon", de Platão, e o 9º livro da Ilíada.

---

\* 1853-1938, Prof.-Dr. Phil., 1881-1902 professor ordinário de Língua Grega em Basileia, 1902-1915; professor de Ciência da Língua Indo-germânica e de Filologia Clássica em Göttingen.

\*\* Publicados em íntegra por Gutzwiller[105].

No inverno de 1873/1874: o "Édipo Rei", de Sófocles, depois o primeiro livro de Tucídides e sua descrição da peste em Atenas e o discurso fúnebre de Péricles. A turma seguinte iniciou o ano letivo no verão de 1874 com passagens selecionadas de "Górgias", de Platão, e com a "Retórica", de Aristóteles. No inverno, Nietzsche lecionou uma história da poesia grega e leu com seus alunos as "Erga", de Hesíodo, o "Prometeu", de Ésquilo, e fragmentos dos poetas líricos (segundo a antologia de Buchholz).

Na primavera de 1875, Nietzsche recebeu uma nova turma, com a qual leu partes dos livros I, II, III e V de Tucídides, depois – após uma introdução à tragédia grega – a "Alceste", de Eurípedes. No semestre de inverno, lecionou apenas até o Ano-Novo. Aqui, o relatório anual acrescenta partes do "Fédon", do "Protágoras", do "Banquete", do "Fedro" e da "República", de Platão. E Nietzsche assumiu mais uma turma no semestre de verão de 1876, durante o qual os alunos se ocuparam com a personalidade de Sócrates e leram as memórias de Xenofonte e partes do "Banquete", da "Apologia" e do "Fédon", de Platão. Leram também a "Alceste", de Eurípides. Depois disso, Nietzsche encerrou suas atividades no Pädagogium.

No entanto, essas leituras durante as aulas não representavam o programa inteiro. Nietzsche havia trazido de Pforta a instituição da "leitura particular". Tratava-se de textos, que o professor sugeria para que os alunos se ocupassem com eles de forma autônoma, mas que o professor "examinava" periodicamente. Era um volume de textos impressionante. "De vez em quando pedia que os alunos prestassem contas sobre os textos lidos em particular; e posso dizer no mínimo que nenhum dos meus alunos pode ser acusado de preguiça", Nietzsche escreve no primeiro relatório semestral do primeiro verão de 1869. No inverno de 1872/1873, os alunos leram em casa: Ésquilo, Sófocles, Eurípides, Homero, Hesíodo, Anacreonte, Aristófanes, Isócrates, Platão, Luciano, Plutarco. O relatório do verão de 1873 constata apenas: "A leitura particular dos alunos deve ser elogiada em virtude de seu volume e de sua espontaneidade". Para o ano letivo de 1873/1874, Nietzsche enumera os autores selecionados para a leitura privada: Heródoto, Tucídides, Xenofonte, Plutarco, Lísias, Demóstenes, Ésquines, Platão, Luciano, Homero, Hesíodo, Ésquilo, Sófocles, Eurípides, Aristófanes, Pindar, Anacreonte, Teócrito. Sobre o semestre de inverno de 1874/1875, Nietzsche observa: "A preparação para a tradução foi, em geral, satisfatória, e a dedicação demonstrada por quase todos os alunos na leitura privada de autores gregos é louvável. No entanto, a insegurança referente aos conhecimentos gramaticais dessa turma – igual a várias turmas anteriores – foi altamente desagradável e desfavorável [...]. Tenho a impressão de que todo o ensino grego se encerrasse um ano cedo demais – ou começasse um ano tarde demais". Nietzsche não se contentou com essa observação em um relatório escolar. Em 24 de junho de

1875, deu entrada formal a um pedido junto às autoridades educacionais. Neste, ele discorre[105, 236]: "O tempo total dedicado ao estudo do grego por um aluno dos nossos estabelecimentos até sua transferência para a universidade é muito limitado; abarca três anos no Pädagogium e dois anos antes deste, levando-se em conta seis aulas semanais. Devemos ponderar se este período não poderia ser estendido, por exemplo, por meio de mais um ano, de uma *selecta*; pois um ensino que não consegue produzir uma inclinação para a vida helênica e que, por fim, não os despede com a capacidade de ler os autores gregos com facilidade – este ensino não cumpriu seu propósito natural. Nestes casos, avançar um pouco mais significa avançar *muito mais*, ou seja, alcançar sua meta.

Lamento profundamente que o grego é considerado facultativo para os estudantes de Medicina da nossa escola [...], pois qual jovem, já anos antes de seu ingresso na universidade, é capaz de saber com a certeza necessária que ele estudará Medicina? Os nossos professores de Medicina expressaram seu apoio urgente em prol da formação grega dos futuros médicos.

Outro desejo que gostaríamos de expressar nesta oportunidade se refere à introdução da mesma gramática grega para todos os anos escolares, por exemplo, da gramática de Koch. Exigimos que, a fim de serem considerados maduros, os alunos leiam: a) todo o Homero; b) três obras dos poetas trágicos; c) uma seleção ampla de peças selecionadas dos diálogos platônicos; d) partes selecionadas de Tucídides, Heródoto e Xenofonte; e) discursos de Lísias ou Demóstenes [...]".

A gramática de Koch foi realmente introduzida a partir do ano letivo de 1877/1878, sendo substituída apenas em 1889/1890 pela gramática de Adolf Kägi.

Evidentemente, Nietzsche exigia muito de uma classe ginasial, e o professor precisava demonstrar grande destreza e superioridade para evitar que fosse odiado pelos seus alunos ao confrontá-los com um programa tão ambicioso. Nietzsche parece ter possuído essa destreza, pois sabemos apenas de um único aluno (Alfred Münch*) que afirma ter perdido toda e qualquer paixão pelo grego em decorrência do ensino pedante de Nietzsche[105].

### O programa universitário

Se nesse programa escolar Platão, juntamente com Aristóteles (muito incomum na época) – mesmo que apenas com sua "Retórica" –, já estava muito presente,

---

* 1852-1928, Dr. Med., médico na clínica Brestenberg e em Baden.

esse interesse pela filosofia se evidencia de modo ainda mais claro no programa universitário. No semestre de inverno de 1872/1873, Nietzsche só conseguiu realizar a preleção sobre a "Retórica grega e romana" com dois ouvintes. Um deles – Louis Kelterborn – relata em suas memórias[8]: "[...] que o nosso venerado professor [...] logo nos pediu que passássemos a ouvir suas palestras em seu apartamento. Assim, esta preleção nos reuniu três vezes por semana em seu lar aconchegante e elegante, onde o ouvíamos à luz de uma lâmpada e anotávamos as sentenças que ele nos ditava de um livro encadernado em couro vermelho. Ele interrompia seu discurso com frequência, seja para ponderar suas próprias palavras, seja para nos dar o tempo necessário para processar o que acabávamos de ouvir. Teve também a bondade de nos oferecer cerveja – Culmbacher –, sendo que ele mesmo costumava bebê-la de uma taça de prata. O mero volume das minhas anotações permite reconhecer o rico conteúdo deste curso [...]". E após a apresentação de um sumário detalhado "o discurso do professor se concentrava em cada aula exclusivamente no tema em questão. Antes ou depois da preleção, sempre tivemos oportunidade de ouvir uma palavra séria ou descontraída sobre todo tipo de assuntos. Evidentemente, não faltei a uma única aula".

No semestre de verão de 1873, nove ouvintes se matricularam para sua preleção sobre os "filósofos pré-platônicos"; como ouvintes não matriculados, participaram desta preleção também o velho amigo Carl von Gersdorff, que permaneceria em Basileia até o dia 22 de setembro, e o Dr. Paul Rée, um amigo de Romundt, com o qual Nietzsche estabeleceria uma nova amizade importante. Não sabemos se a preleção anunciada sobre as "Erga" de Hesíodo foi realizada, mas esta possibilidade não pode ser descartada. No seminário, estudou uma grande elegia de Sólon com quatro participantes.

No semestre de inverno de 1873/1874, conseguiu livrar-se da preleção anunciada sobre a "Introdução ao estudo da filologia clássica" em virtude de seus olhos, a despeito do interesse demonstrado por alguns estudantes, como ele relata a Gersdorff em 7 de novembro de 1873, mas Nietzsche realizou sua preleção sobre a vida e os escritos de Platão, tendo como ouvintes dois filólogos e dois teólogos, e no seminário estudou a vida de Sófocles. Para o semestre de verão, anunciou uma "Representação da retórica da Antiguidade", no entanto, tudo indica que essa preleção não chegou a ser realizada. Sua preleção sobre as Coéforas de Ésquilo contou com a presença de três ouvintes matriculados e um ouvinte não matriculado. O relatório constata uma "participação fraca"[242].

No semestre de inverno de 1874/1875, o número de estudantes voltou a aumentar um pouco. A lista de chamada da preleção "História da literatura grega" contém sete participantes; mas pela preleção sobre a "Retórica" de Aristóteles interessaram-se apenas dois teólogos, e também o seminário – provavelmente sobre o "Édipo Rei", de Sófocles – teve apenas dois participantes. O semestre de verão de 1875 deu continuação à "História da literatura grega" com seis ouvintes e à "Retórica de Aristóteles", agora com três estudantes. Mas apenas dois estudantes se interessaram pelos exercícios mais difíceis do seminário.

Atraídos pelos escritos de Nietzsche, principalmente pelo "Nascimento da tragédia", Heinrich Köselitz (que mais tarde adotaria o pseudônimo Peter Gast) e seu amigo Heinrich Widemann haviam vindo de Leipzig para Basileia no semestre de inverno de 1875/1876. E o interesse por parte de outros também voltou a crescer, e Nietzsche pôde encerrar sua "História da literatura grega" com 11 ouvintes, sendo a preleção reduzida a uma hora semanal.

Ele expõe um novo tema – "As antiguidades da cultura religiosa dos gregos" – a oito ouvintes em três aulas semanais, e seu seminário – um estudo intensivo do capítulo "Demócrito" (o 7º capítulo no 9º livro do Diógenes Laércio) – consegue atrair 12 participantes.

O semestre de verão é dedicado quase que inteiramente à filosofia: três horas semanais sobre os filósofos pré-platônicos (10 ouvintes) e uma hora sobre a vida e o ensino de Platão (19 ouvintes!). O seminário conta com nove estudantes. A lista de chamada indica como tema mais uma vez as "Erga", de Hesíodo, mas o relatório do seminário, redigido apenas no final de janeiro de 1877 por seu substituto Prof. Mähly*, menciona como tema Diógenes Laércio. É possível que se trate de um equívoco de Mähly, mas é igualmente possível que Nietzsche, a pedido dos estudantes, tenha continuado o exercício sobre Diógenes Laércio, que ele teve que interromper precocemente no semestre de inverno em virtude de sua doença.

Ao todo, a atividade de Nietzsche na universidade apresenta uma lenta, mas contínua superação do revés sofrido no semestre de inverno de 1872/1873. Em 1874, foi eleito decano da sua faculdade. Ou seja: Pelo menos em Basileia, a controvérsia de Wilamowitz não prejudicou sua carreira profissional, e isso a despeito das limitações impostas à seleção de temas e fontes, diante das quais nenhum estudante podia se tornar um professor ginasial adequadamente equipado, muito menos um filólogo científico. Em oposição diametral ao Pädagogium, onde Nietzsche investiu todas as suas forças na educação da juventude, ele não usou seu programa univer-

---

* Nietzsche não foi substituído por Gerlach, que falecera em 31 de outubro de 1876. Equívoco em Stroux.

sitário para criar um curso sistemático para introduzir seus estudantes à filologia grega, mas serviu-se dele apenas para seus interesses particulares: para o estudo da filosofia grega, sobretudo da filosofia pré-platônica, e de sua superação em Platão. Ou seja, no que dizia respeito à temática, ele se afastou da missão de sua docência e percorreu um caminho entre as faculdades. *Ele lecionou filosofia antiga fundamentada na filologia.* A preleção "Sobre o estudo da filologia clássica" e a introdução à história da literatura grega ofereciam apenas um sumário daquilo que *deveria* ter lecionado, no entanto, não conseguiam substituir o estudo do material apresentado. Mesmo assim, Nietzsche chegou a afirmar no final de seu relatório para 1875[242]: "[...] que agora o seminário corresponde bastante a seu propósito original, ou seja, de servir como ponto central para todos aqueles que desejam se dedicar à filologia clássica na nossa universidade".

### Autoimposição diante de Bayreuth

Assim como Nietzsche procurou equilibrar sua paixão filosófica com suas obrigações profissionais, ele também procurou equilibrar seu fascínio perigoso pelas personalidades de Richard e Cosima Wagner com seu próprio ímpeto passional de autoconhecimento e autopreservação. Em termos práticos isso significava praticar um certo comedimento em relação a Bayreuth, mas sem causar novos ressentimentos, pois ele não podia nem queria mostrar-se ingrato. Ele sabia muito bem o que devia pessoalmente a Wagner. Esse sentimento de gratidão e a consciência de sua própria dependência de fortes impressões ambientais, neste caso da relação com Wagner, se expressam de forma quase ingênua na carta de 5 de abril de 1873 a Malwida von Meysenbug: "Espero reencontrar coragem e alegria em Bayreuth e fortalecer-me em todas as minhas relações". E em 20 de maio, no 60º aniversário de Wagner, ele escreve a este: "[...] existem certamente muitos que, como eu e meus amigos, celebram a próxima Festa da Ascensão de Jesus como dia de sua descida à Terra, lembrando-se do destino de todo gênio que desce à Terra, um destino que de fato mais se parece com uma descida ao inferno [...]. Isto é verdadeiramente o aspecto mais doloroso: o fato de que o homem leva tanto tempo para demonstrar gratidão e que uma noção desta obrigação à gratidão começa a surgir apenas após duas décadas. O que seríamos se não pudéssemos ter o senhor, o que seria eu, por exemplo, [...] senão um natimorto! Sempre estremeço quando imagino que eu possa ser ignorado pelo senhor: neste caso, a vida seria inútil, e eu não saberia o que fazer com a próxima hora". Essas linhas foram escritas sob a impressão de uma visita recente a Bayreuth organizada por Rohde. Em 23 de março de 1873, Rohde escreveu[7] que chegaria em Heidelberg no dia 27 daquele mês para visitar o colega

Ribbeck, pedindo que Nietzsche se encontrasse com ele no sul da Alemanha. A ideia de escolher Bayreuth como ponto de encontro era ótima, pois permitia recompensar os Wagner pela sua ausência na Festa de Natal. Nietzsche decidiu-se rapidamente e escreveu, pouco antes de partir, em 5 de abril, a Carl von Gersdorff: "[...] os telégrafos estão tendo muito trabalho e voam para Heidelberg, Nürnberg e Bayreuth. Pois imagine só, amanhã partirei em uma viagem, depois de amanhã me encontrarei com Rohde – e onde? Em Bayreuth, é claro. Ainda não compreendi como tudo se decidiu tão rapidamente. Oito dias atrás, nenhum de nós pensava em algo assim. Já agora sou tomado por comoção, quando imagino como nos encontraremos na estação ferroviária e como, a partir de então, cada passo se transformará em lembrança [...]. Espero que minha visita consiga reparar o prejuízo causado pela minha ausência no Natal. [...] Estou levando para Bayreuth o manuscrito 'A filosofia na época trágica dos gregos', para lê-lo aos outros. Ainda está longe de ser um livro, torno-me cada vez mais exigente comigo mesmo, e preciso deixar passar muito tempo antes de ousar outra representação (a quarta do mesmo tema) [...]. Voltei a convencer-me com a maior admiração daquilo que os gregos são e eram. O caminho de Tales até Sócrates é algo inacreditável".

Wagner se alegrou com a harmonia reestabelecida e não perdeu a oportunidade de também demonstrar a sua gratidão. A irmã de Nietzsche, ao desistir de uma viagem para a Itália com sua nova "amiga" inglesa, conseguiu economizar 900 marcos e com este dinheiro comprou uma certidão de patronagem do empreendimento de Bayreuth e o deu de presente ao irmão. Wagner se comoveu tanto com esse "sacrifício" que deu uma certidão de patronagem a Elisabeth com as seguintes linhas bem-humoradas: "Minha querida senhorita! Aquilo que a senhorita economizou eu ganhei dirigindo uma orquestra. Quem suou mais ao fazê-lo? Saudações cordiais da minha esposa"[160]. Os dias até 12 de abril passaram rapidamente com conversas vívidas, mas nem sempre de modo tão descontraído quanto sugerem as linhas de Wagner a Elisabeth. Nietzsche teve oportunidade de apresentar seu "novo trabalho interessante sobre os filósofos pré-platônicos" já na noite de 7 de abril[258], e o diário de Cosima nos revela o que aconteceu na noite seguinte: "Continuação da leitura. – O Prof. Nietzsche me conta o caso de certo Prof. Paul Lagarde, que foi totalmente caluniado por causa de seu escrito 'Igreja e Estado'. Um trabalho de Karl Hillebrand, dedicado a Hans von Bülow, parece-me ser o melhor que já foi escrito sobre este tema". Mas no dia seguinte, na noite de 9 de abril, quando haviam planejado continuar a leitura de Nietzsche, "a conversa nos conduziu tão profundamente para as experiências que havíamos feito com nosso empreendimento em Bayreuth, que a atmosfera triste não pôde ser vencida". E também na Quinta-feira Santa (10 de abril) a leitura de Nietzsche teve que ceder a festividades de aniversário na casa, e apenas em 11 de abril lemos: "À noite, o Prof. Nietzsche encerra a leitura de seu tratado. Poucas conversas. Baladas de Löwe. Ficamos um pouco aborrecidos com as brincadeiras musicais de nosso amigo, e Richard lamenta a direção tomada pela música". Novamente, Cosima consegue vencer a distância e oferece o gesto de amizade de aceitar a dedicatória da obra filosófica caso viesse a ser publicada. Imediatamente após retornar para casa, Nietzsche esboça uma carta de agradecimento[8]: "Venerada senhora, a senhora me concedeu a honra de aceitar imediatamente a dedicatória deste livro sem hesitação. Posso deduzir esta disposição irrefletida da confiança em mim como autor da confiança que meu tratado 'O nascimento da tragédia no espírito da música' lhe deu?" – Com a "Filosofia na época trágica dos gregos" como complemento ao "Nascimento da tragédia", Nietzsche teria criado o primeiro par de obras, típico do Nietzsche posterior. Mas dessa vez Wagner interferiu de forma ainda mais persistente na geração desta obra do que já fizera no caso do "Nascimento da tragédia", de forma tão persistente que o novo livro jamais foi realizado, nem na forma original nem em alguma forma alterada. Em vez disso, levou Nietzsche para uma nova direção, arrancou-o de suas contemplações gregas e o arremessou para o seu próprio tempo. Wagner o lembrou de sua visão exposta nos cinco prefácios da tarefa do filósofo como tribunal supremo da cultura contemporânea. Com isso, ele fomentou a tarefa latente do próprio Nietzsche, e rapidamente surgiu o plano para uma série de "Considerações extemporâneas", cujo número cresceu para treze em 2 de setembro daquele ano (1873) e cuja "extemporaneidade" consistiria em transformar focos de crises atuais em fogos incandescentes.

# XIII

# A primeira consideração extemporânea

Em 7 de fevereiro, Cosima anota[258]: "Jantar na casa dos Wesendonck, briga sobre o livro de Strauss, 'Der alte und der neue Glaube' (A antiga e a nova fé), que eu e Richard consideramos terrivelmente superficial, mas que o Sr. Wesendonck admira".

Quando Nietzsche veio para Bayreuth em abril, a discussão ainda estava sendo travada de forma acirrada. Wagner aproveitou a oportunidade – ele ainda queria acertar uma antiga conta com David Friedrich Strauss – e deu ao seu jovem e devoto amigo como primeira tarefa a elaboração de um panfleto contra o teólogo liberal, pelo qual Nietzsche ainda sentia alguma simpatia. Mas ele se subordinou.

No conflito sobre a posição de Wagner em Munique desde sua nomeação pelo jovem Rei Luís II, o mestre de capela Franz Lachner (1803-1890), que atuava naquela cidade desde 1836 e que havia feito grandes contribuições para a vida musical de Munique, vendo-se relegado ao segundo plano por Wagner, havia tomado partido contra Wagner, assim caindo em desgraça com o monarca. Por isso, havia pedido sua aposentadoria já em 1865, que inicialmente lhe foi concedida na forma de férias prolongadas. Em 26 de janeiro de 1868, ele dirigiu sua orquestra pela última vez num concerto de despedida. Então, Strauss defendeu Lachner publicamente, e Wagner respondeu com três sonetos satíricos, escritos em 12 de março de 1868. Sua mensagem pode ser resumida em poucas palavras: Para o mesmo Strauss que, como teólogo liberal, apresenta Cristo como mito, como figura de uma lenda, cuja existência histórica não pode ser comprovada, para esse mesmo Strauss este pacato Lachner é um "homem provado". Como obra poética, as três poesias são, infelizmente, muito fracas e, já por isso, não tiveram o efeito pretendido, e também a piada fraca e um tanto forçada não provocou as risadas desejadas. Strauss não podia ser derrotado dessa forma, como comprova o grande sucesso de sua última obra grande "Der alte und der neue Glaube", publicada em 1872. Após as "palestras sobre a educação", Wagner acreditava agora que seu jovem amigo conseguiria realizar o trabalho no qual ele havia fracassado cinco anos atrás.

Durante muito tempo, Strauss resistira à tentação de publicar uma obra maior. Na verdade, todos os seus trabalhos desde "Leben Jesu" (A vida de Jesus), de 1835/1836 haviam sido "parerga" ou exegeses daquela obra principal, e agora, 35 anos mais tarde, aos 64 anos de idade, ele se apresentou mais uma vez ao público com uma obra com a qual ultrapassava ou deslocava os limites da teologia e da ciência da história em direção à filosofia e, nos adendos, invadia as áreas da estética e da contemplação artística. Já em 1864, ele havia reescrito a "Vida de Jesus", originalmente redigida em uma linguagem científica seca, de forma mais legível e agradável "para o povo alemão" (como prometia o subtítulo). Na obra nova, ele tentou já na primeira versão usar uma linguagem mais leve, o que lhe rendeu o título de excelente estilista por parte dos críticos – mesmo daqueles que rejeitavam o conteúdo teológico. Na leitura rápida, as pessoas ignoravam as metáforas imprecisas, os lugares-comuns e as violações contra a gramática. Dependendo de onde retiramos a medida e com que rigor a aplicamos, sempre podemos constatar esse tipo de violações em uma língua que ainda é falada e que ainda pode sofrer modificações e refigurações. Muitas expressões corriqueiras se desgastam como uma moeda: seu valor, seu sentido se tornam opacos; outras palavras já desgastadas recebem um novo significado, designam novos sentidos, e tudo depende da fase em que estas palavras são fixadas e declaradas válidas ou nulas. O próprio Wagner havia demonstrado esse processo em 1869, em "Herr Eduard Devrient und sein Styl. Eine Studie über dessen 'Erinnerungen an Felix Mendelssohn-Bartholdy'" (O Sr. Eduard Devrient e seu estilo. Um estudo sobre suas 'Memórias de Mendelssohn-Bartholdy')[260]. Nesse estudo, Wagner cita e critica páginas e páginas de erros linguísticos na obra do autor atacado e diz no fim: "É impossível supor que um homem, que tanto negligenciou a formação em sua língua materna, possa ter uma formação estética", aspecto este que pode ter exercido um efeito sobre as "palestras sobre a educação" de Nietzsche, escritas três anos após esse estudo. Nietzsche revela no 11º capítulo de sua "Consideração extemporânea" que Wagner o encarregou com sua tarefa munindo-o com esse texto contra Strauss[3]: "[...] para não falar do vergonhoso alemão com que Eduard Devrient celebrou a memória de Mendelssohn". Não sabemos se Wagner, ao incumbir Nietzsche com essa tarefa, também pretendia afastar o espírito fogoso do jovem das contemplações aparentemente inférteis dos filósofos antigos, com as quais teria provocado um conflito ainda maior com os seus colegas do que já havia criado com seu primeiro livro, e, em vez disso, levá-lo para um caminho no qual pudesse recuperar, pelo menos em Basileia, sua fama danificada. E, de fato, o livrinho teve este êxito, sobre o qual Carl Spitteler, após passar alguns anos no exterior, escreveria em suas memórias a Nietzsche[224]: "Durante uma das minhas curtas visitas à pátria, em 1874 ou 1876, recebi uma notícia sobre Nietzsche que determinou durante longos anos o meu relacionamento interno com ele: encontrei o mundo eclesiástico e religioso de Basileia, ou seja, o mundo poderoso e nobre da cidade, em júbilo. Explicaram-me que o novo Prof. Nietzsche, apesar de não ser religioso, derrubara o velho David Strauss com tanta força que este jamais voltaria a se levantar. Um professor de Basileia, apesar de não religioso, que presta o serviço aos religiosos de Basileia, ou seja, aos poderosos, de matar definitivamente o adversário mais odiado e há muito abandonado por todo o mundo, me parecia o oposto de um ato nobre".

Assim que retornou de Bayreuth, Nietzsche começou a trabalhar no texto contra Strauss e já em 18 de abril pôde escrever a Wagner: "Li sua 'antiga e nova fé' e também fiquei surpreso com o ordinarismo e a falta de refinamento tanto do autor quanto do pensador. Uma bela coleção de gafes estilísticas do tipo mais abominável mostrará ao público que tipo de 'clássico' ele é". Nietzsche aproveitou o resto das férias e relatou a Rohde em 5 de maio: "Voltei a cuspir um pouco de lava: um escrito contra David Strauss está praticamente pronto, pelo menos na primeira redação – mas peço que mantenha segredo como um túmulo na noite, pois enceno uma grande mistificação. Retornei de Bayreuth numa melancolia tão persistente que não encontrei outro refúgio senão na fúria".

Mas sob suas mãos esse escrito se transformou em muito mais, em um escrito autenticamente nietzscheano. Com todo direito, pôde alegar no "Ecce homo", numa retrospectiva tardia[5]: "Nunca ataco pessoas – sirvo-me da pessoa só como de um forte vidro de aumento, com o qual se pode tornar visível uma calamidade geral, mas furtiva e pouco apreensível. Por isso, ataquei David Strauss, mais exatamente, o sucesso de um livro velho e decrépito na 'cultura alemã' – apanhei esta cultura em flagrante delito"*. Isso não é apenas uma tentativa de justificação viabilizada pela distância temporal, como demonstra uma passagem na carta a Gersdorff escrita pouco tempo após a morte de Strauss em 8 de fevereiro de 1874, ou seja, exatamente seis meses após a publicação da primeira "Consideração extemporânea" de Nietzsche. Em 11 de fevereiro, ele escreve: "Ontem enterraram David Strauss em Ludwigsburg. Espero muito que não tenha dificultado seu último tempo de vida e que ele morreu sem jamais ouvir de mim. – Sinto certo peso".

---

* NIETZSCHE, F. *Ecce homo*. Op. cit., p. 21.

### Dias felizes em Bayreuth

A experiência verdadeiramente feliz e dominante desses dias foi o convívio com Rohde. Já no sábado (12 de abril), eles se despediram de Bayreuth e viajaram até Lichtenfels. No dia seguinte – no Domingo de Páscoa – eles fizeram uma caminhada de uma hora até o famoso monumento de arquitetura sacral barroca Vierzehnheiligen; logo depois, Rohde teve que se despedir e enfrentar a longa viagem de volta para Kiel. Nietzsche fala sobre a experiência do momento de despedida em sua carta de 5 de maio a Rohde: "Você sabe que nosso festivo brinde de despedida em Lichtenfels me deixou extasiado? Pois deu-se um fenômeno que me fez pensar que estava sendo girado em uma grande roda: fiquei tonto, adormeci, acordei em Bamberg, tomei café: e voltei a ser um ser humano como antes. Passei então a tarde e o segundo dia de Páscoa em Nuremberg, sentindo-me fisicamente bem e também muito melancólico! Todas as pessoas estavam bem-vestidas e passeavam ao ar livre, e o sol de outono brilhava ameno. À noite, parti para Lindau, atravessei – em meio à luta dos astros da noite e do dia – o Lago de Constança às cinco da manhã e cheguei a tempo nas Cataratas do Reno perto de Schaffhausen, onde almocei. Nova melancolia e viagem para casa; ao passar por Laufenburg, vi que a cidade estava em chamas". Certo traço melancólico se manifesta já na carta de 18 de abril a Wagner, que começa com as palavras: "Vivo em lembranças constantes dos dias de Bayreuth, e as muitas coisas que aprendi e vivenciei em tão pouco tempo se estende diante dos meus olhos em abundância cada vez maior. O senhor não parecia satisfeito comigo durante minha presença, e entendo isso perfeitamente, sem poder mudar nada, pois aprendo e me apercebo de forma muito lenta, e a cada momento aprendo com o senhor algo novo, no qual jamais havia pensado e que procuro gravar em minha memória. Sei muito bem, meu venerado Mestre, que este tipo de visita não significa descanso para o senhor [...] peço que me aceite apenas como aluno, [...] como aluno com um *ingenium* muito lento e nada versátil. É verdade, torno-me mais melancólico a cada dia, pois sinto o quanto gostaria de ajudar-lhe, de ser-lhe útil e o quanto sou incapaz disso". Aqui, Nietzsche conhece a "melancolia da incapacidade", que – mais tarde ("Segundo pós-escrito" ao "Caso Wagner") ele acredita identificar em Brahms. Essa melancolia é alimentada pelo dilema cada vez mais urgente entre um sentimento de obrigação de demonstrar sua gratidão por Wagner e a necessidade de uma distância saudável. Essa experiência crítica é amenizada pelo êxtase da amizade com colegas de estudo e disciplina de sua idade, sobretudo com Rohde, mas também com Gersdorff, Overbeck e Romundt.

## O hino à amizade

Mais uma última vez, Nietzsche recorre à arte que permite reunir em uma única forma polifônica as maiores oposições: a música. O primeiro esboço de sua última composição, o "Hino à amizade", data de 24 de abril. Durante anos, ele se ocupará com essa composição e – ao contrário de todas as anteriores – esta jamais o deixará em paz. Um primeiro esboço para um cânone – "Amado amigo" – em compasso 6/8 pode ser datado nos dias de Natal de 1872, passados em Naumburg. Esse cânone passa a ser integrado à composição, mas é excluído da versão final, elaborada apenas em 29 de dezembro de 1874[125].

Nietzsche nunca investiu dois anos em uma composição, nem mesmo no oratório natalino. Os primeiros esboços e versões são para piano a quatro mãos, mas tendo em vista uma orquestra e até mesmo um coral. A versão definitiva de 1874 é uma redução para piano a quatro mãos. Certamente, Nietzsche pensou em tocá-la com Overbeck, a quem ele dedica a peça como presente em seu aniversário em 16 de novembro de 1875. No entanto, é provável que a motivação interna para a composição provenha dos dias em Bayreuth e com Rohde em Lichtenfels na Páscoa de 1873. A Rohde ele escreve na carta de 5 de maio: "Bem, continuemos então a nos arrastar em nossa existência e cantar a estrofe do meu hino à amizade, que começa com as palavras 'Amigos! Amigos! Permanecei unidos!' O poema ainda não está pronto: mas o hino sim – e este é o esquema métrico": Ele descreve um esquema de 7 versos, com a observação "Missão para todos os meus amigos de escreverem um verso ou dois!" Esse esquema métrico, porém, não é encontrado na música final. E a composição receberia um texto apenas nove anos mais tarde, a "Oração à vida", de Lou Salomé, mas apenas para o hino propriamente dito, que, na composição em seis partes, aparece em segundo, quarto e último lugar em estrofes idênticas de 26 compassos cada. Uma introdução de 63 compassos, dominada por um movimento ternário, é intitulada de "Procissão festiva dos amigos ao templo da amizade". E sobre a música ele escreve: "Com comedimento festivo, resoluto". O primeiro *intermezzo*, de 97 compassos, volta a ser dominado por movimentos ternários e recebe a instrução: "Como que em lembrança feliz e melancólica". Os 97 compassos do segundo *intermezzo* correspondem exatamente ao primeiro *intermezzo* e representa um movimento de variações sobre a melodia do hino. Sobre as notas iniciais, Nietzsche escreveu: "Como uma profecia sobre o futuro" e após 18 compassos: "Olhos voltados para a distância". Por fim: "Movimento de marcha, muito firme", e com esse movimento de marcha, a música desemboca na terceira estrofe do hino patético (toda a composição é marcada por um estranho estilo patético). Há muito ele perdeu o frescor e o imediatismo de suas canções, e agora tudo pesa.

Houve uma atmosfera descontraída no Schützengraben 45 quando Overbeck finalizou sua importante obra "Über die Christlichkeit unserer heutigen Theologie" (Sobre a cristandade da nossa teologia atual)[186] e conquistou Fritzsch como seu editor. Tratava-se de uma obra ousada, e Gersdorff, referindo-se a ela, escreveu que Basileia havia se tornado "vulcânico", que remete à imagem de "cuspir lava", de Nietzsche.

O novo semestre trouxe a chegada do amigo de Romundt Dr. Paul Rée, que trouxe um impulso inesperado para o trabalho de Nietzsche, mas que, no início, só pôde se manifestar em anotações não destinadas para a publicação. Em meio a toda essa atividade, Nietzsche foi perdendo cada vez mais a força de sua visão e ele iniciou seu tratamento com atropina. Nessa situação, Nietzsche teve a grande sorte de receber em 18 de maio seu amigo Carl von Gersdorff, que, em decorrência de uma malária, contraída em Siracusa durante uma longa viagem pela Itália, teve que voltar para regiões mais ao norte, no momento exato em que seu amigo se encontrava numa situação de extrema necessidade. Gersdorff serviu como seu secretário e escreveu suas cartas, anotou o manuscrito da primeira "Consideração extemporânea" contra David Strauss (enviada em 25 de junho ao editor Fritzsch), mas também o pequeno escrito não publicado "Sobre a verdade e a mentira no sentido extramoral" e muitas outras coisas, e o acompanhou também durante as férias de verão.

### O fantasma Rosalie Nielsen

Nesses meses, Nietzsche precisou da ajuda de amigos fiéis também em outros assuntos. No final da primavera de 1873, uma admiradora furiosa e maníaca começou a persegui-lo: Rosalie Nielsen. Após pesadelos e excitações provocadas por ela, o caso se encerrou de forma tragicômica no final do outono, quando Overbeck pôde provar pela primeira vez o seu valor numa situação desse tipo e conseguiu banir o "fantasma Nielsen". Desse período de férias temos apenas um documento que fale desse encontro curioso, uma carta dessa Nielsen, de 17 de junho de 1873, escrita em Bad Ragaz[14]: "Jamais uma pessoa neste mundo me reconheceu e desconheceu tanto quanto o senhor. Raramente ou nunca alguém tanto me alegrou e me magoou. O senhor rompeu o primeiro e último laço que me amarrava à Alemanha – partirei; pensei que assim deve ser. – Interiormente, aquilo que pensei e desejei jamais será rasgado, mas a execução é simplesmente impossível. – O belo Dioniso de pedra, que o senhor me deu, me seguirá para todos os lugares. Contemple o jovem Dioniso vivaz e vitorioso – que eu lhe trouxe. – Nunca mais o verei. Passe bem, e que seus olhos logo possam ser curados. Respeitosamente, Rosalie Nielsen".

Dezesseis palavras nesta carta sucinta estão sublinhadas, o que revela a exaltação emocional de sua autora. Os poucos documentos preservados não permitem determinar se houve algum encontro pessoal anterior a essa carta (testemunhos posteriores tornam isso improvável, mas não excluem de toda a possibilidade) ou alguma correspondência, ou se a Nielsen já se sentiu tão presenteada pelo "Nascimento da tragédia", de Nietzsche, e lhe mandou um presente. Dependemos dos testemunhos orais, aos quais C.A. Bernouille teve acesso e que ele documentou em sua maravilhosa representação da amizade entre Nietzsche e Overbeck[50]. Pois o tormento do caso com essa Nielsen ainda não havia chegado ao fim, ao contrário do que sugere a carta de Bad Ragaz. Mas antes vieram ainda as férias de verão e alguns outros eventos.

### Férias de verão em Flims-Waldhaus

Bernoulli erra ao afirmar que Nietzsche passou o verão de 1873 em Segnes. Nietzsche esteve no *Hotel Segnes* em Flims, a 40 quilômetros de distância do vilarejo de Segnes, na vizinhança do Disentis. Supostamente, Nietzsche e Gersdorff teriam feito uma excursão de 15 horas para a geleira do Flimserstein. O Flimserstein é uma rocha marcante no lado sul dos Alpes de Glarus a uma altura de 2.200 metros, ou seja, ainda na zona de agricultura alpina. O Flimserstein pode ser alcançado em quatro horas a partir de Flims. O lado sul dessas montanhas não apresenta quaisquer geleiras, mas é possível que a neve do inverno se mantenha em alguns pontos até o início do verão. Se os dois realmente precisaram de 15 horas para essa caminhada, ou eles perderam totalmente a orientação ou escalaram a montanha que se ergue acima do Flimserstein. Aparentemente, foi este o caso. Gersdorff escreve em 31 de julho de 1875 a Franz Overbeck: "Recentemente, improvisamos, principalmente em virtude de um equívoco em relação às distâncias, uma excursão para a geleira de Segnes. A neve e o calor do verão causaram grandes dificuldades a Nietzsche, de modo que tive que levá-lo para baixo por trilhas difíceis. Quando retornamos para Waldhaus, havíamos caminhado por 15 horas, 12 das quais nas montanhas".

Nunca mais ouvimos que Nietzsche tivesse abandonado as trilhas seguras ou tivesse se aventurado nas regiões inexploradas das montanhas. Ele o fez apenas em sua imaginação, e ele as expressa sempre em formulações rígidas, como as que conhecemos de Homero.

Gersdorff, porém, se juntou a um grupo e participou de suas excursões. Ele nos informa também o essencial dessa estadia em duas cartas, uma de 18 de julho à irmã de Nietzsche, que chegara em Basileia em 5 de junho e havia permanecido na cidade, e um de 9 de agosto a Erwin Rohde por ocasião da publicação do livro sobre David Strauss. Essas duas cartas nos transmitem uma imagem bastante vivaz[14]: "Querido Rohde, suas objeções contra uma continuação das atividades do nosso amigo, expressadas em sua última carta, foram finalmente reconhecidas também pelo oftalmologista, que lhe prescreveu férias antecipadas. Assim, sua carta [...] chegou às minhas mãos, quando já respirávamos o delicioso ar florestal de Films, certos de que tínhamos feito uma boa escolha. Agora, já se passaram quase quatro semanas sem que nossa satisfação tivesse diminuído, e espero que a tranquilidade e a regularidade cronometrada da vida, o ar aromático da floresta, os banhos diários no belo e verde Lago de Cauma, a boa comida e companhia descontraída, a ocupação com os maiores e melhores autores – Wagner, Goethe, Plutarco, boas discussões etc. – terão um bom efeito sobre os olhos e os nervos do nosso amigo. Periodicamente, retornam os chamados espasmos acomodativos dos músculos oculares, mas os olhos estão fortalecidos e um repouso continuado certamente afastará as dores por completo. Romundt está conosco há vinte dias e desfruta conosco essa vida 'inútil' [...] Lembramo-nos com frequência de você e desejamos nada tanto quanto tê-lo aqui, por exemplo, no castelinho em Flims, a 12 minutos da nossa pensão, onde você poderia completar seu trabalho e passar conosco suas horas de ócio: bocejando, lendo, comendo, tomando banho. – Em breve, a tensão da 'antistraussíada' será afastada: hoje recebemos os primeiros exemplares". E em 18 de julho escreve a Elisabeth: "O famoso Lago de Cauma é de valor inestimável e não temos palavras para elogiá-lo como merece, mas precisamos descer por caminhos íngremes e atravessar florestas e montanhas para tomar banho e nadar num lago sem quaisquer instalações. Toda vez que trocamos de roupa, coaxa um grande sapo. Dizem que o lago possui águas medicinais. Fritz usa a água para fazer compressas para seus olhos [...]. Estamos plenamente satisfeitos. Tudo é diferente e melhor do que em 'Schlingelwald'. A região é maravilhosa; um vale inclinado de dimensões amplas com muitas florestas e delimitado por grandiosas montanhas. Em frente à nossa casa fica o colossal Flimserstein, uma rocha pitoresca voltada para nós, que nada tem da largura opressora do Mönch cinzento. [...] A companhia consiste de pessoas calmas, bem-educadas e modestas [...]. Cada uma cuida de sua vida, vai para onde bem quiser. Existe um tratamento de leite, que Fritz está fazendo. Às cinco e meia da manhã e às cinco da tarde ele recebe um copo grande de leite; o primeiro copo é digerido na cama até às sete horas, o segundo, como o paciente bem entender. Passamos o resto da vida comendo, bebendo, bocejando, deitados, caminhando, nadando, lendo, dormindo. A linda floresta de lariços, que chega até a casa, oferece sombra contra o sol durante o dia inteiro; [...]. Existe uma abundância de riachos

[...]. Uma diversidade infinita de cores e formas na natureza é o encanto deste lugar. – Até agora, temos passado as manhãs na floresta sob rochas, lariços ou pinheiros na presença de montanhas majestosas com a leitura das "Valquírias", do Siegfried e do "Crepúsculo dos deuses". Este é o lugar certo para isso e estamos vivendo nosso próprio crepúsculo. Após o almoço, discutimos sobre Plutarco, após um cochilo nas florestas. Às cinco e meia da tarde, tomamos banho. O jantar é servido às sete horas; sempre uma refeição quente. E assim passa o tempo, como diz o hinário de Dresden, bem-aproveitado para a eternidade. [...] Há um revezamento rápido entre relâmpagos e trovões, chuva, vento e calor, jamais abafado. [...] Existe um salão de leitura com caramanchão (!) e música de piano ruim e um refeitório fresco com muitas moscas [...]. Hoje acompanhei três damas suíças até o Flimserstein. Partimos às cinco da manhã e alcançamos as alturas às quinze para as nove. Lugar maravilhoso [...] Lá em cima há um grande campo com rebanhos de gado. Comemos com os pastores. Após enfrentar muito adubo e afugentar muitas moscas e dezenas de porcos marrons [...], o leite tem um gosto extraordinário. A casa dos pastores era bastante limpa [...]. Bem, agora a senhorita sabe o que se passa aqui. [...] O sol pouco castiga os olhos; o quarto do Fritz possui cortinas verdes".

"Schlingelwald" deve ser uma alusão à infeliz escolha do Gimmelwald abaixo de Mürren dois anos atrás, que realmente só é separado por um estreito vale, a meio-caminho da sombria fortaleza nas rochas chamadas de "Schwarzmönch" (Monge preto), para onde Gersdorff havia acompanhado Nietzsche e sua irmã no verão de 1871.

À carta de 9 de agosto a Rohde, Gersdorff ainda acrescenta que eles liam também Leopardi quase que diariamente e: "Às três e meia deslocamo-nos ao verde Lago da Cauma; gravamos as letras U. B. I. F. N. 8./8. 1873 [= Unzeitgemässe Betrachtung I (Consideração extemporânea) Friedrich Nietzsche, 8 de agosto de 1873] em uma rocha de mármore; depois nadamos até outra rocha, que se ergue no meio do lago. Aqui, gravamos rapidamente as letras U. B. F. N. C. G. H. R. 8./8. 1873 [= Consideração extemporânea, Friedrich Nietzsche, Carl Gersdorff, Heinrich Romundt etc.], e permanecemos um bom tempo nessa adorável pedra. O sol, o despertador, ria para o fundo*, de cuja escura profundeza se ergue a rocha. Após o banho, abençoamos a primeira pedra e sua inscrição [...]. A noite era divinamente pura e clara [...]. Assim celebramos a 'antistraussíada'".

---

* Wagner: "Rheingold", 1ª imagem.

O Lago de Cauma, cercado por floresta, fica mais ou menos 100 metros abaixo da pensão em Flims. Mesmo que os caminhos não tenham sido tão fáceis e agradáveis como hoje, não era difícil chegar até ele. As gravuras nos revelam que a primeira "Consideração extemporânea" foi publicada em 8 de agosto de 1873. Em Flims, os amigos levantaram mais uma vez a ideia de um convento formado por espíritos selecionados: O "castelinho" estava à venda e veio a ser vendido no outono.

### Retorno para Basileia

No final das férias, Elisabeth ainda veio para Flims. Nietzsche foi ao seu encontro em Chur, em 14 de agosto, onde os dois tiveram que passar a noite, para então viajar com a diligência até Flims no dia seguinte. Romundt se despediu dos colegas nesses dias, desocupando seu quarto para Elisabeth. Não sabemos de certo quando os amigos voltaram para Basileia, provavelmente (em virtude da reserva do hotel) no dia 16 ou 17 de agosto, pois no dia 18 já recomeçavam as aulas no Pädagogium. Elisabeth passou, portanto, no máximo dois dias em Flims, fato que torna duvidoso seu relato sobre essa estadia[86].

Nas semanas e meses que se seguiram, a doença de seus olhos obriga Nietzsche a trabalhar pouco. Sua irmã permanece com ele até 21 de outubro e cuida do enfermo. Em junho, o casal Baumann havia adquirido a casa no Schützengraben 45[112], e Nietzsche encontrou uma "mãe" preocupada e dedicada na Sra. Baumann. Apenas agora pôde surgir o apelido "Baumannshöhle" (Caverna dos Baumann), que os comentaristas de Nietzsche costumam usar precocemente. Também os médicos amigos fizeram de tudo para aliviar o sofrimento de Nietzsche, além disso, o fiel vizinho Overbeck o assistiu em todos os assuntos práticos. O ser humano Nietzsche estava recebendo todos os cuidados possíveis. Mas o escritor – e também o autor de cartas – passou a enfrentar dificuldades, quando, em 17 de setembro, seu "secretário" Gersdorff se despediu dele para retomar sua viagem de estudos pela Itália, interrompida em virtude de sua doença, para se encontrar com Rohde em Gênova, no dia 20 de setembro.

Em 27 de setembro, encerrou-se o semestre – o nono semestre, como Nietzsche escreve a Gersdorff nesse dia: "A saúde tem sido variável, mas espero tudo das próximas férias calmas e produtivas. Pois apenas quando produzo algo, sou verdadeiramente saudável e sinto-me bem. Todo o resto é música de má qualidade entre os atos".

Temporariamente, Heinrich Romundt, que vive na mesma casa, passa a substituir Gersdorff, ao qual Nietzsche dita suas cartas conseguindo assim manter um contato mínimo com as pessoas mais próximas, visivelmente uma grande necessidade sua. Nisso irrompe também uma dose de humor, mas que se esgota em jogos de palavras e alusões a nuanças linguísticas dos saxônios ou do alemão do norte ("Krütüker", "Säälenlähre"), enquanto ele, apoiado e rodeado de amizade, continua a trabalhar em sua composição. Rohde – que o visita em 1º de agosto ao passar por Basileia em sua viagem da Itália para Kiel – anuncia em 22 de novembro: "Encerrado o trabalho de composição do Hino à amizade. Ele continua a ecoar dentro de mim".

### Trabalhos improdutivos

Nietzsche já trabalha também em uma segunda "Consideração extemporânea", que tem como tema e título "A filosofia em apuros", que ele não chega a executar. Em 22 de outubro, redige rapidamente um "Apelo aos alemães" para Bayreuth. Trata-se de uma encomenda do "Mestre", um trabalho que, no fundo, o repugna. Em 18 de outubro ele se queixa numa carta a Rohde: "Qualquer novidade é terrível [...]. Novo é, por exemplo, o pedido que recebo hoje de escrever um apelo ao povo alemão em prol da obra de Bayreuth e em nome da comissão de patronagem. Este pedido é terrível, pois já tentei fazer algo semelhante espontaneamente, mas não consegui terminá-lo. Por isso, dirijo a você, querido amigo, o pedido urgente de me ajudar com isso. Juntos talvez consigamos domar esta besta. O sentido da proclamação [...] resulta em motivar todos, pequenos e grandes [...] a doar dinheiro na sua loja de partituras; [...] por exemplo, pela seguinte motivação [...] segundo uma informação proveniente de Wagner, aparentemente adotada de Heckel: 1º) Importância do empreendimento [...] 2º) Vergonha para a nação [...] 3º) Comparação com outras nações". Rohde se recusou, mas Nietzsche conseguiu redigir um esboço em uma única manhã, entregou-o à gráfica e, já em 25 de outubro, recebeu algumas provas, que ele encaminhou imediatamente para Wagner. Na noite de 29 de outubro, ele partiu para Bayreuth para participar da assembleia das associações wagnerianas. No dia 31, o plenário discutiu seu esboço – e os delegados o rejeitaram, a despeito da aprovação de Wagner e Cosima.

Decidiram transferir a tarefa para o Prof. Stern, e seu texto foi executado. Na segunda-feira (2 de novembro), Nietzsche está de volta em Basileia, após dias cansativos e absolutamente improdutivos para ele. Sua saúde também não está boa. "Desde sua partida, eu me arrastei pelos dias com grande esforço, tive que passar um em cada três dias na cama e me senti incapaz de celebrar seu aniversário por meio de cartas e brindes", ele escreve a Rohde em 18 de outubro.

**Fantasmas surgem no horizonte**

Nesta mesma carta, Nietzsche revela um medo especial: "Entrementes, outra coisa cresceu e adotou medidas gigantescas [...]. Existe, como Overbeck e eu estamos absolutamente convencidos, uma maquinação sinistra por parte da [...] Associação Internacional dos Trabalhadores de se apoderar da editora em Leipzig. Tememos que Fritzsch já esteja comprometido e provavelmente já recebeu algum dinheiro. [...] Eu pretendia partir ainda hoje à noite para intervir pessoalmente em Leipzig. Mas uma obrigação inesperada do meu ofício me impede e assim só poderei viajar para Leipzig após minha visita a Bayreuth. O brilhante crítico E(rwin) R(ohde) não tem acesso a todo o *apparatus criticus* (ou seja, as cartas e declarações do fantasma feminino R(osalie) N(ielsen)". E a Gersdorff, Nietzsche escreve: "[...] descobri uma trama totalmente sinistra. [...] Não quero falar sobre detalhes por meio de cartas, pois tenho medo de confiar algo ao papel. Basta dizer que um terrível perigo ameaça o empreendimento de Bayreuth e que cabe a mim posicionar as minas para deter o inimigo [...]. Naturalmente, o fantasma R(osalie) N(ielsen) tem participação nisso". Em 1º de novembro, durante sua visita a Bayreuth, Nietzsche identificou essa Nielsen como amiga de Mazzini[258].

Mesmo que os temores de Nietzsche em relação à confiabilidade de Fritzsch se revelariam como infundados, não cabe ignorar seu medo como mero produto de sua imaginação; existiam motivos reais. O levante social havia alcançado proporções significativas; a agitação política era poderosa. E também a editora de Fritzsch havia sofrido muito com as greves dos tipógrafos, como sabemos dos lamentos de Wagner, Overbeck e também de Nietzsche em virtude dos atrasos na impressão de seus escritos daquele ano. Na Alemanha, a questão dos trabalhadores era representada e avançada por dois grupos, pelo "Allgemeine deutsche Arbeiterverein" (Associação Geral dos Trabalhadores Alemães), fundado por Lassalle em 1863, e pelo "Sozial-demokratische Arbeiterpartei" Partido Social-democrata dos Trabalhadores), fundado em 1869 em Eisenach por Liebknecht e Bebel sobre fundamentos marxistas. Em 1875, estes dois grupos se reuniriam e fundariam o "Sozialistische Arbeiterpartei Deutschlands" (Partido Socialista dos Trabalhadores da Alemanha) e contra o qual Bismarck acreditou poder se defender com sua "Lei de exceção contra os socialistas" de 1878. Além dos atrasos desagradáveis na gráfica de Fritzsch, as lutas sociais atingiram também a Suíça e até mesmo a conservadora cidade de Basileia, e já que aqui Nietzsche frequentava quase que exclusivamente famílias patrícias, ele adotou sua visão das coisas. Ele nunca se preocupou em adquirir sua própria imagem, toda essa temática estava distante demais dos temas que o preocupavam, por isso, tanto sua obra quanto suas cartas apresentam apenas poucas declarações sobre a "questão social", e estas são marcadas por informações unilaterais. Mas justamente aquilo que ele *não* sabia aumentava seu medo diante do incompreensível, do demoníaco, o mesmo medo que já havia se manifestado após a revolta das comunas em Paris, de 1871. Essa unilateralidade da informação e a exclusão da questão social serviria em 1889 como objeção do círculo de admiradores de Viena contra o filósofo, apresentada por Heinrich Hengster em cartas a Overbeck.

A passagem da carta acima citada tem sido tratada como bagatela porque ocorre no contexto do "fantasma Rosalie Nielsen". Mas isso é apenas uma coincidência externa de um episódio biográfico com um problema irresolvido.

No que diz respeito ao episódio Nielsen, somos obrigados a confiar nas informações fornecidas por Carl Albrecht Bernoulli e baseadas em memórias pessoais de seu advogado Dr. Kurt Hezel e de seu Prof. Franz Overbeck[50]: "A Sra. Nielsen era, pelo que sei, a esposa divorciada de um oficial da marinha proveniente de Holstein ou da Escandinávia, e ela mesma nascera em Holstein ou na Dinamarca. Antes de se estabelecer em Leipzig, ela havia vagueado pela Itália durante muito tempo, e lá conheceu também Mazzini. Provavelmente, ficou presa durante algum tempo como revolucionária e seguidora de Mazzini. Sua aparência externa era repugnante e descuidada [...]. A Sra. Rosalie Nielsen era uma admiradora ardente de Friedrich Nietzsche e prezava sobretudo o seu escrito 'O nascimento da tragédia' acima de tudo. Em certo sentido, poderíamos chamá-la de pessoa dionisíaca [...]. Eu mesmo possuo ainda entre minhas memórias estudantis uma fotografia dedicada a mim pela Sra. Nielsen que apresenta uma estranha cabeça de Dioniso (uma escultura fotografada). A Sra. Nielsen alega ter recebido a fotografia [...] do próprio Friedrich Nietzsche. A cabeça de Dioniso é caracterizada por duas metades faciais completamente distintas. Uma metade do rosto e, portanto, um olho demonstra uma grande intensidade de vitalidade ardente, enquanto a outra metade e o outro olho parecem apagados [...]. Mais tarde, em seus círculos de Leipzig, a Sra. Nielsen sabiamente jamais falou sobre seu encontro com Nietzsche; mas corria o boato que ela soubera provocar [...] um encontro [...]. Bem mais cedo, porém, no outono de 1875, a Sra. Nielsen relatou a cena ao Prof. Vaihinger em Leipzig. Segundo ela, uma troca de cartas teria resultado em um encontro num hotel em Friburgo im Breisgau. Nietzsche, horrorizado com a aparência externa da dama, teria se retirado do quarto dentro de segundos, após atacá-la com a frase teatral: 'Monstro, tu me enganaste!' [...] Creio que a próxima testemunha capaz de esclarecer o episódio seria o Dr. Romundt – sobretudo se esta cena teria, na verdade, ocorrido na Caverna dos Baumann. Segundo alusões de Overbeck, o encontro ocorreu no quarto de Overbeck; ele alega também que, antes do ato final, teriam ocorrido outras visitas da admiradora. Overbeck então livrou Nietzsche definitivamente desse assédio entusiástico."

E Overbeck: "Logo após a publicação de seu 'Nascimento da tragédia', uma mulher de Holstein já bastante velha e de aparência um tanto louca, a Sra. Rosalie Nielsen, começou a persegui-lo, no início por meio de cartas e de remessas de fotografias simbólicas, perseguição esta que desde o início era bastante assombrosa. Mas ela teve que ser apresentada pessoalmente a Nietzsche para que essa adepta o assustasse de forma insuperável e para levá-lo a permitir uma de suas visitas em meu quarto, com meu consentimento – [...] e em minha presença. Que cena risível e desmedida Nietzsche apresentou naquela ocasião! Ela se deu quase que em silêncio e com muitos gestos grandiosos e se encerrou quando a Sra. Nielsen [...] foi literalmente expulsa do quarto em sua cadeira [...] e quando a Sra. Nielsen voltou após poucos dias, eu decidi interceder contra ela em nome do meu bom amigo [...] eu fui até o quarto do servo para libertar Nietzsche uma vez por todas dessa praga e pelo menos fui bem-sucedido nessa execução desagradável".

# XIV

## A segunda consideração extemporânea
## (final de 1873 até o verão de 1874)

Depois do Natal, Nietzsche conseguiu afastar também seus temores relacionados à editora e confessa isso em uma carta de 18 de janeiro de 1874 a Gersdorff: "Passei uma noite na casa do formidável e comprovado Fritzsch e levei de lá a impressão de que tudo ainda está firmado sobre quatro pernas. O fantasma feminino havia contaminado a nossa imaginação".

Em suas cartas de novembro e dezembro aumentam as queixas sobre uma saúde instável não só dos olhos, mesmo assim continuou trabalhando em sua segunda "Consideração extemporânea": "Sobre a utilidade e os inconvenientes da história para a vida". Em 4 de dezembro, Gersdorff retorna de sua viagem à Itália e passa uma semana em Basileia, para depois prosseguir para Bayreuth e, de lá, para a propriedade de seu pai em Ostrichen, nas proximidades de Seidenberg (Silésia). Ele leva os manuscritos de Nietzsche e os passa a limpo, elaborando assim o manuscrito para a impressão, entregando-o ao editor Fritzsch, que aceita a nova obra e até se obriga contratualmente a publicá-lo em determinada data, antes mesmo de ter em mãos o manuscrito completo, pois Nietzsche escreve a parte final nos dias entre Natal e Ano-Novo em Naumburg, quando os primeiros capítulos já se encontravam na gráfica! Nietzsche relata isso a Gersdorff em 26 de dezembro: "Dado que tenha sido informado corretamente, Fritzsch já está imprimindo partes da segunda Extemporânea; assinei um contrato segundo o qual a impressão precisa estar finalizada até o final de janeiro, e eu prometi entregar o manuscrito completo até o dia 7 de janeiro. Estão com Fritzsch o prefácio e os capítulos I, II, III, IV, V, VI, VII; hoje comecei o capítulo X". E em 31 de dezembro ele pede a Rohde: "Hospedei-me na casa de Fritzsch, e este bom homem me alegrou muito. [...] Minha segunda 'inconformidade' (*Ungemässheit*) (ou descomedimento (*Unmässigkeit*)) está na gráfica: nos próximos dias, você receberá as primeiras provas; recorro, querido amigo, à sua bondade e peço que me ajude com seu conselho e sua correção moral-intelectual de uma e outra passagem do meu escrito. Não temos tempo a perder: a impressão avança rapidamente, no final de janeiro tudo precisa estar pronto".

Por volta do dia 20 de dezembro, Nietzsche havia viajado para Naumburg, dessa vez com a forte intenção de passar por Bayreuth quando voltasse. Mas dessa vez sua saúde instável realmente frustrou esse plano, e Bayreuth emudeceu. A carta de Cosima, na qual ela agradece pelas saudações de Ano-Novo e pelo envio da segunda "Consideração extemporânea" (que havia chegado em 22 de fevereiro) data de 20 de março de 1874! No entanto, trata-se de uma carta muito longa e detalhada em tom cordial.

Em 26 de dezembro, Nietzsche escreve a Gersdorff: "[...] estive doente, preso à cama – aqui na pátria; a velha história". A partir de então, isso se repetiria a cada ano: na época de Natal, ele adoeceria, e não há como negar que a confrontação com a festa cristã causava uma excitação de sua alma, que agia como fator agravante sobre sua saúde frágil. Em medida crescente, *qualquer* excitação interior – alegria, sofrimento ou aborrecimento – causaria um mal-estar físico.

### Sucesso ambíguo

Nos últimos dias de dezembro, Nietzsche viajou para Leipzig para resolver alguns assuntos com seu editor. Fritzsch estava preparando uma segunda edição do "David Fr. Strauss", que se tornara necessário em virtude do sucesso provocado por um ataque furioso da revista "Grenzbote" em outubro. Nietzsche escreveu ainda em 1888 (em 25 de julho) a Carl Spitteler: "A primeira esperteza para ser levado em consideração 'pela sociedade' é, logo na entrada, um 'duelo' – afirma Stendhal. Eu não sabia disso, mas foi isso que eu fiz"[121]. (Uma passagem muito parecida se encontra no "Ecce homo"[5].) Nietzsche havia feito o que hoje chamamos de "provocação" e a intensidade da reação lhe rendeu uma publicidade total. Já em 27 de outubro ele havia relatado isso a Gersdorff: "Os cadernos verdes do 'Grenzbote' apresentaram recentemente um *non plus ultra* sob o título 'O Sr. Friedrich Nietzsche e a cultura alemã'. A revista convoca todos os poderes contra mim, a polícia, as autoridades, os colegas; a declaração explícita de que cada universidade alemã me rejeita, a expectativa de que Basileia fizesse o mesmo comigo. O comunicado segundo o qual uma artimanha de Ritschl e a burrice de Basileia teriam transformado um estudante em professor ordinário etc. Difamam Basileia como universidade provincial, eu mesmo sou denunciado como inimigo do *Reich* alemão, como aliado da Associação Internacional dos Trabalhadores etc. [...] Ou seja, meu querido amigo, para usar as palavras de Fritzsch, o número 1 'foi aceito pelo público'". E em 21 de novembro, escreve a Rohde: "Gostaria que você lesse o artigo no "Grenzbote" como curiosidade: precisamos desse tipo de entretenimento de vez em quando. O touro e o pano vermelho. O Dr. Fuchs quis publicar uma resposta; o Conselheiro Vischer, protestar publicamente, foi necessário muito esforço para acalmar os espíritos. Basileia como 'universidade provincial' tornou-se aqui um provérbio de chacota e serviu como lema para os discursos de mesa na festa da reitoria". Ou seja, as pessoas em Basileia se divertiram com o descomedimento da crítica, e o professor de caráter peculiar se tornou ainda mais popular – agora (em 15 de janeiro de 1874) ele foi nomeado decano da faculdade!

O "Nascimento da tragédia" também recebeu uma segunda edição, impressa em janeiro de 1874, mas que só chegaria às livrarias em 1878.

Nietzsche aproveitou sua breve estadia em Leipzig para visitar também seu velho Prof. Ritschl, mas teve que relatar a Rohde: "Os Ritschl, aos quais fiz uma rápida visita, abriram um fogo verbal de meia hora contra mim, do qual eu escapei sem ferimentos; no fim, chegaram à conclusão de que eu era arrogante e os desdenhava. A impressão geral foi desconsoladora: o velho Ritschl atacou com fúria o poeta Wagner, depois os franceses (consideram-me um admirador dos franceses), por fim, falou de forma abominável sobre o livro de Overbeck, sobre o qual tinha apenas ouvido falar. Soube que a Alemanha se encontra na 'adolescência', por isso me dei ao luxo de ser um pouco adolescente (pois repreenderam meu descomedimento e minha rudeza contra Strauss). Mas como escritor de prosa clássica, Strauss está realmente destruído: pois é o que afirmam o papaizinho e a mamãezinha Ritschl, que já acharam o 'Voltaire' terrivelmente estilizado". E Ritschl anotou em seu diário[8]: "30 de dezembro de 73. 9h, visita de Nietzsche, conversa repleta de brigas fundamentais". Eles não se entendiam mais.

### Novos planos

Nesse final de ano, tudo estava em "fluxo" e deixou pouco tempo para retrospectivas e reflexões sobre o alcançado e vivido. No Dia de São Silvestre, ele escreve apenas a Rohde e Overbeck (uma saudação de Ano-Novo a Bayreuth infelizmente se perdeu), mas essas mensagens também não são "contemplações posteriores", estão voltadas para o futuro. Na carta a Overbeck, Nietzsche escreve: "Não é, queremos permanecer bons e fiéis uns aos outros, vizinhos e companheiros de sonhos e armas, sujeitos estranhos, se assim quiser [...], mas bem pacíficos [...]. Para nós: externamente, animais assassinos e de rapina, tigres rugidores e companheiros de outros reis do deserto semelhantes [...]. Graças a Deus, Gustav Binder não nos ouve [...] cujos artigos têm a extensão de minha brochura; por fim, ele me recomenda imprimir meus livros em chapas de lata [...]. Saudações dos meus; e agora, velho e bom camarada Overbeck, até logo! E que viva a companhia dos esperançosos!"

Nesse ano, Nietzsche não só havia rompido laços antigos significativos, mas também encontrado um novo solo após as tentativas tateantes do inverno passado, mas isso gerou tensões ainda maiores. O início do ano havia sido dominado completamente pelas "contemplações do horizonte de Bayreuth" e pelos trabalhos sobre os filósofos gregos. Esses esboços, porém, representaram o fim definitivo de seus esforços orientados por esses dois pontos de referência. A partir de agora, ocupou-se com os gregos apenas no contexto de seu ensino e não mais como autor filosófico livre, e Wagner e sua obra se transformam cada vez mais em um problema, que Nietzsche via como manifestação de uma "cultura" e, mais tarde, de uma estética e concepção artística que o repugnavam.

Agora, começa também a sofrer com a unilateralidade de sua formação, de seu conhecimento e de sua situação espiritual, como insuficiente para um filósofo, e passa a procurar uma ampliação de seus conhecimentos para as áreas da ciência natural e da matemática, ampliação esta que sua docência precoce havia interrompido. Após a "Natureza do cometa", de Zöllner, ele se dedicou à "Philosophiae naturalis Theoria", do jesuíta R.J. Boscovich*, famoso e controverso em seu tempo, e cuja obra Nietzsche leu, quando a encontrou em 28 de março de 1873 na biblioteca da Universidade de Basileia. Naquele mesmo dia, emprestou também uma "História da química", de Kopp; "Palestras sobre o desenvolvimento da química", de Ladenburg; uma "Teoria geral do movimento e da força", de Mohr; "A construção milagrosa do universo", de Mädler; "Eléments de Physique", de Pouillet; a recém-publicada obra "Pensamento e realidade", de African Spir**, e, a despeito dos problemas de visão, leu tudo isso ao lado de suas leituras obrigatórias. Ele se ocuparia ainda durante anos com o livro e os pensamentos de Spir em travar um diálogo próprio com ele. Nietzsche reagiu com espontaneidade a todas essas novidades. Talvez já nos últimos dias de março, mas certamente no início de abril, ele desenvolve uma "Teoria dos Átomos temporais" (*Zeitatomtheorie*)***. Essa Teoria dos Átomos Temporais exerceria uma função significativa no desenvolvimento filosófico de Nietzsche. "A

---

* Matemático e astrônomo, nascido em 1711 em Ragusa/Dalmácia, falecido em 1789 em Milão.

** Nascido em 1837 no sul da Rússia, falecido em 1890 em Genebra.

*** A. Anders disponibilizou o texto em 1962.

'Teoria dos Átomos Temporais' representa a tentativa de Nietzsche de transferir a atomística pontual de Boscovich para uma atomística dos 'pontos sensoriais'. Segundo Nietzsche, essa transferência nada mais é do que a tradução do fato até então representado de forma física para uma linguagem imediatamente acessível, para a linguagem da sensação. A tradução nada mais é do que a continuação necessária da atomística, pois 'toda mecânica dos movimentos é, no fundo, a descrição de concepções' e a 'própria matéria é dada apenas como sensação'. [...] Certamente, a 'Teoria dos Átomos Temporais' é apenas uma tentativa muito efêmera de Nietzsche, mas demonstra como ele incorporou as concepções de Boscovich, Zöllner e Spir, para torná-las férteis para suas concepções fundamentais"[37]. Com essa ousada tentativa epistemológica, Nietzsche rompe com seus trabalhos do passado e inicia um novo caminho, ainda em anotações não previstas para o público, mas que lançam uma luz mágica sobre as obras publicadas.

O próximo esboço desse tipo foi "Sobre a verdade e a mentira no sentido extramoral", que ele ditou a Gersdorff em junho (provavelmente apoiando-se em anotações já existentes). Esse escrito recorre mais uma vez à tradição grega, ele vincula o filósofo emergente a seu próprio passado. O título só pode ser compreendido completamente em sua versão grega. Ἀληθές e ψσεῦδος significam para o historiador Políbio do helenismo tardio apenas "o que corresponde aos fatos" e "o que não corresponde aos fatos"[203]*, sem juízo de valor moral. Isso nos leva diretamente ao problema trifásico dos sofistas que precederam Platão: 1) Podemos nos aperceber de "fatos" sem interpretá-los, avaliá-los imediatamente? 2) Caso seja possível, podemos fazer uma afirmação adequada deles? 3) Caso seja possível, a pessoa à qual se dirige nossa afirmação pode recebê-la sem transformá-la por meio de sua interpretação?

O escrito sucinto de apenas 32 páginas manuscritas gira em torno da pergunta central: A "verdade" é, de todo, possível? Pois[1]: "Somente graças à capacidade de esquecimento pode o homem chegar a imaginar que possui uma 'verdade' [...]. O que é uma palavra? A representação sonora de uma excitação nervosa. Mas induzir a partir de uma excitação nervosa uma causa exterior a nós já é o resultado de uma aplicação falsa e injustificável do princípio da razão". E: "O que é a verdade? Um exército móvel de metáforas, metonímias e antropomorfismos, ou seja, uma soma de relações humanas que foram realçadas, transpostas e ornamentadas pela poesia e

---

* Cf. Od. δ (IV) v. 140 ψεύσομαι ἢ ἔτμον ἔρεω: Helena: Engano-me ou digo a verdade (o que confere).

pela retórica e que, depois de um longo uso, parecem estáveis, canônicas e obrigatórias a um povo: as verdades são ilusões das quais se esqueceu que são metáforas desgastadas, que se tornaram sensoriamente fracas, moedas que perderam sua efígie e que agora são vistas apenas como metal, não mais como moedas".

### Novas direções de pensamento das primeira e segunda "Considerações extemporâneas"

Nietzsche estava pronto e disposto para abandonar seus estudos clássicos. Wagner não deve ter encontrado grandes dificuldades nos dias de Páscoa para fornecer-lhe um motivo externo com sua encomenda do texto sobre "Strauss". Talvez Wagner foi sensível ao ponto de perceber nos "Cinco prefácios" e outros planos o quanto seu jovem amigo já havia amadurecido. Nesse caso – e não apenas aqui –, ele teria sido um líder espiritual vidente, fato, porém, que contrasta curiosamente com a sensibilidade com que reagiu aos sofrimentos psicológicos desse futuro filósofo no convívio pessoal com ele, o artista amadurecido.

Já em 24 de fevereiro de 1873, Nietzsche havia escrito a Gersdorff: "Meu escrito cresce e assume a forma de um complemento ao 'Nascimento'. Talvez, o título será 'o filósofo como médico da cultura'. Pretendo surpreender Wagner em seu aniversário", e em 22 de março escreve a Rohde: "O título ainda não foi decidido: mas se puder ser 'o filósofo como médico da cultura', você vê que estou tratando de um belo problema geral, não apenas histórico". "O filósofo como médico da cultura": Poderíamos usar isso como título geral para grande parte da obra de Nietzsche e certamente é o pano de fundo que reúne as quatro "Considerações extemporâneas", primeiro o par "David Friedrich Strauss", publicado em 8 de agosto de 1873, e "Sobre a utilidade e os inconvenientes da história para a vida", publicado apenas seis meses depois em 25 de fevereiro de 1874. Quem se manifesta aqui é, em primeira linha, o crítico cultural Nietzsche, que varia o tema das "palestras sobre a educação", enquanto a epistemologia, a metafísica, até mesmo a ética e a estética ainda permanecem confinadas aos esboços não publicados. Algumas passagens individuais, porém, emergem, muitas vezes literalmente, de certa forma do subsolo para se apresentar à luz do dia das "Considerações extemporâneas".

No texto sobre Strauss, Nietzsche precisa ainda de algum tempo para finalmente chegar ao assunto. Os dois primeiros capítulos retomam diretamente as "palestras sobre a educação", são um resumo dos pensamentos centrais ali apresentados em maior detalhe e, em parte, um avanço em direção a resultados novos. Assim, manifesta-se também aqui um traço fundamental que sustenta e cunha toda a obra e a vida de Nietzsche: trata-se de um diálogo contínuo, e suas obras são, em sua forma externa, partes extraídas do escopo desse trabalho permanente. No "Strauss", Nietzsche introduz à língua alemã a expressão "Bildungsphilister" (filisteu da cultura) (não criada por ele), servindo-se de no "Strauss" como representante de uma camada específica da cultura contemporânea alemã, para então lançar um ataque generalizado. Nietzsche acusa o próprio Strauss apenas de uma coisa[3]: "Ele não consegue chegar a um ato agressivo, apenas a palavras agressivas, mas estas ele escolhe da forma mais injuriosa possível e gasta em expressões rudes e barulhentas toda a energia e força que nele se acumulou; quando a palavra se cala, ele é mais covarde do que aquele que jamais falou".

No nono capítulo, Nietzsche nos permite uma visão valiosa de sua oficina de escritor: "Normalmente, podemos reconhecer já após o primeiro esboço se o autor vislumbrou um todo e se encontrou o passo geral e as medidas certas de acordo com este vislumbre. Quando consegue resolver esta mais importante tarefa e edificou o próprio edifício em proporções felizes, ainda lhe resta muita coisa a fazer [...] a casa como um todo ainda é inabitável e sinistra [...]. Se no "Strauss" completou o grande e desgastante trabalho ainda necessário, não nos interessa enquanto não perguntarmos se ele edificou o próprio prédio em boas proporções e como um todo. O contrário disto é, como sabemos, compor um livro de partes, como é o costume dos estudiosos. Confiam que as partes apresentem um contexto em si e confundem assim o contexto lógico com o contexto artístico".

Nietzsche compõe seus livros como um músico deve compor uma grande obra – e curiosamente ele não demonstra esse poder formal em suas composições musicais mais extensas, todas elas são formalmente desconexas. Nietzsche revela também o aspecto artístico dessa forma de composição. No capítulo 10, escreve: "O autor genial, porém, se revela não só na simplicidade e na firmeza da expressão: seu grande poder brinca com o material, mesmo quando este é perigoso e difícil. Ninguém segue com passo rijo um caminho desconhecido e interrompido por mil abismos, mas o gênio percorre com pulos ousados ou graciosos esta trilha e desdenha o passo comedido e temeroso".

Em meio a todos esses ataques ousados e virtuosos, Nietzsche se lembra de repente que, quando era estudante em Bonn, obrigara sua irmã a ler "A vida de Jesus", de Strauss, e provocara uma séria crise com a mãe ao demonstrar seu consentimento com suas ideias. E agora ele se justifica: "Existia um no Strauss, um estudioso bravo, rígido e eloquente, que nos era tão simpático quanto qualquer um que, na Alemanha, serve à verdade com seriedade e firmeza e domina a arte de reger dentro de seus limites; este que agora se tornou famoso na opinião pública como David no Strauss se transformou em outro".

Imediatamente após a publicação do "Strauss", Nietzsche se dedicou a uma nova "Consideração extemporânea": "A filosofia em apuros". Os poucos esboços que puderam ser preservados revelam o tema, que dificilmente teria recebido a mesma atenção generalizada como no "Strauss". Trata-se de uma busca pela própria posição. A filosofia de hoje ainda marca a vida do filósofo? E se isso já não é o caso, como pode ela ter um efeito para além dela? É o problema existencial que representa um grande peso na situação concreta de Nietzsche: se ele, chamado para ser filósofo, seria também capaz de viver a vida de um filósofo, como seus modelos da Antiguidade. Os esboços começam com anotações referentes à sua estrutura[1]: "*O apuro da filosofia. A*. As exigências ao filósofo na emergência do tempo. Maiores do que nunca. B. Os ataques à filosofia maiores do que nunca. C. E os filósofos mais fracos do que nunca". "Devemos considerar seriamente se existem de todo ainda fundamentos para uma cultura emergente. A filosofia pode servir como tal fundamento?" "Nesse sentido, os vegetarianos pouco filosóficos contribuíram mais para os homens do que todas as filosofias mais recentes; e enquanto os filósofos não criarem coragem para buscar uma ordem de vida totalmente transformada e a demonstram por meio de seu exemplo, nada podemos esperar deles." "O apuro da filosofia. De fora: a ciência natural, a história (ex.: o instinto se tornou conceito). De dentro: a coragem de viver uma filosofia foi quebrada." "O produto do filósofo é sua *vida* (primeiro, *antes* de suas *obras*). Esta é sua obra de arte. Cada obra de arte se volta primeiro para o artista, depois para as outras pessoas." "Toda filosofia precisa ser capaz daquilo que eu exijo, de concentrar um ser humano – mas agora nenhuma consegue isto." E então segue um ataque contra a filosofia acadêmica: "A palavra filosofia, aplicada aos estudiosos e escritores alemães, causa-me dores: parece-me inapropriado. Queria que a palavra fosse evitada e que se falasse apenas, de modo firme e alemão, apenas de *administração de pensamento*". "Resultado para o nosso tempo: esta relação não resulta em nada. Por que será? Não são filósofos para si mesmos. 'Médico, ajude-se a si mesmo!', precisamos dizer-lhes."

Mas Schopenhauer já havia executado esse ataque de forma mais eficiente!

Nietzsche abandona esses planos rapidamente e, a partir de novembro, dedica-se ao texto "Sobre a utilidade e os inconvenientes da história para a vida", que ele termina em 1º de janeiro de 1874, "no Ano-Novo, para sua inauguração", como escreve a Gersdorff em 18 de janeiro de 1874. Esse escrito é um ataque veemente à filosofia da história de Hegel, que na época vinha sendo muito celebrada, e a suas conclusões positivistas aplicadas ao presente, e também à "Filosofia do inconsciente", publicada apenas poucos anos atrás (1868), do jovem berlinense Karl Robert Eduard von Hartmann, que – apenas dois anos mais velho – conseguiu escrever uma obra filosófica bem-sucedida já aos 25 anos de idade. Nietzsche se ocupou imediatamente de forma intensiva e crítica com as publicações filosóficas contemporâneas. Ele havia estudado o livro já em 1869 e enviado para Tribschen em janeiro de 1870. Cosima não sabia como se comportar diante dessa nova filosofia, se deveria rejeitá-la a despeito dos traços schopenhauerianos inconfundíveis, e, por isso, ficou aliviada ao conhecer a postura de seu jovem amigo expressada em sua segunda "Consideração extemporânea": "Com a crítica a Hartmann o senhor me fez um grande favor, pois, quando o senhor me trouxe o Inconsciente, eu não consegui me convencer a estudá-la de forma aprofundada, pois não gostava de seu tom", ela confessa em 20 de março de 1874. Ao rejeitar a concepção hegeliana da história, Nietzsche sabia que Jacob Burckhardt concordaria com ele, pois este rejeitava a "filosofia da história" como um todo. Burckhardt recusava qualquer concepção teleológica da história, que atribuísse um "propósito" aos desenvolvimentos históricos. Nas grandes figuras do Renascimento, por exemplo, ele reconhecia modos de existência humana, personalidades como as que Plutarco também já havia reconhecido, possibilitadas por este momento histórico, mas não com "propósito" de um desenvolvimento. E ampliando agora essa concepção, Nietzsche reconhece a possibilidade de surgirem novamente "grandes figuras", gênios, não como produtos necessários de um "processo mundial" predeterminado, mas como possibilidades de existência humana que sempre existiram e sempre existirão. Nesse contexto, ele refuta a tese das idades da humanidade, ele não reconhece seu tempo como "idade adulta" e não vê o futuro como "idade da velhice", como alegava a concepção histórica do seu tempo. Tampouco aceita compreender situações sociais como "necessidade histórica", como resultado de um desenvolvimento inevitável da humanidade, opondo-se assim a todos os adeptos de Hegel e às teorias modernas da sociedade. Essa segunda "Consideração extemporânea" era, portanto, realmente "extemporânea" e o é ainda hoje; "extemporânea" no sentido de "contra a corrente contemporânea", um apelo contra a acomodação da repetição irrefletida das interpretações históricas.

### O episódio Eduard von Hartmann

Logo, porém, Nietzsche concentra o ímpeto de seu ataque em Eduard von Hartmann, que pretende ser discípulo de Schopenhauer – adotando a "vontade" como agente fundamental (e inconsciente) de um "processo mundial" com a meta pessimista de uma dissolução finita, de um retorno de todos os desdobramentos e objetivações para um estado primordial, mas tudo isso como um "processo mundial necessário" e no sentido hegeliano como um "vir-a-si-mesmo do espírito", misturado com as ideias de Schelling. No estilo dos panfletos contra Wilamowitz, Nietzsche descreve Hartmann como parodista filosófico[3], como "malandro de todos os malandros" (parafraseando um texto da ópera "Barbiere", de Rossini, onde ocorre a expressão "barbeiro de todos os barbeiros", recurso este que, mais tarde, Nietzsche volta a empregar no segundo pós-escrito ao "Caso Wagner", quando o chama de mago-mor "Klingsor de todos os Klingsors") e sua obra como "malandragem filosófica".

Assim como via em Strauss o modelo do "filisteu da cultura" alemã, reconhece agora em Hartmann o péssimo resultado de uma "formação histórica" unilateral e falsa, de um caminho agradável para a "mediocridade sofisticada"[3]: "O homem se concentra agora, para falar com E. von Hartmann, 'calmamente visando ao futuro, em uma instalação prática e aconchegante na pátria terrena'. O mesmo escritor chama este período de 'idade adulta da humanidade' e zomba assim sobre aquilo que agora é chamado de 'homem', como se este se reduzisse ao egoísta sóbrio". E (§ 9): "Os homens parecem próximos de descobrir que o egoísmo dos indivíduos, dos grupos ou das massas sempre foi a alavanca dos movimentos históricos; ao mesmo tempo, porém, esta descoberta não os inquieta, antes decretam: que o egoísmo seja o nosso deus. [...] Mas que seja um egoísmo esperto, do tipo [...] que estuda a história justamente para conhecer o egoísmo tolo. Este estudo lhes ensinou que, neste sistema mundial do egoísmo a ser fundado, cabe ao Estado uma missão especial: ele deve ser o padroeiro de todos os egoísmos espertos, para protegê-los por meio da força militar e policial das terríveis irrupções do egoísmo tolo". Encontramos aqui o fundamento para a imagem do "último homem" no prefácio ao "Zaratustra". A isso, Nietzsche responde (§ 9)[3]: "Mas o mundo precisa avançar [...]. Será o tempo em que nos absteremos sabiamente de todas as construções do processo mundial ou também da história da humanidade, um tempo em que não contemplaremos mais as massas, mas novamente os indivíduos, que formam um tipo de ponte sobre a terrível correnteza do devir. Estes não dão continuação a um processo, mas vivem de forma simultâneo-atemporal [...] como república dos gênios [...]. Um gigante chama o outro e seu clamor atravessa os desertos espaços intermediários dos tempos [...]. O propósito da humanidade não pode se encontrar no fim, mas apenas em seus exemplares mais elevados". Isso já é uma rejeição fundamental de Schopenhauer. E o escrito desemboca numa proclamação passional em prol da juventude. Nisso, ele acusa a "história": "Usamo-la contra a juventude para domesticá-la para aquela maturidade adulta do egoísmo almejado por toda parte; usamo-la para romper a resistência natural da juventude por meio de uma iluminação enganosa, i.e., mágico-científica daquele egoísmo adulto-infantil. Sim, sabemos o que a história consegue alcançar por meio de determinado excesso, [...]: desarraigar os mais fortes instintos da juventude: fogo, teimosia, altruísmo e amor [...]. Sim, ela consegue até privar a juventude de seu mais belo privilégio, de sua força de implantar em plena convicção um grande pensamento e fazê-lo crescer dentro de si como pensamento ainda maior". "Confio que a juventude me orientou corretamente quando agora ela me obriga a um protesto contra a educação histórica da juventude do ser humano moderno e quando o protestante agora exige que o ser humano aprenda sobretudo a viver e use a história apenas a serviço da vida aprendida." "Dão-me primeiramente a vida, então criarei dela para vocês também uma cultura! – assim clama cada indivíduo desta primeira geração, e todos estes indivíduos se reconhecerão neste clamor. Quem lhes dará esta vida? Nenhum deus e nenhum homem: apenas sua própria juventude."

Externamente, Nietzsche justifica esse protesto em prol da juventude com uma experiência feita por Rohde: Os colegas em Kiel haviam rejeitado Rohde para o cargo de examinador em virtude de sua "juventude", e em seguida Nietzsche lhe escreveu na carta de Ano-Novo de 1874: "Aborreci-me muito com os confrades acadêmicos terrivelmente cuidadosos em Kiel; este medo diante da 'juventude'! Bem, eu me vinguei e cantei um hino de louvores à juventude no final do meu número 2, que causará grandes dores a este tipo de abominações subservientes".

## O abismo geracional entre Nietzsche e Ritschl, Wagner, Burckhardt

Tudo isso refletia, porém, também uma experiência própria, a própria tensão constante em relação à "geração dos pais", da qual ele ainda não conseguia se desligar internamente e da qual ele se sentia até dependente. A briga com Ritschl havia sido apenas um evento isolado e precoce. Essa mesma tensão aumentava também em relação a Wagner – e até mesmo em relação ao venerado Jacob Burckhardt, que, com sua calma e seu caráter equilibrado, não oferecia quaisquer pontos de ataque, nenhum motivo para objeção e tensão. A relação entre Nietzsche e Burckhardt começou a esfriar após o auge da preleção de Burckhardt sobre a "História da cultura grega". Os contatos diários também haviam diminuído.

Em janeiro de 1873 a irmã de Burckhardt faleceu; ao seu amigo Friedrich von Preen ele escreveu em 23 de abril: "Deixa-me feliz que minha boa irmã pôde se despedir deste mundo cada vez mais desconfortável e creio que o fato de ela ter partido naquilo que chamamos de 'bons' tempos foi uma recompensa por suas virtudes. Hoje em dia tudo acontece de forma tão rápida, e as pessoas de idade encontram cada vez mais dificuldades de se orientar nesse fluxo de acontecimentos; tenho a impressão de que, aos poucos, o mundo esteja caindo nas mãos erradas". Que obstáculo insuperável ergue-se aqui entre a resignação do representante tardio do Classicismo (de apenas 55 anos!) e o espírito tempestuoso romântico de Nietzsche, que nos revela seu modo de percepção e trabalho no primeiro capítulo de sua nova obra[3]: "[...] imagine um homem atordoado por uma paixão violenta por uma mulher ou por uma ideia grande; quanto se transforma o seu mundo! [...] Todos os valores se mudam e se desvalorizam [...]. É o estado mais injusto do mundo [...] – profundamente a-histórico, anti-histórico – o útero não só de um ato injusto, mas de todo ato justo; e nenhum artista alcançará sua imagem; nenhum general, sua vitória, nenhum povo, sua liberdade, sem tê-la desejado e almejado em tamanho estado a-histórico". E pouco antes: "[...] apenas por meio da força de usar o passado para a vida e de transformar o acontecido novamente em história é que o homem se torna homem".

Assim que saiu das gráficas, Nietzsche enviou o novo livrinho também para Jacob Burckhardt, que deve ter sofrido um impacto terrível pela leitura, pois, ao contrário de seu costume e contra toda razão – como ele mesmo deve ter sentido –, ele responde imediatamente (em 25 de fevereiro), defendendo com cautela, mas firmeza a sua ciência e o seu ensino: "Ao transmitir-lhe [...] os meus agradecimentos, posso, após uma leitura rápida do escrito tão rico em conteúdo, dizer apenas duas palavras. Na verdade, ainda não tenho o direito de fazê-lo, pois a obra precisa ser desfrutada e absorvida com calma e cuidado, mas o tema me afeta tão profundamente que sou tentado a dizer algo já agora. Em primeira linha, minha coitada cabeça jamais foi capaz de refletir nem de longe sobre as últimas causas, as metas e desejabilidades da ciência histórica quanto o senhor o faz. Mas como professor e docente creio poder dizer: jamais ensinei a história em virtude daquilo que costumam chamar pateticamente de história mundial, mas essencialmente como disciplina propedêutica [...]. Fiz o possível para ensinar [aos estudantes] a apropriação independente do passado [...] e de pelo menos não estragar isso para eles [...] tampouco pensei em criar estudiosos e alunos no sentido mais restrito [...]. Sei também muito bem que este esforço pode ser repreendido como algo que leva ao diletantismo, e eu me consolo com isso. Em minha idade avançada, agradeço ao céu por ter encontrado uma bitola para o ensino naquela instituição à qual pertenço concretamente. Isso não deve ser uma justificativa, que o senhor, respeitadíssimo colega, nem espera de mim, mas apenas uma pequena lembrança daquilo que, até então, temos desejado e almejado".

Aparentemente, Nietzsche não percebeu que essas linhas escritas em tom amigável continham um distanciamento assustador desse historiador, que sempre foi cauteloso em seus juízos, pois em 19 de março Nietzsche escreve a Rohde: "Burckhardt, meu colega, escreveu-me algo bastante positivo e característico em grande comoção sobre a leitura da 'História'". Já o mero fato de o "colega", que podia procurá-lo pessoalmente a cada dia, ter *escrito,* fugindo assim de um confronto direto, deveria ter surpreendido Nietzsche. Vale também aqui: No fundo, eles já não se entendiam mais.

### Tentativas e aflições entre Ano-Novo e Páscoa de 1874

Mais uma vez, Nietzsche havia voltado de Naumburg diretamente para Basileia por Bayreuth. Chegou em Basileia em 4 de janeiro de 1874, "às 4 da tarde em ponto eu estava na ponte do Rio Reno", ele escreve no dia 5 à mãe. Overbeck, por sua vez, que havia passado as férias de Natal na casa de seus pais em Dresden, usou os dias da virada de ano para fazer sua primeira visita a Bayreuth[188]. Nietzsche havia se recuperado rapidamente de sua doença natalina e tentou agora manter sua saúde com a ajuda de uma dieta. Durante alguns meses, ele foi bem-sucedido em sua tentativa, pois, aparentemente, seu aparato digestivo também havia sido afetado, talvez como resquício de sua doença adquirida na guerra. Sobre seu novo modo de vida, ele escreve em 14 de janeiro: "Passo bem, mas tive que adaptar a minha dieta, no sentido de que não vou mais ao restaurante Kopf. Em vez disso, tomo meu café da manhã às 11 e meia (sopa e dois pãezinhos com presunto). Normalmente, isso basta até a noite, pois tenho no quarto também o pão dos vegetarianos. Por vezes, porém, como algo com carne à tarde". E ele começa a ficar atento também ao estado dos seus nervos, como confessa em 18 de janeiro a Gersdorff: "Pretendo não escrever nada de novo até a Páscoa e assim curar minha doença nervosa [...]. Não ouso nem pensar em Bayreuth, senão toda recuperação nervosa se acaba!" Além disso, reduz seu trabalho a planejamentos. "Mas a partir da Páscoa a atividade recomeça, e pretendo lançar um golpe contra os *voluntários de um ano*. Creio que isto seja o pior que, no momento, possa ser feito contra os filisteus de cultura. O Reichstag está tratando das leis militares; minhas sugestões apresentam certo tipo de possibilidade política e seria bom se pudéssemos demonstrar ao povo que não vivemos eternamente nas alturas e na distância, sob as nuvens e as estrelas. Mas preciso de literatura militar, sobretudo sobre a história do exército. Você pode me ajudar de alguma forma, meu fiel amigo e ajudante?" Gersdorff busca as informações e transmite então algumas fontes para Nietzsche, que este, porém, não utiliza, pois todo o plano rui rapidamente. Infelizmente, deveríamos dizer, pois algumas orações dos poucos esboços continuam muito "modernas"[1]: "A guerra simplifica. Tragédia para os homens. Quais são os efeitos sobre a cultura? – Indiretos: A guerra barbariza [...]. É uma hibernação da cultura [...]. O cumprimento do dever contra a humanidade – conflito maravilhosamente instrutivo. O 'Estado' não trava guerras, mas sim o príncipe ou o ministro, não é necessário mentir com palavras. O sentido do Estado não pode ser o Estado, muito menos a sociedade: mas os indivíduos [...]. No caso da Prússia, creio que seja supérflua e até indefinitamente danosa uma constituição representativa. Ela infunde a febre política. Devem existir círculos como eram as ordens monásticas, mas com um conteúdo adicional. Ou como a classe de filósofos em Atenas".

Benéfico para sua recuperação foi também o fato de ele ter conseguido se livrar de uma preleção de três horas durante o semestre de inverno, e já que a preleção sobre a retórica antiga não encontrou um número suficiente de ouvintes no semestre de verão, sua atividade de ensino se limitou às dez aulas no Pädagogium. Recebeu também um novo assistente, um "secretário", ao qual podia ditar cartas e outros textos: desde o outono de 1873, Nietzsche tinha como um de seus estudantes Adolf Baumgartner (como aluno de Jacob Burckhardt, tornou-se historiador na Universidade de Basileia), filho de um industrial em Lörrach, proveniente de Mühlhausen (Mulhouse) na Alsácia. "Ele vem toda tarde de quarta-feira e permanece até a noite; ditamos, lemos, escrevemos cartas. É uma grande ajuda para mim e – prometo – para todos nós", ele escreve a Rohde nos meados de fevereiro. Assim, teve muito tempo para se perder em pensamentos, sobretudo referentes a Bayreuth. Em 11 de fevereiro, Nietzsche escreve a Malwida von Meysenbug: "[...] pois um sofrimento temos em comum, que outras pessoas dificilmente sentem tão forte como nós, o sofrimento por Bayreuth [...]. No início, tentei nem pensar no desespero que ali existe, e, quando não consegui, passei as últimas semanas pensando em Bayreuth o máximo possível, examinando rigorosamente todas as razões pelas quais o empreendimento poderia estar emperrado, sim, pelas quais ele talvez fracasse". No mesmo dia, escreve a Gersdorff: "Desde o Natal tenho me afastado de toda atividade literária e, ao todo, estou satisfeito. No entanto, tenho refletido muito, mais recentemente muita coisa político-estatal: antes 'Richard Wagner em Bayreuth' e antes disso 'Cícero e o conceito romano de cultura'". Mas também esse "Cícero" teria sido nada mais do que o problema Wagner por desvios, como demonstra o pequeno esboço[1]: "A força e a honestidade de seu caráter se demonstra como artista. Mas a pureza de seu gosto não é tão grande ao ponto de poder imitar Demóstenes: apesar de competir muito com ele (Wagner – Beethoven)". [...] "Arte honesta e arte desonesta – diferença principal. A chamada arte objetiva é, na maioria das vezes, apenas arte desonesta. A retórica é mais honesta porque ela reconhece o engano como propósito."

Toda a problemática envolvendo Wagner está presente aqui: tanto na quarta "Consideração extemporânea" ("Richard Wagner em Bayreuth") quanto doze anos mais tarde no "Caso Wagner", Nietzsche reconhece como núcleo de Wagner o ator. Wagner se apresenta como tal? Ou seja, ele está sendo sincero? No momento, Nietzsche ainda tende a admitir isso, mas o Wagner do "Parsifal", que se apresenta como médium de declarações metafísicas, Nietzsche precisa estigmatizar como "mago", mesmo reconhecendo todo seu talento artístico.

Nietzsche ainda não chegou a esse ponto, mas as dúvidas já começam a inquietá-lo, também em relação à honestidade de sua própria existência. Ele procura encontrar saídas, sob determinadas condições, até por meio de uma fuga para o anonimato – ou para uma forma de existência burguesa. Em relação a esta última possibilidade, logo surgem repentinamente planos de se casar; quanto à primeira, ele escreve à mãe em 1º de fevereiro de 1874: "Ah, como queria possuir uma pequena propriedade rural: desistiria por algum tempo da minha docência. Agora, completo cinco anos como professor; penso que isso basta".

Janeiro e fevereiro passam com a leitura das provas para a segunda "Extemporânea", que é publicada em 25 de fevereiro. Em 4 de março, a amiga de Wagner, Mathilde Maier, de Mainz, pergunta a Nietzsche se ele poderia redigir para ela e seu movimento de mulheres wagnerianas um "Apelo às mulheres alemãs" para salvar o empreendimento de Bayreuth. Mas ele precisa recusar o pedido e lhe responde em 11 de março: "Peço que leia o apelo ao povo alemão, que escrevi no outono do ano passado. É assim que sinto em relação a este tema, é com esta força que falo quando sou obrigado a falar – forte demais até para homens, como o êxito me ensinou na época. Os representantes das associações wagnerianas [...] não ousaram assinar este apelo com seus nomes. [...] Tenho ditado até agora, prezada senhorita. Por favor, não leve a mal este não absoluto. Além do mais: A senhorita *acredita* na chamada 'mulher alemã' ao ponto de ousar a dirigir-se a ela pedindo apoio para as nossas esperanças milagrosas de Bayreuth? [...] Eu acredito apenas em alguns indivíduos; duvido, porém, de tudo que os jornais e as revistas glorificam como 'mulher alemã'".

Essa decisão certamente foi facilitada por uma informação confidencial, que Nietzsche recebera em 3 de março de Gersdorff[14]: "Acabo de ler a seguinte palavra quase inacreditável escrita pela mão da Sra. Wagner: 'Por favor, informe os amigos em Basileia de que Vossa Majestade o Rei nos concedeu até 100 mil tálers na forma de adiantamento, viabilizando assim a continuação dos trabalhos. Não preciso dizer que não falamos sobre isso – como sempre nos calamos diante do mundo, tanto no bem quanto no mal".

Mathilde Maier compreende o ponto de vista de Nietzsche e se desculpa em uma longa carta de 19 de março[8]: "Fiquei muito feliz quando o senhor recusou meu pedido de forma tão direta, pois confirma perfeitamente a imagem que tenho do senhor! O senhor deve ter uma natureza de parentesco curioso com Wagner! / Ah – o senhor me pergunta se acredito na 'mulher alemã'? – Infelizmente, tão pouco quanto acredito no 'homem alemão'! [...] O senhor não compreende como, mesmo assim, pretendo dirigir-me às mulheres alemãs? Bem – para isso não tenho razões ideais, mas exclusivamente razões ordinárias de utilidade! Quem quiser alcançar qualquer coisa neste mundo, mesmo que seja o mais sublime, precisa, em certa medida, entregar-se ao ordinário sem misericórdia! Dado que o propósito seja indubitavelmente nobre". Nietzsche, porém, estava cada vez menos disposto a fazer esse tipo de concessões. Ele só pôde continuar a carregar o jugo da docência porque desfrutava em Basileia de uma liberdade de ensino que nenhuma outra universidade alemã teria lhe oferecido. Ele e Overbeck, seu amigo teológico inimigo das igrejas e não cristão, sabiam disso, e assim Nietzsche pôde escrever a Rohde em 19 de março: "Aqui, a nossa amizade nos protege bastante contra caprichos e perturbações. [...] Sei que minhas produções são bastante diletantes, mas preciso primeiro expelir todo o material polêmico-negativo; quero primeiro cantar toda a escala das minhas inimizades, subindo e descendo, de forma repugnante. Mais tarde, em cinco anos, deixarei para trás toda a polêmica e elaborarei uma 'boa' obra [...]. Consegui convencer [...] nosso Overbeck para que retome sua luta pública na Páscoa. [...] Você vê, somos corajosos, distribuímos golpes para todos os lados". Mas então voltam as dúvidas. Em 1º de abril, ele confessa a Gersdorff: "Queria que você não tivesse uma opinião tão boa a meu respeito! Creio que um dia você se decepcionará comigo [...]. Se você soubesse o quão medroso e melancólico me vejo como ser producente! Procuro nada mais além da liberdade [...], eu me revolto contra as muitas, indizivelmente muitas faltas de liberdade que me escravizam. [...] É uma calamidade conscientizar-se tanto tão cedo de sua luta! Não posso opor nenhum ato, como pode o artista ou o asceta. [...] Minha saúde está excelente: não se preocupe. Mas não estou muito satisfeito com a natureza, que deveria ter me dado um pouco mais de razão além de um coração mais pleno. [...] Ter conhecimento disso é a maior tortura". Bayreuth também recebe, em 4 de abril, uma carta "muito melancólica" "do nosso amigo Nietzsche, que se castiga; Richard exclama: 'Ele precisa casar ou escrever uma ópera, esta última, porém, jamais seria apresentada, e isso também não o conduz para a vida'"[258].

452

Seu melhor produto desse período é uma obra artística, a versão para piano a quatro mãos da grande fantasia "Hino à amizade. O manuscrito, que apresenta uma escrita absolutamente clara, traz a data de 5 de abril (Páscoa), mas se perde, apesar de iniciada como cópia final, em esboços[125].

Motivo de alegria autêntica foram nesse tempo duas mulheres. Uma foi Malwida von Meysenbug, que, em 22 de março, lhe enviou flores do Mediterrâneo, pelas quais ele lhe agradece em 4 de abril: "Que surpresa comovente a senhora me fez! Jamais alguém me presenteou com flores, e agora acredito saber que esta muda abundância de cores possui uma eloquência própria, [...] que as flores são as reveladoras de um segredo da natureza; elas revelam que, em algum lugar deste mundo, podem ser encontradas a vida, a esperança, a luz e a cor [...]. E que bela sorte é quando os *combatentes* encorajam uns aos outros e se lembram de sua convicção compartilhada por meio da remessa de símbolos, sejam eles flores ou livros". Mas ele lamenta também o seu estado, lamenta até a falta de uma doença física para desviar sua atenção de seu sofrimento psicológico: "Existe um estado de sofrimento físico que pode parecer benéfico; pois ele nos faz esquecer nossos *outros* sofrimentos, ou: nos faz acreditar que existe ajuda para nós, assim como o corpo pode receber ajuda. Esta é a minha filosofia da doença: ela dá esperança à alma. E não seria um sortilégio ainda ter esperança?"

### Novas amigas

Malwida von Meysenbug teve ainda outra surpresa agradável para ele. Ela conseguiu apresentar uma senhora nobre de seu círculo em Florença, a Marquesa Emma Guerrieri-Gonzaga, aos pensamentos da segunda "Consideração extemporânea", e esta senhora inicia em 5 de abril uma breve amizade por correspondência[8]: "Não pude evitar de escrever-lhe após ler seu último escrito [...]. Até agora, não consegui ainda absorver calmamente as suas palavras; toda vez dominou-me uma comoção interior, que não consegui conter! Tive que parar ou me vi obrigada a continuar a leitura, devorando com grande fome cada uma de suas palavras [...]. Tudo que o senhor diz possui uma expressão de força tão primordial e ao mesmo tempo tão bela que as minhas palavras me parecem pobres e opacas". Nietzsche menciona esse novo relacionamento apenas brevemente em uma carta a Gersdorff de 8 de maio: "Recebi de Florença uma carta significativa e calorosa e agora preciso responder ao endereço informado. Caligrafia feminina". Ele responde à marquesa em 10 de maio: "Não conheço alegria maior do que ouvir de uma pessoa que possui visão e esperança; ah, e, por vezes, necessito tanto desta alegria para ainda ter esperança! / Reconheço em sua carta uma harmonia muito maior do que quatro páginas seriam capazes de revelar. Parece-me que a senhora considera uma profunda mudança da educação do povo a coisa mais importante do mundo [...]. Eu também não conheço propósito mais nobre do que tornar-me 'educador' em um sentido maior; no entanto, encontro-me muito distante deste propósito. Entrementes, preciso extrair primeiro toda polêmica, toda negação, todo ódio, toda tortura [...], mas depois não pretendo olhar para trás para todo o negativo e infértil! Apenas plantar, construir e criar!" E Emma Guerrieri confessa em 15 de maio: "Senti algo peculiar em relação ao senhor. Quando li seu primeiro escrito, o 'Nascimento da tragédia', eu me indignei, toda a minha natureza se recusou a absorver o estranho, incompreensível. Tudo me parecia tão fantástico, o fundamento da cultura grega me parecia louco, não consegui penetrar os seus pensamentos [...]. Quando ouvi de seu escrito contra Strauss e o quão rude o senhor se comporta nele, eu não quis lê-lo, pois venerava Strauss como um guerreiro honesto [...]. Ele não possuía as forças para edificar algo e se superestimou neste sentido. [...] Mas eu fiquei indignada com o senhor pelo fato de tê-lo maltratado tanto e me distanciei do senhor! / Um destino bondoso me reaproximou do senhor: Li seu pequeno escrito sobre Homero, que me causou infinito prazer. E agora a segunda 'Consideração extemporânea', que foi para mim como uma revelação, e não creio que possa voltar a ser infiel ao senhor em espírito".

E o destino o presenteou com outra amizade preciosa e duradoura, com uma amiga materna: em 29 de março de 1874, foi convidado pela primeira vez para a casa dos pais de seu aluno Baumgartner em Lörrach, e aqui encontrou na Sra. Marie Baumgartner a mulher da qual dependeria tanto nos difíceis anos vindouros. E quando sua irmã chegou em Basileia em 25 de abril para uma estadia de vários meses e ele conseguiu alugar para ela um quarto na casa de certa Família Hegar, ele pôde se sentir protegido mais uma vez e concentrar todas as suas energias na terceira "Consideração extemporânea": "Schopenhauer como educador".

### Novos colegas

No dia 20 de março, terminou o semestre universitário, que encerrou também a atividade do filósofo Eucken em Basileia, quando este se mudou para Jena. Apesar de ter sido concorrente de Nietzsche em sua disputa pela cátedra de filosofia, os dois homens mantiveram boas relações, e Nietzsche foi convidado para a despedida em 25 de março. Como sucessor de Eucken foi escolhido o ex-professor de Nietzsche em Pforta, Max Heinze (1835-1900), mas que permaneceu em Basileia apenas durante um ano, passando depois um semestre em Königsberg, para então desenvolver sua atividade em Leipzig a partir do outono de 1875. Como docente de filosofia, Heinze não alcançava a profundeza e a importância de Eucken, mas ele tinha uma esposa descontraída, que amava a música, e para Nietzsche isso era mais importante em seu estado de desequilíbrio psicológico. Ele gostava de companhia musical, e nesse sentido o semestre de verão o presenteou ainda com August von Miaskowski, o novo professor de economia nacional (nascido em 1838) e sua esposa, ambos naturais de Livônia. Eram pessoas extremamente sociáveis, que rapidamente se integraram na sociedade de Basileia. Miaskowski foi nomeado reitor da universidade já para 1876/1877 e exerceu sua docência até 1881 (com uma interrupção de um ano), passando então a lecionar em Breslau, Viena e, por fim, Leipzig.

Logo no início, porém, Miaskowski teve que fazer uma experiência menos agradável com Jacob Burckhardt. Aquilo que Nietzsche, o colega e amigo de Burckhardt de vários anos, não havia ousado fazer no verão passado, ou seja, assistir à preleção sobre a história da cultura grega como ouvinte, o Miaskowski recém-chegado fez sem maior cerimônia. Mas Burckhardt lhe escreveu em 24 de junho[61]: "Respeitadíssimo senhor colega / Após longa reflexão preciso lhe dizer que sua presença em minhas preleções me constrange de forma extraordinária. Esperando que não reconheça nisso uma falta de amabilidade, permaneço em perfeito respeito / JB".

Nietzsche conheceu o casal Miaskowski num dos últimos domingos de junho (21 ou 28). A Sra. Ida Miaskowski escreve sobre esse evento[50]: "[...] fizemos uma excursão para a Frohburg. [...] Lá, vi pela primeira vez a Cordilheira dos Alpes e vivenciei esta vista como uma das grandes experiências da minha vida [...]. E este dia nos trouxe ainda uma segunda recompensa, o encontro com Friedrich Nietzsche. Ele e seus dois amigos Overbeck e Romundt participaram da excursão. Nietzsche, que primeiro acompanhou o meu marido e, mais tarde, caminhou e conversou comigo, nos conquistou da forma mais calorosa. Aquele domingo estabeleceu o fundamento para o nosso futuro convívio amigável". A "Frohburg", a ruína de um castelo e um restaurante próximo, de fácil acesso a partir de Basileia em uma viagem de trem de uma hora até Läufelingen e, em seguida, numa caminhada de uma hora e meia, passando por lindas vistas na linha divisória das águas do Jura, era um dos destinos favoritos de Nietzsche. Aqui, ele se perdia na vista da ampla região central da Suíça e, em dias de boa visibilidade, até a Cordilheira dos Alpes dominada pelas famosas montanhas do Cantão de Berna. O fato de Elisabeth não ser mencionada nos permite deduzir que ela já se encontrava na propriedade da Família Vischer em St. Romay, perto de Reigoldswil, para onde Nietzsche lhe escreveu em 6 e em 9 de julho. Visto que Nietzsche logo partiria para Bergün e depois para Bayreuth, os irmãos não se viram neste verão durante mais ou menos dois meses, apesar de

Elisabeth se encontrar "em Basileia". Outra excursão – um pouco mais longa – que Nietzsche gostava de fazer era para as Cataratas do Rio Reno em Neuhausen, para onde foram em Pentecostes (por volta do dia 24 de maio), como se lembra Elisabeth[1]. No entanto, tratava-se de diversões externas.

### Alienação de Basileia e Bayreuth, verão de 1874

A forma como Nietzsche via a seriedade da filosofia, como via a existência do filósofo se revela de modo impressionante na terceira "Consideração extemporânea", "Schopenhauer como educador", cujo esboço Nietzsche redigiu nessas semanas. Ele realmente pretende tornar-se "educador num grande sentido", como havia confessado a Emma Guerrieri, e via um próximo passo necessário. Em 14 de maio, escreve a Rohde: "Voltei a fazer grandes planos com a finalidade de me tornar completamente independente e me desvincular de todas as relações oficiais com o Estado e a universidade, para refugiar-me na mais atrevida existência singular, miserável e simples, mas digna. / Entrementes, escolhi Rothenburg ob der Tauber como meu castelo particular e eremitagem. [...] Lá, domina ainda o antigo espírito alemão; e desdenho as cidades mistas sem caráter, que nada são por inteiro".

A morte de seu mecenas, o Conselheiro Prof. Wilhelm Vischer-Bilfinger, em 5 de julho de 1874, aos apenas 66 anos de idade, em decorrência de uma grave doença renal, contribuiu muito para a alienação de Nietzsche da universidade e de Basileia em geral. "Estamos todos abalados, sobretudo eu, que sei da perda que sua morte representa para mim. – É provável que seu sucessor seja membro do partido do "Volksfreund" (amigo do povo)", Nietzsche escreve a Gersdorff em 9 de julho. O "Volksfreund" era um jornal partidário radical-liberal, e, de fato, a "velha Basileia" morreu com Wilhelm Vischer. Para a grande consternação também de Jacob Burckhardt, o povo e os cantões haviam aceito a nova constituição federal revisada da Suíça, até mesmo em Basileia, que, até então, havia sido tão conservadora. Ela trouxe um fortalecimento do poder federal em detrimento à soberania cantonal e impôs às constituições cantonais o direito segundo o qual não só os cidadãos dos cantões, mas todos, também os cidadãos suíços imigrados de outros cantões, tivessem o direito ao voto também em eleições cantonais – direito este que, até então, não existira na cidade de Basileia. Essa inovação provocou um deslocamento fundamental na estrutura político-partidária: por um lado, gerou uma grande minoria católica; por outro, provocou uma verdadeira invasão do "liberalismo" suíço radical. Em 9 de agosto, Jacob Burckhardt escreve a seu amigo Bernhard Kugler em Zurique: "Nossa situação se aproxima de uma transformação ultrademocrática. Tenho previsto este desenvolvimento há muitos anos e estou preparado para tudo; mas em minha idade avançada já não sou mais capaz de considerar isso uma coisa agradável". E também Nietzsche não pôde nem quis participar dessa nova situação.

A tendência de Nietzsche para a melancolia e a ruminação, apesar de sua boa saúde e seu êxito satisfatório como professor e autor, chamou também a atenção dos Wagner em Bayreuth, e quando Gersdorff passou alguns dias em Bayreuth durante Pentecostes, o casal Wagner se mostrou preocupado com o estado de seu amigo em Basileia. Gersdorff relata em 29 de maio[14]: "Por volta do dia 21 de maio, minhas pernas ficaram tão inquietas que fiz minha mala e parti em direção a Bayreuth [...]. A nova casa ('Wahnfried') está pronta, falta agora apenas completar a grande sala, e você precisa vê-la. Wagner espera muito a sua visita e não entende como você não sai de seu cantinho em Basileia. Far-lhe-ia muito bem se você usasse as férias de verão para ir ao Wahnfried. Pois você precisa disso. Infelizmente, vi em sua última carta à Sra. Wagner que a depressão em que você esteve antes agora não se transformou em uma verdadeira resignação, mas em um tipo de amortecimento compulsivo. [...] Você diz estar bem, mas essas afirmações não vêm tão de coração quanto desejássemos. [...] Sua última carta contém um humor negro, que nos causa maiores preocupações do que qualquer carta anterior. [...] Em algum momento, você terá que sair de seu esconderijo. [...] Mas será que o momento é este? [...] Ouvi-lo falar de Rothenburg ob der Tauber. O que você quer ali? Levar uma vida recuada sem amigos em condições muito apertadas, que não lhe dará o sentimento de liberdade [...]. Wagner repete sempre o mesmo conselho, que você precisa casar [...]. A Sra. Wagner é da mesma opinião. [...] No entanto, são precisos dois para isso [...]. Encontrar a mulher *certa* cabe a você [...]. Neste verão você vem para Bayreuth e cria nova coragem, caso contrário, não virei para a Suíça neste outono como represália".

De certa forma, esse pensamento de Gersdorff ia ao encontro de Nietzsche; por outro lado, começava a se formar nos pensamentos de Nietzsche de forma cada vez mais clara o modelo da vida do filósofo, que ele começara a esboçar em seu texto sobre Schopenhauer. Ainda precisaria de anos para tomar uma decisão. Por fim, esta seria tomada por forças que fugiam ao seu controle. Assim, em 1º de junho, Nietzsche responde a esse apelo, motivado por preocupações sinceras e uma avaliação realista com uma carta em tom humorado: "É verdadeiramente celestial imaginar você e os Wagner reunidos numa comissão de casamento [...]. Devo então fazer uma cruzada pelo mundo igual a um cavaleiro para chegar à terra tão louvada por você? Ou você acredita que as mulheres viriam até mim, para que eu as avaliasse? Acho esse tema um pouco inapropriado [...]. No verão, então, irei para Bayreuth, mas temo que sofrerei com o calor". Mas dessa vez uma sombra mais grave cairia sobre seu caminho para Bayreuth.

O fato de Wagner não ter encontrado um solo fértil em Basileia não se devia a uma eventual rejeição da música contemporânea. Os programas de concerto daquela época apresentam muita música contemporânea, principalmente Brahms, o outro compositor do fim do romantismo alemão, estilizado pelos partidos artísticos como antípoda de Wagner.

### O "Canto de triunfo" de Johannes Brahms

Sob a impressão da vitória militar alemã de 1871, Wagner e Brahms haviam composto músicas de triunfo: Wagner, a sucinta "Marcha imperial"; Brahms, o "Canto de triunfo" mais volumoso (a exemplo do "Dettinger Te deum", de Händel). Hoje em dia é raro encontrarmos qualquer uma das duas obras, apesar de a obra de Brahms ser uma genuína obra de arte. Wagner não agiu de forma completamente sincera ao compor sua peça. O "Reich" e o "imperador de Hohenzollern" não eram ideias com as quais ele se identificava, mas ele esperava que reverência conquistasse o apoio do jovem imperador e do seu Chanceler Bismarck para o seu empreendimento em Bayreuth. Ambos os propósitos falharam: o ato de reverência – ou seja, a composição – e o apoio. Por fim, o Rei Luís da Baviera teve que intervir mais uma vez para resgatar o empreendimento. E para que o paradoxo jamais chegue ao fim na história do mundo, duas gerações mais tarde, Bayreuth, que, no tempo de sua fundação, havia sido abandonado de forma tão vergonhosa pelo "Reich", foi elevada a uma peça central da renovação cultural nacional pelo "Grande Reich Alemão", de modo que isso quase selou o destino tanto do empreendimento quanto do nome de Wagner. A motivação para a composição da obra de Brahms, por sua vez, foi uma profunda convicção, o entusiasmo e o orgulho pelo "Reich" e pela dinastia. *Ele* apoiava a liderança prussiana e lhe permaneceu fiel. Após 1888, isso gerou uma grave crise entre Brahms e seu amigo republicano Joseph Viktor Widmann, redator do jornal "Bund", em Berna, que chegou a envolver até Gottfried Keller[268]. E a partir desse entusiasmo genuíno, Brahms criou uma obra que garantiu seu lugar na história da arte independentemente do evento que a ocasionou. A associação de canto de Basileia a apresentou em seu terceiro concerto festivo, realizado em 9 de junho de 1874 na catedral de Basileia, por ocasião de seu jubileu de 50 anos de existência. Nietzsche assistiu ao concerto – e ficou muito impressionado pela obra dirigida pelo próprio compositor. Nesse concerto, foram apresentadas primeiro: a abertura "Consagração da casa", de Beethoven; árias da ópera "Alceste", de Gluck;

a "Euryanthe", de Weber; o concerto para violino, de Beethoven; e uma ária do oratório "Paulus", de Mendelssohn, cantada pelo famoso Julius Stockhausen. Os organizadores haviam erguido uma estrutura especial para os mais de 300 participantes e, no lado oposto, também para o público[99].

Em 14 de junho, Nietzsche escreve a Rohde sobre o concerto: "Recentemente, seu conterrâneo Brahms esteve aqui, e ouvi muito dele, sobretudo seu 'Canto de triunfo', que ele mesmo dirigiu. Ocupar-me com ele foi, para mim, uma das provas de consciência mais difíceis; tenho agora uma opiniãozinha sobre este homem. Mas ainda muito tímida". Nietzsche tinha boas razões para essa "timidez", ele sabia o quanto Wagner rejeitava esse músico "novo" (20 anos mais jovem do que ele) – já agora, antes mesmo de Brahms se tornar famoso com sua 1ª sinfonia*. O juízo comedido era Wagner tão estranho quanto era próprio de Brahms, que, em 20 de agosto de 1888 – após todas as experiências pessoais ruins – escreveu a J.V. Widmann[268]: "Se o teatro de Bayreuth se encontrasse na França não seriam necessárias obras tão grandes como as de Wagner para que o senhor e Wendt e o mundo inteiro peregrinassem para lá e se entusiasmassem para pensamentos e criações tão ideais".

Aparentemente, a nova obra de Brahms obteve um domínio forte sobre Nietzsche. Quando a obra foi apresentada em 12 de julho durante o festival de música em Zurique, ele foi assisti-la com Romundt. O programa desse concerto deve ter intensificado ainda mais o conflito de consciência estética. Após a abertura com o "Canto de triunfo", de Brahms, a orquestra partes das "Cenas do Fausto"[8], de Schumann, ou seja, Schumann que Nietzsche havia venerado tanto no passado. O mestre de capela Friedrich Hegar dirigiu esse concerto, o mesmo Hegar ao qual Nietzsche havia enviado sua "Meditação sobre Manfredo", composta "contra o saxônio adocicado" (Schumann) e cuja devolução ele pedira apenas em abril deste ano. Ao devolvê-la, Hegar escreveu[8]: "[...] sempre tive a esperança de retorná-la pessoalmente e poder lhe dizer nesta ocasião o quanto muitas partes da sua composição me interessaram, sobretudo o modo de como o senhor expressa musicalmente a atmosfera da peça. No entanto, falta ao todo, no que diz respeito à execução das ideias musicais, o cumprimento de determinadas condições arquitetônicas, de forma que a composição me passa mais a impressão de uma improvisação cativante do que de uma obra de arte estruturada". Ou seja, Hegar reconheceu nitidamente o lado fraco das grandes composições de Nietzsche.

---

\* Primeira apresentação pública da 1ª sinfonia apenas em 1876!

A terceira parte do programa – para os padrões de hoje certamente sobrecarregado – consistiu da apresentação da 9ª sinfonia de Beethoven (com coro final), que, desde o início das construções de Bayreuth em 22 de maio de 1872, para Nietzsche estava inseparavelmente vinculada a Wagner.

Nietzsche sonhava com o ideal de uma república dos grandes espíritos muito acima dos seres humanos ordinários que comunicassem uns com os outros através dos tempos e até milênios. Isso mais ainda quando tinham a sorte de serem contemporâneos, de não estarem isolados no tempo, mas terem companheiros autênticos e equivalentes? Não seria possível reunir Wagner e Brahms nessa síntese mais elevada? Nietzsche acreditava tanto nisso que adquiriu a redução para piano do "Canto de triunfo" de Brahms e a levou consigo para Bayreuth, só para sofrer uma grande decepção.

### Preocupações e alegrias editoriais

Aparentemente, a relação do editor Fritzsch com seu jovem e extravagante autor rapidamente esfriou após seu feliz encontro no Ano-Novo. De repente, Nietzsche passa a falar de dificuldades, como na carta de 26 de julho a Gersdorff: "[...] infelizmente, o bom Fritzsch se tornou inviável como editor para mim e Overbeck – porque, por motivos forçosos, terá que interromper suas atividades editoriais. Apesar de ter aceito também a terceira 'Consideração extemporânea', ele o fez com a cara mais azeda e aborrecida do mundo: de forma que já via como encerrado e perdido o meu ciclo de 'Considerações extemporâneas'. Então aconteceu algo inaudito: apareceu uma carta de um jovem editor e, aparentemente, admirador, E. Schmeitzner de Schlosschemnitz na Saxônia – e agora já está tudo em perfeita ordem: Encontrei para todas as 'Extemporâneas' um editor disposto e aparentemente diligente. Assim, posso dar continuação ao meu difícil trabalho – o destino realmente me mandou um sinal favorável!" Em 8 de julho, Schmeitzner havia escrito[8]: "Nobre senhor, peço vosso generoso perdão por perturbar-vos com este escrito. / Estou prestes a fundar uma editora voltada especialmente para publicações na área da filosofia, da estética e das belas-letras. Por isso, dirijo-me a vossa senhoria, prezado senhor professor, com o pedido de apoiardes a minha editora com uma obra de vossa autoria". E Nietzsche reagiu imediatamente, respondendo-lhe em 15 de julho: "Ainda em agosto pretendo enviar-lhe um manuscrito com o título provisório de 'Arthur Schopenhauer'. / Creio que o senhor já conhece os meus últimos escritos publicados, por isso, permito-me a pergunta: O senhor estaria disposto a assumir a continuação do meu ciclo de 'Considerações extemporâneas'?" E Schmeitzner responde em 21 de julho[8]: "O senhor me oferece um manuscrito para agosto. Minha sincera gratidão por isso! / Conheço muito bem suas três obras publicadas e sei como é grande a honra de confiar a mim a publicação de suas próximas obras. Fico muito feliz principalmente por pretender confiar a mim a continuação das 'Considerações extemporâneas', pois, de um ponto de vista puramente comercial, as considero um 'empreendimento lucrativo'".

Assim, Nietzsche se separou do editor de Wagner, mas do qual nunca conseguiu se desligar completamente e que, ainda em 1887, publicou seu "Hino à vida".

### Verão de 1874: Bergün e Bayreuth

Nietzsche passa a primeira parte de suas férias de verão novamente no Cantão dos Grisões (Graubünden) com um amigo. Novamente, sua irmã não o acompanha. Ela está na região do Jura, onde desempenha a função de babá na Família Vischer. Nietzsche lhe escreve em 22 de julho: "Bergün, Hotel Piz Aela [...] aqui vivemos agora, como os únicos de sua espécie, mas muitos amigos passam por aqui diariamente. Mas não há hóspedes, de forma que creio que você não teria gostado de Bergün [...]. A região é de uma beleza incomum e muito mais maravilhosa do que a de Flims. [...] A viagem decorreu bem, em Chur encontramos todo o grupo de Flims [...] e, de certo modo, fiquei triste por não poder acompanhá-lo até Flims [...]. O Bergüner Stein e todo o vale são a coisa mais linda que vi. / Ainda não trabalhei muito, impede-me uma pequena constipação, provocada pelos bons vinhos de Valtellina [...]. Como está indo a educação dos filhos? Como curiosidade posso comunicar-lhe ainda que, numa noite recente, quase estive decidido a casar-me com a Srta. Rohr de Basileia; tanto ela me agradou". A Srta. Bertha Rohr de Basileia havia participado do grupo de Flims no ano passado. Em 30 de julho, Nietzsche teve que acalmar sua irmã, surpreendida por esse tipo de notícias: "Não pretendi deixá-la nervosa com minha observação sobre a Srta. Rohr, eu a comuniquei apenas como curiosidade. Suas objeções são também as minhas. Mas você sabe que o momento normalmente é mais forte do que toda uma série de reflexões prévias e posteriores".

Para esse verão, Nietzsche havia, portanto, escolhido Bergün, um vilarejo a mais ou menos 1.400 metros acima do nível do mar, localizada no Vale de Albula antes da passagem para a região da Engadina. Por volta do dia 18 de julho*,

---

* Não, como suspeitam os editores das cartas, diretamente após o festival de música em Zurique no dia 12 de julho, pois em 15 de julho Nietzsche ainda enviou, de Basileia, uma carta a Schmeitzner.

Nietzsche partiu em companhia de Romundt, onde ficaram até o dia 2 de agosto. Durante esses dias, Nietzsche escreveu várias cartas a Overbeck, à irmã, a Gersdorff e à mãe: "Infelizmente, não temos um lago como em Flims: recentemente, encontramos um a 6 mil pés de altura após três horas de procura, tomamos banho e nadamos, mas quase congelamos e saímos da água vermelhos como fogo*. Hoje, visitamos uma fonte de enxofre, que ainda não está sendo explorada; na volta, uma cabra pariu um cabrito diante dos meus olhos, o primeiro ser vivo que vi nascer [...] a mãe o lambeu e se comportou de forma muito sensata, enquanto Romundt e eu observamos tudo como verdadeiros idiotas [...]. Recentemente, quando passamos por Chur, vimo-nos repentinamente rodeados por toda a companhia de Flims, os Traver, os Rohr, os Hindermann; a Srta. Bertha estava tão linda que me aborreci por ter que partir para Bergün".

"A saúde em geral tem sido boa desde que mudei meu estilo de vida – desde o Ano-Novo não tenho consultado nenhum médico. Mas o estômago permanece fraco."

"Eu trouxe a música de Riemenschneider para cá; juntos nos alegraremos com ela. É, para mim, a prova de que consigo imaginar e apreciar também a música mais complexa; apesar de permanecer uma qualidade abstrata, e o desejo de ouvi-la é grande." (O hotel não possui piano.)

Em 3 de agosto, em Stachelberg, perto de Glarona, a caminho de Bayreuth, Nietzsche pretendia se encontrar com a Marquesa Emma Guerriere e assim conhecê-la pessoalmente, mas o encontro não se realizou, possivelmente, porque a linha telegráfica entre Stachelberg e Glarona se encontrava interrompida em virtude de uma tempestade. Assim, Nietzsche não obteve notícias da marquesa e não ousou visitá-la sem uma confirmação definitiva. Em 4 de agosto, chegou doente em Bayreuth: "Durante a viagem, eu adquiri alguma doença estomacal e, assim que cheguei, tive que me deitar. Agora, porém, a cólica está diminuindo", ele relata em 9 de agosto a Overbeck. Esta é a única coisa que ouvimos do próprio Nietzsche sobre esse tempo. Em 14 de agosto, Overbeck, que ainda estava de férias na universidade, se junta a ele em Bayreuth, mas Nietzsche já precisava partir no dia 15 de agosto por causa das aulas no Pädagogium. Ele se despediu para voltar apenas dois anos mais tarde, pela última vez, no verão de 1876.

Existem diversos relatos que são citados como representação autêntica dos eventos desses onze dias. Sem entrar em detalhes, podemos deduzir deles a tenta-

---

* O lago mencionado aparenta ser o pitoresco Lai da Palpuogna, a 1.918 metros acima do nível do mar, que, em julho, é alimentado diretamente pela neve derretida e que chega a ser muito frio! Até este verão, Nietzsche dispunha de uma saúde ainda bastante robusta.

tiva incansável de Nietzsche de, com a ajuda da redução para piano do "Canto de triunfo", aproximar Wagner de Brahms. Wagner reagiu com raiva e descontrole emocional. Apenas a diplomacia, a bondade e o amor de Cosima foram capazes de impedir uma ruptura definitiva. Ambos os lados ficaram decepcionados e tinham suas origens, pelo menos no que diz respeito a Wagner, não só em Brahms.

Nietzsche havia se recuperado rapidamente, e já na noite de 5 de agosto Cosima anota em seu diário[258]: "Tivemos uma noite descontraída". No dia seguinte, a conversa gira primeiro em torno das preocupações de Nietzsche com seu editor, dos ataques da imprensa em decorrência de seu escrito sobre Strauss e da situação universitária e literária na Alemanha, de forma "que o Sr. Dubois-Reymond sugeriu em Berlim a criação de uma academia, descrevendo Goethe, em comparação com Lessing, como deteriorador da língua alemã". Nietzsche e os Wagner compartilham também suas preocupações referentes a uma Alemanha prussiana sob a liderança de Bismarck. À noite, Wagner toca a cena das "filhas do Reno" do final do "Crepúsculo dos deuses", e nesse momento Nietzsche vem com o "Canto de triunfo" de Brahms! Ele não poderia ter escolhido um momento mais inoportuno. "Richard ri e zomba de Brahms por fazer música para a palavra 'justiça'." Passam um dia sem falar no assunto. No sábado, 8 de agosto, ocorre a cena decisiva. "À tarde, nós ("nós": certamente Cosima, mas quem mais? Wagner, Nietzsche ou Paul Klindworth, que está elaborando a redução para piano do 'Crepúsculo dos deuses'?) tocamos o 'Canto de triunfo' de Brahms, grande susto em virtude da pobreza dessa composição tão elogiada pelo nosso amigo Nietzsche; Händel, Mendelssohn e Schumann encadernados em couro; Richard se irrita muito e fala de sua ansiedade de encontrar algo na música, fala também da superioridade do 'Cristo' (de Liszt), que apresenta uma pulsão para a figuração, um sentimento que se dirige ao sentimento." À noite, Wagner apresenta passagens das óperas de Auber e, no fim, a *sua* marcha imperial. Isso parece encerrar a discussão sobre Brahms.

Nietzsche passa ainda uma semana em Bayreuth e se despede no dia 15, "após fazer Wagner passar por algumas horas difíceis. Entre outras coisas, afirmava não se alegrar em nada com a língua alemã, alegava preferir falar em latim etc." Não foi apenas o "Canto de triunfo" de Brahms, mas a visão de seu próprio conflito interno que motivou a preocupação de Bayreuth – preocupação, não ruptura, pois quando Overbeck lhes fala sobre o isolamento cada vez maior de seu amigo, Wagner e Cosima reagem com grande empatia. "Toda a maldição da universidade pesa sobre ele"[258]. Em seu diário, Cosima não menciona qualquer ocasião em que Nietzsche teria tocado suas próprias composições. Apenas treze anos mais tarde, ela escreve a Felix Mottl[81]: "Na verdade, foi um 'Hino à amizade' que iniciou a ruptura. Este veio para Bayreuth e era muito triste [...]." Mas *quando* esse hino "veio" para Bayreuth? Em 1874, ele ainda não estava pronto[125]. É possível que a forma definitiva que a composição adquiriria em outono remonte às críticas e sugestões de Wagner[123]. Em novembro de 1876, eles se reencontram mais uma vez em Sorrento, e, pelo menos por parte de Wagner, com a antiga cordialidade. Nenhuma "ruptura" se percebe aqui, no máximo uma preocupação, como já em agosto de 1874 e novamente em 1878 por ocasião do "episódio Dr. Eiser". A "ruptura" se inicia com a rejeição da filosofia de Schopenhauer por parte de Nietzsche e com seu escrito "Humano, demasiado humano" – antes disso, há no máximo alienação ou estranhamento.

Por parte de Nietzsche, porém, a decepção foi causada principalmente pela experiência com Brahms. De repente, o "Mestre", despido de toda nobreza e "grandeza", se manifestava como pequeno déspota ciumento, fraco demais para reconhecer a qualidade de outro, com medo de perder a sua própria importância. Independentemente do que possa ter acontecido durante esse episódio, Nietzsche vivenciou nesse verão de 1874 aquilo contra o qual ele, mais tarde, advertiria seus adeptos (no "Zaratustra": "Da virtude dadivosa"): "Venerais-me; mas o que aconteceria se, algum dia, caísse a vossa veneração? Cuidado para que não vos esmague uma estátua".

# XV

# A doença inicia seu regimento
# (agosto de 1874 a agosto de 1875)

### A terceira "Consideração extemporânea"

As impressões das duas semanas passadas em Bayreuth, que Nietzsche levou consigo de volta para Basileia em 15 de agosto de 1874, eram de natureza bastante ambígua. A imagem ideal havia revelado lados feios, Nietzsche precisava esboçar uma imagem nova, mais pura. Precisava esboçar *a si mesmo*.

Assim como Platão havia desenvolvido sua imagem ideal do filósofo na sua figura de Sócrates, e assim como o próprio Nietzsche mais tarde esboçaria seu Zaratustra, ele escolheu agora a figura de Schopenhauer da forma como ele a via e fez dele o tema de sua terceira "Consideração extemporânea": "Schopenhauer como educador". Os primeiros esboços datavam de longa data, mas agora a formulação definitiva tornara-se um imperativo absoluto.

Em 19 de agosto, Nietzsche envia uma primeira parte do manuscrito a Schmeitzner e promete fornecer o restante dentro de duas semanas, promessa esta que ele cumpre, enviando o manuscrito completo em 9 de setembro, enquanto a gráfica já lhe envia algumas provas. Em uma carta de 24 de setembro a Gersdorff, ele confessa o quanto sofreu com o tema dessa nova peça: "Foi um período difícil [...] essa parte final do nosso semestre de verão [...]. Além de todos os outros trabalhos, tive que reescrever uma longa passagem da minha terceira 'Consideração', e o inevitável abalo emocional provocados pelas reflexões e sondagens no íntimo muitas vezes quase me derrubou, e nem mesmo agora consegui sair completamente do puerpério [...]. Houve dias difíceis e noites aborrecedoras – ah, muitas vezes desejei que algo bom e alegre viesse de fora quando não conseguia extrair nenhuma alegria de mim mesmo! [...] Pretendo agora seguir o seu exemplo e ler Walter Scott; preciso recuperar-me agora, farei ainda uma caminhada, beber uma aguinha para o bem do meu estômago e tentar elevar o meu espírito". Imediatamente após a última aula no Pädagogium no dia 26 de setembro, ele sai da escola "para a estação ferroviária, de lá para o Rigi, em companhia de Romundt e Baumgartner – e lá tentarei um tratamento com leite e ares alpinos", Nietzsche escreve a Rohde em 26 de setembro de 1874. A estadia em Rigistaffel, porém, durou apenas três dias, depois encontramos Nietzsche entre 29 de setembro e 6 de outubro sozinho em Lucerna, provavelmente no Hotel Gotthard. "Este [...] é o meu quartel-general [...] até a noite da próxima terça-feira. Pois então se encerra um ciclo de banhos que paguei para fazer algo para a minha saúde – ou para pelo menos parecer que esteja fazendo algo [...]. Meus vizinhos à mesa e co-hóspedes são o bispo Reinkens e o Prof. Knood; o garçom me deu uma palestra sobre a importância destes senhores para a Suíça e atribui o sucesso do partido revisionista a eles. Não consigo me livrar de certo humor irônico: mas parecem ser bons sujeitos e nada têm de episcopal, antes são professores como os conhecemos. [...] De resto, vivo de forma divinamente inócua, faço passeios, sempre me esforçando a compreender que estou prestes a completar 30 anos [...]. Pedi à Sra. Baumann que providenciasse a afinação do meu piano e que testasse o aquecedor", escreve a Overbeck e Romundt em 2 de outubro de 1874. Era um repouso merecido e necessário após a tensão vivida durante a elaboração de sua imagem do filósofo. Logo após voltar para casa, ele comunica a Rohde em 7 de outubro: "Entrementes, obtive alguma clareza sobre o conteúdo da quarta 'Consideração': o que me alegrou muito, pois o aceitei como um presente". No entanto, trata-se apenas de um sismo secundário após o grande esforço e não se realizou, pois Nietzsche não chega a executar o tema "Nós, os filólogos" como número 4.

Em 15 de outubro, a terceira "Consideração extemporânea" já está publicada e está sendo vendida por uma livraria em Basileia. Rohde aparenta ter recebido o livro já em 9 de outubro, como tudo indica, diretamente do editor[7]. Nesse escrito, irrompe o grande sofrimento de Nietzsche com a vida. Além da morte – Nietzsche presenciou a agonia – de seu amigo paternal Vischer, a morte do pai de seu amigo de infância Gustav Krug, que recentemente havia anunciado seu casamento para o mês de outubro, trouxe novamente à tona a pergunta referente ao sentido da vida e reabriu a ferida da perda precoce do próprio pai. Em sua mensagem de pêsames a Gustav Krug de 6 de julho, Nietzsche escreve: "De experiência própria, sei tão pouco como é perder um pai quanto é ter um pai. A minha juventude foi mais pesada e deprimente do que normal; e justamente meu anseio de um conselheiro querido e verdadeiramente familiar ouso compreender hoje o grau e a extensão de sua perda. Agora, ao contemplá-lo, ressurgem diante dos meus olhos as palavras enigmaticamente entrelaçadas: morte e casamento de forma tão rápida que não consigo prever um fim da vida e do florescimento. [...] E assim, aquela pergunta levantada pela palavra 'morte' encontre talvez uma resposta naquela outra. *Uma* resposta: pois talvez existam várias".

Nietzsche dá outra resposta com seu "Schopenhauer": uma vida heroica, levar a vida de um filósofo, menosprezar a felicidade material, cargos de honra e a chamada "carreira" e voltar o olhar e o pensamento à pergunta do sentido. Não se trata de adotar e aprimorar determinadas teorias filosóficas – o escrito nunca se ocupa com o sistema filosófico de Schopenhauer –, mas "apenas" da realização da existência como filósofo. Desse ponto de vista, Nietzsche coloca o filósofo (não sua teoria!) Schopenhauer acima de Kant, porque Kant permaneceu um funcionário público fiel, porque Kant não viveu sua existência como filósofo. Nos esboços encontramos sentenças significativas[1]: "Primeiro, acreditamos num filósofo. Depois dizemos: ele pode até estar equivocado na forma como demonstra suas sentenças, mas as sentenças são verdadeiras. Por fim, porém: Não importa o que dizem as sentenças, a natureza do homem nos vale mais do que cem sistemas [...]. O filósofo é algo que uma filosofia jamais pode ser: a causa de muitas filosofias, o grande homem. / É belo contemplar as coisas; mas terrível, sê-las. / Tomar sobre si o sofrimento voluntário da veracidade, os ferimentos pessoais. / O sofrimento é o sentido da existência".

Isso se aplica também ao próprio Nietzsche: não devemos aceitar suas teses *in concreto*, mas sua seriedade e destemidez diante das perguntas últimas. Nietzsche impõe exigências duras à autodisciplina[1]: "O homem que não quer pertencer à massa [...] siga sua consciência, que lhe grita: 'Sê tu mesmo!' Não és nada daquilo que agora fazes, acreditas, desejas".

"Não existe criatura mais vazia e contrária na natureza do que o homem que se desviou de seu gênio e agora olha para a direita e para a esquerda, para trás e para todos os lados [...]." "Caminho pelas novas ruas das nossas cidades e penso que de todas estas casas abomináveis construídas pelas pessoas de opinião pública nenhuma continuará de pé em um século, e como terão caídas também as opiniões destes construtores de casas. Quão grande, porém, pode ser a esperança daqueles que não se sentem cidadãos deste tempo." [...] "Prestamos contas da nossa existência diante de nós mesmos; portanto, desejamos ser os timoneiros verdadeiros desta existência e não permitir que nossa existência se pareça um acaso irrefletido [...]." "Trata-se de um início torturante e perigoso escavar-se desta forma e descer pelo poço de seu ser pelo caminho mais curto [...]. No entanto, para realizar o inquérito mais importante, existe este meio. A alma jovem olhe para sua vida com a pergunta: O que tens amado verdadeiramente até agora, o que tem atraído para si a tua alma, o que a dominou e alegrou ao mesmo tempo? Coloque diante de si o conjunto destes objetos venerados, e talvez eles lhe deem [...] a lei fundamental do teu eu verdadeiro [...] Teus verdadeiros educadores e figuradores te revelam o sentido primordial e a matéria-prima de teu ser [...] teus educadores nada mais podem ser do que teus libertadores [...]. Certamente, existem outros meios [...], mas não conheço nenhum melhor do que se lembrar de seus educadores e figuradores."

"Aonde nos levou toda a reflexão sobre as perguntas éticas, com as quais todo convívio mais nobre deve se ocupar a todos os tempos?"

"Onde estão os médicos da humanidade moderna firmados de forma tão segura e saudável sobre seus próprios pés que consigam amparar e guiar um outro pela mão?"

"Significa [...] deixar-se levar pelos sonhos, quando imaginava encontrar um verdadeiro filósofo como educador, capaz de me elevar acima da insuficiência, contanto que seja devida ao tempo, e de me ensinar novamente a ser simples e sincero no pensamento e na vida, ou seja, a ser extemporâneo."

"Um filósofo me importa apenas na medida em que for capaz de servir como exemplo [...]. Mas o exemplo precisa ser dado pela vida visível, não apenas por livros, ou seja, da forma como ensinavam os filósofos da Grécia", e ele vê Arthur Schopenhauer como exemplo moderno: "Esta é a sua grandeza, que ele se pôs diante da imagem da vida como um todo para interpretá-la como um todo".

Nietzsche reconhece um perigo triplo nessa existência de filósofo: o isolamento, o desespero diante da verdade e o endurecimento na ética ou no intelectualismo. "Viver significa estar em perigo." "Imaginemos o olho do filósofo repousando sobre a existência: pretende redefinir seu valor. Pois este tem sido o trabalho peculiar de todos os grandes pensadores: ser legisladores para a medida, cunhagem e peso das coisas." Já aqui Nietzsche estabelece sua meta: "a reavaliação de todos os valores", e como fonte dessa formulação podemos citar o "seu" autor grego da história da filosofia, Diógenes Laércio VI,20[77], onde – na introdução à vida de Diógenes (o "cão") – surge a pergunta se ele ou o pai teria falsificado o "nomismon" (o "dinheiro"), ou seja, "aquilo que é válido". Diógenes era "cínico" (daí o apelido "cão", de *kyon*, em grego), que "reavaliava" todas as coisas válidas, também os conceitos éticos. Limitar a acusação à falsificação de moedas era lógico, pois o pai de Diógenes era cambista público. Nesse escrito se anuncia já outra posição fundamental no pensamento de Nietzsche: "Afirmas então, do fundo do coração, essa existência? Ela te basta? Queres ser seu defensor, seu redentor? Pois basta um único sim! verdadeiro de tua boca – e a vida, tão gravemente acusada, estará absolvida". E de repente nos vemos confrontados com a pergunta do sentido: "a pergunta: Para que vives?" –

para então voltar sua atenção para os caminhos e descaminhos: "Todos sabemos em instantes individuais como recorremos às mais extensas artimanhas em nossas vidas apenas para fugirmos de nossa verdadeira tarefa [...] como se ali os cem olhos da nossa consciência não vissem como entregamos apressadamente o nosso coração ao Estado, ao lucro financeiro, à companhia ou à ciência para não possuí-lo mais [...] pois nos parece mais necessário, não recuperar a consciência [...]. Todos conhecem o estranho estado em que, repentinamente, lembranças desagradáveis se impõem e nós as tentamos afugentar com gestos e barulhos violentos: mas os gestos e barulhos da vida geral sugerem que todos nós nos encontramos sempre neste estado, com medo da lembrança e da interiorização". Nietzsche vê como tarefa "[...] a geração do filósofo, de incentivar o artista e o santo em nós e fora de nós e assim contribuir para o aperfeiçoamento da natureza", pois Nietzsche reconhece não a realização de um bem-estar geral e mediano, mas as figuras extraordinárias (que mais tarde ele chamará de "super-homem") como *telos*, como meta para a espécie humana, é dessa meta que ela adquire seu sentido, nessa meta ela encontra um "propósito". "[...] olhar para além de si mesmo e procurar com todas as forças por um eu mais elevado escondido em algum lugar. Ou seja, apenas aquele que entregou seu coração a algum grande homem recebe a primeira consagração da cultura [...] a cultura exige dele não só aquela experiência interior [...] mas final e principalmente o ato, i.e., a luta pela cultura e [...] a criação do gênio."

Nietzsche acusa duramente a ciência "que ignora a existência" e "porque a ciência sempre vê apenas o problema do conhecimento e porque, na verdade, o sofrimento dentro de seu mundo é algo inapropriado e incompreensível, ou seja, é no máximo outro problema". "A natureza", porém, "atira o filósofo como uma flecha no homem, ela não mira, mas espera que a flecha fique presa em algum lugar. Nisso, ela erra inúmeras vezes e se aborrece [...]. O artista e o filósofo são provas contra a conveniência da natureza em seus recursos, apesar de fornecerem já a prova mais perfeita para a sabedoria de seus propósitos", virando assim a tese darwiniana de ponta-cabeça. Sempre de novo ele apresenta o artista como equivalente ao filósofo, tendo assim o cuidado de desejar ainda como seu primeiro leitor Richard Wagner.

No fim, expõe amplamente que filosofia não é erudição, ou seja, filosofia não é o conhecimento de sistemas ou pensamentos filosóficos já existentes (iluminando assim sua relação pessoal com a filosofia, que não se apoia em nenhum estudo disciplinar), mas essencialmente *revolucionamento*, e ele cita o norte-americano Emerson, que ele já venerara como aluno: "Cuidado quando o grande Deus fizer chegar um pensador ao nosso planeta. Tudo então está em perigo. É como se, numa grande cidade, surgisse um incêndio e ninguém mais soubesse o que ainda é seguro e onde tudo terminará".

Com todo direito, Nietzsche diria muito mais tarde no "Ecce homo"[5]: "Agora, ao olhar a partir de alguma distância para aqueles estados de que são testemunho os referidos escritos, não pretendo negar que, no fundo, apenas acerca de mim falam. O escrito 'Wagner em Bayreuth' é uma visão do meu futuro; em contrapartida, em 'Schopenhauer como educador', descreve-se a minha história interior, o meu *devir*. Acima de tudo, a minha *caução*! – O que hoje sou, o lugar em que hoje me encontro [...] aqui, cada palavra é viva, profunda, íntima; não falta o que é mais doloroso, há palavras que manam justamente sangue. [...] O modo como compreendo o filósofo, matéria explosiva temível, perante a qual tudo está em perigo, como separo em milhas de distância o meu conceito de 'filósofo' de um conceito que até em si encerra ainda um Kant [...], a seu respeito aquele escrito proporciona uma instrução inestimável"*.

Nietzsche estava ciente do caráter confessional desse escrito já quando foi publicado. Por isso, pôde escrever a Malwida von Meysenbug em 25 de outubro de 1874: "[...] o conteúdo deste último escrito lhe revelará muito daquilo que vivenciei dentro de mim. Também que passei por momentos piores e mais preocupantes durante este ano do que o livro revela? [...] E o que me impediria em minha corrida? Até mesmo ações hostis agora se tornam úteis e felizes, pois muitas vezes me informam de forma mais rápida do que qualquer comunicado amigável [...]. Felizmente, falta-me qualquer ambição política e social, de forma que nada preciso temer deste lado [...], ou seja, *posso* expressar o que penso e em algum momento testarei até que grau os nossos próximos, que tanto se orgulham da liberdade de pensamento, toleram pensamentos livres [...]. Também fui presenteado, sem qualquer mérito, com amigos extraordinários; agora lhe confidencio que desejo logo uma boa mulher, para então considerar satisfeitos os meus desejos para esta vida – todo o resto caberá a mim".

Nietzsche não imaginava o que provocaria com essa última declaração; Malwida a levou mais a sério do que o próprio autor e se incumbiu de arrumar uma companheira para ele.

### Retorno para a existência de professor

Por ora, porém, Nietzsche não conseguiu viver conforme a imagem de filósofo que ele esboçara de forma tão rígida e grandiosa. Faltava-lhe mais uma

---

* NIETZSCHE, F. *Ecce homo*. Op. cit., p. 61-62.

vez a força de vontade necessária. Pelo contrário: a ideia de escapar de todos os problemas por meio de um salto ousado para a forma de existência burguesa do matrimônio ainda o ocuparia durante alguns anos. No momento, ele se contentou com a cultivação de antigas e novas amizades e com uma participação mais ativa na vida social de Basileia.

Em 16 de outubro, Gersdorff chegou em Basileia para passar aqui uma semana. O plano original havia sido reunir em Basileia todos os amigos. Mas Rohde só pôde vir em setembro; e Gersdorff, apenas em outubro. No novo semestre, Nietzsche voltou a assumir uma carga horária completa. Em 16 de novembro, ele escreve a Gersdorff: "Sete horas na universidade, seis horas no Pädagogium, campos novos [...] Está uma loucura, mas até agora sinto-me bem-disposto e feliz, principalmente porque estômago e olhos estão aguentando bem. Não tenho tempo nem mesmo para pensar em coisas extemporâneas, o ofício exige minha atenção". E em 3 de dezembro escreve à mãe: "Neste inverno, estive duas vezes em Lörrach. A Sra. Baumgartner é uma mulher boa e prestativa, e agora ela está traduzindo minha terceira Consideração para o francês. Será algo muito bom, pois ela entende mais de estilo do que eu. / Tenho belos trabalhos para os próximos 50 anos – e agora preciso trabalhar tanto sob o jugo que mal consigo olhar para os lados". Em 5 de fevereiro, Nietzsche comunica o término da tradução a Rohde: "Entrementes, a Sra. Baumgartner-Köchlin traduziu minha terceira Consideração lindamente para o francês. Agora, estamos à procura de um editor em Paris".

Nietzsche pretende passar o Natal de 1874 em casa e escreve: "Estou tão ansioso para estar com vocês e poder deixar para trás por dez dias este maldito comércio universitário. Desejo como presente de Natal uma pequena casa rural onde possa descansar e escrever belos livros pelo resto da minha vida – ah! (Suspiro!)".

Em vista disso tudo, surpreende ouvir de outro lado como Nietzsche participou regularmente de convites sociais, como relata a Sra. Ida Miaskowski aos seus filhos[50]: "No inverno, fundamos uma pequena associação, que se reunia a cada quinze dias à noite. Encontro uma descrição minuciosa [...] de uma apresentação charmosa [...] em uma destas noites [...]. Uma imagem viva cuidadosamente preparada dos 'Cantores mestres' [...] para alegrar Nietzsche [...]. Quando todos os convidados tinham chegado, pedi que Nietzsche tocasse o canto dos mestres e abri a porta para a sala de jantar, onde se encontrava a linda imagem [...]. Todos ficaram encantados; e Nietzsche se comoveu profundamente. Ele tomou minhas duas mãos e as apertou repetidas vezes, agradecendo pela agradável surpresa. Após uma destas noites [...] Emmy declarou que jamais participara de um círculo tão descontraído. O engraçado é que, na Alemanha, dois dos nossos maiores cômicos, Overbeck e Nietzsche, são conhecidos como terríveis pessimistas e schopenhauerianos! Na quinta-feira seguinte [...], musicamos muito. Nietzsche improvisou maravilhosamente, Overbeck trouxe lindas peças de Schubert para quatro mãos. [...] Em outra ocasião, eu escrevi: 'Hoje à noite será a associação da terça-feira. Como ouvi, Nietzsche organizou novamente um livro maravilhoso (tratava-se das novelas humorísticas de Mark Twain)'. A última vez também foi muito divertida; nós lemos, brincamos e pulamos até meia-noite e meia. [...] Naquele inverno, Nietzsche nos visitou também toda sexta-feira à tarde para acompanhar meu canto ao piano. Sempre trazia muitas partituras, que estudávamos e tocávamos juntos; antes de se despedir, ele costumava improvisar ou tocar algo de Wagner para nós".

De resto, porém, a vida social nas casas patrícias de Basileia diminui um pouco em virtude da crise na indústria de fitas de seda, da qual dependia a riqueza da comunidade. A crise chegou até a levar à ruína algumas famílias importantes de empreendedores. "Todos os fabricantes de fitas de seda estão enfrentando grandes dificuldades", observa Nietzsche em 13 de dezembro de 1874 em uma carta à mãe. A organização trabalhista havia imposto uma redução da jornada de trabalho a 11 horas e a proibição do trabalho infantil. Não se sabe exatamente o quanto este encarecimento das condições de produção contribuiu para a crise. Nietzsche não comenta isso diretamente, mas o evento não deve ter diminuído seu medo latente das forças políticas adormecidas nessas massas trabalhistas. Isso também alimentou seu desejo de se retirar do funcionalismo público, pois não queria lidar com essa problemática sociopolítica, ele fugia dela.

### Retrospectiva do seu tempo como compositor

Em 22 de dezembro, Nietzsche partiu para Naumburg, onde chegou na tarde de 23 de dezembro. Dessa vez, estava levando consigo trabalhos especiais. Na véspera de sua partida, escreve a Rohde: "[...] estou reunindo todas as minhas partituras. Pretendo aproveitar estas férias para celebrar mais uma vez todo o sacrifício musical da minha infância e juventude e codificá-lo, passando-o a limpo. O vigia de um braço só da torre da catedral de Naumburg me ajudará. Reescreverei o Hino, para duas mãos, mas para mãos um pouco grandes". E no dia após sua chegada em Naumburg, escreve a Gersdorff: "Nestas férias [...] não tocarei em literatura, mas reuni em minha volta todas as minhas composições da juventude, disso tentarei fazer algo para a lembrança, para a idade". A ocupação intensa com sua música exigiu toda a sua atenção. Mais uma vez, mergulhou em seu passado de compositor para assim encerrá-lo definitivamente. Ele volta a escrever cartas apenas em 2 de janeiro. Nesse dia, escreve a Malwida von Meysenbug: "Já se foram dez dias de férias. Passei-os com mãe e irmã e me sinto bastante descansado; deixei para trás toda reflexão e pensamento e me entreguei à música. Desenhei milhares de notas e consegui encerrar *um* trabalho. Agora, o Hino à amizade pode ser tocado a duas e a quatro mãos [...]. Estou *muito* satisfeito com ele. A duração da música é de exatamente 15 minutos – a senhora sabe o quanto pode acontecer neste tempo, a música é um argumento claro para a idealidade do tempo. Que minha música seja uma prova de que é possível esquecer-se de seu tempo e que nisso existe idealidade! Além disso, revisei e organizei as composições da minha juventude. Jamais compreenderei como a música revela a imutabilidade do caráter; o que um garoto expressa nela é tão evidentemente a língua da essência de toda a sua *natureza*, que nem mesmo o homem deseja mudar qualquer coisa nela – a não ser, é claro, a imperfeição da técnica etc." O "Hino à amizade", finalmente concluído após um processo de amadurecimento de dois anos, é sua última composição. Ela não o solta mais, e ele não conseguirá compor nada novo, mas à qual ele recorrerá mais duas vezes – em 1882, na forma de um cântico com texto de Lou Salomé, e em 1887, na adaptação para coro e orquestra de Peter Gast. Por isso, creio que este seja o momento para avaliar as composições de Nietzsche – de forma absoluta, como peças musicais, e relativa, em sua importância para a pessoa e a obra de Nietzsche.

Evidentemente, não cabe tentar "salvar a honra" de Nietzsche como compositor; mesmo assim, podemos afirmar que, a despeito de certas falhas técnicas, por vezes profundamente irritantes, suas composições representam obras sérias e que merecem ser levadas a sério, e que ultrapassam em muito um mero amadorismo passional. Nietzsche usa a música exatamente como usa também a língua: para o processamento e a transmissão de teores espirituais e emocionais. Para ele, a música é meio de comunicação, e algumas de suas peças são até muito prazerosas. As falhas técnicas representam os resquícios lamentáveis de um estudo autodidático não sistemático. Os compositores russos (mais ou menos) contemporâneos, reunidos no chamado "poderoso grupinho de São Petersburgo" (Cui, Glinka, Balakirew, Mussorgskij, Borodin, Rimskij-Korsakow) provaram que é possível obter sucesso também na música como autodidata dedicado. E Nietzsche demonstrou isso para a filosofia, campo em que também era autodidata. Naturalmente, não resta dúvida de que ele representa uma potência muito maior como filósofo do que como músico. No entanto, conseguiu superar também na música a profundeza e a expressão de alguns músicos contemporâneos. É um consolo fraco que, ao contrário de Brahms e Schumann, estes também foram rendidos ao esquecimento.

Além de suas falhas, as composições e tentativas de composição de Nietzsche são de valor especial para o estudo de sua personalidade, que realmente se revela – como ele diz na carta – em seus aspectos individuais.

As primeiras tentativas, na maioria ainda desajeitadas, o garoto de 10 a 14 anos de idade procura se familiarizar e adquirir técnicas como notação, fraseado e harmonia. Ele tem aulas de piano e aprende até obras sinfônicas em adaptações para o piano. Por isso, todas as suas composições são dominadas pelo piano. Aos 12 a 14 anos de idade, presencia as apresentações de oratórios na catedral de Naumburg. O religioso se transforma em prazer estético, o que corresponde mais à sua religiosidade passional do que uma fé autêntica. Agora, passa a compor também missas, motetos, um *miserere* e, por fim, partes de um oratório natalino[125]. Todas essas obras devem ser consideradas fracassadas. No entanto, precisamos nos perguntar se esse fracasso se deve apenas à falta de domínio técnico ou talvez também ao seu conteúdo.

Já falamos da possibilidade de que o religioso não tenha sido parte de seu ser e de que, na juventude, tenha tentado adquiri-lo por meio do estético (p. 353).

Antes de completar 17 anos de vida (verão de 1861), apenas poucos meses após a sua confirmação, Nietzsche converte partes de seu oratório natalino em uma fantasia "secular" para piano ("Dor é o tom fundamental da natureza"), para então dedicar-se à música descritiva em uma "sinfonia de Hermenerico". Rapidamente ele percebe os limites e as possibilidades restritas da música descritiva. A superioridade da música diante das outras artes consiste justamente em sua capacidade de transcender o caso individual, sem, por isso, se tornar "abstrata". Para o "Hermenerico", ele desenvolve ainda um programa detalhado do cenário e da trama – os programas para as composições posteriores fornecem apenas informações sobre movimentos gerais ou estados de espírito e atmosferas. A experiência com a música descritiva estava fadada ao fracasso, pois corrompia a forma genuinamente musical; mesmo assim, Nietzsche conseguiu criar uma peça com harmonia ousada. Segue então um período de formas menores, as populares "folhas de álbum" (em Mendelssohn, "Cânticos sem palavras") e cânticos, ou seja, música lírica. Aqui, ele mostra suas melhores qualidades como compositor.

Já C.A. Bernoulli havia apontado o traço fundamentalmente lírico na obra filosófica de Nietzsche[50], não tendo ainda acesso à prova mais contundente, as composições líricas. Após um intervalo mais extenso, Nietzsche retorna, sob o tema geral da "amizade", para a composição grande na forma da fantasia de várias partes. Aqui, sua música – como também sua correspondência com os amigos – desliza para o patético, a fantasia perde sua forma. Nietzsche fracassa em suas composições "à amizade" (Monodia, Manfredo, Eco, Hino) como também nas próprias amizades. Ele se depara aqui com uma pergunta semelhante à questão da religiosidade: Estaria ele tentando superar sua incapacidade de manter uma amizade autêntica por meio da estética? Por maior que seja o número de fases em que sua atividade como compositor possa ser dividida, *um* traço básico reúne tudo, desde as primeiras tentativas até o "Hino": Nietzsche usou praticamente todas as suas composições como presentes ou dedicatórias, a maioria foi criada com esse propósito. São expressões muito pessoais de sua tendência e, por isso, aproximam-se em sua essência mais das cartas do que da obra filosófica. Apesar de podermos identificar influências estilísticas de diversos compositores, como Beethoven, Schumann, Chopin e Liszt, suas composições apresentam um traço melancólico tipicamente nietzscheano. O que chama a atenção é a ausência total de uma influência wagneriana (com exceção, talvez, do "Eco de uma noite de São Silvestre"). O aspecto demoníaco e a intensidade emocional de Wagner permaneceram estranhos ao músico Nietzsche. Como músico, Nietzsche jamais foi wagneriano.

Após revisar e organizar seu "legado" musical, Nietzsche encontrou o tempo para quitar duas antigas dívidas de correspondência. Hans von Bülow havia lhe escrito em 1º de novembro, sugerindo-lhe a elaboração de uma tradução congenial de Leopardi. Em 2 de janeiro de 1875, Nietzsche teve que recusar a oferta: "Pois eu mesmo não entendo o italiano na medida necessária e não sou, apesar de filólogo, uma pessoa de línguas (a própria língua alemã me causa azia)", um fato que, mais tarde, também Overbeck observa e que chamaria a atenção dos médicos após o colapso. Pois, apesar dos anos passados na Riviera, seus conhecimentos do francês e do italiano eram extremamente pobres.

### Perdas de amizades

Mais difícil deve ter sido responder à carta que Nietzsche recebera da Marquesa Guerriere em 7 de dezembro. Nela, a marquesa confessa o susto que "Schopenhauer como educador" lhe causara[8]: "Prezado amigo, o senhor entende quando lhe digo que acredito que o senhor ataca demais com golpes de clava, que o senhor provoca ferimentos demasiadamente profundos para causar um efeito sobre o íntimo das pessoas? Eu, por minha parte, entendo e respeito a paixão que, despreocupada com o estrago que causa, persegue o mal existente com ódio desenfreado! Sinto, porém, que o verdadeiro educador deva proceder de outro modo, ou seja, com a luz do propósito sublime de uma mão apoiadora".

Nietzsche respondeu com cautela e carinho, como era de seu costume no convívio pessoal, principalmente com as damas: "Venerada senhora! Precisamos, por ora, aceitar o fato de que nossa concordância não é completa, ainda não é fundamental. Pois foi assim que interpretei o seu sentimento, que a senhora me comunicou com a maior sinceridade [...]. O seu senso puro, sempre à procura do verdadeiro, lhe esclarecerá os verdadeiros equívocos de forma melhor e mais fértil do que qualquer carta [...] assim, desejo que faça mais uma ou duas tentativas de adquirir um novo ponto de vista (um ponto de sentimento!) em relação a este último escrito. [...] Não, venerada senhora, não permitirei que prevaleça uma impressão deprimente de uma música heroica. Certamente, isso não significa que esteja exigindo que a senhora tenha sentimentos masculinos".

A marquesa responde mais uma vez em 13 de janeiro de 1875[8]: "Caro amigo, não duvido da sinceridade dos seus propósitos; creio ter uma imagem nobre sua, que se alimenta do todo do ser como o conheci até agora! – No entanto, duvido do seu caminho para alcançá-los, temo que experiências e sofrimentos pessoais se transformem em sua medida para todo o existente! Parece-me que o artista e o educador precisem primeiro reconciliar-se com sua vida, com suas necessidades, para então apresentar-se de forma eficaz ao mundo e oferecer-lhe seu íntimo e seu melhor por meio da autossuperação! Apenas então poderá atacar o existente com a crítica mais aguçada, porque ele mesmo terá passado por ela com um esforço quase sobre-humano". E, após ter tocado nessa ferida aberta de Nietzsche, ela encerra: "Mas pretendo confiar e esperar o bem! – O senhor ainda pretende vir para a Itália na Páscoa? Adeus, e talvez o senhor dê um sinal de vida...", mas Nietzsche não conseguiu reagir imediatamente. Essa amizade, iniciada com uma postura tão ideal e nobre, se apagou; Nietzsche, porém, não se esqueceu da Marquesa Guerrieri e, em outubro de 1876, lhe enviou sua 4ª "Consideração extemporânea", "Richard Wagner em Bayreuth"; mas ela permaneceu em silêncio.

A crítica da marquesa já não o atingiu mais. Seu sofrimento com a vida e por sua obra, o desejo de criar a partir do sofrimento, de vencer o sofrimento por meio da obra e de não apenas apresentar a obra como monumento após a vitória era forte demais, como o era também a consciência de seu chamado. Isso se manifesta no final da carta a Malwida von Meysenbug, de 2 de janeiro: "Ontem, no primeiro dia do ano, olhei para o futuro com verdadeiro tremor. É terrível e perigoso viver – invejo cada um que se torna morto de forma honesta. / De resto, estou determinado a alcançar a *velhice*; caso contrário nada se alcança. Mas não quero envelhecer por prazer na vida. A senhora entende esta determinação".

476

Essa forte excitação causada pela virada de ano o prendeu novamente à cama, "como no Natal do ano passado em Naumburg", como ele confessa à irmã em 17 de janeiro. Ele havia retornado para Basileia em 4 de janeiro, e novamente não passara por Bayreuth, mas conseguira pelo menos enviar um cartão de Natal para Cosima Wagner, pelo qual ela lhe agradeceu cordialmente no Dia de São Silvestre. Aparentemente, Nietzsche mencionou em sua carta a mais recente publicação de Eduard von Hartmann ("Die Selbstzersetzung des Christentums und die Religion der Zukunft" (A autodissolução do cristianismo e a religião do futuro), 1874), e Cosima reage com veemência incomum: "No que diz respeito a Hartmann, *eu* me torno rude e não permito mais que se fale nele; [...] a 'Autodissolução', isso solapa todos os conceitos [...]. Aborrece-me o fato de o senhor o mencionar, pois se Hegel foi um charlatão, o que então seria este?" E, numa carta de 16 de janeiro, ela retorna ao tema da história da religião: "Lemos muito agora no 'Urchristentum' (cristianismo primitivo), de Gfrörer*; gostaria de conhecer a opinião do Prof. Overbeck a respeito desta obra; os místicos judeus, suas teorias da Trindade, do livre-arbítrio, do diabo são altamente curiosas, e lembro-me de que J. Burckhardt lhe disse que Platão teria muito dos judeus". Essa observação também pode ser uma reação a uma das cartas de Nietzsche a Cosima, mas que, infelizmente, foram destruídas por ela. Sabemos apenas de pouquíssimas anotações[1] que, nesse tempo, Nietzsche se ocupou com o problema da "religião" e sobretudo com os componentes judaicos do cristianismo, importante como fase preliminar ao "Anticristo". No entanto, em virtude da escassez de documentos, permanece em aberto a pergunta se o impulso partiu de Bayreuth ou – como parece ser o caso nessa carta – de Nietzsche, pois durante algum tempo cogitou escrever uma "Consideração extemporânea" sobre esse tema. Interessante é a referência de Cosima a Jacob Burckhardt.

E Nietzsche deveria passar por uma prova difícil: pela primeira vez, perderia um amigo. Nietzsche sabia que Romundt não conseguiria manter sua posição em Basileia por muito tempo. Após um sucesso inicial quase espetacular, ele rapidamente perdeu seu poder de atração. Agora, após a partida de Eucken e Heinze, o livre-docente Romundt não tinha chances de assumir a docência vacante, como Nietzsche relata a Gersdorff em 24 de dezembro de 1874: "[...] Romundt [...] perdeu definitivamente sua chance universitária [...] ele partirá na Páscoa – para onde? Ainda não sabemos, ele espera encontrar um emprego como professor de escola. Realmente é necessário que ele abandone a maldita filosofia. Ela o deixa cada vez

---

* Três volumes, publicados em 1838.

mais confuso, como ele mesmo percebe, e todos nós percebemos com ele". Isso teria significado apenas uma separação externa, mas esta já foi bastante difícil para Nietzsche. Mais uma vez, ele procura se consolar com a música, tenta superar o problema de forma musical. "Nas horas mais raras, dez minutos talvez por semana, trabalho agora em um hino à solidão. Pretendo captá-la em toda sua terrível beleza", escreve em 5 de fevereiro a Rohde. Mas esse trabalho nunca passou da fase de improvisação ao piano. A quem ele dedicaria essa música? Uma dedicatória não contradiria à "solidão"? Até então, todas as suas composições haviam se dirigido a um "tu", procurando estabelecer uma comunicação. A solidão desconhece qualquer "tu", e Nietzsche não conseguiu transformá-la em música.

Nietzsche revela o aspecto terrível da decepção em uma carta a Rohde, em 28 de fevereiro: "Nós – Overbeck e eu – também temos um fantasma em nossa casa: Não caia da cadeira ao ouvir que Romundt pretende converter-se ao catolicismo e tornar-se padre católico na Alemanha. Isto é [...] como ficamos sabendo posteriormente, uma ideia nutrida há alguns anos [...]. Sinto-me um pouco ferido internamente por causa disso e, por vezes, percebo isso como maior mal que ele poderia cometer contra mim. [...] Overbeck e eu já havíamos começado a nos perguntar por que Romundt já não tinha mais nada em comum conosco e por que ele se entediava e aborrecia com tudo que nos interessava e excitava [...]. Finalmente, ocorreram as primeiras confissões, e agora, a cada três dias, explosões eclesiásticas. [...] – Nossos bons e puros ares protestantes! Jamais senti uma dependência mais forte do espírito de Lutero do que agora [...]. Pergunto-me se ele teria perdido a razão e se não precisa ser tratado com banhos gelados: não entendo como, do meu lado, após um convívio íntimo de oito anos, pode surgir este fantasma [...]. Sinto-me ferido em minha amizade e odeio a natureza desonesta de muitas amizades. Preciso ser mais cuidadoso".

Romundt se despediu de Basileia em 10 de abril e passou a viver em Dresden como autor de publicações filosóficas sobre Kant e os problemas da filosofia da religião – sem se converter ao catolicismo. Ele se tornou professor ginasial e passou a lecionar grego e alemão já no outono, como Nietzsche – aliviado – escreveu a Rohde em 7 de outubro. Romundt morreu em 10 de maio de 1919 em Bischofswerda.

### Elisabeth Nietzsche como administradora em Bayreuth

Em meio a essa tensão, ao medo da perda iminente de um amigo próximo, a oferta de estreitar seus laços com Bayreuth sem assumir um compromisso maior deve ter surgido como um sonho para Nietzsche. Em 16 de janeiro, Cosima escreveu: "Hoje, dirijo-me ao senhor com um pedido grande e peculiar, meu prezado amigo! Ao fazer os preparativos para a viagem, senti cada vez mais o peso de deixar meus filhos aqui, mesmo que sob bons cuidados, e cheguei a cogitar de enviar os dois mais velhos antes do previsto para o *Luisenstift*. [...] Eu levaria todos comigo se não existissem os jornalistas, que certamente zombariam de mim [...]. Antes de tomar a decisão desesperada de enviar meus filhos ao internato, pergunto ao senhor se a sua irmã não me faria este grande favor [...] de, após a nossa partida (no dia 15), permanecer com meus filhos como sua mãe. Eles têm sua educadora (uma boa menina); a governanta, sua irmã Kuni (que o senhor conhece), o jardineiro, o servo, todas elas pessoas excelentes que administram a casa. Trata-se para mim apenas de uma tranquilização moral. [...] Eu apresentaria sua irmã aos nossos amigos, e não duvido de que estes a acolheriam durante a minha ausência". Nietzsche encaminhou esse pedido imediatamente para a irmã: "Eu peço insistentemente que faça o que a peçam, nossa boa mãe dirá sim! com prazer". Elisabeth aceitou rapidamente e precisava estar em Bayreuth já no início de fevereiro, pois Nietzsche escreve a Rohde em 5 de fevereiro: "Em Bayreuth existe novamente a velha necessidade de Wagner e sua esposa serem obrigados a viajar para Viena e Budapeste. Durante sua ausência, minha irmã administrará a casa em Bayreuth a pedido da Sra. Wagner e já deve estar lá. Estou muito feliz com esta demonstração de confiança". No entanto, a viagem foi adiada em virtude de um problema de saúde de Elisabeth – e não em virtude da oposição da mãe, como alega Elisabeth[89]. Em uma carta ao irmão, de 17 de fevereiro, ela fala de um inchaço na bochecha[15], de forma que só conseguiu chegar em Bayreuth em 15 de fevereiro ("linda, amável, alegre", como Cosima a descreve em seu diário). Esse atraso não teve consequências graves, pois a partida de Wagner também se atrasara, ocorrendo então apenas no dia 20. A turnê durou três semanas, de forma que os Wagner retornaram no dia 16 de março. Elisabeth permaneceu mais duas semanas até a Quinta-feira Santa (25 de março) e gozou da vida na "grande casa", à qual ela havia se acostumado rapidamente após uma timidez inicial. No segundo dia de sua estadia em Bayreuth, ela escreveu ao irmão: "[...] não precisava ter tido tanto medo, pois os Wagner são indescritivelmente bondosos comigo, e as crianças são muito amáveis. E como tudo é lindo aqui, como um conto de fadas, e me sinto como num castelo encantado. / Durmo no seu quarto e o salão da Sra. Wagner é a minha sala de estar; por vezes, sinto-me fora do lugar, apesar de já ter me instalado muito bem". Mas duas semanas mais tarde, em 3 de março, ela escreve: "A cada dia sou convidada para algum café, pois esta é a única forma de convívio que se cultiva aqui. Essas companhias não são extremamente interessantes, mas agradáveis, e talvez eu conseguiria me divertir um pouco mais se já não estivesse cansada de conhecer sempre pessoas novas [...]. Cosima e eu fizemos umas 30 visitas, por isso recebi visitas durante toda a manhã, toda a nobreza da Francônia passa por mim em toda sua bondade e também todas as outras pessoas agradáveis". No entanto, ela descobriu também rapidamente a sua natureza autoritária, pois surgiram dificuldades e também demissões entre os funcionários tão elogiados por Cosima. Em 13 de março, Elisabeth escreve ao irmão: "A situação dos empregados aqui ainda obrigará os Wagner a voltar para casa [...]. Como poderia eu permitir a presença [...] de duas criaturas tão maldosas em minha casa [...]. E quanto dinheiro se gasta e se desperdiça na casa, sem necessidade – faltam-me as palavras. Darei alguns conselhos práticos e bem burgueses à querida Cosima". Mesmo assim, conseguiu fortalecer sua amizade pessoal com Cosima, passando a tratá-la com o "tu" mais informal.

### Mudanças em Basileia

Nesse mesmo tempo, Nietzsche recebeu a visita de Gersdorff, que ficou em Basileia de 6 de março até a Páscoa. Nessa companhia, Nietzsche pôde se dar ao luxo de desistir de eventos sociais mais superficiais: "Recusei teimosamente todos os convites noturnos, também para bailes [...] e gostaria muito de abolir toda a vida social noturna" (em carta de 26 de março a Elisabeth). Coincide com isso também sua confissão à Sra. Marie Baumgartner, de 9 de fevereiro: "No próximo sábado, começa o nosso carnaval. Vejo-me praticamente obrigado a viajar neste dia, pois de forma alguma pretendo participar da festividade para a qual fui convidado naquela noite. Por isso, pretendo ir para Lucerna". E realmente passou dois dias em Lucerna (no Hotel Gotthard)[8], mas permanece incerto se o fez a partir do dia 13 ou durante o carnaval de Basileia de 15 a 17 de fevereiro. Portanto, Nietzsche continua a ser convidado e também a receber presentes: "Um patrício da nossa cidade me presenteou com uma autêntica folha de Dürer; raramente uma representação pictórica me causa prazer, mas sinto um parentesco tão grande com esta imagem 'O cavaleiro, a morte e o diabo' que nem sei dizer o quanto. No 'Nascimento da tragédia', comparei Schopenhauer com este cavaleiro; e foi por causa desta comparação que recebi a imagem"* (em carta de 24 de março a Malwida von Meysenbug).

Os contatos com a Sra. Marie Baumgartner em Lörrach também se intensificaram. Nietzsche a visitava com frequência, apesar de seu filho já não ser mais estudante nem "secretário" de Nietzsche, mas agora servia como hussardo em Bonn. Ela

---

* O patrício era Adolf Vischer-Sarasin, fabricante de faixas de seda.

havia avançado tanto com a tradução do "Schopenhauer" que Nietzsche ofereceu o manuscrito francês a seu editor Schmeitzner já em 14 de março, enquanto a tradutora ainda estava trabalhando no texto. Em 3 de abril, ela até lhe enviou uma carta de teor filológico, corrigindo uma citação de Montaigne. Nessa carta, ficamos sabendo também que Nietzsche lhe emprestara um livro sobre Confúcio.

Em 10 de abril de 1875, Romundt se desligou da aliança de amigos. Nietzsche descreve a difícil despedida numa carta de 17 de abril a Gersdorff: "Muito obrigado [...] sobretudo [...] por sua visita; sobrevivi àquelas semanas como a um sonho bem agradável; depois, irrompeu novamente todo o teatro de milagres e ratos de Romundt, [...] noites agitadas até à uma da manhã se tornaram a regra [...]. Overbeck e eu pensávamos mais em suas necessidades do que ele mesmo [...]. Toda a indecisão de seu ser atingiu um auge quase cômico no dia de sua partida, pois não queria ir embora nem mesmo poucas horas de sua partida, [...] foi uma tristeza passional, e ele sabia e repetia o tempo todo que agora chegavam ao fim todas as suas boas e melhores experiências; chorando muito, pedia perdão e se dissolvia em rios de tristeza. O último instante ainda me trouxe outra estranha terribilidade; os condutores fechavam as portas dos vagões, e Romundt, querendo dizer-nos mais alguma coisa, queria abrir a janela de vidro [...], mas esta resistia, tentou várias vezes, e enquanto se torturava [...] o trem partiu, e restou-nos fazer apenas alguns gestos. O terrível simbolismo desta cena pesou em nossas almas [...]. Uma dor de cabeça e um forte ataque de vômito me fez passar 30 horas na cama".

Nietzsche pretendera fazer uma caminhada de vários dias após a partida de Romundt, mas a grande comoção foi seguida por um ataque de enxaqueca em 11 de abril, o primeiro descrito com essa intensidade e que, a partir de agora, acometeriam Nietzsche em intervalos cada vez mais curtos. Até então – durante seis anos – ele fora capaz de cumprir todas as suas obrigações profissionais praticamente sem qualquer restrição e sem interrupção por essa doença. Suas ausências até então tiveram outras causas: gripe, um tornozelo torcido em junho de 1870, a reconvalescência em fevereiro e março de 1871 dos problemas de saúde decorrentes da guerra. A partir de agora, porém, sua situação sofreria uma mudança radical. Por mais que precisasse de um descanso neste momento, "as férias ainda não chegaram; dei-me apenas ao luxo de sete banhos turcos, mas que também não deixam todos felizes", ele lamenta em uma carta à irmã, em 19 de abril. E: "[...] ainda há os exames, e acabei de corrigir 20 cadernos". Finalmente, consegue fugir do trabalho por alguns dias: "Já que eu não estava passando bem e tive que passar dois dias na cama, eu finalmente decidi tomar providências e passei uma semana em Berna para passear. Ontem voltei bastante descansado e iniciei hoje o semestre de verão com uma aula.

Em Berna, hospedei-me no Hotel Victoria no *Schänzli*. Eu era o único hóspede do hotel, e me deram o quarto mais lindo com varanda no primeiro andar. [...] Pude satisfazer plenamente minha paixão pela vida e passeios solitários; explorei as maravilhosas vizinhanças de Berna em caminhadas diárias de oito horas" (em carta de 5 de maio de 1875 à mãe).

Após a partida definitiva de Romundt, Overbeck também teve que se ausentar da "Caverna dos Baumann" em 10 de maio para iniciar uma cura mais extensa em Karlsbad. Além disso, começou a concretizar-se em sua vida a possibilidade de fundar uma própria família (ele se casaria em 8 de agosto do ano seguinte). Por isso, Nietzsche ficou muito aliviado ao saber que sua irmã o visitaria e ficaria com ele durante algum tempo, e rapidamente os dois irmãos começaram a desenvolver planos para fundar seu próprio lar. Em 14 de maio, Nietzsche foi ao seu encontro até Baden-Oos. "Sabe, desta vez as circunstâncias me parecem especialmente felizes. Visto que Overbeck viaja amanhã de manhã e Romundt não está mais na casa, você pode ficar no meu apartamento; e eu, nos quartos de Overbeck", Nietzsche oferece à irmã em 9 de maio. E em 13 de maio, fala à Sra. Baumgartner de sua felicidade: "[...] minha irmã me visitará apesar de tudo, e amanhã (na sexta-feira) devo encontrar-me com ela em Baden-Baden. Ficaremos alguns dias – minha irmã não conhece aquele lugar – e estaremos de volta em Basileia na segunda-feira à noite". A segunda-feira de Pentecostes é um feriado, e não há aulas naquele dia. "Portanto, não me resta outra opção senão prometer que nós dois viremos a Lörrach no sábado *após* Pentecostes." Na mesma carta, ele lhe conta de um início de sua fama pública: "Quero entregar-lhe um novo livro de Hillebrand em Florença [...] chama-se "Zeiten Völker und Menschen" (Tempos, povos e homens), e ele me menciona como um dos 'homens'. Ele representa a opinião pública em dez anos, i.e., está um pouco à frente da opinião atual". Por isso, Hillebrand será lembrado pelo próprio Nietzsche – e também pela posteridade – como um dos primeiros que reconheceu a importância de Nietzsche. E justamente nesse momento, Nietzsche perde sua força criativa sob o fardo de seu cargo e do primeiro ataque de sua doença agora já crônica. Em 21 de maio, escreve a Gersdorff: "Não estive bem: dores de estômago-cabeça-olhos muito frequentes! Mas agora vivo de forma sensata, minha irmã está aqui [...]. Não escrevi nenhuma linha para a 4ª 'Consideração'! Adiei todos os trabalhos para o fim do semestre. Pois o trabalho diário para as preleções (13 horas) me obriga, não tenho tempo". Nietzsche ainda pretende dedicar essa quarta "Consideração extemporânea" ao tema "Nós, os filólogos", que nunca foi executada, mas que alcançou um nível de elaboração avançado, como demonstram os fragmentos[1]. No entanto, tratava de um conflito de interesses muito pessoal com uma problemática específica demais para chamar tanta atenção como faria o escrito "Richard Wagner em Bayreuth", publicado como quarta "Consideração extemporânea". No processo do desdobramento espiritual do filósofo, porém, ela representa um esclarecimento decisivo de sua existência.

A doença reivindica seu tributo com uma veemência cada vez maior. "Visitas noturnas não existem mais. O semestre me dá muito trabalho", Nietzsche escreve em 30 de maio de 1875 a Overbeck. "Tenho uma ótima turma no Pädagogium. O pequeno Kelterborn me entregou um livro lindamente encadernado de 448 páginas. Trata-se da cultura grega de Burckhardt; este livro é melhor do que a adaptação de Baumgartner, apresenta mais matéria e é mais organizado e representa um excelente complemento. Baumgartner, por sua vez, tem uma percepção mais sensível do próprio Burckhardt e grande talento de imitação", referindo-se à transcrição da preleção, elaborada por Baumgartner, que Nietzsche recebera dele um ano atrás[64].

A pior consequência de seu estado de saúde é que ele não pode viajar para Bayreuth no verão para assistir aos ensaios do "Anel". Nietzsche havia acompanhado todas as dúvidas e esperanças que acompanharam a criação dessa grande obra ao longo dos anos, e agora, no momento em que estava prestes a se concretizar, a doença impediu a experiência de sua realização. Já em junho precisa se reconciliar com a possibilidade de ter que cancelar sua viagem. Nietzsche escreve a Gersdorff: "Passei por um tempo terrível e talvez um tempo pior ainda me espere. O estômago tornou-se indomável, [...] dores de cabeça dias a fio do pior tipo, vômitos extensos sem ter comido qualquer coisa, ou seja, a máquina parecia dilacerar-se, e não nego que, algumas vezes, desejei que isso acontecesse [...]. Immermann diagnosticou e tratou algo parecido com uma úlcera, e eu esperava vomitar sangue a qualquer momento. Durante 14 dias tive que tomar uma solução de nitrato de prata, que não ajudou. Agora, ele me receita diariamente duas doses extremamente grandes de quinina. Ele quer que eu *não* vá a Bayreuth durante as férias, não falo disso. Você imagina como estou me sentindo. No entanto, quero ainda estar vivo no próximo ano, por isso farei o que me pedem". E em 10 de junho escreve à mãe: "Entrementes, minha situação se agravou tanto [...] que eu e os médicos vemos uma dieta rígida como única opção; mas na forma como foi-me receitada, consigo mantê-la apenas em uma casa própria. / Nossa decisão, que a minha Lisbeth tão prestativa lhe comunicou, é, por isso, o resultado de uma necessidade não há outro caminho. Caso contrário, eu seria obrigado a desistir de minha docência".

Com esse argumento os irmãos conseguiram convencer a mãe a permitir que a filha saísse de casa. A ameaça do filho de abandonar sua docência a feriu em seu orgulho. Apesar do aparente exagero contido nessa ameaça, havia nela também uma boa dose de seriedade. Estranho, tantas vezes Nietzsche já havia entretido a ideia de obter sua liberdade filosófica, mas, agora que a doença começa a concretizá-la, ele defende seu cargo e se agarrará a ele por mais quatro anos. A fundação de um lar próprio, inicialmente com a irmã – em breve ressurgirá o desejo de se casar –, era apenas um meio entre vários outros. A poucos passos de distância da "Caverna dos Baumann", no Spalentorweg 48, alugou um apartamento a partir de 1º de julho, mas precisava ainda comprar alguns móveis, de forma que só conseguiu se mudar em 12 de agosto, após seu tratamento durante o verão[112]. Ele revela as torturas sob as quais cumpriu suas obrigações profissionais até as férias ao músico e escritor Dr. Carl Fuchs no final de junho: "Encontro-me há alguns meses numa maldita crise de um mal estomacal crônico, que começa a abalar os fundamentos da minha existência [...]. A cada semana os médicos experimentam algo novo, uma solução oral de nitrato de prata, depois grandes doses de quinina. Quantas dores de cabeça [...]. Não levo uma vida leviana, e neste estado o fardo da minha profissão, que já é grande, se duplica". E em meio a essa miséria, ele mesmo assim redigiu sua petição referente à melhoria do ensino de grego e cumpriu sua carga horária na universidade e no Pädagogium. Uma passagem na carta de 7 de julho a Gersdorff evidencia que sua doença não era uma simples dor de estômago, mas uma doença de natureza mais complexa: "Quem lhe disse com tanta certeza que minha doença seria uma *enxaqueca*? Immermann não tem essa certeza. Ele mesmo me disse que ele *suspeita* dos nervos, já que o remédio anterior não ajudou. Se o novo remédio não ajudar, ele tentará algo diferente. Visto que, agora, estou sempre mal e a azia me acomete terrivelmente, e tudo, com exceção da carne mais macia, se transforma em ácido, eu, pelo menos, tenho a certeza de que a hipótese dos nervos é equivocada; além do mais, no caso de uma enxaqueca, a dor de cabeça é unilateral. A dor em e acima dos dois olhos é grande". E, além dos problemas físicos, Nietzsche se tortura novamente com seu problema existencial, para o qual ele ainda espera encontrar a solução numa síntese. Ele confidencia esses pensamentos à Sra. Baumgartner numa carta de 14 de julho: "Torna-se cada vez mais claro que precisarei me afastar de qualquer atividade como escritor por mais tempo ainda (do que sete anos); reconheço isso em virtude das condições da minha existência como estudioso em Basileia; tento realizar a proeza de entrelaçar esta existência e o meu destino pessoal de tal forma que um não venha a prejudicar o outro, mas se fertilizem mutuamente [...]. Isso significa: abster-se de muito para não ter que se abster do principal [...], pois conto com longos prazos de vida, e neste ponto meu pai, por exemplo, se equivocou, pois morreu aos 36 anos de idade".

É possível que Nietzsche tenha compartilhado estes pensamentos também com Jacob Burckhardt, em quem ele confiava como colega paternal. O problema existencial tornou-se ainda mais agudo visto que, uma semana antes, o último prefeito de Basileia, Carl Felix Burckhardt, teve que renunciar em virtude da mudança constitucional e o político radical Wilhelm Klein assumiu a diretoria da secretaria de educação. Burckhardt procurou se proteger por meio da maior excelência possível em seu trabalho, preparando suas preleções sobre a história da arte por meio de viagens e um enorme número de imagens. Essa postura parece ter contagiado Nietzsche e fortalecido sua determinação de se agarrar à docência. Desde a "História", o convívio com Burckhardt havia sido interrompido. Agora, a ameaça comum e a posição de ambos como professores acadêmicos voltou a reuni-los. Só assim conseguimos entender o comunicado de Nietzsche a Gersdorff em 12 de julho: "Voltei a conviver com Jacob Burckhardt como antigamente. Recentemente, ele abriu seu coração comigo, passamos 45 minutos passeando pelo claustro".

### Cura de verão em Steinabad 1875

Após avaliarem várias opções como local para a cura de verão, os médicos escolheram Steinabad, localizado próximo de Bonndorf, no sul da Floresta Negra, e perto da fronteira suíça, onde trabalhava o famoso médico Dr. Wiel. Nietzsche partiu na sexta-feira, 16 de julho. Já no dia seguinte, ele escreve à mãe e à irmã em Naumburg: "Cheguei em Steinabad ontem às duas horas da tarde. Uma hora após a minha chegada, conheci o velho e altamente respeitado Dr. Wiel. Hoje de manhã tive uma consulta com ele em Bonndorf, e ele diagnosticou minha doença como catarro estomacal crônico com ampliação significativa do estômago. Agora, o médico pretende domar e diminuí-lo. Delineamos cuidadosamente o território que ele ocupa agora e esperamos que, após algum tempo, ele se retraia. / Meu cardápio é o seguinte: Toda manhã, um enema autoaplicado (perdoem-me por começar com isto, mas é com esta alegria que inicio o dia! Conteúdo: água fria). / 7 horas: uma colher de café de bicarbonato de soda de Carlsbad. / 8 horas: bife de 80 gramas, duas torradas. / 12 horas: 80 gramas de carne assada (nada mais!). / 4 horas: dois ovos crus e uma xícara de café com leite. / 8 horas: 80 gramas de carne assada com gelatina. – / Após o almoço e o jantar, uma taça de vinho Bordeaux... Os bifes à moda de Wiel são saborosos e muito mais macios e suaves do que os nossos. / A região é linda; um vale na Floresta Negra com ar de qualidade extraordinária, sem dúvida [...]. Steinabad é de fácil acesso vindo de Basileia; de trem de Basileia até Stühlingen, e de diligência diretamente até Bonndorf. Eu perdi a conexão da diligência, apesar de já ter comprado a passagem, e assim tive que percorrer este trecho a pé, o que me fez muito bem (3 horas)".

E também a Sra. Baumgartner recebeu uma carta em 19 de julho: "Do centro de um profundo vale da Floresta Negra, pelo qual passa no momento uma forte chuva [...]. O médico, Dr. Wiel, razão pela qual estou aqui, é um velho e famoso médico experiente e me passou uma impressão muito boa, o balneário em si, com mais ou menos 40 pacientes, me parece mais vantajoso desde ontem, pois entrementes consegui obter um quarto melhor e mais calmo. Na segunda noite, o barulho desrespeitoso nos quartos do térreo me enfureceu e finalmente usei minha voz para silenciá-lo [...]. Não encontrei nenhuma companhia para mim. Para distrair-me, ocupo-me com uma ciência para a qual não havia encontrado tempo até agora e que merece atenção: 'Economia comercial e desenvolvimento do comércio mundial', além de economia nacional e social. / A primeira carta que recebi aqui veio da Sra. Wagner em Bayreuth, e já a primeira página fazia um pedido que se dirige mais à senhora do que a mim. [...] Trata-se de uma encomenda de geleias de Estrasburgo". E no mesmo dia escreve a Gersdorff: "O local em si é um lindo vale da Floresta Negra com muitos bosques; lembra-me de Flims, mas possibilita muitas caminhadas planas".

A comparação com Flims é curiosa e completamente inapropriada. O vilarejo de Flims se encontra algumas centenas de metros acima de um vale numa larga encosta montanhosa, rodeado de montanhas altas, com vista para o vale do Rio Reno. Steinabad, por sua vez, é um hotel isolado num vale florestal estreito entre colinas modestas, rodeado de pinheiros. Será que Nietzsche percebia na natureza apenas os objetos mais próximos, será que a grandeza e a liberdade de uma região montanhosa se negavam ao homem extremamente míope de visão fraca?

Dr. Wiel deve ter percebido imediatamente que a ampliação estomacal – causada pelos vômitos frequentes – não era a causa, mas apenas uma consequência de uma doença mais grave. Já na carta à Sra. Baumgartner, Nietzsche observa: "Aparentemente, a produção excessiva de ácido no estômago depende do cérebro e dos nervos". Alguns dias mais tarde, em 21 de julho, ele descreve a Gersdorff o novo e rígido modo de vida: "Entrementes, mudamos bastante a dieta (a meu pedido, passei a comer muito menos) [...]. Desde ontem, alegro-me com uma linda piscina; ela se encontra diretamente no jardim do hotel, uso-a sozinho, a água é fria demais para os outros mortais. Às seis da manhã, já estou na água e pouco tempo depois faço uma caminhada de duas horas, tudo isso antes do café da manhã. Ontem, vaguei três horas antes do anoitecer pelos lindos bosques e vales escondidos e, ao caminhar, desenvolvi todas as esperanças para o futuro. Era uma visão de felicidade que não vislumbrara há muito tempo [...]. E aos poucos desenvolvo também uma vida e um aprendizado social, aos poucos as pessoas vão se juntando à congregação, como, por exemplo, um aluno muito capaz e prematuro (em virtude de seus sofrimentos precoces), o stud. jur. Brenner de Basileia [...]. Hoje tive que comunicar novamente a uma livraria em Viena que meu escrito sobre Homero não foi publicado. A livraria me perguntara, como já várias outras, em nome de um 'fiel adepto' [...]. Estou agora muito empenhado em preencher as grandes lacunas da nossa formação (penso em Pforta e nas universidades, entre outros) em mim mesmo; e cada dia traz sua pequena parte [...]. Ainda precisamos vencer um bom trajeto, sempre em ascendência, lenta, mas continuamente para assim adquirirmos uma visão bastante desimpedida da nossa velha cultura; e ainda precisamos atravessar várias ciências cansativas, sobretudo as ciências verdadeiramente difíceis". Uma carta de 8 de dezembro a Rohde nos informa sobre a leitura deste período: "Sugiro que leia mais uma vez o Don Quixote – não por ser a leitura mais divertida, mas a mais azeda [...] eu o li nas férias de verão, e todo o meu sofrimento pessoal me pareceu pequeno [...]. Toda a seriedade e toda a paixão e tudo que afeta o coração do homem é 'Don Quixoteria', e é bom saber disso para *alguns* casos; de resto, costuma ser melhor saber nada".

No entanto, Nietzsche encerra a carta de 21 de julho a Gersdorff com uma lamentação séria: "Querido amigo, creio agora que realmente não poderei ir a Bayreuth, as quatro semanas já são curtas demais para este tipo de cura; caso seja realmente necessário, eu a estenderei por mais uma semana, só para fazer tudo que devo por se tratar de uma causa tão séria". Este era o grande fardo emocional que pesava sobre a alma de Nietzsche nesse verão: o fato de não poder viajar para Bayreuth para assistir aos ensaios para as apresentações do verão de 1876. Pouco o consolou o fato de que Gersdorff pôde ir "também como Nietzsche", como Gersdorff lhe escreveu. Nietzsche teve que se contentar com uma correspondência intensiva e se alegrar com visitas, como, em 25 de julho, a do Dr. Jur. Kelterborn (o "pequeno Kelterborn", como Nietzsche o chamava), que relata a visita em suas memórias[8]: "Era um lindo e quente domingo de julho, e a natureza ostentava seus mais suntuosos adornos. A viagem de trem cedo de manhã até Stühlingen foi um deleite, como o foi também a viagem de diligência até o velho mercado de Bonndorf, que se encontra num planalto. O encanto da natureza logo foi substituído pela expectativa do reencontro com o amigo, que me recebeu da forma mais calorosa em Steinabad. Seus traços faciais e a cor de sua pele revelavam seu estado sofrido – e ele mesmo descreveu em todos os detalhes a sua cura [...]. Também me mostrou toda a instalação do balneário e do parque e quis me convencer a tomar um banho na piscina, mas eu recusei, e após a refeição fizemos uma caminhada de várias horas pelas maravilhosas florestas da região. Nietzsche sempre foi um bom caminhante, e o movimento físico em ritmo constante sempre lhe fez bem [...]. Encontramos poucas pessoas, e nosso caminho não atravessou nenhum vilarejo [...]. Assim, sentimo-nos distantes de toda atividade [...], e nesta atmosfera de profunda satisfação e paz emocional desfrutei ainda mais a nossa conversa que, como sempre, foi muito inspiradora e significativa. No início, conversamos sobre assuntos pessoais [...], mas logo passamos a falar sobre questões musicais em geral e sobre Wagner em especial. Conversamos também sobre os ensaios que estavam acontecendo em Bayreuth naquele momento". A ocupação intensiva e ininterrupta com Wagner, acentuada ainda pelos ensaios em Bayreuth, resultou nos primeiros esboços para um estudo que, sob o título de "Richard Wagner em Bayreuth", encerraria a série de "Considerações extemporâneas" e conteria em si todas as sementes para a superação da concepção artística do romantismo. "Faço muitas caminhadas pelas florestas e divirto-me muito com isso, de forma que não tive uma única hora de tédio; imaginando, refletindo, esperando, confiando, por ora no passado, mas principalmente no futuro. Assim vivo e me recupero", Nietzsche escreve para casa em 25 de julho. Não existem viradas repentinas no caminho de Nietzsche como filósofo, ao contrário do que possa parecer por vezes, tudo é desenvolvimento daquilo que já estivera presente há muito tempo.

Nesse verão de 1875, o próprio Nietzsche se conscientizou disso, como escreve a Carl Fuchs em 11 de agosto: "Aprendi aqui a ser mais corajoso [...]. E assim vivo [...] com muita cautela e, no que diz respeito ao principal, com muita coragem. [...] Aqui, durante minhas caminhadas pelas montanhas e florestas [...] pensei muito no senhor, em sua história de sofrimento tão difícil de compreender. [...] Tento descobrir a causa desse estranho tipo de não sucessos [...], tive a impressão de que certo apressamento, uma impaciência o privou de muitos sucessos. Não podemos permitir que o destino perceba o que queremos [...]. Corresponde perfeitamente à minha postura manter em segredo determinada coisa e não revelá-la a ninguém, mas, quando eu a dominar, eu a aceito: eu estava 'pronto' [...]. O senhor não acreditará quantas ideias grandes e maravilhosas *deste* tipo eu guardo dentro de mim e para as quais, de repente, eu estarei pronto".

"Apressamento": essa palavra parece ser uma expressão típica de Burckhardt! E quanto ao "manter em segredo" e à paciência do próprio Nietzsche, quando um livro entrava na gráfica antes mesmo da finalização do manuscrito? "De repente", estava "pronto"!

O sucesso da cura foi apenas parcial. Nietzsche relata isso a Rohde já em 1º de agosto: "Um dos males, a ampliação do estômago, conseguimos combater com bastante êxito nestas duas semanas de cura. O estômago se retraiu. Mas no que diz respeito à sua afecção nervosa, esta exigirá mais tempo [...]. Tive alguns dias bons, um clima frio e refrescante, passeei pelas montanhas e florestas, sempre a sós, mas não consigo nem expressar o quanto isso é agradável e inspirador! [...] E recebi uma carta boa e amigável quase todos os dias [...]. Não tenho aqui nenhuma pessoa e levo uma vida nobre e independente. Amanhã o Dr. Wiel pretende me descontrair e instruir com uma aula de culinária, ele é um famoso artista culinário [...]. Ontem ele me deu uma palestra sobre louça esmaltada [...] e assim aprendo algo para meu novo lar [...]. A Sra. Baumgartner, a melhor mãe que conheço, escreveu-me algumas vezes da forma mais amorosa. Seu filho Adolf passou algumas semanas difíceis e desesperadas [...] de forma que a Sra. Baumgartner viajou para Bonn para consolá-lo um pouco [...]. Desespero por toda parte! Mas eu não! E não estou em Bayreuth! Como isso combina? Não consigo entendê-lo, pois meu espírito passa 3/4 do dia naquele lugar e vagueio por Bayreuth como um fantasma [...] durante minhas caminhadas, dirijo partes da música que aprendi de cor e acompanho meus gestos com cantarejo".

Mas excitações tão intensas logo se vingavam: "Passei novamente um dia inteiro na cama como em Basileia, no dia em que meus amigos se reúnem em Bayreuth – um sinal de que não posso interromper minha cura [...]. Agora, o Dr. Wiel também acredita, como já Immermann, que se trate de uma afecção nervosa do estômago, e isso sempre é algo moroso", Nietzsche confessa à Sra. Baumgartner no dia seguinte, a cujo amor materno ele confidencia também: "A senhora não deve acreditar que jamais em minha vida fui mimado pelo amor, creio que a senhora tenha percebido isso. Nesse sentido, a infância me legou certa resignação [...]. Agora, encontro-me numa situação melhor [...]. Por vezes, surpreendo-me mais do que me alegro com isso, é algo tão novo para mim. Várias coisas estão brotando dentro de mim, e a cada mês vejo a tarefa da minha vida com mais clareza, mas sem ainda ter a coragem de compartilhá-la com alguém. Uma caminhada lenta, mas absolutamente determinada de degrau em degrau [...] é isso que ainda me garante chegar longe. Parece-me que sou um montanhista nato".

Mas após outras duas semanas de tratamento seu quadro clínico permanece o mesmo: "A ampliação do estômago não é nada significativa, neste sentido a cura tem sido um sucesso. Mas no que diz respeito à acidose, não vejo progresso algum. Recentemente, tive que passar outro dia na cama em virtude de fortes dores de cabeça e violentos ataques de vômito. Dr. Wiel também chegou à conclusão segundo a qual a razão seria uma afecção nervosa do estômago, ou seja, que a causa é a cabeça", como Nietzsche escreve à mãe em 10 de agosto.

Pelo menos, a existência de ermitão na floresta de Steinabad o livrou de sua depressão criativa, como ele escreve a Malwida von Meysenbug em 11 de agosto: "Voltei a fazer esboços, tentando encontrar um contexto coerente para a minha vida – não há nada que eu goste de fazer mais, basta que eu esteja sozinho. É um barômetro perfeito para a minha saúde. Pessoas do nosso tipo [...] jamais sofrem apenas fisicamente, tudo se entrelaça profundamente com crises espirituais, de forma que não vejo como poderei me curar apenas com os recursos da farmácia e da cozinha [...]. Nosso segredo de qualquer cura é adquirir uma pele grossa em virtude da grande sensibilidade e do sofrimento interior. [...] Desejo que o novo lar organizado por minha boa irmã, que conhecerei nos próximos dias, se torne esta nova pele resistente; fico feliz imaginando-me recolhido em minha casa de caracol". Ele está ansioso e se deixa levar pela sua passionalidade, de forma que – sabendo que sua irmã se encontra em Basileia desde o dia 10 – não completa a cura até o domingo (15 de agosto), mas se despede do hotel já na quinta-feira, ou seja, três dias antes do previsto, e retorna para Basileia.

# XVI

## No lar próprio

Nietzsche confessa o quanto precisava dessa casa de caracol em 11 de agosto de 1875 numa carta a Overbeck, que naquele momento se encontrava em Bayreuth com Rohde e Gersdorff e de lá enviava relatos entusiásticos: "[...] toda vez que recebo uma carta de Bayreuth, sofro uma convulsão de meia hora; sinto um forte desejo de jogar tudo para o alto e correr para estar com vocês! Em minhas caminhadas, ouço a doce tentação do 'ouro liquefeito' daquele som orquestral e então sinto-me terrivelmente desapossado".

Mas Rohde presenteou Nietzsche com alguns dias de amizade. Após voltar de Bayreuth, Rohde havia passado alguns dias de descanso no Bürgenstock às margens do Lago dos Quatro Cantões com uma vista perfeita de Tribschen na margem oposta e, após uma estadia de poucos dias em Zurique, veio também para Basileia em 31 de agosto, onde ficou até o dia 7 de setembro, para então prosseguir para Munique para assistir a uma apresentação do "Tristão" em 9 de setembro. Quando Rohde anunciou sua visita em 29 de agosto, Nietzsche lhe respondeu: "Meu velho apartamento, muito próximo do meu lar atual, lhe servirá como teto. Lá, reuniremos mais uma vez as nossas almas – anseio muito este momento! Você me encontrará mais esperançoso do que nos últimos anos [...] e mais saudável [...]. Justamente agora recebi meu Hino à amizade passado a limpo. E agora vem você e celebraremos nossa amizade como um hino, mesmo que não ao piano", pois tratava-se da versão para piano a duas mãos, que o vigia da torre da catedral de Naumburg havia passado a limpo e que ele deu a Overbeck como presente de aniversário em 17 de novembro. Nietzsche, porém, não pôde compartilhar sua alegria com seu amigo, pois Rohde estava profundamente agitado em virtude de um amor não correspondido e se apresentou como uma visita inquieta com tendência ao humor negro. Em uma longa carta escrita em Munique, ele se desculpa por isso[14]. E a saúde de Nietzsche também logo voltou a causar problemas. A partir do dia 13 de setembro, Nietzsche se sentiu cansado e doente e até teve que passar os dias de 16 e 17 de setembro na cama. O encerramento do semestre – seu 13°, como ele observa numa carta a Gersdorff – em 25 de setembro lhe trouxe algum alívio.

Desde Steinabad, Nietzsche não havia sofrido nenhum ataque durante quatro semanas, e ele aproveitou bem esse tempo, pois em 26 de setembro confidencia a Gersdorff: "Não estou fazendo literatura, pois o nojo contra publicações aumenta cada dia. Mas quando você vier eu lhe apresentarei algo que certamente o alegrará, uma passagem da impublicável quarta 'Consideração' intitulada de 'Richard Wagner em Bayreuth'. Peço sigilo". Certamente, o novo apartamento contribuiu bastante para a nova produtividade. Em uma carta a Romundt de 26 de setembro, Nietzsche descreve seu apartamento sucintamente: "Numa casa nova; tenho todo o primeiro piso e parte do segundo para mim; *in summa* seis quartos e cozinha, porão, sótão; contratei também uma boa empregada doméstica [...]. Sinto-me infinitamente melhor, você deveria me ver sentado em meu escritório. Você se admiraria com nossos talentos de instalação. / Iniciei um ciclo de preleções para sete anos [...]. Todas elas são preleções novas. [...] Não espere novas 'Considerações extemporâneas'. [...] Tenho escrito algo novo, não 'os filólogos', mas nada que possa ser publicado. *Mihi scribo*". Trata-se também aqui (como já no caso dos 'filólogos') de anotações provisórias para ele mesmo, como ajuda para esclarecer sua própria existência, não só sua postura diante de Wagner, mas diante da obra dramática em geral. Mas ele não se ocupa apenas com problemas de sua disciplina e da estética. No outono, Nietzsche redige as anotações "O conflito entre a ciência e a sabedoria"[1, 37], nas quais ele retorna pela última vez ao tema dos filósofos pré-platônicos e das quais surgiria seu ceticismo diante da ciência.

Com grande orgulho Nietzsche compartilha com Romundt ainda uma expressão de Jacob Burckhardt sobre Nietzsche como professor acadêmico: "[...] Basileia não terá outro professor igual a este"*. Aliviado, Nietzsche comunica a vários amigos que seu relacionamento com Jacob Burckhardt pôde ser reestabelecido e que agora voltou a conviver com ele quase que diariamente desde aquela "conversa no claustro" em 8 de julho.

Nas curtas férias de verão, Nietzsche consegue descansar um pouco. Com Overbeck, que voltou da cura completamente recuperado, Nietzsche passa os dias de 28 a 30 de setembro no Bürgenstock, sobre o qual ele escreve a Rohde em 7 de outubro: "Não é um lugar para pessoas ansiosas, o silêncio pode enlouquecê-las".

---

\* Jacob Burckhardt em uma conversa com o médico Dr. Kaiser, de Lörrach, e compartilhado com Nietzsche pela Sra. Baumgartner.

Nietzsche e Overbeck eram os últimos e únicos hóspedes da temporada! Na mesma carta a Rohde, que, ao visitá-lo em Basileia, o surpreendeu no meio do trabalho, Nietzsche escreve: "Minha consideração sob o título 'Richard Wagner em Bayreuth' não será publicada. Ela está quase pronta, mas fiquei muito aquém daquilo que exijo de mim; e assim tem para mim apenas o valor de uma nova orientação em relação ao ponto mais difícil de nossas experiências até agora [...]. Na primavera trabalhei também em outra consideração intitulada de 'Nós, os filólogos', mas que não alcançou o mesmo grau de execução. Quando tivermos a oportunidade de reunir-nos e convivermos por mais tempo, eu poderei compartilhar algumas coisas com você: eu experimentei tudo pessoalmente, por isso é tão difícil desprender-me disso".

Nietzsche não dá muita atenção ao fato de que, em 4 de outubro de 1875, após dois anos de construção, o novo teatro municipal de Basileia é inaugurado com uma apresentação do "Don Giovanni", de Mozart, diferentemente de Jacob Burckhardt, que observa[61]: "A despeito dos tempos difíceis [...], o novo teatro será inaugurado em outubro com a apresentação do Don Juan. Ainda não sei se estarei lá. Isso depende unicamente da disponibilidade de lugares de pé. Não aguento mais apertar-me entre pessoas quase desconhecidas ou pessoas conhecidas repugnantes; quero poder mudar de lugar, caso contrário a apresentação não me dará prazer algum [...]. De forma alguma, irei à estreia [...] em virtude do prólogo esperado [...]. Só de pensar nisso, minha pele se arrepia". O autor do prólogo era o colega de Burckhardt e Nietzsche, o Prof. Mähly.

Mais importante para Nietzsche foram as visitas de Malwida von Meysenbug em 15 de outubro e, principalmente, de Gersdorff de 12 a 21 de outubro. Os amigos leram juntos as "Psychologische Betrachtungen" (Contemplações psicológicas) e identificaram com alegria Paul Rée como autor da obra anônima[4].

### Heinrich Köselitz e Paul Heinrich Widemann como novos estudantes

O novo semestre, que começou em 1º de novembro de 1875, presenteou Nietzsche com dois novos estudantes, um dos quais exerceria um papel decisivo no destino de Nietzsche: Heinrich Köselitz de Annaberg, mais conhecido como "Peter Gast". Com ele veio também seu amigo Paul Heinrich Widemann de Chemnitz. Eles assistiram a preleções de Nietzsche, Overbeck e Burckhardt, mas sem concluir seus estudos com um diploma acadêmico. Eles aumentaram o número de estudantes de Nietzsche: "Preleção principal: 10 homens; preleção secundária: 6 homens; seminário: 10 homens", como Nietzsche escreve a Gersdorff. Diante da crise econômica de Basileia (indústria de faixas de seda), isso representava um sucesso pessoal para Nietzsche. "Por ora, não aparentamos estar numa crise e fazemos de conta que continuaremos a existir eternamente desta forma. A universidade cresce, e esperamos ter pouco menos de 200 estudantes no semestre de inverno. Sob todas as circunstâncias devemos fazer o maior esforço e rezar pela ação de Deus"*. Na época, não havia ainda estudantes do sexo feminino em Basileia. Nietzsche havia se empenhado para permitir que uma estudante fizesse sua promoção, mas esta teve que se mudar para Zurique porque Basileia não permitiu seu ingresso na universidade. E, na época, Jacob Burckhardt também ainda se opusera à matricula de estudantes do sexo feminino**.

Nietzsche, ocupado com suas atividades de professor e acometido pela doença, não teve forças para se dedicar a trabalhos próprios, mas seu espírito vivaz exigia alimento. "A cada duas ou três semanas, passo pelo menos 36 horas na cama", ele relata a Rohde em 8 de dezembro de 1875, mas escreve também: "Nas horas de descanso para meus olhos, minha irmã lê para mim quase sempre algo de Walter Scott [...] tanto me agrada sua tranquilidade artística, seu *andante*, quero recomendá-lo a você, mas nem sempre seu espírito se mostra acessível por meio de recursos deste tipo [...] pois seu pensamento é mais agudo e mais rápido do que o meu". Nietzsche lê também "a tradução para o inglês de Sutta Nipàta, algo dos livros sagrados dos budistas; e uma das palavras finais de uma Sutta já foi introduzida ao uso doméstico: 'e assim vagueio solitário como o rinoceronte'" (carta de 15 de dezembro a Gersdorff).

---

\* Carta de Jacob Burckhardt a Friedrich Preen, 19 de setembro de 1875[61].

\*\* Atas da universidade R 3 S. 113[236]. Protocolo da reunião da faculdade de 10 de julho de 1874. Presentes: pró-decano Nietzsche, os professores Heyne, Kinkelin, Girard, Hagenbach, Jc. Burckhardt, Heinze, Von Miaskowsky, Vischer e o decano Piccard. "O ponto principal a ser tratado é a pergunta fundamental referente à admissão de candidatas do sexo feminino ao exame de doutorado. Esta pergunta foi levantada pela Srta. Rubinstein em Leipzig. O departamento filológico acredita não poder tomar esta decisão e exigiu uma assembleia geral. Após duas horas de discussão, durante a qual os presentes defenderam e representaram os mais variados pontos de vista e opiniões (que não podem ser reproduzidos sucintamente), venceu por 6 a 4 votos a moção do Sr. Hagenbach: 'A faculdade filosófica decide que as mulheres *não* serão admitidas para o exame'. A favor do acréscimo das palavras 'por ora' votaram apenas três membros. Contra a moção, ou seja, *a favor* da admissão, votaram apenas Nietzsche, Kinkelin, Von Miaskowsky e Piccard, desejando que seus votos fossem incluídos no protocolo. (Visto que a maioria expressou um desejo contrário, não é mencionado aqui o nome de um membro ausente, que havia entregue seu voto negativo por escrito.)"
Outros protocolos permitem identificar como ausentes nessa reunião: os senhores J. Merian, Gerlach, Bernoulli, Rütimeyer, Schwendener, Müller e Eucken.

494

### As forças começam a diminuir

Mais uma vez, Nietzsche passa o Natal em Naumburg. "Acabei de sobreviver ao Natal mais assombroso da minha vida! No primeiro dia de Natal houve [...] um verdadeiro colapso, não pude mais duvidar de que sofro de um sério mal cerebral e de que meu estômago e olhos sofrem tanto apenas em virtude desse efeito central. Meu pai morreu aos 36 anos de idade em decorrência de uma infecção cerebral, é possível que meu destino me alcance mais rápido ainda. [...] Leite e sono são as melhores coisas que tenho agora. Se apenas eu fosse privado dos terríveis ataques que chegam a durar dias! / Sem eles, conseguiria ainda arrastar-me de um dia para o outro [...]. Por favor, não compartilhe o conteúdo da carta com ninguém, não queremos preocupar nossos amigos em Bayreuth [...]. Todos os meus próprios planos são como fumaça [...]. Você poderia passear um pouco comigo na Páscoa, acompanhar-me ao Lago de Léman?", ele pergunta a Gersdorff em 18 de janeiro de 1876.

Entrementes (em 2 de janeiro de 1876), ele havia escrito à secretaria de educação pedindo que fosse aliviado das aulas no Pädagogium. Ele mesmo já havia providenciado um substituto[105]. Esse alívio lhe foi concedido até o fim do semestre (Páscoa), e Nietzsche foi substituído pelo Dr. Achilles Burckhardt. Mesmo assim, não consegue cumprir suas obrigações na universidade. A partir de 7 de fevereiro precisa desistir das preleções. Seu estado é agora tão sério que a mãe também viaja às pressas para Basileia, onde ela chega em 18 de fevereiro[6]. Assim que seu estado melhora um pouco, ele volta a fazer planos de viagem e pretende ir para Viena a fim de assistir à apresentação de "Lohengrin" no dia 24 de fevereiro. Mas um súbito agravamento do seu estado de saúde afugenta tais ideais rapidamente. Em vez disso, recebe a visita de um admirador de Wagner: Hugo von Senger, o mestre de capela de Genebra, com o qual manteria um contato amigável por vários anos. E também Gersdorff chega em 6 de março, e os dois amigos logo partem em direção ao Lago Léman, hospedando-se na pensão Printannière, em Veytaux perto de Montreux. Mãe e irmã ficam em Basileia. Apesar do tempo horrível, apesar de tempestades de primavera seguidas por neve, os dois fazem caminhadas diárias. No primeiro dia de sol, em 15 de março, os dois caminham até Glion. Nos dias seguintes, volta a dominar o inverno com fortes ventos e temperaturas baixíssimas. Mas nenhum dos dois permite que o tempo os impeça de fazer suas caminhadas de cinco a seis horas diárias. Em 27 de março, fazem uma excursão até Bex na saída do Vale do Ródano, onde este deságua no lago. Nietzsche demonstra que ele possuía uma energia incomum e também um corpo robusto que se opunha ferreamente à doença.

Em 29 de março, Gersdorff se despede de Nietzsche. Precisa viajar para Viena; antes, porém, passa ainda alguns dias em Basileia, hospedando-se no quarto de Overbeck durante a ausência deste. E em 30 de março a mãe também parte de Basileia após passar mais tempo com a filha do que com o filho. Nietzsche estende sua estadia em Veytaux por alguns dias. Aproveita o primeiro dia de melhor saúde para ler as "Memoiren einer Idealistin" (Memórias de uma idealista), de Malwida von Meysenbug, e no dia seguinte sua saúde piora. Mas a boa impressão deixada pela obra permaneceu, Nietzsche não se cansaria durante anos de elogiar e recomendá-la. Na ausência de apoio da sua eremitagem, a humanidade calorosa e a corajosa autoafirmação da autora lhe fazia bem. "Aqui, pois, estou sentado, um homem *solitário*; no entanto, estou 'sentado' num sentido apenas figurado, pois escalo e desço desde cedo até a noite e assim alcanço horas de verdadeira felicidade em meio a um grande mal-estar – você sabe o quanto os meus sofrimentos físicos se assemelham aos meus sofrimentos 'morais'; e aquela felicidade é, por isso, sempre também um pouco mais do que a mera ausência da dor de cabeça. Parece-me que me encontro encurralado em muitas coisas – saúde significa para mim *sair* desta armadilha [...]. Amanhã irei para Genebra. Tenho medo de uma cidade nova como de um animal selvagem [...]. Escrevi ao Sr. Von Sengen; caso não suceda na primeira tentativa, voltarei diretamente para Basileia" (carta de 5 de abril de 1876 a Overbeck).

### Visita a Hugo von Senger em Genebra e um plano de casamento

Em 6 de abril de 1876, Nietzsche viajou para Genebra, onde viveria inesperados altos e baixos. Em 8 de abril, soube que a Condessa Diodati, que – como admiradora de Nietzsche – estava elaborando uma tradução do "Nascimento da tragédia" – havia sofrido um colapso mental e agora se encontrava internada. Mas Hugo von Senger lhe proporcionou alegrias musicias, que Nietzsche compartilha com sua irmã: "Hoje concerto; amanhã também. A meu pedido, Senger apresentará a abertura da ópera 'Benvenuto Cellini', de Berlioz, e algumas outras peças. A beleza de Genebra me deixa maravilhado, aqui desejo morrer. Meu primeiro ato foi visitar a casa de Voltaire em Fernex".

Voltaire, o pensador que exerceria uma influência decisiva sobre os trabalhos dos dois anos seguintes! A visita ao local histórico, onde, cem anos atrás, o venerado autor havia vivido e trabalhado como advogado dos oprimidos políticos e espirituais, foi vivenciado pelo sensível Nietzsche como um encontro pessoal com o destemido espírito livre.

O dia do retorno a Basileia estava se aproximando, pois uma reorganização da universidade definira o dia após a Páscoa (em 1876, o dia 18 de abril) como início do semestre. Em Basileia, a irmã o esperava em seu próprio lar. Nos últimos seis meses,

496

Nietzsche havia se acostumado a essa nova forma de existência burguesa e se sentia à vontade. Mas como seria o futuro? Poderia ele amarrar a irmã a si mesmo pelo resto da vida como empregada doméstica de um professor? Não precisava ele conceder a ela a mesma liberdade que ele reclamava para si mesmo? E a mãe, não tinha ela também o direito de ter sua filha por perto? Essas perguntas, porém, colocavam em jogo toda a sua vida doméstica; o isolamento completo o ameaçava como um abismo profundo, pois Overbeck também estava prestes a abandonar seu ninho na "Caverna dos Baumann". Ele já havia se noivado com Ida Rothpletz e passou as férias de primavera com ela em Zurique. O casamento era previsto para o verão – e de fato seria realizado em 8 de agosto. Em 4 de abril, Overbeck escreveu de Zurique a Nietzsche[11]: "Não pretendo revê-lo já na próxima semana em Basileia, por mais que eu anseie nosso encontro. No entanto, terei que estar lá na próxima segunda-feira (10 de abril), para que meu patrão Hoffmann (reitor *magnificus* de 1875) me introduza aos mistérios do novo ofício (Overbeck havia sido designado reitor para 1876). Parto contra a minha vontade. Você sabe disso: nem sempre podemos viver à toa neste mundo, como o faço no momento, graças à minha querida noiva. Só posso aconselhá-lo a procurar uma mulher como a minha, pois isto lhe servirá também à saúde".

Justo agora, em Genebra, o destino parecia oferecer-lhe esta oportunidade: Mathilde Trampedach. Juntamente com sua irmã mais nova, ela era aluna de piano de Hugo von Senger, o qual ela venerava profundamente. Ela se tornaria a terceira esposa do mestre de capela, 18 anos mais velho do que ela. As duas damas Trampedach vinham de Riga, mas viviam com sua família em Vevey e de lá frequentavam as aulas de Hugo von Senger em Genebra. Mathilde – a mais velha – recebeu atenção especial do mestre.

Em 1876, Mathilde – nascida em 5 de junho de 1853 em Georgenburg – tinha 23 anos de idade, era uma loira esbelta de olhos verdes. Segundo uma de suas conhecidas da época, ela lembrava uma figura de Fra Filippo Lippi. Em suas memórias, Mathilde relata seu encontro com Nietzsche*: "Numa suave manhã de primavera, a camareira bateu na porta e anunciou a visita do nosso guardião Hugo von Senger em companhia de um desconhecido (estávamos na pensão inglesa Barnet, próximo à faculdade). 'Meu amigo Friedrich Nietzsche', disseram os amigáveis lábios do nosso protetor, 'sintam-se honradas, crianças, em vê-lo.' Infelizmente não pudemos contemplar o famoso homem tão bem quanto desejávamos, pois, além da

---

\* Publicadas pela primeira vez por G. Bohnenblust, "Nietzsches Genferliebe"[55], citação fortemente editada, aqui reestabelecida segundo Alexander von Senger, "Familiengeschichte der v. Senger"[217].

luz abafada, ele se escondia por trás de um guarda-sol de cor verde, sem dúvida para proteger seus olhos cansados.

Imediatamente senti a presença de uma personalidade extraordinária, e foi um prazer incomparável ouvir como os dois amigos percorriam em suas conversas os mundos poéticos, desde Shakespeare até Byron, Schelling (Bohnenblust corrige aqui e escreve: Shelley) e Longfellow, cujo último poema Nietzsche ainda não conhecia em tradução alemã – e eu lhe ofereci copiar o texto, o que ele aceitou prontamente. Nossos convidados se despediram antes do meio-dia e nos deixaram imersas em pensamentos.

Alguns dias mais tarde, a dona da pensão recebeu um convite de Hugo von Senger. Estávamos sendo convidadas a acompanhar os dois amigos em uma excursão ao longo do lago até a famosa Villa Diodati. O convite foi aceito e realizado e agraciado por um suave dia de abril. Minha atenção estava dividida: não sabia o que mais me encantava, a paisagem do lago ou a conversa dos dois amigos. Por fim, a conversa me cativou e ousei demonstrar isso. Os dois senhores se aprofundaram numa conversa sobre o conceito da liberdade dos povos, e eu observei como me surpreendia o fato de que as pessoas, impulsionadas por seu desejo de se livrar de limitações externas, não percebiam o quanto permaneciam presas e refreadas em seu interior, e como a libertação dessa fraqueza humana exigia a maior energia, pois apenas poucos se incomodavam com a escravidão interior. Quando levantei meu olhar, deparei-me com os profundos olhos investigativos de Friedrich Nietzsche. A excursão na agradável carruagem se encerrou de forma tão rica quanto havia começado, e gratas nos despedimos do originador de alegria Hugo von Senger. Encontrei Friedrich Nietzsche uma terceira e última vez. Ele veio se despedir e foi levado para a sala de recepção, onde ele nos cumprimentou com um gesto cerimonioso. Voltando-se para o piano, expressou seus sentimentos tempestuosos até transformá-los em harmonias festivas, que então se dissiparam em tons suaves. (Talvez Nietzsche tenha apresentado uma paráfrase de seu 'Hino à amizade'.) Pouco depois, nós nos despedimos, a separação foi silenciosa. [...] Mas antes de se passar um dia, a empregada me informou que o Sr. Von Senger estaria me esperando na antessala com uma mensagem urgente [...]. E meu amigo me disse que no dia seguinte eu receberia uma carta significativa de Friedrich Nietzsche. Pediu que a lesse com atenção e respondesse apenas após longa reflexão..."

Na carta de 11 de abril, a jovem dama leu para sua total surpresa: "Por favor, reúna toda a sua coragem de seu coração para não se assustar com a pergunta que aqui dirijo à senhora: A senhora deseja tornar-se minha esposa? Eu a amo e parece-me como se a senhora já pertencesse a mim. Nenhuma palavra sobre a repentinidade da minha inclinação! Não há nenhuma culpa envolvida... Mas o que desejo saber é se a senhora sente como eu – que não nos estranhamos, em momento algum! A senhora não acredita também que, numa união, cada um de nós se tornaria mais livre e melhor do que o poderia ser isoladamente? A senhora ousaria caminhar comigo, com um homem que almeja profundamente à melhoria e à libertação? [...] Peço que seja franca e que não esconda nada. Ninguém além do nosso amigo, o Sr. Von Sengen, sabe desta carta. Amanhã, às 11 da manhã, voltarei para Basileia – preciso voltar. Se a senhora puder responder com um sim! à minha pergunta, escreverei imediatamente à sua mãe... Caso consiga decidir-se rapidamente a responder com um sim! ou um não – sua palavra por escrito me alcançará até amanhã, às dez horas".

Mathilde Trampedach não podia dizer sim. Não por causa da repentinidade do pedido, não por causa da diferença de nove anos, mas porque internamente ela havia se entregado completamente a seu Prof. Hugo von Sengen. Nietzsche não sabia disso. O espírito e o juízo livre de Mathilde o surpreenderam, e a facilidade relativa com que sua juventude se relacionava com outras pessoas o encantou, uma facilidade que ele não possuía. É possível que Nietzsche tenha visto nela a possibilidade de se libertar de sua timidez no convívio com outras pessoas. Na presença dessa jovem mulher, abria-se para ele um futuro mais leve e menos complicado. Seu pedido foi sincero, como o foram também suas palavras formais: elas refletem seu ser e seu desejo. Ele sabia também que ele nada tinha a oferecer. Seu pedido não apresenta nenhum traço de orgulho ou sentimento de superioridade, por isso a resposta negativa também não o magoou, Nietzsche a compreendeu e a perdoou. Após a irrupção repentina de sua confissão, ele se esconde novamente em sua "casa de caracol" e até agradece pela sensibilidade com que Mathilde respondeu ao pedido desse homem tão inexperiente nas coisas do mundo: "O senhor é magnânimo o bastante para me perdoar, percebo isso na mansidão de sua carta, mansidão esta que eu não teria merecido. Sofri tanto ao lembrar-me da minha conduta brutal e violenta que não sei como lhe agradecer por essa mansidão. [...] Peço apenas que, quando o senhor voltar a ler meu nome ou pensar em me rever, não pense apenas no terror que eu lhe causei [...]".

Três dias mais tarde, quando Nietzsche escreve a seu amigo Gersdorff, a experiência se apresenta estranhamente distorcida: "Quando nos revermos, quero contar-lhe tudo sobre Fernex, a sede de Voltaire [...], sobre a brilhante Genebra, que respira a liberdade, apesar da proximidade das montanhas [...], sobre o *concert populaire*, a apresentação da abertura de 'Benvenuto Cellini', de Berlioz [...], sobre duas amáveis russas numa pensão inglesa [...], sobre a descoberta de que eu seria um grande pianista [...] etc. etc. Reconheci o seguinte: a única coisa que os homens

[...] respeitam verdadeiramente [...] é o ato nobre. Pelo amor de Deus, nenhum passo em direção à acomodação! Só é possível obter o grande sucesso se permanecermos fiéis a nós mesmos [...]. Com a aplicação útil para você, [...] em caso algum um casamento convencional [...]. Pois não queremos vacilar neste aspecto da pureza de caráter! Prefiro dez mil vezes permanecer a sós – este é agora o meu lema neste assunto".

Entrementes, o contato com Heinrich Köselitz havia se tornado mais estreito. O aluno devoto teve acesso aos manuscritos de Nietzsche e, nisso, o wagneriano entusiástico encontrou também os capítulos já escritos de "Richard Wagner em Bayreuth". Ele insistiu que Nietzsche os publicasse como 4ª "Consideração extemporânea", sua dádiva festiva para o primeiro verão de apresentações em 1876. Nietzsche ainda dispunha da editora de Schmeitzner, e assim o filósofo completou o texto durante o tranquilo final de semana de 17 e 18 de junho em Badenweiler. As primeiras partes do manuscrito já haviam sido entregues à gráfica em 30 de maio. A impressão e as correções se estenderam até o final de junho. Em 10 de julho, o livrinho foi publicado.

Não se trata apenas da última "Consideração extemporânea", é também o último presente a Richard Wagner, a última tentativa de uma síntese entre as tarefas filosóficas cada vez mais urgentes e uma integração com o programa cultural de Bayreuth. Mais uma vez, Nietzsche tenta ser o "médico da cultura", antes de se tornar denunciante de uma pseudocultura (*Scheinkultur*).

# XVII
## No espelho de novas amizades

Anunciada há anos, ocorre – passo a passo – uma revolução também em outro nível: na composição de suas amizades mais próximas. Vínculos antigos, sobretudo com a casa de Wagner, mas também com Rohde, começam a ser dissolvidos e novos laços começam a ser estabelecidos, alguns passageiros, mas também duradouros, que sobreviveriam até o fim da vida de Nietzsche, ou pelo menos até o colapso em janeiro de 1889 – e grande parte dessas novas relações humanas surgiram no círculo de Wagner. Assim, a figura de Wagner continuou a exercer uma influência decisiva sobre o destino de Nietzsche – mesmo após a sua separação.

### Hugo von Senger

O encontro de menor duração, mas igualmente passional, foi com *Hugo von Senger*, músico mais influente de Genebra; esta relação durou apenas quatro anos, de 1872 a 1876.

Franz Ludwig Hugo von Senger nasceu em 13 de setembro de 1835 como filho mais velho do advogado real Franz Ludwig von Senger em Nördlingen (Bavária); era, portanto, nove anos mais velho do que Nietzsche. Aos 5 anos e meio de idade, Von Senger perdeu a mãe, que permaneceria em sua lembrança como pianista. A governanta (Amalie von Knorr) tornou-se sua madrasta, e o garoto desenvolveu um relacionamento muito próximo com ela. Aos 7 anos de idade, Hugo ingressou no nobre *Hollandsche Institut* em Munique, onde permaneceu de 1842 até 1849. Uma mudança da família reuniu seus membros em Kempten. Aqui, Hugo von Senger encerrou sua formação escolar no ginásio real da Bavária. Alguns léxicos e outras publicações[28, 30, 79] alegam que Von Senger teria frequentado o ginásio dos jesuítas e logo em seguida iniciado seus estudos universitários em Munique e Leipzig, onde ele teria se formado com o título de Dr. Iur. Seu filho Alexandre (professor de Arquitetura na Technische Hochschule München), porém, relata em sua história da família[217]: "Isso não parece corresponder aos fatos, pois meu pai jamais obteve o título de doutor, nem mencionou que tinha estudado direito. Mais tarde, seu irmão Richard me informou que ele não sabia de nenhum estudo em Munique. No entanto, meu avô teria desejado que ele seguisse a carreira jurídica, mas não pôde evitar que ele escolhesse a música. Aos 18 ou 19 anos de idade, por volta de 1854, meu pai se matriculou no conservatório de Leipzig, onde se tornou aluno de Hauptmann e Moscheles, um aluno de Beethoven. Sem dúvida alguma, matriculou-se também na Universidade de Leipzig como estudante de música e filosofia, como os compositores costumavam fazer na época". Dificuldades financeiras na casa dos pais interromperam esse estudo já em 1857, e Hugo von Senger, encontrando-se numa situação desesperadora, tentou encontrar ajuda no exterior e chegou a pedir a proteção de Hector Berlioz. Este lhe respondeu de Baden-Baden com uma carta muito amigável, mas negativa, alegando suas próprias dificuldades. Escreveu-lhe também: "Paris est la capitale de la barbárie musicale, ne l'oubliez pas. Tout y est aux mains des barbares".

Sua irmã Pauline vivia em St. Gallen desde 1857, e ela deve ter chamado sua atenção para a posição vacante de mestre de capela no pequeno teatro. Em 10 de novembro, casou-se com a talentosa e vigorosa cantora de seu *ensemble*, Helene Schmetzner de Wertheim, mas que morreu em outono de 1864, após um ano de casamento. No ano seguinte, a primeira obra de Von Senger "Walhalla" foi premiada em Dresden, onde estreou com sucesso, e em 10 de junho esteve presente no evento histórico da estreia de "Tristão", de Wagner, em Munique, onde conheceu também Hans von Bülow. No início da nova temporada, ele se mudou para o teatro municipal de Zurique como segundo mestre de capela e como dirigente do coral masculinho e de duas associações de canto. No entanto, permaneceu apenas um ano na cidade, mudando-se para Lausanne como dirigente da orquestra sinfônica; trabalhou também como professor de piano. Durante uma aula, o homem temperamental aplicou um beijo em uma aluna mais velha, a inglesa Eliza Clementine Vaughan (nascida em 20 de setembro de 1837 em Newington), que esta interpretou como ato de noivado. Hugo von Senger consentiu ao noivado, e em 29 de maio 1868 os dois se casaram. Dessa união resultaram os dois filhos Leila e Agenor, que Nietzsche chama de "estranhos" em sua carta de 15 de agosto de 1876 a Gersdorff. Ambos eram extremamente astênicos e nervosos (Leila, nascida em 1869, morreu em 28 de fevereiro de 1884 aos 15 anos de idade; Agenor, nascido em 5 de julho de 1871, conseguiu recuperar sua saúde apenas mais tarde no exterior), uma herança genética por parte da mãe, que sofria de "nervosismo, tristeza e amargura" (Hans von Senger em uma carta à esposa). No entanto, não era fácil ser a esposa desse homem impul-

502

sivo e ocupado, que, durante os primeiros anos desse casamento, teve que lutar muito para sustentar sua família. Em 1867 e 1868, ele se apresentou frequentemente em Genebra com a sua orquestra, e em 1869 a cidade finalmente o nomeou diretor dos "Grands Concerts Nationaux". Este empreendimento, porém, faliu após um ano, e Berlioz lhe ofereceu uma posição de dirigente na ópera em Paris. A Guerra de 1870 frustrou esse plano. Hugo von Senger buscou ajuda em Munique, mas não obteve o sucesso desejado. Assim, assumiu em Genebra a direção de várias associações de canto e uma docência de harmonia e contraponto (composição) no conservatório. Com uma herança de 30 mil francos, que recebera de um amigo, ele ajudou a fundar uma orquestra sinfônica, tornou-se também seu diretor financeiro, criando assim o fundamento para a "Orchestre de la Suisse Romande" dos nossos dias. A partir de então, desenvolveu muitas atividades, pelas quais a cidade de Genebra lhe agradeceu instalando um busto no conservatório e batizando uma rua com seu nome.

Nessa mesma época, o Concílio Vaticano proclamou os dogmas da concepção imaculada e da inerrância do papa. Hugo von Senger, de criação católica, não pôde aceitá-los e, por isso, desligou-se da comunidade eclesiástica cristã, pois considerava insuportável também o protestantismo calvinista de Genebra. Numa carta de 1890 ou 1891, Von Senger resume sua rejeição fundamental do cristianismo, mesmo encontrando algumas palavras bondosas para o catolicismo. Nessa carta, escreve também: "Au fond je suis né payen" (No fundo, nasci pagão.)

Em 28 de julho de 1872 foi a Munique para a apresentação do "Tristão", onde conheceu Nietzsche, provavelmente por intermédio de Hans von Bülow, o dirigente do espetáculo. Hans von Sengen havia lido o "Nascimento da tragédia" com tanto entusiasmo que convenceu a Condessa Diodati a traduzir o texto para o francês. Von Sengen presenteou Nietzsche com um "Atlas de Hellas" (de Kiepert, 1872) como sinal de reconhecimento. Nietzsche, por sua vez, acompanhou com interesse o desenvolvimento de Von Senger como compositor, mesmo vendo-se incapaz de corresponder ao seu pedido de lhe fornecer o texto para uma ópera e para uma cantata vétero-católico-reformadora. Mas na mesma carta em que recusa o pedido de Hugo von Senger, Nietzsche nos permite vislumbrar sua relação verdadeira com a obra de Wagner: "Tenho [...] em minha propriedade como filósofo, que observa o atual desenvolvimento da música no contexto de uma cultura a ser almejada alguns pensamentos próprios sobre a prática atual de compor no grande estilo musical dramático. Sei muito bem que as revistas de música reconhecem a importância de Wagner sobretudo no fato de ele ter destruído todas as formas antigas como sonata, sinfonia, quarteto etc., e alegam que com ele teria chegado o fim da música puramente instrumental. Mas quando deduzem disso que, agora, todo compositor é obrigado a adotar a música teatral, fico muito preocupado e suspeito um equívoco. Cada um deve falar como corresponde à sua natureza: e quando o Titã fala com trovões e terremotos, isso não dá ao mortal o direito – muito menos a obrigação! – de imitar essa forma de linguagem. [...] A admiração mais pura de Wagner certamente se revela quando o artista criativo não invade sua área e, em seu espírito, ou seja, com a rigidez intransigente contra si mesmo, e com a energia de dar o melhor de si em cada momento, vivifica e anima uma forma diferente e *menor*. Por isso, alegra-me a sua coragem de tratar com a devida seriedade a forma da cantata atualmente tão desprezada".

Durante os anos seguintes, o relacionamento se esgota numa correspondência comedida, mas de altíssimo nível, até que, em abril de 1876, os dois voltam a se encontrar em Genebra, quando Hugo von Senger inclui a abertura à opera "Benvenuto Cellini", de Berlioz, ao programa de sua orquestra e que termina com o *intermezzo* passional do pedido em casamento de Nietzsche a Mathilde Trampedach. Encantado pela personalidade vivaz de Hugo von Senger, Nietzsche não percebeu que o casamento do amigo estava prestes a ruir. Certamente acreditava alegrar também seu amigo quando ofereceu à esposa um presente muito caro ao próprio Nietzsche: ele lhe enviou as recém-publicadas "Memórias de uma idealista", de Malwida von Meysenbug. Hugo von Senger não lhe agradeceu por isso. E o pequeno episódio com Mathilde Trampedach também parece ter afetado a amizade. O casamento de Hugo von Senger com a inglesa piorou, e em 30 de agosto de 1878 os dois se divorciaram. Entrementes, Mathilde havia retornado primeiro para a casa de sua mãe em Vevey, depois passou um ano em Riga. Depois, voltou para Genebra, e em 3 de agosto de 1879 ela se casou com Hugo von Senger. Peter Gast, o organizador das cartas, escreve na introdução[7]: "Mais tarde, a amizade foi completamente destruída por um evento desconhecido", sem poder fornecer uma data mais precisa para esse "mais tarde". Alexander von Senger observa em sua história da família: "Pareceu-me necessário falar sobre este casamento infeliz e seu divórcio, pois encontra-se aqui o motivo pelo qual o meu pai rompeu suas relações amigáveis com Nietzsche. Toda a sua energia e toda a sua atenção foram ocupadas por este assunto. Além disso, faltava-lhe um lar (ele morava na casa de um amigo, um pintor) e todas as outras oportunidades para cultivar esse tipo de amizades. Pretendia também casar-se com minha mãe, que recusara o pedido de casamento de Nietzsche, e queria poupá-lo desse encontro embaraçoso".

Um ano após o encontro em Genebra, Nietzsche tenta reestabelecer o contato. Em 4 de julho de 1877, ele lhe escreve uma carta de Rosenlauibad[55]: "Querido amigo! Você tem todo o direito de permanecer em silêncio, havíamos chegado a este acordo; pois sabemos que estamos e ficaremos bem um com o outro e que nenhuma carta poderá acrescentar ou retirar algo disto. Mas creio ter o direito de pedir que me mande uma breve notícia, guardando todo o resto para um reencontro no futuro. [...] No outono passado, tentei vê-lo, quando, ao viajar para a Itália, passei por Genebra – mas não fui bem-sucedido e não sei até hoje por que nenhuma das minhas cartas teve o êxito pretendido. No hotel, não souberam indicar-me o seu apartamento. [...] Teria sido um grande prazer alegrar-me com sua companhia e com a de sua esposa. [...] O que fazem as duas moças, que você me apresentou na época?

É com grande pesar que recebi a notícia do sofrimento da mais velha. Você recebeu o meu pequeno escrito sobre Wagner? Enviei a tradução francesa à Madame Diodati [...]. Como ela está?

Você sabe me informar onde a Sra. Köckert passará este verão nas montanhas? Soube que pretendia encontrar-se com sua amiga, a Marquesa Guerrieri [...]. Espero não cansá-lo com todas estas perguntas. Que sua resposta seja sucinta. [...] Honro o artista, amo o ser humano, é isso..."

Que ignorância das circunstâncias reais se expressa nessas linhas! O núcleo e a razão dessa carta, porém, se encontram num pedido: "Falei com você sobre um pianista excelente, um verdadeiro gênio de professor, o Dr. Carl Fuchs de Hirschberg (Silésia), que Hans von Bülow chamou de seu melhor aluno. Ainda não surgiu em Genebra a oportunidade de contratar esta força significativa para o conservatório? Só peço que não se esqueça deste nome".

Repetidas vezes e sempre com a mesma falta de sucesso, Nietzsche procurou agir como protetor de seus amigos. Hugo von Senger também não respondeu a essa carta e de forma alguma reagiu aos pedidos e às perguntas, tampouco agradeceu pelos livros de Nietzsche (até a "Genealogia da moral"). Uma vida passional e um excesso de obrigações profissionais, que impediram seu desenvolvimento como compositor, desgastaram precocemente esse homem altamente talentoso, e em 18 de janeiro de 1892 ele morreu – aos 56 anos de idade – em decorrência de uma uremia. Poucos anos antes, em 1889, na festa dos vinicultores em Vejey, sua vida havia sido coroada com seu sucesso como compositor da festa. Sua música conquistou os corações do povo de sua pátria por opção, uma pátria em que sempre havia se sentido infeliz e estranho e cujo solo cultural ele condenara como "estéril". Era um homem sem pátria como Nietzsche, mas, diferentemente deste, isso não o transformou em europeu, antes permaneceu preso ao espírito alemão restrito com sua música. Mesmo vivendo numa cidade francófona, chegou até a proibir aos seus filhos que falassem francês em sua casa, porque sua casa era "uma casa alemã".

Nietzsche não percebeu esse traço em Hugo von Senger, caso contrário teria se distanciado dele, pois teria sufocado o afeto genuíno que sentia por ele.

505

Nietzsche sempre lhe permaneceu grato pelas impressões musicais, para as quais Nietzsche sempre se mostrou acessível.

Visto que ambos os lados não se pronunciam mais, o relacionamento amigável, iniciado de forma tão ideal, entre dois homens que compartilhavam de experiências semelhantes (morte precoce do pai/da mãe, o rompimento com a Igreja), mas tão diferentes em relação à origem, ao temperamento, ao estilo de vida e às convicções políticas se dissolve numa neblina de meras suposições.

### Paul Rée

Mais duradoura e mais significativa foi a amizade com o filósofo moral *Paul Rée*. Por mais apropriado e desejável que fosse apresentar uma biografia mais compreensiva deste homem em virtude de sua importância para Nietzsche: seu ser modesto e retraído deixou poucos rastros, as notícias que temos sobre ele são escassas demais.

Em 5 de maio de 1873, quando Paul Rée entrou pela primeira vez na vida de Nietzsche como amigo de Heinrich Romundt, o pensador, nascido em 21 de novembro de 1849, acabara de tomar um passo semelhante àquele que Nietzsche tomara quando se mudou de Bonn para Leipzig: havia mudado de faculdade, mas sem realizar a virada decisiva.

Rée nasceu em Bartelshagen, na Pomerânia, como segundo filho de um latifundiário judeu de confissão evangélica. Por causa da educação escolar dos filhos, os pais se mudaram para Schwerin, onde Paul, aos 19 anos de idade, fez seu *abitur* em março de 1869.

Partiu então imediatamente para Leipzig, onde se matriculou como estudante de Filosofia, frequentando também cursos em história e economia nacional. A pedido do pai, inscreveu-se em maio de 1870 na Faculdade de Direito[290]. Naquele ano, irrompeu a Guerra Franco-prussiana, de forma que Paul teve que se alistar como soldado ativo e veio a fazer parte das primeiras tropas empregadas, ferindo-se já no início da guerra na Batalha de Gravelotte (em 18 de agosto de 1870), despedindo-se do exército tão rapidamente quanto o voluntário Nietzsche um mês mais tarde. Rée retomou seus estudos de Direito, mas os interrompeu com um semestre de inverno em Berlim, onde assistiu a preleções científico-naturais, retomando, mais tarde, a "sua" filosofia. Quando seu amigo Romundt se tornou livre-docente de Filosofia no semestre de verão de 1873, Rée o acompanhou para a Universidade de Basileia. Aqui, ouviu também as preleções de Nietzsche. Decisivo foi o inverno de 1876/1877, durante o qual se hospedou em Sorrent juntamente com Nietzsche a convite de Malwida von Meysenbug. Aqui, os dois desenvolveram em discussões profundas o material intelectual para suas obras que invadiriam o reino da psicologia: Nietzsche, para seu livro "Humano, demasiado humano"; e Rée, para sua obra "Der Ursprung der moralischen Empfindungen" (A origem dos sentimentos morais), publicada em 1877 pelo editor de Nietzsche Schmeitzner. Em maio de 1875, fez sua promoção sob a supervisão de Rudolf Haym com a tese (inédita) "Über den Begriff des Schönen in der Moralphilosophie des Aristoteles" (Sobre o conceito do belo na filosofia moral de Aristóteles).

A princípio, Rée escreveu mais duas obras filosóficas: "Die Entstehung des Gewissens" (A evolução da consciência), publicada em Berlim, em 1885, e "Die Illusion der Willensfreiheit" (A ilusão do livre-arbítrio), publicada também em Berlim, em 1885. Depois, abandonou a filosofia teórica e voltou sua atenção para a prática filosófica: estudou medicina para poder ajudar as pessoas torturadas por doenças.

Em 1890, aos 41 anos de idade, Rée passou nos exames em Munique e depois trabalhou durante dez anos como médico dos fazendeiros nas extensas terras da propriedade Stibbe, administrada por seu irmão. Quando seu irmão vendeu a propriedade, Rée se mudou para a Engadina, onde se hospedou no Hotel Misani, em Celerina, servindo aos montanheses como médico amado e respeitado por todos. Em 28 de outubro, sofreu um acidente no desfiladeiro de Charnadüra durante uma de suas caminhadas. Aparentemente enfraquecido em decorrência de uma infecção intestinal, ele escorregou na neve e caiu no rio de uma altura de 60 metros. Mais tarde, encontraram seu relógio danificado pela queda. Seus ponteiros haviam parado na posição de 13h07min – provavelmente a hora do acidente. Trabalhadores que passaram pelo local após o almoço, o encontraram já sem vida nas águas do Rio Inn[290]. Alguns têm levantado a hipótese de um suicídio. A negação da vida em si, da qual sempre gostava de falar, confirmam essa suspeita. No entanto, creio que ela seja exagerada. Basta acreditar que, no momento em que seu pé escorregou, sua vontade de viver não foi forte o bastante para executar os gestos que talvez teriam salvo sua vida. Acreditava profundamente que o livre-arbítrio não existia e se submeteu ao fado.

Rée possuía um traço masoquista – parecendo-se nesse sentido com Nietzsche. Em seu livro "Der jüdische Selbsthass" (O ódio próprio do judeu)[152], Theodor Lessing (nascido em 1872), um discípulo de Husserl, interpreta sua origem judaica como uma consciência não superada num tempo em que uma onda de antissemitismo inundava a Alemanha após a vitória de 1871, que causou grandes problemas também a Nietzsche e que o alienou de sua irmã tão amada. Nietzsche foi confrontado com essa postura sobretudo no círculo de Bayreuth, menos do próprio Wagner, e mais de seus adeptos e da própria Sra. Cosima, mas isso não o impediu de manter um contato espiritual íntimo com Paul Rée. O rompimento com Rée foi uma experiência dolorosa e só ocorreu no contexto do "Caso Lou" no final de outono de 1882.

A caracterização de Thedor Lessing pode ser exagerada, mas contém um núcleo verdadeiro: "Rée faz parte do tipo curioso, mas muito comum naqueles anos pré-sionista, de jovens judeus que, totalmente desvinculados da tradição e do rito, guarda a consciência de sua origem judaica como uma deficiência secreta, como se fosse o estigma de presidiário ou um sinal de nascença desfigurador. Mesmo assim, acham-se nobres demais para suportar uma mácula nos judeus ou no judaísmo sem incluir-se neles".

Mais pertinentes são as lembranças pessoais do filósofo social Ferdinand Tönnies (nascido em 1855), que conheceu Rée durante seus anos de Faculdade de Medicina em Munique[152]: "Conheci Rée como um homem espirituoso e de educação incomum. A firmeza calma de sua aparência, o modo sereno e até meigo de sua fala lhe conferia algo impressionante. Para quem o conhecia melhor, era um homem bondoso e amável. Seu humor irônico suave se voltava também contra si mesmo. Pequenas maldades sempre se apresentavam de forma carinhosa. No fundo, era modesto, mas confiava muito em seu pensamento, pois se via como um dos poucos pensadores descomprometidos e porque realmente refletia incansavelmente durante meses e até anos sobre determinados problemas essenciais [...]. Nutria uma convicção profunda referente à indignidade do ser humano, à futilidade da vontade, que o mantinha preso e prendia também aqueles que se acreditavam livres. Alguns chamariam isso de ódio da humanidade, [...] creio, porém, que seja mais o orgulho do conhecedor..."

"Rée amava as conversas, mas era desconfiado. Seus olhos profundos e vivazes corriam para lá e para cá e ficava incomodado. Nesses casos, costumava salvar-se com uma expressão bem-humorada: 'A arte do diálogo é difícil. Quando falamos, entediamos o outro; quando ouvimos, entediamos a nós mesmos'. Nas ruas de uma cidade católica – passamos algum tempo juntos em Innsbruck – as pessoas achavam que ele era um padre. As crianças vinham correndo para beijar sua mão. Seu grande rosto sem barba e sério, seu longo manto preto e seus passos lentos favoreciam esta impressão [...]. Alguns traços seus lembravam Schopenhauer." Recorrendo a descrições de pessoas que haviam vivenciado Rée como médico, Kurt Kolle conseguiu retratar em 1927 como essa postura determinava sua profissão como médico[140]. Segundo ele, Rée trabalhou durante dez anos em Stibbe e nunca viajou durante esse período. Tampouco cultivava um convívio social, mas sem desenvolver uma misantropia. Era um homem bondoso e altruísta, sempre empenhado em ajudar aos pobres e aos doentes nas propriedades do seu irmão com seus recursos financeiros e conhecimentos médicos. Contentava-se com quase nada. Gostava de caminhar e fazia longos passeios. Era visto como pessoa estranha e como um tipo de santo. Durante os últimos anos, trabalhou também em sua "Filosofia", obra com que pretendia encerrar seus estudos. Mas dizia também: "Preciso filosofar, quando não tiver mais material para filosofar, a morte será a melhor coisa para mim". E também durante o ano que passou em Celerina ele continuou a fazer caminhadas e também excursões mais perigosas pelas montanhas, sem, porém, negligenciar sua atividade como médico em prol dos montanheses, que também passaram a vê-lo como santo. Rée foi sepultado em Celerina.

Muitos aspectos da natureza de Rée devem ter atraído Nietzsche, por isso continuou a respeitá-lo também após o fim da amizade em 1882. Entre as declarações posteriores profundamente maldosas de Nietzsche sobre outras pessoas não se encontra uma única declaração difamadora sobre Paul Rée*. E Rée também parece ter cultivado um vínculo interior com Nietzsche. Sua mudança e sua morte na Engadina, num local tão próximo a Sils-Maria, parecem indicar isso. Aqui, entre Nietzsche e Rée, poderia ter se desenvolvido uma amizade ideal entre duas pessoas à mesma altura espiritual, se o infeliz episódio com Lou Salomé não a tivesse destruído violentamente.

### Marie Baumgartner

Muito menos problemático, mas igualmente significativo, foi o convívio com a Sra. Marie Baumgartner-Köchlin em Lörrach, que cuidou de Nietzsche durante seus difíceis anos de sofrimento com um amor maternal. Nietzsche a conheceu por intermédio de seu aluno Adolf (15 de junho de 1855-16 de dezembro de 1930), que completou sua formação ginasial em Basileia, onde absolveu o último ano do ginásio e os três anos do Pädagogium, encerrando sua formação escolar com o vestibular (Abitur). No último ano, ou seja, em 1873/1874, foi aluno de Jacob Burckhardt e Nietzsche, iniciando então seu estudo filológico na Universidade de Basileia. Mas já no outono de 1874 ele se mudou para Bonn, onde passou um ano cumprindo seu serviço militar. Após outros dois anos de estudos em Basileia, no outono de 1877, Nietzsche recomendou que se mudasse para Jena para estudar com Erwin Rohde, onde passou a se interessar cada vez mais pelos estudos históricos, que o levaram a Tübingen. Por fim, formou-se como historiador, conseguiu se estabelecer em Ba-

---

\* Poucos meses após o rompimento catastrófico da amizade, em 21 de abril de 1883, Nietzsche confessa a H. Köselitz[7] (esta oração falta na versão impressa): "Rée sempre me tratou com uma humildade comovente, quero confessar-lhe isto expressamente".

sileia – ainda ao lado de Burckhardt – como livre-docente em História Antiga e em 1890 se tornou, após um *intermezzo* com Julius Pflugk-Harttung bastante vergonhoso para Basileia, professor de História Geral, ou seja, sucessor de Jacob Burckhardt. "A partir de então, fazia com temperamento e poder figurativo preleções não só sobre a história antiga, mas também a história mais recente até a Baixa Idade Média, e foi um dos últimos docentes a abarcar toda a matéria da história mundial"[56], até sua morte em 16 de dezembro de 1930. Seu relacionamento com Nietzsche esteve sujeito a uma forte mudança: "Em uma carta a Jacob Burckhardt, o jovem Baumgartner confessou como foi grande e decisiva a influência de Nietzsche sobre sua orientação e seu *ethos* científico ao cunhar a expressão sobre seu professor: 'Ele foi o primeiro a girar em mim a grande roda'. Quando, mais tarde, os caminhos de mestre e aluno se separaram, devemos entender isso não só no sentido externo. O abandono ocorreu em virtude de uma virada espiritual do próprio Nietzsche, na época em que deixou para trás as 'Considerações extemporâneas' e fez uma nova declaração de guerra com seu 'Humano, demasiado humano'. Em uma carta a Jacob Burckhardt (15 de julho de 1878), o suposto 'arquialuno' fala sobre o livro e seu autor: 'Li o novo livro [...] com as melhores expectativas e me admirei com a possibilidade de falas tão equivocadas [...]. Não posso acreditar que Nietzsche permaneça fiel a tais opiniões; antes creio que, mais cedo ou mais tarde, ele volte e nos diga que não consegue se livrar do pensamento segundo o qual a segurança e o valor do coração humano supere em mil vezes a razão, por maior que esta seja, e que a lógica do coração é desajeitada como uma régua diante de uma esfera"[82].

Nietzsche não voltou, e mesmo que ainda fosse além de "Humano, demasiado humano", não o fez na direção que Baumgartner – e outros – esperava. Em 25 de maio de 1918, por ocasião do 100º aniversário de Jacob Burckhardt, Baumgartner expressou sua opinião sobre Nietzsche da forma mais pública possível, ao mesmo tempo também a de Burckhardt, o que nos permite um vislumbre interessante de sua relação com o Nietzsche tardio: "Quando, a partir do final da década de 1870, após ter sido preparado pela escola histórica de Mommsen com sua exaltação de todo sucesso, o lado filosófico proclamou como seu fruto mais maduro o evangelho do anticristo da aplicação da violência como obra da criação do super-homem e da reprovação de toda misericórdia como obstáculo dessa criação, esta seita reclamou para si Jacob Burckhardt como precursor e companheiro – logo ele que, desde sempre, voltara sua simpatia como Niebuhr mais para o lado dos fracos e das vítimas da violência e que sempre lembrara do fato psicológico segundo o qual é justamente a oportunidade para o exercício de poder que corrompe inevitavelmente o coração humano e que o remédio mais importante contra esse tipo de pecado original era o cultivo da capacidade de sentir misericórdia... A relação de Jacob Burckhardt com a ideia do super-homem foi sempre uma de profunda inimizade, e por vezes se queixou amargamente de ter seu nome mencionado neste contexto".

O grande presente que Baumgartner deu a seu mestre Nietzsche ainda na época de sua admiração foi o carinho de sua mãe.

O pai, Jakob Baumgartner (1815-1890), nunca fez parte do círculo. Ele era "como sócio e, ao mesmo tempo, químico da fábrica" (gráfica de tecidos Peter Koechlin & filhos), "uma personalidade quieta e retraída, de aparência fechada, mas sinceramente generoso com os seus, de postura reta diante do mundo e dos homens. Além de sua profissão técnica, interessava-se muito por estudos hebraicos"[82].

Mas a mãe (1831-1897) "era uma mulher culta e espirituosa, de natureza curiosa e peculiar; interessava-se muito pela literatura e cultura francesas – ela recebera parte de sua educação em Rouen – e mantinha uma relação pessoal com romancistas franceses extraordinários como Pierre Loti. Assim, a mulher da Alsácia (de Mülhausen) permaneceu uma verdadeira protestante. Seu marido, porém, escolhera a Alemanha porque acreditava dever isso ao país em que ganhava seu pão. [...] Ela, por sua vez, permaneceu fiel a Alsácia, apesar ou justamente por causa da Guerra de 1870, apesar de sua cidadania alemã; como o próprio Nietzsche relata, ela havia lutado contra a anexação com sonetos e escritos, durante a vida toda permaneceu fiel ao protesto alsaciano. O que mesmo assim a ligava a Nietzsche, o alemão, [...] era a postura crítica do jovem estudioso em relação à cultura alemã e à natureza alemã daqueles anos [...]. Ela se sentiu profundamente tocada [...] quando Nietzsche escreveu já na primeira página de sua primeira 'Consideração extemporânea': 'Uma grande vitória é um grande perigo, [...] sim, parece até mais fácil conquistar tal vitória do que suportá-la de forma que dela não resulte uma grande derrota. De todas as graves consequências da última guerra travada contra a França, porém, a pior seja talvez um equívoco amplamente difundido: [...] que também a cultura alemã teria vencido naquela luta [...]. Esta ilusão é altamente nociva [...], pois é capaz de transformar a nossa vitória em uma derrota completa: na derrota, até mesmo na extirpação do espírito alemão em prol do 'Reich alemão'. – Aqui, sobre este solo, a alsaciana e o alemão se encontraram [...]. A Sra. Baumgartner se entregou tanto ao encanto de uma postura crítica à cultura alemã que ela se ofereceu a traduzir os escritos de Nietzsche para o francês [...]. Assim, dedicou-se primeiro ao terceiro texto 'Schopenhauer como educador'. Aparentemente, ficou tão encantada com este panfleto repleto de críticas que escreveu imediatamente ao autor; foi a primeira carta que Nietzsche recebeu sobre este seu livro, e ele se sentiu recompensado e feliz. Durante o inverno de 1874/1875, sempre aconselhada por Nietzsche, ela traduziu a obra [...]. Creio que a tradução tenha sido completada. Mas os amigos de Nietzsche não conseguiram encontrar um editor em Paris.

A partir da primavera de 1874, Nietzsche fez muitas visitas à Sra. Baumgartner em Lörrach (pela primeira vez em 28 de março); ele lhe apresentou seus amigos de Basileia Franz Overbeck e Heinrich Romundt, e também seus amigos mais distantes; a tradução aproximou os dois um do outro, de forma que a Sra. Baumgartner passou a acatar também as outras opiniões de Nietzsche. E Nietzsche logo lhe confidencia também seus trabalhos, seus planos e suas esperanças e desperta nela o interesse por Wagner e Bayreuth [...]. Em julho de 1876, quando lhe enviou sua quarta 'Consideração extemporânea' ('Richard Wagner em Bayreuth'), ela logo começou a trabalhar na tradução do texto, pela qual Nietzsche lhe agradeceu profundamente e que logo foi publicada. Ela, por sua vez, apresentou ao filósofo os seus próprios poemas que [...] pouco lhe agradaram. A Sra. Baumgartner se mostrou útil também mais tarde por meio de vários tipos de ajuda; [...] o mundo espiritual que unia os dois é descrito por nomes como Schopenhauer, Leopardi e Mérimée. Quando Nietzsche se despediu definitivamente de Basileia (em 1879), os dois continuaram a se escrever [...]. Ele ainda lhe enviou a 'Aurora', a 'Gaia ciência' e, em 1883, o 'Zaratustra'. Nessa data e com essa demonstração de confiança, sua correspondência se encerra"[82].

Na reflexão das cartas de Nietzsche (cujo volume foi muito diminuído na edição da irmã, provavelmente para minimizar a importância desse relacionamento), a Sra. Baumgartner se manifesta apenas como assistente maternal incansável e sensível. Chama atenção o fato de que ela desistiu dessa posição singular justamente nos anos em que seus cuidados teriam sido mais necessários, em que Nietzsche passou a sofrer cada vez mais. Ela sobreviveu oito anos ao colapso de Nietzsche, mas de sua própria boca nada ouvimos disso, nem mesmo que ela teria se informado por seu estado. Isso se devia apenas ao afastamento total do seu filho de seu mestre antes tão venerado? Suas cartas a Nietzsche revelam que temporariamente seu amor por Nietzsche não era apenas maternal. Ela era 13 anos mais velha do que Nietzsche, mas na época ele parecia mais velho e maduro, e talvez isso a tenha levado a ignorar a diferença. Já no Natal de 1875 ela escreve[54]: "Desejo confessar-lhe novamente, venerado senhor: minha inclinação, que se firma em gratidão, admiração e misericórdia, não pode ser passageira... amor – ou, se preferir, amizade".

E ela não só traduz uma terceira "Consideração" para o francês, ela lhe envia em 21 de fevereiro de 1876 também uma versão alemã de "The day is done", de Longfellow (dois meses mais tarde, Nietzsche recebe de Mathilde Trampedach o "Excelsior", de Longfellow!). A Sra. Baumgartner consegue controlar seus sentimentos e transformá-los em caridade, mas, por vezes, suas emoções transparecem em suas palavras, como, por exemplo, em 28 de outubro de 1878: "Mesmo que o senhor considere amargamente o desejo de ser amado a maior arrogação, espero, sim, ainda espero que virá um tempo em que o senhor me chamará de sua amiga". E poucos dias depois, em 17 de novembro de 1878: "Como o senhor pode ter a impressão de que apenas recebe e nada dá aos seus amigos! Como o senhor poderia ter conquistado todos estes amigos queridos se não houvesse algo no senhor que merece e é digno da maior afeição? Sim, o senhor *faz* pouco para incentivar esta afeição – e muitas passagens de seu último livro ('Humano, demasiado humano') pareciam querer até intimidá-la, proibir qualquer aproximação – no entanto, todo o seu ser e tudo que faz nos obriga a amá-lo [...]. Ninguém abalará minha fé na bonda- de humana, porque eu a agarrei com minhas mãos [...]. Pois o que poderíamos ainda chamar de felicidade, se esta fosse extinta?"

No início de 1879, ela se encontra em Basileia e vai até o Steinentor, a cinco minutos do apartamento de Nietzsche, "mas por mais que quisesse saber naquele dia como o senhor se encontrava, não quis caminhar até sua casa; eu estava triste e teria chorado, e não é isso que o senhor precisa de suas visitas [...]. Ressoam em minha cabeça palavras da Bíblia como 'Simão, Joana, tu me amas?' e 'Sim, Mestre, sabes que eu te amo' e fico pensando: Quanta sorte tiveram aqueles amigos às margens do Lago Tiberíades". Em 19 de março de 1879 – dois dias antes de Nietzsche se des- pedir de Basileia – ela ainda o visitou e lhe escreveu no dia seguinte: "Se o senhor não gostar da Suíça e se sentir atraído por seres humanos, venha para cá – o senhor pode dormir no quarto do Adolf e terá o quarto, todo o jardim e o caramanchão in- teiramente para si. Se sua opinião sobre a interpretação dos sonhos estiver correta, querido senhor, tenho uma boa consciência quando penso no senhor – seja durante o dia, seja no sono. Eu permitiria que o senhor visse meus sonhos". A partida de Nietzsche a deixa desolada. Quando, em 20 de outubro de 1879, Elisabeth pede formalmente – a pedido de seu irmão – que ela lhe escreva uma carta, Marie Baum- gartner responde em 31 de outubro: "Tentei me acostumar a viver sem o senhor e imaginei que a correspondência com Elisabeth e o Sr. Overbeck lhe bastaria. [...] Não voltei para Basileia e prefiro manter-me longe desde que não posso encontrá-lo mais na cidade [...]. Penso muito no senhor em inalterada devoção".

É um dos poucos relacionamentos na vida de Nietzsche em que temos provas de que uma mulher lhe ofereceu seu amor. Mas tratava-se da Sra. Baumgartner, e nenhum dos dois jamais pensou em transpor a barreira estabelecida por sua posição e em violar a convenção burguesa. Além disso, Nietzsche vivia ainda sob o encanto de uma mulher, que, porém, não pretendia retribuir seu afeto: Cosima Wagner. Em 6 de fevereiro de 1875, Marie Baumgartner lhe confessa o quanto sofria com esse

513

vínculo de seu amigo. A carta de Cosima que ele lhe mostrara teria lhe permitido respirar pela primeira vez o "ar de Bayreuth", como ele o chamava. "Não sei como isso veio a acontecer, mas de repente senti-me esmagado por ele." Diante de amigos como os Wagner, ela mesma não seria nada, "e justamente essa percepção teria me feito tão bem". Ela expressa sua disposição de amar também os seus amigos, não como iguais, mas "com a razão do coração".

Mas em 14 de julho de 1875, quando Cosima escreve a Nietzsche, que já se encontra em Bad Bonndorf: "O que me dirá se, em resposta a suas linhas, eu lhe pedir que consiga para mim bombons de Estrasburgo?! [...] Talvez a Sra. Baumgartner tenha a bondade de enviar ao meu endereço alguns quilos de caramelo / uma quantidade igual de Pâte d'Abricots / uma caixa de Fruit Confits (não em vidros com xarope, mas gelatinadas) / um pacote de Orange Glacées [...]. Precisarei muito destas provisões no início de agosto", Nietzsche encaminha esse pedido em 19 de julho, e em 22 de julho a Sra. Baumgartner escreve: "No que diz respeito aos doces desejos da Sra. Wagner: Hoje fui a Basileia e pesquisei em muitos lugares, mesmo assim consegui encontrar apenas dois dos quatro itens desejados. [...] Meu querido senhor deve se alegrar com o dom de atrair os corações das pessoas [...]. Lembre-se em pacífica confiança do grato e sincero amor de sua M.B."

É possível que a longa separação tenha esfriado o relacionamento e que o desenvolvimento filosófico de Nietzsche tenha causado uma alienação espiritual. O episódio com Lou Salomé em 1882, muito comentado pelo povo, principalmente em Basileia, estarreceu então totalmente o coração e insultou os nobres sentimentos de Marie Baumgartner.

Mesmos que os poucos documentos permitam reconhecer mais do que uma mera generosidade e bondade maternal, de forma alguma pretendemos rotular essa amizade como "amor trágico". Se fôssemos representar esse relacionamento humano como pintura, teríamos que usar as mais suaves cores de pastel. Nele se revelam as múltiplas camadas do relacionamento de Nietzsche com a mulher, que abarca tudo desde a sensualidade bruta, desde o heterismo da Antiguidade até a veneração mariana da Idade Média. A "nobre senhora" do *Minnesang* medieval era uma realidade para ele.

O que fascinou Nietzsche em Marie Baumgartner foi sua tolerância e curiosidade supranacional, sua alta espiritualidade e sua lealdade incondicional à filosofia de Schopenhauer. Mas justamente neste ponto, ela viria a sofrer sua maior decepção. Primeiro, seu filho não aderiu a essa escola filosófica. Ele se voltou para uma direção totalmente diferente – poderíamos chamá-la de vertente positivista ou realista – o que levou ao distanciamento entre os dois homens. E logo Nietzsche também abandonou Schopenhauer e cedeu temporariamente – no "Zaratustra" – ao fascínio do misticismo e simbolismo, tornando-se assim um estranho para ela.

### Karl Hillebrand

Naqueles anos, Nietzsche desenvolveu ainda outra "amizade" com Karl Hillebrand.

Hillebrand também era mais velho do que Nietzsche. Nascera em 17 de setembro de 1829 em Giessen como filho do professor local de Filosofia e Literatura. Ele foi criado ainda no espírito do classicismo de Weimar, mesmo assim aderiu aos ideais republicanos da Revolução de 1848 e, como estudante, participou da Revolta de Baden em 1849, foi preso e condenado às casamatas de Rastatt. Sua irmã conseguiu libertá-lo e lhe ajudou a fugir para a França, que, nos próximos 20 anos, se tornou sua segunda pátria. Nos primeiros meses, foi secretário particular de Heinrich Heine!

Absolveu mais uma vez todas as matérias do ensino médio em língua francesa e rapidamente se tornou um respeitado autor francês. Otto Crusius o descreve[70]: "Seu dom da empatia [...] quase alcança o genial e determina suas conquistas científicas e artísticas". A importância de Hillebrand consiste de fato nessa predisposição dupla, por um lado, na fundamentação histórico-científica de suas exposições, por outro, no processamento artístico da forma de expressão; especializou-se no gênero literário do ensaio. Heinrich Homberger descreve a essência do ensaio de Hillebrand[118]: "O ensaio não pretende encerrar uma questão, quer abrir os espíritos; deseja transformar a difícil matéria de conhecimento em vida fluida; não pretende lecionar, mas educar; não visa à transmissão de conhecimentos, mas incentivar a reflexão. O ensaio não se dirige a colegas de disciplina ou a alunos, mas a leigos, à Igreja universal das pessoas cativadas pelo espírito. Seu método não é rígido, mas lúdico; sua forma não é professoral, mas artística". Ao lado de autores franceses de renome como Cousin, Renan e Taine, Hillebrand escreveu para a "Revue des Deux Mondes" e o "Journal des Débats", revistas que foram decisivas para a imagem que Nietzsche construiu da França de seu tempo e do espírito francês. A qualidade da língua francesa de Hillebrand "é documentada pelo fato de que já um de seus primeiros escritos, um tratado sobre a comédia como obra de arte, escrito para um concurso da Academia de Bourdeaux, foi premiado em virtude da pureza e da graciosidade de seu estilo"[118]; isso foi em 1863. No mesmo ano, Hillebrand fez sua promoção na Sorbonne em Paris, após seus estudos em Bordeaux.

Após uma década, Hillebrand era um homem reconhecido na França e gozava de uma existência respeitada. Ele era consultado em questões relacionadas à educação, e era professor de Literatura Moderna em Douai, para onde viajava semanalmente, pois tinha sua residência em Paris. Em 1865, participou das festividades florentinas em homenagem a Dante como embaixador da França e como representante oficial da "Université de France". A Guerra de 1870 encerrou abruptamente essa ascensão brilhante. Mesmo sem ser "nacionalista", Hillebrand não conseguiu se colocar contra a sua pátria alemã. Ele deixou seu cargo e o país voluntariamente e se mudou para Florença, onde permaneceu até a sua morte (1884). Nenhuma oferta das faculdades alemãs conseguiu fazê-lo desistir de sua existência como autor independente. Agora, escreveu em rápida sucessão aqueles ensaios reunidos na antologia "Zeiten, Völker und Menschen" (Tempos, povos e homens)[109]. Ao contrário do que sugere o título, ele jamais colocou o ser humano em última posição, bem pelo contrário, este ocupa o centro de seus estudos. Sua imagem do homem não era abstrata, antes representou a humanidade em cada uma de suas manifestações. Assim, manteve o contato intenso com estudiosos, estadistas, escritores, artistas, sobretudo músicos, de muitos países. Era correspondente da "Times" de Londres e da "Augsburger Allgemeinen", e em 1874 fundou a revista "Italia", cujo propósito era a comunicação entre os povos. Seu erro foi elevar demais o nível da revista, de forma que conseguiu conquistar apenas um círculo pequeno de leitores, que não conseguiu manter a publicação. Quando – no período de sua intensa produção de ensaios críticos – recebeu o convite de escrever uma história da França moderna, ele aceitou prontamente, pois reconheceu nisso a sua oportunidade de escrever uma "obra principal". No entanto, sua saúde não resistiu ao desafio. Uma doença – provavelmente uma tuberculose – o obrigou a desistir na primavera de 1881. Sua energia e os conhecimentos médicos ainda bastante modestos na época conseguiram controlar a doença por algum tempo, mas em 18 de outubro de 1884 ele morreu em Florença, aos 55 anos de idade.

Existem muitos paralelos entre Hillebrand e a natureza e o destino de Nietzsche. Hillebrand também abandona já cedo seu cargo e sua docência para viver como escritor independente. Seu tema também é o ser humano, e ele também prefere a forma literária sucinta, também supera o ponto de vista do nacionalista alemão e se transforma em "europeu", ele também opta pelo sul – Itália – como residência; Hillebrand reúne todas as suas energias para escrever uma "obra principal", plano este que a doença impede, e, como Nietzsche, morre aos 55 anos de idade. Mas existem também diferenças fundamentais, que, ao longo do tempo, os teriam distanciado um do outro. Uma carta de Hillebrand a Hans von Bülow, de 16 de setembro de 1883, revela isso de forma inequívoca, após receber de Nietzsche a primeira parte do "Zaratustra"[70]: "Tive uma sensação estranha ao ler o Zaratustra. Em maio, [...] Nietzsche o enviou e com ele uma carta, tão estranhamente comovente que não pude conter as lágrimas [...]. Confia apenas em mim e em Burckhardt, escreve [...]. Encontro no livro coisas admiráveis, verdadeiramente grandes; mas a forma não permite uma alegria maior. Odeio o apostolicismo e a língua apostólica; e justamente *esta* religião, como expressão última da sabedoria, exige simplicidade, sobriedade e tranquilidade em sua expressão. Além do mais, nutro pouca simpatia por pessoas que, após os 40 anos de idade, ainda tentam se encontrar ao modo de Werther, em vez de viverem dia após dia de forma sincera e desimpedida. Por isso, sinto pena com esses doentes mentais, pois é o que são, nada menos. E também a reflexão sobre si mesmo, e permanecer preso em si mesmo é uma séria doença infantil; normalmente, está é superada quando se alcança o 30º ano de vida".

O fato de que essa "amizade" não foi rompida, que a imagem de Hillebrand pôde permanecer imperturbada aos olhos de Nietzsche, se deve exclusivamente ao trágico infortúnio da morte precoce de Hillebrand. Mesmo assim, a amizade com Hillebrand é um dos poucos relacionamentos de Nietzsche que lhe renderam uma alegria cândida. É possível também detectar influências recíprocas nas obras de ambos, e uma crítica textual das obras de Nietzsche identificaria facilmente as muitas passagens respectivas; mas são mais os impulsos e não influências diretas que representam a imensa importância desse relacionamento para o desenvolvimento espiritual de Nietzsche. Ele mesmo estava ciente disso, pois somente assim é possível explicar o respeito, até mesmo a veneração com a qual trata seu colega nas cartas, postura esta que ele demonstra apenas em relação a Richard Wagner (nos primeiros anos da amizade), Hans von Bülow e sobretudo Jacob Burckhardt.

É possível comprovar também a influência de Nietzsche sobre Hillebrand: vários ensaios de Hillebrand são impensáveis sem as "Considerações extemporâneas" e as palestras de Nietzsche, como, por exemplo, "Halbbildung und Gymnasialreform" (Educação pela metade e a reforma ginasial), no 4º volume de "Zeiten, Völker, Menschen".

Mas o que sempre separaria os dois foram as confissões de Hillebrand em prol do "Reich" e do militarismo prussiano como selos de uma cultura alemã geral, sobretudo, porém, sua defesa de Bismarck e de Hegel.

É provável que os dois tenham se conhecido por intermédio do círculo de Bayreuth, por meio de Malwida von Meysenbug e da "wagneriana primordial" (Ur-wagnerianerin) Jessie Laussot, futura esposa de Hillebrand. Apenas assim é possível explicar que Hillebrand conhecia a palestra inaugural de Nietzsche, "Homero e a filologia clássica", publicada apenas como edição privada e distribuída apenas entre seus amigos mais próximos. Hillebrand a menciona logo no início de seu ensaio "Einiges über den Verfall der deutschen Sprache und der deutschen Gesinnung; Bei Gelegenheit einer Schrift von Dr. Friedr. Nietzsche gegen David Strauss" (Algumas coisas sobre a decadência da língua alemã e do espírito alemão; por ocasião de um escrito do Dr. Friedrich Nietzsche contra David Strauss), de setembro de 1873[109]. Hillebrand elogia e cita também "O nascimento da tragédia". No entanto, Nietzsche já havia escrito a Gersdorff no ano anterior, em 5 de outubro de 1872: "Aproveito a oportunidade para sugerir-lhe que leia os oito artigos sobre os franceses na *Augsburger Allgemeinen*, que o jornal publicou ao longo dos dois últimos meses, escritos pelo Prof. Hillebrand em Florença; artigos altamente curiosos, que poucos alemães teriam sido capazes de escrever". Essa cronologia não permite deduzir com certeza absoluta de onde teria partido o impulso para esse relacionamento pessoal; em 16 de setembro de 1883, Hillebrand escreve a Hans von Bülow sobre um rápido encontro superficial em algum momento: "Eu apenas o vi rapidamente; mas ele tem em mim aquela confiança estranhamente magnética que os infelizes costumam depositar em mim".

E é justamente essa observância de uma distância respeitosa que confere a essa "amizade" seu estranho brilho.

Ela se esgota numa correspondência escassa; no entanto, não deve ter se limitado às duas cartas de Nietzsche e às quatro de Hillebrand que puderam ser preservadas. Nestas se manifesta um grande respeito mútuo e certo sentimento de parentesco espiritual, que, por vezes, chega a alcançar até certa solenidade por parte de Nietzsche, também em suas declarações sobre Hillebrand diante de terceiros. Em Hillebrand, porém, nunca encontramos um sentimento semelhantemente profundo; seu respeito é de natureza "intelectual", o que lhe permite também uma visão crítica dos escritos de Nietzsche, como no ensaio acima mencionado. Após elogiar bastante o escrito de Nietzsche, escreve, após terminar a segunda seção: "Podemos apenas elogiar o fato de que o acusante cheio de ira se volta justamente contra Strauss e nele castiga a devassidão dos estragadores da nossa língua, mesmo que, de vez em quando, ultrapasse um pouco os limites [...] e o seu zelo crítico de levar ao banco dos réus os queridinhos do povo sempre foi o tipo mais nobre de coragem". Na terceira e última parte, porém, Hillebrand faz algumas objeções muito aguçadas: "O pequeno panfleto de Nietzsche está longe de ser completo, e nas questões que explora completamente – ou excessivamente, como somos tentados a dizer –, algumas coisas nos parecem equivocadas. Não cabe, por exemplo, reduzir a essência de uma cultura ao estilo [...]. Queremos criticar ainda outro aspecto deste pequeno escrito.

Por vezes, Nietzsche é mais schopenhaueriano do que o próprio Schopenhauer [...]. Mas quando um homem como Nietzsche ainda considera necessário e belo entoar os cânticos de zombaria de Schopenhauer contra Hegel e seus adeptos, ele comete uma injustiça e insipidez. [...] O próprio Sr. Nietzsche [...] consumia a filosofia hegeliana com o leite materno; toda a nossa vida espiritual está encharcada dela, nós [...] nem conseguimos mais pensar como pensou a geração de 1800 [...]".

E mais adiante: "Sim, também precisamos acusar o Sr. Nietzsche de certa falta de educação, mas já que, por um lado, aparente pertencer à Congregação de Wagner e, por outro, à Escola de Schopenhauer, este erro não nos surpreende [...] mas a língua do rebelde e do perseguido é uma; outra é a língua do vencedor, que conquista um reino. Não convém à posteridade renovar e refrescar as manchas justificadas ou desculpáveis pelas circunstâncias – não existe outra palavra para os insultos de Schopenhauer – na grande obra do mestre. Hoje, não existe mais uma monarquia hegeliana que impeça o alemão culto de se aproximar de Schopenhauer [...]".

"O pequeno escrito de Nietzsche é, também, incompleto. No fundo, trata apenas de dois pontos: da forma do livro de Strauss e do conteúdo do quarto capítulo [...]. Não está claro por que Nietzsche não se ocupa com os outros três capítulos; nem mesmo os menciona de passagem. Talvez temia de [...] cometer o mesmo erro de Strauss: o de arrombar portas abertas. – Na verdade, surpreende o fato de que [...] ninguém teve a ideia de dizer abertamente que todo o livro foi desnecessário. Strauss pergunta aos estudiosos da Alemanha se 'ainda são cristãos'. Bastaria responder: [...] Não, o alemão culto não acredita mais na encarnação de Deus em Cristo para a redenção das causas da queda – e isto é a essência do cristianismo. Qualquer um que raciocinar [...] que ouviu falar em Copérnico e Kepler, em Galileu e Newton, ou seja, que sabe que a terra não é o centro do universo, não pode mais acreditar que Deus criou o mundo e se sacrificou por nós, apenas por nós [...]".

"E Strauss volta a perguntar: 'Ainda temos religião?' Esta pergunta é totalmente supérflua. Aquele que tem religião, i.e., aquele que acredita que existem poderes ocultos, [...] nenhuma ciência e nenhum iluminismo a tirará dele. [...] Mas aquele que não tem este sentimento, aquele que reconhece apenas o palpável e o compreensível como realidade, mil anos atrás, este não teria tido mais religião do que hoje após Voltaire e Condillac, ou até mesmo após Büchner e Strauss [...]".

"Por fim: 'Como compreendemos o mundo?' é, como Nietzsche observa corretamente, uma pergunta absolutamente alógica [...]".

"Infelizmente, Nietzsche não discutiu estes pontos [...] no contexto de um livro que estava à sua disposição."

O mero fato de que, um ano após o conflito filológico desencadeado pelo "Nascimento da tragédia", uma pessoa como Karl Hillebrand levou esse autor tão a sério e até ousou defendê-lo causou grande surpresa na época, e Nietzsche se lembra disso ainda em seu "Ecce homo"[5]: "De longe muito mais ouvida e mais amargamente sentida foi uma apologia extraordinariamente enérgica e ousada do, aliás, tão brando Karl Hillebrand, o último alemão humano [...]. Hillebrand mostrou uma altíssima consideração pela forma do escrito, pelo seu gosto apurado, pelo seu perfeito tato na discriminação de pessoas e coisas: assinalou-o como o melhor escrito polêmico que se escrevera em alemão – na arte da polêmica justamente tão perigosa e tão desaconselhável aos alemães [...] e acabava por exprimir a sua admiração pela minha coragem – aquela 'enorme coragem que leva ao banco dos réus justamente os favoritos de um povo'"*. Nietzsche não só cita incorretamente, ignora também que o ensaio de Hillebrand não termina com esta declaração, ela encerra apenas a parte intermediária, à qual segue a parte crítica muito maior. Mas nem Nietzsche nem os leitores perplexos deram a atenção necessária a essa parte crítica, caso contrário, teriam tirado conclusões e consequências bem diferentes.

No final de 1873, Hillebrand enviou a Nietzsche suas "Doze cartas de um herege estético" (Zwölf Briefe eines ästhetischen Ketzers)[110]. Na carta de 31 de dezembro, Nietzsche escreve a Erwin Rohde: "Alegrei-me imensamente com as 'doze cartas de um herege estético', publicadas anonimamente por Karl Hillebrand [...] que refresco! Leia, admire-se, ele é um de nós, membro da 'sociedade dos esperançosos'".

E havia nessas "cartas", escritas para a *Augsburger Allgemeine* por ocasião de uma grande exposição internacional de pinturas em Viena e publicadas entre 1º de março e 6 de abril de 1873, de fato vários aspectos que ressoaram na mente de Nietzsche. Nas cartas, Nietzsche reencontrou alguns de seus pensamentos de suas "palestras sobre a educação"; surge aqui também já o "filisteu da cultura" da primeira "Consideração", que seria publicada apenas um mês mais tarde. A primeira carta contém um ataque contra "a estética espirituosa de Hegel, mas completamente inútil e até mesmo enganosa para o artista", e muitas passagens em defesa de Schopenhauer. Hillebrand também aplica às artes plásticas o que Eduard Hanslick, o cientista musical e inimigo de Wagner, havia postulado em seu texto "Vom musikalisch Schönen" (Sobre o musicalmente belo), publicado em 1854 (música é "um jogo de

---

* NIETZSCHE, F. *Ecce homo*. Covilhã: Lusosofia, 2008, p. 59-60 [Trad. de Artur Morão].

formas movimentadas pelo som")[106] e que logo se tornaria o novo fundamento da estética de Nietzsche: "O meio da produção é, na arte, sempre um elemento significativo; a matéria, porém, sempre secundária [...]. O filisteu, porém, sente grande prazer quando consegue adivinhar a 'expressão' ou compreender a 'história'. O fato, porém, de que essa figura expressiva não é uma pessoa real, mas apenas representante de um afeto [...] o fato de que a sua personalidade nos surpreende mais do que a paixão abstrata, cujo portador ela é, não interessa ao filisteu".

Nietzsche aprovou sobretudo a concepção expressada na terceira carta: "Toda arte é aristocracia, aristocracia em todos os sentidos". A sexta carta especifica esse pensamento: "A arte é e precisa ser aristocrática por natureza! Pois ela se apoia num sentido inato a poucos, desenvolvido em menos pessoas ainda. Tanto no desfrute como no exercício, tanto no ensino como no aprendizado, domina na arte o individual". A isso corresponde também o destaque da grande personalidade, como no início da 11ª carta: "Não pode haver dúvida de que um indivíduo possa regenerar as artes plásticas, tampouco podemos negar o efeito criativo do indivíduo nas artes verbais, na religião, na ciência e no Estado. Um Lutero e um Kant, um Goethe e um Bismarck [...] forneceram naquelas vertentes [...] a prova irrefutável daquilo que o indivíduo pode e deve alcançar".

Significativa para o desenvolvimento da estética posterior de Nietzsche é a diferenciação clara na 10ª carta: "Aqui, 'feio' e 'belo' se transformam em conceitos totalmente relativos: Iago, Ricardo III são artisticamente belos, mas moralmente feios", e "a natureza é neutra", nem bela nem feia, segundo os padrões tanto da estética quanto da moral. Aqui, a estética conquista um possível ponto de vista que se encontra além do moralmente bom e mal = feio. Esse tipo de pensamentos é típico do seu tempo, e aqui eles são expressados por um homem que não se vê nem é considerado filósofo. A exposição da 12ª carta correspondia completamente à convicção de Nietzsche segundo a qual todo ser humano representa a soma das gerações precedentes: "Pelo fato de que a nossa civilização é a última em uma sequência [...] somos nós também, como últimos, aqueles que percorrem o maior caminho, que mais viram, que alcançaram o ponto mais alto".

Com uma clareza quase espantosa, a sexta carta antecipa um pensamento fundamental do "Zaratustra": "Perdemos qualquer conceito do valor da educação acumulada, da riqueza acumulada; assim como o indivíduo com sua formação racionalista já não consegue mais compreender o pecado original, [...] assim também não consegue mais compreender a virtude original; talvez retornará algum dia a essa compreensão, quando o dogma da criação seletiva gozar de reconhecimento geral; e quando o materialista moderno do mundo moderno se convencer de que costumes seculares de boa alimentação e higiene produzem corpos mais belos e finos dos netos, assim entenderá talvez também que algo semelhante se aplica também às esferas espiritual e ética".

Diante de tanta concordância, é possível que Nietzsche tenha ignorado a apoteose do "Reich" e da experiência da guerra, que se encontra no final da última carta: "Por fim, a guerra. Como tal abalo não despertaria poderes adormecidos? [...] podemos ter certeza de que nosso sentimento próprio individual, fortalecido pelo sentimento nacional [...] se manifestará na alma de um artista para a glória e a alegria de uma pátria renascida, que ele a incentive para a criação e lhe dê asas para alcançar o mais sublime. Não importa o que o artista alemão crie no futuro – por mais que o objeto de sua obra se distancie de qualquer um dos eventos de 1870 e 1871 – sua obra será de importância nacional. Uma experiência como esta, pela qual passou a alma da nação alemã, quer e precisa – não importa como – expressar-se artisticamente".

Como são diametralmente opostos os perigos que Nietzsche reconhece nessa "experiência"!

O "Litteraturblatt" de Fritzsch (suplemento mensal do "Musikalisches Wochenblatt") publicou uma crítica favorável sobre essas "cartas heréticas", escrita pelo historiador literário Adolf Stern de Dresden, mas sem sua assinatura. Hillebrand suspeitou de Nietzsche como autor, e em 17 de janeiro de 1874 se dirigiu a ele[70]: "Prezado Senhor e infeliz covítima da atual eloquência, permita-me dirigir-me ao senhor com um pedido duplo. Encarreguei-me de publicar uma revista italiana. Keil (von der Gartenlaube) é o incentivador e fornece os meios financeiros [...]. A princípio, publicaremos apenas dois volumes [...]. Caso sejam bem-sucedidos, continuaremos [...]. Não sei se o senhor tem se ocupado com a Itália. Mas mesmo tendo apenas um pouco de 'latinidade', o senhor me seria bem-vindo. Seu nome, suas visões e sua língua sempre preservarão seu valor. [...] Agora, o segundo pedido: Não conheço o Sr. Prof. Jacob Burckhardt. O senhor poderia lhe apresentar o projeto e pedir a ele algumas contribuições? Pedir em meu nome? [...] Contribuições de Gregorovius, Paul Heyse, Hermann Grimm, R. Bonghi, P. Villari e P. Barzelotti garantem a popularidade na Itália e na Alemanha [...]. Foi o senhor que escreveu as páginas excessivamente lisonjeiras sobre as minhas cartas heréticas? [...] Quem mais saberia ler *cum grano salis* na querida pátria, onde estão tão atrasados na arte da leitura quanto estão na arte da escrita". Burckhardt recusou sua participação, e em 17 de fevereiro de 1874 Nietzsche relatou a Gersdorff: "Karl Hillebrand me convidou a contribuir para uma 'revista italiana', cujo editor ele será. A obra será publicada em tomos. Participam desse empreendimento os melhores nomes italianos, que você também conhece [...]. Evidentemente, eu neguei minha participação; e Burckhardt também". Já agora Nietzsche demonstra seu repúdio fundamental a revistas. Suas *Philologica* foram os únicos textos a serem publicados desta forma. Em vez de confirmar sua participação, Nietzsche envia a Hillebrand a sua segunda "Consideração extemporânea" sobre a história, publicada em fevereiro, e Hillebrand publica em junho uma crítica veemente e fulminante sob o título "Sobre conhecimento histórico e sentido histórico"[109]. "Cabe aos escritos do Sr. Nietzsche o mérito de incitar o leitor à refutação ou ao aplauso ou à reflexão. Costumam ser escritos com beleza e vivacidade, em uma língua que permanece pura em sua excitação e peculiar apesar de seu alto nível de educação. Por vezes, os pensamentos são desafiadores em sua postura paradoxal, mas quase sempre são espirituosos [...]. Seus escritos são um pouco juvenis, incompletos, mais negativos do que positivos, mas o fato de serem lidos com a aprovação de muitos e com a refutação violenta da maioria é a prova de que tudo ainda é tão confuso naquela classe emergente de alemães, de o quanto a classe mais conservadora se sente ameaçada [...]. Assim, formou-se entre os estudiosos mais jovens um tipo de oposição radical, que costuma ultrapassar os limites sensatos rejeitando também o útil. [...] Surge agora novamente um bando de tempestuosos como no ano de 1770, e o Sr. Nietzsche é uma de suas cabeças mais espirituosas e corajosas; mas – não é seu pastor capaz de dar direção ao impulso sombrio de seus companheiros: por ora, ele se contenta com a destruição [...]. Um equívoco fundamental desses homens jovens e especialmente deste seu porta-voz provém de sua crença na Alemanha como grande universidade. Este sentimento obtuso foi também aquilo que, na época do *Sturm und Drang*, 20 anos mais tarde no Romantismo e no nosso século, incitou a jovem Alemanha à luta contra a educação erudita em geral e, em especial, contra a conduta dos professores universitários, e sempre com o exagero e a veemência típica do rebelde. [...] No entanto, todos nós, inclusive o Sr. Nietzsche, mestres de escola sem hábito; daí a nossa fúria contra a sala de aula [...]. Mas o Sr. Nietzsche é tão injusto com os próprios estudiosos alemães quanto o é com sua eficácia. Seus vícios são apenas os vícios de seu estamento, não do nosso tempo, do nosso povo". Cito aqui passagens apenas da primeira parte. Numa segunda parte, Hillebrand apresenta os principais pontos de vista de Nietzsche com sua diferenciação entre a contemplação histórica monumental, antiga e, por fim, crítica, para então iniciar a terceira parte com estas palavras: "Este é o fraco esqueleto do raciocínio nietzscheano. [...] Se, porém, agora nos perguntarmos se, a despeito de todas as simpatias, devemos tomar o partido do autor também com a cabeça e acatar suas teses como as nossas, precisamos imediatamente fazer algumas ressalvas, [...] será que, em sua fúria destrutiva, ele se esqueceu de que aquele que nos tira tanto também precisa nos dar algo? [...] Foi, sem dúvida alguma, um grande equívoco dos professores alemães quando tentaram transformar a história em uma ciência, o que ela não pode ser por natureza. O quanto favorece ao historiador a participação na vida real do Estado, por mais indireta que seja, revela-se imediatamente quando comparamos as obras de Sybel, Häusser ou Treitschke com uma obra de Wachsmuth ou Schäffer, ou até mesmo de Leo e Schlosser [...]". E às acusações de Nietzsche contra o "filisteu da cultura" segundo as quais este estaria levando à ruína a cultura alemã com seus conhecimentos apenas superficiais dos clássicos, Hillebrand responde: "A juventude alemã culta tem se dado conta de outra coisa nos últimos anos: eles se apresentam como jovens com esperanças e ambições [...] uma cultura como a francesa ou a inglesa, mesmo que diferentes em essência e forma, a nova Alemanha também consegue vislumbrar [...]. Mas qual será o fator determinante na cultura germano-nacional? Na Inglaterra foi [...] a aristocracia rural; na França, a corte; na Itália, o patriciado urbano. Não duvidamos de que, na Alemanha, será o exército. O serviço militar obrigatório precisou de poucos anos para impor ao cidadão da Renânia a fisionomia prussiana; o cidadão do sul da Alemanha já manifesta traços semelhantes. Esta fisionomia pode não ser muito agradável [...], mas é uma fisionomia, uma fisionomia forte [...]. Então, teríamos recuperado aquela unidade que o Sr. Nietzsche tanto anseia, e quem sabe se disso não nascerá uma poesia ou arte [...]".

E em novembro de 1874 Hillebrand ataca Nietzsche mais uma vez com o ensaio "Schopenhauer e o público alemão"[109] por ocasião da terceira "Consideração extemporânea" ("Schopenhauer como educador"), no qual tenta defender Hegel contra os fortes ataques de Nietzsche.

Para Nietzsche, essa crítica veio do campo "wagneriano" e ocorreu no mesmo tempo em que o "Cântico de triunfo" de Brahms provocara conflitos de consciência em Nietzsche. Essas críticas não o pegaram de surpresa, pois haviam sido anunciadas por Malwida von Meysenbug – como ele confessa Erwin Rohde em 14 de junho de 1874. Mas então Nietzsche se cala também em suas cartas aos amigos, e o nome de Hillebrand passa a ser mencionado com uma frequência cada vez menor e uma frieza cada vez maior. Até dezembro de 1875 Hillebrand havia publicado os dois primeiros volumes de "Zeiten, Völker und Menschen", que Nietzsche mencionara aqui e ali, principalmente a parte sobre a França e os franceses. Ele indica os volumes também à Sra. Marie Baumgartner em 15 de maio de 1875 e menciona que seu nome também é "um pouco contemplado" na categoria dos "homens", mas acrescenta: "Parece-me que tenho algumas coisas que precisaria contar à senhora. E gasto meu tempo falando sobre Hillebrand!" Mesmo assim, em 25 de junho de

1876, instrui seu editor Schmeitzner a enviar sua quarta "Consideração extemporânea" ("Richard Wagner em Bayreuth") também a Hillebrand.

Não sabemos se Hillebrand reagiu a essa remessa, e o contato é reestabelecido apenas nos meados de abril de 1877 por meio de uma carta de Nietzsche após a publicação do quarto volume de "Zeiten, Völker und Menschen"[70]: "Após um inverno de graves doenças desfruto agora no despertar da saúde seus quatro volumes [...] e me alegro com eles como se fossem leite e mel. Livros pelos quais sopra o ar europeu e não o querido azoto nacional! Como isso faz bem aos pulmões! [...] Isso me lembra de que o senhor falou também sobre os meus escritos: suas palavras são de longe as únicas que, entre tudo que foi publicado sobre eles, realmente me alegraram. Pois aqui julga a superioridade [...] aqui, o julgado – dado que não seja um tolo – toma partido *contra si mesmo*". Entrementes, Nietzsche deixara para trás as "Considerações extemporâneas" e "Humano, demasiado humano" criticadas por Hillebrand, portanto, não lhe custou tanto tomar partido contra si mesmo.

Hillebrand agradece imediatamente – em 22 de abril de 1878 – pela carta de Nietzsche, mas ainda sem falar de seus escritos. Apenas quando Nietzsche lhe envia "Opiniões e sentenças diversas – Humano, demasiado humano II", ele retoma o diálogo em 23 de abril de 1879[70]: "Li agora também seus adendos aos aforismos com raro interesse e só posso lhe dizer: Coragem, coragem. Desejei apenas que o senhor tivesse agrupado a riqueza de ideias, que se apoiam em uma visão do mundo tão coerente, em torno de um objeto e que as tivesse exposto tomando este como exemplo. Temo que o senhor será acusado de alegar muita coisa – profunda, certeira e surpreendente – sem justificá-la etc. No entanto, o senhor recruta diariamente novos amigos [...] sobretudo seu ensaio sobre a história encontra ainda novos ouvidos e sempre os encontrará [...]. Eu, por minha parte, prefiro 'Humano, demasiado humano' por ser mais ameno em tom e forma e muito mais profundo em muitos aspectos".

Surpreendentemente, Hillebrand fala aqui do sucesso justamente da "Consideração" sobre a história, tão criticada por ele. Será que, agora, após cinco anos, estaria tentando se desculpar por sua crítica exagerada?

No entanto, essa carta já não consegue mais provocar nenhum sentimento positivo em Nietzsche, ele se cala e permanece calado durante quatro anos. Em maio de 1883, envia a Hillebrand a primeira parte recém-publicada do "Zaratustra" e lhe escreve no dia 24 do mesmo mês: "[...] passaram-se alguns anos durante os quais tenho me calado – anos difíceis de autossuperação [...]. Este pequeno livro, que agora confia à sua bondade, é um evento súbito, a obra de dez dias absolutamente lúcidos deste mais melancólico de todos os invernos [...]. Tudo que pensei, sofri e esperei se encontra nele, de forma que agora minha vida me parece justificada [...]. Quem possui uma humanidade e um conhecimento abrangente o suficiente para dizer a um tolo como eu aquilo que ele mais gosta de ouvir: a verdade, qualquer que seja? Entre os vivos conheço apenas o senhor e Jacob Burckhardt capazes de me prestarem este serviço [...]. O senhor sabe o quanto eu o venero?"

Hillebrand morreu um ano mais tarde, e Nietzsche nunca soube que, há muito tempo, seus espíritos haviam se distanciado – unilateralmente, pois em muitos juízos, como, por exemplo, sobre a França e os franceses e também sobre a Inglaterra, Nietzsche permaneceu em dívida com Hillebrand. O nome de Hillebrand foi esquecido pela consciência moderna, mas este publicista marcante para os anos de 1870 a 1884 merece ser lembrado em virtude de sua importância para Nietzsche. Ele representa um componente criativo daquele tempo que Nietzsche integra e representa em seu ser e sua capacidade muito mais abrangente.

### Carl Fuchs

Outra amizade que surgiu do círculo de Bayreuth, uma amizade que perdurou o colapso de Nietzsche, apesar de Nietzsche tê-la abusado e questionado várias vezes, foi a com Carl Fuchs, organista e respeitado publicista de arte que viria a ser o diretor musical de Danzig.

Ele também era mais velho do que Nietzsche – mesmo que apenas seis anos –, nascido em 22 de outubro de 1838 em Potsdam. Após completar o ginásio, mudou-se em 1859, aos 21 anos de idade, para a Universidade de Berlim, onde se matriculou na Faculdade de Teologia. No entanto, sua vocação dupla logo o distanciou desta, e, como aluno de Hans von Bülow, ele se formou como pianista e organista, mas sem perder de vista sua carreira acadêmica; em 1871, em Greifswald, fez sua promoção como schopenhaueriano com uma dissertação filosófica intitulada de "Preliminares para uma crítica da arte sonora"[93], uma análise da fruição artística. Depois, mudou-se novamente para Berlim, onde se apresentou como pianista e iniciou uma rica atividade como escritor e contribuinte para o periódico "Musikalisches Wochenblatt" de Fritzsch, estabelecendo assim fortes vínculos com o círculo wagneriano.

Ele escrevia muitas cartas, e, em virtude de sua extensão, estas eram mais temidas do que populares no círculo de amigos de Nietzsche. Mas entre elas encontram-se vários ensaios importantes, e é lamentável que tão poucos desses comentários inteligentes sobre a vida musical tenham sido publicados.

Fuchs foi um seguidor de Hugo Riemann, o famoso lexicógrafo da música e fundador de uma teoria da fraseologia musical, que Nietzsche veio a conhecer por intermédio de Fuchs. Por mais impulsos importantes que Nietzsche tenha recebido de Fuchs, nessa relação amistosa Nietzsche não foi apenas o presenteado, mas foi capaz de retribuir, e Fuchs lhe permaneceu grato por isso. Infelizmente, Nietzsche não vivenciou em estado ciente o mais belo serviço de lealdade: ainda em 1890, Fuchs conseguiu realizar em Danzig a estreia da ópera "Die heimliche Ehe" (O matrimônio secreto) de Peter Gast – uma grande preocupação de Nietzsche durante anos. A família de Fuchs cresceu ao longo do tempo e, por isso, viu-se temporariamente em grandes problemas financeiros, sobre os quais ele falou com Nietzsche com a mesma franqueza com que falava sobre sua estética. Muitas vezes, Nietzsche se sentia incomodado por isso e reagia de forma inapropriada, sempre se arrependendo disso imediatamente. Durante os primeiros anos de sua amizade, Fuchs não tinha um emprego fixo, e em 1875, quando parecia instalar sua residência em Hirschberg (na Silésia), onde fundou uma associação musical e serviu como seu dirigente, vivendo porém sobretudo de aulas de piano, ele não se sentiu bem. Ele compartilhou isso com Nietzsche, como comprova a carta acima citada (p. 504s.) de Nietzsche a Hugo von Senger de 1877. Fuchs consegue firmar sua residência em Danzig apenas em 1879, dirigiu em 1882/1883 a Academia de Canto e, em 1886, tornou-se organista da Igreja de São Pedro (Petrikirche) e exerceu a mesma função durante muitos anos também na sinagoga. Como correspondente musical do jornal de Danzig, ele conseguiu elevar o suplemento de cultura ao padrão de fama internacional. Faleceu como homem altamente venerado em 27 de agosto de 1922, pouco antes de completar 87 anos de idade. (Em 1938, a cidade de Danzig o homenageou por ocasião de seu centenário com uma edição festiva.)

Assim como no caso de Hillebrand, essa amizade também se realizou por meio de uma correspondência – bastante intensa no caso de Fuchs. Segundo uma informação dos primeiros editores desta correspondência[7], o primeiro encontro pessoal ocorreu por acaso na casa do editor Fritzsch em Leipzig, no final de 1872. Em 27/28 de dezembro de 1872, Nietzsche esteve na casa de Fritzsch. Acredita-se que os dois se encontraram também em Naumburg entre 22 de dezembro de 1873 e 2 de janeiro de 1874.

No entanto, Nietzsche já conhecia os "Preliminares" de Fuchs, que Nietzsche menciona numa carta de 18 de novembro de 1871 a Wagner – na época ainda em Tribschen –, dando a entender que esse escrito já havia sido discutido minuciosamente numa conversa em Tribschen.

Por fim, em agosto de 1876, ocorreu um encontro não muito feliz durante o primeiro festival em Bayreuth. Depois, as distâncias geográficas se tornaram grandes demais; e, para Fuchs, os custos das longas viagens, altos demais. Nietzsche, por sua vez, mantinha-se longe do norte. Mas quando Nietzsche foi sepultado em Röcken em 27 de agosto de 1900, o velho e fiel amigo esteve presente.

A primeira carta de Fuchs já deve ter contido o pedido de apresentar seu nome a Wagner. Nietzsche correspondeu ao desejo de Fuchs e lhe comunica em 29 de janeiro de 1873: "Na carta falei quase que exclusivamente do senhor: aguardemos o resultado". E realmente houve um encontro. Em 30 de setembro de 1873, Nietzsche responde: "[...] nem tentarei responder às muitas cartas suas, pois nunca fui muito bem em responder e corresponder e agora quase me vejo obrigado a transformar uma antiga desvirtude em obrigação". Em virtude de sua visão fraca, Nietzsche dita essa carta a Heinrich Romundt e recorre à sua doença como pretexto para coibir o imenso fluxo de cartas de Fuchs. Mesmo assim, fala extensiva e criticamente sobre uma composição de Georg Riemenschneider, amigo de Fuchs: "Julinacht" (Noite de julho), uma poesia sinfônica para orquestra, que Fuchs lhe havia enviado numa transcrição para piano (juntamente com "Nachtfahrt" (Passeio noturno) do mesmo compositor). Nietzsche aparenta ter estudado a fundo essa peça, e uma objeção demonstra sua relação íntima com a música quando critica uma melodia "que soa como uma reminiscência de melodias íntimas e alegres, mas apenas como uma reminiscência. O mesmo vale para a melodia de resignação na penúltima página. Sim, creio que toda a composição é apenas uma lembrança de sentimentos e não uma geração dos mesmos". A sentença de Nietzsche foi confirmada pela história da música; tratava-se de "música de mestre de capela". Georg Riemenschneider, nascido em 1º de abril de 1848 em Stralsund e falecido em 13 de setembro de 1913 em Breslau, não é mencionado pelo novo léxico de Riemann[29] nem pelo MGG[25]. Riemenschneider foi mestre de capela do teatro em Danzig, passou o inverno de 1878/1879 em Basileia, onde sua esposa trabalhou como soprano lírico[237], depois viveu em Amsterdã e Düsseldorf; em 1889-1898, foi maestro de concertos, depois voltou para Breslau para o teatro. Ninguém se lembra mais de suas óperas "Mondeszauber" (Feitiço de luar) (Danzig, 1887) e "Die Eisjungfrau" (A virgem de gelo), e sabemos das suas obras sinfônicas para orquestra grande ("Julinacht" (Noite de julho), "Nachtfahrt" (Passeio noturno), "Donna Diana" e "Totentanz" (Dança fúnebre)) apenas graças a observações críticas de Nietzsche. Não sabemos se Nietzsche encontrou Riemenschneider pessoalmente em 1878/1879 em Basileia, creio que seja improvável em virtude do estado de saúde de Nietzsche naquele inverno e de sua opinião sobre Riemenschneider. Nietzsche costumava evitar esse tipo de constrangimentos.

Na carta, Nietzsche fala extensivamente também sobre a colaboração de Fuchs no "Musikalisches Wochenblatt". O filósofo escreve sobre a grande discrepância entre o nível e a qualidade dos artigos de Fuchs (que, naquele momento, estavam sendo publicados sob o título de "Sintomas") e o nível dos outros trabalhos e o propósito principal do jornal, que consistia de ofertas de emprego para músicos. Já aqui Nietzsche professa palavras duras contra Hans von Wolzogen, o futuro redator do "Bayreuther Blätter" e novo *protegé* de Wagner, que, na opinião de Nietzsche, o havia expulso do coração do mestre: "[...] saberemos se Wolzogen tem algo a ensinar quando ele aprender a escrever com clareza".

Em fevereiro de 1874, Fuchs deve ter perguntado a Overbeck se Basileia lhe oferecia a possibilidade de construir uma existência. Nietzsche lhe respondeu – imediatamente dessa vez: "Ninguém deveria aconselhá-lo a tomar este passo [...] a não ser uma loucura sagrada; [...] não possuímos nem receberemos uma docência de música, pois o senhor não teria mais do que dois ouvintes acadêmicos nesta cidade com poucas afinidades musicais". E referindo-se à rejeição do schopenhaueriano Romundt, que se candidatara pela docência vacante da fundação, Nietzsche continua: "Como fomos obrigados a reconhecer diante de um caso altamente instrutivo, as docências de Filosofia assalariadas são absolutamente inacessíveis para um discípulo de Schopenhauer: existe uma grande indisposição de incentivar qualquer desenvolvimento desta 'vertente'. Os cidadãos de Basileia se contentam com S. Bagge e com o diretor Reiter". Existia uma tensão latente sobretudo entre Nietzsche e Selmar Bagge, diretor da escola de música e revisor na universidade de um pequeno programa científico-musical, adversário declarado de Wagner. Essa tensão viria a se descarregar mais tarde e apenas indiretamente (entre Köselitz e Bagge) e num momento em que Nietzsche já havia se distanciado interiormente de Wagner.

Em 28 de abril de 1874, Nietzsche aconselha Fuchs a reunir seus ensaios dispersos e pouco conhecidos numa única publicação e cita como exemplo suas "Considerações extemporâneas". Assim, o filósofo elogiava e incentivava Fuchs, mas o verão seguinte já traria um primeiro esfriamento do relacionamento. A cidade de Mainz abrira uma vaga para a posição de diretor musical, e agora Fuchs pediu a Nietzsche que este convencesse Wagner a interceder por Fuchs, pois Fuchs acreditava que a voz de Wagner possuía certo peso em Mainz por meio de seu editor Schott. Nietzsche levou esse pedido até Wagner, mas ele reagiu com irritação. Em primeiro lugar, Wagner não conhecia Fuchs como dirigente e corretamente se recusou a servir como garantia para qualidades que ele nem conhecia e, portanto, não podia avaliar; além do mais, as dificuldades financeiras enfrentadas pelo empreendimento de Bayreuth haviam gerado tensões também com Schott. Fuchs não aceitou esses motivos e se sentiu traído e abandonado. E outra coisa o deixara magoado: Novamente ele havia elogiado uma composição de seu amigo Riemenschneider – o "Totentanz" (Dança fúnebre) –, que não encantou nem Nietzsche nem Overbeck. Dessa vez,

Nietzsche evitou um confronto direto e deixou que Overbeck respondesse. Este, por sua vez, reagiu apenas em 1º de outubro. Primeiro, repreendeu Fuchs por sua decepção em relação a Mainz e pela dramatização de sua situação financeira. E sobre a composição de Riemenschneider, Overbeck comenta em poucas palavras "que fomos completamente incapazes de concordar com seu apreço e sua compreensão da dança fúnebre [...] que não reconhecemos qualquer relação entre seus artigos e esta peça musical. Visto que sou um completo diletante em assuntos musicais, o senhor me permitirá um simples *non liquet*".

Tudo indica que Fuchs aceitou a repreensão. Passou a confiar em suas próprias forças e organizou uma turnê de concertos, durante a qual obteve o emprego em Hirschberg. Ele relata isso a Nietzsche em 16 de dezembro de 1874 numa carta de 20 páginas, e em 21 de dezembro Nietzsche lhe transmite suas congratulações: "O senhor não imagina o quanto me alegrei com suas últimas informações. Sinceramente, até então eu costumava pensar no senhor com uma tristeza sombria [...]. Deus sabe como eu, diante de toda natureza verdadeira, sempre me transformo em fatalista e como dizia para mim mesmo em relação ao senhor: 'Não existe esperança para ele'. [...] Decidi aguardar um pouco e esperar os atos e fatos. [...] Agora, então, o senhor descobriu a pequena cidade em que poderá crescer e se tornar o senhor e major musical. [...] Todos nós fizemos de tudo para que isso acontecesse! Mas de nada adiantou, pois o senhor não ajudou a si mesmo e insistiu em suas concepções das coisas".

A harmonia foi temporariamente reestabelecida, e em 30 de maio de 1875 Nietzsche escreve a Overbeck: "O Dr. Fuchs enviou seu op. 1, peças para piano sobre canções folclóricas gregas, intituladas de 'Hellas'", e no final de junho ele agradece a Fuchs: "Como o senhor mantém uma relação íntima com o piano! Nunca vi coisa igual. Isso só pode ser tocado por um pianista verdadeiro, não por um orquestrista fracassado como eu". Nietzsche demonstra uma "distância" constrangedora, para não dizer frieza, diante de um verdadeiro infortúnio de Fuchs. Em sua carta do final de junho, Nietzsche ainda havia perguntado: "E como estão as coisas no mundo doméstico? Devo parabenizá-lo pela mãe e pelo filho?" Mas na carta de 11 de agosto, após a morte do filho em 1º de agosto, Nietzsche escreve apenas: "O senhor experimentou sofrimento, meu querido e coitado senhor doutor, e aqueles que o amam deveriam tentar alegrá-lo um pouco. Mas como isso pode ser difícil! Tantas vezes gostaríamos de nos calar para não ter que comunicar algo, pois a comunicação costuma conter sempre algumas gramas de sofrimento. Nós dois não estamos em Bayreuth, veja só, e nisso há bem mais do que algumas gramas [...] até eu finalmente me dizer: 'Que sorte que pelo menos os outros podem estar ali'. Mas então penso no senhor! Nem 'todos' os outros estão ali, e meu consolo se torna incompleto!" – para então descrever minuciosamente o seu próprio estado de saúde. Nietzsche acreditava poder consolar Fuchs com Bayreuth. Já em 8 de dezembro de 1875, ele escreve a Rohde: "O Dr. Fuchs foi convidado a assistir a um ciclo de apresentações em Bayreuth a convite de minha irmã". Em 16 de maio de 1876, ele confirma isso em uma carta a Gersdorff: "Minha irmã há muito convidou o Dr. Fuchs para a terceira série; sem essa ajuda ele jamais teria conseguido chegar ali".

Em meio ao tumulto das apresentações, Wagner percebeu Fuchs como impertinente, pois não teve nem tempo para Nietzsche, e demonstrou sua irritação a ele. Nietzsche por sua vez, sentindo-se ignorado e magoado, descarregou sua frustração em Fuchs. Houve então um confronto desagradável em Bayreuth, após o qual – ainda antes da partida abrupta de Nietzsche – Fuchs escreveu a Overbeck exigindo satisfação[187]: "O Sr. Prof. Nietzsche me disse aqui uma dúzia de coisas como jamais alguém ousou dizê-las a mim, e, para justificar sua opinião altamente desfavorável a meu respeito, da qual procederam todas estas *dicta* duríssimas, recorreu ao seu nome [...]: disse que sou 'esperto, aparentemente muito esperto, no sentido de que essa palavra não seria isenta de máculas, e que demonstro sobretudo a ambição de transformar as outras pessoas em 'pontes' para os meus próprios propósitos; o fato de eu não ser bem-sucedido neste meu esforço de forma alguma provaria o contrário [...]. Acusou-me também de ser *tão* esperto ao ponto de ter uma convicção própria e de ser sincero, e acusou-me de ser adepto de Wagner em virtude desta convicção apenas por estar na moda, mas que todos estão cientes de que eu abandonaria essa convicção em prol de alguma vantagem maior. Por isso, o círculo dos amigos de Wagner me trataria com desconfiança. Disse que Liszt está revoltado porque eu teria tentado usá-lo para alguma causa minha, até mesmo meu 'veneradíssimo' Prof. H. v. Bülow teria se manifestado neste sentido. O próprio Prof. N. teria ficado apenas 'indignado' com o elogio que eu manifestei em meus 'Sintomas', e disse que o senhor também compartilhava desta impressão. Pediu que eu citasse os nomes de algumas pessoas que confiam plenamente em mim". Fuchs relata como imediatamente teria procurado o Prof. Carl Riedel (que também estava em Bayreuth) e como este lhe dissera que, conhecendo intimamente o círculo íntimo de Wagner, nenhuma dessas alegações correspondia à verdade. Como testemunha especial, Fuchs cita a carta de 11 de agosto de 1875, na qual Nietzsche o elogia altamente. Ele descreve detalhadamente também como seu emprego em Hirschberg o obriga a ignorar e submeter o essencial à necessidade de ganhar seu pão. Ele teria escrito a Nietzsche sobre isso "assim como se escreve a alguém que se ama e se acredita ser um amigo fiel. Este amor, porém, foi desdenhado, e eu aprendi a minha lição". Fuchs ficou especialmente magoado com a "opinião de um diletante, segundo a qual amanhã destruiremos nossos instrumentos de corda porque hoje o drama musical de Bayreuth veio à luz. 'Um pianista neste tempo!', disse o Sr. Nietzsche. Sim, um 'pianista', um herói solista perfumado, confesso [...] não sou pianista, apenas um simples tocador de piano que acredita que as sonatas de Beethoven e muitas outras coisas belas não serão supérfluas nem mesmo após Bayreuth".

Por trás de tudo isso, Fuchs suspeita uma intriga da Sra. von Schleinitz e desculpa Nietzsche em virtude de seu lamentável estado de saúde.

Overbeck informa Nietzsche em 8 de setembro sobre essa carta "pouco agradável": "O breve sentido desse longo discurso totalmente indesejado era que eu justificasse a minha opinião sobre ele. Eu ainda não respondi, mas pretendo fazê-lo em breve com toda a sinceridade, por mais desagradável que isso seja para mim".

Fuchs refutaria brilhantemente estas acusações; ele permaneceu fiel à obra de Wagner e a Nietzsche, como Nietzsche reconhece já em 1877, em uma carta a Hugo von Senger (cf. p. 519ss.). E repetidas vezes encontramos uma correspondência intensiva entre os dois e conhecemos Nietzsche também pedindo patronagem para a ópera "Der Löwe von Venedig" (O leão de Veneza) e "Die heimliche Ehe" (O casamento secreto) de Peter Gast.

### Malwida von Meysenbug

A amizade mais preciosa desses anos foi a com Malwida von Meysenbug, pois nela Nietzsche veio a desfrutar uma bondade e grandeza humana que triunfou sobre todos os seus caprichos e aborrecimentos, mas também sobre as convicções filosóficas cada vez mais divergentes. E mesmo no outono de 1888, quando – pouco antes de seu colapso espiritual – tentou destruir a amizade de Malwida como que com golpes de clava, ela permaneceu fiel ao ser humano Nietzsche, lamentando-o apenas por causa desse deslize momentâneo, certa de que apenas o colapso havia evitado o reestabelecimento da amizade. Ela era e permaneceu sempre a pessoa humanamente superior, mas sem jamais usar essa superioridade contra Nietzsche.

Quando os dois se conheceram em 22 de maio de 1872 por ocasião do lançamento da pedra angular em Bayreuth por intermédio de Cosima, eles já haviam ouvido falar um do outro. Malwida descreve de forma plástica esse primeiro encontro em seu livro "Individualitäten" (Individualidades)[7]: "Num intervalo do ensaio geral, a Sra. Wagner veio até mim com um jovem homem e disse que queria apresentar-me o Sr. Nietzsche. 'Como? *O Nietzsche*?', exclamei cheia de alegria. Ambos riram, e a Sra. Wagner disse: 'Sim. *O Nietzsche*'. E agora juntou-se aquela imagem espiritual significativa" (que ela havia criado a partir da leitura de seus escritos) "a impressão de uma personalidade jovem, bela e amável, com a qual rapidamente desenvolvi uma relação cordial".

Há alguns anos, Malwida fazia parte do círculo mais íntimo da casa dos Wagner; em 25 de agosto de 1870 ela havia sido madrinha de casamento em Lucerna, e assim ela conhecia os escritos e o trabalho de Nietzsche por intermédio do casal Wagner. Mas Nietzsche também já havia ouvido dela, através da mesma fonte.

Malwida Freyin von Meysenbug, nascida em 28 de outubro de 1816 em Kassel como filha de um alto funcionário da corte, era 28 anos mais velha do que Nietzsche e tinha 56 anos de idade quando os dois se encontraram pela primeira vez; era uma mulher que havia amadurecido ao longo de muitas lutas externas e internas e que havia encontrado há poucos anos os princípios de vida pelos quais orientaria seu futuro. Um de seus princípios era jamais reivindicar qualquer tipo de canonicidade para seus pensamentos e exigir que os outros os adotassem. O teor da luta de sua vida havia sido justamente defender a liberdade da personalidade, a chance do desenvolvimento individual, e visto que ela reivindicava essa liberdade também para o sexo feminino e, como meio para tal fim, todas as possibilidades de formação também para a educação das garotas e a independência econômica da mulher, ela ocupa um lugar proeminente no movimento da emancipação da mulher de seu tempo, o que até chegou a aproximá-la durante algum tempo dos seus contemporâneos socialistas. Isso levou à ruptura com sua família. Também não lhe foi poupada a emigração para Londres, onde ela também chegou a conviver com os socialistas revolucionários. Mas também aqui o que mais a atraía eram mais as personalidades do que as teorias. Em suas memórias, dedicou páginas entusiasmadas ao patriota italiano Mazzini. Ela dava aulas e fazia traduções, que lhe garantiam uma existência humilde e lhe forneceram profundos conhecimentos sobre a estrutura dos primórdios da sociedade industrial e sobre a superficialidade espiritual dos estamentos mais importantes. Apesar de todas as diferenças ideológicas e temperamentais, ela mantinha uma amizade profundamente humana com o líder socialista russo Alexander Herzen, em cuja casa ela, após superar grandes dificuldades e equívocos, encontraria sua missão. Uma decepção precoce a condenara a permanecer solteira; ela permaneceu fiel ao noivo que a abandonou e morreu precocemente*. A esposa de Herzen morrera ainda jovem, deixando ao viúvo duas pequenas filhas, cuja educação foi confiada a Malwida.

---

\* Theodor Althaus, filho do pastor que realizara a confirmação de Malwida. Dedicou-se à teologia antes de se tornar sociólogo materialista.

Com Olga, a filha mais jovem, Malwida desenvolveu uma relação tão afetuosa que realmente passou a ser sua mãe e, com o passar do tempo, pôde acolhê-la completamente e educá-la como sua própria filha. Assim, e a despeito de ser solteira, conseguiu desdobrar seu lado materno altamente desenvolvido. Desde cedo, Malwida havia nutrido dúvidas em relação aos dogmas da Igreja. Nessa área ela também travou lutas árduas consigo mesma, com a família, com o pastor e com seus amigos, finalmente abandonando por completo a Igreja e até aderindo às "congregações livres" durante algum tempo. Apenas quando, incentivada por Wagner, passou a se ocupar intensivamente com Schopenhauer, ela encontrou a partir de 1860/1861 em sua filosofia – que ela interpretou de forma muito pessoal – uma base sólida para uma visão do mundo que ia além do materialismo e positivismo e incluía também o espaço da metafísica.

Era também um ser com fortes tendências artísticas. Apenas nessa área a casa paternal havia deixado impressões positivas e duradouras; a mãe gostava de convidar artistas, também do pequeno teatro da corte. Malwida tocava um pouco de piano, mas preferia cantar, pois possuía uma voz agradável. Teve também aulas de desenho e pintura, mas sua visão fraca impediu que se formasse numa academia de arte. Por isso a música se tornou aquela arte que mais correspondia ao seu ser, e esse anseio encontrou sua satisfação na obra de Wagner, sobretudo em seu "Tannhäuser", que – a seu ver – correspondia completamente àquilo que ela expressaria mais tarde[166]: "A maioria das pessoas espera de uma obra de arte apenas que ela tenha um efeito agradável sobre seus sentidos. Parece-me, porém, que a obra de arte verdadeiramente grande tem um efeito sobretudo ético, que ela nos eleva acima de nós mesmos e nos idealiza – ou seja, que cumpra aquilo que antigamente esperávamos da religião. O gênio preenche a forma estética com um conteúdo ético [...]".

Em 1860/1861, quando Malwida morou em Paris com Olga Herzen, ela era presença constante na casa de Wagner, que, na época, residia em Paris para os ensaios do "Tannhäuser". Em noites sociais, Wagner apresentava com a ajuda de Karl Klindworth ao piano (1830-1916) suas obras mais recentes, o "Rheingold" e as "Valquírias". Aqui, Malwida conheceu também o "Tristão". Em suas memórias, ela escreve[165]: "Foi quando compreendi este homem, cujo demônio poderoso o obrigava a criar tamanhas obras incríveis. A partir de então eu sabia que nada me desviaria dele, que eu o compreenderia até mesmo nas horas mais escuras, nas irrupções violentas de sua natureza irritável, em peculiaridades que levariam a massa a apedrejá-lo. Eu sabia que, a partir de então, ele poderia contar comigo até a morte e que seu gênio seria uma das poucas luzes cujo brilho daria sentido e valor à minha vida". Inicialmente, deu prova de sua lealdade ao assistir a todas as três apresentações do "Tannhäuser" em Paris, em março de 1861, e ao defender Wagner contra os escândalos da jovem "sociedade" parisiense. Estes eventos representaram uma prova difícil para seu ser sensível, mas serviram apenas para firmar ainda mais a sua fé em Wagner.

Ela demonstrou essa mesma lealdade não à obra, mas ao homem Nietzsche. Jamais negou sua amizade com ele, mesmo que suas convicções chegaram a tomar rumos opostos ao longo dos anos.

Ao último capítulo de suas memórias ela deu o título: "A criança, o artista, o filósofo", e nele ela resume uma jornada longa e árdua[165]: "Eu havia encontrado o propósito e a obrigação aos quais dedicaria toda a minha vida pessoal: educar um ser para sua mais perfeita consumação. [...] Então encontrei o artista cuja ambição realizou um novo ideal e confirmou em mim a convicção segundo a qual o reino do ideal só pode existir na arte. [...] Por fim, conheci também o filósofo (Schopenhauer!) cujas convicções vieram ao socorro das minhas ideias e que me esclareceram sobre os fenômenos da vida, na medida em que isso é possível para o nosso conhecimento; o filósofo cuja sabedoria me ofereceu o apoio inabalável para dar continuação à caminhada da minha vida".

Após vencer confusões e obstáculos, ela encontrou aquilo como propósito que seu novo amigo jovem havia encontrado quase que casualmente como ponto de partida: a docência precoce lhe forneceu as obrigações que valiam todo esforço. Como professor ginasial e universitário ele pôde formar pessoas jovens naquela disciplina que oferecia as mais belas e profundas possibilidades de formação. O convívio pessoal com Wagner e sua obra havia se oferecido a ele quase como de graça, e sua formação e seus talentos espirituais o haviam predestinado para a filosofia.

Assim, os primeiros anos da amizade com Malwida von Meysenbug foram um encontro autêntico e frutífero entre duas gerações. Malwida compreendia perfeitamente as dúvidas e os sofrimentos internos, seus impulsos e inquietações. Nessa compreensão, em sua maturidade e em seus instintos maternais reside a posição singular que essa mulher ocupa na vida e no pensamento de Nietzsche. Trata-se de uma posição de confiança que nenhuma outra mulher chegou a ocupar – nem mesmo a venerada Sra. Cosima, diante da qual Nietzsche sempre se mostrou tímido, tampouco sua própria irmã e muito menos sua mãe com sua religiosidade rústica, da qual ela só conseguiu se distanciar quando o filho adoeceu. As posições de confiança de Overbeck e de Peter Gast são de natureza completamente diferente, falta-lhes a cordialidade de ambos os lados e, no caso de Peter Gast, a superioridade de Malwida von Meysenbug. Pouco tempo após seu primeiro encontro em Bayreuth, Malwida e Nietzsche voltam a se encontrar em Munique por ocasião das apresentações do "Tristão", em 28 e 30 de junho de 1872. Encantados e extasiados pela experiência artística sob o poder mágico da obra de Wagner, os dois se aproximam e firmam sua amizade. Já agora planejavam passar algum tempo juntos na Suíça, e em 2 de agosto Nietzsche sugeriu seu querido Frohburg na vizinhança de Olten. Mas a estadia de cura de Malwida e de sua afilhada Olga em Bad Schwalbach e em Heidelberg se estendeu um pouco além do previsto, de forma que os dois só puderam se ver durante algumas poucas horas, quando Malwida passou por Basileia em 31 de agosto de 1872, ocasião em que Elisabeth também veio a conhecer Malwida. Malwida deixou uma pequena lembrança: suas memórias, publicadas em 1869 em Basileia (na editora de H. Georg), que tratavam apenas dos anos 1830 a 1848, escritas em francês. Na carta de 4 de setembro de 1872, Malwida confessa a Nietzsche: "O fato de eu ter lhe dado as minhas memórias não significa que o fiz por vaidade ou pretensão, mas apenas como desejo de retribuir algo ao jovem amigo que ganhei de forma tão rápida e maravilhosa; algo que seja parte de mim, da mesma forma como encontrei em seu lindo livro algo tão precioso que despertou minha mais profunda simpatia". Um reconhecimento do "Nascimento da tragédia", que certamente lhe fez muito bem.

Malwida tinha um motivo especial para acolher o jovem Nietzsche de forma tão súbita: Olga Herzen já havia se tornado noiva do historiador francês Gabriel Monod, e o casamento – e, portanto, a separação de Malwida da filha amada – estava prestes a acontecer. Malwida temia a solidão e cogitou mudar-se para Bayreuth, onde ela seria recebida cordialmente, mesmo sabendo que, a despeito de toda veneração e amizade também com Cosima, lá não encontraria a felicidade plena. O que constrange Malwida é o elemento católico em Cosima (apesar de sua conversão oficial para o protestantismo), que, mais tarde, em seu ataque ao "Parsifal", Nietzsche destacaria de forma tão berrante. Ela não consegue entender "que ela ainda se agarra tanto aos aspectos formais e aos símbolos do cristianismo. Se a figura do nobre mártir, se o significado ético e histórico do cristianismo permanecer eternamente importante, sua forma histórica, seus símbolos perderam seu valor, pois se transformaram em um recipiente limitador para seu conteúdo vivo, que deseja fluir e preencher uma forma nova e mais rica", ela escreve em 11 de agosto de 1872 a Nietzsche. Olga não era batizada e, quando completou 18 anos de idade, Malwida a introduziu aos ensinamentos dos Vedas, "batizando-a nos mistérios de Atma".

Por isso, o casamento de Olga Herzen com Gabriel Monod ocorreu em 6 de março de 1873, em Florença; ocorreu sem a bênção da Igreja. Nietzsche parabenizou o casal e lhe enviou como presente pessoal a "Monodie à deux" (cf. p. 407). Nos dias de Natal, que ele passara em Naumburg, usou um antigo manuscrito como base e lhe conferiu um final pomposo. No entanto, seu presente não provocou uma reação entusiasmada por parte do casal (cf. p. 407). Apesar de Nathalie, a irmã mais velha de Olga, ainda permanecer na casa de Malwida, esta escreveu a Nietzsche em 2 de março no final de uma longa carta repleta de queixas e pensamentos sombrios: "O senhor não poderia passar a Páscoa aqui? O senhor poderia morar conosco, pois agora temos bastante espaço, e o senhor não precisaria partir antes do final de abril. Talvez isso melhoraria a nossa atmosfera".

Muitas vezes ela já havia lhe oferecido apresentá-lo às maravilhas das obras de arte florentinas. No entanto, Nietzsche não tinha uma afinidade com as artes visuais, e assim essa promessa não servia para seduzi-lo. Agora, viu-se obrigado a dizer não: "[...] porque, além do meu cargo universitário, ocupo também a posição de professor de Grego da última turma do Pädagogium, sendo, portanto, obrigado a suportar as torturas entediantes dos exames escolares orais e escritos etc. O tempo livre não me permite viajar para Florença; quantas vezes já me lamentei por isso! Pois sinto realmente a necessidade profunda de vê-la e de conversar com a senhora e viajaria *apenas* por causa da senhora (e não por causa de quaisquer pinturas) para Florença".

Quando o verão se aproxima, Malwida viaja para Bayreuth com a intenção de uma estadia permanente, mas acabou desistindo de seus planos porque não suportava o clima da região, sobretudo no outono e no inverno. Mas no final desse outono Nietzsche ainda encontrou a amiga em Bayreuth por ocasião da assembleia das associações wagnerianas entre 30 de outubro e 2 de novembro.

Em 4 de fevereiro, porém, ela teve que escrever-lhe de San Remo: "Creio que o senhor já saiba que eu me vi obrigada a deixar a nossa pátria e que voltei a ser uma viajante solitária. Apenas uma necessidade extrema me forçou a partir, pois meu médico em Munique descobriu como causa das minhas insuportáveis dores de cabeça uma infecção de ouvido que havia sido ignorada durante anos e que já se encontrava num estado tão avançado que qualquer hesitação teria causado uma surdez completa. [...] O retorno para regiões mais quentes se tornou uma exigência inadiável. [...] Não preciso lhe explicar como foi difícil essa partida. [...] Agora, resta-me apenas calar-me com orgulho e seriedade. [...] Não posso ler e escrever quase nada, e não tenho ninguém que lesse ou escrevesse para mim; mas estou determinada a não sofrer um colapso, mas transformar-me em buda no mais pleno sentido da palavra e tentar alcançar o último degrau da sabedoria. Estou vivendo uma vida totalmente terrena com o mar, o céu, o sol e as flores".

Em uma resposta muito cordial e delicada, Nietzsche lamenta seus sofrimentos compartilhados, as dificuldades causadas pela visão fraca e sua preocupação com Bayreuth (cf. p. 450) e encerra essa carta de 11 de fevereiro com as palavras: "Ah, como queria poder ajudar-lhe! Ou ser de alguma utilidade! Penso com empatia na senhora e admiro a forma como suporta a vida. Comparado com a senhora, sou um príncipe sortudo e deveria me envergonhar. Meus pensamentos estão com a senhora!" Ele logo lhe envia sua segunda "Consideração extemporânea", e ela lhe agradece já em 3 de março: "[...] mergulho nestes dias num mar de alegria por causa de sua segunda peça. Posso desfrutá-la apenas aos poucos, pois só me é permitido ler algumas páginas por dia: mas estas poucas páginas me preenchem com tamanha riqueza de pensamentos que ela transparece como um sol oculto, e todos percebem que carrego comigo uma alegria secreta. [...] O Deus desconhecido, no qual *nós* cremos, o abençoe e o fortaleça e aguce a sua arma para a continuação desta guerra santa!" E ela lhe envia flores da Riviera, as primeiras flores que alguém lhe dá (cf. p. 453).

Em abril de 1874, um parecer médico decide o destino futuro de Malwida: ela precisa permanecer na Itália. Nietzsche a havia convidado para uma visita a Basileia, cujo clima ele lhe descrevera como muito mais ameno do que o de Bayreuth. Portanto, não encontramos aqui ainda nenhum traço de suas futuras e frequentes queixas sobre o clima de Basileia! Mas em 8 de abril Malwida se vê obrigada a responder: "[...] como gostaria de ter ido a Basileia, para conquistar para mim um filho, agora que perdi a filha".

Por consideração mútua à visão fraca de ambos, eles até se abstêm da correspondência, mas em 25 de outubro de 1874 Nietzsche lhe envia sua terceira "Consideração extemporânea" (Schopenhauer). Na carta de agradecimento, escrita em 15 de novembro em Roma, onde ela estava passando o inverno, encontramos uma oração que reapareceria mais tarde no "Zaratustra" (em toda essa obra, as sentenças de Malwida von Meysenbug se entrelaçam com as palavras do próprio Nietzsche): "Sim, a geração do gênio, do artista, do santo – esta é a única coisa que importa. Certamente não interessa aumentar o rebanho. Curiosamente, esta mesma observação tem – há algum tempo – sido o tema de todas as minhas cartas à Olga: pois creio que aqueles que dão continuação à humanidade por meio da criação da família deveriam ser permeados profunda e sagradamente por essa visão e permitir que esta guiasse a sua vontade" [...]. "Criar aquilo que é mais do que aquilo que o criaram", Nietzsche dirá no capítulo "Do filho e do matrimônio", no "Zaratustra". E novamente ela repete também nesta carta seu convite. Nietzsche só encontra tempo para responder à carta no final das férias de Natal passadas em Naumburg. Sua atenção estava totalmente voltada para a revisão de suas composições da juventude e para a finalização de seu "Hino à amizade". Trata-se da carta de 2 de janeiro de 1875, em que ele dá um testemunho sobre a importância da música como expressão de seu ser.

Sem esperar uma resposta de Malwida, ele volta a lhe escrever já em 7 de fevereiro. Dessa vez, expressa um desejo: Pede que Malwida pergunte aos Monod em Paris se eles conseguiriam encontrar um editor para a tradução de sua terceira "Consideração extemporânea", elaborada pela Sra. Baumgartner.

Malwida responde em 13 de fevereiro, informando que já encaminhara seu pedido. Infelizmente, seus esforços não seriam bem-sucedidos. Após uma longa e entusiasmada descrição da localização de seu apartamento em Roma e das muitas belezas naturais e artísticas da cidade, ela volta a expressar seu antigo desejo: "De tê-lo uma vez aqui durante todo um inverno e de conviver com o senhor no círculo mágico que Roma necessariamente traça em volta de todo ser pensante e sensível. Até mesmo os amados gregos poderiam revelar-lhe aqui ainda algumas coisas".

No entanto, ambos foram obrigados a percorrer caminhos diferentes. Malwida teve que fazer uma cura em Münster am Stein, nas proximidades de Bad Kreuznach an der Nahe, de onde lhe escreveu em 2 de julho de 1875 – e Nietzsche teve que ir para a cura em Steinabad. Ambos tiveram que desistir de seu sonho de se encontrar em Bayreuth por ocasião dos ensaios daquele verão. Depois de sua cura, Malwida viaja para Paris, onde se reencontra pela primeira vez com Olga após seu casamento, agora, já como mãe de dois filhos. Um outono precoce, com tempo ruim, a obriga a despedir-se e voltar pelo caminho mais rápido para Roma, tendo que desistir de seu plano de visitar Nietzsche em seu novo lar em Basileia. No inverno seguinte, Malwida pôde prestar um serviço especial a Nietzsche. Este havia recebido um novo aluno, primeiro no Pädagogium, depois, no semestre de verão de 1875, também na universidade: Albert Brenner (nascido em 21 de dezembro de 1856), um rapaz altamente talentoso, que se interessava pelo estudo do Direito. Mas ele sofria de uma doença pulmonar e já estava à beira da morte. Os médicos esperavam que o calor do clima italiano pudesse curá-lo, e assim Brenner partiu em direção ao sul no final de outono de 1875. Nietzsche o referiu a Malwida. A princípio, Brenner não pretendia permanecer em Roma, mas continuar sua viagem para a Sicília. Em 12 de janeiro, Malwida escreve a Nietzsche: "Mas seu ser e sua fala me constrangeram, de modo que reconheci imediatamente que ele precisava de ajuda. Por isso, vi-me praticamente obrigada a conquistar sua confiança. Encontrei-o tão enfermo em termos morais e físicos que me parecia ser irresponsável permitir que continuasse para a Catânia, pois era evidente que ele pretendia encontrar o mesmo fim de Empédocles. Consegui convencê-lo a permanecer em Roma por enquanto. [...] Schopenhauer, Leopardi e Hölderlin haviam se transformado numa tríade perigosa para ele. [...] O médico [...] e eu organizamos sua vida da forma mais agradável possível [...] e as impressões infalíveis de Roma já começam a preencher sua alma com toda sua beleza e sublimidade, e ele compartilhou comigo sua verdadeira felicidade de estar começando a recuperar seus sentimentos".

Malwida pediu a Brenner que ele lesse para ela, pois sua visão não havia se recuperado ainda, mas, quando ela percebeu que isso representava um grande esforço para ele, ela abriu mão dessa comodidade. Apesar de não conseguir salvar a vida do jovem Brenner (dois anos mais tarde, em 17 de maio de 1878, ele viria a falecer), ela enriqueceu o tempo que ainda lhe restava.

A despeito de suas forças físicas limitadas, uma vontade férrea lhe permitiu trabalhar muito. Ela reescrevera suas memórias (iniciadas na língua francesa) em alemão, ampliando seu conteúdo para três volumes, dois dos quais foram publicados no outono de 1875; e o terceiro, em fevereiro de 1876. Nietzsche levou essas "Memórias de uma idealista" para suas férias no Lago Léman, terminando sua leitura em 2 de abril. Em 14 de abril, três dias após seu pedido de casamento a Mathilde Trampedach, ele confessa a Malwida "que jamais vivi um domingo mais sagrado; a atmosfera da pureza e do amor não me deixou, e neste dia a natureza era o puro reflexo desta atmosfera. A senhora me guiava como um eu mais sublime – *muito* mais sublime, mas não de forma vergonhosa e sim encorajadora. [...] Sinto-me agora muito mais saudável e livre, e as minhas obrigações voltaram a ocupar minha visão sem me torturar. Quantas vezes tenho desejado sua proximidade para fazer-lhe uma pergunta à qual apenas uma moralidade e essência mais elevada do que eu pode responder [...]. Um dos motivos mais sublimes que vi a vislumbrar apenas por meio da senhora é o motivo do amor materno sem o laço físico de mãe e filho [...]. Presenteie-me com um pouco deste amor, minha amada amiga, e reconheça em mim alguém que, como filho, precisa desta mãe!"

Nietzsche, porém, encontrou muito mais nesse livro, que ele elogiou, emprestou e presenteou a seus amigos. Ele só se mostrou igualmente impressionado por um livro não filosófico após a leitura de "Nachsommer", de Stifter. Maravilhado, constatou como Malwida havia passado por muitas das lutas interiores que ele estava travando no momento e quão brilhantemente ela conseguira formular aquilo para o qual ainda lhe faltava a clareza.

No prefácio, Malwida expõe o mesmo pensamento que Wagner confiou a Hans Sachs nos "Cantores Mestres"[259] e que resume o apelo de Nietzsche aos alemães: "Não me desprezem os mestres [...]. E mostrem seu favor à sua obra, pois mesmo que o Sacro Império Alemão se dissolvesse, restar-nos-ia mesmo assim a Sacra Arte Alemã". Malwida acata essa advertência contra a Alemanha política[165]: "Sim, povo alemão, não se esqueça do melhor: seu espírito primordial, na forma como ele se reflete em seus gênios, em seus grandes espíritos [...]. Seus gênios lhe indicam o caminho. Reúna-se em volta deles, ouça e obedeça-lhes, pois neles você honra sua própria consumação". Mais tarde, na terceira edição, ela deixa claro que esse esforço precisa ser eticamente relevante: "Aquele que, seja homem ou livro, não servir com a existência a um propósito ético maior, aquele que procurar nada senão sua própria fama ou vantagem, este seja entregue à destruição". Esse prefácio de 1881 revela por um lado a influência das ideias educacionais de Nietzsche; por outro lado, porém, é também uma advertência dirigida a ele, uma advertência da qual ele já não deve ter se apercebido: "Educação no sentido mais elevado não é nem mero conhecimento nem um talento individual especialmente desenvolvido [...]. É antes a penetração ética de todo o ser, o sol central, do qual partem os raios em todas as direções".

As confissões de Malwida sobre sua luta interior com os dogmas cristãos atingiram o centro de sua própria problemática: "O dogma da redenção me fez refletir muito. Da forma como o tentei explicar para mim [...], deparei-me apenas com contradições. Deus, que deveria ser a sabedoria e bondade última – como poderia Ele ter criado o ser humano com a capacidade da liberdade, condenando-o ao mesmo tempo a ser cegamente obediente? Ele lhe deu o paraíso sob a condição de permanecer escravo. Assim que o ser humano afirmou sua individualidade, tornando-se verdadeiramente humano ao julgar por si mesmo, não só ele foi expulso do paraíso, mas toda a sua descendência até o último membro [...]. Tudo isso era ordenado segundo uma predestinação irrevogável para que um único, que era Deus e, ao mesmo tempo não Deus, se sacrificasse para salvar a humanidade de um pecado que ela não havia cometido. [...] Eu jamais senti a necessidade de um mediador e salvador. Sempre pareceu-me que o coração devia encontrar Deus sem intermediação [...]". E a questão da imortalidade, diante da qual Nietzsche nunca assumiu uma posição tão determinada quanto a que encontrou nesse livro, Malwida responde com uma citação de uma carta de seu noivo Theodor Althaus: "Caso quisesse falar da imortalidade, cada rosa, casa grinalda de primavera, o canto do rouxinol e tudo que jamais encantou meu coração precisaria me acompanhar [...]. Imortalidade só pode ser encontrada na poesia". Mais tarde, Nietzsche chegaria à conclusão contrária: afirmou o retorno eterno do mesmo. Malwida, porém, ao ser confrontada com essa questão, confessa: "Encontrei dificuldades apenas de abrir mão da imortalidade pessoal. Eu havia amado muito essa fase maravilhosa do egoísmo pessoal, essa arrogância poética do eu que deseja se afirmar eternamente, esse sonho do amor que não deseja saber do fim". Será que esse amor levou também Nietzsche ao egoísmo dessa arrogância poética? Malwida se submete ao pensamento da finitude pessoal e, por fim, se dedica à exposição absolutamente materialista da transmissão dos átomos. Para ela, apenas a matéria é inconscientemente imortal; ela vê nascer uma flor dos átomos da cabeça de um poeta. E quando lê a obra "Wesen des Christentums" (A essência do cristianismo), de Feuerbach, ela confessa: "Mas estes são pensamentos que conheço há muito tempo: são minhas próprias conclusões, que apenas não ousava confessar".

E as seguintes palavras tocaram outro aspecto de seu íntimo: "Na amizade e no amor é como na arte. Precisa existir um mistério. A obra de arte que não nos oferece uma nova revelação sempre que nos aprofundamos nela logo deixará de nos atrair. O ser, cuja alma não descobre continuamente novos tesouros, se tornará mais indiferente para nós. O amor verdadeiro, a amizade verdadeira está indissoluvelmente vinculada à revelação incessante de uma nova riqueza interior".

E também as descrições da natureza, sua experiência do sul formou a visão de Nietzsche, ela antecipa já aquilo que mais tarde representaria o encanto impressionista de seus escritores posteriores, sobretudo do "Zaratustra". "O mar agora se apresentava em mim em uma luz diferente. Vi as ondas profundamente azuis se quebrarem contra recifes pitorescos, cobertos de mirtos florescentes, de arbustos de urze. [...] Descansei ao lado de riachos claros, que correm para o mar e formam pequenas ilhas, nas quais florescem selvagens espirradeiras brancas e vermelhas." E Malwida fornece também o modelo para a experiência do mundo montanhoso (por ocasião de sua volta do sul da França, quando passou pela região de Dauphiné): "Olhei para os cumes brancos, que brilhavam nos raios de um sol frio, e era como se eu visse o meu destino gravado em gelo com uma escrita de diamante [...]: 'Queres aceitar a tarefa e não te assustar com os sacrifícios que ela te impõe?' [...] 'Sim, aceito a tarefa; sem vacilar seguirei a trilha solitária, percorrida por aqueles que buscam a verdade".

E "Das transformações do espírito", capítulo do "Zaratustra", poderia servir como título da seguinte passagem: "Reconheci que não era mais a criatura mansa que cedia, que se submetia a todos apenas para não magoar [...], reconheci que, a partir de então, minha consciência seria minha única bitola e que faria apenas o que ela me ditava". Nietzsche precisaria ainda de anos para alcançar a mesma clareza, e diante de seus familiares em Naumburg ele sempre escondia sua natureza diferente. Malwida lhe serviu como "eu superior", que ele mesmo nunca conseguiu alcançar. Neste sentido, ele permaneceu vinculado a ela, permaneceu ela uma de suas dialogadoras essenciais, cujas opiniões ele por vezes integrava em seu próprio pensamento – ou polemicamente se opunha a elas. É justamente o "Zaratustra" onde encontramos os traços mais nítidos desse diálogo. Encontramos, por exemplo, o pensamento fundamental de "Do pálido delinquente" no relato cativante de Malwida sobre sua experiência com o revolucionário francês Barthélemy, que ela venerava como caráter nobre e que, como vítima de sua paixão desenfreada, se transformou em assassino, sendo executado na forca: "Certamente, se existisse uma justiça que julgasse os atos dos homens não segundo um padrão comum, mas segundo a natureza daquele que os realiza, segundo os motivos mais íntimos do ato e de seu efeito, Barthélemy teria sido inocentado em virtude das dores que o acometiam, em virtude da penitência da qual ele teria sido capaz!" Outro pensamento fundamental se encontra na dedicatória citada por Malwida com a qual Alexander Herzen entregou seu livro "Vom anderen Ufer" (Da outra margem): "Não construímos, destruímos; não proclamamos uma revelação nova, apenas afastamos a antiga mentira. O homem atual, um triste *pontifex maximus*, só pode construir a ponte. Outro, um homem anônimo e futuro, a atravessará. Não permaneças tu na velha margem; melhor é afundar-se com ela". Malwida falou várias vezes desse homem anônimo e futuro como de um homem exemplar criador de obras. Numa discussão com uma amiga, ela chega até a falar do pensamento de criação direcionada: "A Mrs. Bell e eu chegamos [...] à conclusão de que seria uma vantagem imensa se uma educação intensificada e uma capacitação para a produção espiritual impusesse um limite nobre e natural ao brutal impulso de procriação e se fossem produzidos menos, mas mais nobres e mais perfeitos exemplares da raça humana. Lembramo-nos da lenda segundo a qual uma rainha do Oriente, um ser espiritual e fisicamente perfeito, chegou a Alexandre o Grande para gerar com ele um filho, uma imagem de humanidade aperfeiçoada, e concordamos que só assim seria possível gerar uma humanidade mais nobre, se os tipos mais elevados se reunissem e dessem vida a um ser humano com plena consciência artística como obra de arte autêntica [...]". "Sim, queria que a terra se revirasse em convulsões quando um santo copula com um ganso", poderíamos acrescentar aqui uma passagem do "Zaratustra". E Nietzsche deve ter se reconhecido perfeitamente ao ler: "Conversamos sobre a arte da vida em geral e como são poucos aqueles – mesmo entre os bons – que sabem proteger a vida da fragmentação, da dissolução 'nos boatos terrenos' e salvar o tempo passageiro para aquilo que 'precisa ser feito' no sentido ético mais elevado [...], que a tarefa mais nobre da educação deveria ser a formação desta arte da vida, para que toda a existência se transformasse em um desvelamento e processamento contínuos de uma ideia sublime em nós, por meio da qual nós mesmos nos transformaríamos em uma obra de arte sublime e libertaríamos a vida das amarras do 'nada em eterno movimento'". Com essa postura, Malwida se tornaria a força determinante para a desistência da docência e o "sacrifício" de Nietzsche, para então se dedicar exclusivamente à sua tarefa verdadeira.

Nietzsche encontrou uma harmonia perfeita com suas próprias ideias nestas palavras: "Ao ser humano, significa muito apenas o indivíduo; em relação a este ele mede a importância dos séculos, é a este que ele oferece a coroa da imortalidade, é neste que ele ama a humanidade".

Os dois concordavam também em seu entusiasmo pelos poetas: "O único lugar que me agradou foi o antigo jardim do castelo (em Bad Homburg) [...]. Procurava este lugar sozinha e com frequência para ler, sobretudo as obras de um poeta pouco conhecido na Alemanha e completamente desconhecido em outros países. Trata-va-se das obras de Friedrich Hölderlin". E Malwida comentou de forma empática o destino do poeta, seu fim na loucura. O grande perigo do ser humano extraordina-riamente dotado de imaginação era a ameaça, sob a qual também Nietzsche já sofria em 1876, "um fantasma ameaçador, como ponto de visão na linha do horizonte de tantos espíritos jovens talentosos", como ela formulou de modo tão certeiro. E Nietzsche se sentiu confirmado em mais uma preferência, quando Malwida se en-tusiasma com as "poesias criadas no ventre do próprio sofrimento do maior e mais nobre poeta italiano desde Dante: Giacomo Leopardi". A obra "Gênio e loucura", de Cesare Lombroso, publicada em 1864, havia demonstrado essa relação em toda clareza[150], e Nietzsche sabia da fragilidade da existência genial, também graças ao destino do amado Robert Schumann. Por isso, ficou abalado com a citação de uma carta de Alexander Herzen a Malwida, em que este respondeu sucintamente a uma pergunta decisiva também para Nietzsche: "Deixei de exigir qualquer coisa da vida; mas a vida continua a exigir coisas de mim, e dessas exigências eu não me esquivo. Esta consciência me impediu duas vezes de cometer suicídio, que encarei com a tranquilidade daquele que sabe possuir o direito de cometê-lo".

Na situação atual, na tentativa de longa data de harmonizar profissão e voca-ção, de encontrar um compromisso entre urgência interior e obrigação exterior, a experiência da vida de Malwida lhe soou como advertência: "Senti profundamente quão necessária é a independência para o caráter extraordinário, i.e., quão necessá-rio é a possibilidade de organizar sua vida externa de acordo com uma necessidade interior, de afirmar a si mesmo numa determinada circunstância. A tranquilidade desfrutada pelo espírito quando este pode viver segundo sua própria natureza é a única felicidade indestrutível". E sob a impressão da arte e da personalidade de Wagner, ela acrescenta ainda um elemento imprescindível à felicidade: "E nova-mente entendi que uma vida sem música é uma vida pobre, uma caminhada pelo deserto sem o refresco do maná celestial". Encontramos este mesmo pensamento doze anos mais tarde numa carta de Nietzsche, na qual ele escreve que a vida sem música seria "uma fadiga".

Assim, as memórias de Malwida von Meysenbug foi uma das obras mais férteis para Nietzsche, e podemos compreender agora que isso despertou nele o desejo de se encontrar com a autora para uma longa e profunda conversa. Uma primeira oportunidade prometia o primeiro reencontro após três anos por ocasião das apresentações em julho e agosto de 1876. Mas Malwida também sentia a necessidade de um convívio espiritual e começou a entreter o plano de passar um ano de férias na Itália, ao qual Nietzsche concordaria rapidamente.

O único interesse de Malwida visava à libertação do jovem amigo da coerção e do sofrimento imposto pela atividade de ensino. Ela ainda não conseguia ver quão necessárias eram essas férias também do ponto de vista de seu estado físico – e nas cartas Nietzsche não lhe disse muito sobre isso, ao contrário das cartas que enviava à sua família. Na verdade, ela sabia apenas de sua visão fraca, que ele teve que lhe confessar para explicar por que algumas cartas não eram escritas de punho próprio. Se ela tivesse conhecido sua situação geral já na época, certamente não teria insistido apenas em um ano de férias, mas na desistência total de sua docência, como o faria a partir de 1877 e da qual ela finalmente o conseguiria convencer em 1879 com a ajuda de um aliado assombroso: a doença e a fragilidade do corpo de Nietzsche.

### Heinrich Köselitz

*Heinrich Köselitz*, ao qual Nietzsche daria o nome artístico de *Peter Gast*, com o qual este também entraria na história da pesquisa de Nietzsche, foi a última e mais significativa amizade desses anos.

Köselitz é aquele homem que, juntamente com a irmã, permaneceu vinculado com poucas interrupções à obra de Nietzsche, também após o colapso e a morte do filósofo, e que influenciou de modo decisivo sua recepção. Morreu em 15 de agosto de 1918 – pôde, portanto, vivenciar ainda a propagação das obras e a consagração de Nietzsche. Köselitz é um dos poucos amigos mais jovens – nove anos mais jovem do que Nietzsche. Talvez tenha sido esta a razão pela qual a amizade nunca se tornou muito próxima, a despeito de toda intensidade no convívio. A diferença de idade sempre foi um obstáculo, que os dois não conseguiram afastar. Assim, Köselitz permaneceu sempre na distância de um aluno (como ele se autodesigna repetidas vezes em suas cartas) e, mais tarde, na subordinação de um funcionário, de um servente no Nietzsche-Archiv de Elisabeth Förster-Nietzsche.

A amizade verdadeira, que Nietzsche pressupôs em sua relação com Wagner – e este era 30 anos mais velho do que ele –, Nietzsche foi incapaz de oferecer a um homem mais jovem, apesar de, por vezes, depender completamente dos serviços, da lealdade e dos sacrifícios de Köselitz. Sem o empenho diligente de Köselitz, várias obras jamais teriam chegado à gráfica.

No prefácio biográfico (que provavelmente se apoia em informações orais do próprio Köselitz) a seu "Thematikon zu Peter Gasts Oper 'Die heimliche Ehe'", de 1890, Carl Fuchs nos conta sobre a origem e dos fundamentos espirituais de Köselitz[94]: "Peter Gast nasceu em (10 de janeiro de) 1854 em Annaberg, na Saxônia, naquela antiga fortaleza dos mineiros de prata nos Montes Metalíferos, próxima da fronteira com a Boêmia. Assim como naqueles cumes se encontram as naturezas das Alemanhas do Sul e do Norte, assim se reúnem também em sua origem ambos os elementos: seu pai (um industrial e vice-prefeito) provém de uma família de patrícios da região, sua mãe é de Viena. Predestinado a se tornar guarda-florestal, ele logo seguiu seu impulso interior voltado para a música. Em 1872, foi primeiro para Leipzig. Ao lado de seus estudos filosóficos, dedicou-se à sua formação como músico. Seu professor foi o cantor E.F. Richter, um dos sucessores mais extraordinários de Sebastian Bach na Igreja de Santo Tomás. Naquele tempo, quando a juventude ainda estava extasiada em virtude das vitórias da década de 1870, quando crescia a esperança de se realizar o empreendimento de Bayreuth, quando Schopenhauer e Wagner conquistavam uma influência cada vez maior, Gast conheceu também as primeiras manifestações de Nietzsche [...], que, pelo fato de tomarem Schopenhauer e Wagner como ponto de partida, superando-os ao mesmo tempo, tornaram-se decisivas para a sua vida. Ele sentiu que Nietzsche era um dos grandes, um vidente para seu povo, uma força demoníaca, cuja voz ele precisava ouvir diretamente. Impulsionado por esse desejo, mudou-se em 1875 para a Universidade de Basileia, [...] onde passou a desfrutar do ensino e da amizade deste homem extraordinário. Demonstrou um interesse profundo também pelas personalidades e modos de pensar dos professores Franz Overbeck e Jacob Burckhardt – pelo primeiro como melhor conhecedor da história da Igreja, pelo último como conhecedor insuperado da arte e como historiógrafo da Antiguidade constantinense e do Renascimento. Assim, e mais tarde também por esforço próprio, Gast adquiriu uma compreensão de todo o desenvolvimento do pensamento, sentimento e contemplação humanos, i.e., das histórias da filosofia, da religião e da arte, sobretudo também das artes plásticas e das literaturas antiga e moderna, que o elevou bem acima do nível de conhecimento comum entre os músicos".

Essa breve *laudatio* já contém todos os aspectos para entendermos o vínculo dessa amizade e também a problemática da veneração de Nietzsche por Köselitz.

Köselitz descreve seu primeiro encontro e o convívio inicial com Nietzsche no prefácio ao 4º volume das "Cartas reunidas"[7], volume este que contém exclusivamente as cartas de Nietzsche a ele, infelizmente não sem "revisão redacional".

546

"Certo dia, entre 1872 e 1874, quando estudava contraponto e composição com o cantor da Igreja de Santo Tomás em Leipzig, o Prof. E.F. Richter, meu amigo Widemann me indicou um livro que o deixara absolutamente encantado. Tratava-se do livro 'O nascimento da tragédia no espírito da música', de Nietzsche. O livro também me deixou profundamente impressionado [...] e visto que ainda estávamos preenchidos com o estudo de Schopenhauer e os escritos de Wagner [...] passamos então a acreditar termos também em nós algumas das precondições modernas a partir das quais o livro precisava ser interpretado. Em todo caso, sentimos [...]: o 'Nascimento da tragédia' é um protesto gigantesco do homem artístico e heroico contra as consequências da nossa cultura alexandrina que enfraquece a vontade e dissolve os instintos [...]. E quando Nietzsche usou David Strauss como exemplo e, na segunda 'Consideração extemporânea', contrapôs à indústria histórica ressecada seu ideal da grande concepção de história, a compreensão de seu espírito aumentou nossa admiração, que se transferiu também para outros. Entre estes, encontrava-se Ernst Schmeitzner, amigo de Widemann. Ele havia optado pela profissão de editor." Em 1874, Schmeitzner fundou sua editora em Chemnitz, para onde Widemann o acompanhou e o convenceu de se encarregar da publicação das obras de Nietzsche e também a obra de Overbeck 'Christlichkeit unserer heutigen Theologie' (O cristianismo da nossa teologia atual'). "No verão de 1875, meu amigo Widemann retornou para Leipzig para retomar seus estudos universitários; ali amadureceu em nós a determinação de irmos para Basileia por causa de Nietzsche. Armados com recomendações de Schmeitzner, chegamos nos meados de outubro de 1875 em Basileia, antes passando por Bayreuth. [...] Por ocasião de uma visita à livraria, perguntamos por uma fotografia de Nietzsche, pois na vitrine havia várias fotografias de professores de Basileia. [...] Ficamos muito surpresos quando o livreiro perguntou: 'O Prof. Nietzsche? – Existe um professor deste nome em Basileia?' [...] Pouco tempo mais tarde, quando o visitamos, ficamos assustados com sua aparência. Um militar, não um 'estudioso'! [...] Imaginávamos o autor do anti-Strauss como homem duro, mas encontramos um homem bondoso, profundamente sério e sem qualquer traço de sarcasmo. [...] A impressão era a de um autodomínio extremo. Rígido consigo mesmo, rígido em questões fundamentais, era extremamente bondoso ao julgar as pessoas. Nós mesmos gozaríamos de grandes vantagens por causa deste traço. A forma como nos recebeu já demonstrava isso: 'Ah, já conheço os senhores', ele disse com uma dignidade descontraída. Contou-nos que também estivera naquela livraria e imediatamente nos reconhecera como os amigos anunciados por Overbeck. Despimo-nos então de toda timidez, e a conversa seguinte girou em torno dos nossos planos de estudo [...]. Inscrevemo-nos nas seguintes preleções: 'Antiguidades do culto religioso dos gregos' e 'História da literatura grega', com Nietzsche; 'História da literatura cristã até Eusébio', com Overbeck; 'História da cultura grega' e 'Arte da Antiguidade', com Burckhardt. [...] Combinamos de fazer caminhadas juntos, e a primeira se gravou vividamente em minha memória: Overbeck se juntara a Widemann; Nietzsche, a mim [...]. O primeiro tema que eu, como músico, discuti com Nietzsche foi o conflito entre Gluck e Piccini [...]. Nietzsche considerou que um conflito entre gostos tão distintos era simplesmente irresolúvel: 'Um cuco jamais reconhecerá que o zurro de um jumento seja uma expressão adequada da alma'. [...] Naquele semestre, recebemos vários convites de Nietzsche, normalmente para a noite. [...] Nessas noites, tivemos também a felicidade de ouvir Nietzsche como pianista. [...] Nietzsche tocava com grande intensidade, com eloquência polifônica, com múltiplas graduações, de forma que acreditávamos ouvir uma orquestra – aqui uma trompa ou flautas e violinos, ali as trombetas...

Uma relação mais próxima com Nietzsche, porém, só se estabeleceu no momento em que ele me informou que existia uma 'Consideração extemporânea' inacabada sobre Richard Wagner. Estávamos no final de abril de 1876, quando meu amigo Widemann teve que me deixar por causa de suas obrigações militares. Quando Nietzsche percebeu o quanto eu desejava ver o fragmento sobre Wagner, ele permitiu que eu o levasse para casa. Eu o li com entusiasmo crescente, e, quando o devolvi, tive que dizer-lhe que considerava um desperdício não finalizar essa Consideração. Ele, porém, achava que o escrito era pessoal demais e, portanto, impróprio para a publicação. Alguns dias depois, ele me disse: 'Quando abri o caderno e li algumas passagens, tive a ideia de usá-lo para fazer uma alegria a Wagner em 22 de maio (seu 63º aniversário). Providenciarei uma cópia'. Eu me ofereci para fazê-la e a entreguei a ele. Ele me pareceu satisfeito e até reavivou seu interesse pela própria obra, de forma que, em vez de enviar a cópia para Bayreuth, decidiu usá-la como manuscrito de impressão para Schmeitzner, escrevendo os três últimos capítulos em junho e publicando o livro como publicação festiva por ocasião das apresentações em Bayreuth. – A partir de então, ajudei Nietzsche assumindo alguns trabalhos de secretário, no início apenas raramente, mas diariamente em setembro de 1876, até sua partida para Sorrento, e novamente no semestre de inverno de 1877/1878 até minha partida para Veneza (em abril de 1878). A partir da quarta 'Consideração extemporânea' até o final de 1888, li também todas as provas de impressão de suas obras."

Köselitz, porém, não só leu as provas de impressão, ele também fez comentários críticos e estilísticos e, às vezes, até corrigiu o texto. Assim, Köselitz complementa a função de Malwida von Meysenbug. Ela não gerou as obras em Nietzsche, mas provocou, sim, vários pensamentos. Köselitz, por sua vez, contribuiu *após* a redação das obras afastando suas últimas imperfeições; a filologia nietzscheana discute ainda hoje se ele o fez sempre para o bem da obra. No entanto, não resta dúvida quanto à sua contribuição em termos históricos e biográficos.

Se a descrição de Köselitz é correta, segundo a qual ele teria convencido Nietzsche a publicar a 4ª "Consideração extemporânea" ("Richard Wagner em Bayreuth"), mesmo contra as grandes dúvidas de Nietzsche referentes ao seu direito de entregar esse escrito ao público, isso seria uma imposição significativa por parte do "discípulo". Significativa para ambos, pois se tornaria o ponto de partida de um entrelaçamento indissolúvel dos dois destinos: Köselitz pagaria o preço duvidoso de uma fama secundária, pela qual teria que desistir completamente de seu próprio caminho; Nietzsche, por sua vez, ganharia um apoio importante nas dificuldades de sua existência externa. A importância de Köselitz para a imagem de Nietzsche durante várias décadas é imensurável.

Assim, a partir de 1872, Nietzsche encontrou alguns companheiros fiéis e até alguns amigos verdadeiros, de forma que sua despedida de Wagner não precisou ser um caminho para o isolamento, possibilitando assim o lento desprendimento sem grandes riscos.

# XVIII

## Despedida de Bayreuth (1876)

Tornou-se cada vez mais evidente que sua tentativa de obter uma síntese entre profissão e vocação, de harmonizar sua existência burguesa com a liberdade da existência fracassaria. Seu estado de saúde, que piorava rapidamente, simplesmente não permitiu mais o peso causado pela tensão interior cada vez maior. Aos poucos, passo após passo, ao longo de três anos, essa tensão se alivia.

### Uma cautelosa economia de forças

Primeiro Nietzsche alivia ainda mais sua atividade como professor, como informa a Rohde em 16 de maio de 1876: "[...] também não me esforço mais e apresentei aos meus alunos alguns velhos cavalos mansos que consigo montar no sono". Trata-se das preleções sobre os filósofos pré-platônicos e sobre a vida e o ensino de Platão e o seminário sobre as Erga de Hesíodo; no Pädagogium, lê com seus alunos a Alceste, de Eurípides, e principalmente fontes sobre Platão e Sócrates. Nada fala agora sobre uma extensa leitura própria. No semestre de inverno passado, havia lido muita literatura especializada e também a história inglesa de Ranke, mas no semestre de verão consulta apenas a literatura necessária para seu programa de ensino[183].

Reduz também seus relacionamentos humanos. Não participa mais de eventos sociais. Mantém um convívio mais próximo com Köselitz, porque este lhe é útil. Encontra-se com Jacob Burckhardt praticamente diariamente na escola, "no convívio mais familiar", como escreve a Rohde em 23 de maio, cujo livro mais recente, "Der griechische Roman und seine Vorläufer" (O romance grego e seus precursores) ele lê e discute com Burckhardt. Aparentemente, este livro e seu aluno comum Köselitz, além da "História da cultura grega" de Burckhardt[64], lhes fornece mais alguns temas de conversação. No entanto, é provável que não tenham falado sobre música, muito menos sobre Wagner, que Burckhardt havia chamado de "assassino da ópera atual" (em uma carta de 27 de fevereiro a Friedrich von Preen)[61].

Quase todas as amizades desses anos apresentavam algum laço musical, e Nietzsche procurou sempre o contato com músicos (entre outros também com todos os principais maestros de seu tempo), apenas no caso de Burckhardt, um homem a princípio profundamente musical, faltava esse vínculo. Pelo contrário: O bom convívio era extremamente ameaçado pelo "credo" musical. O quanto Nietzsche se preocupava com isso demonstra uma anotação nos esboços para a quarta "Consideração extemporânea"[1]: "Aqueles que se refreiam por desespero, como Jac. Burckhardt". Na versão final, Nietzsche excluiu esse ponto. Para evitar um conflito aberto?

Imediatamente após seu retorno de Genebra, Nietzsche escreve na Sexta-feira Santa (14 de abril) e no dia seguinte a Malwida von Meysenbug, Erwin Rohde, Carl von Gersdorff, Heinrich Romundt – e Mathilde Trampedach –, depois se cala durante um mês também como correspondente. A comunicação com a mãe em Naumburg deve ter sido mantida por Elisabeth. Apenas em 11 de maio, Nietzsche inicia mais uma vez uma breve série de cartas a Malwida von Meysenbug, Dr. Carl Fuchs, Richard Wagner (por ocasião de seu aniversário em 22 de maio) e duas cartas a Gersdorff e quatro a Rohde. O tema dominante em todas elas é Bayreuth, as apresentações inaugurais em agosto de 1876.

O resto dos acontecimentos no mundo não o interessava. Jacob Burckhardt planejava viajar no final do semestre, mas duvidava de que seus planos pudessem ser realizados. Em 3 de julho, Burckhardt escreveu a Friedrich von Preen: "Se a Áustria não mobilizar suas tropas, viajarei para o Tirol e para a Itália Setentrional no final de julho [...], temo, porém, que em 28 de julho o mundo não estará mais em paz [...]. Assim que o destino da monarquia austríaca alcançar o alto-mar, muitas pessoas terão que suspender suas viagens de férias". A Sérvia e Montenegro já haviam mobilizado suas tropas em junho e declarado guerra à Turquia. A Rússia também se interessava pelos territórios turcos nos Bálcãs, mas ainda se continha em virtude das ameaças da monarquia de Habsburgo. Ou seja, existia o perigo de um conflito maior.

A política de Basileia também estava agitada. Burckhardt continua em sua carta: "Hoje o Grande Conselho se reúne para discutir a construção da ponte, e ainda não sei [...] se essa ponte horrível já possui uma maioria. Nossa política está miserável". Tratava-se da *Wettsteinbrücke*, que levaria da margem inferior do Reno até o alto da colina da catedral. E Burckhardt, em sua função como perito, havia declarado[61]: "[...] declarei-me contrário a qualquer ponte ascendente ou elevada, pois esta destruiria para sempre a vista mais importante da nossa cidade"*. Nietzsche não menciona nada disso. Seus olhos estão voltados para Bayreuth, não por antecipação ou alegria, mas porque pressentia que o conflito cada vez maior precisava ser resolvido.

Em 16 de maio, ele pergunta a Rohde se este poderia lhe ceder a entrada para um ciclo a Köselitz, "que assumiria um lugar como pessoa digna e verdadeiramente interessada em meio ao caos dos convidados de Bayreuth". Rohde responde em 18 de maio: "[...] uma palavra ainda sobre seu *musicus*. Infelizmente, meu patronato *duplo* evidenciou-se como equívoco [...]. Mas talvez conseguiríamos que seu amigo assistisse às quatro peças se nós dois juntássemos os 100 tálers necessários". Nietzsche não podia saber ainda que essa preocupação era totalmente desnecessária, visto que ainda havia entradas de sobra. Köselitz pôde assistir às apresentações sem a ajuda de Rohde.

A escassa atividade literária de Nietzsche também permanece presa ao tema Bayreuth. Com a ajuda de Köselitz, a maior parte da quarta "Consideração extemporânea", escrita já no ano anterior, pôde ser enviada à gráfica. E Nietzsche redige a parte final durante um fim de semana tranquilo em Badenweiler, nas proximidades de Müllheim, em 17 e 18 de junho.

Ele precisa da tranquilidade externa, pois precisa escrever contra uma oposição interior cada vez mais forte. Mas graças a uma restrição cuidadosa, sua saúde permanece suportável até os meados de junho; ele não se vê obrigado a se ausentar de sua atividade como professor. Por fim, porém, a rápida aproximação do confronto definitivo e a tensão psicológica relacionada a este acabam cobrando seu preço. Em 7 de julho, ele relata a Rohde: "[...] há três ou quatro semanas, voltei a sentir-me miserável, e preciso ver como sobreviverei *até* e *durante* Bayreuth".

### A ventura da quarta "Consideração extemporânea"

Em 10 de julho, a editora de Schmeitzner publica a quarta "Consideração extemporânea", "Richard Wagner em Bayreuth". Como sempre, Nietzsche instrui o editor a enviar exemplares diretamente às pessoas de seu círculo de amigos – 21 ao todo. A alguns destinatários, ele escreve uma carta, naturalmente também àquele ao qual a obra é dedicada: Richard Wagner. Mas justamente nesse caso, Nietzsche enfrentou dificuldades enormes, pois temia que Wagner percebesse a ambiguida-

---

* Em 28 de fevereiro de 1877, a construção da ponte foi autorizada, e inaugurada em 7 de junho de 1879. Desde então, a vista da cidade realmente é cortada pela ponte desde o Vale de St. Alban até a catedral.

de, o caráter forçado dessa "confissão" e ficasse magoado. Nietzsche fez vários esboços para essa carta, nos quais ele formulou sua dúvida, pedindo, desde já, sua absolvição. Também não sabe a quem deve se dirigir: a Cosima como intercessora, diretamente a Wagner ou aos dois? Os esboços apresentam formulações muito parecidas do mesmo pensamento básico[8]: "Espero que tenha conseguido dizer algo neste escrito que nos é comum [...]. Desta vez, resta-me apenas pedir-lhes: Leiam este escrito como se não tratasse de vocês e como se não fosse redigido por mim [...]. Desta vez não consigo nem adivinhar como receberão pessoalmente estas confissões. Minha atividade como escritor traz para mim a consequência desagradável de que, sempre que publico um escrito, algo em minhas circunstâncias pessoais é questionado, precisando ser corrigido com um grande recurso à humanidade [...]. Quando penso em que ousei desta vez, fico tonto e tenso e me sinto como o cavalheiro no Lago de Constança"*.

Infelizmente, desconhecemos a versão final da carta a Wagner. Entendemos plenamente o que Nietzsche ousou, o que ele ousou contra si mesmo, apenas quando recorremos às anotações sobre o tema "Wagner", escritas já anos antes e preservadas no espólio de Nietzsche. Já em janeiro de 1874, quando todo o empreendimento de Bayreuth ameaçava fracassar, Nietzsche havia partido da seguinte pergunta[1]: "O primeiro problema de Wagner: 'Por que o efeito não se realiza, se *eu* o sinto?'" E Nietzsche encontra várias respostas possíveis. Por exemplo: "[...] a música e a poesia pouco valem, nada vale o drama, e a arte teatral muitas vezes não passa de retórica – mas tudo é um e homogêneo" e reconhece já agora como essência do ser de Wagner sua predisposição como ator. Isso ainda não expressa o desprezo manifestado em "O Caso Wagner", de 1888, mas tampouco significa um elogio ao compositor, antes deve ser compreendido como conclusão "neutra" de uma análise científico-psicológica: "A qualidade de Wagner: impetuosidade, imoderação, ele aplica o máximo de suas forças, de seus sentimentos. – A outra qualidade é um grande talento como ator, que em outros caminhos desbrava novas trilhas e que despreza as mais próximas: pois para tanto faltam-lhe a figura, a voz e a modéstia. [...] Se Goethe é um pintor recalcado; Schiller, um orador recalcado, então Wagner é um ator recalcado. Ele compensa isso sobretudo com a música".

---

\* O Cavalheiro no Lago de Constança é uma balada do início do século XIX, de Gustav Schwab: Um cavalheiro se apressa para chegar ao Lago de Constança para atravessá-lo numa balsa. É inverno, e ele confunde o lago congelado e coberto de neve com uma planície. Quando alcança a outra margem, as pessoas o parabenizam pelo seu ato destemido. O cavalheiro se assusta tanto diante do perigo que correu que ele desmaia e morre. Desde então, tornou-se uma metáfora para um ato ousado, cujo perigo é percebido apenas posteriormente [N.T.].

Nessa avaliação, Nietzsche concordava com Malwida von Meysenbug, que teve a mesma impressão e que ainda em 1898, mesmo que de forma altamente positiva, diz em "Lebensabend einer Idealistin" (Maturidade de uma idealista)[166]: "Uma experiência de beleza incomparável era quando Wagner lia Shakespeare; parecia então que apenas então éramos capazes de entender completamente o grande poeta dramático, e certa vez eu disse a Wagner em tom de brincadeira que ele havia errado em sua profissão, que deveria ter se tornado ator para apresentar Shakespeare [...]". Nietzsche, por sua vez, reconheceu claramente os perigos que se escondiam por trás desse dom[1]: "O perigo do apelo aos afetos é extraordinariamente grande para o artista. O êxtase, a sensualidade, a repentinidade, a comoção a qualquer custo – tendências terríveis!" [...] "Imoderação e ausência de limites eram sua natureza [...]." "Não devemos ser injustos e exigir de um artista a pureza e o altruísmo de um Lutero etc. Mas em Bach e Beethoven transparece uma natureza mais pura. Em Wagner, o êxtase é, muitas vezes, violento e não ingênuo o bastante; além disso, é encenado exageradamente por meio de fortes contrastes [...]." "Excessos do tipo mais lamentável no Tristão, as explosões, por exemplo, no final do segundo ato." E descreve como "sorte que Wagner não nasceu em posição mais alta, como nobre, e não seguiu uma carreira política". Sobre a biografia de Wagner, ele escreve: "A juventude de Wagner é a de um diletante de múltiplos talentos, que não pretende se tornar algo bom [...]". "Nenhum dos nossos grandes músicos era em seu 28º ano de vida um músico tão ruim como Wagner." E Nietzsche reconhece as fraquezas de Wagner: "O tirano não permite outra individualidade senão sua própria e dos seus íntimos. Grande é o perigo de Wagner, quando não reconhece o valor de Brahms etc.: ou dos judeus".

"Seu talento como ator se manifesta no fato de que ele nunca o é na vida pessoal. Como escritor, é orador, mas sem a força de convencer [...]." "Em suas avaliações dos grandes músicos, recorre a expressões excessivamente fortes, chama Beethoven de santo. [...] Provoca desconfiança tanto com seus elogios quanto com suas repreensões. Não possui a delicadeza, a graciosidade e a beleza pura, o reflexo de uma alma perfeitamente equilibrada, mas procura desacreditá-los." Aqui, Nietzsche já manifesta o solo das diferenças fundamentais de sua estética posterior em relação à concepção artística do romantismo wagneriano: "Uma forma particular da ambição de Wagner consistia em relacionar-se com os grandes nomes do passado. [...] Só não conseguiu se relacionar com o Renascimento [...]". "Como Wagner conquistou seus adeptos? [...] Todos os tipos de insatisfeitos, que em toda revolta tentam ganhar algo para si mesmos. Pessoas que se entusiasmam com todo tipo de 'progresso'. Pessoas que se entediavam com a música existente e agora se sentiam mais comovidas." Isso se manifesta na obra, sobre a qual Nietzsche observa: "A arte de Wagner é superficial e transcendente; o que a nossa pobre inferioridade alemã faria com ela? Ela tem algo de fuga deste mundo, ela o nega, ela não transfigura este mundo. Por isso, seu efeito não é diretamente moral. [...] Isso, porém, parece ser a sorte da arte nesse tipo de presente, ela assume parte da força da religião moribunda. Daí a aliança entre Wagner e Schopenhauer [...]. A 'Vontade de viver' de Schopenhauer recebe aqui sua expressão artística: esse vaguear tosco sem propósito, esse êxtase, esse desespero, esse som do sofrimento e do desejo, essa acentuação do amor e da paixão. Raramente um raio de sol descontraído, porém, muitas magias encantadas de iluminação [...]. Será que um homem pode se aprimorar por meio desta arte e por meio da filosofia de Schopenhauer?"

E isso tudo já em 1874! Mas mesmo nos esboços para a quarta "Consideração" encontramos uma passagem na qual Nietzsche se dirige tanto a Wagner quanto a si mesmo em tom de advertência: "Quero [...] chamar atenção para o fato de que é muito fácil – e, portanto, perigoso – não ver Wagner como artista; em outras palavras: extrair de suas obras algumas dicas para a figuração da vida. É tão fácil porque o próprio Wagner tem tentado, em diferentes períodos, encontrar determinadas respostas à pergunta sobre a relação entre sua arte e a vida". E agora, em sua quarta "Consideração", Nietzsche faz justamente o mesmo. Entroniza Wagner como *o* renovador da cultura; o evento Bayreuth como *o* ponto de partida, do qual partiria necessariamente uma nova concepção da vida, um novo tipo de homem, uma "cultura" harmoniosa em si mesma[3]: "Para que um evento apresente grandeza, dois elementos precisam coincidir: o grande senso daqueles que o realizam e o grande senso daqueles que o vivenciam [...]. Em Bayreuth, o espectador também merece ser contemplado [...]. Assim, todos aqueles que participarem da Festa de Bayreuth serão percebidas como seres humanos extemporâneos: têm sua pátria em um lugar diferente do tempo e encontram em outro lugar tanto sua explicação como sua justificação [...]". "Apenas aqueles que obedecem a esta voz partilharão da grande visão com que devemos olhar o evento de Bayreuth, e apenas nesta visão se encontra o grande futuro deste evento."

Espalhados por todo o escrito, encontramos contribuições, traços individuais para uma imagem do ser de Wagner, que Nietzsche tenta esboçar. Ele o faz de forma tateante, um tanto assistemático, não é o tema principal de seu trabalho, mas eram especialmente essas passagens que precisavam ser expressas: elas são de caráter particularmente confessional e parecem ter sido obtidas a partir da contemplação do próprio íntimo. Nietzsche "projeta" a si mesmo, da mesma forma como já o havia feito na terceira "Consideração extemporânea" sobre Schopenhauer.

"Richard Wagner em Bayreuth" é um escrito de profunda seriedade, e Nietzsche assume nele a consciência de Wagner, ainda mais porque se aproxima de Wagner com uma postura exigente para que o Mestre corresponda à imagem aqui apresentada, para que ele assuma as qualidades e a grandeza de cunhar (ou pelo menos querer cunhar) de uma nova cultura.

Doze anos mais tarde em "Ecce homo", Nietzsche expressaria com clareza absoluta a situação verdadeira das terceira e quarta "Considerações extemporâneas"[3]: "Que as Intempestivas (Extemporâneas) designadas com os nomes de Schopenhauer e Wagner possam servir peculiarmente para a compreensão ou também apenas para a abordagem psicológica de ambos os casos, não o posso afirmar [...]. Agora, ao olhar a partir de alguma distância para aqueles estados de que são testemunho os referidos escritos, não pretendo negar que, no fundo, apenas acerca de mim falam. O escrito 'Wagner em Bayreuth' é uma visão do meu futuro; em contrapartida, em 'Schopenhauer como educador', descreve-se a minha história interior, o meu *devir*. Acima de tudo, a minha *caução*!... O que hoje sou, o lugar em que hoje me encontro – [...] aqui, cada palavra é viva, profunda, íntima; não falta o que é mais doloroso, há palavras que manam justamente sangue"*. E assim vê em "Richard Wagner em Bayreuth" este Nietzsche-Wagner: "Assim que ele alcança sua virilidade espiritual e moral, começa também o drama de sua vida. [...] Sua natureza se apresenta de maneira terrivelmente simplificada, rasgada em duas pulsões ou esferas. No nível mais inferior, revolve uma vontade violenta em súbita correnteza, que por qualquer caminho, cavernas e abismos deseja chegar à luz e exige poder. [...] Uma ambição poderosa, que repetidamente permite um vislumbre de seu fracasso, se torna má. [...] Aquele que não consegue desistir da ambição [...] se torna irritável e injusto [...], sim, em seu ódio passional culpa o mundo inteiro [...]. Até entre aqueles que buscavam apenas a própria purificação moral, entre ermitões e monges, encontramos homens selvagens e profundamente doentios, esvaziados e destruídos pelo fracasso [...]". "Não é nem necessário dizê-lo: essas vidas ostentam a aura do trágico. E cada um que consiga vislumbrar algo disso em sua própria alma, cada um para o qual a coerção de um engano trágico sobre o destino de sua vida, para o qual a distorção e a ruptura dos propósitos, para o qual a renúncia e a purificação por meio do amor não são coisas absolutamente estranhas, deve sentir naquilo que Wagner nos mostra em sua obra de arte uma lembrança onírica da própria existência heroica do grande homem [...]." "Jamais Wagner é mais Wagner do que quando as dificuldades se multiplicam e ele pode reger em grandes circunstâncias com o prazer do legislador." E Nietzsche lança luz também sobre sua relação fundamental com "amigos" quando destaca em Wagner: "Apenas para ele os subordinados, seus amigos e adeptos, não se transformam em perigo, em obstáculo [...]. Sempre passou no meio deles e não

---

* NIETZSCHE, F. *Ecce homo*. Op. cit., p. 61-62.

permitiu qualquer laço; além do mais, seu caminho tem sido longo demais para que um indivíduo pudesse tê-lo acompanhado desde o início: tão incomum e íngreme que até o amigo mais fiel teria perdido as forças. Quase em todas as fases da vida de Wagner, seus amigos queriam tê-lo dogmatizado e também, mas por outras razões, os seus inimigos". E como uma visão de seu próprio caminho se apresenta a seguinte passagem: "Em geral, porém, o impulso útil do artista criativo é forte demais; o horizonte de seu amor pelo próximo, abrangente demais para que sua visão se prendesse aos cercados da natureza nacional. Seus pensamentos são – como os de qualquer alemão bom e grande – sobre-alemães (*überdeutsch*), e a língua de sua arte não se dirige a povos, mas a homens. – Mas aos *homens do futuro*".

Grande parte do escrito é uma exaltação do significado de Bayreuth, em parte intensificada pela imagem contrária duramente criticada da cultura (e sobretudo do teatro) do seu tempo, inclusive do público "normal": "Nem é possível gerar o efeito mais sublime e mais puro da arte teatral sem renovar a moral e o Estado, a educação e o convívio [...]. Estranho ofuscamento do juiz, vício maldisfarçado pelo prazer, pelo entretenimento a qualquer custo, considerações estudiosas, fanfarrice e representação com a seriedade da arte por parte dos executantes, ganância brutal pelo lucro monetário por parte dos empreendedores, vaidade e leviandade de uma sociedade que só pensa no povo na medida em que este lhe é útil ou a ameaça, e que visita teatros e concertos sem jamais ser lembrada de suas obrigações – tudo isso junto forma o ar tosco e nocivo da nossa cultura atual... Uma maneira de se convencer de quão comuns, de quão bizarras são as nossas instituições teatrais: basta compará-las com a antiga realidade do teatro grego! [...] e mesmo agora existem pessoas que não se contentam com as instalações existentes – é justamente isso que prova o fato de Bayreuth. Aqui, encontramos espectadores preparados e consagrados, a comoção de pessoas que se encontram no auge de sua felicidade e veem reunidos nele todo o seu ser para que sejam fortalecidos para um querer mais sublime; aqui, encontramos o sacrifício altruísta dos artistas e o espetáculo dos espetáculos, o criador vitorioso de uma obra que, ela mesma, é a essência da abundância de atos artísticos vitoriosos [...]". "Para nós, Bayreuth significa a consagração matinal no dia da luta [...]. Não podemos nos alegrar enquanto tudo em nossa volta ainda sofre e gera sofrimento; não podemos ser morais enquanto o trajeto dos assuntos humanos é determinado por violência, enganação e injustiça; não podemos nem ser sábios enquanto toda a humanidade não lutar pela maior sabedoria e não introduzir o indivíduo da forma mais sábia à vida e ao conhecimento. [...] No entanto, a arte não é uma professora e educadora para a ação imediata; neste sentido, o artista jamais é um educador e conselheiro. [...] Mas é justamente nisso que se encontra a grandeza e a imprescindibilidade da arte, em que ela gera o brilho de um mundo mais simples, de uma solução mais sucinta para os enigmas da vida [...]. O indivíduo deve ser consagrado para algo sobrepessoal – este é o propósito da tragédia."

Extensamente Nietzsche fala sobre o espaço que a música ocupa nessa tragédia moderna: ela se tornou necessária porque exigia-se sempre demais da língua, de forma que ela se esgotou, "de forma que ela agora não consegue mais realizar justamente aquilo pelo qual ela existe: a comunicação das mais simples necessidades da vida entre os sofredores: Agora, se numa humanidade assim ferida ressoa a música dos nossos mestres alemães, o que é que ressoa na verdade? Simplesmente a sensação correta, a inimiga de toda convenção, de toda alienação artística e da incompreensão entre homem e homem [...]". "É a voz da arte de Wagner que assim fala ao ser humano. O fato de nós, filhos de uma era miserável, termos o privilégio de sermos os primeiros a ouvir esse som demonstra [...] que a música verdadeira é *fatum* e lei primordial [...]. Sobre o devir do Wagner verdadeiro se deita uma necessidade transfiguradora e justificadora."

No meio desse peã, no qual ele iguala Wagner a Ésquilo em grandeza e importância (em outro lugar, ao efeito de Demóstenes sobre o povo), surge repentinamente como justificação dessa "necessidade" um pensamento de dois gumes: "Se tentássemos deduzir os desenvolvimentos mais maravilhosos de inibições ou lacunas interiores" (ex.: Goethe, Schiller, os reformadores), "se semelhantemente quiséssemos relacionar o desenvolvimento de Wagner com esse tipo de inibições interiores, poderíamos supô-lo em um dom teatral primordial, que não pôde se realizar pelo caminho mais trivial e que, por meio de um recurso a todas as artes, encontrou sua expressão e salvação numa grande revelação teatral". Essa predisposição pôs Wagner num caminho inevitável, que Nietzsche ainda reconhece como caminho viável e justificável: o teatro. Este é o ponto que ele viria a descrever no "Ecce homo" como "aberração completa do meu instinto"[5]: "A vida verdadeira de Wagner [...] era ao mesmo tempo uma luta incessante consigo mesmo. [...] Quando emergiu nele [...] o pensamento dominante segundo o qual o teatro poderia exercer um efeito incomparável, o maior efeito de toda a arte, ele entregou seu ser à mais intensa fermentação". O que Wagner encontra aqui é a Grande Ópera de Meyerbeer. Primeiro adota seus recursos artísticos, emprega os seus "efeitos" (Rienzi). O que impulsiona Wagner são duas forças fundamentais: a vontade do "efeito" a qualquer preço, e a vontade da purificação dos meios numa obra de arte ideal. A partir dessa dualidade, Nietzsche esboça agora o caminho de Wagner. Esse ponto de vista lhe era natural, pois ele mesmo sofria sob essa tensão.

Wagner abandona essa Grande Ópera (com o "Holandês voador"): "Ele estremeceu ao lembrar sobre quem pretendera surtir um efeito. A partir de sua experiência, ele compreendia toda a posição humilhante em que se encontram a arte e os artistas: como uma sociedade sem alma ou com alma endurecida que se chama de boa, mas que, na verdade, é má, que considera a arte e os artistas seu cortejo de escravos para a satisfação de necessidades fictícias". Aqui, Nietzsche ilumina pela primeira vez a problemática da existência do "artista" como tipo sublime dos tolos da corte de uma sociedade dominante. Esse entrelaçamento trágico foi analisado e representado de forma mais diferenciada por Walter Muschg em sua "Tragische Literaturgeschichte" (História trágica da literatura)[172]; por um lado, apresenta as grandes figuras, profetas, magos e videntes em oposição com o contexto demasiadamente humano; por outro, demonstra a dependência daqueles que ele chama de "poetas". Na quarta "Consideração extemporânea", ou seja, *antes* da experiência com a Bayreuth verdadeira, Nietzsche concede a Wagner ainda uma posição soberana de oposição assim a toda a arte uma possibilidade que, *após* a experiência de Bayreuth, ele lhe nega radicalmente, reconhecendo-a apenas no filósofo solitário. Agora, reconhece na arte ainda um aliado; e em Wagner, seu representante mais poderoso para a realização de seu próprio programa de cura como "médico da cultura". Em sua quarta "Consideração extemporânea", Nietzsche ainda acredita – ou melhor: postula – que Wagner cria para si mesmo um novo público, uma verdadeira "congregação": o "povo", devolvendo a este os mitos criados no passado pelo próprio povo em uma forma nova e artisticamente elevada. Sobre o sucesso temporário dessa vocação, Nietzsche afirma: "Enquanto criava no silêncio sua maior obra [...], aconteceram várias coisas que despertaram sua atenção: Vieram os *amigos* para anunciar-lhe um movimento subterrâneo de muitas almas – ainda não era o 'povo' [...] mas talvez o germe [...] de uma sociedade verdadeiramente humana a ser realizada no futuro distante". Primeiro, porém, suas obras caíram nas mãos dos profissionais do teatro: "[...] por toda parte, também por parte dos atores e apresentadores, sua arte era vista como uma música de palco qualquer, a ser executada segundo a receita enojadiça do estilo da ópera, sem, graças aos mestres de capela cultos, suas obras foram recortadas e adaptadas à forma da ópera [...]". "Mas quando, durante a guerra alemã, uma vertente mais livre parecia se apoderar dos espíritos, Wagner se lembrou de sua obrigação de salvar pelo menos sua maior obra desses sucessos e insultos equivocados e de apresentá-la em seu próprio ritmo como exemplo para todos os tempos: assim inventou a ideia de Bayreuth." Bayreuth é, então, um "antiteatro", um protesto vivo contra a rotina do teatro – e contra o público ordinário. Tímida e delicadamente, Nietzsche expõe então a razão de sua capacidade especial para a compreensão: "Cada um que sente algo disso em sua própria alma [...]". E de forma igualmente sutil Nietzsche expressa seu direito ao próprio caminho, a seu próprio significado, voltado para outra direção: "Talvez um filósofo poderia acrescentar-lhe algo correspondente, algo sem imagens e sem trama, e que falasse apenas por meio de conceitos, então o mesmo estaria representado em duas esferas divergentes: uma vez para o povo e outra vez para o oposto do povo, o homem teórico". Ou seja, Nietzsche quer se posicionar ao lado de Wagner como seu complemento, como igual: "Quando o filósofo afirma existir *uma* vontade sedenta por existência nas naturezas animadas e inanimadas, o músico acrescenta: e esta vontade deseja, em todos os degraus, uma existência sonora". Aqui, a filosofia já antecede a música! Mas por que justamente esses dois – Nietzsche e Wagner – se complementariam, o filósofo explica em seguida: "Antes de Wagner, a música possuía [...] limites restritos; ela remetia a estados duradouros do ser humano, àquilo que os gregos chamam de *ethos*, e apenas com Beethoven começou a encontrar a língua do *páthos*, do querer passional, dos processos dramáticos no interior do ser humano". *Páthos* no sentido grego, como paixão, como capacidade de experimentar, é o propósito, a origem da filosofia nietzscheana; o mais tardar a partir da "Aurora" e até o "Hino à vida", o *páthos* ocupará o primeiro plano de seu pensamento como agente principal e em oposição à filosofia "meramente" contemplativa.

Assim, Nietzsche se projetou e esboçou seu caminho já em "Richard Wagner em Bayreuth". Ao fundamentar a música de Wagner – e sua própria filosofia – no *páthos*, Nietzsche reconhece corretamente o abismo que Jacob Burckhardt não consegue superar: "Pois se existir algo que separa sua arte de toda arte dos tempos recentes, trata-se do seguinte: ela não fala mais a língua da educação de uma casta [...] de estudiosos. [...] Assim, ela se coloca em oposição a toda cultura do Renascimento, que até agora envolvera os seres humanos mais recentes com sua luz e sua sombra".

Trata-se da ruptura com o classicismo, o despertar para uma nova existência humana além do bem e do mal, que Nietzsche já anuncia aqui: "Que a paixão é melhor do que o estoicismo e a hipocrisia; que a sinceridade, mesmo no mal, é melhor do que se entregar e perder na moralidade da descendência; que o homem livre pode ser bom e mal; mas que o homem não livre é uma vergonha para a natureza [...]; que cada um que deseja ser livre precisa alcançar essa liberdade por si mesmo. [...] Por mais que isso soe estridente e assustador: são os sons daquele mundo futuro". Wagner figurou esses seres "livres" nos personagens de Wotan, da Brünhilde, de Siegfried, e no fim Nietzsche pergunta onde estariam estas pessoas entre os contemporâneos que possuem a força para corresponder a essas imagens e encerra com a virada surpreendente: "Quem assim pergunta, e assim pergunta em vão, precisará procurar no futuro; e caso seus olhos descubram em alguma região distante aquele 'povo' que reconhece sua própria história nos signos da arte wagneriana, entenderá também o que Wagner significará para este povo: Algo que ele não pode ser para todos nós, não o vidente do futuro [...] mas o exegeta e transfigurador de um passado".

560

Será que Nietzsche já reservou para si mesmo a vocação como "vidente do futuro"? Nele existia a vontade de ser um desses homens "livres", mas também ele só conseguiu sê-lo na imagem artística de seu "Zaratustra".

## Uma quinta "Consideração extemporânea" incompleta

Assim que Nietzsche conseguiu fazer essas confissões, sentiu-se livre para um novo plano. Externamente permaneceu fiel à forma das "Considerações extemporâneas", pretendendo escrever uma quinta peça sob o título de "A relha". Devido à sua visão fraca, teve que ditá-la a Heinrich Köselitz, que, a partir do final de junho/início de julho de 1876, pôs-se à disposição de Nietzsche. Ditar significava que os pensamentos precisavam estar pré-formulados na mente de Nietzsche, semelhante à técnica que ele costumara compor suas peças musicais improvisando ao piano. A partir de agora, essa técnica de composição se tornará determinante também em sua produção literária. No entanto, "A relha" nunca foi publicada como 5ª "Consideração extemporânea". Esse esboço serviu como ponto de partida para anotações, "improvisações", de cuja abundância surgiria algo formalmente novo: a primeira coleção de aforismos "Humano, demasiado humano", que, portanto, vem a representar a continuação das "Considerações extemporâneas" – submetendo, porém, a temática a grandes mudanças e a um novo ponto de vista filosófico.

## Os ensaios em Bayreuth

Nietzsche estava imerso nesses trabalhos, quando, em 10 de julho, Schmeitzner publicou a quarta "Consideração extemporânea". As reações de Bayreuth vieram imediatamente, ou seja, após uma leitura apenas superficial. Wagner escreveu em 13 de julho: "Amigo! Seu livro é tremendo! – De onde o senhor tirou os conhecimentos sobre mim? – Venha logo e acostume-se nos ensaios às impressões". E Cosima telegrafou em 11 de julho: "Devo-lhe agora, fiel amigo, a única alegria e elevação ao lado das grandes impressões artísticas. Que isso lhe baste como gratidão." São estes os únicos e últimos testemunhos de gratidão e do reconhecimento da Casa Wahnfried – não só em reação a esse escrito. Mas a satisfação causada pela quarta "Consideração" foi tão grande que Wagner a enviou ao Rei Luís[258].

A impaciência de Nietzsche foi testada ao extremo, ainda mais sabendo que, desde 3 de julho, Malwida von Meysenbug e seu aluno Albert Brenner estavam presentes nos ensaios em Bayreuth, sobre os quais Malwida lhe escreveu em 13 de julho: "Eu queria que o senhor viesse mais cedo para ainda participar dos ensaios; temo que, se o senhor vier apenas para as apresentações, as impressões serão intensas demais para o senhor. Os ensaios [...] se apoderam de nós de forma mais lenta e nos preparam para a grande impressão final. Pois mesmo [...] que depois nos preencha uma grande alegria, como que se tivéssemos visitado a nossa pátria, as obras representam um desafio para nervos abalados que precisa ser aliviado o máximo possível".

Sem esperar o encerramento do semestre de verão em 28 de julho, e contrariando seu plano comunicado a Rohde ainda em 7 de julho de viajar para Bayreuth em 10 de agosto (ou seja, apenas três dias antes do início oficial do festival), Nietzsche parte já no sábado de 22 de julho, apesar da sua "saúde, mais deplorável a cada dia", como escreve a Gersdorff em 21 de julho. Viaja primeiro até Heidelberg, e, sob grandes sofrimentos, chega em Bayreuth no dia seguinte. No dia 25, escreve à irmã: "[...] quase me arrependi! Pois até agora tem sido lastimável. Dores de cabeça desde a tarde de domingo até a noite de segunda-feira. Mal consigo escrever. Na segunda-feira, assisti ao ensaio e não gostei. Tive que sair". Era o ensaio do primeiro ato do "Crepúsculo dos deuses". Quando a tensão inicial se dissipa, melhora também o seu estado de saúde. Assim, consegui assistir aos ensaios restantes do "Crepúsculo". Em 28 de julho, relata à irmã: "Entrementes, tive oportunidade de ver e ouvir todo o 'Crepúsculo dos deuses', foi bom acostumar-me com ele, agora sinto-me à vontade". Em 31 de julho, ouve ainda o ensaio da "Valquíria"; e apesar de se encontrar numa sala escura, o esforço é grande demais para os seus olhos. No dia seguinte, escreve à irmã: "[...] não estou conseguindo [...]. Uma dor de cabeça constante [...] minha visão! Quero estar longe daqui, não faz sentido ficar. Tenho pavor de cada uma dessas longas noites artísticas. Nesse sofrimento, sugiro que fale com os Baumgartner! Ofereça à mãe e ao filho oito entradas para o segundo ciclo de apresentações [...]. Vocês podem ficar no apartamento dos Giessel [...], o apartamento mais barato em Bayreuth! Você deveria ver os outros preços [...]. Estou farto disso tudo. Não quero estar aqui nem mesmo para a primeira apresentação. Em qualquer outro lugar, não aqui, onde tudo me é uma tortura. Talvez você escreva [...] a Schmeitzner e lhe ofereça o meu lugar para a primeira apresentação. Ou [...] à Sra. Bachofen".

Os Baumgartner tiveram que recusar, porque o pai se opôs. A Sra. Bachofen também não quis enfrentar a longa viagem. O próprio Nietzsche acabou usando suas entradas. Primeiro, porém, e sem esperar a chegada da irmã em 5 de agosto, viajou no dia 3 ou 4 para Klingenbrunn, na Floresta da Baviera. Era uma fuga de sua situação de desespero para a tranquilidade e o isolamento. É difícil somar todos os fatores que se acumularam aqui. Superficialmente, era seu estado de saúde preocupante que exigia um afastamento. Mas os problemas físicos eram apenas a manifestação exterior do conflito interno, que exigia cada vez mais uma decisão final.

Nietzsche possuía o autorrespeito e a autoestima necessários para saber que sua quarta "Consideração extemporânea" era o presente mais valioso que havia entregado a Bayreuth. Podia esperar com todo direito que os Wagner a propagassem entre todos os participantes do festival e que ele, como autor, recebesse a devida atenção. Mas nada disso aconteceu. Wagner já não possuía mais essa liberdade – e era esperto demais. Com o empreendimento do teatro, havia assumido uma carga gigantesca de trabalho organizacional – além dos ensaios artísticos; para garantir a sobrevivência do empreendimento, viu-se obrigado a dedicar-se a "personalidades" totalmente irrelevantes em termos espirituais, mas que possuíam muito dinheiro ou influência. E ele compreendeu que não podia importunar essas pessoas, que jamais haviam sido tocadas pela aura da filosofia, com o escrito de Nietzsche. E o próprio Nietzsche, com sua timidez e sua conduta professoral e digna, não se encaixava nessa sociedade. Podemos até reconhecer certa sensibilidade por parte de Wagner no fato de ele não ter exposto Nietzsche e sua obra à ignorância dessas pessoas. Com isso, porém, Wagner deixou de ser o amigo paternal de Tribschen, e Cosima também estava comprometida. Seu pai, o Abbé Franz Liszt, estava presente e deu ao festival a bênção e a legitimação social. Abbé Franz Liszt e Nietzsche eram antípodas espirituais; Cosima precisava evitar um confronto. Nietzsche desaparece até de seus diários. Após sua chegada em 24 de julho, ela nunca mais o menciona!

Em sua sinceridade por vezes até provincial, Nietzsche não possuía a sensibilidade e a compreensão para esse tipo de evento do "grande mundo". Assim, sentiu-se apenas pessoalmente decepcionado pelas duas pessoas, às quais ele havia se confiado totalmente como amigos; ele que, poucos anos atrás, tivera a honra de acompanhar a Sra. Cosima para o concerto em Mannheim; ele que, por ocasião do lançamento da pedra angular em Bayreuth, fizera parte do círculo mais íntimo do Mestre. A única coisa que ainda o segurava em Bayreuth era o afeto de Malwida von Meysenbug – e mais um relacionamento "afetuoso".

No início de agosto aconteceriam os ensaios gerais. Nietzsche, como todos os outros, foi proibido de participar deles, pois o Rei Luís havia exigido assistir sozinho a essas pré-apresentações. Tratava-se de um rei, sim, e também do maior financiador do empreendimento, mas que era fã de Wagner apenas por causa de um entusiasmo difuso, sem possuir a maturidade espiritual que lhe teria permitido sondar a profundidade e a importância da obra mítica, como Nietzsche o havia feito em seu escrito. Wagner já havia feito experiências negativas com apresentações precoces em Munique, que haviam sido exigidas pelo rei e quase haviam levado à ruptura, mas Wagner acabou cedendo à pressão.

O que Nietzsche pretendia fazer em Bayreuth nos dias até a primeira apresentação em 13 de agosto? Grande foi também sua decepção com a realização no palco, cujas falhas gritantes se manifestariam diante do mundo inteiro e que provocariam comentários sarcásticos por parte da imprensa. Wagner não estava de bom humor, pois reconheceu que o palco de seu tempo não possuía os recursos para realizar as suas ideias. Nem mesmo o melhor técnico com os recursos disponíveis na época conseguia realizar determinados efeitos sem se expor ao ridículo. A iluminação dependia das lanternas a gás; a "luz ativa" dos holofotes elétricos só viria a ser inventado 50 anos mais tarde pelo cenógrafo Adolphe Appia (1862-1928), de Genebra. Também não existia ainda a possibilidade de recorrer a projeções sobre cortinas. Como, então, realizar as muitas transformações ao vivo durante as cenas, como o arco-íris (no "Rheingold"), sobre o qual os deuses andariam? Como transformar os atores em "gigantes" sem recorrer a atores altos, que, além de seu tamanho, precisavam saber cantar? E Fafner como dragão no "Siegfried" era e sempre seria visivelmente um requisito de papel machê, por mais engenhoso que fosse. Já em 1864, quando ainda era estudante em Bonn, Nietzsche havia escrito aos familiares em Naumburg: "[...]ouvi o 'Freischütz', que, ao todo, não me agradou [...]. A cena do inferno me pareceu ridícula". Quanto, então, lhe desagradaram essas falhas em sua obra de arte ideal do futuro! Em uma anotação ao "Ecce homo", ele escreve: "A apresentação em si teve pouco valor, eu me entediei demais com essa música totalmente mística, que [...] alcançava minha consciência apenas como neblina harmônica – por vezes também discordante". Se Nietzsche tivesse sabido o que nós sabemos dos diários de Cosima como o próprio Wagner ficou decepcionado e desiludido, ele teria lhe oferecido sua mão amiga.

Nietzsche reconheceu os limites da arte teatral, percebeu que daqui não partiria aquilo que ele vislumbrava como necessidade. Nietzsche se conscientizou de sua tarefa, viu-se chamado para, a partir de agora, prosseguir sozinho em seu caminho. No "Ecce homo", Nietzsche escreve[5]: "O que então em mim se decidiu não foi decerto o corte com Wagner – senti então a aberração completa do meu instinto, de que o erro singular, chame-se ele Wagner ou cátedra de Basileia, era simplesmente um sinal. Apoderou-se de mim uma impaciência; vi que era mais do que tempo de voltar a mim mesmo. [...] Adivinhei então, pela primeira vez, a conexão existente entre uma atividade escolhida na oposição ao instinto, a chamada 'vocação', a que só *em último lugar* se é chamado – e a necessidade de um *atordoamento* do sentimento de vazio e de fome mediante uma arte narcótica – por exemplo mediante a arte wagneriana. [...] Veio então em minha ajuda, de um modo que não posso assaz admirar e justamente no momento exato, aquela *grave* herança por parte de meu pai – no fundo, uma predeterminação para uma morte prematura. A doença *desprendeu-me a pouco e pouco*: poupou-me toda a ruptura, todo o passo violento e escandaloso"*. Isso, de forma alguma, era uma interpretação tardia! Já dez anos antes, apenas dois anos após a separação de Bayreuth, disse à wagneriana Mathilde Maier – com palavras mais amenas, mas iguais em seu teor[4]: "[...] uma [...] arte barroca da tensão excessiva e do descomedimento glorificado [...] foram estas as duas coisas que me deixaram cada vez mais doente [...]. No verão de Bayreuth, conscientizei-me plenamente disso; fugi após as primeiras apresentações [...] para as montanhas". O pretexto da doença lhe serviu como desculpa para afastar-se sem causar afronto. Apenas à irmã, que entrementes havia chegado a Bayreuth, ele escreve de Klingenbrunn: "Preciso reunir todas as minhas forças para suportar a decepção ilimitada deste verão. Também não verei os meus amigos (os Wagner?); tudo é veneno e prejuízo. Este lugar (Klingenbrunn) é muito bom, florestas profundas e ar das alturas, como na região do Jura. Aqui pretendo ficar, dez dias talvez, mas não voltarei por Bayreuth; pois para isso me falta o dinheiro". Mesmo assim, volta para Bayreuth em 12 de agosto, após a partida do rei em 8 de agosto, e aqui permanece duas semanas.

## O primeiro festival de Bayreuth

Em 12 de agosto, chega em Bayreuth e sob os aplausos do povo também o Imperador Guilherme I, mas ele assiste apenas ao "Rheingold" e à "Valquíria". A veracidade da anotação de Nietzsche para o "Ecce homo": "Típico do velho imperador, que aplaudia com as mãos e ao mesmo tempo dizia [...] ao seu ajudante: 'Hediondo! Hediondo!'" pode ser duvidada. Mas em relação à partida prematura do imperador devemos considerar que ele nunca demonstrou uma grande simpatia por Wagner e que, como chefe de Estado na situação política precária atual em vista da guerra iminente contra os territórios turcos, não podia se dar ao luxo de passar uma semana inteira em Bayreuth para assistir a óperas que não lhe agradavam. Portanto, o mero fato de ele ter vindo já significa muito, mesmo que não o tenha feito por causa de Wagner, mas porque muitas personalidades importantes do *Reich* haviam se reunido aqui.

Em 12 de agosto, chegou também o Grão-duque de Weimar e foi recebido "publicamente" por Franz Liszt na estação ferroviária. Diante disso tudo, a chegada do desconhecido Prof. Nietzsche não chamou muita atenção, nem mesmo na Casa Wahnfried. O dia 13 de agosto trouxe ainda mais realeza: o imperador do Brasil com seu cortejo. Naquela noite, o "Rheingold" foi apresentado pela primeira vez. Agora, reuniu-se o "público de Bayreuth" – para a grande decepção de Nietzsche. Com a amargura do homem ressentido, ele zomba no "Ecce homo": "Não só que, na época,

---

* Ibid., p. 65-66.

o caráter inteiramente irrelevante e ilusório do 'ideal' wagneriano se evidenciou de modo palpável, reconheci sobretudo como também para os mais intimamente envolvidos o 'ideal' não era a preocupação principal – que coisas bem diferentes eram vistas como mais importantes e de modo mais passional. Além disso, a sociedade deplorável de patroninhos e patroninhas – falo de experiência própria, pois também fui patrono –, tudo muito apaixonado, muito entediado e sem qualquer noção musical, miado de um gato no cio. [...] Haviam reunido aqui toda a corja ociosa da Europa, e qualquer príncipe entrava e saía da casa de Wagner a seu bel-prazer, como se fosse um esporte. E, no fundo, não foi mais do que isso". Podemos compreendê-lo quando vemos quem se fez presente e como essas pessoas se movimentavam. Wilhelm Marr, um wagneriano confesso, mas mesmo assim batizou a "Colina verde", na qual se encontra o teatro, com o apelido de "Monte do Calvário", apresenta uma imagem informativa em três artigos publicados no periódico "Gartenlaube", em 1876[96]: "O céu azul brilhava sobre a cidade adornada com bandeiras e guirlandas, que esperava a chegada no dia 12 de agosto do imperador, que, como se constata com satisfação nesta cidade, também é 'patrono'. [...] O protetor principal do empreendimento, o Rei Luís da Bavária, já havia se despedido em 8 de agosto, após [...] ter abraçado o 'Mestre' como sinal de seu respeito [...]. Uma galeria de imperadores e príncipes é esperada para o dia 13 [...]. Sim, se a situação da questão oriental permitisse, veríamos em Bayreuth também um sultão turco e um quediva do Egito (pois este também é patrono). Mas Weimar, Coburg, Meiningen etc. etc. estarão representados dinasticamente, e como estes também todo o mundo artístico. O cenário que se desdobra em Bayreuth é verdadeiramente uma cena do grande teatro da existência de todas as coisas, que chamamos de história da cultura. Quando os espíritos se acalmarem, talvez alguns sorrirão sobre o papel que exerceram nessa imagem atmosférica viva". O autor não havia reservado um quarto e, assim que chegou, partiu à procura, "e por toda parte ainda havia vagas. [...] Encontrei no 'Bayreuther Tagblatt' pelo menos uma dúzia de ofertas de entradas para a primeira apresentação [...], a estatística dos quartos vacantes, que eu apresentei aos locadores, serviu para reduzir suas expectativas. [...] Tive menos sorte com a comida. A cozinha de Bayreuth é muito barata e muito ruim. [...] Os cidadãos de Bayreuth haviam nutrido a ilusão de uma migração em massa e não fizeram nenhum esforço para conquistar as pessoas que necessariamente viriam. [...] O 'Mestre' – Wagner usa esse título aqui oficialmente, em ocasiões oficiais e na vida do dia a dia – é invisível para o mundo profano, pois se encontra muito ocupado, e a energia deste homem de 63 anos de idade é verdadeiramente surpreendente. Além disso, fez algumas experiências não muito agradáveis com pessoas pertencentes à classe numerosa e repugnante dos amolantes e que são uma verdadeira praga para as pessoas famosas. [...] Cada trem traz novos 'povos'

[...] que pretendem levar uma maravilhosa vida artística nessa cidadezinha amável. Saudações e abraços desinibidos [...] que costumamos ver em festas das associações de canto ou de tiro".

"12 de agosto. Este dia pertence ao imperador [...] e até mesmo os críticos mesquinhos [...] ostentaram seu rosto festivo e formaram [...] alas, quando, às cinco da tarde, Sua Majestade entrou na cidade, quase 'invisível por trás das bandeiras e guirlandas', como se expressou um patriota berlinense numa atmosfera de 30º Réamur [...]. Com o imperador chegaram também os 'civilistas' [...] e os senhores batedores de carteiras [...]. Uma hora antes do imperador, já havia chegado o Grão-duque de Weimar. Franz Liszt lhe conferiu a honra artística de recebê-lo, que encerrou a procissão do grão-duque pela cidade em sua própria *équipage*, como um príncipe eleitor. [...] O imperador foi recebido pelas autoridades da cidade e pelo *imperator* Wagner. Então as muitas carruagens atravessaram a cidade até o Castelo Eremitage, onde, à noite, foi realizada uma procissão de tochas. [...] Hoje à noite, o clima esquentou bastante. Todos estavam em êxtase. O povo artístico, os cidadãos de Bayreuth, tudo fraternizava, animado como o Carnaval de Veneza..."

"13 de agosto. Hoje, por fim, foi o primeiro 'dia de batalha'. Um calor infernal como em Waterloo e Sedan, e os taberneiros aumentaram os preços em 25 a 30% em honra do dia [...]. As 'casacas pretas', que a imprensa havia anunciado como obrigatórias, eram, graças a Deus, uma mentira. Mas naturalmente todo mundo se vestiu com elegância; mas o calor impôs uma moda agradável e casual."

E sobre a primeira noite, Marr relata: "Posso dizer que [...] os atores manifestaram tamanha perfeição dramática e de canto como jamais a havia visto [...]. Wagner ficou feliz com o seu sucesso? – Não. E infelizmente não sem motivos [...], pois não posso ocultar que a encenação decorativa [...] deixou muito a desejar [...]. A maquinaria da peça procedeu com grande lentidão e sem harmonia. [...] Em outras palavras, ocorreram muitos problemas. [...] Após a apresentação, o clima nos círculos artísticos esfriou bastante. [...] Quando chamaram Wagner para o palco, ele não apareceu [...]. Dois imperadores e diversos outros monarcas e notabilidades aguardavam o Mestre na 'galeria dos príncipes'. Mas Richard Wagner não apareceu [...]. Posso colocar-me perfeitamente no humor de um homem tão fogoso como Wagner, que, como triunfador musical e poético, sofreu tantas perdas de armas decorativas. Toda a cidade de Bayreuth permaneceu festivamente iluminada até a meia-noite [...]. Fogos conquistavam o céu. Wotan-Wagner, porém, que havia investido 30 anos de sua vida na realização desta noite dos deuses, estava mal-humorado, pois os funcionários do teatro haviam privado os antigos deuses nórdicos de todo seu poder ilusório".

Isso foi após o "Rheingold" na primeira noite. Mas a "Valquíria" não teve uma sorte melhor. "O canto demoníaco das valquírias [...] excita [...] tanto a nossa imaginação que nos esqueceríamos completamente de estarmos no teatro se [...] o exército selvagem não fosse representado por miseráveis figuras de papelão, uma cena que, em Munique [...] foi representada dez vezes melhor por cavaleiros fantasiados [...]. E a 'magia de fogo' no final foi igualmente modesta". Tudo isso deve ter contribuído grandemente para a desilusão de Nietzsche diante do teatro. Tampouco lhe agradou toda a agitação festiva, como revela seu silêncio sobre essa parte de "Bayreuth": não encontramos uma única palavra sobre isso em suas cartas, nem mesmo no "Ecce homo". Também não conseguiu se integrar à "sociedade", sobre a qual W. Marr escreve: "Rapidamente me encontrei e conversei com Liszt ontem à noite no teatro. É incrível como este *grand seigneur* da arte se torna mais bonito com a idade [...]. Evidentemente, muitos jovens pianistas acompanharam Liszt para Bayreuth. [...] Todos conversam com todos. Os grão-duques de Mecklenburg e Weimar, os duques de Anhalt e Meiningen passeiam e conversam com a multidão. As mulheres lindas brilham como flores, mas não há como negar que entre elas há também muitos lírios murchos com rosas artificialmente coloridas". Outro incidente perturbou a atmosfera festiva: em virtude do adoecimento de um protagonista, o "Siegfried" teve que ser cancelado, pois não havia substituto para ele. Por fim, a peça foi apresentada com um dia de atraso. Após a apresentação do "Crepúsculo dos deuses", o público conseguiu obrigar o Mestre a subir ao palco, contrariando assim as regras da casa. Chocou o auditório com as palavras: "Os senhores viram o que *nós* podemos fazer. No futuro, caberá aos senhores decidir se desejam ter uma arte". Wagner deve ter pensado mais no déficit do empreendimento do que na arte em si, em todo caso causou grande desgosto, principalmente na imprensa, o que levou Wagner a interpretar de forma mais amigável as suas próprias palavras durante o banquete.

No final de sua série de artigos, Marr nos oferece ainda uma imagem esclarecedora das atividades sociais: "O centro, evidentemente, é ocupado por Richard Wagner, mesmo que ele não consiga se destacar individualmente com a nitidez que se esperaria dele, pois sua atividade artística o impede e exige sua atenção em todos os momentos. [...] O ofício 'representativo' foi assumido [...] pela Sra. Cosima. [...] Ela possui um talento curioso, um talento verdadeiramente francês, de dizer a todos algumas palavras que os alegram e de participar de uma dúzia de conversas ao mesmo tempo. Mas ela demonstra visivelmente que prefere os círculos da *haute volée* aos círculos artísticos e que não despreza um incenso. Não somos deselegantes se dissermos que seu marido alimenta mais a sua vaidade do que o seu orgulho [...].

Franz Liszt, inseparável das duas personalidades mencionadas, contrasta com sua filha [...]. Ele também precisa do "sol da corte". Ele é um Tasso musical, que não consegue existir sem Leonoras platônicas [...]. Toda semana, a 'Villa Wahnfried' abre suas portas para uma audiência. [...] A Sra. Cosima reuniu aqui seu estado-maior feminino". E Marr apresenta uma lista dos convidados regulares de Wahnfried: Baronesa von Schleinitz, Baronesa von Meyendorf de Weimar, a filha do Conde de Usedom, a Ministra Minghetti, Madame Catulle Mendés e os senhores Conde Festetics, Conde Appony, os pintores Meyerheim e Makart, os escritores Richard Pohl e Schuré, o médico particular do quedive do Egito Dr. Sachs, o cirurgião e anatomista Esmarch, os banqueiros Plato de Berlim e Feustel de Bayreuth (sendo este a alma administrativa do empreendimento). Essa sociedade costumava se deslocar de Wahnfried para a cervejaria de Angermann "para lá se democratizar de forma muito aconchegante. A 'Villa Wahnfried' era o 'capitólio' do senado; e a 'taberna' de Angermann, o 'foro', onde os 'senadores' podiam ser encontrados mais frequentemente". Mas quem não podia ser encontrado lá (nem mesmo nos registros do jornalista) eram Malwida von Meysenbug e todo seu círculo (com exceção de Schuré), inclusive o amigo mais próximo dos dias de Tribschen, Friedrich Nietzsche, o autor de "Richard Wagner em Bayreuth", apesar de ter ficado duas semanas inteiras em Bayreuth, até o início do terceiro ciclo. Evidentemente, teve dificuldades de se despedir, precisava deixar para trás um mundo no qual ele havia se refugiado até agora e partir como apátrida também no sentido espiritual. O quanto isso o atormentou demonstram testemunhos do círculo de Bayreuth. Hans von Wolzogen[266] contou que "Nietzsche o teria visitado na época; ele teria vindo na companhia de sua irmã, sempre atenta para que ele não falasse demais, e ele teria deixado a impressão de um homem muito doente". Ludwig Schemann confirma esse relato: "Um contraste doloroso com a atmosfera altiva destas horas (e com seu escrito) eram o estado em que encontrei Nietzsche por ocasião de sua visita na manhã de 18 de agosto e as críticas que ouvi dele. Ele estava visivelmente muito doente"[54].

### Uma despedida silenciosa

Finalmente, em 27 de agosto, quando suas obrigações profissionais o chamavam de volta para Basileia e ainda antes do final do terceiro ciclo, Nietzsche partiu de Bayreuth na companhia de dois amigos – um amigo novo, o escritor Edouard Schuré, nascido em 1841 na Alsácia, que, desde 1867, vinha se empenhando em prol da música alemã e sobretudo de Richard Wagner, e um velho conhecido, que agora estava sendo chamado para assumir o lugar de amigo mais próximo: Paul Rée, o filósofo moral.

O grande evento artístico, no qual Nietzsche havia concentrado todo o seu esforço e suas últimas esperanças, havia passado. Ele poderia se repetir? A catástrofe financeira (falava-se de um déficit de 160 mil marcos, uma quantia enorme na época) proibia tal expectativa. Poderia partir dele uma renovação cultural ou uma reforma do teatro? O fracasso dos aspectos teatrais tornava isso pouco provável. Assim, Nietzsche perdeu seu poderoso aliado, em que havia acreditado durante tanto tempo. Agora, aliou-se ao filósofo Rée. Mesmo assim, o velho Wagner podia, de certa forma, ser considerado um triunfador, enquanto o discípulo Nietzsche, reconhecendo sua derrota, partia decepcionado e desencorajado.

E ao chegar em Basileia teve que enfrentar Jacob Burckhardt, que, ainda durante sua viagem para a Itália, escrevera a Max Alioth em 25 de agosto: "Ontem à noite, ouvi pela primeira vez [...] a Traviata e me surpreendi com a abundância do belo. Nos jornais de Viena, lemos nos cadernos de cultura da Preseveranza os relatos de Bayreuth, onde teria ocorrido *en somme* um fracasso total e, como tudo indica, definitivo! – Enquanto isso, a Traviata se sustenta sobre suas próprias pernas há quase 20 anos!"

E Nietzsche havia desistido de seu apartamento no Spalentorweg, motivo pelo qual sua irmã não o acompanhou. Nietzsche voltou para seu quarto no Schützengraben, para a "Caverna dos Baumann". Overbeck havia se casado e, ao voltar da lua de mel (em 17 de setembro) na Itália – e não em Bayreuth, como haviam planejado –, instalou-se em um novo apartamento. Assim, o velho ninho estava vazio e à disposição de Nietzsche, que o ocupou até a sua grande viagem de um ano.

Logo recomeçaram as aulas no Pädagogium; eram as últimas aulas de Nietzsche como professor ginasial. E também aqui ele preparou sua despedida, começou a se desprender daquela profissão, que, apesar de tudo, mais lhe correspondia. Ele deveria ter desistido do trabalho científico e filológico como professor universitário, não de seu cargo de educador, que ele sempre pretendera ser, mesmo que em escala maior. Os testemunhos entusiasmados do círculo de seus alunos no Pädagogium são muito claros, e ele mesmo se lembra no "Ecce homo" de que até mesmo os mais preguiçosos de sua turma se transformavam em alunos assíduos.

### Novos planos, novos amigos

Esse tempo não é marcado apenas por despedidas, mas também por novos começos. As ideias que teve durante os oito dias de solidão em Klingenbrunn, Nietzsche ditou agora a Köselitz sob o título de "A relha". E ele conquistara também novas amizades em Bayreuth. Devemos mencionar sobretudo o pintor e escritor Reinhart von Seydlitz, presidente da associação wagneriana em Munique, com o qual Nietzsche logo iniciaria uma correspondência cordial. E novamente uma mulher voltou a exercer seus encantos sobre o filósofo: Louise Ott.

Novamente, o afeto de Nietzsche se voltou para uma mulher báltica (como quatro meses antes para Mathilde Trampedach), e, dessa vez, seus sentimentos foram correspondidos.

Louise von Einbrod era uma mulher loura de beleza incomum. Ela cresceu em Estrasburgo, mas em 1871, quando a Alsácia passou para o *Reich* alemão, mudou-se para Paris, onde seu marido era membro do abastado círculo protestante. Louise era uma mulher culta, com grande talento musical, conhecedora exímia da música alemã e russa, cantora e admiradora de Wagner. Por isso, veio para Bayreuth, talvez já para os ensaios em julho, caso a memória de Nietzsche não tenha trocado alguns fatos (algo que sempre é possível), podemos deduzir isso de uma passagem no "Ecce homo": "Enfim, no meio de tudo aquilo, parti, de súbito, para uma viagem de algumas semanas, apesar de uma encantadora parisiense ter tentado consolar-me"\*. Nietzsche não havia partido "no meio de tudo aquilo", mas entre os ensaios preliminares e os ensaios gerais, e sua viagem não durou "algumas semanas", mas no máximo oito dias. Assim, permanece incerto se essa passagem pode servir como prova para a chegada antecipada de Louise Ott. Tampouco sabemos como Nietzsche e Louise Ott se encontraram. O mais provável é que isso tenha acontecido por intermédio do conterrâneo de Louise Ott, Edouard Schuré, no círculo de Malwida von Meysenbug. O período mais calmo dos ensaios deve ter facilitado esse encontro.

Imediatamente, correu em Bayreuth o boato segundo o qual Nietzsche teria escolhido Louise como sua parceira futura, mas então ele soube que ela já era esposa e mãe de um pequeno garoto – Marcel. Então, recuou e transformou a amizade direta em uma de suas correspondências mais delicadas e íntimas. Talvez essa mulher o teria seguido se ele a tivesse chamado, mas ele preferiu não arrancá-la de sua posição de respeito e segurança para a incerteza de sua existência de espírito livre, que justamente agora se impunha a ele como ventura altamente incerta.

Ele partiu *antes* de Nietzsche, provavelmente após o final do segundo ciclo, no dia 23. Teria sido ela quem o segurou tanto tempo em Bayreuth? Poucos dias após sua partida, ele também se despede e lhe escreve de Basileia em 30 de agosto: "Uma escuridão me envolveu quando a senhora partiu de Bayreuth; era como se alguém tivesse me roubado a luz. Primeiro precisava me reencontrar, mas eu *consegui*; portanto, a senhora pode ler esta carta sem qualquer preocupação. Queremos

---

\* Ibid., p. 65.

perseverar na pureza do espírito, que nos reuniu, queremos permanecer fiéis um ao outro em tudo que temos de bom. Penso na senhora com tanta cordialidade fraternal que poderia até amar o seu marido, pelo fato de ele ser *seu* marido [...]. Posso enviar-lhe minhas três primeiras 'Considerações extemporâneas'? A senhora devia saber em que eu acredito, para que eu vivo". Essas linhas, por sua vez, não sugerem que Nietzsche tenha convivido com Louise Ott durante mais de um mês; mas ela já havia lido sua quarta "Consideração". Talvez essa leitura tenha despertado nela o desejo de conhecer pessoalmente o autor. As duas cartas, com que responde à carta de Nietzsche, revelam como foi profunda a agitação que Nietzsche causara em sua alma. Em 2 de setembro, ela escreve[8]: "Suas palavras – tão nobres, tão profundas e tão fiéis – inevitavelmente penetraram o íntimo do meu coração. Fiquei tão feliz!

Que bom que agora podemos desenvolver uma amizade saudável e profunda, de forma que agora possamos pensar um no outro sem a proibição da consciência... No entanto, não consigo esquecer seus olhos: sempre repousa sobre mim seu olhar profundo e amoroso – – –

Sim! Envie-me suas obras – preciso conhecer melhor o meu fiel amigo... Mas não mencione nada de *sua* carta, nem da *minha* – tudo que aconteceu *até agora*, fica entre nós – é o nosso sacrário, *exclusivamente nosso*". Assinado: "Sua nova irmã Louise".

E poucos dias depois, em 8 de setembro, ela lhe escreve novamente[8]: "Fiel amigo, onde devo encontrar as palavras para expressar a alegria que senti ao receber seu lindo livro? [...] Meu coração se aqueceu, se aqueceu tanto, solucei em alta voz, e era apenas felicidade! [...] Desejo ler *com* o senhor a sua obra e deter-me em cada passagem que não entenda para consultá-lo. [...] O senhor sabia que sou cristã? Gosto da minha Bíblia bela, pura e grande... – o senhor considera ruim a influência do cristianismo? Desde a minha infância, tenho ouvido apenas coisas boas e belas sobre a minha religião [...]. Por que o senhor não acredita naquilo que Cristo disse e prometeu? Querido Sr. Nietzsche, o senhor é nobre demais para rir de mim – mesmo que me considere infantil –, por isso serei sempre sincera com o senhor. Seu escrito sobre Wagner já ampliou minha visão, e reflito sobre tudo que nele encontro; no entanto, creio que apenas grandes estudiosos e alguns espíritos de talento extraordinário conseguem se sentir feliz e satisfeito sem a religião e apenas com a filosofia. O senhor acredita em uma vida eterna da alma? [...] Aceite *toda* a minha fiel amizade. – Louise".

Somos tentados a nos lembrar da Gretchen de Goethe, quando pergunta a seu Fausto o que ele acha da religião!

Confessando sua própria parcialidade, Nietzsche lhe responde em 22 de setembro: "Li suas duas cartas muitas e muitas vezes, creio até que as li demais, mas esta nova amizade é como vinho novo, muito agradável, mas talvez um pouco perigosa. Pelo menos, para mim. – Mas também para a senhora, quando penso no *espírito livre* que a senhora encontrou em mim! Um homem cujo maior desejo é perder diariamente algum pensamento confortante, que procura e encontra nessa libertação diariamente maior do espírito a sua felicidade! Talvez queira até ser mais espírito livre do que o possa ser". Então, ele lhe recomenda as memórias de Malwida von Meysenbug e pergunta pelo pequeno Marcel, que, aparentemente, está sofrendo com sua dentição. Por fim, pergunta: "Existiria de determinada mulher linda e loura uma boa fotografia? – Em oito dias partirei para a Itália, onde ficarei muito tempo. De lá, mandarei notícias. Uma carta enviada para meu endereço em Basileia [...] certamente me alcançará. De todo coração – fraternalmente, seu Dr. Friedrich Nietzsche".

Louise sentiu agora o desejo de vencer a timidez expressada pela assinatura formal, ela queria romper o gelo, tornar-se mais direta em sua fala, optando, por isso, pela língua mais maleável do francês. Em outubro ou novembro, ela lhe escreve que gostaria de ser uma fada, para, com sua varinha mágica, dar-lhe saúde, que queria visitá-lo e consolá-lo em sua solidão. Quer enviar-lhe o raio de sol que invade seu quarto, pois acredita que este lhe faria bem, o deixaria feliz e alegre. Ela lhe agradece pela sua obra nova e afirma que, em vez de escrever-lhe imediatamente para dar algo a ele, ela teria se aprofundado no livro para assim dar algo a si mesma. Nem sempre ela concorda com suas ideias, mas a despeito de todas as diferenças sempre compartilhariam da alegria de um reencontro. Se ele não viesse para Paris, ela o visitaria em Basileia, "dans la saison des fleurs". Ela dirige seus pensamentos para a primavera, para a sua "petite amie", que sente um afeto tão profundo por seu grande sábio e sombrio pensador. Ela encerra a carta com um "Até breve", pois jamais poderiam se perder de vista, e assina com "Votre petite soeur Louise Ott"*.

Nietzsche respondeu apenas em 16 de dezembro, já em Sorrento: "Minha venerada amiga, espero não ter perdido seu favor pelo fato de não ter lhe enviado até agora notícias sobre a minha estadia e saúde. Mas todos os meus amigos tiveram a mesma sorte. Não conseguia nem podia escrever antes – minhas insuportáveis dores de cabeça, contra as quais ainda não encontrei nenhum remédio, impõem-me um descanso silencioso no convívio amigável... Mas quero muito ouvir algo sobre a se-

---

\* Tradução livre baseada em "Der Aquädukt", 1938[227].

nhora [...]. A tradução francesa do meu escrito deve estar a caminho e alcançá-la no Natal – uma nova pequena indiscrição como esta carta para conquistar da senhora algumas linhas, não, muitas linhas suas... Recentemente, tive a ideia de pedir-lhe, minha amiga, que escreva um pequeno romance e que o entregue a mim para que eu o leia: é tão fácil ignorar aquilo que temos e o que desejamos da vida, e certamente isso não nos torna mais infelizes – este é o efeito da arte".

A tradução para o francês da quarta "Consideração extemporânea" havia sido elaborada pela Sra. Marie Baumgartner. O fato de ele enviar essa obra do amor e da admiração imediatamente à nova amiga Louise não demonstra muita compreensão ou sensibilidade. No entanto, o livrinho não chegou às mãos de Louise Ott, como ela escreve em sua carta de 21 de janeiro de 1877, pois só foi publicado no final de janeiro ou no início de fevereiro.

E ela também fica doente e, por isso, só responde em 21 de janeiro, novamente em francês: que ela seria incapaz de escrever um romance! – isso demonstraria que ele não conhece a Louise verdadeira – aquela que *ele* ama seria nada mais do que uma criação de sua bela e calorosa imaginação. Mas ela pede que ele preserve sua afeição, pois ela teria um coração grande o bastante para preservar para ele sua Louise (imaginária).

O desejo de Nietzsche, porém, havia sido conhecer a "verdadeira" Louise não num "romance", mas num esboço autobiográfico; uma Louise, talvez, que tivesse lhe permitido superar a sua timidez. No entanto, os intervalos entre as cartas se tornaram cada vez maiores, até que em 1882, após uma interrupção de cinco anos, houve um último contato breve, bastante formal por parte de Nietzsche, ao qual Louise Ott respondeu com profunda cordialidade. Depois, Nietzsche permitiu que esse relacionamento genuinamente afetuoso se apagasse, sem jamais rever Louise Ott após Bayreuth.

# XIX

## O ano de férias
## (outubro de 1876 a setembro de 1877)

O desprendimento de Wagner não foi um passo dado no escuro. Nietzsche pôde ousá-lo, porque sabia da existência de um refúgio recém-criado. Poderíamos ser tentados a retraçar o processo nas categorias dos arquétipos de C.G. Jung; isso nos enriqueceria no mínimo com uma nova dimensão da compreensão[264].

Em Wagner, Nietzsche vivenciou o arquétipo do "pai". Wagner nascera em 1813, no mesmo ano como o pai de Nietzsche, do qual ele sentiu profunda falta durante sua infância e seus anos de faculdade. No momento em que Nietzsche se aproxima mais de Wagner, seus lamentos sobre a perda do pai se calam! Wagner tornou-se então seu líder espiritual. Desde sua palestra inaugural sobre Homero até sua quarta "Consideração extemporânea", todos os trabalhos de Nietzsche são influenciados ou voltados para Wagner. Chegou então a hora da separação geracional. Entrementes, porém, Nietzsche adoeceu. Sofrimentos físicos inexprimíveis o feriram. Então ele regride para o arquétipo da "mãe": ele não precisa mais de liderança espiritual, mas de cuidados maternos. O primeiro passo nessa direção é a atualização de sua amizade com Malwida von Meysenbug. Inicialmente, Nietzsche se submete à sua proteção. No decorrer dos anos, esse desenvolvimento progredirá no sentido da regressão: após o primeiro colapso físico na primavera de 1879, que o obriga a abandonar sua cátedra em Basileia, ele recorre à sua mãe de sangue e permanece em medida cada vez maior nesse vínculo e dependência, até que, em janeiro de 1889, seu colapso espiritual o devolve definitivamente a seus cuidados. E esse trajeto começa em 1876 com Bayreuth.

Esse novo refúgio encontrado em Malwida von Meysenbug havia sido preparado desde a primavera e se firmou no verão, quando Nietzsche foi a Bayreuth. Em 30 de abril de 1876, Malwida lhe escrevera que ela estava procurando um local favorável para cuidar de seu *protegé* Albert Brenner, um lugar que não deveria ser mais caro do que Roma[7]: "Para salvar uma individualidade nobre, estou disposta a fazer o sacrifício de abandonar Roma e me instalar num lugar menor, provavelmente Fano, na Costa Adriática [...] com clima saudável, banhos maravilhosos, barato. [...] E agora vem o segundo ponto. Quero oferecer essa pátria não só a ele, mas também *ao senhor*, pelo menos por um ano. No próximo inverno, o senhor *precisa* sair de Basileia. Precisa descansar sob um céu mais ameno, no círculo de pessoas mais simpáticas, onde poderá pensar, falar e criar livremente aquilo que preenche a sua alma e onde um amor verdadeiramente compreensivo o envolve. Isto seria o caso aqui [...]. O que me preocupa, porém, é o seguinte: que não poderia oferecer-lhe Roma [...]. Naturalmente, a tranquilidade seria maior ali do que aqui, e o clima também lhe agradaria mais, pois seria mais fresco e animador por causa do mar – mas não seriam as impressões de Roma, não teria aquele grande traço que permeia tudo aqui e que se respira com o ar". Nietzsche concordou imediatamente, um fato surpreendente em vista de seu caráter geralmente hesitante e indeciso. Em 11 de maio, ele responde: "Mais tarde lhe direi como esta palavra sua veio na hora certa e como se teria tornado perigoso o meu estado sem esta palavra: hoje me contento a dizer-lhe apenas: que irei para passar com a senhora um ano em Fano. Conversei com o presidente do conselho da universidade sobre a possibilidade de férias de outubro de 1876 a outubro de 1877; a resposta definitiva ao meu inquérito só poderá ser dada em 14 dias, mas estou certo que me darão liberdade total. [...] Nestes dias tenho pensado muito em 'Fanum Fortunae': quero que seja para mim um 'templo da sorte'!" A irmã de Nietzsche, ao publicar estas cartas, julga corretamente quando comenta[7]: "As alusões enigmáticas ao tempo perfeito [...] em que veio esta oferta diziam pouco respeito à saúde do meu irmão [...], antes remetiam sobretudo às dúvidas que haviam surgido em relação a Wagner e sua arte", mas ela se equivoca ao deduzir: "Ao falar agora com tanta ansiedade sobre este convívio [...], a razão secreta disso era que ele esperava, na proximidade de Malwida, poder firmar-se novamente em seus velhos sentimentos por Wagner, pois certamente ela falaria apenas nos termos mais amigáveis e favoráveis sobre Wagner". Essa não pode ter sido a razão. Nietzsche queria e precisava se desprender de Wagner, e o amor maternal de Malwida providenciaria essa possibilidade, que, por isso, ele aceitou tão prontamente.

### O licenciamento oficial

Em 19 de maio, Nietzsche entrega o pedido formal ao presidente do conselho Dr. Carl Burckhardt: "Quando assumi meu cargo universitário e escolar na Páscoa de 1869, eu o fiz na expectativa de, algum dia, poder recuperar aquilo que fui obrigado a me negar na minha súbita passagem de aprendizagem para a atividade de ensino – ou seja, fazer uma viagem maior para o sul, para uma formação científica mais livre. Várias razões pessoais me obrigam a expressar meu pedido de licenciamento justamente neste ano [...]; destaco entre estas razões apenas uma: ao longo dos últimos sete anos, minha saúde se tornou cada vez mais precária [...]. No último inverno, encontrei-me num estado de saúde perigoso [...]. Para o período de minha ausência, desisto naturalmente de meu salário ao qual tive direito até agora". O conselho discutiu o pedido em 26 de maio e decidiu*[236]: "Pedir à secretária de educação uma licença de um ano para o Sr. Prof. Nietzsche. Deve-se fazer uso de sua desistência do seu salário apenas na quantia necessária para cobrir as despesas necessárias com o vigário no Pädagogium". A carta que acompanhava a remessa dessa decisão à secretaria de educação (à qual competia a palavra final nesse assunto) destacou em primeira linha a saúde frágil de Nietzsche[242]: "As razões que nos levam a tomar esta medida se devem em parte à preocupação com sua saúde, em parte a seu desejo de realizar uma viagem mais demorada para o sul. Por mais que sintamos a falta dos serviços extraordinários do Prof. Nietzsche na universidade e no Pädagogium, acreditamos ter que corresponder ao seu desejo. [...] O Sr. Prof. Nietzsche abre mão de qualquer salário para o tempo de sua ausência. Sugerimos não acatar totalmente esta desistência, mas apenas na medida em que o Prof. Nietzsche terá que reembolsar seu vigário no Pädagogium: O Sr. Prof. Nietzsche tem servido à comunidade durante sete anos e tem recebido um salário modesto de 4.500 francos, e os frutos de sua viagem trarão vantagens também para a nossa juventude". Em 2 de junho, a secretaria de educação, representada nessa reunião pelos pastores Respinger e Adolf Burckhardt, aceita o pedido e decide "não impor-lhe outra perda senão o pagamento de seu vigário no Pädagogium, o que somará mais ou menos 1.200 francos". No fim, custou-lhe 1.140 francos (190 francos por ano e aula semanal), como foi decidido em 5 de novembro de 1877 referente à sua substituição no semestre de inverno de 1877/1878. Todas as declarações e decisões revelam um esforço evidente de fornecer a este homem tão respeitado científica e humanamente o maior alívio possível em sua situação precária. A secretaria de educação, por sua vez, destacou em sua justificativa sobretudo a "viagem de estudos": "O mesmo deseja ao mesmo tempo visitar os locais clássicos". Então, o programa de preleções para o semestre de inverno de 1876/1877 e para o semestre de verão de 1877 dizia[236]: "O Sr. Friedrich Nietzsche, doutor da filosofia e professor ordinário (estará ausente em virtude de uma viagem científica)". Era mais fácil usar isso como justificativa diante das autoridades políticas.

---

* Os textos completos se encontram no vol. 3 "Documentos", n. 1.

Jacob Mähly, entrementes promovido a professor, candidatou-se à vaga, como registra o protocolo do conselho de 6 de julho, "sob a condição de que outra pessoa assuma suas aulas de latim para a turma do segundo ano". Isso teria exigido uma segunda substituição para as aulas de latim. O reitor Burckhardt, por sua vez, sugeriu entregar as aulas de Nietzsche ao jovem professor de Grego do 1º e 2º ano do Pädagogium, Dr. Achilles Burckhardt, e o conselho decidiu: "O pedido do Sr. Prof. Mähly não será aceito. Em vez disso, o conselho pedirá ao Dr. Ach. Burckhardt que este assuma as aulas do Sr. Prof. Nietzsche no 3º ano durante a ausência deste. Para estas aulas receberá o mesmo salário como já recebe para suas outras aulas no Pädagogium".

Trata-se de uma coincidência interessante que, nessa mesma reunião, o conselho concedeu ao jovem linguista Dr. Jacob Wackernagel a *venia docendi* nas disciplinas de Grego e Sânscrito. Wackernagel, nascido em 1853, havia sido o aluno de Nietzsche no Pädagogium e chegou a estudar dois meses com ele na faculdade em 1871 e 1872. Por ocasião de sua promoção, fez seu exame de grego com Nietzsche, e em 1879 ele se tornou seu sucessor na cátedra de filologia clássica, ligando a esta desde o início o sânscrito e especialmente o indo-germânico.

### Os substitutos

Na universidade, a lacuna deixada por Nietzsche foi preenchida mais facilmente e sem custos para ele: os outros docentes simplesmente ampliaram seu programa. No semestre de inverno de 1876/1877, Jacob Mähly assumiu a preleção de três horas semanais sobre o Fédon, de Platão; uma preleção de uma hora semanal sobre mitologia comparativa; os exercícios métricos realizou em dois exercícios de uma hora cada: sobre o 10º livro de Quintiliano e sobre uma seleção de textos da mitologia grega. O Prof. J.J. Merian lecionou duas horas semanais sobre Tucídides e duas horas sobre "Pro Roscio Amerino", de Cícero; e o Prof. Misteli, duas horas semanais sobre "Interpretações da Ilíada X, de Homero" (Misteli era linguista); por fim, o Dr. Friedrich Hagenbach lecionou duas horas semanais sobre "Dramas selecionados de Eurípides". Os estudantes do grego, portanto, não precisaram se preocupar com uma eventual falta de cursos. O semestre de verão não ofereceu tanto, mas satisfez às exigências. O Prof. Mähly fez as preleções "Introdução à linguística latina e grega" (duas horas semanais), "Os sapos", de Aristófanes (três horas) e voltou a dirigir um seminário latino e outro grego: Velleius Paterculus e a "Poética", de Aristóteles. O Prof. Misteli ofereceu um curso sobre "Interpretações do Filecteto, de Sófocles" (duas horas). E o novo docente Dr. Jacob Wackernagel realizou as preleções "História do drama épico grego" (duas horas) e "Heródoto, sob consideração especial dos dialetos" (três horas), iniciando assim sua carreira como linguista genial.

Visto que sua ausência na universidade não acarretou nenhuma perda financeira e que precisava de 200 francos ao mês na Itália (como ele informa numa carta à mãe em 24 de dezembro), os 3.300 francos restantes de seu salário devem ter sido o bastante para cobrir seus gastos com as viagens. Os assuntos financeiros em Basileia foram assumidos pelo amigo Overbeck, "o imutável", como Marie Baumgartner o chamava.

### Preparativos para a viagem

Tudo estava resolvido, e assim Nietzsche pôde se dedicar com uma consciência tranquila aos preparativos para as suas férias, mas não conseguiu fazê-lo sem uma forte comoção interior – com a consequência inevitável: uma enxaqueca insuportável acompanhada de vômito. A visão permanece ruim, e ele precisa fazer outro tratamento com atropina, como relata à irmã em 4 de setembro. Assim, ele tenta sobreviver ao mês de setembro, no final do qual (no dia 26) ele escreve a Malwida: "Estou mal desde o meu retorno; estou ditando esta carta deitado na cama com terríveis dores de cabeça. A cada oito dias, preciso oferecer um sacrifício de 30 horas à minha doença; por isso consolo-me com a expectativa do convívio com a senhora no Golfo de Nápoles". Entrementes, Malwida havia visitado a cidade de Fano e a considerado inadequada, optando, por fim, pela região de Nápoles, por onde também Wagner pretendia passar rapidamente. Tudo indica que esse plano já havia sido discutido em Bayreuth, pois essa mudança jamais é discutida na correspondência. Já em 24 de setembro, Nietzsche havia escrito ao Freiherr von Seydlitz: "O senhor partirá em 1º de outubro para Davos; e eu, no mesmo dia, para a Itália, para reencontrar a minha saúde em Sorrento. [...] acompanham-me também um amigo (Paul Rée!) e um aluno (Albert Brenner) [...] formaremos um tipo de mosteiro para espíritos livres. O amigo mencionado é autor de um livro anônimo e muito curioso: 'Considerações psicológicas'. [...] Permaneceremos mais ou menos um ano em Sorrento. Depois, retornarei para Basileia, a não ser que, em algum lugar, eu construa meu mosteiro, a 'escola para educadores' (onde estes mesmos se educam)".

No entanto, conheciam apenas a cidade, não ainda a pensão.

A ideia de um "mosteiro para espíritos livres" ressurge periodicamente na mente de Nietzsche. Dessa vez, ela deve ter sido despertada pela carta que ele recebera já em 21 de abril de Joseph R. Ehrlich de Viena, que lhe escrevera "em nome de seus admiradores entusiásticos na nossa universidade"[6]. Dessa primeira "congregação nietzscheana" resultariam também algumas amizades.

O que surpreende na carta a Seydlitz, porém, é a informação segundo a qual Paul Rée o acompanharia para Sorrento. Ele escreve isso com a maior certeza e naturalidade, antes mesmo de informar Malwida, à qual ele escreve apenas dois dias depois, em 26 de setembro: "A senhora sabe que o Dr. Rée pretende me acompanhar, confiando que a senhora não se oporá? Alegro-me muito com sua mente absolutamente clara e com sua alma respeitosa e verdadeiramente amigável [...]. Caso isso não seja possível, não pretendo de forma alguma perturbar os seus planos. [...] Wagner me enviou um telegrama de Veneza". E Nietzsche lhe respondeu em 27 de setembro. Wagner havia pedido que comprasse para ele algumas roupas numa empresa de Basileia, e Nietzsche lhe agradece pela confiança, "lembrei-me do tempo de Tribschen"; seguem então algumas declarações sombrias: "O outono, depois deste verão, é para mim – e creio que não apenas para mim – mais outono do que qualquer outro. Por trás do grande evento se estende uma faixa da mais negra melancolia, da qual é preciso fugir o mais rápido possível para a Itália ou para o trabalho ou para ambos". Mais uma vez, ele se abre para o amigo paternal e confessa a extensão de seus sofrimentos: "Estes alcançaram um novo auge; está realmente na hora. As autoridades sabem o que fazem quando me concedem uma licença de um ano, cientes de que esse sacrifício é desproporcionalmente grande para uma comunidade tão pequena; [...] ao longo dos anos tenho engolido dor após dor, como se eu tivesse nascido exclusivamente para isto. Paguei ricamente o meu tributo à filosofia que ensina isto. Essa neuralgia é tão minuciosa, trabalha com tanta cientificidade ao sondar até que ponto eu sou capaz de suportar a dor, e essa sondagem sempre leva 30 horas. A cada quatro ou oito dias preciso preparar-me para uma repetição desta análise [...] mas agora cansei-me e desejo viver com saúde ou não viver mais. [...] Não deves acreditar que sou taciturno; não são as doenças, mas sim os homens que me deixam mal-humorado, e sempre tenho por perto os amigos mais prestativos".

Em 29 de setembro, ele registra na secretaria de habitação a sua partida "para a Itália" e recebe no mesmo dia da chancelaria do Cantão de Basileia um passaporte – mesmo sem ser cidadão!* Eduard His explicou: "Este documento interessante encontra-se ainda hoje no arquivo estatal de Basileia; foi importante em várias ocasiões da vida de Nietzsche [...]. Primeiramente, surpreende-nos o fato de que as

---

* Em 1941, o historiador de direito Eduard His analisou a questão na base de todos os documentos oficiais e códigos de direito disponíveis e publicou também pela primeira vez o texto do passaporte.

autoridades do Cantão de Basileia se consideraram responsáveis pela emissão deste passaporte para um apátrida. No entanto, isso foi juridicamente permissível (Concordância intercantonal referente à emissão e aos formulários dos passaportes, de 22 de junho e 2 de julho de 1813, confirmada em 9 de julho de 1818). E também a lei federal 'referente aos apátridas' de 3 de dezembro de 1850 ainda permitia a emissão de um passaporte para um cidadão estrangeiro pelo cantão, mas 'a próprio risco' (artigo 21). – O conteúdo do passaporte revela que Nietzsche não é mencionado como cidadão de Basileia, mas apenas como professor da Universidade de Basileia. O passaporte tinha, portanto, apenas o significado de uma carta de proteção oficial para um funcionário público de Basileia; o reconhecimento de uma cidadania estava fora de cogitação. Mas as autoridades de Basileia estavam muito interessadas em conceder a Nietzsche essa proteção oficial, visto que, sem documentos, ele poderia ter enfrentado dificuldades em territórios estrangeiros, e isso, por sua vez, poderia lançar uma luz negativa sobre Basileia e sua universidade. O fato de terem usado um formulário francês para emitir seu passaporte se explica com sua ida para um país romano (Itália). O passaporte de Nietzsche traz a observação 'valable pour un an'; formalmente, sua validade teria terminado em 29 de setembro de 1877. Mas Nietzsche utilizou o mesmo passaporte ainda até o seu colapso [...]; por isso, os consulados suíços em Gênova e Nice estenderam sua validade ainda em 1883 e 1885. Apenas quando Nietzsche foi internado em 10 de janeiro de 1889 no Manicômio Friedmatt, de Basileia, o passaporte foi recolhido pelas autoridades de Basileia".

Com sua baixa na secretaria de habitação em Basileia, Nietzsche interrompeu pela segunda vez (a primeira vez ocorreu em 1870, quando prestou seu serviço militar) sua permanência, impedindo assim definitivamente sua naturalização, que, na época, exigia uma permanência ininterrupta de oito anos. E visto que também nunca mais reivindicou sua cidadania alemã, ele permaneceu sem cidadania, ou, segundo a terminologia helvética, apátrida (*heimatlos*).

### A viagem

Oficialmente, suas férias começavam apenas com o início do semestre em 15 de outubro. Mas Nietzsche se aproveita das férias e parte já em 1º de outubro na companhia de Paul Rée, mas não diretamente para os "locais clássicos" ou para o encontro com Malwida, mas para Bex, no Cantão de Valais, que ele havia conhecido rapidamente na primavera por ocasião de uma excursão com Gersdorff para Veytaux. Lá, os dois amigos se hospedam no Hotel Crochet. Em setembro, ao visitar Montreux com sua mãe, Rée já havia se informado sobre os hotéis em Bex[12]. Um ano depois, ele lembra as três semanas passadas em Bex com Nietzsche[12]: "Foi, de certa forma, a lua de mel da nossa amizade, e a casinha isolada, a varanda de madeira e as vinhas e Le Sage (i.e., seu romance 'Gil Blas') completaram a imagem de um estado perfeito, mesmo sem a Stella". (Não sabemos quem foi essa "Stella", uma figura de E.T.A. Hoffmann, e a qual dos amigos ela "pertencia".)

A princípio, a mudança climática faz bem a Nietzsche, por isso, pode escrever à mãe, em 16 de outubro, "que a crise principal não ocorre há 12 dias", após pagar a excitação de sua partida com um ataque de 30 horas. Gozou então "do mais lindo outono, juntamente com Rée, o Incomparável" (9 de outubro de 1876). Imediatamente, retorna a vontade de um trabalho produtivo, e em 18 de outubro ele escreve à irmã: "Terminei a quinta 'Consideração', preciso agora apenas alguém a quem possa ditá-la (em Basileia, Köselitz estava à minha disposição todos os dias)". Tratava-se do "Espírito livre", o último plano para uma "Consideração extemporânea". Ao longo dos trabalhos seguintes, ele transforma esse material e o incorpora no grande livro de aforismos "Humano – demasiado humano".

A Sra. Marie Baumgartner pôde comunicar a Nietzsche a boa notícia de que sua tradução francesa de "Richard Wagner em Bayreuth" já estava sendo impressa pela editora de Schmeitzner. Ela acreditava que o livro seria lançado até o fim do mês. Mas isso só aconteceria no dia 27 de janeiro do ano seguinte.

No dia 19 de outubro, Nietzsche e Rée se despedem de Bex e viajam primeiro para Genebra e depois para Gênova*. Os esforços da viagem causam novamente um ataque violento de dores de cabeça. Diz que durou 44 horas! No dia 22, sente-se recuperado e participa de uma excursão pelo porto. É a primeira vez que ele tem contato com o mar, e como é tímido! Durante a viagem de trem, Nietzsche e Albert Brenner, que o acompanhava desde Genebra, haviam conhecido algumas pessoas. Brenner fala de uma "jovem e amável família burguesa de Genebra" e de "dois jovens soldados nobres"[50]; e Nietzsche mais uma vez conheceu duas mulheres: a Baronesa Claudine von Brevern e Isabella von Pahlen (posteriormente chamada de Isabella Ungern-Sternberg), com as quais logo desenvolveu uma conversa animada. Nietzsche aparenta ter causado um forte impacto principalmente sobre a jovem Isabella von Pahlen, pois ela manteve laços emocionais com ele ainda após

---

* Ao contrário de outras tentativas de datação, a viagem pode ser retraçada com exatidão: Nietzsche e Rée chegam em Genebra ainda no dia 19 de outubro, onde se encontram com Albert Brenner, que estava vindo diretamente de Basileia. Com este, Nietzsche pega o trem noturno às 9 da noite, atravessa o Túnel Mont Cenis (inaugurado em 1871) e, após uma breve escala em Turim, chega em Gênova às 4 horas da tarde do dia 20. Rée viajou na manhã do dia 20 de outubro e chegou em Gênova à meia-noite.

a sua morte e em 1902, em sua função como grafóloga, prestou-lhe uma homenagem mais entusiástica do que científica[249].

Como conta, a conversa durante a viagem de trem para Gênova havia girado em torno dos moralistas franceses. De repente, Nietzsche perguntou a ela: "Minha senhora, a senhora também é um espírito livre, não é?", e ela respondeu: "Meu desejo é tornar-me um 'espírito livre', o que, no meu caso, pode coincidir no máximo com o *libre penseur* dos franceses".

Em 23 de outubro, Nietzsche continuou sua viagem com Brenner de barco, que fez escala em Livorno. Não sabemos se Rée os acompanhou ou se ele percorreu também esse trajeto sozinho. Sabemos apenas que Nietzsche pretendera acompanhá-lo até a estação ferroviária de Gênova[8]. E também Isabella continuou sua viagem para Roma de trem. Ao chegar em Livorno, Nietzsche fez uma breve excursão para Pisa, talvez para se encontrar com Rée, e lá encontrou-se mais uma vez com Isabella. Juntos, fizeram um passeio pela cidade, como ela se lembra: "Na estação ferroviária, recebeu-nos, visivelmente mal-humorado, o companheiro de Nietzsche Paul Rée, com o qual eu não havia trocado dez palavras até então. Um tanto agitado, ele me chamou para si e expressou abertamente o seu desagrado pelo fato de eu, a despeito de seus esforços, exercer um efeito excitante e, portanto, negativo sobre Nietzsche [...]. Soube então de Rée, do *fidus achates*, que seu amigo necessitava da maior tranquilidade e solidão para curar sua grave doença nervosa". Na estação de trem, Nietzsche conversou com ela longamente sobre a criação consciente e sobre o matrimônio e a obrigação do Estado de excluir as pessoas inadequadas do casamento. Foi mais um monólogo do que uma conversa, mas suas palavras se tornariam "decisivas para a vida" de Isabella. Depois desse curioso encontro, durante o qual Nietzsche expressou tantos dos seus pensamentos posteriores (caso a memória de 1902 da autora não tenha confundido a cronologia dos eventos), Nietzsche, Brenner e Rée continuaram juntos sua viagem de barco até Nápoles, onde chegaram à uma hora da madrugada de 26 de outubro. Nietzsche se mostrou satisfeito com a viagem e escreveu em 28 de outubro à mãe e irmã: "Escapamos da doença marítima (cinetose), e prefiro decididamente esse modo de viajar ao terrível trem. Encontramos a Sra. Von Meysenbug num hotel em Nápoles e viajamos ontem juntos para o nosso novo lar". De forma plástica, Brenner relata a seus parentes em Basileia[50]: "A viagem pelo mar de Gênova para Nápoles foi maravilhosa [...]. No último dia, enfrentamos uma pequena tempestade. Um após o outro se afastou da mesa durante o almoço [...]. Nietzsche perseverou por muito tempo. Não senti nem um pouco de enjoo. [...] Ontem, à uma hora da madrugada [...] ancoramos no porto e fomos tolos o bastante para ainda querer chegar a Nápoles, em vez de permanecermos no navio.

Assim, embarcamos num bote apertado, quatro marinheiros aos remos. A escuridão era absoluta, nenhum barulho; de vez em quando apenas uma palavra ou outra dos remadores. Comecei a ver fantasmas e agarrei-me à minha adaga sob o manto, com a cartola na cabeça, cuja elegância eu preferia ver no fundo do porto. Atracamos num porto minúsculo bem isolado, onde quase todas as luzes já haviam sido apagadas. Vieram alguns soldados que se pareciam com bandidos e que exigiram um trocado. Então, nossos quatro remadores pegaram nossas duas malas e subiram pela rua deserta em direção ao Chiatamone, *pension allemande*, para onde desejávamos ir. Nietzsche, Rée e eu tivemos que ficar de olho nos carregadores: caminhavam a uma distância de 20 a 30 passos uns dos outros. Não acreditava que estavam nos guiando corretamente [...]. Visto, porém, que meu manto esvoaçava à moda de um ladrão e todos nós tínhamos olheiras, ostentando assim uma aparência perigosa, conseguimos chegar sãos e salvos. A Srta. von Meysenbug está aqui. Ela cuidou de tudo com grande esforço". É possível que, ao receberem esse relato, os familiares em Basileia tenham começado a temer pela vida dos três homens!

### Em Sorrento

O local de sua estadia permanente ainda não estava decidido, e o grupo decidiu apenas em 26 de outubro procurar uma pensão em Sorrento, uma cidade próxima, como Malwida von Meysenbug escreve à sua filha de criação Olga em 28 de outubro[167]: "Na noite de anteontem, fiz uma excursão com meus três senhores pelas colinas do Posilipo; a iluminação era divina, como num conto de fadas. Sobre o Vesúvio erguiam-se majestosas nuvens de tempestade, de cujas chamas surgia um arco-íris; a cidade brilhava como que construída de ouro puro, e do outro lado estendia-se o azul-escuro do mar [...]. Foi tão maravilhoso que os senhores ficaram embevecidos de êxtase. Nunca vi Nietzsche com tanta vivacidade. Ria de tanta alegria. Após muita discussão, decidimos ir para Sorrento, e para lá fomos na manhã de ontem e chegamos com um tempo maravilhoso, e imediatamente procuramos a pensão *allemande*, Villa Rubinacci, que eu havia descoberto recentemente (em 20 de outubro. Nesse dia, Malwida havia vindo para Sorrento à procura de um apartamento, aproveitando a viagem para fazer uma visita a Wagner[258]) e que tanto agradou aos senhores que decidiram ficar. É um lugar muito lindo e aconchegante, pois os senhores têm aqui seu próprio território, de forma que não preciso me preocupar com eles. À noite, quando fomos fazer uma visita aos Wagner, estes se aborreceram por não termos alugado uma casa ao lado de seu hotel, mas os preços são mais altos ali e o local oferece menos independência. Aqui, somos nossos próprios donos, e a anfitriã alemã é uma boa criatura. Trina está cheia de atividade [...]. Há varandas para todos os lados. As janelas do salão se abrem para Nápoles à luz do sol, para minha querida Ísquia e para o Vesúvio. Na frente da casa, estende-se uma verdadeira floresta de oliveiras e laranjeiras, que forma o primeiro plano verde desta pintura".

Na noite do dia de sua chegada (em 27 de outubro), fizeram então ainda uma visita aos Wagner, que haviam chegado no dia 5 de outubro e permaneceriam até o dia 7 de novembro, para então seguir viagem até Roma. O déspota em Wagner queria obrigar Malwida que ela os acompanhasse. Ela acompanhou os Wagner ainda até Nápoles, mas lá, em 9 de novembro, se esquivou da situação desagradável de "ouvir mais uma vez o quanto Wagner estava fora de si", despedindo-se dele com uma carta e "um buquê de rosas, laranjas e heliotrópios". Em 8 de novembro, Rée observa em uma carta à mãe de Nietzsche[8]: "Os Wagner partiram ontem, o que é bastante positivo, pois agora temos mais liberdade à noite e podemos nos deitar mais cedo". Os poucos dias em que os dois grupos estavam juntos em Sorrento aparentam ter sido marcados de um convívio intenso, pois Brenner escreve aos pais[50]: "[...] os Wagner nos convidaram umas seis vezes. Estavam todos aqui com seus filhos. Wagner estava descontraído, brincava com seus filhos e se alegrava com a região linda". Se acrescentarmos as visitas dos Wagner no hotel de Malwida e eventuais excursões, cria-se uma imagem de harmonia reestabelecida. Mas o silêncio de Nietzsche em suas cartas revela que essa harmonia não era autêntica. Durante o tempo de Tribschen e os anos seguintes, ele comunicava triunfante a todos cada encontro com Wagner, cada sinal de vida que recebia dele. Agora, um cartão postal a Marie Baumgartner contém as frases: "Os Wagner moram a 5 minutos de distância no Hotel Victoria", e um cartão a Overbeck de 11 de novembro: "Há alguns dias, os Wagner partiram para Roma". Em 18 de novembro, aparentemente em resposta a uma pergunta de Marie Baumgartner, ele comunica o endereço de Wagner em Roma. Estranho: Cosima também não fala desse encontro. Ela havia se preparado para esse evento, pois em 15 de outubro leu mais uma vez a quarta "Consideração extemporânea". No dia 27, ela escreve em seu diário: "Visita de Malwida, Dr. Rée e nosso amigo Nietzsche, este muito fraco e muito preocupado com sua saúde", mas depois disso o nome do amigo desaparece do diário, com exceção de uma breve menção. Malwida ocupa o centro da atenção. Já no dia seguinte, no sábado de 28 de outubro, o diário relata: "Encontro com Malwida, cujo aniversário é hoje", e no dia 30: "Visitamos Malwida". Nietzsche certamente estava presente, mas não é mencionado. Em 31 de outubro, celebram "o aniversário de Malwida com uma excursão de jumento ao deserto". Em 1º de novembro, Cosima anota: "À noite, recebemos a visita do Dr. Rée, cujo ser frio não nos agrada. Ao investigá-lo mais de perto, descobrimos que ele deve ser israelita". Nietzsche deve tê-lo acompanhado também dessa vez. Mas seu nome volta a ser mencionado apenas em 2 de novembro: "Passamos a noite com nossos amigos Malwida e Prof. Nietzsche". Em 6 de novembro, "Malwida almoça conosco" e, na véspera de sua partida, "contemplamos tudo mais uma vez com melancolia, passamos a noite com Malwida". No dia 7, a Família Wagner se despede às 11 horas da manhã, acompanhada por Malwida até Nápoles, pois mais uma vez Cosima escreve: "Passamos a noite com Malwida". Brenner nunca é mencionado, e Cosima não encontra nenhuma palavra para falar da despedida do "amigo Nietzsche"[258]. Os amigos haviam se distanciado uns dos outros.

### Despedidas dolorosas

Foi o último encontro pessoal – uma despedida definitiva. Wagner prosseguiu para completar a obra de sua vida com o "Parsifal", cujo plano de trabalho Nietzsche conhecia há muito tempo, e Nietzsche iniciou seu novo caminho, que o levou para a direção oposta.

A separação de Wagner, porém, não foi a única despedida nesses dias. Nos primeiros dias de novembro, recebeu a notícia de três mortes, e todas elas abalaram Nietzsche profundamente. Em 31 de outubro, morreu em Basileia seu velho e um pouco curioso colega, o latinista Franz Dorotheus Gerlach, em decorrência de um acidente. Em 3 de novembro, morreu Wilhelmine Oehler, a avó de Nietzsche; ela havia fraturado uma costela, mas parecia estar se recuperando bem, pois em 16 de outubro Nietzsche havia escrito à mãe: "[...] com os desejos mais cordiais para sua recuperação; sua boa natureza é algo surpreendente, queria eu que tivesse algo disso em mim, assim eu poderia ter certeza da minha recuperação". Por isso, a morte da avó veio de forma inesperada. Por fim, na noite de 8 de novembro, a morte levou também o Prof. Friedrich Ritschl, que Nietzsche respeitava e amava a despeito de sua oposição ao "Nascimento da tragédia". Apenas em janeiro de 1877, Nietzsche encontra a coragem – ele culpa a sua doença – de escrever uma carta profundamente sincera à viúva Sophie Ritschl, que também havia sido como uma mãe para ele: "Quantas vezes já passou por minha mente a figura do grande e amado professor desde o momento em que recebi aquela triste notícia, quantas vezes já percorri em meu espírito aqueles tempos distantes de um convívio quase diário com ele e me lembrei das inúmeras provas de sua postura benevolente e verdadeiramente prestativa. Alegro-me por possuir ainda de seu último ano um testemunho valioso de sua generosidade e cordialidade na forma de uma carta e por poder imaginar que ele, mesmo quando se viu incapaz de concordar comigo, me permitiu seguir o meu caminho. Eu acreditava que ele viria ainda a vivenciar o dia em que eu lhe agradecesse publicamente, como meu coração deseja fazer há muito tempo".

## O dia a dia em Sorrento

Rapidamente, as quatro personalidades tão distintas criaram uma rotina com a ajuda de Trina, criada de Malwida. Devemos sobretudo a Brenner e a Malwida descrições plásticas sobre o dia a dia em Sorrento. Brenner, por exemplo, escreve a parentes em Basileia[50]: "Vivemos um pouco isolados, naquela parte de Sorrento em que existem apenas jardins, vilas e casas de verão. Toda esta parte é como um mosteiro. Os becos são estreitos e são formados de ambos os lados por muros altos, sobre os quais se elevam laranjeiras, ciprestes, figueiras e guirlandas de vinho, enquadrando assim lindamente o azul do céu. Visto que a maioria das casas se encontra por trás destes muros, cria-se a impressão de um labirinto. [...] Nós mesmos moramos na 'Villa Rubinacci' [...]. Um pequeno pomar de laranjeiras nos separa do mar. Do pomar é preciso descer verticalmente, pois Sorrento foi construído sobre uma rocha. [...] Temos duas grandes varandas com vista para o mar e as montanhas. A casa não é apenas relativamente, mas totalmente barata; não é elegante [...].

Às 8 horas, Nietzsche, Dr. Rée e eu tomamos café. À uma hora da tarde, almoçamos e, às 7 da noite, jantamos. Dormimos cedo". E um pouco mais tarde, escreve: "O dia a dia continua o mesmo: café da manhã às 7 e meia; das 9 às 10, Nietzsche dita (mas nenhuma obra nova); das 10 às 11 fazemos um passeio; das 11 às 12, pandectas. Até as três da tarde, almoço com sesta. Caminhadas até as cinco da tarde, ou, em caso de chuva, trabalho [...]".

"Agora, passam pela cidade os *pfifferari* com suas gaitas de fole. As pessoas os convidam para suas casas, para que toquem uma missa na frente da imagem da Santa Virgem Maria da casa, recebendo então dinheiro e comida [...]. Vivemos aqui como num mosteiro. Os quartos de Nietzsche, do Dr. Rée e o meu são adjacentes. Toda manhã, por volta das 6 e meia, eu levanto. Devo isso a Nietzsche, que me acorda [...]. Este deve ser um dos motivos pelos quais me sinto mais saudável. Levantamos juntos, caminhamos e tomamos o café da manhã. Juntos, tudo se torna mais fácil e se suporta uma caserna que, sozinho, seria insuportável [...]. Na semana passada, Nietzsche e eu fazíamos uma caminhada de três horas todas as manhãs. Escalamos as montanhas por trás de Sorrento e descemos até o Golfo de Salerno." Brenner descreve também como acordava. Às 6 e meia toca na igreja ao lado o sino com um som de lamento. Então, Nietzsche o chama: "Amigo Brenner!"; Brenner responde apenas após a terceira chamada. "Ao mesmo tempo, ouvimos o estalo de um fósforo no terceiro quarto: Dr. Rée consulta o relógio e proclama a hora em voz alta. Em seguida, ouve-se no quarto de Nietzsche o correr da água, e os dois outros quartos respondem com ecos seguidos e demorados."

Malwida registra um aspecto bem diferente desse idílio em seu "Terceira idade de uma idealista" (Lebensabend einer Idealistin)[166]: "Os Wagner partiram no final de novembro, e agora começaram nossas noites de leitura. Havíamos trazido uma seleção rica e excelente de livros, mas o mais lindo em meio a toda essa diversidade era uma transcrição das preleções de Jacob Burckhardt sobre a cultura grega [...] escrito por um aluno de Nietzsche [...]. Nietzsche comentava, e certamente nunca houve uma exposição mais maravilhosa e mais perfeita dessa época cultural mais bela da humanidade do que aqui [...]. Após encerrarmos as preleções de Burckhardt, lemos Heródoto e Tucídides. Este conquistou minha mais alta admiração [...]. Na manhã do primeiro dia de janeiro de 1877, fiz um belo passeio com Nietzsche à beira do mar e nos sentamos numa rocha [...]. Foi lindo como uma manhã de primavera. [...] Nós dois compartilhamos um humor pacífico e harmonioso [...] e finalmente concordamos que o propósito verdadeiro da vida deveria ser a busca da sabedoria. Nietzsche disse que, ao ser humano reto, tudo deveria servir a *isso*, também o sofrimento, e que, neste sentido, abençoaria também o sofrido último ano de sua vida [...]. Como Nietzsche ainda era bondoso e reconciliador naquela época, como opunha ainda sua natureza generosa e amável ao intelecto dissecador. Como podia ser descontraído e rir [...]. Quando nos reuníamos à noite, Nietzsche sentado em sua poltrona, Dr. Rée – nosso bondoso leitor – à mesa, onde ardia a lâmpada, o jovem Brenner ao lado da chaminé, ajudando-me a descascar laranjas para o jantar, eu costumava dizer em tom jocoso: 'Nós representamos verdadeiramente uma família ideal'". E então desenvolveu o plano de ampliar essa família e de "fundar um tipo de centro missionário, para levar pessoas adultas de ambos os sexos para um desenvolvimento mais livre da mais nobre vida espiritual, para que então partissem para o mundo e semeassem a semente de uma nova cultura espiritualizada [...]. Nietzsche e Rée se ofereceram imediatamente a participar como professores. Eu tinha certeza de que eu atrairia muitas alunas [...] para formá-las como as mais nobres representantes da emancipação da mulher". Procuraram juntos até "locais" e encontraram cavernas apropriadas na praia. Tomaram como modelo a escola peripatética, não as "escolas" modernas. Mas a leitura tomou outra direção, distanciou-se da Antiguidade, e a vertente filosófica de Nietzsche se distanciou do idealismo. Isso pôs um fim a todas essas fantasias.

Durante os primeiros meses, a tranquilidade e a rotina diária pareciam exercer um efeito positivo sobre a saúde de Nietzsche, como ele relata a Naumburg em 7 de dezembro de 1876: "Agora estou um pouco melhor. O clima é muito ameno. Ontem Rée tomou banho no mar. Faço muitas caminhadas, o estômago e o sono sempre muito bons". E também Malwida escrevera à sua filha em 20 de novembro[167]: "Recentemente, Nietzsche disse que ele nunca se sentiu tão bem em sua vida e que provavelmente nunca mais se sentirá tão bem. Ele está visivelmente melhor, disse que voltou a ter uma noção do que significa ser saudável". E em 9 de dezembro: "Nietzsche começa a se sentir melhor, o que seria uma grande alegria para mim, pois fui eu quem o convenceu a me acompanhar e agora sou também a sua médica, i.e., assim que um ataque de suas dores de cabeça ameaça se aproximar, eu lhe faço um banho de pé com cinzas e sal, dou-lhe pó de bromo, aplico um curativo atrás de sua orelha, dou-lhe comida com frequência etc. Assim, derrotamos o inimigo mau. Ele já não volta mais a cada oito dias e, quando vem, vem com menos intensidade. Além disso, dorme cedo, faz caminhadas no ar fortalecedor etc., ou seja, ele já consegue aproveitar algumas horas da manhã para o seu trabalho e está descontraído". Mesmo assim, havia reveses amargos, como Nietzsche escreve em 15 de dezembro à mãe: "Acabei de sobreviver a um dia terrível. Eu estava me sentindo melhor [...]. Faço muitas caminhadas. Desisti de qualquer trabalho, também os ditados e as discussões. A que isso me levará!" E no dia seguinte, escreve a Seydlitz: "O clima é tão ameno que um dos meus amigos toma um banho no mar quase que diariamente; e eu escalo as montanhas, e assim tento fugir às minhas dores de cabeça – até agora, porém, sem sucesso". Em 24 de dezembro, expressa de forma mais sumária em uma carta à mãe: "Estou bem mais forte; nenhuma indisposição estomacal até agora. Mas cada semana uma violenta dor de cabeça; isso permanece". Quando escreveu essas linhas, nada sabia ainda da surpresa natalina comovente que Malwida encenara para a noite e que ela descreve à filha da seguinte forma: "Então preparei o fundo da nossa sala muito comprida [...] com plantas e pequenas árvores, interligadas com guirlandas de trepadeiras; por trás das plantas, no chão, posicionei lâmpadas [...]. O efeito é mágico, as plantas lançam suas sombras no teto, fantástico. Na mesa redonda na frente do sofá havia um buquê de camélias e rosas, enviado pela anfitriã; do seu lado, havia para Nietzsche um boné de seda vermelha com uma longa borla vermelha, do tipo que tecem aqui em Sorrento [...]; além disso, um leque imenso de linho para proteger os seus olhos. Tudo isso vinha acompanhado por este verso:

'Proteja do seu amigo a cabeça, sede de pensamentos nobres, para que sua boca os proclame ainda muitas vezes para a salvação do mundo'.

No lugar de Rée, havia um espelho de bolsa muito lindo com mosaico de madeira, pois ele sempre afirma que o fundamento de toda ação humana é a vaidade; e o verso: 'Viste o mundo vaidoso; agora, vê-o melhor no espelho. Muitas vezes, o real é ilusão; verdadeiro, apenas a ilusão refletida'".

Brenner e Trina também receberam seus presentes.

### Trabalhos sorrentinos

Entrementes, Rée trabalhou assiduamente (Brenner escrevia novelas; e Malwida, seu romance "Phädra"), de forma que, ainda em dezembro, conseguiu concluir um manuscrito, que Nietzsche anuncia a seu editor Schmeitzner no dia 18 daquele mês: "O senhor receberá, como devo dizer com a mais profunda convicção, algo altamente precioso para sua editora, um escrito que trata da origem dos sentimentos morais com uma metodologia tão nova e rígida que, provavelmente, representará um ponto de virada decisivo na história da filosofia moral". E Nietzsche pede ainda a Schmeitzner que envie suas quatro "Considerações extemporâneas" às senhoras Von Brevern e Von Pahlen em Roma, e ele conhece até seus endereços exatos!

Rée certamente não escreveu seu manuscrito trancado em seu quarto, por mais reservado que tenha sido. Os pensamentos, as formulações eram discutidos, e assim várias "contribuições" de Nietzsche acabaram encontrando seu lugar no manuscrito, assim como também a criação penosa da obra de Nietzsche "Humano, demasiado humano" deve várias ideias à visão e aos pensamentos de Rée. O quanto Rée se via em dependência de Nietzsche comprova a dedicatória do exemplar destinado a Nietzsche[8]: "Ao pai deste escrito, em profunda gratidão, a mãe da obra". Isso não é uma frase vazia, mas uma confissão. Infelizmente, Malwida, ao escrever suas memórias, avaliou essa relação justamente ao contrário, dando assim aos adversários de Nietzsche munição para sua crítica; e o próprio Nietzsche alimentou essa percepção com seu jogo de palavras que cunhou a expressão do "réealismo" daquele tempo.

Apesar de perceber corretamente uma mudança de postura (constrangedora para ela), um abandono do romantismo e do idealismo em direção à agudeza intelectual, Malwida atribuiu isso equivocadamente à influência de Rée, cujas ideias não lhe agradavam. Ela não percebeu que ambos os pensadores, ao mesmo tempo e incentivando um ao outro, estavam começando a desenvolver uma nova postura intelectual bem mais nova. Ambos se distanciaram do mundo de Schopenhauer e de Wagner. Mesmo assim, Nietzsche acreditava poder manter sua relação pessoal com Wagner, ou pelo menos com Cosima: ele se separou do "Mestre", mas não das pessoas amadas. No Natal, no aniversário de Cosima, ele lhe enviou mais uma vez uma carta, pela qual ela lhe agradece cordialmente em 1º de janeiro e lhe confessa que, na igreja, para onde acompanhara duas de suas filhas, não conseguiu se concentrar no sermão porque teve que refletir sobra a carta de seu amigo, até "o canto me informar que o problema aritmético havia sido solucionado lá em cima". Ela se alegrou com sua carta de aniversário e Natal, mas se mostrou preocupada com sua notícia de que ele estaria se afastando do ensino schopenhaueriano. Ela pressente o perigo que isso representa e lhe escreve: "Eu gostaria muito de saber as objeções que o senhor faz ao nosso filósofo". Ela teria encontrado a resposta para sua pergunta em "Humano, demasiado humano", se ainda tivesse possuído a liberdade de espírito para isso. Mas pouco mudou aqui. Entrementes, Wagner havia recrutado apologéticos de "sangue inferior": Richard Pohl e Hans von Wolzogen pretendiam publicar uma revista para Bayreuth, que ele deveria oferecer a Schmeitzner. Köselitz e Widemann advertiram Schmeitzner, especialmente no que dizia respeito à qualidade dos organizadores. Schmeitzner, por sua vez, acreditava num sucesso editorial e parecia disposto a aceitar o trabalho. Nietzsche se recusou a participar desse projeto, pois acreditava que o empreendimento ainda não tinha amadurecido suficientemente. Em 8 de janeiro de 1877, escreveu a Köselitz: "Wagner não conheceu o medo nem – infelizmente – a paciência". (O pensamento e a formulação remetem ao "Siegfried", de Wagner, que partiu para conhecer o medo – e que, para sua infelicidade, não o conheceu.)

Nietzsche não se aliaria a "Nohl, Pohl, Kohl" ("Ecce homo")!

Uma declaração inesperada no final do cartão postal de 2 de fevereiro de 1877 a Schmeitzner revela também que ele não conseguiria continuar com suas publicações não só no que dizia respeito ao seu conteúdo, mas também ao modo e à forma habituais: "Que tal considerarmos como encerradas as 'Considerações extemporâneas'?" O que deixou Köselitz bastante assustado quando Schmeitzner o informou[13].

O impulso para a evolução espiritual decisiva vem da leitura. Evidentemente, esta representa uma forte influência por parte de Rée, pois foi *ele* quem a escolheu e era *ele* quem lia para os outros – e ler em voz alta significa também interpretar. O próprio Nietzsche era praticamente incapaz de ler por conta própria, como escreve em 2 de fevereiro a Marie Baumgartner: "Minha visão enfraqueceu tanto repentinamente que quase não consigo ler! Apenas quando as letras apresentam o tamanho de seu livro curiosamente ilustrado". Tratava-se de sua tradução francesa de "Richard Wagner em Bayreuth", que acabara de ser publicada (em 27 de janeiro de 1877) e que Nietzsche recebeu poucos dias depois. No êxtase da simbiose espiritual com a venerada senhora, ele agora lhe enviou flores do sul, levando-a a chorar de emoção e intensificando suas "saudades pelo senhor", como ela lhe escreve em 9 de fevereiro[54], pois ela duvidava da validade de seu trabalho. Estas dúvidas haviam sido suscitadas por uma resenha anunciada de Overbeck. Agora, porém, ela se sentia confirmada, por um lado, pelo gesto cordial de Nietzsche, por outro, porque seu filho "Adolf permite [...] que entreguemos um exemplar ao Sr. Jacob Burckhardt, e este fato me consola, porque normalmente Adolf teme o juízo de Burckhardt e certamente não escaparia deste se, durante a leitura, não tivesse tido a impressão de que o livro seria aprovado pelo juiz rígido". Nietzsche responde com um cartão postal (ele gostava de usar cartões postais, escrevendo neles em letra miúda, de margem a margem) e diz para quem ela deve enviar cópias gratuitas, entre outros a Louise Ott, Comtesse Diodati em Genebra, Marquesa Guerrieri, Condessa Dönhoff, Edouard Schuré e – Franz Liszt. Naturalmente também duas cópias ao casal Wagner. A despedida de Bayreuth não significava, portanto, para ele uma "ruptura", a separação não aconteceu de forma abrupta, mas de forma lenta e dolorosa.

A leitura comunal na Villa Rubinacci passou agora para outros assuntos. Após o seminário de Burckhardt sobre os gregos e substituindo agora os escritores antigos, sobretudo Tucídides e as "Leis" de Platão, os amigos passam a ler os "moralistas" franceses. Críticos morais, principalmente Montaigne, La Rochefoucauld, Vauvenargues, La Bruyère e Stendhal, passam a ocupar o primeiro plano. A conversa de Nietzsche com Isabella von Pahlen durante a viagem revela que Rée apresentou Nietzsche a esses autores já em Bex. Depois, leram "Pensamento e realidade", de African Spir, e grandes obras de história, como a "História dos papas", de Ranke, e, por fim, o Novo Testamento. E Nietzsche certamente comentou este último como filólogo e filósofo. Os comentários filológicos haviam recebido um novo impulso por meio da redação textual de Lachmann do texto de Erasmo, e o conhecedor e especialista em Diógenes Laércio conhecia não só os filósofos pré-platônicos, ele conhecia também as referências estoicas e neoplatônicas, ou seja, helênicas. Isso, porém, questionava o caráter revelatório e deu início ao tratamento crítico do conteúdo filosófico, para o qual também Malwida, a antiga adepta das "congregações livres", se mostrou aberta e receptiva. Ela elogia as impressões profundas sobretudo dessa leitura e de seus comentários.

### Reveses na saúde

Esta era a atmosfera em que nasceu a ideia da "comunidade de espíritos livres", sobre a qual Nietzsche escreve à sua irmã em 20 de janeiro de 1877: "A 'Escola dos Educadores' (chamada também de mosteiro moderno, colônia ideal, *université libre*) está suspensa no ar, ninguém sabe o que acontecerá! Nós já a nomeamos no espírito como gerente de todos os assuntos financeiros da nossa instituição de 40 pessoas". E deveriam participar desse empreendimento também "wagnerianos marcados", como Freiherr von Seydlitz, ao qual Nietzsche escreve ainda nos meados de fevereiro: "Vários planos passam por nossas cabeças (i.e., pela minha e a da Srta. von Meysenbug), e neles o senhor aparece com uma frequência cada vez maior", e isso apesar de uma piora de seu estado de saúde. Em 8 de janeiro, ele ainda havia escrito à mãe: "Estou melhor agora, um tratamento de cinco semanas de duchas de nariz trouxe algum alívio: de forma que talvez esteja sofrendo de um catarro. Assoo muito o nariz para remediar o meu sofrimento". Mas a carta de 20 de janeiro começa: "Essa piora repentina não pode ser efeito de um mal que carrego comigo há tantos anos! Passei novamente dois dias na cama, aos quais seguiram outros dias ruins", e em 18 de fevereiro escreve à mãe: "Meu estado de saúde tem piorado muito [...]. Dentro de uma semana, passei dois dias na cama [...]. Consultei-me com o Prof. Schiess (de Basileia), ele achou preocupante caso não desaparecesse logo; sugeriu que procurasse um médico em Nápoles. (Nápoles possui uma excelente Faculdade de Medicina em sua universidade.) Fui para lá e me consultei com o médico mais famoso, Prof. Schrön; e agora voltei ao tratamento [...]. Num estado tão avançado da minha dor de cabeça, todos os remédios têm um efeito muito lento. O catarro não explica nada, agora conheço precisamente a composição do meu mal. O primeiro exame e diagnóstico muito cuidadoso! – Sorrento é excelente para uma cura; é famoso como lugar para curar os olhos". Mais revelador é o relatório de Rée à irmã de Nietzsche em 20 de fevereiro: "Hoje ele está bem, e a afirmação de Schrön segundo a qual esse tipo de doença pode durar alguns anos, podendo desaparecer repentinamente, e a certeza de que não se trata de um tumor cerebral ou algo parecido, mas apenas de uma doença neurálgica, juntamente com os remédios receitados por Schrön – tudo isso acalmou bastante o seu irmão".

Esse "conhecimento preciso" sobre a razão de sua doença precisa ser questionado. Será que pelo menos o Dr. Schrön descobriu seu motivo? E ele compartilhou toda a verdade com seu paciente? Podemos duvidar disso, pois nem na obra nem em suas declarações pessoais aos amigos mais próximos, nem mesmo em seu estilo de vida ou planos para o futuro encontramos qualquer indício da gravidade e das possíveis consequências de sua doença; seus planos de casamento, que passam a ocupar o primeiro plano durante os meses seguintes, representariam uma contradição curiosa. Apenas em agosto de 1883 encontramos uma passagem numa carta a Köselitz (excluída na versão publicada) em que ele expressa seu medo de terminar na loucura; mas isso se deve aqui principalmente à lembrança da causa da morte do pai. A única coisa que ele quis saber do Dr. Schrön era que ele não corria o perigo de sofrer o mesmo destino, como revela a carta de Rée à irmã. O fato de que, poucos meses após ser examinado pelo Dr. Schrön, ele volta a se consultar com o médico de Frankfurt Dr. Eiser não sugere que ele sabia exatamente o que estava acontecendo com ele. A confiança inicial pode ter sido abalada pela rápida piora de seu estado de saúde (apesar do tratamento promissor com sódio de bromo e "narceína"); as cartas do tempo seguinte estão repletas de lamentos.

Para a consulta de Nietzsche com o Dr. Schrön em 14 de fevereiro, todo o pequeno grupo havia viajado para Nápoles já no dia 13, e lá desfrutaram pelo menos dois dias do Carnaval. No dia 15, voltaram para Sorrento. E inicialmente tudo apontava para uma melhora. Um período muito bom de 10 dias fez com que o grupo decidisse fazer uma excursão para Pompeia; conseguem fazer também uma excursão para Capri em 23 de março, em meio a um período de tempo ruim nesse mês, que leva a uma piora do estado de saúde de Nietzsche. No final do mês, o Sr. e a Sra. Von Seydlitz passam algumas semanas em Sorrento, "cheios de boa vontade e agrados para mim. Aos poucos conseguiremos incluir em nosso círculo de amizade o bom e talentoso Seydlitz. Sua jovem esposa é húngara, muito agradável". Nietzsche sempre gostou da jovem Irene von Seydlitz. Mas, com tudo isso, não conseguiu realizar nem mesmo o pouco que conseguira fazer em dezembro e janeiro. Além disso, em 10 de abril, Rée e Brenner se despediram de Sorrento, de forma que não tinha mais ninguém a quem pudesse ditar os seus pensamentos, pois Malwida sofria de uma visão igualmente fraca.

### Planos de casamento

Assim, em sua solidão compartilhada, os dois se entretinham com pensamentos aberrantes: Nietzsche precisava de alguém para cuidar dele e para ajudar-lhe com seus planos e trabalhos. Malwida via apenas uma possibilidade que garantisse alguma constância: precisavam encontrar uma esposa para ele! Durante algum tempo, Nietzsche parece ter considerado seriamente essa ideia. Os dois avaliaram "candidatas" reais. Assim, Nietzsche escreve à irmã em 31 de março de 1877: "Você não acha também que eu não suportaria a B.N. após seis semanas e não conseguiria mais ver nem ouvi-la? Talvez eu esteja exagerando. Pois você sabe o que pensamos a respeito dela, nunca nos entregamos a quaisquer ilusões. – Aqui, tentam me convencer de Natalie Herzen, o que você acha? Mas ela também já tem 30 anos e seria melhor se ela tivesse 12 a menos. De resto, seu caráter e seu espírito combinam bastante comigo". E algumas semanas mais tarde, em 25 de abril, ele escreve: "O plano que a Srta. Von Meysenbug acredita ser necessário manter em mente e para cuja execução precisamos de sua ajuda é este: Nós nos convencemos de que a existência universitária em Basileia não tem futuro, de que só poderia mantê-la em detrimento de todos os meus planos mais importantes e com total desistência da minha saúde. Terei que passar o inverno seguinte ainda nestas condições, mas pretendo terminar com isso na Páscoa de 1878, caso a outra combinação seja bem-sucedida, i.e., o casamento com uma mulher que combine comigo, mas que precisa ser rica. 'Boa, mas rica', como disse a Srta. Von Meysenbug, e rimos muito sobre este 'mas'. Com esta eu passaria os próximos anos em Roma, um lugar igualmente apropriado para a saúde, o convívio e os estudos. Neste verão pretendemos avançar este projeto, na Suíça, de forma que voltaria um homem casado para Basileia. Diversos 'seres' serão convidados para virem para a Suíça, vários nomes que você não conhece, por exemplo, Elise Bülow de Berlim, Elsbeth Brandes de Hanover. Em termos de qualidades espirituais, considero Natalie Herzen a mais adequada. Você contribuiu muito com a idealização da pequena Köckert em Genebra! Glória e louvor! Mas é crítica; e seus bens?" Mais "crítico" ainda nessa altura era a questão religiosa.

A despeito de toda jocosidade do tom levemente irônico de todas essas declarações, os planos são levados a sério. E toda a seriedade se manifesta numa exclamação quase desesperada, quando escreve a Malwida em 1º de julho[124]: "Até o outono tenho a bela tarefa de conquistar uma mulher, mesmo que tenha que tirá-la do esgoto. Que os deuses me deem ânimo para essa tarefa!"

E por mais que Malwida tenha incentivado esse tipo de pensamentos e arquitetado planos concretos (não só para Nietzsche), a própria Elisabeth se empenhou seriamente e tentou convencer seu irmão numa longa carta de ir para Genebra para conhecer a "pequena Köckert" e de passar alguns dias de férias com ela para conhecê-la realmente. E isso apesar de Hugo von Senger ter feito comentários muito negativos sobre a Família Köckert.

### Os últimos dias em Sorrento

Após a partida de Rée e Brenner, faltavam agora o teor e a tensão espirituais no convívio mais próximo. Toda a bondade e esforço maternal de Malwida não conseguiram substituí-los. Elisabeth comete um grande equívoco quando escreve em sua edição das cartas do irmão[7]: "A estadia em Sorrento [...] foi, em termos gerais, um dos tempos de recuperação mais agradáveis e bem-sucedidos na vida do meu irmão, apesar de ter criticado vários aspectos deste convívio [...]. Em primeiro lugar, o número de pessoas era alto demais [...]. As discussões constantes entre as quatro pessoas de idades tão diferentes lhe eram desagradáveis. Em vista de sua atenção sensível que ele costumava dedicar na conversa com seus ouvintes, isso não permitia discussões profundas. [...] Faltava às conversas a nuança mais fina, que só pode existir no diálogo entre duas pessoas. Com passar do tempo, foi sobretudo o Dr. Paul Rée [...] que lhe deu nos nervos [...]. Meu irmão teria preferido passar esse tempo a sós com Malwida [...], mesmo que, em virtude do convívio mais próximo, esta revelou algumas qualidades que não harmonizavam completamente".

Elsa Binder refutou isso corretamente já em 1917[53]: "Em que a Sra. Förster-Nietzsche baseia esta alegação? Parece-me que este juízo, como muitos outros que dizem respeito à Malwida, deve ser atribuído principalmente ao ciúme feminino, que atribui a si mesmo o exclusivo direito de compreender Nietzsche e fazê-lo feliz. Em primeiro lugar, essas 'conversações contínuas' entre quatro pessoas se limitavam às refeições e às discussões noturnas após as leituras de Rée. Nietzsche usava as manhãs para ditar cartas e textos a Brenner, fazia passeios com ele ou a sós ou trabalhava. A tarde também era dedicada ao trabalho ou a caminhadas. Dificilmente demonstrou um 'respeito sensível' diante de seus ouvintes [...]. As conversas citadas por Malwida e o fato de ter lido para ela seus aforismos anotados em Sorrento permitem deduzir que ele não impôs a si mesmo nenhuma limitação em suas conversas. Tampouco o fez em relação a Brenner. [...] Sobretudo, os comentários e as explicações tão elogiados por Malwida (sobre o Novo Testamento), que lhe permitiram reconhecer cada vez mais seu significado espiritual, dificilmente teriam acontecido se Nietzsche não tivesse acreditado numa compreensão mais sensível por parte de seus ouvintes".

Fato é que Nietzsche (a despeito de sua intenção original de passar o ano inteiro com Malwida) encerrou sua estadia precocemente, já quatro semanas após – "finalmente", como Elisabeth observa – ter conseguido ficar a sós com ela! Revela-se aqui algo que se repetiria várias vezes: Sempre que Nietzsche conseguia sair de seu isolamento, da sua solidão e participava intensamente de uma comunhão com outros seres humanos, ele não suportava a vida a dois, sempre exige a presença de um terceiro, principalmente quando o parceiro dessa vida a dois é – uma mulher.

Mesmo que tenha sido a rápida piora de seu estado de saúde, provocada certamente também pelo calor crescente da estação do ano, que tornou sua partida de Sorrento inevitável: não precisaria ter sido também uma despedida de Malwida von Meysenbug. No entanto, Nietzsche não demonstra qualquer esforço para dar continuação a essa convivência em outro local mais propício. Nietzsche esboça uma imagem assustadora do vazio exterior e interior da nova situação em uma carta a Rée de 17 de abril, ou seja, apenas uma semana após a partida deste e durante a visita da Família Seydlitz[4]: "Não existe vazio maior do que seu quarto sem o Rée. Falamos e nos calamos muito sobre a pessoa ausente; ontem, constataram que eu teria perdido sua 'aparição'. À noite, jogamos trilha. Leitura não existe mais. Seydlitz está de cama; pudemos ser um para o outro o 'enfermeiro humano', pois nos revezávamos na cama. Querido amigo, quanto lhe devo! Jamais pretendo perdê-lo!"

Talvez Malwida não tenha se conscientizado de que a sobriedade de seu estilo dogmático simplesmente entediava o Nietzsche inquieto e atormentado pela "paixão do conhecimento", mas ela compreendeu uma coisa e conseguiu convencer Nietzsche disso: soluções parciais não o ajudariam, ele precisava reformar todo o seu modo de vida, todo o seu "bios", precisava desistir também de sua docência em Basileia. E assim, no último dia em Sorrento (7 de maio de 1877), ele escreve a seu fiel amigo Overbeck em Basileia: "É impensável que eu retome minhas preleções no outono: ou seja! Por favor, ajude-me um pouco e me diga a quem (e com que título) eu preciso encaminhar meu pedido de demissão. Que por enquanto isso seja *seu* segredo. A decisão não foi fácil para mim, mas a Srta. Von Meysenbug a considera imprescindível. Talvez eu tenha que suportar a minha doença ainda durante anos".

Com esse pensamento, ele se despede de Sorrento em 8 de maio de 1877 e viaja primeiro para Bad Ragaz, cidade localizada entre Chur e Sargans, na parte superior do Vale do Rio Reno.

### O início do isolamento de Rohde e Von Gersdorff

Em decorrência da doença, sobretudo de sua visão fraca, mas também em virtude de sua fixação nas pessoas de seu círculo mais íntimo, a correspondência com dois velhos amigos sofreu muito.

Em julho de 1876, ainda antes de Bayreuth, Rohde havia anunciado seu noivado; em 18 de julho, Nietzsche lhe respondera de forma amável e lhe descrevera sua própria situação por meio de uma visão poética, com uma alusão à sua experiência recente em Genebra: Em uma caminhada solitária no meio da noite, seu passo foi interrompido pela harmonia do canto de uma ave, mas não para saudá-lo. "Canto por causa da beleza da noite, tu, porém, deves sempre continuar em seu caminho." E Nietzsche continuou. Durante mais de um ano, Rohde não recebeu uma carta dele, Nietzsche não lhe enviou nem mesmo o endereço de Sorrento. No entanto, quando, em março de 1877, Nietzsche soube por intermédio de terceiros que Rohde pretendia casar-se na Páscoa (1º de abril), ele informa sua mãe e sua irmã. Em 17 de abril, após o casamento de Rohde ter sido adiado para o verão ou outono, Elisabeth pergunta[8]: "O que você pretende dar a Rohde como presente? Caso seja o busto de Wagner, temos 12 tálers para isso, ou o que você prefere? Quero comprá-lo assim que possível". E em 25 de abril Nietzsche acata a sugestão: "Rohde receberá o busto de Wagner, não tenho outra ideia, minha burrice é grande. Você pode organizar isso, com uma cartinha a Rohde?" Rohde agradece em 20 de maio: "A cabeça de Wagner já foi instalada e sempre está presente, uma alegria constante com seus traços firmes e orgulhosos [...]. E assim, essa imagem me lembra dele e, ao mesmo tempo, de você, meu amigo, sempre, e me purifica como um ar fortalecedor e eleva meu peito". E novamente Nietzsche não reage. Por acaso Rohde encontra Elisabeth e a mãe em Kösen, e delas fica sabendo da mudança de Nietzsche para Sorrento. Apenas após o casamento de Rohde no início de agosto e após anunciar sua visita a Basileia em companhia de sua jovem esposa, Nietzsche lhe escreve de Rosenlauibad que estaria ausente – para então se calar novamente por um ano.

Carl von Gersdorff teve uma sorte não tão ruim, mas também não muito melhor. A única carta de Nietzsche a ele do tempo de Bayreuth do início de dezembro de 1876 se perdeu, e sua existência só pode ser deduzida a partir da resposta de Gersdorff.

Naquele ano, Gersdorff também estava ocupado com um noivado, com a condessa italiana Nerina F. (Finochietti). Seus parentes, sobretudo seus pais, pareciam ser inaceitáveis para os pais de Gersdorff (consideravam a família da noiva financeiramente corrupta), por isso essa história não teve um final feliz. Malwida von Meysenbug também havia exercido um papel na organização desse romance, apresentando a jovem e aparentemente atraente dama a Gersdorff em Bayreuth. Tudo isso acabou num terrível conflito familiar, no decurso do qual Gersdorff se declarou inimigo de Malwida e, já que Nietzsche a protegeu, e, no final de 1877, interrompeu a amizade com Nietzsche por vários anos.

Assim, dentro de um ano Nietzsche perdeu três amigos próximos por causa de casamentos ou noivados: Overbeck, Rohde e Gersdorff. Na verdade, porém, a esposa de Overbeck se tornaria uma nova confidente de Nietzsche, à qual ele recorreria muitas vezes sempre que duvidasse da lealdade e confiabilidade dos seres humanos e necessitasse de uma alma compreensiva.

### Köselitz contra Bagge

Entrementes, ocorrera um episódio bem diferente em Basileia. Também aqui houve um confronto entre duas gerações: entre Selmar Bagge, de 53 anos, e Heinrich Köselitz, de 22 anos. Em 1868, Selmar Bagge viera para Basileia como diretor da escola de música, após trabalhar vinte anos como professor de composição, crítico de música e redator em Viena. Era, sem dúvida alguma, um homem de boa formação musical, mas não o que chamaríamos de temperamento criativo genial. Assim, suas composições (quatro sinfonias, um concerto para piano, obras para coral, cânticos, música de câmara e peças para piano) caíram naquele esquecimento que piedosamente estende seu manto sobre a produção de todos os epígonos de Schumann, Mendelssohn, Brahms e Wagner. Ele era mais um homem da teoria e do conhecimento, e, por isso, a universidade não tomou uma decisão errada ao nomeá-lo em 1876 como docente para preleções científico-musicais, muitos anos antes de instalar uma docência de ciência de música. Segundo sua origem, formação e posição, Bagge precisava ser atribuído de modo inequívoco ao campo "conservador", da "música pura", em oposição ao representante da música nova Wagner.

Em 2 de dezembro do mesmo ano de 1876, Basileia inaugurou sua bela sala de música com um concerto festivo, no final do qual Alfred Volkland apresentou a 9ª sinfonia de Beethoven. Tratava-se de um raro evento musical, e grande parte do público não estava preparada para ele. Por isso, os organizadores decidiram fazer uma palestra introdutória a ser apresentada pelo docente universitário e diretor da escola de música Selmar Bagge. Este fato não incomodou Köselitz, mas *o que* e *como* Bagge falou levou Köselitz a declarar guerra de uma forma que se destaca grotescamente contra a devoção servil que praticava em relação a Nietzsche.

Bagge publicou sua palestra na "Allgemeine Musikalische Zeitung"*, fornecendo assim a Köselitz todo o material para primeiro criticar seu estilo e então iluminar o ponto de vista "político-musical" de seu adversário. Bagge facilitou a tarefa de Köselitz, pois – de forma pouco inteligente e ingênua – ele havia permeado sua palestra com ataques à "modernidade" contemporânea, sobretudo contra Wagner e sua concepção da importância da obra de Beethoven; mas apresentou também algumas objeções ao próprio Beethoven, por exemplo, quando escreve: "[...] este ser bacanal precisa justificar ou desculpar também o movimento vocal neste ponto: evidentemente, isso não é possível fazê-lo por meio da música ou do canto, e permito-me, em toda humildade perante o grande gênio, perguntar se o mesmo efeito não poderia ser alcançado por meio de outros recursos".

Para seu ataque, Köselitz pôde recorrer ao editor de Wagner e Nietzsche (Fritzsch em Leipzig), em cujo "Musikalisches Wochenblatt" ele publica seu artigo em 30 de março de 1877, no qual condena Bagge e o público de Basileia como "filisteus musicais"**: "O filisteu musical é um indivíduo socialmente nocivo. Pretende ser mais do que é [...]. Ele, o homem teórico, nos faz acreditar que consegue seguir o gênio dionisíaco em suas trilhas, ao mesmo tempo em que sufoca sua cabeça e seu coração. Ele fala e escreve sobre música e considera seus escritos dignos de serem apresentados ao mundo: Selmar Bagge [...] exerce a função de diretor da escola de música de Basileia. Para quem conhece a Suíça, isso já basta para saber

---

* Cf. vol. 3: "Documentos, n. 2".

** Cf. vol. 3: "Documentos, n. 3".

que, em assuntos musicais, Basileia é uma cópia de Schilda*. Basta citar um exemplo: No passado, a cidade teve a oportunidade de contratar Hans von Bülow, mas decidiu ignorá-la e adquirir – o Sr. Bagge. Por mais que se faça música em Basileia e em toda a Suíça, a população não possui talento musical: sua postura em relação às artes musicais é errada [...]. Este fato nos surpreende, ainda mais porque a sensibilidade para as artes plásticas parece ser altamente desenvolvida: Mas como poderíamos compreender uma preferência genuína pelas artes apolíneas se esta não se manifestar como efeito de excitação dionisíaca... E mais uma coisa deve ser considerada! Os suíços sofrem de um mal: de seu estado republicano, que os obriga a se ocuparem excessivamente com a política; isso torna essas pessoas secas ainda mais prosaicas. Elas não possuem objetivos ideais [...]".

Após esse ataque geral, Köselitz volta sua crítica – arrogante em seu tom, mas objetivamente justificada – contra a palestra de Bagge. No final, porém, retoma seus ataques: "Ele, porém, deve saber que existem ainda homens em Basileia que julgam com rigidez: é necessário estar atento a eles. [...] Apenas uma coisa [...] precisa ainda ser mencionada: a educação musical da juventude de Basileia é confiada ao Sr. Bagge; é fácil reconhecer a natureza dessa educação e de seus efeitos. Sobretudo, ele adverte contra certa arte nova 'com a mímica do guardião da castidade'; como medida profilática defende a moderna música hebraica – e esta combina muito bem com a servilidade mundialmente famosa do cidadão de Basileia, que se derrete em sua adoração da feminilidade eterna e que foge de toda seriedade e de todo heroísmo". Evidentemente, houve uma reação a essa rudeza. O jornal "Schweizer Grenzpost und Tagblatt der Stadt Basel" se posicionou em 18 de abril de 1877 num artigo intitulado de "Defesa" e chamou o panfleto de obra imatura e maliciosa, acusando seu autor de "juvenilidades e injúrias". Recorrendo ao vocabulário do atacante, deduziu corretamente sua pátria espiritual: "Já que não 'favorecemos as artes apolíneas' e a 'excitação dionisíaca' e somos 'homens alexandrinos', tão alexandrinos até que sabemos exatamente de que fonte o autor retira seu vinho ditirâmbico ('O nascimento da tragédia', de Nietzsche etc.), precisamos recorrer a outras armas, talvez primeiramente a um apelo à faculdade de juízo – não de nossos conterrâneos, mas de nossos vizinhos alemães. Se não fôssemos tão bobos, poderíamos ousar a pergunta a que a nossa cidade tão seca e republicana, tão filisteia, tão alexandrina,

---

\* Reza a lenda que os cidadãos de Schilda eram tão inteligentes que os reis e príncipes do mundo os contratavam como seus conselheiros. Dessa forma, porém, a cidade foi se esvaziando, e os cidadãos começaram a se fazer de bobos, de tão bobos que interpretavam tudo literalmente, também metáforas. Seu plano foi tão bem-sucedido que os cidadãos permaneceram em sua tolice, tornando-se tão famosos por esta como antigamente por sua inteligência [N.T.].

tão servil e religiosa deve a honra de contar entre seus moradores o cidadão apolíneo-dionisíaco de Annaberg, o stud. phil. Köselitz?"

O próprio Selmar Bagge, porém, também soube se defender. Não publicamente, mas num nível que Köselitz não havia levado em consideração: Selmar Bagge encaminhou uma queixa ao *rector magnificus* da universidade, no papel oficial da escola musical de Basileia:

"Queixa de Selmar Bagge contra Heinrich Köselitz: Basileia, 3 de maio de 1877:

Ao Sr. Prof. W. Vischer, reitor atual da universidade em Basileia.

Respeitadíssimo senhor!

Segundo o § 2 da 'Ordem para os estudantes' estes devem 'tratar seus professores com respeito'.

Permito-me por meio desta dirigir ao senhor e aos membros da diretoria a pergunta se o artigo anexado, escrito e assinado pelo estudante H. Köselitz, corresponde ou não a este parágrafo. Reconheço que o artigo não se dirige ao docente da universidade, mas ao diretor da escola de música. Mas, visto que ambos são representados pela mesma pessoa, o ataque atinge não só o diretor, mas também o docente e, indiretamente, a autoridade que o empregou. Peço com todo respeito que eventuais decisões me sejam comunicadas por via escrita e assino atenciosamente, S. Bagge.

Em anexo, um jornal e uma carta do Sr. Dr. L. Burckhardt".

A formulação do ataque pessoal como ataque às autoridades universitárias é uma construção um tanto forçada, ainda mais que Bagge trabalhava para a universidade apenas há meio ano e apenas como professor-visitante. O fato de que a queixa foi encaminhada mais de um mês após a publicação do artigo de Köselitz sugere, porém, que esta foi precedida por discussões sobre como oferecer às autoridades de Basileia uma oportunidade para punir o atacante ousado. O conselho da universidade acatou a queixa e tratou do caso em sua próxima reunião, em 31 de maio de 1877. Nas "Acta et Decreta Regentiae Basiliensis", tomo VIII, p. 27, lemos[236]: "Uma queixa do Sr. Bagge contra o estudante Köselitz é lida. Após a devida discussão, o conselho decide dar uma repreensão ao estudante Köselitz".

O Prof. Overbeck também esteve presente nessa reunião. Ele relata a Nietzsche em 3 de junho: "Na quinta-feira, tivemos a reunião ridícula do conselho, na qual foi tratada a queixa de Bagge contra Köselitz. Mähly e Heyne se portaram como os leões do debate, mas eles se devoraram reciprocamente, pois defendiam posições contrárias. O reitor decidiu dar uma repreensão a Köselitz, que este já deve ter recebido de Vischer. A excitação moral de Vischer deve ter lhe ajudado a superar a insignificância do momento".

Diante de todos esses documentos, a menção do episódio no prefácio à edição das cartas de Peter Gast (Heinrich Köselitz) a Nietzsche, de A. Mendt, não faz jus à gravidade do caso[13]: "Igualmente evidente era seu entusiasmo por Wagner. Certo dia, quando o estudante fogoso atacou uma personalidade musical reconhecidamente atrasada, ele foi repreendido pela universidade. Assim, o wagneriano tempestuoso conseguiu chamar atenção". Mas outro fato é ignorado aqui: Após o retorno de Bayreuth, Nietzsche se encontrou quase diariamente com Köselitz durante mais de um mês e lhe ditou seus novos esboços, que já revelavam sua superação de Bayreuth. Köselitz, porém, não percebeu essa mudança interior de seu ídolo, e aparentemente Nietzsche também não fez questão de esclarecer sua posição. Nem mesmo as poucas cartas do período sorrentino esclareceram a situação. Assim, Köselitz, convencido de estar agindo no espírito de seu mestre, se empenhou ainda na primavera de 1877 numa luta que Nietzsche já havia abandonado. E em que tom, com que vocabulário! Köselitz, amadurecido no êxtase da fundação do *Reich*, não conseguiu se adaptar ao clima político tão diferente de Basileia e da Suíça. Ele não o compreendia e não o queria compreender.

Para Nietzsche, todo esse episódio foi desagradável, mesmo assim não se revelou a Köselitz, escrevendo-lhe apenas: "Agradeço-lhe muito por tudo que disse, desejou e enviou. Mas por favor, sem mais polêmicas, estas não fazem parte da profissão do músico. Mais tarde lhe direi mais sobre este caso, que me sinto obrigado a chamar de *acidente jocoso*".


### A viagem de volta e a primeira escala (Bad Ragaz)

Na terça-feira (8 de maio), Nietzsche havia partido de Nápoles. Os Seydlitz o levaram até o navio, e ele se sentiu como "uma bagagem ideal de outro mundo", como escreveu a Malwida em 13 de maio. Lá do alto da colina de Sorrento, Malwida e Trina viram às duas da tarde o navio que o levava para Gênova, onde ele chegou no dia 10 do mesmo mês. Dessa vez, ficou enjoado durante a viagem. Em uma agenda, ele anota[6]: "8 de maio: partida de Sorrento. 9 de maio: *mare molto cattivo*. 10 de maio: (Dia da Ascensão de Cristo) inferno no navio a vapor Ancona. 11 de maio: Brignole (van Dyck) se levanta novamente". Já no dia 12 (no sábado) ele viaja para Lugano, passando por Milão. Além dos preços das passagens de trem, ele anota em sua agenda também o itinerário: "Às 7:30h, partida para Milão; chegada às 12:10h; continuação da viagem às 6 da tarde; chegada em Chiasso (alfândega, entrada na Suíça) às 8h; chegada em Lugano às 8:58h". Já no domingo seguinte, ele relata suas experiências durante a viagem em uma longa carta a Malwida von Meysenbug: "A miséria humana durante uma viagem marítima é terrível e risível ao mesmo tempo, mais ou menos como quando me atacam as dores de cabeça, durante as quais posso me encontrar em condições físicas esplêndidas [...]. Eu conhecia o pior estado da cinetose perfeitamente do tempo em que fortes dores de estômago me torturavam numa aliança com as dores de cabeça: era a 'lembrança de tempos quase esquecidos'. Juntou-se aqui apenas o desconforto de ter que mudar a posição três a oito vezes por minuto, de dia e de noite: e de sentir os cheiros e ouvir as conversas de um banquete, o que me enojava extremamente. Quando atracamos no Porto de Livorno, já era noite e chovia: mesmo assim, queria sair; mas promessas frias do capitão me impediram de realizar meu plano. Tudo no navio balançava com muito barulho, as panelas pulavam e adquiriam vida, as crianças gritavam, a tempestade uivava; 'eterna insônia era meu destino', diria o poeta. O desembarque (10 de maio) trouxe novos sofrimentos [...]. A senhora sabe me dizer como eu consegui chegar ao Hotel de Londres? Pois eu não sei, mas foi bom [...]. Lá, deitei-me imediatamente, sentindo-me muito mal. Na sexta-feira, o tempo estava chuvoso, mas criei coragem e visitei a galeria do Palazzo Brignole; surpreendentemente, a visão dos retratos da família me elevou e entusiasmou; um Brignole a cavalo, e o olho desse cavalo de guerra continha todo o orgulho da família – foi uma medicina contra a minha humanidade deprimida! Eu, pessoalmente, respeito Van Dyck e Rubens mais do que qualquer outro pintor deste mundo. Os outros retratos não me comoveram, com exceção da Cleópatra moribunda de Guercino*.

Assim retornei para a vida e passei o resto do dia sentado no hotel, corajosamente e em silêncio. No dia seguinte, tive outra alegria. Acompanhou-me durante toda a viagem de Gênova para Milão uma jovem bailarina muito agradável do teatro de Milão; *Camilla era molto simpatica*, ah, a senhora deveria ter ouvido meu italiano! Se eu fosse um paxá, eu a teria levado comigo para Pfäfers onde ela, diante da falta de uma ocupação espiritual, poderia ter dançado para mim. De vez em quando ainda me aborreço por não ter ficado alguns dias a mais em Milão para gozar de sua companhia. Bem, agora eu estava me aproximando da Suíça e percorri o primeiro

---

* A visita surpreendente a uma galeria de pinturas, e especificamente da galeria no Palazzo Brignole, se deve, provavelmente, a uma sugestão de Wagner. Wagner havia visitado essa galeria no final de agosto de 1855 e se entusiasmou com as pinturas, sobretudo de Van Dyck![261]

trecho na linha de São Gotardo, que acaba de ser completada [...]. De repente, percebi que prefiro viver entre os suíços da Suíça alemã do que entre alemães. [...] A carruagem do Hotel du Parc já estava me esperando: e aqui senti um verdadeiro júbilo interior, pois tudo é tão bom [...]. Eu me envolvi um pouco com a nobreza rural de Mecklenburg, trata-se de um tipo de alemães que me condiz; à noite, assisti a um baile improvisado do tipo mais ingênuo; todos eram ingleses, tudo era muito fofo. Depois fui dormir, e dormi bem pela primeira vez, e hoje de manhã vejo todas as minhas montanhas amadas, todas elas cheias de lembranças [...]. Penso na senhora com amor cordial, várias vezes a cada hora; a senhora me presenteou com uma boa porção de natureza maternal, jamais me esquecerei disso".

A "nobreza rural de Mecklenburg" era certo Sr. Flügge de Rostock, diretor dos Correios. Notável é o episódio com a bailarina, pois indica que ele continuava a se excitar com mulheres do teatro.

Como sugere a menção repetida de Pfäfers, creio que tenha sido a intenção de Nietzsche ir para essa cidade próxima a Ragaz. Em nenhum lugar ele menciona por que caminho ele continuou a sua viagem, se atravessou o Passo do Lukmanier ou do Splügen (mas é provável que tenha sido o Passo do Splügen, pois em 5 de junho Malwida von Meysenbug lhe pergunta sobre suas experiências com esse passo e a Via Mala). Tampouco menciona por que acabou não indo para Pfäfers, mas diretamente para Bad Ragaz (Hotel Tamina), onde se alojou provavelmente já em 14 de maio, pois em 1º de junho ele escreve a Overbeck que já teria tomado 17 banhos de cura. Em sua agenda, lemos também: "15 de maio: Dr. Dormann de Mayenfeld-Pfäfers" – este parece ser o médico que ele procurou no dia de sua chegada. Nietzsche passa quatro semanas tranquilas neste lugar. Nessas semanas domina a pergunta se ele deve ou não desistir de sua docência em Basileia, e ele volta a entreter planos de casamento. Diferentemente dos anos posteriores, a irmã apoia esses pensamentos. Pois ela mesma está "tramando" algo semelhante, pois em 2 de junho de 1877 Nietzsche lhe escreve[124]: "Você sabe que eventualmente espero ouvir algo de *seu* noivado iminente. Bem, seja como for!"

Aparentemente, a notícia que Nietzsche lhe enviara de Sorrento informando-o sobre sua intenção de se demitir alarmou Overbeck e ele se aproveitou dos feriados de Pentecostes (20 e 21 de maio) para visitar seu amigo em Ragaz. Ele já havia discutido o assunto em Basileia com Jacob Burckhardt, que se mostrou muito preocupado com o estado lastimável de seu colega mais jovem, como relata Overbeck em 13 de maio. Burckhardt já havia transmitido suas saudações a Nietzsche por intermédio de Adolf Baumgartner, quando este se despedira no final do semestre de inverno para ir para Jena. Marie Baumgartner se encarregou de transmitir as saudações em 10 de maio.


**Rosenlauibad**

A terapia em Bad Ragaz não foi bem-sucedida. Nietzsche sentiu-se constantemente indisposto e sofreu muitos ataques fortes. Assim, decidiu no início de junho de tentar sua sorte nas montanhas e teve a ideia de ir para Rosenlauibad, no Oberland Bernês, e isso imediatamente desperta algumas esperanças. Ele pretende dar mais uma chance à universidade, mas quer que suas aulas no Pädagogium sejam entregues a outro professor. Ele pergunta isso a Overbeck em 1º de junho, e este responde imediatamente (no dia 3) que nada impediria uma licença prolongada de suas obrigações no Pädagogium. Então, em 8 de junho, Nietzsche envia ao decano da faculdade, o professor de Filosofia Hermann Siebeck, um programa para o semestre de inverno[236]: "Respeitadíssimo senhor colega, mesmo que minha saúde de forma alguma me permita antecipar com esperança o inverno vindouro, conto ainda com o efeito dos meses intermediários. Tudo pode melhorar ainda. Dado que eu *consiga* fazer uma preleção, escolhi estas três:

1) Coéforas, de Ésquilo. Três horas.

2) A Retórica, de Aristóteles. Duas horas.

3) No seminário filológico: os poetas elegíacos gregos. Uma hora.

Com cordial gratidão pelos bons desejos, permaneço à sua disposição. Dr. F.N. (Ele acabou fazendo uma preleção sobre as "Antiguidades religiosas dos gregos" (três horas). Não temos documentos que comprovem a realização de uma segunda preleção, e no seminário tratou das Coéforas de Ésquilo.) Totalmente absorvido por sua mudança de Bad Ragaz para Rosenlauibad, Nietzsche voltou a se preocupar com suas atividades universitárias apenas em 17 de junho, quando escreveu a Overbeck: "Não tomei nenhum passo referente aos assuntos de Basileia; por favor, fale com Fritz Burckhardt, preciso saber se eles podem me dispensar do Pädagogium sob as mesmas condições (financeiras) como neste ano, enquanto eu não melhoro. Eu mesmo não consigo escrever cartas longas; *ajude*-me, bom *amigo*!" Em 20 de junho, Overbeck respondeu: "Até ontem à noite, o próprio Fritz Burckhardt esteve em Baden-Baden fazendo uma terapia. Consegui conversar com ele apenas hoje. Ele disse, saudando-o cordialmente, que Ach. Burckhardt poderá continuar a substituí-lo, por mais que ele lamente seu afastamento do Pädagogium. Em todo caso, pretendem apoiar seu pedido ao conselho". Em 22 de outubro, o conselho da universidade pediu à secretaria de educação que continuasse a financiar o vigário, o que a secretária de educação aprovou em 1º de novembro. Em 5 de novembro, o conselho pôde encarregar o vigário Dr. Achilles Burckhardt com as aulas de grego também do 3º ano do Pädagogium, sem aceitar a oferta de Nietzsche de assumir os custos[236].

Às cinco horas da manhã de 10 de junho, Nietzsche partiu de Ragaz e viajou de trem até Lucerna e de lá com a diligência até Brienz, onde chegou às nove da noite com fortes dores de cabeça. "Tive uma noite e manhã ruim; ao meio-dia, fui até Meiringen com a diligência, e à tarde até Rosenlauibad a pé, com um guia. Aqui sou o único hóspede residente. Muito lindo, sem exageros! Sem vento, floresta de pinhos. Até agora, tudo está bem", como escreve à mãe dois dias após sua chegada. Quem fizer a viagem de Meiringen para Rosenlaui ("laui" = avalanche) hoje em dia com o ônibus dos correios, dificilmente acreditará que antigamente teria que contratar um guia para chegar ao único e isolado hotel da região. Trata-se da solidão mais extrema que Nietzsche jamais procurou. Em 25 de junho, ele descreve sua estadia a seus entes: "O local, a região, a comida – tudo é muito bom. O clima é ameno e agradável desde cedo até a noite. Mas preciso ter cuidado com caminhadas mais extensas, duas vezes já tive que pagar por isso (levei dois dias para me recuperar...). Sempre que se aproxima uma tempestade, voltam as dores de cabeça. Talvez precise procurar uma região mais alta? (um pouco acima de 4 mil pés)*. Estou muito sozinho, apesar dos muitos ingleses que passam por aqui. A longo prazo, a estadia precisa ter um efeito positivo. É *meu* tipo de natureza". Em 6 de junho, ainda em Bad Ragaz, ele escreve a Malwida von Meysenbug[124]: "Rosenlauibad – um lugar de cura de ar e soro de leite. Um belo salão para as damas com piano. A maioria dos quartos tem tapetes: banhos nas águas alcalinas de natrão. Ventos são praticamente inexistentes. Apenas antes do nascer do sol, o ar é fresco como em maio, mas as noites são surpreendentemente quentes. Médio em Meiringen (distância: 2 horas e meia) – viagem confortável, que passa por Thun, Interlaken, pelo Lago de Brienz, Meiringen [...]", aparentemente por sugestão de um prospecto ou recomendação pessoal.

E nas margens da carta, acrescentou: "Maravilhosa floresta de pinhos nas proximidades de Bad Rosenlaui [...]. Único co-hóspede e companheiro de mesa, o comandante de Posen – desde hoje, outro de Oertzen [...]. Será que a Trina se lembrou de colocar meu capuz de inverno na mala?"

Logo ele ampliou sua terapia de ar e banhos com um tratamento com água de St. Moritz. "Aconselharam-me fortemente a procurar as alturas após a cura em

---

\* Medições atuais localizam Rosenlauibad a 1.328 metros acima do nível do mar, ou seja, pouco acima da linha de árvores latifoliadas. Mas na época a geleira se estendia até o vale.

Ragaz e a beber *esta* água: como remédio contra neuroses profundas especialmente nessa combinação com Ragaz"[7].

Para sua edificação espiritual, "trouxe três livros: uma novidade de Mark Twain, o americano (amo suas tolices mais do que as eloquências alemãs), as Leis de Platão – e você, meu caro amigo" (em carta de junho a Paul Rée)[12].

Entrementes, os planos de casamento de Nietzsche haviam sofrido um grave revés. Em 29 de junho, comunica à irmã um relato que teria recebido de Malwida: "Precisamos retirar Natalie da lista, recentemente ela me comunicou sua determinação em relação a *isso*". E ele acrescenta: "Com os outros 'seres', tudo é fantasia e imaginação". E em outra passagem da carta, escreve[124]: "Imagine só, voltei a pensar em Berta Rohr em Basileia*, ela é a que satisfaz melhor as exigências do meu estado de emergência em Basileia. Por favor, descubra imediatamente onde posso encontrá-la neste verão. Tenho várias objeções à ideia de Genebra (Köckert), não gosto do pai, acho que ele é um comerciante de má fama. E onde está a riqueza? Creio que ele estará falido em breve. A mãe é muito avarenta". E ele volta a visar ao futuro na direção antiga, o que ele também escreve a Malwida em 1º de julho: "Decidi retornar para Basileia em outubro e retomar minha velha atividade. Não suporto a sensação de não me fazer útil; e o povo de Basileia é o único que me transmite a sensação de ser útil. Minha mania muito problemática de refletir e escrever sempre me deixou doente; enquanto me limitei a ser um estudioso, sempre gozei de boa saúde; mas então vieram a música e a filosofia metafísica que abalaram meus nervos e a preocupação com mil coisas que não me dizem respeito. Quero voltar a ser professor; se eu não aguentar, prefiro morrer trabalhando".

E ele quer tentar ter uma casa própria, administrada pela irmã, e pretende contratar o jovem Köselitz como seu secretário. Os primeiros planos giram em torno de um apartamento em Arlesheim, num vilarejo idílico poucos quilômetros ao sul de Basileia, onde vivem muitos pacientes cardíacos em virtude de seu clima ameno**, mas a distância teria causado vários problemas, por isso, alugou um apartamento na casa da viúva Sabine Tschopp-Holzach, na Gellertstrasse 22, numa linda rua dominada por vilas na periferia da cidade perto do portão de Sankt Alban. No entanto, esse apartamento só pode ser ocupado em 1º de setembro, uma das razões pelas quais Nietzsche permaneceu em Rosenlauibad até o fim de agosto, cuja diária de 5 ou 6 francos não ultrapassava suas possibilidades financeiras.

---

\* Berta Rohr o deixou encantado nas férias em Flims.

\*\* Na vizinhança imediata encontra-se hoje o Goetheanum, de Rudolf Steiner, como centro da Sociedade Antroposófica.

*Intermezzo*

Elisabeth, porém, chegou em Basileia já no início de julho, e agora Nietzsche queria se encontrar com ela no dia 9 daquele mês em Lucerna, no Hotel Gotthard, para lá comemorar o aniversário da irmã no dia 11. Neste mesmo dia, pretendia voltar para Rosenlaui, mas acabaram indo para o Lago de Zug, onde se hospedaram na Pensão Felsenegg até o dia 21. De lá, Elisabeth voltou diretamente para Basileia, onde foi acolhida primeiro na casa do Prof. Vischer, na Nauenstrasse, e depois na residência rural da Famíla Vischer "Oberer St. Romey", na proximidade de Reigoldswil. Nietzsche, por sua vez, viajou até Berna, onde passou a noite do dia 21, pois queria dispor do dia seguinte para visitar Malwida e os Monod, que ele acreditava poder encontrar em Aeschi (acima de Spiez). "Eu cria em Aeschi como meu pai cria no Evangelho", Nietzsche escreve a Malwida em 27 de julho. Mas, ao não encontrá-los ali, procurou por eles ainda em Faulensee e foi até Heustrichbad no Vale de Kander, onde pernoitou. No dia seguinte, viajou de diligência até Meiringen, chegando em Rosenlauibad no dia 23. Foi uma viagem cara e desperdiçada! E quase houve um encontro surpreendente: Na noite de 18 de julho, Wagner e Cosima chegaram em Lucerna, visitaram Tribschen no dia 19 e viajaram no dia 20 para Zurique![258] Tribschen estava abandonada.

Entrementes, Malwida estivera em Thun com Olga e os filhos e havia procurado um alojamento às margens do Lago de Thun. Considerou Aeschi demasiadamente exposto aos ventos e muito distante do lago, de forma que acabou optando por Faulensee-Bad, onde Nietzsche a havia procurado, mas um ou dois dias cedo demais. Os cartões e os telegramas não haviam chegado a tempo às mãos de seus destinatários em virtude de suas mudanças constantes. Assim, eles se desencontraram constantemente numa verdadeira confusão de mensagens e viagens. Nietzsche nem respondeu ao convite de Malwida de visitá-la quando retornasse para Basileia (sua viagem passaria inevitavelmente por Faulensee). Ele teve que recusar também o convite do casal Seydlitz – que também estava viajando pela régio – de participar de um grande encontro em Interlaken, pois temia os custos financeiros. Mas no início de agosto (por volta do dia 5), a Família Monod o visitou em Rosenlaui. Para Malwida, essa pequena viagem era desgastante demais por causa da caminhada. Ela teve que ficar em Faulensee e manteve de lá uma correspondência com grande sensibilidade. Em suas cartas, ela procura encorajar Nietzsche de todas as formas e lhe escreve em 31 de julho: "Percebo aqui muito bem o quanto o senhor é conhecido e reconhecido na Suíça. Basta mencionar seu nome, e as pessoas respondem imediatamente: ah, sim, um homem extraordinário etc." Ela fala também sobre um jovem médico de Berna, o Dr. Jonquières, que conhece e admira os escritos de Nietzsche: "Ele já pediu informações sobre sua doença e compartilha do seu sofrimento".

A princípio, Malwida havia vindo para a Suíça para passar algumas semanas com os Wagner no Lago dos Quatro Cantões, mas o pequeno Siegfried Wagner havia adoecido, e isso manteve a família em Frankfurt. Nietzsche evitou um encontro, como escreveu à irmã já no final de junho (no dia 29): "A sensatez me proíbe de ir para lá (para Seelisberg) [...]. Um homem doente deve evitar a presença de Wagner, como ficou comprovado também em Sorrento". Mas ele lamenta isso profundamente, como escreve a Malwida em 1º de julho: "Como gostaria de conversar com a Sra. Wagner, sempre foi um dos meus maiores prazeres e há anos tenho sido privado disso!"

### De volta a Rosenlauibad

Apesar do forte fluxo de turistas, principalmente ingleses, que vinham pela Grosse Scheidegg, e de uma grande atividade hoteleira durante a temporada principal com hóspedes como o imperador e a imperatriz do Brasil com seu cortejo ou o editor da revista filosófica inglesa "Mind", com o qual Nietzsche gostava de discutir sobre as vertentes filosóficas contemporâneas, e a despeito também de visitas particulares como os Monod no início de agosto e os Seydlitz nos meados do mesmo mês, a estadia em Rosenlauibad lhe ofereceu a tranquilidade externa para travar o conflito interior dos seus pensamentos e para definir sua própria posição; recorreu para isso já agora – como faria mais tarde também na Engadina – a longas caminhadas solitárias por trilhas afastadas. Fazia parte do seu "modo de trabalho", sobre o qual escreve a Overbeck no final de agosto: "Agora, meus pensamentos me impulsionam para frente, o ano tem sido tão rico (em experiências interiores); parece-me que a velha camada de musgo formada pela minha profissão filológica diária só precisava ser levantada – e agora tudo se apresenta em todo seu frescor e vigor. Bastava possuir uma casinha em algum lugar qualquer; lá faria caminhadas de seis a oito horas e desenvolveria aquilo que depois passaria rapidamente para o papel – assim o fiz em Sorrento, assim o faço aqui e assim consegui extrair muita coisa de um ano desagradável e sombrio". O resultado deste longo "diálogo consigo mesmo" pode ser encontrado nas cartas aos amigos, mas também nas anotações que, juntamente com o material de Sorrento, levaram ao livro de aforismos "Humano, demasiado humano".

### Novos caminhos

Certamente, as leituras e as discussões em Sorrento já o haviam incentivado a dar mais ouvidos ao seu íntimo e a desvelar "alexandrinamente" as motivações de seu próprio ser e agir. Durante esse trabalho, primeiramente psicológico, ele tentou avançar o máximo possível sem recorrer às hipóteses dos âmbitos extra-humanos e metafísicos. Com isso, porém, ele assumiu uma posição de oposição absoluta à religião – a todas as religiões – e à filosofia desde seus inícios até Schopenhauer. Ele se emaranhou no curioso paradoxo segundo o qual as religiões e filosofias, que declaram o ser do homem como definido absolutamente "de fora" por uma instância metafísica, postulam o livre-arbítrio e a "moral" como responsabilidade própria do homem. Nietzsche, por sua vez, procura demonstrar que as explicações metafísicas – imprescindíveis para a maioria das pessoas – se baseiam em equívocos, negando assim o livre-arbítrio e procurando representar o ser humano como completamente determinado por motivos inerentes a ele, sobretudo pela busca do prazer, sendo, portanto, irresponsável também em termos morais. Ele sonda esse pensamento até os extremos, mas nunca chega a formular a pergunta que se impõe neste limite, ou seja, quem ou o que teria determinado esse fundamento. Dessa forma, porém, também não consegue encontrar uma explicação para sua própria convicção referente à sua vocação filosófica. Por isso, terá que percorrer, em sua obra posterior, também o caminho na direção oposta, novamente até o limite, no "Zaratustra", onde ele contrapõe ao postulado mais consequente do livre-arbítrio (segundo o qual o homem planeja a si mesmo e possui a vontade de se superar até alcançar o estado do super-homem) a coerção mais fria, a sentença do eterno retorno do mesmo. As experiências que representam o fundamento dessa temática ambígua são, por um lado, a sensação – conscientizada diariamente em virtude da doença – da natureza determinada de seu próprio estado físico, e, por outro, o voo livre da imaginação, demonstrado pelos gênios (Wagner!). Disso surge o novo conflito tensional e desgastante, que se apodera de Nietzsche de forma mais profunda do que a alternativa que o atormentara até agora: profissão ou vocação, que, diante da nova problemática, é relegada a um plano tão secundário que ele chega a considerar a subordinação ao jugo do trabalho como um mal menor, como fuga bem-vinda das "mil coisas que não me dizem respeito". (E: "enquanto me limitei a ser um estudioso, sempre gozei de boa saúde.") Portanto, não precisamos recorrer à cisão "faustiana" para explicar sua temática antitética, ela resulta dos fatos biográficos intensamente vividos.

Por quanto tempo ele conseguiria ocultar os pensamentos que disso resultavam – e que certamente irritariam seus adeptos, sobretudo os discípulos do filósofo-poeta inspirado e autor do "Nascimento da tragédia" – dos seus monólogos, dos seus cadernos de anotações e de Paul Rée? O "acidente jocoso" com a controvérsia entre Bagge e Köselitz em Basileia lhe servia como advertência: Evidentemente, existia um partido, um partido artístico, o reclamava para si, mas ele já não pertencia mais a ele. Ele precisava resolver isso. Em 27 de julho, ele relata a Malwida von Meysenbug: "Reconciliei-me com o Dr. Fuchs. Encontrei uma carta muito rica em conteúdo (62 páginas formato *in quarto*, e vários suplementos)". Os problemas que ocupam a mente do Dr. Fuchs são de natureza estética, e estes provocam uma resposta significativa por parte de Nietzsche. No final de julho, Nietzsche lhe escreve: "Sua contagem do compasso rítmico é uma descoberta de ouro puro. O senhor conseguirá cunhar muitas moedas valiosas a partir dele. Lembrei-me de que, ao estudar a métrica antiga em 1870, estive à procura de períodos pentâmetros e hexâmetros e fiz uma contagem dos Cantores Mestres e do Tristão: isso me revelou várias coisas sobre a rítmica de Wagner. Ele despreza tanto a matemática e a simetria (como demonstra o emprego da quiáltera, ou seja, o excesso do emprego desta), que prefere retardar os períodos de 4 compassos em períodos de 5 compassos; os de 6, em períodos de 7 compassos (no terceiro ato dos Cantores Mestres ocorre uma valsa: nela rege o número 7...). Sempre desejei que aparecesse uma pessoa capaz de descrever de forma simples os diferentes métodos de Wagner dentro de sua arte, que explicasse simplesmente como ele o faz aqui e lá. O padrão esboçado em sua carta desperta todas as minhas esperanças [...]. Os outros que escrevem sobre Wagner costumam dizer apenas que se divertiram muito e que devem ser gratos por isso; não nos ensinam nada. Wolzogen não me parece ser músico o bastante; e como escritor ele é risível [...]. Quando o senhor escrever suas 'cartas musicais', por favor, tente evitar ao máximo quaisquer expressões da metafísica schopenhaueriana; pois acredito – perdão! eu *sei* – que ela é errada e que todos os escritos que apresentam seu cunho em breve se tornarão incompreensíveis. Falarei mais sobre isso mais adiante [...]. Sobre minhas impressões de Bayreuth referentes aos problemas estéticos fundamentais, pretendo conversar com o senhor pessoalmente, para que o senhor me acalme". Nietzsche espera com impaciência a publicação do "Guia para o tormento dos Nibelungos" do Dr. Fuchs. E Nietzsche, involuntariamente, desafia ainda outro amigo a tomar uma posição: Paul Deussen lhe envia seu livro mais recente, "Os elementos da metafísica", que, partindo de um conhecimento abrangente sobre a filosofia indiana, traça novos caminhos para uma visão geral da filosofia de Schopenhauer. E Nietzsche confessa no início de agosto[7]: "Eu, pessoalmente, lamento muito *uma* coisa: que não recebi este livro já alguns anos *antes*! Minha gratidão teria sido muito maior! Agora, porém, em vista do decurso natural dos pensamentos humanos, curiosamente seu livro me serve como coleção afortunada de tudo aquilo que não considero mais verdadeiro [...]. Quando escrevi meu pequeno escrito sobre Schopenhauer, já me distanciei de quase todos os elementos dogmáticos; no entanto, continuo firme na minha convicção de que por ora é essencial estudar Schopenhauer e usá-lo como educador. Mas não acredito que ele deva ser usado para educar-nos na filosofia schopenhaueriana". Pasmo, Deussen lhe responde em 14 de outubro[6]: "Mas o que é isto? Você abandonou Schopenhauer [...] isso é incompreensível, impossível. – Aqui eu digo: Nietzsche precisa retornar!" Mas Nietzsche não retornou mais, ele não podia mais retornar e se viu obrigado a abandonar também este amigo e perdê-lo interiormente.

E outra experiência o obriga a separar-se claramente de algumas pessoas de seu convívio.

Já na segunda metade de junho, Paul Rée havia lhe escrito de Jena que certo Siegfried Lipiner se havia apresentado a ele como poeta e autor de uma pequena obra épica intitulada de "O Prometeu desacorrentado"[154]. Esse poeta provinha de Viena, do círculo local de admiradores, e admirava Nietzsche e agora estava "sedento" para conhecê-lo pessoalmente. Rée descreve o visitante exaltado como "ser humano não muito apetitoso". A caracterização de Rohde é ainda mais aguçada em sua carta de 29 de junho[6]: "Recentemente, recebi a visita de um Sr. Siegfried Lipiner, um amigo do nosso livre-docente de Filosofia Volkelt. Um dos judeus mais tortos que conheço, mas com um traço simpático, tímido e sensível em seu rosto semita cinzento. Ele é um grande admirador de seus escritos, membro da 'Associação nietzscheana' em Viena, não parava de falar de você e alegava ter lhe enviado seu livro 'O Prometeu desacorrentado'. Pediu que perguntasse se você o recebeu; caso contrário, ele lhe enviará uma segunda cópia". Rée e Rohde não revelaram a Lipiner a localização de Nietzsche, pois sabiam o quanto o amigo necessitava de descanso e queriam protegê-lo do assédio do poeta. Lipiner, porém, viajou diretamente para Naumburg, onde a mãe de Nietzsche lhe deu a informação desejada, juntamente com uma fotografia do autor venerado. E Lipiner enviou um segundo exemplar de sua obra (o primeiro realmente parece ter se perdido em sua viagem para Sorrento) para Rosenlaui com uma carta passional. Nietzsche leu a longa poesia e se entusiasmou com ela. A Rohde ele escreve em 28 de agosto de 1877: "Recentemente, o 'Prometeu desacorrentado' me propiciou um verdadeiro dia de consagração. Se o poeta não for um verdadeiro 'gênio', não saberia o que dizer: tudo é maravilhoso e tive a sensação de encontrar meu próprio ser elevado e transfigurado nesta obra. Curvo-me diante da pessoa capaz de experimentar em si mesmo e representar algo assim". E a Lipiner, o filósofo escreve[6]: "Bem, a partir de agora acredito que exista um poeta [...]. Por favor, diga-me sem qualquer constrangimento se o senhor apresenta alguma relação com os judeus em termos de sua origem. Pois recentemente várias experiências me levaram a nutrir grandes esperanças justamente de jovens com essa origem". O tempo, porém, julgou diferentemente sobre essa obra, refutando o juízo de Nietzsche. Mas o "Zaratustra" demonstrará ainda o efeito duradouro que a poesia de Lipiner teve sobre Nietzsche.

Numa carta de agradecimento, Lipiner se confessou judeu. Dentro de pouco tempo, Nietzsche havia aprendido a desistir de sua arrogante aversão aos judeus por meio da amizade próxima com Paul Rée e agora por meio da veneração do poeta Lipiner – aversão esta que as igrejas cristãs haviam nutrido ativamente com sua pretensão exclusiva da verdade e que, com a fundação do *Reich*, começou a se transformar num antissemitismo político, apoiado vigorosamente não por Wagner pessoalmente, mas pelo jornal "Bayreuther Blätter" e pelo movimento cultural de Bayreuth. Chegara a hora em que Nietzsche precisava distanciar-se claramente também disso. Ele não podia imaginar que com isso já lançaria o fundamento para o conflito irremediável com sua própria irmã.

### De volta a Basileia

Em 1º de setembro, Nietzsche se despede de Rosenlaui às três da manhã, para não perder a diligência em Meiringen, que o levará até Brienz. Daqui, ele embarca no navio que o leva até Thun. Daqui continua sua viagem de trem até Basileia. Mas, antes de partir, escreveu ainda muitas cartas: em 28 e 29 de agosto, à irmã, a Malwida von Meysenbug, a Erwin Rohde, ao Freiherrn von Seydlitz, à Sra. Louise Ott (está com saudades de sua voz) e, por fim, escreve à mãe, após agradecer pela carta e pela remessa de dinheiro[124]: "Acabei de levantar da cama, dores nos olhos, mesmo assim pretendo escrever seis cartas e cartões nesta manhã. Sempre me irrito quando me lembro disso: correspondência com 30 pessoas ou mais, além de outras cartas ocasionais; em algum momento a cegueira será inevitável; diariamente dores nos olhos; no máximo uma hora e meia por dia para ler e escrever (para minhas *obrigações* e *tarefas principais*), acho que você não imagina como está sendo difícil [...]. Queria poder ficar nas alturas. O inverno será uma tortura. – Na primavera nos veremos em Basileia?" Ele sabe que seu retorno para Basileia representa sua última tentativa, provavelmente fadada ao fracasso, e ele confessa isso em 30 de agosto a Marie Baumgartner: "Tornou-se agora cada vez mais claro para mim que foi a pressão excessiva, à qual eu tive que me submeter em Basileia, que me deixou tão doente; a resistência foi vencida. Eu sei, sinto que existe um destino maior para mim do que aquele que se expressa em minha posição tão respeitada em Basileia; [...] 'Estou sedento de mim mesmo' – este foi o tema contínuo dos meus últimos anos. [...] Agora compartilho com a senhora também que não voltarei para Basileia para permanecer ali. Ainda não sei como isso transcorrerá; mas minha liberdade [...] eu conquistarei. Peço que me ajude e reflita comigo, com seu coração amigável, a tornar essa situação suportável".

Restam-lhe ainda um mês e meio sem obrigações profissionais. Ele aproveita o tempo ao máximo, recorrendo à ajuda de Heinrich Köselitz como secretário. Juntos, começam a organizar os aforismos e reuni-los sob determinados títulos, produzindo assim o manuscrito da primeira parte de "Humano, demasiado humano", trabalho este que se estenderia até janeiro de 1878.

Em 6 de setembro, Malwida e a Família Monod passaram por Basileia durante sua viagem a Paris. Passaram um dia na cidade, como Elisabeth se lembra, o que é correto no caso dos Monod. Malwida, porém, ficou alguns dias, pelo menos até o dia 11 de setembro*. Ela se hospedou na casa de parentes do jovem Brenner. À sua afilhada Olga ela escreve[167]: "Tudo era excelente, delicado, gostoso, servido belamente, e preciso confessar que a Srta. Nietzsche adornou não apenas a si mesma, mas toda a casa. O querido Nietzsche estava bem, e todos nós nos sentimos transportados de volta para Sorrento. À noite, eu o acompanhei em uma caminhada pela vizinhança realmente linda [...]. Quando voltamos [...] eu quis me despedir para não cansar o nosso amigo. Mas então sua irmã me chamou e pediu que cumprimentasse o Prof. Burckhardt [...]. Evidentemente obedeci e me alegrei muito ao conhecê-lo. Ele conversou bastante, coisa que ele não costuma fazer sempre, e ele nos descontraiu com várias coisas interessantes. Este é um homem pelo qual vale a pena viver em Basileia".

E Nietzsche aproveitou os dias livres para fazer algumas visitas. Na época, Overbeck estava em Zurique com sua esposa na casa de sua sogra, a Sra. Rothpletz, e convidou Nietzsche e sua irmã para uma visita. Em 11 de setembro, Nietzsche anuncia sua visita de dois ou três dias para "depois de amanhã, para a manhã de quinta-feira", mas aparentemente adiou sua viagem para o dia 16, pois em 15 de setembro ele se registra novamente na prefeitura de Basileia: "[...] e, como já em 1869, foi registrado no livro de controle (n. 99) com a observação: 'cidade natal: Naumburg (Prússia)', o que indicava apenas o local de procedência, não, porém, o lugar de sua cidadania"[112].

Em 20 de setembro retorna para Basileia após passar alguns dias felizes em Zurique.

---

* Nietzsche comunica a visita de Malwida a Overbeck: "Terça-feira" = 11 de setembro.

### Dr. Med. Otto Eiser

A viagem mais importante que Nietzsche faz nessa época o leva a Frankfurt, onde se encontra de 3 a 7 de outubro. O Dr. Otto Eiser e seu amigo, o oftalmologista Dr. Krüger, submetem Nietzsche a um exame minucioso. Otto Eiser, nascido em 1834, era filho do médico Gustav Adolf Eiser, um homem de múltiplos talentos (também artísticos), que via sua profissão em primeira linha como responsabilidade ética. Assim, o jovem Otto Eiser aprendeu desde cedo a adquirir uma educação ampla e uma empatia rara pelos relacionamentos humanos. Estava, portanto, muito bem-equipado para o encontro pessoal com as figuras mais marcantes da vida intelectual da Alemanha, como Nietzsche e Wagner[228].

Eiser havia se entusiasmado com a obra de Wagner e fundou, pouco tempo após o Festival de Bayreuth, uma associação wagneriana em Frankfurt. Ele se interessava por tudo que acontecia em Bayreuth e conheceu assim também a quarta "Consideração extemporânea", "Richard Wagner em Bayreuth", de Nietzsche, cujo profundo teor filosófico o cativou tanto que adquiriu e estudou minuciosamente todos os escritos anteriores de Nietzsche. Em abril de 1877, convidou o autor para Frankfurt, quando descobriu que Nietzsche se encontrava em Sorrento em virtude de seus problemas de saúde, conscientizando-se assim pela primeira vez do estado de saúde de Nietzsche.

O acaso veio a aproximar Nietzsche e o Dr. Eiser: enquanto Nietzsche se recuperava em Rosenlaui, Eiser passava suas férias de verão em Meiringen. Quando Nietzsche e sua irmã retornaram de seu passeio ao Lago de Zug e, após procurarem em vão por Malwida e sua família na região de Thun, fizeram uma parada em Meiringen, Nietzsche encontrou o Dr. Eiser. Em 27 de julho ele relata a experiência a Malwida: "Em Meiringen, encontrei à mesa certo Dr. Med. Eiser, de Frankfurt, que levara todos os meus escritos para o Oberland Bernês; tive uma consulta com ele, e ele me disse que o Dr. Schön havia me tratado com doses homeopáticas". E, no dia 4 de agosto, escreve: "O Dr. Eiser me propiciou a alegria de me visitar com sua esposa aqui em Rosenlaui durante quatro dias; nós nos aproximamos muito, e ganhei o médico mais dedicado e meticuloso que poderia ter. Agora, portanto, encontro-me sob seu regime: estou esperançoso! Ele é experiente, filho de um médico, já passou dos 40 anos, confio muito em médicos *natos*". O médico Eiser deve ter ficado muito impressionado com o estado de saúde preocupante de seu escritor tão admirado e considerou urgente um exame minucioso de seus olhos. Quando Nietzsche chegou em Basileia em 1º de setembro, algumas cartas já o esperavam: entre elas, a de Overbeck com o convite para visitá-lo em Zurique, da Sra. Ott e do Dr. Eiser, que havia voltado para Frankfurt, "que, em sua função de médico, *exige* que eu vá para

Frankfurt para me consultar com ele", como Nietzsche escreve a Malwida em 3 de setembro.

Logo após a chegada de Nietzsche, Eiser se dedicou ao seu paciente e pediu a ajuda do oftalmologista Dr. Krüger. Já no dia 3 de outubro, Eiser comunicou à irmã de Nietzsche em Basileia que "temos praticamente certeza de termos encontrado a explicação das fortes dores de cabeça – temos, porém, certeza que podemos excluir uma doença mais séria dos centros nervosos"[6]. Em 6 de outubro, reuniu os resultados dos exames realizados pelos dois médicos em um relato de quatro páginas. Nele, constata um dano considerável nas retinas dos dois olhos, mas de gravidade diferente, que tornariam "uma relação causal dos ataques cefalálgicos com os problemas de visão quase certa", mas isso seria apenas *uma* das razões, "pois junta-se a isso uma predisposição para uma excitação do órgão central", e o Dr. Eiser identifica a causa desta numa atividade espiritual excessiva. Mesmo reconhecendo a visão fraca como causa das dores de cabeça, ele deixa em aberto a causa dos problemas de visão: "Observações precisas dos paroxismos cefalálgicos [...] eventuais diferenças de cor e temperatura dos ouvidos durante o [...] estado prodrômico e durante o próprio ataque, eventuais pulsações dos grandes vasos no pescoço e diferenças nas mesmas [...] servirão como material principal para decidir as questões acima". Como terapia, o Dr. Eiser prescreve "narcóticos, quinina ou semelhantes", não, porém, quaisquer intervenções heroicas", ou seja, nenhum tratamento violento, nenhum esforço, mas principalmente uma conduta dietética no sentido mais amplo: "Evitar absolutamente qualquer atividade de leitura ou escrita durante vários anos [...] e todo tipo de estímulos de luz forte [...]. Evitar qualquer esforço físico e intelectual extremo. Alteração metódica entre descanso e trabalho. Observação cuidadosa dos estados digestivos [...], evitar o consumo de alimentos fortemente temperados e de difícil digestão, sobretudo bebidas excitantes (como café forte e chá, vinhos fortes etc.). Isso significa também que o paciente deve evitar qualquer exposição a condições extremas, seja por meio de roupas excessivamente leves, seja por meio de uma temperatura baixa no apartamento, por meio de caminhadas exageradas ou experimentos hidroterápicos". Ao longo dos anos, Nietzsche violou várias dessas recomendações e impôs ao seu corpo esforços e procedimentos que dão testemunho excelente de sua condição física inata.

Em 13 de outubro, Bayreuth recebe uma carta do "amigo Nietzsche", na qual ele relata "coisas ruins sobre sua saúde", aparentemente o diagnóstico dos exames realizados em Frankfurt. E Nietzsche envia também "um belo manuscrito do Dr. Eiser de Frankfurt", que – a julgar por essa formulação – ainda não era um nome conhecido em Bayreuth[258]. Wagner ainda se interessava vividamente pela saúde de seu jovem amigo e pediu que Hans von Wolzogen se dirigisse ao médico e lhe comunicasse o diagnóstico e eventuais esperanças que dele resultassem. Eiser respondeu em 17 de outubro[266]: "Após os poucos dias que passamos juntos em Rosenlauibad, pude considerar o nosso relacionamento uma verdadeira e duradoura amizade. – Na mesma medida em que isso me alegrou, preocupei-me profundamente ao reconhecer a imagem de uma doença grave nos sofrimentos de N. A descrição de seus sintomas, sua origem, seu histórico me deixou seriamente preocupado, mas fiquei também muito surpreso com o fato de que, até então, ninguém havia feito uma análise minuciosa dessa doença demorada e tortuosa. A falta de qualquer metodologia, o caráter impulsivo e inconstante de todas as tentativas de cura se explica pela falta de simpatia do paciente pelo Dr. Immermann, que, como patologista e clínico da Universidade de Basileia, havia se tornado o médico *ex officio* de Nietzsche. [...] Apenas esses fatos pessoais íntimos explicam por que Nietzsche jamais teve contato com seu médico durante seu ano de ausência, por que os médicos consultados eventualmente na Itália não receberam quaisquer informações dos colegas em Basileia, como aconteceu também com o médico em Bad Ragaz... O fato também de que jamais ocorreu uma consulta ou uma ação conjunta de Immermann com o oftalmologista Prof. Schiess, de Basileia, de que o Prof. Schiess examinou os olhos do paciente pela primeira e última vez há dois anos só pode ser explicado com a extrema alienação dessas personalidades. Tudo isso deve justificar que eu me vi obrigado a pedir ao Prof. Nietzsche que ele se consultasse comigo em Frankfurt. [...] Ao se despedir, ele declarou firme e determinadamente que os exames e as consultas realizados durante sua estadia teriam sido a primeira explicação minuciosa e logicamente coesa que ele teria recebido ao longo dos quase quatro anos de sua doença!" Isso significa que Nietzsche identifica o início de sua doença aguda no inverno de 1873 e 1874. Em sua carta a Wagner, Eiser expõe em maior detalhe o diagnóstico, as suposições, os temores e esperanças já apresentados em sua perícia. Será que Eiser violou o sigilo médico ao compartilhar essas informações com terceiros? Eiser sabia que podia confiar nesses amigos de seu paciente, e Wagner não o decepcionou. Mesmo quando o conflito entre Wagner e Nietzsche irrompeu, Wagner manteve o segredo, mas agora confessou ao médico em uma carta de 27* de outubro a sua própria suspeita. Sugere que a doença tenha sua raiz numa perversão sexual, e Wagner cita casos paralelos conhecidos, que chamaram sua atenção. "Considerei muito

---

* Segundo o diário de Cosima, isso aconteceu no dia 23 de outubro, com uma observação de Wagner: "Ele deverá obedecer mais ao médico amigo do que ao amigo médico". Ou seja, Wagner ainda se considerava amigo de Nietzsche.

importante a notícia recente de que o médico que Nietzsche consultou em Nápoles lhe recomendou casar-se o mais rápido possível"[267]. É possível que Wagner tenha recebido essa informação por intermédio de Malwida, que havia sido informada sobre a conversa com o Prof. Schrön, e à qual Nietzsche confessou abertamente em 1º de julho de 1877[124]: "Tive um ano inteiro para refletir e deixei passá-lo sem tomar nenhuma providência; sei muito bem que sem isso (o casamento) não posso esperar nenhuma melhora do meu sofrimento".

Os médicos e amigos suspeitavam, portanto, qual era a raiz dos seus sofrimentos, mas os métodos disponíveis na época não permitiam um diagnóstico seguro, e, por isso, ainda hoje só podemos fazer deduções baseadas nos sintomas descritos, que não permitem um diagnóstico definitivo. Wagner havia entrado em contato com o médico em virtude de sua profunda preocupação com o futuro de Nietzsche, como revela cada palavra de suas cartas. Mais tarde – em 1883 –, quando Nietzsche soube disso de forma distorcida, ele o interpretou como maldade de Wagner, como tentativa de difamá-lo, o que, após sua alienação daquilo que Wagner representava artisticamente, provocou também a alienação pessoal. Nietzsche nutriu esse rancor equivocado e fatídico durante cinco anos, até descarregar toda a sua decepção num terrível ataque contra Wagner em 1888[123].

O único que poderia ter esclarecido e apaziguado a situação era Otto Eiser. Mas já em 1882 o contato entre o médico e Nietzsche foi totalmente rompido. Eiser não recebeu mais notícias de Nietzsche, nada ficou sabendo de sua acusação contra Wagner e do contexto do panfleto "O Caso Wagner". Diante da alternativa "Wagner ou Nietzsche", Eiser optou por Bayreuth. Ele publicou seus próprios artigos sobre a obra de Wagner no jornal "Bayreuther Blätter" e reconheceu um parentesco entre o "Parsifal" de Wagner e a tradição de Calderon. Com isso, o autor do "Zaratustra" se distanciou completamente do médico. Já em "Humano, demasiado humano" (aforismo 141), Nietzsche falara do "cristianismo superlativo insuportável de Calderon".

Eiser morreu oito anos após o colapso espiritual de Nietzsche; ele vivenciou ainda toda a tragédia humana do filósofo, mas presenciou também sua crescente importância. Mas o ser humano, o amigo e médico Eiser nunca se pronunciou a respeito disso.

# XX

# A última tentativa com a docência (meados de outubro de 1877 ao início de maio de 1879)

Na primeira parte de "Humano, demasiado humano", escrito ao longo do ano de licença, encontramos no quinto capítulo "Sinais de cultura superior e inferior" o aforismo 276, que revela a importância autobiográfica que deve ser atribuída a tudo que Nietzsche pensou e escreveu: "As melhores descobertas acerca da cultura o homem faz em si mesmo, ao reconhecer em si dois poderes heterogêneos que governam. Dado que alguém viva no amor das artes plásticas ou da música e tanto quanto seja arrebatado pelo espírito da ciência, e que considere impossível eliminar essa contradição pela destruição de um e o total desenfreamento do outro poder: então resta-lhe apenas construir de si mesmo um edifício da cultura tão grande que tais poderes, ainda que em extremos opostos deste, possam nele habitar, enquanto entre eles se abrigam poderes intermediários conciliadores com força bastante para, se necessário, apaziguar o conflito que irrompe".

Os poderes heterogêneos no ser de Nietzsche eram ainda a música e a filosofia, atualmente uma "filosofia científica": a análise psicológica das condutas humanas, e como "poder intermediário" tenta mais uma vez ater-se à atividade como docente.

A figuração ou produção artística é uma possibilidade dada exclusivamente ao ser humano. Apenas o ser humano possui a necessidade e a possibilidade de comunicar por meio da figuração artística – e adequadamente apenas por meio dela – seus modos e teores de experiência. E apenas o ser humano possui a capacidade de absorver e "compreender" essas manifestações, de reconhecer ou até mesmo reconstruir os contextos experienciais transmitidos pelos meios de comunicação da manifestação artística. Ou seja, uma obra de arte sempre se dirige, num sentido fundamental, a um destinatário, a um "tu". As cartas de Nietzsche, escritas durante sua estadia em

Rosenlaui, ou seja, no verão de 1877, nos revelam que ele ainda se dedicava a composições musicais. Escreveu nestes anos um "Hino à solidão", pretendendo captar a solidão "em toda a sua beleza lúgubre", como escreveu a Rohde já em 5 de fevereiro de 1875, e ainda agora toca essa peça com frequência ao piano ou a canta em suas caminhadas solitárias, provavelmente apenas interiormente e não com voz retumbante. No entanto, nenhuma nota dessa composição subsistiu. Provavelmente, não conseguiu fazer a transição da improvisação para o papel pautado, pois a solidão não é um "tu", ela não possui a possibilidade da comunicação nem, portanto, o sentido de uma representação como obra. Nietzsche havia chegado ao ponto em que sua expressão na música precisava se calar. Mas como "poder", como fator espiritual, ela continuou a existir e a preenchê-lo, ela ainda o dominava. Ele ainda não conseguia se separar dela e diluí-la no nível de um "problema". Agarrou-se ainda também às suas últimas composições executadas, ao "Hino à amizade" e ao filho infeliz de sua musa, à "Meditação sobre Manfredo". Louis Kelterborn relata[6] que tocou essa peça com o jovem compositor suíço Hans Huber* no inverno de 1878/1879 e que Huber, aprovando a composição, pretendia apresentá-la num concerto, mas este não veio a ser realizado. E Nietzsche não se opôs a esses esforços, ele jamais renegou sua criação. Nietzsche, por sua vez, admirava Huber, e, no domingo de 3 de novembro de 1878, assistiu com Kelterborn ao concerto sinfônico que estreou o concerto para violino em sol menor (op. 40) de Huber; trata-se do mesmo concerto sobre o qual Nietzsche escreve à mãe em 9 de novembro[124]: "No domingo, tentei pela primeira vez ir ao concerto, mas tive que sair após poucas peças, a dor de cabeça *veio*"**. Uma nova manifestação de seu conflito interior com Wagner e a música em geral é o quarto capítulo de "Humano, demasiado humano", "Da alma dos artistas e escritores". Aqui, ele tenta pela primeira vez não reverenciar este "poder", mas domá-lo, procurando relativizá-lo psicologicamente. E assim designa a luta, a tensão com o outro "poder", a filosofia, que, no ano passado, recebera novos impulsos em novas direções. Cada vez mais poderoso torna-se o chamado de render-se completamente a esse "poder", permitir que ele cunhe toda a sua existência. Mais uma vez, Nietzsche tenta se esquivar dessa pretensão absoluta, invocando sinceramente o "poder inter-

---

* Hans Huber, nascido em 1852 no Cantão de Solothurn, estudou música em Leipzig entre 1870 e 1874, trabalhou dois anos fora da Suíça e, em 1877, veio para Basileia, cuja vida musical ele definiu durante séculos como compositor e, a partir de 1896 (como sucessor de Selmar Bagge), como diretor da escola de música; morreu em 1921, em Locarno.

** O programa era: abertura do concerto "Hamlet", de Gade; uma ária do "Rinaldo", de Händel; o concerto para violino de Huber; canções de Schubert, Gluck, Mendelssohn, com acompanhamento ao piano; 1ª sinfonia ("da primavera"), de Schubert, em si bemol maior.

mediário conciliador" da profissão. E esta sinceridade significa também que ele o faz com todo o cuidado e extrema economia de suas forças, pois apenas assim ele consegue fazê-lo. Mas mesmo nessa economia tudo apresenta o cunho da "tentativa" fadada a fracassar, para então ser seguida pela desistência ou abandono total.

É neste sentido que devemos ver também o fato de ele retomar suas atividades apenas na universidade, licenciando-se por outros seis meses do Pädagogium, sempre com a tácita esperança de poder retomar todas as suas atividades no início do novo ano letivo na primavera de 1878. No entanto, a rápida piora de seu estado de saúde logo frustraria qualquer expectativa.

E também para o outono de 1877, Nietzsche tem poucas esperanças de poder cumprir todas as suas obrigações contratuais e de retomar suas aulas no Pädagogium. Assim, escreve no início de agosto, ainda em Rosenlaui, a Paul Rée[12]: "No início de setembro estarei de volta em Basileia [...]. Tudo, universidade e Pädagogium, será retomado: uma tentativa". Apenas os diagnósticos dos médicos no início de outubro, que lhe proibiam a leitura e a escrita por vários anos, o levaram a prolongar sua substituição até o fim do ano letivo primeiro em conversas pessoais. Apenas em 17 de outubro, *após* o início do semestre, entregou ao conselho seu pedido oficial de estender sua licença no Pädagogium[105]: "Após tentar durante um ano – graças ao favor que me foi concedido por meio da licença – recuperar minha saúde por todos os tipos imagináveis de cuidados e tentativas de cura, preciso infelizmente confessar ao fim deste prazo que de forma algum consegui alcançar esta meta; sim, um recente exame minucioso por três médicos deu-me a triste certeza de que se aproximam perigos ainda muito maiores, principalmente referentes à minha visão, e de que serei obrigado a tomar medidas ainda mais incisivas. Os médicos foram unânimes em sua exigência segundo a qual eu devo me abster absolutamente durante vários anos de qualquer leitura e escrita... Levando em consideração, além disso, que os ataques de dores de cabeça me roubam um a dois dias semanalmente, vejo-me obrigado, a fim de cumprir as minha obrigações acadêmicas neste inverno, a pedir às autoridades educacionais uma extensão da minha licença da minha atividade como professor no Pädagogium; lembrando que muito provavelmente me verei obrigado a rever minhas decisões sobre toda a minha atividade como professor nesta cidade".

O presidente do conselho, o Conselheiro Carl Burckhardt-Burckhardt*, circulou o pedido rapidamente entre os outros membros do conselho, e todos consenti-

---

\* Carl Burckhardt-Burckhardt, 1831-1901, membro do conselho desde 1868 e, a partir de 1874, sucessor de Wilhelm Vischer-Bilfinger como presidente do conselho.

ram, mas o conselheiro Dr. Med e H.C. Phil. Friedrich Müller (1834-1895) acrescentou[105]: "Visto que o próprio Sr. Prof. Nietzsche anuncia uma decisão definitiva para o futuro breve, concordo com a sugestão do *praesidii*; caso contrário teria desejado uma leve pressão". Ou seja, nem todos os membros do conselho tinham a mesma paciência. Em 22 de outubro, o presidente encaminhou o pedido à secretaria de educação, encerrando sua carta com as palavras[105]: "Conforme acredita o conselho e da forma como se apresentam atualmente as circunstâncias, não nos resta fazer outra coisa senão dispensar neste inverno o Sr. Prof. Nietzsche de suas aulas de grego no 3º ano do Pädagogium e aguardar suas futuras decisões e encarregar o Sr. Dr. Achilles Burckhardt com a administração das aulas".

A secretaria de educação não teve escolha e sancionou a substituição de Nietzsche e arcou com os custos dessa medida na forma de um crédito adicional.

### A demissão definitiva do Pädagogium

É provável que Nietzsche tenha sido informado pelo Presidente Carl Burckhardt – pessoalmente ou por intermédio de Franz Overbeck – da "leve pressão" para que ele tomasse uma decisão definitiva o mais rápido possível. Nietzsche deve ter reconhecido até mesmo sem essa "pressão" que a solução provisória, que agora já se estendia por um ano e meio, não poderia ser estendida *ad calendas graecas*. Sabia também que dificilmente retomaria suas aulas no Pädagogium. Por isso, entregou ao presidente do conselho em 11 de fevereiro de 1878 (dessa vez, a tempo) seu pedido de demissão definitiva de suas obrigações no Pädagogium[105]: "Diante do contínuo abalo do meu estado de saúde, tomei recentemente a decisão de enviar-lhe um pedido de demissão de minha posição como professor de todas as instituições de ensino superior desta cidade. No entanto, o conselho de meu médico e sua opinião segundo a qual eu não deveria desistir de uma recuperação que me capacitaria a cumprir ao menos a minha tarefa na universidade me convenceram a limitar meu pedido de uma demissão definitiva apenas às obrigações no Pädagogium [...], expressando minha profunda tristeza por me ver obrigado de me desligar de uma instituição em que trabalhei com prazer". Nietzsche remete em seu pedido ao relatório do Prof.-Dr. Med. Rudolf Massini, que este havia elaborado em 9 de fevereiro para a secretaria de educação[105]: "O Sr. Prof. Nietzsche sofre há vários anos de uma excitação excessiva de seu sistema nervoso; esta deverá desaparecer diante de um descanso contínuo, e esperamos que o paciente poderá retomar completamente, mesmo que talvez apenas após algum tempo, suas atividades de ensino. Por ora, porém, ele precisará ser poupado ao máximo e dependerá, talvez por alguns anos, de férias prolongadas e descanso absoluto entre os semestres".

O Dr. Eiser, que aparentemente havia sido informado de antemão sobre o diagnóstico de Massini, escreveu no mesmo dia (9 de fevereiro de 1878) a Overbeck[6]: "A dependência dos casos cefalálgicos dos problemas de visão era a hipótese fraca, que me levou a crer que seria possível não curar, mas amenizar e tornar suportável o sofrimento de Nietzsche. Mas, além disso, sempre existiu a alternativa de um dano cerebral material e grave com um prognóstico muito mais desesperançoso. Essa possibilidade parece ter se tornado triste certeza por meio da observação do colega de Basileia".

O conselho da universidade encaminhou o novo pedido de Nietzsche com um parecer favorável à secretaria de educação e justificou sua decisão[105]: "como condição para que assim ele ainda possa ter esperança de recuperar a sua saúde e de continuar suas atividades na universidade". Em 7 de março, a secretaria acata a decisão do conselho[236]: "Com nossos sinceros agradecimentos por seus bons serviços, o Sr. Prof. Nietzsche será demitido do Pädagogium, e suas seis aulas de grego no 3º ano do Pädagogium serão transferidas para o Sr. Dr. A. Burckhardt. Deverá ser encaminhado às autoridades executivas o pedido de um crédito adicional para as seis aulas semanais de 190 francos por mês, para maio a dezembro de 1878, num total de 760 francos". E o protocolo da 4ª reunião em 30 de março de 1878 registra: "O conselho do governo autoriza para o dia 9 de março o crédito adicional de 760 francos para a substituição do Sr. Fr. Nietzsche, Dr. phil. ord. Prof., no Pädagogium ./. *ad protocollum*". Registra também como ausentes dessa reunião os senhores Conselheiro Carl Burckhardt, Dr. Müller e Dr. Thurneysen. Com isso, a atividade de Nietzsche na escola foi formalmente encerrada, após ter sido suspensa já no final de setembro de 1876.

### Heinrich Köselitz se despede de Basileia

Ao mesmo tempo em que conseguiu esse aliviamento, Nietzsche perdeu uma ajuda valiosa: Em 10 de abril de 1878, Heinrich Köselitz se mudou para Veneza, cidade esta da qual, durante anos, se afastaria apenas para breves viagens e visitas.

No prefácio do volume por ele editado com as cartas de Nietzsche a ele, Köselitz não fala sobre as razões de sua separação, mas estas podem ser deduzidas a partir de algumas declarações. Ele se separa de Nietzsche – e de Basileia. Os mesmos "poderes" que conflitavam em Nietzsche travavam também uma batalha em Köselitz, com a diferença que Köselitz optou pela música. Durante todo o inverno de 1877/1878, ainda havia servido a Nietzsche como secretário e ajudado na elaboração de "Humano, demasiado humano". Ele lhe ajudou também na correção das provas do manuscrito e começou a assumir o papel de um colaborador. Mas foi justamente nisso que ele reconheceu, a tempo, o seu perigo: Köselitz queria ser músico, queria traçar seu caminho como compositor. No entanto, não conseguiu estabelecer vínculos produtivos com a vida musical de Basileia. O Grande Salão de Música recém-inaugurado e a "Sociedade Geral de Música", fundada simultaneamente (1876), permitiam uma atividade rica em termos de concertos, conseguindo atrair solistas de fama internacional com seu programa de música contemporânea (sobretudo Brahms), razão pela qual também Hans Huber se sentiu atraído pela cidade. Mas Köselitz se tornara insustentável com seu ataque a Selmar Bagge, ao longo do qual atacara também de forma completamente desnecessária e improdutiva a vida cultural e musical da Suíça e de Basileia, demonstrando assim que não possuía qualquer relação com o *genius loci*. Por isso, sua melhor saída era uma mudança para uma cultura diferente, e nesse aspecto o conselho de seu amigo Paul Widemann foi certeiro: Veneza. E Nietzsche, na verdade, deve ter sentido certo alívio, pois o convívio intenso com o "studiosos Köselitz", repreendido pelo reitor da universidade, dificilmente aumentava as simpatias das quais tanto dependia em sua situação tão delicada. A perda de seu secretário não chegou a pesar tanto, pois novamente Nietzsche teve sorte no azar: a Sra. Marie Baumgartner prontamente se ofereceu como sua nova secretária, e com ela iniciou-se uma correspondência extensa, tão importante para nossos conhecimentos sobre Nietzsche.

Outra perda, porém, o abalou profundamente. Em 17 de maio de 1878 morreu seu jovem amigo e discípulo Albert Brenner antes de completar seus 22 anos de idade. Sua morte foi extremamente dolorosa. Passou seus últimos dias no hospital de Basileia, e seus gritos de dor podiam ser ouvidos a várias ruas do hospital. Como sempre que uma impressão forte o abalava, Nietzsche ficou em silêncio. Apenas a Köselitz escreve em 31 de maio: "Prefiro me calar em relação a muito, a morte e os tempos *tortuosos* de Brenner". E a Malwida von Meysenbug escreve em 11 de junho: "A nossa imagem de Albert Brenner sempre estará ligada a Sorrento; comovente e melancólico – o túmulo do Jovem Velho neste mundo eternamente juvenil e descontraído".

Outra morte certamente não o afetou tanto, motivo pelo qual conseguiu encontrar rapidamente as palavras para uma carta de condolência. O pai de Louis Kelterborn havia falecido, do mesmo Kelterborn que, como estudante de Direito, havia sido seu ouvinte e permaneceu fiel a Nietzsche mesmo após a morte do filósofo e que nos legou suas preciosas memórias. Em 6 de junho de 1878, Nietzsche lhe escreveu[124]: "Meu querido doutor, posso garantir-lhe que, nestes dias, eu e minha irmã compartilhamos de sua dor, e eu desejaria dispor de um remédio para confortá-lo após tamanha perda e solidão dolorosa. As cartas que o senhor me enviou recentemente me comoveram. Suas palavras de profundo sentimento revelam a proximidade que existe entre nós".

### A irmã desiste

Também foi abandonado precocemente o experimento com o próprio apartamento e com o auxílio e convívio da irmã. Nesse período ainda não constatamos qualquer traço de perturbação na harmonia entre os irmãos. Portanto, devem ter existido motivos externos para a dissolução. Suspeitamos, portanto, que tenha sido a mãe em Naumburg que exigiu energicamente o retorno da filha. A mãe também desejava que o filho se casasse o mais rápido possível, para que a filha pudesse cuidar dela. É provável que a aversão de Nietzsche à mãe, que irrompeu no início de sua loucura, tenha sua raiz no fato de que, na fase decisiva de sua vida, ela não conseguiu reconhecer suas necessidades. Por ora, porém, ele recalca qualquer queixa. Apenas a Von Seydlitz ele escreve em 11 de junho de 1878: "Em 14 dias, nosso lar será dissolvido: minha querida irmã voltará para sempre para a nossa mãe". O lar equipado por Elizabeth com móveis de Naumburg há menos de um ano teve que ser dissolvido. Nietzsche doou alguns dos móveis – duas poltronas aos seus médicos Massini e Schiess e uma prensa de roupa à Sra. Immermann, como Nietzsche comunica à irmã em 3 de julho. O presente para os Immermann surpreende: aparentemente, a relação – pelo menos por parte de Nietzsche – não era tão ruim como o Dr. Eiser havia sugerido em seu relatório (cf. p. 617). A maior parte dos móveis, porém, voltou para Naumburg, como afirma uma lista anexa à carta do final de junho[124]: "Na sexta-feira, 28 de junho, enviei um vagão com os móveis para a Sra. Nietzsche em Naumburg an der Saale, com um prazo de entrega de quatro dias (150 marcos)". Em 8 de julho, relatou à mãe[124]: "Peça imediatamente ao prefeito de Naumburg uma comprovação que confirme que os móveis representam itens de mudança (que três anos atrás você enviou para a Suíça e que agora estão retornando para você) e envie o documento para Erfurt. Depois, você receberá todos os objetos sem maiores complicações [...]. Os fiscais da ferrovia da Alsácia reconheceram os móveis como itens de mudança e os isentaram de impostos". Aparentemente, os funcionários da alfândega em Erfurt haviam criado dificuldades.

Após retirar todas as coisas do apartamento na Gellerstrasse 22, Elisabeth viajou para a região do Jura, provavelmente para Frohburg, onde teve alguns dias de descanso. Nietzsche a visitou a partir do dia 6 de julho e retornou com ela para Basileia no dia 8 (uma segunda-feira). Seguiu diretamente da estação de trem para a universidade, às 10 horas. Elisabeth seguiu viagem, sofrendo um acidente: o trem descarrilhou.

### O peso de uma dívida

Com a dissolução definitiva de seu próprio apartamento, outro "fim", outro ponto-final se tornou inevitável para Nietzsche: o de sua amizade com Gersdorff. No final de 1877, Gersdorff encerrou o contato também por correspondência, quando Nietzsche se intrometeu na vida amorosa de seu amigo, aparentemente de forma muito infeliz, que o amigo se sentiu profundamente magoado. No final da carta de despedida, encontramos as seguintes declarações[14]: "Sua opinião sobre Nerina, que se apoia nas fofocas dos Monod e da Trina, é a coisa mais injusta e equivocada do mundo. Você não faz ideia; que seu erro lhe seja perdoado. [...] Daqui em diante, existirá apenas silêncio. Eu terei que suportar isso [...]. Talvez virá o dia em que tudo se esclarecerá. Até então, esta será minha última palavra. Você escreveu em boa-fé. A mágoa é grande; e a injustiça, insuportável. Mas perdoo o equívoco. Passe bem, C. v. G". Agora, Nietzsche passou a sentir o peso de uma antiga dívida.

No outono de 1875, quando Nietzsche alugou seu primeiro apartamento lindo, mas um pouco custoso, no Spalentorweg, o filósofo inexperiente em assuntos práticos e econômicos deve ter cometido algum erro em seus cálculos. Em seu desespero, dirigiu-se a Gersdorff em 16 de novembro de 1875: "Mais uma coisa: você poderia me emprestar alguma coisa, 100 tálers talvez? 50 também ajudariam. Prometo quitar a dívida até a Páscoa de 1877, e pagarei também juros de 5%. Essa nova instalação torna os cálculos um tanto difíceis no início, e prefiro pedir essa ajuda a você. Perdão!" Gersdorff enviou o dinheiro imediatamente e escreveu[14]: "[...] estou feliz por poder lhe enviar a quantia desejada e espero apenas que o câmbio das cédulas prussianas não signifique uma perda grande". E em 26 de maio, quando Nietzsche lhe anunciou sua licença, dizendo: "Ainda não recebi a permissão definitiva das autoridades, mas creio que a receberei, ainda mais que desisti voluntariamente (para não pesar no orçamento de um município tão pequeno) do meu salário para este período", Gersdorff respondeu espontaneamente[14]: "Naturalmente, você pode me devolver os 100 tálers apenas quando suas condições o permitirem e não precisa fazê-lo em nenhum prazo predeterminado; em todo caso, não precisa devolver o dinheiro em 1877, pode ser mais tarde. E nada de juros. E ponto-final".

Agora, após a ruptura unilateral da amizade, Nietzsche queria quitar essa dívida, e, acreditando que Gersdorff se encontrava em Berlim ou na propriedade paternal na Silésia, ele se dirigiu a Paul Rée, que na época também se encontrava na propriedade paternal na Prússia, para que este lhe ajudasse a executar a parte financeira da transação. No final de julho de 1878, Nietzsche pede ao amigo[12]: "Pois na época emprestei dele 100 tálers [...]. Agora, aquele apartamento já não existe mais [...] e eu me instalei de modo sensato e idílico em minha nova eremitagem: quero, portanto, quitar essa dívida e, para isso, necessito de sua intermediação! Peço então que revirta os dois títulos inclusos em dinheiro e que, da quantia que receberá em troca, entregue 112,5 tálers a Gersdorff (ou seja, 12,5 tálers em juros conforme combinado) e de enviar o restante à minha irmã". O editor dessa carta (E. Pfeiffer) observa[12]: "No cabeçalho da carta de Nietzsche encontramos, escrito por Rée, o número '208,90'. Rée havia recebido essa quantia – pouco mais de 200 tálers – do banqueiro de seu pai pela venda dos títulos. A anotação de Rée nos serve como indício de que o assunto acima mencionado foi corretamente resolvido por Nietzsche". Não sabemos se Von Gersdorff jamais emitiu um recibo, pois nunca pôde ser encontrado. Muito tempo depois, Gersdorff não se lembrou de ter recebido a quantia, e é possível que ela realmente tenha sido desviada, razão pela qual a curadoria de Nietzsche resolveu devolver a quantia em 1894 – inclusive juros.

### O último apartamento de solteiro em Basileia

Nietzsche precisava agora retornar para a sua antiga vida de solteiro. Encontrou um abrigo simples na Bachlettenstrasse 11, no térreo, para onde se mudou em julho de 1878 e onde permaneceu até o final do semestre na primavera de 1879, até sua despedida de Basileia. Kelterborn descreve o novo lar como bastante simples, mas se encontrava na periferia da cidade, numa das ruas que levavam ao vilarejo de Binningen, diretamente acima do jardim zoológico (inaugurado em 1874) com visão desimpedida da montanha de St. Margarethen. Aqui, Nietzsche encontrou a tranquilidade que tanto necessitava. Além disso, era obrigado a fazer diariamente uma pequena caminhada até o prédio da universidade. Nietzsche esboça também um plano minucioso para sua dieta[6]: "Duzentas semanas. Cada semana um *plano semanal*. Definição dos alimentos, dos tempos de leitura, das caminhadas, daquilo que preciso ler. Na manhã de domingo, relatório semanal e *nova semana* – a *cada mês*, uma revisão. – Das seis às sete, caminhada. Das sete às oito, café da manhã. Das oito às nove, preparação. Das nove às dez, caminhada. Das dez às onze, preleção. Das onze às doze, Pfaltz ou Burckhardt. Das doze e meia à uma e meia, almoço. Das uma e meia às quatro, em casa: amigos, soneca, leitura. Das quatro às sete, sair. Das sete às oito, jantar. Das oito às nove e meia, silêncio. – Para o almoço: caldo de carne de Liebig, um quarto de uma colher de chá antes da refeição. Dois sanduíches de presunto e um ovo. Seis a oito nozes com pão. Duas maçãs. Dois pedaços de gengibre. Dois biscoitos. Para o jantar: Um ovo com pão. Cinco nozes. Leite doce com uma torrada ou três biscoitos". Este plano não pode ter sido esboçado na época de seu convívio com a irmã, nem antes de seu ano de licença, pois essas anotações se encontram numa das últimas páginas de seu caderno com esboços para "Humano, demasiado humano". Ele deve datar do final do verão ou do outono de 1878, e nessa época Nietzsche faz um plano para duzentas semanas, quase quatro anos, incluindo "preleções"!

### Os últimos três semestres na universidade

Nietzsche planeja com a mesma cautela também sua atividade como professor na universidade\*. A preleção "Antiguidades religiosas dos gregos" do semestre de inverno de 1877/1878 era a mesma que ele já havia apresentado no ano anterior às suas férias, no semestre de inverno de 1875/1876. Aproveitou as "Coéforas" de Ésquilo como tema para dois semestres, para o semestre de inverno de 1877/1878 e para o semestre de verão de 1878; tratava-se de um texto sobre o qual ele já havia discorrido cinco vezes em preleções e seminários[122]. No semestre de verão de 1878, usou a preleção sobre as Erga de Hesíodo, realizada já pelo menos quatro, talvez até sete vezes. (Chama a atenção que ele nunca fala da "Teogonia", de Hesíodo, que teria sido um tema lógico no contexto das "Antiguidades religiosas"). Por fim, fez uma preleção de duas horas semanais sobre a "Apologia", de Platão, uma antiga leitura escolar e preleção do semestre de inverno de 1869/1870 e do semestre de verão de 1876, ou seja, pouco antes de sua ausência. No semestre de inverno de 1878/1879, realizou uma palestra de três horas semanais sobre "Fragmentos selecionados dos poetas líricos gregos", recorrendo também aqui a uma matéria familiar já apresentada em cinco semestres (pela última vez no semestre de inverno de 1874/1875), e outra de duas horas: "Introdução aos estudos de Platão", também já apresentada três vezes, inclusive o último semestre antes de suas férias. O tema do seminário era Tucídides, que, segundo o programa universitário, havia sido previsto como preleção. Nietzsche havia se ocupado com Tucídides já no semestre de in-

---

\* Köselitz (Peter Gast) relataria mais tarde (em carta a P. Widemann, de Weimar, em 9 de dezembro de 1901): "Nietzsche falava e lia propositalmente com lentidão. Ele se importava menos com uma boa palestra – como Burckhardt –, antes queria que seus ouvintes fossem capazes de fazer uma transcrição de boa qualidade. Ele mesmo disse isso em Basileia. Os longos intervalos serviam unicamente a este propósito". Devemos acatar esta autorrepresentação de Nietzsche com cautela, pois dois elementos chamam a atenção: Nietzsche, que, como estudante, jamais conseguiu completar a transcrição de um curso, agora como docente, exige isso de seus estudantes, e, para tanto, desiste da forma artística que, em outras ocasiões, gozava de suma importância! A razão mais provável deve ter sido aqui uma economia cautelosa de suas forças físicas.

verno de 1873/1874 e no semestre de verão de 1875 e, principalmente, durante as leituras em Sorrento.

Apesar de não oferecer nenhuma temática (nem, provavelmente, uma interpretação) nova, simplesmente porque suas forças não o permitiam, é justamente agora que ele obtém seus maiores sucessos como docente. A preleção principal no inverno de 1877/1878 conta com seis ouvintes; o seminário, com três membros ativos e seis ouvintes; no semestre de verão de 1878, Nietzsche tem 13 ouvintes em sua preleção principal e quatro membros ativos e oito ouvintes no seminário, e o docente observa no relatório semestral: "A dedicação dos ouvintes é louvável" e acrescenta: "Início e fim no horário previsto pela lei", ou seja, sem abandono precoce.

E também no semestre de inverno de 1878/1879 ele consegue atrair 13 ouvintes para a preleção principal e três participantes ativos e oito ouvintes para o seminário. Para a pequena universidade com seus 200 estudantes (no total de todas as faculdades), estes números são impressionantes; notável é também o interesse de estudantes de outras disciplinas, que assistem às preleções de Nietzsche. Manifesta-se aqui aquele fascínio que costuma emanar de pessoas ameaçadas pela doença ou pelo infortúnio; esta ameaça completa a noção do gênio, que o levará para a fama. Lange-Eichbaum aponta os elementos dessa imagem[150]: "O dom genial (*majestas*), o desempenho espiritual (*fascinans*), um interesse passional e profundo pela disciplina (*energicum*), a 'originalidade' (*mirum*), o 'elemento trágico' (*tremendum*) e o 'exemplo', aquilo que marca uma era (*sanctum*)". A esta altura, Nietzsche já estava marcado pelo *tremendum*. E o relatório semestral elogia também no semestre de inverno de 1878/1879: "Frequência regular, participação assídua". Dessa vez, porém, Nietzsche precisa acrescentar: "Por motivos de saúde, vi-me obrigado a encerrar as preleções uma semana *antes* do fim regular". As forças de Nietzsche estão esgotadas, ele chegou ao fim de uma atividade acadêmica regular, mas novamente ele se recusa a reconhecer isso, continua a nutrir a esperança de continuar a servir à comunidade em seu cargo, e por isso anuncia mais uma vez para o semestre de verão de 1879: "Os filósofos gregos pré-platônicos"; "Introdução à eloquência grega" e, para o seminário, "Fragmentos dos poetas líricos gregos"[122], ou seja, novamente temas que lhe eram familiares (os poetas líricos haviam sido tema de suas aulas já seis vezes). Mas agora a doença o impede de realizar seu plano. Nem mesmo a economia mais elaborada de suas forças e o estímulo de seu sucesso conseguem impedir a catástrofe. Um colapso físico obriga o filósofo a fazer aquilo para o qual sempre lhe faltara a determinação pessoal.

### Dieta espiritual

Uma economia semelhante domina também a produção criativa de Nietzsche nesse tempo. Nos primeiros meses que se seguem ao retorno das férias nada ouvimos sobre quaisquer leituras. As últimas obras lidas em Rosenlaui haviam sido o "Prometeu acorrentado", de Lipiner, e alguns escritos de Mark Twain. Apenas no semestre de verão de 1878, ou seja, após a publicação de "Humano, demasiado humano", ele emprestou da biblioteca universitária, além de pouquíssimos artigos de sua disciplina: "História da poesia alemã dos séculos XI e XII", de Scherer; "Brâman e os brâmanes", de Haug, e "Tratados reunidos", de Paul de Lagarde, recomendado por Lipiner, que lhe escreveu entusiasmado sobre este autor[183]. Nietzsche fica com esses livros durante um ano inteiro, até sua despedida de Basileia. Não sabemos se ele realmente conseguiu ler todas essas obras. Enquanto ele e Köselitz corrigem as provas de "Humano, demasiado humano", Nietzsche encomenda em 11 de maio de 1878 por meio de seu editor Schmeitzner a obra "Griesebach, a literatura alemã a partir de 1770" e uma tradução barata de "História da literatura inglesa", de Taine. Em 14 de abril, volta a escrever a Schmeitzner[124]: "Gostaria de ter os catálogos do *Brockhaus* sobre a literatura inglesa e francesa, especificamente sobre traduções alemãs do francês e do inglês", e em 23 de abril acrescenta[124]: "Mais alguns livros – Rénan: Diálogos filosóficos. Traduzidos para o alemão (publicados em 1878); Taine: O desenvolvimento da França moderna, vol. 1, Leipzig Günther". Seu interesse por Taine se deve provavelmente a Burckhardt, que recomenda essa obra já em 17 de abril de 1877 a seu amigo Friedrich von Preen[61].

Nietzsche deve ter lido o Taine, pois em 20 de junho de 1878 ele volta a escrever a Schmeitzner[124]: "Acrescento ainda o pedido de receber a continuação da 'França', de Taine, além disso o *Livro de canções clássicas*, de E. Geibel (Berlim Hertz)". No entanto, ocorreu algum equívoco, pois em 1º de julho Nietzsche reclama numa carta a Schmeitzner[124]: "Prezado senhor editor, eu encomendei o Livro de canções *clássicas* (não espanholas), de Geibel. Será que a minha escrita é tão diabolicamente ilegível ao ponto de o *antigo* e o *romântico* se confundirem? Com pesar e saudações cordiais, F.N."

### Novas preocupações com o editor

No outono de 1877, Nietzsche concentrou todas as suas forças disponíveis na obra nova, mas também aqui com muita ajuda externa. Seu editor, Schmeitzner, que deve ter ouvido do novo livro e de algumas sentenças aguçadas contidas nele por intermédio dos amigos Widemann e Köselitz, acreditou que o livro causaria um escândalo no mercado editorial. Ele escreveu a Nietzsche pedindo os direitos de publicação, e em 3 de dezembro de 1877 Nietzsche lhe respondeu[124]: "Eu lhe agradeço pelo interesse que o senhor demonstrou pela publicação de meu livro – e creio poder dizer: meu livro principal. Evidentemente, porém, o senhor não precisa se sentir obrigado a nada, pois ainda não lhe comuniquei as minhas condições. Apresso-me então informá-las ao senhor, e peço que me perdoe pelo fato de eu fazê-lo na forma de parágrafos..." Então, comunica-lhe o título e lista suas condições: "§ 1º: Serão impressas 1.000 cópias; o honorário por folha: 10 tálers. § 2º: O papel será o mesmo utilizado nos "Estudos etc." do Prof. Overbeck. § 3º: No que diz respeito à fonte tipográfica e ao seu tamanho, devo insistir, após muita ponderação, que seja usada a mesma como nas 'Considerações extemporâneas'. O senhor está lidando com um autor que vê em seu futuro o destino certo de se tornar cego. Desejo, no mínimo, não me tornar cego por causa dos meus escritos: quero conseguir lê-los enquanto ainda tiver qualquer resto de visão. Peço que não leve a mal a minha sensibilidade neste ponto... § 4º: O escrito só será publicado no início de maio: preciso insistir que o senhor cumpra este prazo. A publicação não pode ocorrer mais tarde em vista do centenário de Voltaire (30 de maio). Por outro lado, quero que consiga corrigir as provas até o final de março, pois, em virtude de minha saúde, passarei o mês de abril longe de Basileia e preciso fazer as correções em Basileia, visto que esta é a cidade onde mora o nosso amigo Köselitz. § 5º: Peço que mantenha sigilo por diversas razões pessoais, e quero também que este seja mantido pela gráfica. Se o senhor preferir, pode ocultar meu nome até a impressão da folha de rosto. Mas temo que isso atice a sua curiosidade... § 6º: (no que diz respeito às cópias do autor)...

Quanto ao volume do livro, não posso informar-lhe nenhum dado preciso; o senhor pode partir do pressuposto que ele excederá 300 páginas". Nietzsche promete enviar o manuscrito até o 1º de janeiro de 1878. No entanto, Köselitz não consegue passar a limpo o manuscrito antes do dia 10. Este manuscrito é imediatamente enviado para Schmeitzner, que começa a imprimi-lo imediatamente, pois em 28 de janeiro Nietzsche já lhe retorna as primeiras páginas corrigidas e lhe envia também o manuscrito do título e do prefácio com a observação[124]: "repito aqui meu pedido de sigilo durante a produção do livro e o aceleramento desta (espero receber semanalmente as cinco provas prometidas)". No entanto, as coisas não correram tão depressa assim. Nietzsche deixou Basileia já em 2 de março para iniciar seu tratamento em Baden-Baden, e agora as provas precisavam percorrer o caminho adicional de Basileia até Baden-Baden. Uma das provas foi enviada diretamente para Baden-Baden, enquanto a outra foi enviada primeiro para Basileia, o que também atrasou o processo. Em 30 de março, Nietzsche reclama[124]: "A princípio, eu pretendia viajar na manhã da próxima quinta-feira (3 de abril)! Será que até lá o senhor conseguiria fazer a remessa solicitada? E será que a gráfica não conseguiria dar conta de me enviar até esta data todas as provas? (de forma que a última prova partiria de Chemnitz em direção a Basileia na *noite de terça-feira*). Caso contrário, enviar para o endereço de Naumburg an der Saale...”

Já em 26 de março ele havia instruído a gráfica de anunciar na última página seus cinco escritos anteriores (Nascimento da tragédia; Considerações extemporâneas 1-4) e, além destes, as duas obras de Paul Rée e também o livro de Overbeck. Existia uma razão especial para anunciar suas próprias obras neste lugar: todas elas haviam sido reimpressas pela editora de Schmeitzner (que era o editor de Nietzsche apenas desde o verão de 1874, desde “Schopenhauer”), pois Fritzsch, seu primeiro editor, havia declarado falência no início de março de 1878. O nome da editora da 2ª edição do “Nascimento da tragédia”, impressa anos atrás, precisava ser ocultado. A transição não ocorreu sem problemas. A notícia desagradável surpreendeu Nietzsche durante sua estadia em Baden-Baden, onde ele havia se hospedado no Hotel “Stadt Paris”, na Sophienstrasse. Em 8 de março, ele escreve a Schmeitzner: “Peço a sua ajuda, a minha saúde me *proíbe* qualquer atividade relacionada a este assunto ruim. O senhor escreve: ‘por favor transfira suas reivindicações referentes à 2ª edição para mim’; por favor, formule isso para mim, de forma que eu possa fazê-lo; sou um tolo em assuntos comerciais. Fritzsch pagou 100 tálers pela primeira edição; eu havia exigido a mesma quantia para a segunda edição. Ele pediu um adiamento e se comprometeu por escrito a não vender nenhuma cópia antes de quitar suas dívidas. Fui tão generoso ao ponto de não exigir o pagamento durante quatro anos. Na época (Páscoa de 1874 e 1875!) ele havia prometido cumprir com suas obrigações até o Natal”. No entanto, tudo indica que algumas cópias do livro chegaram às livrarias, provavelmente por meio do administrador da massa falida, pois já no dia seguinte, em 9 de março, Nietzsche se dirige novamente a Schmeitzner: “Advirta o Sr. Kipke e ameace-o com medidas jurídicas da minha parte em virtude da venda dolosa: Nenhuma cópia pode ser vendida antes do pagamento dos meus honorários – este foi o acordo por escrito entre Fritzsch e eu. – Eu mesmo escreverei a Fritzsch” – o que ele fez imediatamente, podendo comunicar a Schmeitzner em 11 de março: “Escrevi ao E.W. Fritzsch, estou curioso”. Fritzsch respondeu prontamente e prometeu tentar resolver a situação. Em 15 de março, Nietzsche informou Schmeitzner: “Fritzsch resolveu sua relação com o Sr. Kipke de forma satisfatória. Ele escreve: ‘Naturalmente, o Sr. Kipke obrigou o futuro dono a pagar seus honorários’! Pergunto-lhe: Será que o Sr. Kipke havia sido informado que Fritzsch ainda não havia pago os honorários? Ou será que ele ficou sabendo disso apenas por meio do senhor?” No último cartão postal enviado de Baden-Baden, de 2 de abril de 1878, Nietzsche pede a Schmeitzner: "No que se refere a Fritzsch, parece-me mais indicado *confiar* em sua carta e não tomar nenhuma providência (com exceção, talvez, de uma pergunta ao Sr. Kipke se Fritzsch o informou de sua obrigação e se ele a reconhece – mas creio que isso não seja necessário)".

Em 4 de abril, após um mês de cura frustrada, Nietzsche parte de Baden-Baden e passa a noite em Frankfurt, chegando em Naumburg apenas na tarde do dia 5. Daqui, envia cartas e cartões postais em sequência rápida ao editor, muitas vezes dois no mesmo dia, com alterações textuais, listas de erros tipográficos e advertências. Nietzsche se preocupa com cada detalhe do projeto gráfico, com a tipografia da capa e outros aspectos do livro. Em 14 de abril, por exemplo, escreve: "O *título* (uma *única* cor, preto) está aceitável! Ainda não está perfeito, mas podemos estar satisfeitos. O fato de que a expressão 'demasiado humano' esteja impressa em destaque maior do que 'humano' aumenta sua beleza, mas não me agrada em termos racionais. Não sou capaz de escrever as cartas que acompanharão as cópias do autor – amaldiçoo cada palavra que sou *obrigado* a escrever! – Não quero nenhuma lista de erros tipográficos. O livro não se destina a burros". E então organiza um encontro com Rée e Schmeitzner em Leipzig, onde se hospedará no hotel "Stadt Rom": "Estarei em Leipzig na próxima terça e quarta-feira (16 e 17 de abril) (ou seja, depois de amanhã), por razões diversas... Caso o senhor queira me ver, eu me alegraria muito. Mas preciso informá-lo de uma coisa que também já comuniquei ao meu amigo Rée: minha saúde exige que eu respeite minha solidão e que um encontro amigável não pode durar mais do que meia hora – caso contrário, pagarei um preço alto. Por que o senhor foi escolher um paciente como autor? O livro está me causando muita alegria... Terei em mãos a primeira cópia no Domingo de Páscoa?" É a primeira vez que ele se encontra com Schmeitzner, e Nietzsche confessa a Schmeitzner em 23 de abril que "foi muito bom conhecer sua fisionomia".

Os dois dias em Leipzig passados com seu amigo Rée, porém, trouxeram aquela medida de excitação e suas consequências inevitáveis. "Tive que pagar pelos dias em Leipzig, mas o senhor teve que pagar *por mim* (por meu estado de saúde etc.), isso foi mais difícil, e o senhor o suportou com tanta bondade!"[12]

Após três semanas de cuidados maternais em Naumburg, Nietzsche volta para Basileia em 24 de abril de 1878, para o início do novo semestre. Seu livro, porém, não é publicado na Páscoa (21 de abril), mas somente nos primeiros dias de maio. Curiosamente, ele não recebe o livro de imediato, motivo pelo qual ele reclama: "Diga-me, prezado senhor editor, como é possível que até hoje, dia 6 de maio, o autor ainda não tenha visto uma cópia final de seu livro? – Por favor, envie uma cópia encadernada diretamente para a residência atual do Sr. Köselitz, não tenho o endereço..." Este vivia em Veneza desde o dia 10 de abril, ou seja, partiu sem esperar o retorno de Nietzsche a Basileia. Curiosamente, porém, uma cópia do novo livro parece ter chegado a Bayreuth já em 25 de abril (como informa o diário de Cosima).

### A publicação de "Humano, demasiado humano", 1ª parte

Nos primeiros dias de maio chegou então às livrarias "Humano, demasiado humano – Um livro para espíritos livres. Dedicado a Voltaire por ocasião da celebração do dia de sua morte em 30 de maio de 1778, de Friedr. Nietzsche". Este título longo e um tanto barroco foi abreviado na 2ª edição de 1886, publicada pela editora de E.W. Fritzsch, eliminando a dedicatória. Mas já agora não havia mais nenhuma referência ao cargo acadêmico de Nietzsche em Basileia.

O novo livro não trouxe o sucesso editorial que Schmeitzner havia esperado, a despeito de todas as suas tentativas de forçá-lo. Para Nietzsche, o livro representava uma decisão: referente à obra, significava uma ampliação temática e uma intensificação dos meios de expressão; referente à vida, um teste e uma redefinição dos amigos e admiradores.

Até hoje, permanece incontestada a visão segundo a qual Nietzsche teria realizado uma ruptura com essa obra e iniciado um novo período criativo, abandonando e até mesmo invertendo tudo aquilo que havia escrito até agora. Existe um costume popular de dividir a produção intelectual em três períodos: um período "inicial" de dependência relativa, mas demonstrações promissoras de seu talento; um período "intermediário" da emancipação e da autorreflexão; e, por fim, um "terceiro" período da maturidade plena da obra. Este padrão é imposto também à obra da vida de Nietzsche, apesar de não se aplicar a ele, pelo simples fato de que seu colapso precoce em seu 45º ano de vida jamais permitiu que ele escrevesse uma obra "matura" ou principal. Se, mesmo assim, tentarmos impor uma divisão tripla ao relativamente curto período produtivo de Nietzsche e, para tal fim, definirmos o livro "Humano, demasiado humano" como virada, introduzimos ao processo de desenvolvimento contínuo e profundamente coerente uma tensão ou até mesmo uma cisão que não concorda com a imagem histórico-biográfica de Nietzsche e que nada contribui à compreensão nem de "Humano, demasiado humano" nem da obra geral de Nietzsche.

Aquilo que todos os seus escritos – e mais ainda suas cartas – compartilham (desde o "Nascimento da tragédia ou até mesmo desde a sua palestra inaugural sobre Homero e suas palestras sobre a educação) é o caráter dialógico passional e crítico. Nietzsche se encontra num violento diálogo ininterrupto, num conflito constante com alguém ou com alguma coisa; mas, diferentemente dos diálogos platônicos, falta no texto de Nietzsche o interlocutor: existem, porém, "parceiros", e caberia à pesquisa filológica de Nietzsche identificá-los para cada caso e para cada sentença nietzscheana; as circunstâncias biográficas fornecem vários indícios. No caso de "Humano, demasiado humano", Cosima Wagner tinha uma suspeita e a expressa em sua carta à amiga Marie von Schleinitz[6]: "[...] tenho, porém, um comentário para cada sentença que li" e ela percebe apenas influências externas: "Muitas coisas influíram neste triste livro! Por fim, juntou-se a tudo isso ainda Israel na figura de certo Dr. Rée, muito polido, muito frio, de certa forma contaminado e subjugado por Nietzsche, na verdade, porém, enganando-o. Retrata, por assim dizer, a relação entre a Judeia e Germânia [...]." Os "parceiros" principais são: Schopenhauer, Wagner, a teologia dogmática cristã, a estética romântica e o culto ao gênio, mas também a atualidade política: a inquietação urgente dos partidos socialistas, reunidos na Alemanha desde 1875, com seu programa marxista, que, em maio e junho de 1878, levaram aos atentados contra o Imperador Guilherme I e, como reação a estes, às "Leis antissocialistas" de Bismarck, de 21 de outubro de 1878. Em 21 de outubro de 1877, ou seja, exatamente um ano antes, uma pequena maioria do povo suíço havia votado a favor de uma lei nacional que protegia os direitos dos operários de fábricas. Como revelam as cartas de Jacob Burckhardt, este se interessava vividamente por esses desenvolvimentos e deve tê-los discutido também com Nietzsche.

Tão variados são estes parceiros, que se alteram de forma muitas vezes súbita, como que aleatória; às vezes, eles se ofereciam a Nietzsche por acaso; na maioria das vezes, porém, ele os escolhia conscientemente. No entanto, a alteração ocorre também em escala maior, como no caso de "Humano, demasiado humano". O que surpreende nesta obra é, por um lado, a ampliação do horizonte, que agora se estende a problemas até então ignorados; suas considerações não se limitam mais ao "horizonte de Bayreuth", mas é o mesmo cético Nietzsche que indaga a origem de todos os juízos, opiniões e crenças tradicionais e que analisa sua validade, que pretende demonstrar todas as sentenças humanas como estipuladas pelo homem e não como oriundas da transcendência e que considera esse processo de definição e estipulação como algo inacabado, como tarefa contínua, seja na forma de uma "tarefa cultural" ou de um problema ético.

Novo é também o estilo, a forma de comunicação por meio do aforismo. Mas isso diz respeito apenas à forma, não à essência, e precisamos nos perguntar se Nietzsche realmente teria encontrado no aforismo a forma mais adequada ao seu ser, como muitos alegam. Certamente era a forma mais adequada à sua doença, que não lhe permitia outro modo de trabalho. Mesmo assim, o livro não se perde numa lista incoerente de anotações aforísticas. A obra se divide em nove "seções principais" (a tradução exata da palavra "capítulo"), e ao longo de todo o livro encontramos ensaios maiores ou grupos de "aforismos". Em parte, resultaram de anotações para escritos originalmente planejados como "Considerações extemporâneas", como já foi demonstrado. Aquilo, porém, que vincula o livro ao passado e o insere organicamente na sequência de seus escritos anteriores, se expressa claramente no prefácio à segunda parte da segunda edição, que Nietzsche escreveu em setembro de 1886: "Deve-se falar apenas quando não se pode ficar calado; e falar apenas daquilo que se *superou* – todo o resto é falatório, 'literatura', falta de disciplina. Meus escritos falam *apenas* de minhas superações: "eu" estou neles com tudo que me foi hostil... Adivinha-se: já tenho muito – *por debaixo* de mim. Mas sempre precisei de tempo, da convalescença, do distante, da distância para que surgisse em mim o desejo de, posteriormente, escorchar, explorar, expor, 'representar' algo vivido e superado, qualquer *factum* ou *fatum* próprio. Neste sentido, todos os meus escritos devem – com uma única, mas essencial exceção ('Zaratustra') – ser *antedatados* – [...] algumas até, como as três primeiras Considerações extemporâneas, antes do período de origem e vivência de um livro primeiramente publicado (o 'Nascimento da tragédia') [...]. Até mesmo meu discurso triunfal e festivo em homenagem a Richard Wagner [...], uma obra que ostenta a mais forte aparência de 'atualidade', era, no fundo, uma demonstração de respeito e gratidão diante de uma parte do meu próprio passado, da mais bela, mas também mais perigosa calmaria da minha travessia – e na verdade um despreendimento, uma despedida... Enquanto ainda amamos, não conseguimos pintar este tipo de imagens; ainda não 'contemplamos' [...] 'A contemplação exige um misterioso *antagonismo*, o de encarar de frente' [...] como diz a página 46 do escrito acima citado com uma formulação reveladora e melancólica, que talvez se destinava apenas a poucos ouvidos".

### O impacto do novo livro

Alguns possuíam estes ouvidos; aparentemente, também Heinrich Köselitz. Seus elogios e seu entusiasmo, porém, não pesam muito, pois ele se entusiasmava com tudo. Ele fazia críticas produtivas a detalhes, a formulações, palavras ou orações, mas jamais teve uma distância crítica em relação à obra de Nietzsche. Ainda no início de março de 1880, ele demonstra de forma ingênua e com consequências críticas que ainda não compreendera o tamanho do abismo que se abrira entre Nietzsche e o mundo de Wagner. Durante sua estadia em Riva na companhia de Nietzsche, ele escreve a Overbeck em 26 de março de 1880[188]: "Na segunda semana, Nietzsche me disse que, se eu quisesse tocar, que tocasse algo [...]. Naquela noite, então, toquei [...] toda a grande cena com as filhas do Reno no terceiro ato da 'Aurora dos deuses'. Foi um erro terrível: Nietzsche, que possui uma relação pessoal com esta cena, sofreu horrores; quando subi para o seu quarto, encontrei-o abatido, e ele me implorou que jamais voltasse a tocar essa música louca e distorcida. [...] Disse-me que já não suportava mais a música, muito menos a wagneriana. Fiquei profundamente abalado com o fato de ter causado tamanha dor a Nietzsche; *eu não fazia ideia* [...]".

Jacob Burckhardt, por sua vez, reconheceu que seu jovem colega finalmente conseguira escapar do mundo wagneriano, que lhe era tão abominável. No fundo, Burckhardt nutria uma simpatia pelo homem talentoso, caso contrário dificilmente teria lhe perdoado seu fascínio por Wagner e convivido com ele em termos amigáveis. Quanta magnanimidade, misturada com pesar e afeto por Nietzsche, se expressa no agradecimento que ele transmite à Sra. Marie Baumgartner após receber dela a sua tradução para o francês de "Richard Wagner em Bayreuth" em 8 de fevereiro de 1877[61]: "E agora contemplo com admiração a sua obra. Quando comparo as passagens mais difíceis com o original verdadeiramente difícil, vejo que a senhora lhes deu clareza e transparência. Trata-se de reproduzir [...] um manifesto em francês para orientar os pensadores de todas as regiões sobre a importância do evento de Bayreuth. O original profundamente alemão [...] precisou ser traduzido para o espírito europeu [...]. Quando Nietzsche reflete de modo tão intimamente alemão, de forma que uma tradução parece impossível [...] basta ler sua tradução para entender como algo espiritual pode ser esclarecido por outro espírito. Confesso que a ênfase religiosa do apóstolo, tão próprio de Nietzsche, ajuda ao leitor e ao tradutor a superar até as passagens mais difíceis; um tratado meramente estético, sem esse curioso fogo propagandístico, teria permanecido intraduzível". Ao mesmo tempo em que aceitava o "fogo propagandístico" de Nietzsche como elemento que o impulsionava, ele abominava o fogo demoníaco de Wagner, que nada produzia além de barulho. Numa carta ao amigo Max Alioth em Basileia de 31 de agosto de 1877, sem nenhum motivo aparente, Burckhardt tenta descartar Wagner de forma jocosa[61]: "Um bom amigo leva uma pessoa totalmente surda, de certa forma como *dernière ressource*, a uma ópera de Wagner, e no 4º ato, sua surdez é curada, mas no 5º ato seu bom amigo se torna surdo". Burckhardt não consegue nos convencer totalmente, pois nos dias e nas semanas anteriores ele havia assistido várias vezes à ópera "Aida", de Verdi, igualmente barulhenta. Sobre o 2º final (com a famosa marcha triunfal no estilo da Grande Ópera de Meyerbeer), escreveu a Max Alioth em 27 de agosto de 1877: "Desta vez, o final do segundo ato me elevou às mais extremas alturas!" Por outro lado, observou com prazer malicioso: "O espetáculo wagneriano já parece estar ruindo, mas, mesmo moribundo, tentará bater para todos os lados e certamente causará bastante prejuízo". Em vista disso tudo, Burckhardt certamente se sentiu bastante aliviado ao encontrar Nietzsche "curado" do vírus wagneriano e encantado com a magia do sul. Assim, o convívio se tornou mais aberto. Entendemos agora também as visitas de Burckhardt e a surpresa de Malwida von Meysenbug diante de sua participação vigorosa nas conversas na Gellertstrasse 22 – e ao ver essa transformação de seu amigo documentada também no livro, Burckhardt recomendou a nova obra de Nietzsche também ao seu amigo Freiherr von Preen: "Você percebeu como Nietzsche executa em seu livro uma meia-volta para o otimismo? Infelizmente, sua saúde (uma visão totalmente fraca e uma eterna dor de cabeça com ataques violentos quase diários) não é a razão para essa transformação. É um homem extraordinário; possui um ponto de vista peculiar e pessoal para tudo". E em 31 de maio de 1878 Nietzsche escreve a Köselitz que Burckhardt "repetidas vezes o chamou de 'o livro soberano'". Já em 12 de maio, havia escrito o mesmo a Paul Rée[12].

Em 30 de maio de 1878, no dia do centenário de Voltaire, Nietzsche experimentou uma alegria extraordinária em virtude do seu livro: uma pessoa anônima lhe enviou de Paris um busto de Voltaire, com cujo espírito ele havia sentido uma afinidade imediata durante a visita de seu refúgio em Ferney, em 6 de abril de 1876. Nunca foi possível descobrir a identidade desse doador sensível. Teria sido alguém do círculo Monod-Meysenbug ou a própria Sra. Louise Ott?

Paul Rée viveu uma alegria e um entusiasmo completamente diferente. Rée já havia acompanhado as fases iniciais do livro em Sorrento. Agora, porém, ao vê-lo impresso diante de si, não conseguiu conter sua admiração e não hesitou em expressá-la em cartas comoventes e em reconhecer sem ressalvas o quanto via Nietzsche como superior a ele mesmo. Essas linhas expressam um laço profundo e uma harmonia filosófica quase absoluta, e compreendemos agora a queixa de Nietzsche sobre o vazio que sua despedida de Sorrento havia criado. O livro era um monumento em homenagem a dias plenos. Em 24 de abril de 1878, Nietzsche escreveu uma carta que acompanhou a cópia de seu novo livro para Paul Rée (a única carta que ele escreveu dessa vez em virtude de sua visão fraca). A carta fecha com as palavras[12]: "O livro *pertence* ao senhor – os outros apenas o recebem".

A experiência de Rée se reflete em suas cartas, por exemplo, em 10 de maio[12]: "Ah, querido amigo, que surpresa maravilhosa! Estou fora de mim de alegria e devorei o livro como um animal selvagem faminto. Esses temas, que me interessam mais do que quaisquer outros, e as mil lembranças pessoais ligadas a quase cada oração – transformam este livro em livro dos livros. Sinto-me como alguém que vivencia algo que ele já havia sonhado antes [...] mas que depois esqueceu [...] e agora ele (o sonho) se apresenta a mim em carne e osso [...]. Vejo meu próprio eu ampliado e projetado sobre o mundo. Se o senhor me permitisse a ousadia, eu diria: que tipo de homem é o senhor – homem não, um conglomerado de homens: enquanto cada um de seus amigos de dons tão diferentes se tortura para fortalecer o talento – o único que possui – e adquirir alguma fama, reunindo para isso todas as suas forças, o senhor possui todos esses talentos tão diversos... Se os alemães, após lerem este livro, não se transformarem em amigos da psicologia, emigrarei para a França. E também todo o resto – o título, o formato, a impressão, Voltaire, os números, tudo me parece muito bem-feito". Dez anos mais tarde, Nietzsche responderia à pergunta de Rée: "Que tipo de homem é o senhor?" com o "Ecce homo". Após várias tentativas fracassadas de obter sua habilitação, como agora também em Jena, Rée vivia isolado na propriedade paterna de Stibbe, aprofundando-se cada vez mais no livro de Nietzsche. Em junho, ele volta a escrever[12]: "Se contemplarmos as massas de livros que acabamos de analisar – quantos existem entre eles que realmente provocam um efeito agradável, aquela atmosfera aconchegante e contemplativa (semelhante à sensação do corpo após o consumo de uma taça de vinho forte)? Dois ou três. Para ser sincero, tive essa sensação de agrado espiritual apenas após a leitura de Eckermann. Devo ao senhor cadernos e cadernos de reflexões provocadas direta e indiretamente pelo seu livro. E eu tive a sorte de estar bem-equipado para o seu livro, porque tinha lido muito Comte recentemente". Aqui, Rée repete uma impressão de Burckhardt, que também havia observado uma tendência para o otimismo filosófico, para o positivismo, que não podia ter sua origem no estado de saúde de Nietzsche.

Os velhos amigos de Nietzsche não compartilharam dessa alegria. Wagner em Bayreuth ficou escandalizado, e a Sra. Cosima sentiu tristeza. Nietzsche não se importou tanto com a decepção de Lipiner e de seu círculo de admiradores em Viena. A impertinência de Lipiner não lhe agradava, e Nietzsche ficou bastante aliviado por não ter que se livrar dele por meio de um conflito pessoal. Em 12 de agosto de 1878, Nietzsche escreve à irmã: "Uma carta de Lipiner, longa, que fala de forma significativa sobre *ele*, mas de tremenda impertinência contra mim. Livrei-me *deste* 'admirador' e de seu círculo – respiro agora com maior facilidade. Seu sucesso me importa muito, eu não o confundo com suas características judias, que não são culpa sua".

A própria irmã guardava uma ressalva em seu coração, que ela conseguiu ocultar do seu irmão, mas que, mesmo assim, veio a se manifestar com o decorrer do tempo. Ela se sentiu magoada em sua confissão cristã; ela possuía uma fé emocional, que não podia ser refutada com argumentos racionais e que resistia à razão mais aguçada, pois residia em um lugar além de qualquer lógica. Apenas 20 anos mais tarde, ela confessa em sua biografia[86] que a dissolução de seu lar compartilhado trouxera certo alívio para ela, pois assim se esquivara da necessidade de professar-se contra seu irmão amado e admirado.

Malwida von Meysenbug tentou defender Nietzsche e seu livro contra a crítica excessiva de Bayreuth e até chegou a demonstrar seu agrado com algumas passagens, que ela já conhecia desde Sorrento, mas já não era o mesmo consentimento irrestrito que demonstrara em relação às obras anteriores. Sobretudo, mostrou-se decepcionada com as declarações de Nietzsche sobre "a mulher". E justo nesse ponto ela demonstra uma inconsequência semelhante àquela que Burckhardt demonstrara em relação a seu entusiasmo pela "Aida": em momento algum Nietzsche alcança o grau e a intensidade dos ataques de Schopenhauer contra a mulher, pelo qual Malwida mesmo assim preservou sua admiração. Em seu livro "Individualidades", Malwida escreve: "Muitos destes aforismos eram espirituosos e certeiros; outros, porém, me desagradaram, não me pareciam dignos de Nietzsche". Ela considerava sua crítica precoce, pois acreditava que ele não conhecia as pessoas e a sociedade o bastante, que ele havia vivido em círculos restritos demais "para poder professar verdades gerais com tamanha sucintez"[53]. No início, comunicou a Nietzsche essa crítica na forma de um esfriamento considerável de seus afetos e de uma diminuição notável da correspondência.

E também o amigo Overbeck, o companheiro da "Caverna dos Baumann", mostrou-se constrangido pelo novo livro – ou teria sido a sua esposa que, semelhantemente a Malwida, sentiu-se denegrida como mulher? Em todo caso, Rohde escreveu a Overbeck em 16 de junho[6]: "Também para mim, o livro mais recente de Nietzsche com seu título infeliz tem sido objeto contínuo de minha surpresa, em grande parte, de surpresa dolorosa. Compartilho plenamente seus sentimentos e, por isso, não preciso acrescentar nada às suas impressões".

Enquanto Overbeck aparenta ter compartilhado suas impressões apenas com seus amigos, Rohde atacou Nietzsche diretamente e, em 16 de junho, escreveu-lhe uma longa carta, que trata da problemática de forma inteligente e até amável. Nessa carta, Rohde demonstra suas qualidades filológicas, pois é o único crítico que reconhece as fontes: por trás de Rée, os sensualistas franceses. A crítica principal de todos os amigos ao novo livro se resume à alegação de que Nietzsche teria "se transformado em Rée" (nas palavras de Rohde). Rée, por sua vez, havia dedicado seu livro "Vom Ursprung der moralischen Empfindungen" (Sobre a origem dos sentimentos morais), publicado em 1877 pela editora de Schmeitzner, a Nietzsche com as palavras: "Ao pai deste livro, em gratidão – a mãe". Nietzsche esclarece a situação da forma mais simples com uma expressão insuperável e típica de Nietzche em sua carta a Rée de 24 de abril[12]: "[...] nós dois passarinhos cansados de voar não temos nada melhor a fazer do que ficarmos sentados num mesmo galho pipilando um com o outro". Trata-se da solução familiar aos filólogos de procurar pela raiz comum quando se torna impossível definir as dependências entre autores amigos. Nietzsche e Rohde conheciam isso desde seu trabalho crítico com as fontes de Diógenes Laércio. E quando, no final de sua carta, Rohde escreve: "De resto, seu livro é tão rico em objetos e pontos de vista que só posso lhe agradecer profundamente por esta bênção. Desfruto as passagens em partes e encontro em tantos pensamentos o velho e imutável Nietzsche, ainda ileso das matutações de Rée, de forma que meu coração lhe segue em antiga paixão e admiração pelos corredores profundos *destas* considerações", acrescenta em tom de tristeza: "[...] só consigo ler o livro esporadicamente, a leitura é tão lenta [...] de modo que ainda não consegui passar da metade: e as ervas terápicas que encontrei até agora parecem ter crescido por acaso, aleatoriamente arrancadas e não plantadas propositalmente. Como você pode imaginar, minha surpresa com esta mais recente obra nietzscheana foi grande: é assim que se sente alguém que é transferido diretamente de um *caldarium* para um *frigidarium* gélido! Digo então com toda sinceridade, meu amigo, que essa surpresa trouxe também sentimentos dolorosos. Como alguém pode se despir de sua própria alma e se revestir com outra? Deixar de ser Nietzsche e transformar-se em Rée? Ainda me admiro diante deste milagre e não consigo sentir alegria nem ter uma opinião determinada: pois ainda não o consigo compreender".

Dura, e sem a mínima tentativa de compreender o livro, foi a reação em Bayreuth. Na lembrança tardia do "Ecce homo", Nietzsche resume o conflito numa visão[5]: "Quando, por fim, o livro já pronto me chegou às mãos – [...] mandei, entre outros, também dois exemplares para Bayreuth. Por um milagroso acaso, chegou-me simultaneamente um belo exemplar do texto de Parsifal, com uma dedicatória de Wagner: 'Ao seu fiel amigo Friedrich Nietzsche, Richard Wagner, conselheiro eclesiástico'. – O cruzamento dos dois livros foi para mim como se ouvisse um som agourento. Não tiniu como se espadas se tivessem cruzado? [...] De qualquer modo, ambos sentimos assim: por isso, ambos nos calamos. – Na altura, apareceram as primeiras folhas de Bayreuth: compreendi então que chegara o grande momento. – Incrível! Wagner tornara-se beato..."* Já dois anos antes dessa passagem no "Ecce homo", Nietzsche havia escrito no prefácio à segunda parte de "Humano, dema-

---

\* NIETZSCHE, F. *Ecce homo.* Op. cit., p. 67.

siado humano": "Richard Wagner, aparentemente o mais vitorioso, na verdade um romântico apodrecido e desesperado, de repente, impotente e derrotado, ajoelhou-se diante da cruz cristã... Será que, na época, nenhum alemão teve olhos, nenhuma compaixão em sua consciência para este drama assombroso? Era eu o único que com ele – *sofreu*?"

Nietzsche recorreu à técnica dos poetas ao concentrar assim os fatos históricos. Na verdade, o livro "Humano, demasiado humano" só chegou a Bayreuth em 25 de abril de 1878, ou seja, cinco meses após Nietzsche, ainda antes de completar o manuscrito de "Humano, demasiado humano", ter recebido em 3 de janeiro o texto do "Parsifal", e os Wagner não o receberam de suas mãos, pois em 6 de maio Nietzsche reclama ainda não ter recebido sua cópia pessoal. Não é a única passagem no "Ecce homo" cuja acuracidade biográfica precisa ser contestada, pois nele Nietzsche não representa, mas interpreta sua vida. Aparentemente, Nietzsche leu o texto do "Parsifal" imediatamente, pois já em 4 de janeiro escreveu ao Freiherr von Seydlitz: "Impressão após a primeira leitura: mais Liszt do que Wagner, espírito da Contrarreforma; eu, mais acostumado à visão geral grega e humana, acho tudo isso temporalmente limitado demais ao cristianismo; somente psicologia fantástica; nenhuma carne e um excesso de sangue (sobretudo na Última Ceia); depois, não gosto de mulheres histéricas; muita coisa que o olho interior ainda consiga suportar se tornará insuportável na apresentação: imagine nossos atores em oração, tremendo e com pescoços arrebatados. O interior do castelo do graal não *pode* ter o efeito desejado no palco, tampouco o cisne ferido. O lugar de todas essas belas invenções é a poesia épica, destinadas ao olho interior... Mas as situações e sua sequência – não é isso poesia da mais sublime? Não é ela um último desafio da música?"

Nietzsche faz objeções estéticas à forma: a transferência do tema épico para uma forma dramática, a ser executada visualmente, exterioriza objetos que só a poesia épica pode verbalizar para que sejam executados pela fantasia do leitor, pois trata-se de *pudenda*, que exigem o respeito à relação pessoal de cada indivíduo com esses fatos. E neste ponto Nietzsche se revela como muito sensível. O graal, a sociedade do graal, o interior do templo e o próprio Parsifal em seu simbolismo de Cristo não chegam a ser *sancta* (intocáveis), mas são sim para ele *pudenda* (objetos que precisam ser tratados com reverência contida), de forma que ele não aceita entregá-los aos cuidados de atores, que ele não considera críveis, "puros" o suficiente para representá-los. Com isso professa também um juízo ético contra os atores – e também contra Wagner quando o apresenta como *o* ator, questionando assim a credibilidade de sua obra, um aspecto no qual os wagnerianos e os círculos religioso-eclesiásticos ainda se confrontam como adversários irreconciliáveis. Para

642

alguns, porém, o "Parsifal" de Wagner realmente emana uma aura religiosa, uma revelação mística, e estes sentem a necessidade de assistir anualmente à obra na Semana Santa, como demonstram as discussões acirradas sobre os programas dos teatros – para outros, trata-se de uma insolência blasfêmica do teatro. O próprio Wagner esclareceu a questão, infelizmente, porém, apenas na presença de Cosima (em 20 de outubro de 1878), quando comentou um ensaio de Wolzogen[258]: "Ele foi longe demais ao chamar o Parsifal um retrato do Salvador. Ao escrever a obra, nem pensei no Salvador".

Nietzsche não vai tão longe assim. Para ele, o teatro simplesmente não é o lugar adequado, e ele também não considera a poesia épica capaz de esgotar o tema: em *sua* opinião, é novamente a música que se vê desafiada a expressar o que apenas ela é capaz de representar, e certamente ele se lembra (mais tarde, ele o dirá explicitamente) de suas próprias tentativas de encontrar na música o meio de expressão para aquilo que o comovia em termos religiosos. A reverência e o respeito com que vê ainda agora o fundador do cristianismo se manifestam numa passagem do aforismo 475 na primeira parte de "Humano, demasiado humano", onde defende os judeus com o seguinte argumento: "Apesar disso gostaria de saber o quanto, num balanço geral, devemos relevar num povo que, não sem a culpa de todos nós, teve a mais sofrida história entre todos os povos, e ao qual devemos o mais nobre dos homens (Cristo), o mais puro dos sábios (Spinoza), o mais poderoso dos livros e a lei moral mais eficaz do mundo"*. E, anos mais tarde, escreve no "Zaratustra" (1. "Da morte livre"): "[...] morreu demasiado cedo aquele hebreu [...] retratar-se-ia da sua doutrina se tivesse vivido até a minha idade! Era nobre o bastante para se retratar!" Aquilo que Nietzsche ataca agora e também mais tarde no "Anticristo" é o cristianismo paulino, a teologia dogmática, a pretensão de verdades metafísicas, por fim, a classe sacerdotal; jamais, porém, a pessoa de Cristo. Por isso, também não permite que Wagner abuse dessa pessoa ou de seus símbolos (como Nietzsche constata no "Parsifal"). Nietzsche conhece o trajeto de Wagner, seu espírito "demasiado humano" cunhado pelo ateísmo de Feuerbach. Para ele, Wagner não merece credibilidade como criador de um drama sobre os mistérios cristãos, tampouco quanto as mídias que ele aciona: os atores e todo o teatro da ópera moderna. Talvez, agora, Nietzsche teria confessado com uma convicção ainda maior do que em sua carta a Rohde de 30 de abril de 1870, onde escreve: "Nesta semana, assisti três vezes à Paixão segundo

---

* NIETZSCHE, F. *Humano, demasiado humano*. São Paulo: Companhia das Letras, 2000 [Trad. de Paulo César de Souza].

São Mateus do divino Bach, e cada vez com o mesmo sentimento de infinito deslumbramento. Aquele que se esqueceu completamente do cristianismo ouve-o aqui realmente como evangelho".

Quando Wagner lhe enviou o "Parsifal", Nietzsche permaneceu calado: Seu silêncio magoou Wagner, mas a princípio este ainda tentou desculpá-lo com as circunstâncias externas (como a doença de Nietzsche). Na carta a Overbeck de 24 de maio de 1878, ele lamenta[188]: "Seus sucintos comentários me dão a entender que nosso velho amigo Nietzsche se isolou também do senhor. Certamente ele passou por algumas transformações profundas, mas quem o observou já anos atrás em seus conflitos psicológicos não pode se surpreender com a catástrofe que há muito o ameaçava. Preservei por ele a minha amizade, decidi – após folheá-lo – não ler o livro, e desejo e espero apenas que, um dia, ele me agradeça por isso". Aos poucos, porém, a decepção e a raiva prevaleceram. Wagner não podia ignorar o abandono público de Nietzsche, que o magoou também como amigo paternal. Wagner chegou a romper com o editor Schmeitzner, que até então havia publicado os "Bayreuther Blätter", além do livro do judeu Paul Rée, fato que não agradou a Wagner. Em 26 de maio de 1878, Schmeitzner relata o ocorrido a Köselitz[6]: "O sexto número dos 'Bayreuther Blätter' será o último publicado pela minha editora, Wagner não quer – como me informou por intermédio do servilão Wolzogen – perturbar a homogeneidade da minha editora. Malditos covardes! Ah, todos eles exalam o fedor da igreja. A Sra. Wagner vai à igreja, ele também, 'mesmo que apenas raramente', como ele mesmo diz. Wagner não lê o livro de Nietzsche... Wagner é inescrupuloso e arrogante o bastante para ignorar Nietzsche até a morte. Ele me disse que as pessoas leem Nietzsche apenas enquanto este agradar a ele (Wagner) [...]. Disse ainda algumas coisas maliciosas sobre Nietzsche que jamais esquecerei, as quais, porém, jamais compartilharei com Nietzsche e seus amigos [...]. O senhor deveria ter ouvido os ataques contra os judeus e Bismarck em Bayreuth! [...] Bem-aventurado aquele que não se envolve com Wagner! – Que ser humano diferente é Nietzsche! O senhor já deve saber que, quatro semanas atrás, eu me encontrei com Nietzsche e Rée em Leipzig. Fiquei comovido com o amor e calor deste homem".

Schmeitzner fez uma visita a Bayreuth em 9 de maio de 1878, e a decepção parece ter sido grande de ambos os lados. Cosima o descreve como "senhor curioso" e acredita que fariam bem se publicassem os "Bayreuther Blätter" na própria Bayreuth. E Schmeitzner nem deve ter ouvido o pior, pelo menos não no que dizia respeito à doença de Nietzsche, pois o Dr. Eiser fez sua primeira visita a Bayreuth apenas em 18 de maio, ou seja, após a partida de Schmeitzner.

A maior decepção para Wagner foi, sem dúvida, o fato de Nietzsche ter abandonado o fundamento da filosofia schopenhaueriana, de ele ter declarado guerra a ela, negando assim também o embasamento metafísico da música, questionando, portanto, a posição e o valor da arte *e* do artista. Ainda em dezembro de 1877 (no dia 17), Wagner, numa conversa com Wolzogen, havia professado sua lealdade férrea a Schopenhauer[258]. Quando Nietzsche abandonou este solo comum, abriu-se um abismo insuperável entre eles. Wagner viu o caminho de Nietzsche como equívoco total, como jogo de um tolo filosófico. Por isso, sentiu-se várias vezes inclinado a reagir com zombaria ao livro de Nietzsche. Em 28 de maio, queria "dar-se o prazer de enviar um telegrama ao Prof. Nietzsche parabenizando-o pelo aniversário de Voltaire". Cosima, porém, conseguiu impedi-lo e "favoreceu aqui e em outros aspectos o silêncio". Wagner não conseguiu permanecer fiel à sua intenção inicial de não ler o livro. Sua decepção, sua indignação era grande demais. Iniciou a leitura já em 29 de abril, compartilhando algumas passagens com Cosima. Ela anota em seu diário: "É difícil não falar sobre o triste livro do amigo Nietzsche". No dia seguinte, "o mísero livro de Nietzsche" leva Wagner a dizer a Cosima: "Nós permaneceremos fiéis um ao outro" – provavelmente no que diz respeito ao fundamento espiritual. E agora começam também a se ocupar com as premissas filosóficas de Nietzsche. Em 12 de junho, Cosima diz a Wagner: "Não entendo como certas pessoas (!) se deleitam com determinados livros, como, por exemplo, com a 'História do materialismo' (de Fr. A. Lange)", e Wagner responde: "No fundo, são ignorantes que acreditam que o conhecimento precisa vir com um estrondo". Evidentemente, falam também sobre a influência de Paul Rée, e Wagner diz em 24 de junho: "Compreendo por que o convívio de Rée lhe agrada mais do que o meu". E quando Cosima levanta a suspeita de que os escritos anteriores de Nietzsche não teriam partido de seu íntimo, que antes teriam sido "reflexos", Wagner responde: "E agora são reflexos".

E quando Cosima anota em 9 de junho: "O livro de Nietzsche causa grande sofrimento entre os amigos", ela parece usá-lo como justificativa para suas próprias dificuldades. Até o final de junho, Wagner encerra a leitura do livro e acrescenta uma breve leitura de Voltaire. Pouco antes, em 31 de maio, ele já havia menosprezado a "superficialidade que levou o espírito de Voltaire a rejeitar o Cristo e a preservar Jeová", contrapondo-o a Renan – que, mais tarde, seria rejeitado por Nietzsche!

As conversas sobre Nietzsche se mantêm durante um ano inteiro, e Wagner sofre até pesadelos. Confessa: "Não é fácil esquecer... o círculo é pequeno demais. Sempre voltamos para as mesmas experiências". Para ele, a despedida, a perda foi definitiva, pois não havia mais nenhum solo filosófico comum que tivesse permitido um encontro consensual. Mas não era esta a visão de Nietzsche.

Ele ainda não acreditava numa ruptura pessoal definitiva; a despeito de todas as diferenças filosóficas, ainda acreditava na possibilidade de uma relação baseada em respeito pessoal. Ainda em 11 de junho de 1878 ele confessa isso ao Freiherr von Seydlitz, mas reconhece a dificuldade que a diferença geracional representa para Wagner: "Desejo muito que um dos meus amigos demonstre algum sinal de bondade e amizade aos Wagner; pois eu me vejo cada vez mais incapacitado de alegrá-lo (pois ele é o que é – um homem *velho* e imutável). Nossos esforços correm em direções diametralmente opostas... Se ele realmente conhecesse a minha opinião sobre sua arte e seus planos, ele me consideraria um de seus piores inimigos – o que eu não sou".

No início de agosto, em um comunicado à wagneriana Mathilde Maier, Nietzsche expõe sua relação com Wagner com uma clareza e objetividade que ele nunca mais alcançaria[90]: "[...] e da *grandeza* de Wagner poucos podem ter tanta convicção como eu: porque poucos a *conhecem* como eu. Mesmo assim, transformei-me de um adepto incondicional em um adepto condicional [...] Como aconteceu com minha própria fase dos últimos dez anos – eu a aceito, mas conheço um ponto de vista mais elevado. No que diz respeito a Wagner, eu havia visto o sublime, o ideal – foi *com isto* que vim a Bayreuth, *daí* a minha decepção".

Wagner decidiu essa situação ainda incerta ao partir enérgica e publicamente para o contra-ataque. Nas edições de agosto e setembro dos "Bayreuther Blätter", publicou um panfleto intitulado de "Público e popularidade"[260], no qual, sem mencionar o nome de Nietzsche, mas de forma absolutamente evidente para quem entendia um pouco do assunto, pisoteou as máximas, as posições filosóficas de Nietzsche, tentando ridicularizá-las como academismo débil e arrogante. – Isso entristeceu Nietzsche. Ele não havia esperado um ataque de tamanha perfídia. Em 10 de setembro de 1878 enviou um cartão postal a Schmeitzner, dizendo[124]*: "Chegou a ginástica de cura + + + + para seus bons votos, visto que si + + + + muito a desejar. – Hoje + + + Pedido: Envie-me os 'Bayreu + + + não mensalmente, mas dê + + + publicado ao longo do ano juntos. Por que deveria me obrigar a ingerir doses mensais de saliva raivosa wagneriana. Quero poder considerar sua grandeza também no futuro com pureza e clareza: para tanto, preciso manter seu lado demasiado humano afastado de mim". Ou seja: Nietzsche continua lendo a revista; agora, porém, deseja recebê-la em lotes em intervalos maiores. Não sabemos se isso

---

* Infelizmente, um filatelista arrancou a ponta do selo, motivo pelo qual faltam trechos de cinco linhas.

incluiu um cancelamento formal da assinatura, mas Cosima soube de alguma forma que "Nietzsche deseja não receber mais as folhas", fato que ela relata a Wagner em 8 de novembro de 1878, e ele responde: "Isso me deixa feliz"[258].

A Overbeck, Nietzsche confessa em 3 de setembro: "Li agora a polêmica maliciosa e infeliz de Wagner contra a minha pessoa na edição de agosto dos 'Bayreuther Blätter': senti uma dor, mas não no local visado por Wagner".

Assim como Nietzsche havia "respondido" ao "Parsifal" com seu silêncio, Bayreuth agora fez o mesmo com "Humano, demasiado humano". Nos primeiros meses, Nietzsche aparentava suportar a separação com um comedimento surpreendente, ele se sentiu aliviado de um grande peso e livre para continuar com seu trabalho: escreveu "Opiniões e sentenças diversas", que constituiriam a primeira seção da segunda parte de "Humano, demasiado humano". Em junho de 1878, pôde escrever a Carl Fuchs, que havia reagido positivamente ao livro: "O ar em nossa volta está um pouco mais livre, mas também muito mais livre e puro do que na neblina do vale! Eu, pelo menos, sinto-me mais disposto e decidido a conquistar o bem – e também dez vezes mais clemente do que no início da minha atividade como escritor [...]: agora, ouso buscar a verdade e *ser* filósofo; antigamente, eu venerava os filósofos. Algumas das minhas paixões e felicidades desapareceram: mas troquei-as por algo muito melhor. Nos últimos tempos, a distorção metafísica me causava uma pressão na garganta, como se eu estivesse sufocando".

Mas em algum momento ele sentiu o peso do silêncio – principalmente de Cosima – e nutriu a esperança de que suas conversas amigáveis com ela serviriam mais uma vez como ponte para o reconciliamento com Wagner. Dessa vez, porém, ele se enganou. Cosima estava pessoalmente magoada, decepcionada em sua fé em uma pessoa próxima, e agora executou uma ruptura talvez ainda mais radical do que o próprio Wagner: queria apagar Nietzsche de sua memória, destruiu suas cartas; uma perda insubstituível para a pesquisa de Nietzsche! Elisabeth intercedeu em nome do irmão, escrevendo duas cartas a Cosima. Em 8 de janeiro de 1879, uma carta é entregue em Bayreuth na qual Elisabeth ousa dizer que o irmão gostaria de assistir a uma apresentação do "Parsifal", o que provoca apenas um "sorriso amargo" em Wagner[258]. Ele não acredita mais no poder de convicção das apresentações. E mais uma vez, em 28 de janeiro, "uma boa carta de E. Nietzsche nos leva a conversar sobre o triste livro de seu irmão, e Richard expõe o pensamento: "Com a veneração desaparece tudo, ela é a religião verdadeira; não posso ser livre de pecado como Jesus, mas posso venerar a liberdade de pecado e pedir perdão ao ideal quando o trair. Mas falta ao nosso tempo o senso de grandeza, não sabe reconhecer um grande caráter. Falta-lhe o laço com ele!" Cosima responde à carta de Elisabeth apenas no dia 1º de março[86]: "O livro do seu irmão me encheu com tristeza; sei que ele estava doente quando escreveu essas sentenças espiritualmente tão insignificantes, moralmente tão lamentáveis, quando ele, este homem profundo, tratou das coisas sérias com tanta superficialidade e falou de assuntos que não conhece [...]. Li apenas poucas passagens, pois estas me diziam que algum dia seu irmão me agradeceria minha ignorância referente a esta obra [...] sugiro que não falemos mais sobre isso, desconheço o autor desta obra; conheço o amor; porém, seu irmão, que nos deu tantas maravilhas, e isto sempre viverá em mim. [...] Sua linguagem me pareceu pretensiosa e desleixada [...]; em cada sentença [...] creio poder demonstrar superficialidade e sofística infantil, e que seu autor possa realmente acreditar que o 'Parsifal' exista para refutá-lo é sinal dessa arrogância, da qual Goethe fala, assim como o livro inteiro é um sinal de que o autor já não tinha mais a força para respeitar-se a si mesmo [...]. Recorro aqui mais uma vez à minha explicação fisiológica; uma organização fragmentada não suporta mais o poder de determinadas opiniões e sentimentos, sentindo-se compelido à traição pelo mal-estar [...]. E o fato de que o traidor não teve a força do silêncio e sentiu a necessidade de documentar seu estado interior por meio de insignificâncias espirituais e moralismos preocupantes me leva a dizer-lhe apenas com a mais profunda compaixão: 'Ah, seu pobre de espírito!' [...] E o fato de que o próprio autor parece não acreditar naquilo que escreve [...], esta é, infelizmente, a sensação [...] e foi isso que chamei de sofística, em relação à qual eu desejaria apenas que fosse mais brilhante e que os paradoxos passassem uma impressão de alegria desmedida, que nos descontrairiam com a tolice de um espírito irrefreado. Mas a pobreza e falsidade, a blasfêmia e mesquinhez, isso tudo é triste, e é com esta palavra de autêntica compaixão que encerro esta carta. Que a traição dê bons frutos ao autor! Como já disse, ele se encontra agora na companhia mais numerosa e abandonou um círculo muito pequeno".

O sentimento de Cosima não era totalmente equivocado: Nietzsche abandonou a comunhão cada vez mais fraca de uma era espiritual, uma era que se encerrou com Wagner, que começou a fazer parte da "história" já em 1876. Diferentemente de Cosima (e também de Hans von Bülow), Nietzsche não havia sido chamado para ser guardião dessa tradição, mas para ser arauto de uma nova era que já se anunciava com poder. Preocupada, a Família Wagner registrava em Bayreuth com a sensibilidade de um sismógrafo os mais fracos tremores causados pelas novas tendências, reconhecia também os judeus espirituosos que participavam dessa vanguarda e, por isso, reduziu apressadamente o problema ao antagonismo entre a tradição germânica e o judaísmo. Mas não se tratava disso; muito mais estava em movimento. O ser humano queria finalmente ser reconhecido em toda sua ameaça e miséria e ser liberto por meios terrenos. Estava cansado de ser alimentado eternamente com o maná metafísico. A literatura nórdica revelou esse tipo de impulsos em Ibsen, cuja peça "Os pilares da sociedade" havia sido publicada em 1877. A filosofia se interessava cada vez mais pela psicologia e sociologia e se apoiava nas ciências naturais. Também em 1877 encontraram-se Darwin e Rütimeyer em Londres, e isso certamente foi comentado em Basileia. E também Ernst Häckel estava causando furores. A música estava seguindo caminhos novos. Na música alemã, Brahms liderou o movimento antiwagneriano resgatando o respeito, o direito existencial da sinfonia; publicou suas duas primeiras sinfonias em 1876 e 1877. E Anton Bruckner, que escreveu cinco de suas sinfonias monumentais até 1877, foi reconhecido até pelo próprio Wagner – chegou a prometer a Cosima que, após o "Parsifal", escreveria apenas sinfonias para ela, uma por ano, apenas música "alegre"!

Da França partia uma forte vertente antirromântica. A primeira exposição dos "impressionistas" havia ocorrido em Paris já em 1874, e nomes como Manet e Rodin já começavam a conquistar os cadernos culturais; em 3 de junho de 1875, apenas três meses após a estreia de sua ópera "Carmen", morrera Georges Bizet. Na literatura, começava a se impor o Naturalismo, com o romance "L'assomoir", de Emile Zola. E o ensaio alcançou novas alturas como forma do discurso filosófico. E Nietzsche acompanhava tudo isso com atenção.

Já em 1871, imediatamente após a guerra, ele havia advertido contra os perigos da vitória alemã: a cultura francesa não estava derrotada, não perdera suas forças. Nietzsche também registrou os desenvolvimentos com a sensibilidade de um sismógrafo, mas não com uma postura de medo, não de uma posição ameaçada. E Basileia lhe servia como solo firme para isso. Aqui, existia uma abertura para o espírito francês. A Alsácia havia sido uma vizinha francesa até 1870, e a Suíça francófona se estende até o Jura, a menos de 40 quilômetros de Basileia e pertencia à Diocese de Basileia. Entre todas as cidades da Suíça de língua alemã, Berna e Basileia são as mais próximas às regiões francesas e, por isso, mais marcadas por elas, também as famílias tradicionais e de maior influência e até o vocabulário do dialeto alemão; no dialeto de Berna, a influência do francês se manifesta até na sintaxe (p. ex., na posição do verbo auxiliar). E também os laços comerciais com Paris e o sul da França (Lyon – Marseille) sempre foram muito fortes.

Nietzsche vivia numa atmosfera, num círculo cultural e, simultaneamente, numa nova era de magnitude europeia, da qual Cosima, por sua vez, havia se retirado e alienado em prol de seu empenho pela obra do "Mestre" já idoso, justo ela que, como filha de uma condessa francesa, estava predestinada mais do que qualquer outra a participar desse movimento.

É a imagem eterna de um destino verdadeiramente trágico: em sua humilde humanidade, os dois haviam nascido para a amizade, mas os poderes espirituais que os impulsionavam os colocaram em cursos contrários até a colisão frontal. Infelizmente, Cosima não se apercebeu do grande arco traçado pelo seu próprio caminho e de que havia fugido de seu chamado para ser uma intermediária entre duas culturas; ela viu apenas o desvio do amigo e se sentiu traída em sua própria causa, à qual ela se dedicara de modo tão incondicional. A alegação, que se ouve até hoje nos círculos wagnerianos, segundo a qual Nietzsche teria "traído" Wagner, é obra dela, é a maldição da mulher com a qual ela se vingou pela decepção pessoal. No entanto, deve ter ficado claro que Nietzsche não foi um "traidor" de seu amigo. As tensões são mais profundas, num nível que não diz respeito à "lealdade pessoal". E a observação de Cosima segundo a qual "algum dia seu irmão me agradeceria minha ignorância referente a esta obra", logo encontrará seu eco no aforismo 301 escrito na Engadina no verão de 1879, "O andarilho e sua sombra": "Uma prova do amor. – Disse alguém: 'Jamais refleti diligentemente sobre duas pessoas: trata-se da prova do meu amor por elas". Nietzsche está falando sobre seu relacionamento com Richard e Cosima Wagner. Ele só conseguiria resgatar seu amor e sua silenciosa veneração por eles se fechasse seus olhos para determinados traços de seu caráter – traços aparentes ao mundo inteiro.

O "pequeno círculo" de Cosima não comprou o livro (para quê, se o mestre e sua senhora não o liam!) e o "novo círculo" ainda não havia se formado; assim, transformou-se em fracasso editorial, sobre o qual Nietzsche tentou consolar o editor em 25 de junho de 1878[124]: "Não tenho como encorajá-lo; suas experiências são amargas, mas nós dois devemos nos esforçar para permanecermos 'doces', ou seja, bons frutos que não podem permitir que algumas noites ruins os estraguem! O sol voltará a brilhar – mesmo que não o sol de Bayreuth. Quem poderia dizer neste momento onde ele nasce e onde ele se põe, sentindo-se isento da possibilidade de algum equívoco? Não oculto, porém, que abençoo de todo coração a publicação do meu livro de luz num momento em que as nuvens negras se reúnem no céu cultural da Europa e em que a intenção de obscurecimento é considerada uma moralidade".

### O verão de 1878 no Oberland Bernês

Foi nesse clima que Nietzsche passou as férias de verão mais uma vez nas montanhas do Oberland Bernês, dessa vez em Grindelwald, na pensão simples localizada na Cordilheira do Männlichen, a uma altura de 2.227 metros acima do nível do mar e a 20 minutos do cume da montanha[146], que oferecia uma vista fantástica a Nietzsche: ao sul, a muralha dos Alpes bernenses com a Jungfrau em proximidade imediata, os vales de Lauterbrunnen com Wengen em primeiro plano e Grindelwald ao lado. Sobre os vales, a verde cordilheira dos Pré-Alpes desde a Schynigen Platte até o Faulhorn. Visto que ainda não existia uma ferrovia da Kleine Scheidegg, de onde a pensão pode ser alcançada em duas horas, a estadia na casa administrada pelo Sr. Bohren-Ritschard ofereceu a solidão que Nietzsche precisava para entreter seus próprios pensamentos.

Novamente, Nietzsche se refugiou nas montanhas, mas dessa vez sem qualquer efeito positivo sobre sua saúde. Em julho de 1878 inicia-se o *crescendo* fatídico de estados dolorosos que, numa intensificação ininterrupta, leva à catástrofe em abril de 1879.

Em julho, uma onda de calor havia paralisado toda a vida em Basileia. No final de semana de 20 e 21 de julho, Nietzsche fugiu para o Jura, para a "sua" Frohburg, mas confessa à irmã: "[...], quanto calor também ali! Mas pelo menos humanamente suportável. No almoço, 90 pessoas à mesa; não participei nem do almoço nem do jantar, pelas razões costumeiras, feliz por meu estômago não ter rejeitado o leite e os ovos crus". Finalmente chegou a sexta-feira de 26 de julho e, com este dia, também o fim do semestre. Nietzsche ainda escreveu a Marie Baumgartner: "[...] preciso limitar-me a algumas palavras de despedida, por mais que quisesse ter passado uma tarde de despedida em sua casa. Mas o 'destino' não o quis. A senhora conhece o meu destino, ao qual preciso me render. Agora, parto para as montanhas, para a maior solidão; parto, por assim dizer, ao encontro *comigo mesmo*".

No dia 26, porém, ele só deve ter chegado até Interlaken e, no sábado, no dia 27, em seu destino, o Männlichen, onde permaneceu três semanas, ou seja, até o dia 17 ou 18 de agosto. Não foi uma boa escolha: as mudanças climáticas eram grandes demais para sua constituição tão sensível. Nessa altura, já pode cair neve em agosto; em dias de sol, a temperatura pode alcançar 30° positivos; além disso, a cordilheira é exposta a um vento constante, o que sempre afetava a saúde de Nietzsche. Em 2 de agosto, ele escreve à mãe: "Queria apenas que minha saúde estivesse melhor! Dela depende se poderei permanecer aqui – o que desejo muito. Desde ontem, o clima está favorável". E em 13 de agosto: "Não estou bem, desconfio quase do ar alpino: ou seria o tempo constantemente ruim? Cabeça e estômago me causam grandes problemas, não tive uma hora de descontração. A região é a mais impressionante que já vi: mas falta-me o humor". Este só melhorou rapidamente em virtude dos esforços propagandísticos de Schmeitzner: ele havia enviado uma cópia de "Humano, demasiado humano" ao Chanceler Bismarck! E este observou apenas que os tipos latinos, usados para imprimir o livro, dificultavam a leitura de um texto alemão. Nietzsche comentou a ocorrência em 6 de agosto numa carta a Schmeitzner[124]: "Bem, meu prezado senhor editor, aí está a grande escrita do grande homem. Apesar de agradecer com tanta educação, creio eu, e digo isso em todo sigilo, que, caso realmente venha a ler o livro, ele o jogará contra a parede. Mas seu alvo sou eu, não o senhor". Mas em 3 de setembro ele volta a se ocupar com essa crítica e escreve a Schmeitzner: "Concordo com Bismarck, *enquanto* os jornais alemães forem impressos como até agora. Os tipos latinos servem para alguns livros, pois impedem uma leitura apressada. Falaremos mais sobre isso no Natal, quando espero poder vê-lo". Mas este encontro no Natal não ocorreu. Wagner também ficou sabendo desse episódio por meio de Schmeitzner. Em 12 de janeiro de 1879, ele escreve[258]: "Esse *junker* ignorante da Pomerânia, que não sabe como se pronunciou o homem alemão Jakob Grimm sobre o assunto". (Grimm defendeu a escrita minúscula em tipos latinos, o que foi imitado por Wilamowitz.)

Além do cartão postal que Mathilde Maier recebeu em 8 de agosto e uma breve notícia a Paul Rée de 10 de agosto, Nietzsche nada mais informa sobre sua estadia de três semanas nas montanhas. O plano de uma permanência mais longa foi frustrado, e Nietzsche se viu obrigado a retornar para Interlaken, onde se hospedou no Hotel de Unterssen. Aqui, permaneceu mais ou menos um mês, até o dia 17 de setembro. Em 25 de agosto ele informa Overbeck e sua mãe sobre a mudança. "Agora, deposito minha esperança em Interlaken, onde me instalei como em março, quando estive em Baden. Mas não vejo progresso. Talvez tenha que me socorrer nos braços do Dr. Wiel em Uetli." Ele informa o novo endereço também a Schmeitzner e observa, respondendo à informação sobre os ataques de Wagner nos "Bayreuther Blätter": "O fato de Wagner ter levado ao público suas objeções contra mim me é muito bem-vindo, odeio quaisquer boatos e dissimulações dos adversários; por outro lado, de forma alguma desejo ser confundido com as tendências dos Bayreuther Blätter. Tampouco o senhor, querido senhor editor!" E em 3 de setembro: "Ontem, li as páginas odiosas e quase vingativas contra mim – céus, que polêmica desastrada!"

No início de setembro, o estado de saúde de Nietzsche vê uma rápida melhora, e ele a aproveita imediatamente para escrever: em 3 de setembro, escreve cartas à mãe, a Köselitz, a Overbeck e a Schmeitzner. À mãe, escreve: "Finalmente vejo algum avanço, aumentam a força para caminhar, o apetite, o sono, tudo".

**Fuga da doença**

Mas já no dia 13 de setembro (na sexta-feira), ele corrige: "O que dirão! Pretendo voltar para vocês: estou passando tão mal que não sei mais o que fazer – e o semestre de inverno se aproxima, estou apavorado. Aquilo que lhes escrevi foi apenas um lampejo. Na próxima sexta-feira pretendo estar com vocês, na terça parto em direção à Basileia. Vocês podem me escrever ainda para cá o mais rápido possível? – Ou vocês acham que eu deva procurar o Wiel em Zurique? Os Rothpletz-Overbeck me convidaram. Mas onde encontraria a tranquilidade e os cuidados de Naumburg?" Na terça-feira, dia 17, ele se despediu de Interlaken e viajou até Basileia. No dia 18, visitou a Sra. Baumgartner em Lörrach e anuncia sua visita em Zurique[11]: "Na quinta-feira (por volta do meio-dia) chegarei, caso nada me impeça, em Zurique, ou seja, como no ano passado. (Que ano foi este que se passou; temores e tremores!)", no entanto, seu estado de saúde não lhe permite realizar nem mesmo esta rápida viagem. Overbeck lhe escreve em 19 de setembro: "Seu cartão de ontem foi um susto após as notícias favoráveis do penúltimo, e também o atraso de sua chegada nos leva a suspeitar que você não está bem no momento. Venha assim que sua saúde o permitir, cuidaremos de você também aqui". Nietzsche aparenta ter viajado a Zurique no dia 20 ou 21 de setembro, de onde escreve à mãe no dia 21[124]: "Daqui (da Casa Falkenstein), minhas queridas, a notícia de que chegarei em Naumburg na terça-feira (caso minha saúde não o impeça) [...]. Tratam-me muito bem aqui e cuidam de mim melhor do que mereço. Acabei de fazer minha ginástica no quarto". Assim, despede-se já no dia 23 de setembro, viaja até Leipzig, onde passa a noite, e chega em Naumburg no dia seguinte, onde se submete aos cuidados da mãe até voltar para Basileia para o início do semestre de inverno. E Nietzsche não passou muito bem nem mesmo em Naumburg. No dia de sua partida (17 de outubro), informa a Schmeitzner apenas sua volta para Basileia: "Prestes a partir, após semanas *muito* ruins, sofrendo bastante". Esse cartão postal parece ser a única coisa que escreveu durante as três semanas em Naumburg! Nietzsche chega em Basileia no dia 18 de outubro e relata no dia seguinte: "Aqui estou eu, com a cabeça cheia de dores. A viagem foi um pesadelo [...]. Peço que me perdoem meu mau humor – o jugo da doença pesa sobre mim. O coitado do Rée também está doente, um tipo de febre nervosa".

**O último semestre em Basileia**

Em 21 de outubro Nietzsche inicia o novo semestre, mas com poucas esperanças. Já em 1º de novembro precisa se ausentar alguns dias, e isso continua durante todo o inverno. Em 19 de março de 1879, uma semana antes do encerramento oficial do semestre, ele cancela suas preleções.

A correspondência também sofre sob seu estado. Em 15 de outubro Paul Rée lhe escrevera, e Nietzsche lhe responde no dia 20 de outubro, encerrando a carta com as palavras[12]: "O senhor é melhor do que eu, sempre acreditei nisto; e como psicólogo e amigo jamais esquecerei que o senhor, mesmo doente, se lembrou de meu aniversário". Apenas em 14 de dezembro Nietzsche volta a perguntar sobre a saúde do amigo, e nos meados de março de 1879 lhe informa seu colapso físico total.

Outra carta de aniversário havia lhe propiciado uma bela e inesperada surpresa: recebeu uma carta de seu velho amigo Gustav Krug. Nietzsche lhe agradece em 14 de novembro: "Respondo à sua saudação, meu querido Gustav – ela me alcançou na cama – da melhor forma possível sob as circunstâncias atuais (não estou bem). Tudo que você me escreveu parecia provir de uma ilha cheia de pessoas ativas, satisfeitas e esperançosas; foi bom ouvir isso. Aqui, as coisas são diferentes; parece-me que tive que atravessar a nado um estreito perigoso neste ano (e não só no que diz respeito à minha saúde). Continue inclinado e próximo do meu coração, venha o que vier. Não se irrite com meu silêncio e a infeliz escassez de cartas. Também hoje escrevo pouco, *preciso* ser sucinto. Que a felicidade de sua casa, de seus filhos e do seu casamento continue a ser protegida por bons espíritos".

A correspondência com Schmeitzner é determinada pela necessidade. Há, porém, dois endereços que ocupam um amplo espaço em sua correspondência, e as cartas enviadas a estes são resultado de um contato pessoal: com Marie Baumgartner e a mãe em Naumburg. Ambas se preocupam vividamente com o bem-estar físico de Nietzsche e o abastecem com suas amadas torradas, frios e frutas. E também a Sra. Overbeck lhe envia assado de cervo e um frango assado ("proveniente do sul da França [...] rendeu-me quatro refeições", como Nietzsche lhe escreve em 9 de novembro[124]). Isso, porém, provoca ciúmes em Naumburg, como sugere a omissão desta e outras passagens semelhantes na edição das "Cartas reunidas"! Essa edição omite também uma passagem na carta de 30 de novembro: "[...] as três uvas da Sra. Baumgartner não tiveram culpa, eu as comi quando o ataque já havia passado". Ou seja, Naumburg deve ter manifestado sua preocupação segundo a qual essas demonstrações de amor o prejudicavam, ao contrário de suas próprias remessas de presunto e salame. A mãe não tolerava que estas fossem criticadas, e quando Nietzsche ousa fazer uma observação, ele é repreendido e se vê obrigado a revogá-la. Em 28 de outubro, Nietzsche havia observado: "Ainda não comi todo o presunto, ainda nem toquei no salame. Por favor, não me enviem mais nada disso antes que eu lhes peça – para que eu não seja obrigado a comer demais do porco". E em 2 de novembro acrescenta ainda: "A carne de Braunschweig é salgada demais. Tanto os frios quanto o presunto". Mas no dia 8 ele revoga suas críticas: "A pequena observação no meu último cartão as ofendeu? Vejo isso por toda parte: Precisamos ser pacientes uns com os outros, cada um diz algo tolo e imponderado de vez em quando". E em 9 de novembro: "Os pães e bolos de Naumburg são muito úteis [...]. A carne de Braunschweig também conquistou minha simpatia".

### "Miscelânea de opiniões e sentenças"

Em seu miserável abandono e fraqueza, que ele veio a sentir cada vez mais em seu cargo ameaçado pela doença, a ajuda ativa e próxima da Sra. Baumgarter lhe era duplamente valiosa. Em 28 de outubro, ela lhe escrevera: "Caso venham horas difíceis, em que o senhor sinta a falta de sua irmã, peço de todo coração que me chame". Desde sua visita em 18 de setembro a Lörrach, os dois compartilhavam de um segredo. O filho Adolf havia sido informado, mas a mãe lhe impusera o silêncio, e ele aparenta ter cumprido a ordem, pois em 28 de outubro Marie Baumgartner escreve: "Se ele não disse nada em Naumburg, certamente não o fez em Tübingen": ela estava escrevendo o manuscrito final de "Miscelâneas de opiniões e sentenças"!

Em 26 de outubro (um sábado), Nietzsche a visitou em Lörrach. Na segunda-feira, ele lhe escreve[124]: "Ah, prezada senhora, aconteceu o que eu temera, um terrível domingo de dores após nossa *boa* tarde, que sua grande bondade me deu e que minha saúde me permitiu. – Posteriormente, porém, confesso que *exatamente* a mesma coisa aconteceu após a minha visita em setembro: tive que enviar um telegrama a Zurique cancelando minha visita e fiquei de cama. A senhora vê, pois, como é miserável a situação de seu amigo, o quanto está *preso* o seu corpo e por que ele deseja tanto a liberdade do espírito!" – Um ataque segue ao outro, e a Sra. Baumgartner se vê obrigada a visitá-lo em Basileia. Em 7 de novembro, ela lhe traz flores, também uvas e torradas. Ela se dedica assiduamente ao manuscrito, e, em 23 de novembro, Nietzsche pode anunciá-lo ao editor, num cartão postal (novamente, falta a parte com o selo; o texto incompleto diz): "+ + + tudo recebido: + + + (Pe)rgunta: podemos, como + + + nos '*Adendos*' + + + *opiniões e sentenças* (+ + + título principal Hum. Dem. Hum / E.B. ff G) continuar a numeração das páginas e dos aforismos do livro principal? ou seja, que a primeira página seja numerada como p. 379; e o primeiro aforismo, como 639? – O volume do livro será de 8 folhas de impressão ou um pouco menos". Em 31 de dezembro Nietzsche lhe envia o manuscrito e o informa novamente por meio de um cartão postal: "Envio aqui, como saudação para o Ano-Novo, o manuscrito. Pelo amor de Deus, informe-me imediatamente assim que ele estiver em suas mãos! Vivo em medo e temor até lá. – A impressão *pode* ser completada até o final de janeiro, não? 8 folhas. Tudo como no livro principal, inclusive nossos termos. – Abra o pacote com *cuidado*, trata-se de um manuscrito de *bilhetes*. Desejo-lhe de coração tudo de bom". Köselitz lê e corrige as provas, e assim, no final de janeiro, reinicia-se finalmente a correspondência com ele. Schmeitzner inicia imediatamente a impressão, e o livrinho é publicado em 12 de março de 1879. Nietzsche, porém, não consegue se alegrar. Sua saúde está péssima, e uma semana mais tarde ele se vê obrigado a suspender suas atividades em Basileia.

### Alienação de Adolf Baumgartner

Adolf Baumgartner deve ter visto a dedicação e o sacrifício de sua mãe a Nietzsche e o novo plano literário com certa reserva ou até mesmo com repúdio, pois manteve um relacionamento meramente formal com seu antigo professor, do qual ele já havia se separado internamente, mas Nietzsche parece não ter percebido nada disso em sua entrega total às pessoas amigas. Em 21 de dezembro de 1878, ele escrevera à Sra. Baumgartner: "A senhora me anunciará por meio de um cartão em que dia eu posso esperar a visita do seu filho que me é tão caro? Espero que minha doença se prepare adequadamente para este evento". E em 23 de dezembro escreve a Adolf Baumgartner: "Encontro, ao chegar em casa à noite, algo em minha mesa: algo belo e sério em sua essência: fez-me muito bem. – Este presente veio do senhor? Minha mais sincera gratidão. – Mas na quarta-feira estou ocupado. Talvez o senhor possa vir na quinta ou na sexta-feira?* Em ambos os dias estarei em casa entre as duas e quatro da tarde; [...] entrementes, transmito à venerada senhora mãe e ao senhor a saudação angelical: 'Paz na terra e boa vontade entre os homens!'" Há muito, os estudos, os planos exóticos e certa vaidade do jovem haviam provocado o desgosto de Nietzsche, que este manifestara também em cartas a Rohde. Aparentemente, superestimou sua autoridade como amigo paternal, como homem superior provado pelo sofrimento e como "pai acadêmico" e permitiu que esse equívoco o levasse a dizer algumas coisas que o jovem não gostou de ouvir. Meses mais tarde, após concluir seu doutorado em Tübingen em 21 de julho de 1879, Adolf Baumgartner escreveu a Overbeck em 3 de agosto de 1879[188]: "Não sei bem o que achar do Prof. Nietzsche. Meu afeto por ele, após ouvir dele um sermão pedagógico no Natal, sofreu um forte golpe. Não sei se serei capaz de aguentar muito mais". E assim Nietzsche perdeu também este amigo nesse período.

---

* Quinta ou sexta-feira = 24 ou 25 de dezembro de 1878.

### A doença exige uma decisão

Em dezembro e janeiro, Nietzsche passou a sofrer também de uma infecção aguda numa unha. Diariamente teve que ser tratado na clínica. 1878/1879 trouxe um inverno precoce e rígido com muita neve, e Nietzsche se alegrou com esse tempo e com suas caminhadas diárias ao ar puro e gélido. Lamentou apenas que o inverno o mantinha preso em Basileia, frustrando seus planos de viagem no Natal. Pretendera celebrar o Natal em Naumburg e aproveitar a viagem para fazer uma visita a Schmeitzner. E assim teve que passar o Natal mais solitário desde 1864, quando estudava em Bonn. Mesmo assim, recebeu presentes: da mãe, uma caixa com comida, um livro, as luvas tricotadas; da Família Baumgartner, um tomo de Leopardi (na tradução de Heyse). Recebeu um presente também de Overbeck, mas ele aproveitou o feriado para viajar com a família. E Nietzsche também fez presentes: um livro para a Sra. Baumgartner e charutos para o marido; "uma linda capa de chuva" e um peixe de latão para a filha, um cachecol de seda, um canivete com três lâminas e "pão doce" para o filho de seus anfitriões. À mãe, ele dá como presente lenços e uma "máquina a querosene", para fazer chá, igual àquela que ele mesmo usava; Elisabeth pedira um livro sobre a exposição mundial e um lenço de seda. Nietzsche não consegue encontrar nenhum dos itens, e ele tenta "compensar a pobre lhama escolhendo algo que dizem ser 'muito mais elegante'; no entanto, não tenho certeza se lhe agradará tanto quanto o mais simples. Queria estar com vocês..."

Era isto que lhe faltava: o calor humano. No ano anterior e em 1875, Nietzsche celebrara o Natal com Elisabeth em sua própria casa; em 1876, em Sorrento; e antes disso, em Naumburg ou Tribschen. Assim, nesse ano, juntou-se à excitação anual causada pelos feriados e ao péssimo estado de saúde um terrível isolamento. Em 5 de janeiro, num cartão postal a Marie Baumgartner, Nietzsche escreve: "O Dia de São Silvestre e o Ano-novo são dias ruins, ruins para mim. E agora recomeça o desespero do semestre". Em 11 de janeiro, confessa à mãe: "O Ano-Novo foi um início de ano ruim... O dedo também piorou... A paisagem pertence à neve e ao frio". E em 18 de janeiro de 1879:

"Vivi a pior semana de inverno! Senti-me mal na segunda, o ataque veio na terça, quarta ruim, quinta e sexta-feira outro ataque muito violento e infindável, hoje estou abatido e cansado". E novamente em 9 de fevereiro: "Durante três dias não consegui escrever uma linha sequer, novamente muito ruim, toda a semana foi ruim, apesar de ter faltado na universidade. Bem, as coisas terão que melhorar. Mas a preleção exige muita reflexão, não faço nada além disso; jamais passei um inverno tão intensamente sob o signo da reconvalescença; está sendo muito instrutivo para mim. Obtive sucessos brilhantes no que diz respeito ao estômago. Os problemas de visão, porém, aumentaram; os espasmos oculares (que me obrigam a fechar o olho direito durante muitas horas) se espalham pelo corpo inteiro nos dias de ataque". Uma semana mais tarde, em 17 de fevereiro, o quadro continua o mesmo: "Semana ruim. Perdi a vontade de relatar os detalhes. O tempo piorou tudo. O estômago está bem, vivo da forma mais sensata possível. Os olhos, porém, já me impedem de fazer as preleções, sem falar da cabeça. (6 dias de dores de cabeça, aliviadas apenas pelo sono)" e isso se intensifica ainda mais. Em 28 de fevereiro, escreve[124]: "Minhas amadas, desde então tenho sofrido de forma indescritível. Um ataque de quatro dias e outro de seis dias do tipo mais violento – vômito após vômito... Ousei fazer uma única preleção – agora, tive que me ausentar por outra semana inteira". E em 9 de março: "Houve uma noite que acreditei não sobreviver". Mesmo assim, não desiste. Inicia uma luta férrea contra a força do destino. Em 17 de fevereiro, pede a Elisabeth que "traduza bem de Doudan* todas as sentenças sobre assuntos literários" e a lembra em 9 de março: "Espero diariamente algumas folhas de Doudan, minha lhama querida! Perdão! Preciso disso; diga-me com firmeza se você pode ou pretende fazê-lo (preciso poder *confiar* na tradução)".

E em 1º de março, ele faz um pedido semelhante à Sra. Baumgartner: "A senhora poderia traduzir para mim sentenças literárias das *lettres à une inconnue*, de Mérimée?" Ela cumpre seu desejo, e em 6 de abril ele agradece de Genebra: "O Domingo de Ramos, que todos os anos passo com sentimentos e desejos infantis de uma alegria renovada e que, consequentemente, se transforma cada vez mais em dia de melancolia, trouxe-me sua saudação e a continuação de Mérimée – sou muito grato por ambas. Mérimée é um artista de primeira ordem e, como ser humano, decidido a ser e ver com clareza: ele me faz bem". E em 30 de março, em meio aos piores sofrimentos, escreve a Overbeck: "Não existe recuperação para este homem solitário. – Os *Dialogues des morts*, de Fontenelle, são parentes de sangue"**. Mesmo assim, não desiste de sua procura por ânimo, e ele o faz justamente na literatura francesa. Tampouco desiste da esperança de uma recuperação de sua saúde. Em 9 de março, relata à mãe o tratamento com água fria, ao qual ele atribui uma rápida melhora de seu estado, e planeja submeter-se a outra cura de banho em Rehme (Bad Oeynhausen na Westfália). "Overbeck também falou sobre a influência positiva de Rehme sobre dores de cabeça", escreve em 9 de março para Naumburg, mas no

---

\* Xaver Doudan: "Mélanches et lettres".

\** Fontenelle, 1657-1757, "Dialogues des morts", 1683; Iluminismo.

dia 14 já reduz as expectativas: "Informei-me (medicinal e cientificamente) sobre Rehme em todos os pontos. – Não existe banho para minhas dores de cabeça. Mas poderia ainda tentar um descanso de, pelo menos, cinco anos (não acredito mais em uma recuperação. Vocês não fazem ideia do abalo do cérebro, da extinção da visão). Menos do que cinco anos seriam uma tolice, disse Overbeck. Partirei em oito dias, na sexta-feira".

Mas para onde? Já em outono de 1878, Köselitz sugerira uma estadia em Veneza, no Lido, na parte voltada para o mar. Ele havia até produzido aquarelas para convencê-lo. Mas os amigos em Basileia, sobretudo Jacob Burckhardt, o aconselharam a não aceitar a proposta que deixara Nietzsche entusiasmado. Ainda em 1º de março de 1879, ele respondera a Köseltiz: "Programa provisório. Chegada em Veneza na terça-feira, 25 de março, às 7:45h da noite e embarque com o senhor. Nada quero ver senão por acaso. Mas sentar na Praça de São Marcos e ouvir música militar num dia de sol. Aos feriados, assistir à missa em San Marco. Pretendo visitar os jardins públicos em toda tranquilidade. Comer bons figos. E ostras... Silêncio absoluto. Trarei alguns livros. Banhos quentes em Barbese".

Mas dois dias antes de sua partida, antecipada para 21 de março, Nietzsche continua indeciso: "Outro ataque terrível (o segundo neste inverno com vômitos), que me deixou assolado: tive que suspender as preleções. Partirei na manhã de sexta-feira. Para onde? Ainda não sei. Eu lhes direi até a segunda ou terça-feira". – E então viaja até Genebra: "Acabei aqui, sozinho. Não ousei transpor as montanhas, estou passando mal. Também aqui", escreve em 23 de março à mãe. Ele se hospeda primeiro no Hotel de la Gare, mas ainda nos primeiros dias se muda para o Hotel Richemont às margens do lago. De lá, escreve a Overbeck em 25 de março: "Um ataque do pior tipo (com muito vômito)... Sempre doente, estômago totalmente confuso. Bem, tentarei persistir". E em 30 de março: "Entrementes, mudei-me outra vez, mesmo que apenas dentro do próprio hotel. Meu quarto fica no alto (5º piso), lindo, saudável, no antigo apartamento de Diday, perto do lago. – Minha vida é mais tortura do que descanso. – 'Queria ser cego!' Este tolo desejo é agora minha filosofia. Pois *leio*, coisa que não deveria fazer – como não deveria também pensar –, mas *penso*".

Em 6 de abril, no Domingo de Ramos, ele recebe não só a tradução de Mérimée da Sra. Baumgartner, mas também uma carta minuciosa de Jacob Burckhardt agradecendo pelo envio de "Miscelânea de opiniões e sentenças"[61]: "Li e devorei os adendos a 'Humano, demasiado humano' com uma surpresa renovada sobre a livre plenitude de seu espírito. Como se sabe, jamais me penetrei o templo do pensamento verdadeiro, antes passei minha vida me deleitando nos jardins e corredores de

Períbolo, onde domina o figurativo no sentido mais amplo da palavra. E agora seu livro acolhe também peregrinos tão indolentes quanto eu. E onde não consigo acompanhá-lo, observo com uma mistura de temor e diversão com que firmeza o senhor passeia pelos cumes mais altos e tento imaginar o que o senhor vê na profundeza e na distância. [...] O que diria o velho Montaigne? Entrementes, reuni algumas sentenças, que certamente provocariam a inveja de, por exemplo, La Rochefoucauld..." A metáfora do andarilho nos cumes é um daqueles elogios que chegaram a influenciar decisivamente os pensamentos e a autoestima de Nietzsche (algo semelhante aconteceria mais tarde com a expressão de J.V. Widmann sobre a "dinamite"). Involuntariamente, Jacob Burckhardt incentivou assim o "zaratustrismo"; o montanhista corajoso se transformou em imagem ideal de Nietzsche, pois como mero passeador ele era tudo, menos isto. Sua miopia não lhe permitia abandonar as trilhas oficiais. Nietzsche, em seu entusiasmo ingênuo, não percebeu a ressalva contida na formulação de Burckhardt: Burckhardt não era "andarilho dos cumes", nem mesmo nas regiões espirituais, a despeito de todos os seus amplos conhecimentos históricos; ele não o queria ser, não era este o seu "ideal".

A despeito dos maiores cuidados e da cura de banho, não existia mais salvação para sua saúde. Em 30 de março, Nietzsche escreve para Naumburg: "Tomo meus banhos; mas estou muito pior do que na mesma época do ano passado. Até agora, mais tortura do que recuperação... Jamais se esqueçam de quão bem *vocês* estão! E lembrem-se da minha vida à beira do abismo. Três quartos de dor e um quarto de exaustão".

### Despedida de Basileia

Em 15 de abril começou o novo semestre de verão, para o qual Nietzsche já havia anunciado seus cursos. No dia 18, pediu a Overbeck: "Posso pedir-lhe, querido amigo, que afixe para mim o catálogo de preleções no quadro-negro, mas com a observação final: 'Inscrições no fim das primeiras preleções. Início no sábado, 26 de abril, às nove horas no auditório III". Nietzsche se vê obrigado a encerrar a cura e retornar para Basileia. Aqui, ele se consulta com o oftalmologista Prof. Schiess. Em 25 de abril, relata à mãe e à irmã: "Desde meu último cartão minha saúde tem piorado constantemente, tanto em Genebra quanto em Basileia... Ataque após ataque, tanto lá quanto aqui. Até agora, incapacitado de realizar qualquer preleção. – Schiess constatou novamente uma piora considerável da minha visão". O Prof.-Dr. Rudolf Massini também reconhece que não há esperança para Nietzsche e confessa em um parecer enviado ao presidente do governo Dr. Carl Burckhardt-Burckhardt em 3 de maio[242]: "O estado do infeliz colega, o Sr. Prof. Nietzsche, é infelizmente tão ruim que este é absolutamente incapaz de cumprir com suas obrigações como professor universitário no semestre de verão, tornando-se imprescindível dispensá--lo imediatamente de suas funções; visto que não podemos esperar uma recuperação da saúde do Sr. Prof. Nietzsche, nós, os médicos, o aconselhamos a entregar sua carta de demissão. O paciente deseja que também nós comuniquemos os fatos à secretaria de educação". Assim, finalmente o destino impõe uma decisão. Em 2 de maio, Nietzsche entrega ao presidente do departamento de educação sua carta de demissão em linda caligrafia de uma pessoa desconhecida, assinada pessoalmente por Nietzsche:

"Respeitadíssimo Senhor Presidente! O estado da minha saúde, em virtude do qual já me vi obrigado várias vezes a me dirigir ao senhor com um pedido, hoje me leva a tomar o último passo e a expressar o pedido de ser dispensado da minha posição atual como professor da universidade. As dores de cabeça cada vez maiores, a perda de tempo cada vez maior causada pelos ataques de dois a seis dias de duração, o enfraquecimento considerável da minha visão novamente constatado (pelo Sr. Prof. Schiess), que não me permite ler e trabalhar sem dores durante mais do que 20 minutos – tudo isso me obriga a reconhecer que não consigo mais cumprir as minhas obrigações acadêmicas... Resta-me então apenas, com recurso ao § 20 da lei universitária, expressar com grande pesar meu desejo pela demissão, juntamente com o agradecimento pelas numerosas demonstrações de boa vontade concedidas a mim pela sua autoridade desde o primeiro dia de minha contratação até hoje".

Essa decisão já deve ter amadurecido bem antes, pois já em 3 de *abril* Nietzsche escreve a Overbeck: "Sim, querido amigo, você está certo. Eu viria imediatamente se não sofresse da basileiofobia, tenho medo e pavor da água ruim, do ar ruim, de toda natureza opressora deste berço infeliz de meus sofrimentos [...]. Acabo de me levantar de uma permanência altamente dolorosa de dois dias na cama". Em 7 de maio, ele começa a dissolver seu pequeno lar e convida também a Sra. Baumgartner para uma visita de despedida. Entrementes, Overbeck alarmou a irmã, que chega em Basileia no dia 10 de maio. Os dois irmãos partem para uma cura em Schloss Bremgarten, nas proximidades de Berna, onde ficam menos de uma semana. Em 21 de maio, visita Rothpelz em Zurique; no dia 29, assina o livro de hóspedes do hotel em Wiesen, próximo de Davos, de onde, no dia 30, escreve à irmã, que viajara para Basileia, relatando que não conseguira dormir durante quatro dias.

Entrementes, Elisabeth entrega o apartamento em Basileia. E também as autoridades executam as últimas medidas oficiais. Em 14 de junho, o governo de Basileia acata o pedido de demissão de Nietzsche e determina como data de demissão o dia 30 de junho de 1879. Nietzsche continua a receber seu salário até esta data: "O conselho executivo do cantão da cidade de Basileia concede, a pedido do departamento de educação, ao Sr. Dr. Phil. Friedrich Nietzsche, professor de Língua e da Literatura gregas no Pädagogium e na universidade desde a Páscoa de 1869, a demissão por ele requerida por motivos de saúde para o final deste mês, atestando-lhe pelos serviços extraordinários em execução de seu cargo os sinceros agradecimentos das autoridades, concedendo-lhe para os próximos seis anos uma pensão de mil francos anuais". O conselho acatou assim as sugestões do extenso parecer do diretor da secretaria de educação, Dr. Paul Speiser, que havia recomendado: "Sob estas condições, por mais que lamentemos a perda de um professor tão excelente, não nos resta senão aceitar o pedido de demissão". Para a pensão de Nietzsche foi determinante o fato de a universidade receber 1.000 francos da Fundação de Heusler durante seis anos e outros 1.000 francos da Sociedade Acadêmica[242], permitindo assim pagar uma pensão de 3.000 francos anuais a Nietzsche; o prazo de seis anos, porém, precisou ser estendido. Precisamos levar em consideração que esta pensão não foi paga por uma seguradora, pois na época não existiam planos de previdência com contribuição dos segurados. Essa pensão, financiada em parte por contribuições privadas, é, portanto, sinal do profundo respeito pelo homem e do reconhecimento por sua atividade docente, uma expressão de profundo afeto por parte das autoridades e dos círculos acadêmicos de Basileia: Nietzsche tinha apenas 34 anos de idade e havia trabalhado como professor durante apenas 10 anos; mesmo assim, concederam-lhe uma pensão que equivalia a dois terços de seu salário.

Em 18 de junho, o nome de Nietzsche foi excluído do registro da secretaria de habitação, concluindo assim sua despedida da universidade e de Basileia também formalmente. Nietzsche havia abandonado sua última residência fixa, iniciando agora a existência vacante da segunda metade de sua vida.

Conecte-se conosco:

facebook.com/editoravozes

@editoravozes

@editora_vozes

youtube.com/editoravozes

+55 24 99267-9864

www.vozes.com.br

Conheça nossas lojas:
www.livrariavozes.com.br

Belo Horizonte – Brasília – Campinas – Cuiabá – Curitiba
Fortaleza – Juiz de Fora – Petrópolis – Recife – São Paulo

EDITORA VOZES LTDA.
Rua Frei Luís, 100 – Centro – Cep 25689-900 – Petrópolis, RJ
Tel.: (24) 2233-9000 – E-mail: vendas@vozes.com.br